KB196708

영남대학교 중앙도서관 소장 귀중도서

자료집 3

연구책임자 : 이수환

공동연구원 : 배현숙, 서인석, 남경란, 정은진

전임연구원 : 박은정, 김남경

연구보조원 : 이광우, 백지국, 정은영, 양재성, 윤정식, 곽현희

기획 · 편집 : 이병훈

영남대학교 민족문화연구소 민족문화자료총서 30

영남대학교 중앙도서관 소장 귀중도서

자 료 집 3

초판 1쇄 인쇄 2014년 5월 20일
초판 1쇄 발행 2014년 5월 30일

편　자 영남대학교 민족문화연구소
발행인 한정희
발행처 경인문화사

주소 서울시 마포구 마포동 324-3
전화 (02)718-4831
팩스 (02)703-9711
등록 1973년 11월 8일 제10-18호
홈페이지 www.kyunginp.co.kr / www.mkstudy.net
이메일 kyunginp@chol.com / kip1@mkstudy.net

가격 58,000원
ISBN 978-89-499-1067-3 93910

© 2014, Kyungin Publishing Co. Printed in Korea

※ 이 책은 2010년도 정부재원(교육과학기술부 인문사회연구역량강화
　사업비)으로 한국연구재단의 지원을 받아 연구되었음(NRF-2010-
　322-A00089).

영남대학교 민족문화연구소
민족문화자료총서 30

영남대학교 중앙도서관 소장 귀중도서

자료집 3

영남대학교 민족문화연구소 편

景仁文化社

일러두기

1. 이 자료집은 한국연구재단에서 지원하는 '2010년 기초연구지원 인문사회(토대연구) 사업'인 〈영남대학교 소장 희귀ㆍ귀중 국학 자료 해제ㆍ연구 및 DB 구축 사업〉의 3차년도 결과물(영인집ㆍ자료집ㆍ해제집) 중 하나이다.

2. 이 책은 영남대학교 중앙도서관 귀중본실 소장 자료 10종을 데이터베이스화한 것이다.

번호	DB 구축 대상자료	판본	책수	등록번호
1	김진옥전	필사본	1	Y0246800
2	규중칠우쟁론기	필사본	1	Y0246667
3	동국패사(東國稗史)	필사본	1	Y0246021
4	두껍전	필사본	1	Y0246776
5	명주옥연기합(明珠玉燕奇合)	필사본	25	Y0225780 ~ Y0225802
6	백화당가	필사본	1	Y0246729
7	불설장수멸죄호제동자다라니경 (佛說長壽滅罪護諸童子陀羅尼經)	목판본	1	Y0246759
8	신정심상소학(新訂尋常小學)	재주정리자	1	Y0246723
9	여창가요록(女唱歌謠錄)	필사본	1	Y0246749
10	쌍주기연	필사본	1	Y0246669

3. 원문 정보를 최대한 제공하기 위하여 원문을 있는 그대로 입력하는 것을 원칙으로 삼았다. 입력의 구체적인 방법은 아래와 같다.

　▶원문 입력 방법

　① 원전에 나타난 한자, 한글, 구결을 그대로 제시하는 것을 원칙으로 한다. 따라서 오자가 분명하더라도 바로 잡지 않고 원전대로 제시한다. (단, 한자 이체자인 경우, 대표자(원형)를 밝혀서 입력한다.)

　② 세주는 '〈　　〉'(유니코드 번호 : 003CㆍE)로 묶어 제시한다. 세주에 다시 세주가 있는 경우, '《　》'(유니코드 번호 : 226AㆍB)로 표시한다.

　③ 글자는 뚜렷하나 입력을 할 수 없는 한자의 경우 원문 이미지를 넣었다.

④ 판독이 어려운 자는 '?'로 표시한다. 원본이 훼손되었지만 글자를 확실히 추정할 수 있는 경우에는 '[　]'(유니코드 번호 : FF3B · D)으로 표시하였다.

⑤ 훼손된 글자는 훼손된 글자 수만큼 'ㅁ'(유니코드 번호 : 25A1)로 표시하고, 글자 수를 모를 경우에는 'ㅁ…ㅁ'로 표기하였다.

⑥ 그림이 그려져 있는 경우, '[그림]'으로 표시하고, 원본의 페이지가 낙장(落張)인 경우 '[낙장]'으로 표시하였다.

⑦ 음영이 있는 경우, '【　】'(유니코드 번호 : 3010 · 3011)로 표시한다. 행과 행 사이에 글자가 위치할 경우 '◄　►'(유니코드 번호 : 25C4 · 25BA)로 표시하였다.

⑧ 서지 정보는 행마다 표시하며, 문헌, 장차, 행차까지 나타낸다. 단, 산문 자료 일부는 가독성을 고려하여 행의 구분 없이 쪽만 표기한다. ㉔규중칠우쟁론기, 명주옥연기합, 백화당가

⑨ 해당 문헌은 약호로 나타내고, 그 약호는 문헌의 앞 글자 2자를 이용한다.

⑩ 장차(張次)는 아라비아 숫자로 나타내며, 앞·뒤가 있을 경우, 앞면은 'ㄱ', 뒷면은 'ㄴ'으로 표시한다. 원문의 장차가 100장이 넘을 경우에는 '001'로 시작하고, 100장이 넘지 않을 경우에는 '01'로 시작한다. ㉔ (심상01ㄱ01) (단, 원문 자체에 장차가 없는 경우, 맨 앞 장을 '01'로 시작하여 번호를 표시하고, 그것을 서지 정보로 삼는다.)

⑪ 서지 정보의 약호와 제시 예는 다음과 같다. 산문 자료 3책은 장차 구분을 하지 않아서 생략한다.

번호	대상자료	약칭	장차
1	김진옥전	김진	(김진01ㄱ01)
2	규중칠우쟁론기	-	-
3	동국패사	동국	(동국01ㄱ01)
4	두껍전	둑겁	(둑겁01ㄱ01)
5	명주옥연기합	-	-
6	백화당가	-	-
7	불설장수멸죄호제동자다라니경	불설	(불설01ㄱ01)
8	신정심상소학	심상	(심상001ㄱ01)
9	여창가요록	녀창	(녀창01ㄱ01)
10	쌍주기연	쌍주	(쌍주01ㄱ01)

목차

1 / 김진옥전

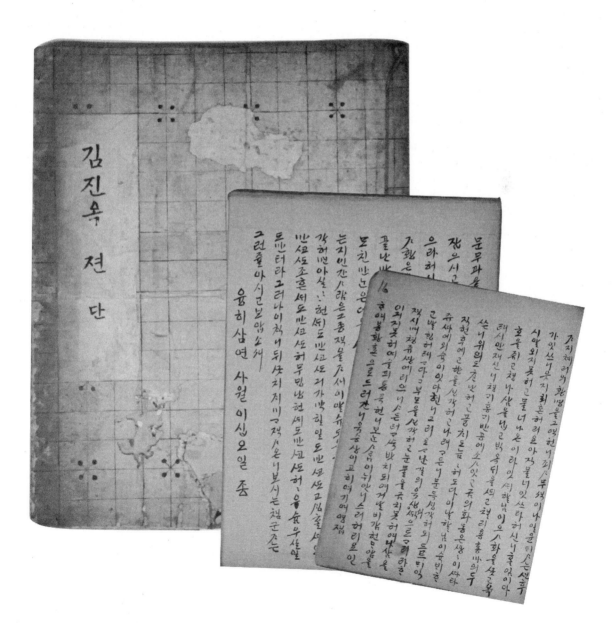

(김진01ㄱ:01) 김진옥 젼

(김진01ㄱ:02) 각셜 이쎠예 흔 직상이 잇시되 셩은 김이요 명은 혜랑

(김진01ㄱ:03) 인니 일직 소년 등과ㅎ야 베살리 일품이요 명망이 쳔ㅎ

(김진01ㄱ:04) 예 진동허고 가셰는 부요허나 다만 슬ㅎ의 일졈 혈륙이 업

(김진01ㄱ:05) 셔 글노 민양 슬러허며 남여간 자식 읍시믈 흔탄허여 눈물

(김진01ㄱ:06) 노 셰월을 보니던니 일〃은 흔 노승이 지나다가 말ㅎ되 틱

(김진01ㄱ:07) 의셔 귀ᄌ을 보려 허시거든 빅일 긔도ㅎ고 졍셩을 발원허

(김진01ㄱ:08) 면 귀ᄌ을 보오리다 허거날 부인이 승상게 엿ᄌ오되 쳡도 원

(김진01ㄱ:09) 컨틱 명산티쳔에 지셩으로 발원ㅎ야 ᄌ식을 볼작시면 쳔

(김진01ㄱ:10) ㅎ예 무ᄌ식헐 스름이 어티 잇ᄉ오리요 그러허나 지셩이면

(김진01ㄱ:11) 감쳔이라 ㅎ오니 실영지ㅎ예 발원허여 볼가 허나이다 승상

(김진01ㄱ:12) 이 만일 회심허실진틱 쳡도 지셩발원허여 소원을

(김진01ㄴ:01) 풀가 허나이다 허고 틱일 발힝허여 명산 졔일봉에 올나

(김진01ㄴ:02) 가 살펴본니 긔암은 즁〃ㅎ고 초목은 무셩헌틱 난봉공ᄌ

(김진01ㄴ:03) 이 왕닉허고 경긔졀승허여 스름의 졍신을 놀닉는지라

(김진01ㄴ:04) 부인이 지셩을 다허여 목욕직게허고 지셩발원헌 연

(김진01ㄴ:05) 후에 직시 도라와 상공으로 더부러 셰월을 보닉든니 일

(김진01ㄴ:06) 일은 츈몽을 의지ㅎ야 잠간 죠을든니 호련 흔 쌍 션녀 쳔

(김진01ㄴ:07) 상으로 나려와 부인계 고왈 지셩니 지극기로 귀ᄌ을 졈지

(김진01ㄴ:08) 허온니 부틱 귀히 길너 영화을 보옵소소 허고 직시 이러나

(김진01ㄴ:09) 화산 화초암으로 간다 허고 가거날 호련 씨다른니 침승

(김진01ㄴ:10) 일몽이라 부인니 몽ᄉ을 싱각허고 쥬야로 바라든니 그

(김진01ㄴ:11) 달벗틈 틱긔 잇셔 십삭 만에 탄싱헌니 일기 옥동니라 긔

(김진01ㄴ:12) 골리 쥰슈헌니 비범흔 골격이 안니로다 일홈을 진

(김진02ㄱ:01) 옥이라 허고 장즁보옥갓치 ᄉ랑허든니 졈〃 ᄌ라 오육

(김진02ㄱ:02) 셰 된지라 일〃은 화초암에 흔 도ᄉ 잇단 말을 듯고 진옥

(김진02ㄱ:03) 을 불너 왈 드은니 화산 화초암에 셜동도스 잇다 ᄒ니 네 차즈

(김진02ㄱ:04) 가 슈학허여 ᄢ을 기다리라 허시거날 진옥니 직시 부모을

(김진02ㄱ:05) ᄒ직허고 발힝허여 도스을 ᄎ즈ᄀ 슈학헐시 상셔 부〃 진옥을

(김진02ㄱ:06) 화초암에 보늬고 싱각이 미양 간졀허시드라 잇쩌는 갑즈

(김진02ㄱ:07) 연 츈삼월이라 국은니 블힝허예 이제 즁국을 침범ᄒ야 병화

(김진02ㄱ:08) 디죽헌지라 상셔 황명을 밧즈와 도젹 파헐 계교을 힝허던니

(김진02ㄱ:09) 간신의계 잡피여 무인절도에 원찬허신니 실푸다 부인니 상

(김진02ㄱ:10) 셔은 희도의 젹거허고 아즈 진옥을 화초암에 보늬고 가스

(김진02ㄱ:11) 을 총찰허여 셰월을 보늬던니 일〃은 신긔 곤뇌허여 호련

(김진02ㄱ:12) 조으던니 풍진니 요란허여 피신헐 길리 읍셔 황〃

(김진02ㄴ:01) 급〃허던니 진옥을 싱각허고 화초암으로 가다가 즁노

(김진02ㄴ:02) 에셔 도젹을 만나 목슘을 보젼코즈 ᄒ고 흔 곳듸 다〃른니

(김진02ㄴ:03) 흔 노승이 문왈 부인니 쳥쥬 ᄯᅡᆼ에 김상셔에 부인니신잇

(김진02ㄴ:04) 가 허며 왈 부인은 잔명을 보젼코즈 허시거든 소승을 ᄯᅡ

(김진02ㄴ:05) 라가시면 흔 암즈가 잇스온니 아직 유허옵시다가 나죵

(김진02ㄴ:06) 지스을 보시면 웃더허신잇가 부인니 올히 여겨 노승을

(김진02ㄴ:07) ᄯᅡ라가 삭발위승허고 일신을 의지허여 셰월을 보늬던

(김진02ㄴ:08) 니 쥬야 진옥 싱각허고 불젼에 축원허더라 잇쩌에 진옥

(김진02ㄴ:09) 이 화초암에셔 공부을 심쓰던니 ᄒ로은 마암이 즈연 회

(김진02ㄴ:10) 심허여 자연 이러나 깁푼 산즁에 드러간니 칭암졀벽 놉푼

(김진02ㄴ:11) 봉은 ᄒ날에 다아 잇고 만산풍경과 폭포슈는 운무즁예 글

(김진02ㄴ:12) 여 잇고 화향은 습의허고 금셩은 스룸에 회포을 돕는 듯

(김진03ㄱ:01) 약유쳔 만스 푸른 버들은 별누을 머금은 듯 의〃쳥〃허다

(김진03ㄱ:02) 황금 갓튼 쇠쏠이는 셰류간의 나라들고 빅셜 갓튼 흔나

(김진03ㄱ:03) 비는 꼿슬 보고 반기노니 스람에 심스가 온젼허랴 잇쩌 진

(김진03ㄱ:04) 옥이 모친을 싱각허고 슬푼 ᄆ암이 졀노 난다 눈물을 머

(김진03ㄱ:05) 금고 흔슙지고 화쵸즁에 안져든니 문득 난 데 읍는 도스ㄱ 와

(김진03ㄱ:06) 겻희 안거날 진옥이 몸을 굽펴 답예허고 살펴본니 범인니

(김진03ㄱ:07) 안니여날 도스 왈 너는 웃더헌 아히관딕 이 갓튼 산즁에 외로

(김진03ㄱ:08) 이 안자는야 허거날 진옥이 도스을 즈셰 본직 몸에는 나삼을

(김진03ㄱ:09) 입고 머리에 갈건을 쓰고 손의는 봉기을 들고 허리에 븩옥딕

(김진03ㄱ:10) 을 씌여신니 아마도 신션이라 진옥이 드시 쥬왈 소즈 살기는

(김진03ㄱ:11) 청쥬 짱에 스옵든니 난즁에 부모을 일삽고 사싱존망을 아지

(김진03ㄱ:12) 못허여 쥬야로 스러허나이다 도스 왈 그도 역시 운슈

(김진03ㄴ:01) 불길허미라 일역으로 못헐 비라 그러느 〃을 짜라오라

(김진03ㄴ:02) 진옥이 그 말을 듯고 반겨 왈 션싱계셔 화린지탁으로 구구헌

(김진03ㄴ:03) 잔명을 살여 쥬옵시면 은혀ㄱ 난망이도소이다 바라건딕 션싱

(김진03ㄴ:04) 은 길을 인도허여 쥬옵소셔 허며 션관을 짜러 산봉을 너머간니

(김진03ㄴ:05) 만흑쳔봉 심쳐 즁의 졍결헌 초옥이 잇스되 션관에 풍월귀

(김진03ㄴ:06) 라 삭여 잇고 유졍흔 황잉는 소릭 〃〃 환위허고 쳥송과 녹쥭은

(김진03ㄴ:07) 울〃허고 쳥〃헌데 황금 딕즈로 써쓰되 화산도스라 허여거날

(김진03ㄴ:08) 드러가 슈월을 유슉흐니 비녹 사졔나 졍분는 부자나 다름

(김진03ㄴ:09) 이 읍셔 일시도 써나지 안코 쥬야 학업을 심씨니 셰상 소식이

(김진03ㄴ:10) 아득허여 부모에 존망을 아지 못허거이와 만일 만나도 웃

(김진03ㄴ:11) 지 알니요 진옥이 허일 읍셔 션싱을 흑직허고 써나 흔 고듸 이

(김진03ㄴ:12) 른니 흔 도식 노감토을 숙여 씨고 바랑을 메고 셕상에 누어 잠을

(김진04ㄱ:01) 깁피 드러난지라 난듸읍는 불이 〃러나 풍셰을 좃츠 도스 압푸

(김진04ㄱ:02) 로 붓트온니 진옥이 급피 도스을 흔드러 씌우니 도스가 이러 안

(김진04ㄱ:03) 지며 눈을 부릅쓰고 여셩딕미 왈 너는 웃더헌 아히관딕 달게

(김진04ㄱ:04) 즈는 잠을 씌우는다 진옥이 딕왈 소즈는 화산도스에 계즈옵든

(김진04ㄱ:05) 니 맛츰 지느다가 보오니 불리 붓터 노인의계 밋칠가 염녀허

여 씌

(김진04ㄱ:06) 와난이다 그 노인이 불을 피허여 안지며 왈 네가 화산도스에 제

(김진04ㄱ:07) 즈라 헌니 늬가 이왕 화산도스을 보와건이와 네 성명은 무어시

(김진04ㄱ:08) 라 허는다 허며 바랑으로셔 권션을 늬여 녹코 왈 드른니 김진

(김진04ㄱ:09) 옥는 부모을 이별헌 스룸이라 헌니 그뒤 만일 부모을 만나고즈

(김진04ㄱ:10) 허거든 시쥬허라 헌니 진옥이 〃 말을 듯고 뒤경 왈 이 스룸니

(김진04ㄱ:11) 필시 범상헌 스룸이 안이로다 허고 화산도스 쥬는 금을 봉지지

(김진04ㄱ:12) 로 쥬며 왈 션싱은 소즈에 부모 계신 곳 길 그리쳐 쥬옵소셔

(김진04ㄴ:01) 흐니 노승니 금을 밧고 왈 너의 부모 계신 곳졀 아지 못허거이

(김진04ㄴ:02) 와 지성으로 츠지면 오릭지 안이허여 만나 보리라 허며 바

(김진04ㄴ:03) 랑으로셔 여복 한 벌을 늬여 쥬며 왈 이 거시 불가허나 일후

(김진04ㄴ:04) 에 쓸 고지 잇스리라 허거날 진옥이 여복을 바다 가지고 왈

(김진04ㄴ:05) 션싱 말삼니 지성으로 츠지면 부모을 만나 보리라 허신니 웃지

(김진04ㄴ:06) 허면 속히 만나 보오리가 션싱은 즈셔이 가르쳐 쥬옵소셔 그

(김진04ㄴ:07) 노인이 답왈 강진 짱에 삼장스을 츠즈 쳥의동즈을 만나거든
　　　　　　　　무러

(김진04ㄴ:08) 보라 허거놀 진옥이 그 말을 듯고 직시 노승을 이별허고 초힝노

(김진04ㄴ:09) 숙허여 〃러 날 만에 강진 짱에 삼장스을 차즈간니 과연 쳥의
　　　　　　　　소연이

(김진04ㄴ:10) 나귀을 타고 오거날 진옥이 반계 공슌이 졀허고 왈 소즈은 쳥쥬

(김진04ㄴ:11) 짱에 스옵든니 난중의 부모을 늬별ᄒ고 존망을 아지 못허온

(김진04ㄴ:12) 니 존공은 부모 계신 곳슬 가려쳐 쥬옵소셔 헌니 그 소연이 답

(김진05ㄱ:01) 왈 네 어려셔 부모을 이별허여다 흐니 길예셔 보이면 웃지 알

(김진05ㄱ:02) 이요 허며 쏘 이로되 네가 부모 얼골을 보려 허거든 힝남산

(김진05ㄱ:03) 을 츠즈 그다그 노고을 만나거든 무러 보라 허고 간 데 읍거
　　　　　　　　날 진

(김진05ㄱ:04) 옥이 싱각허되 화산도스가 길을 인도허시미로다 허고 가든니

(김진05ㄱ:05) 십여 일 만에 힝남산을 츠져 드러간니 인젹이 고요허여 답〃

(김진05ㄱ:06) 허든 츠에 노인이 광쥬리을 엽혜 씨고 오거날 진옥니 노인을 보

(김진05ㄱ:07) 고 반계 졀허고 왈 소즈는 쳥쥬 쌍에 스옵든니 난즁예 부모을
일스

(김진05ㄱ:08) 와 일노 한이로소이다 만일 아러시거든 즈셔이 ᄀ럿쳐 쥬옵시

(김진05ㄱ:09) 기을 쳔만 바라나이다 노인이 답왈 나는 귀 먹고 눈 어둔 스름
이라

(김진05ㄱ:10) 웃지 알이요 그러나 이리로 ᄀ면 답산허는 스름이 잇슬 거시
이 그

(김진05ㄱ:11) 스름을 보고 무러 보면 즈연 알이라 허고 호련 간 데 읍거날
진옥이

(김진05ㄱ:12) 안연 답〃허여 흐날을 우러〃 통곡 왈 명쳔는 살피스 우리

(김진05ㄴ:01) 부모 계신 곳졀 가럿쳐 쥬옵소셔 허고 삼일 만에 진쥬강을 근너

(김진05ㄴ:02) 영산을 넘어간니 흔 노승이 권션을 펴 녹코 왈 소승은 용보스 화

(김진05ㄴ:03) 쥬승이옵든니 붓쳐님에 풍우을 면코즈 ᄒ여 두루 단이옵든니

(김진05ㄴ:04) 공즈는 시쥬허시면 이별허셧든 부모을 만나 보오리다 진옥이 〃

(김진05ㄴ:05) 말을 듯고 이벗든 오슬 버셔 노승을 쥬며 왈 소즈 유리걸식허든

(김진05ㄴ:06) 스름이라 가진 거시 입부니온니 바든시고 우리 부모 계신 곳질

(김진05ㄴ:07) ᄀ으쳐 쥬옵소셔 노승니 답왈 그듸 부모을 츠지려 허거든 장능

(김진05ㄴ:08) 쌍 ᄀ셔 츄슈허는 스름이 잇실 거시니 그 스름을 츠져 무르면
즈연

(김진05ㄴ:09) 알리라 허고 간 데 읍거날 진옥이 〃 말을 듯고 장능으로 츠
져가든

(김진05ㄴ:10) 니 여러 날 만에 장능에 가 흔 스름을 보고 무런즉 그 사람이
답왈

(김진05ㄴ:11) 츄슈허는 스름을 츠져 무러면 알여이와 그듸 무슴 일노 문는다

(김진05ㄴ:12) 진옥이 업씌여 왈 나는 부모을 일은 스룸이라 그 츄슈허는 스

(김진06ㄱ:01) 룸을 ᄎ져ᄀ 뭇고ᄌ ᄒ노라 기인이 답왈 예단니 적지 안이ᄒ온

(김진06ㄱ:02) 니 은ᄌᄀ 삼빅양이요 치단이 〃 십오필리라 허물며 그듸 갓

(김진06ㄱ:03) 튼 거린으로 웃지 예단을 감당허리요 허거날 진옥이 〃 말을

(김진06ㄱ:04) 듯고 낙담허여 부모을 싱각허고 눈물을 흘이다가 일낙환

(김진06ㄱ:05) 혼 되민 허일읍셔 초당에 누어든니 그 날 밤에 혼 도스 구룸을

(김진06ㄱ:06) 타고 나려와셔 진옥을 불너 왈 네 부모 츤는 정성이 지극허

(김진06ㄱ:07) 기로 녜단 밧칠 거슬 두고 가노라 허거날 진옥이 정신을 ᄎ

(김진06ㄱ:08) 려본이 녜단는 노야씨나 도승의 형용은 간 듸 읍는지라 직시

(김진06ㄱ:09) 이러나셔 공즁을 향허여 무슈이 스례허고 잇튼날 치단을 가지고

(김진06ㄱ:10) 문복인을 차자간이 인적이 희쇼흔지라 보기을 쳥헌니 동지

(김진06ㄱ:11) 나와 인도ᄒ여 더러가 문복인을 살펴본니 진실노 범상헌 유

(김진06ㄱ:12) 가 안이라 공슌니 비사헌니 문복인니 진옥을 보고 왈 그듸

(김진06ㄴ:01) 셩명이 뉘라 허며 싱월싱시을 자셔이 리으라 진옥이 거쥬셩명

(김진06ㄴ:02) 과 스쥬을 이으며 왈 다름 안이오라 우리 부모 츠져 보기을 원허

(김진06ㄴ:03) 온니 복ᄌ는 ᄌ셔이 ᄀ르쳐 쥬옵소스 헌니 복ᄌ 진옥에 소원을

(김진06ㄴ:04) 듯고 팔ᄌ을 의논허며 왈 그듸 만일 이 환이 읍셔시면 슈화지화

(김진06ㄴ:05) 을 당허여고 독단신헐 슈라 진옥이 탄왈 슬푸도다 나에 팔ᄌ 긔

(김진06ㄴ:06) 박허여 오셰에 부모을 이별허고 화산도스을 츠져 잔명을 보전

(김진06ㄴ:07) 허여씬니 츠역쳔슈라 명쳔이 영웅을 닉시민 일시 고싱은 장부에

(김진06ㄴ:08) 상스라 웃지 영귀치 안니리요 상장군 절월과 듸원슈 인신을

(김진06ㄴ:09) 츠고 도라올 거신니 굿썩을 기다려 화산도스에 은혜을 잇지 말

(김진06ㄴ:10) 나 허거날 진옥이 〃 말을 듯고 더욱 희락ᄒ여 문왈 소ᄌ는 부

(김진06ㄴ:11) 귀을 원치 안니허온니 부모 존망을 ᄌ셔이 가ᄋ쳐 쥬소셔 복

(김진06ㄴ:12) ᄌ 답 월운실 셕상에 소연 만나든 일과 힝남산노의 존사 만나

든 일

(김진07ㄱ:01) 일리 다 화산도亽에 실영인 줄을 네 웃지 알리요 그런 고로 쳔지

(김진07ㄱ:02) 무심치 안이허여 부모을 상봉헐 거시요 부모 형용 보려 허거든

(김진07ㄱ:03) 부남 쌍 졔션군 흔갑 잔치 가 볼 거시오 그 곳셔 만나지 못허면

(김진07ㄱ:04) 틱산골을 가셔 만나 보리라 흔니 진옥이 그 말을 듯고 일히

(김진07ㄱ:05) 일비허여 동남을 힝허여 흔 곳세 다〃으니 졔션군이 부친 회

(김진07ㄱ:06) 갑 잔치을 비셜허여거날 부인과 계승이 맛춤 촌에 나려와 량

(김진07ㄱ:07) 식을 빌다가 잔치에 관광허던니 비반니 낭즈허고 풍악이 즈락

(김진07ㄱ:08) 헌 즁에 옥종즈 일기을 일은지라 승상이 〃 말을 듯고 틱로허여

(김진07ㄱ:09) 가로되 옥종즈는 쳔쵸국에셔 나온 거시라 갑슬 의논허면 슈

(김진07ㄱ:10) 빅량인니 〃 종즈는 보빅라 웃지 무단이 〃으리요 허며 회긕과

(김진07ㄱ:11) 걸인을 두루 살피니 그 써에 부남亽 노승도 그 즁에 잇다ㄱ

철편으

(김진07ㄱ:12) 로셔 안을 치며 종즈 니라 헌니 계승이 한 말도 못허고 셔로 붓

(김진07ㄴ:01) 들고 통곡긔졀허드라 이써 진옥이 울며 익걸 왈 소즈는 부모을

(김진07ㄴ:02) 일삽고 츳져 단이는 아히라 다만 일신에 흔 마암 모친 브기만 싱

(김진07ㄴ:03) 각ㅎ난이 웃지 남의 거슬 일호나 탐닉리요 몸에 가진 거시 다만

(김진07ㄴ:04) 의복 한 벌쑨이라 웃지 옥종즈을 가져씨리요 틱인에 쯧틱로

(김진07ㄴ:05) 죽이거나 살리거나 쳐분틱로 허압소셔 허며 통곡긔졀허

(김진07ㄴ:06) 드라 잇써에 부인도 그 즁에 씨이여 진옥을 보고 진옥도 부인을

(김진07ㄴ:07) 보아씨나 웃지 자셔이 알리요 피츠 얼골만 볼 분이라 잇써

(김진07ㄴ:08) 에 각〃 흣터진니 슬푸다 모지 상봉허여씨나 졍셩이 부족허

(김진07ㄴ:09) 여 셔로 보기만 허여쓴니 모지 지졍을 알아보지 못헐너라 쏘흔

(김진07ㄴ:10) 진옥이 누명을 면허고 틱산을 츳져간니 빅발 노인이 박셕에

(김진07ㄴ:11) 누어다ㄱ 진옥을 보고 왈 그틱는 쳥쥬 쌍에 스는 김승상의 아

즈 진

(김진07ㄴ:12) 옥이 안이신잇ㄱ 진옥이 틱왈 존공는 웃지 즈셔이 아으신나잇

(김진08ㄱ:01) 가 그 노인 답왈 싱이 부모을 다항이 만날ㄱ 허여 정성이 지극허

(김진08ㄱ:02) 여 쥬야이걸허나 혓슈고을 말고 속〃히 ㄱ다ㄱ 월궁선아

(김진08ㄱ:03) 을 만나 연분을 밋고 황성으로 항허여 용문에 올나 공명

(김진08ㄱ:04) 올리운 후에 부모을 만나 보리리니다 허고 문득 간 데 읍거

(김진08ㄱ:05) 날 진옥이 〃 말을 듯고 슬피 통곡허며 왈 ㅅ룸의 팔자는 도망

(김진08ㄱ:06) 키 어엽도다 허며 쳥쥬 고향을 싱각허고 도라온니 삼삭 만

(김진08ㄱ:07) 에 삼남 쥬졈의 드러가 그날 밤을 쉴시 비몽ㅅ몽 간에 흔 곳

(김진08ㄱ:08) 에 다〃은니 긔화요초는 만발허고 쳥학빅학이 츔을 츄는

(김진08ㄱ:09) 데 잇써 빅화 즁의 흔 여지 운빈화안과 호치단슌으로 여

(김진08ㄱ:10) 복을 정결리 허고 빅옥 갓튼 얼골을 화초 즁에 은〃히 보

(김진08ㄱ:11) 니 〃 탐화봉접이라 쏫 본 나비요 물 본 기러기라 장부에 간

(김진08ㄱ:12) 장이 다 녹는지라 춘흥을 못 이긔여 쏫가지도 히롱허며

(김진08ㄴ:01) 호접 날리는 양은 월궁선여ㄱ 안니면 분명 셔왕모 요지

(김진08ㄴ:02) 연의 나림 갓튼지라 빅틔구비 고은 양은 일촌간장이 졀노 녹

(김진08ㄴ:03) 난 듯허더라 진옥이 그 거동 살핀 후에 홀노 셔〃 실음 읍시

(김진08ㄴ:04) 탄식허되 나도 쳔지간에 인물 일식을 만이 보아씨되 낭즈

(김진08ㄴ:05) 갓튼 인물 보든 빈 쳐음이라 잇써 진옥이 랑즈을 짜라 완보ㅎ

(김진08ㄴ:06) 여 가난 차의 호련 계명셩에 씨다은니 일장 춘몽이라 심즁의

(김진08ㄴ:07) 황홀허여 발기을 기다려 몽즁의 갓든 곳졀 츠져간니 동명

(김진08ㄴ:08) 은 삼산 봉학촌이라 문젼에 슈량버들 느러진 가지 슈발리 숨

(김진08ㄴ:09) 숨허여 춘식을 히롱허고 빅화는 작작허여 광풍에 밋친 나비 향

(김진08ㄴ:10) 긔을 탐허며 힁〃식〃 이 다 몽즁의 보든 비라 그러허나 랑즈

(김진08ㄴ:11) 에 형용이 묘연헌지라 놉푼 데 올나 사면을 살펴본이 연당

(김진08ㄴ:12) 가온딕 삼칭 누각을 정결리 지어는데 그 가온딕셔 글소릭ㄱ 쳥

(김진09ㄱ:01) 아이 들이거날 진옥이 닉렴에 싱각허되 이곳지 필시 랑즈 잇

는 곳

(김진09ㄱ:02) 지로다 허고 좌우을 살펴본니 담장이 놉흐 더러갈 길리 망연헌

(김진09ㄱ:03) 지라 잇쩌 몸에 두 나릐 읍셔씬니 웃지 헐 길 바이 읍다 도로 회졍

(김진09ㄱ:04) 허다ㄱ 흔 촌가에 드러ㄱ니 한 노인이 잇거날 진옥이 노인다 려 문

(김진09ㄱ:05) 왈 져 집은 뉘 집이관듸 져듸지 굉장헌요 노인이 답왈 그 듸 은 옥승

(김진09ㄱ:06) 상 듸인니 한 여ᄌ을 두어시되 일홈은 향금이요 방연이 〃팔리

(김진09ㄱ:07) 라 얼골리 관옥 갓고 ᄌ질이 초월허고 시셔빅ㄱ셔을 모을 거

(김진09ㄱ:08) 시 읍는지라 그러무로 승상이 믹양 그와 갓튼 비필을 구하고

(김진09ㄱ:09) 자 허나이다 ᄒ거날 진옥이 그 진위을 알고 도라와셔 직시 여복

(김진09ㄱ:10) 을 긔착허고 다시 승상 집을 ᄎ져간니 그 듸 부인이 맛참 진옥을

(김진09ㄱ:11) 보고 문왈 너는 웃쩌헌 아히관듸 져듸지 절문 쳐ᄌ로셔 무슴

(김진09ㄱ:12) 일노 단이난요 진옥이 공경 듸왈 소여는 쳥쥬 짱에 사옵든

(김진09ㄴ:01) 니 팔자가 긔박허여 부모을 일사옵고 유리포박 허옵든니 우연

(김진09ㄴ:02) 이 〃곳의 지나다ㄱ 구경코자 ᄒ여 듸의 들러완나이다 한니 부인

(김진09ㄴ:03) 이 문왈 네 나히 몃치며 셩은 무어시라 허는요 진옥이 듸왈 셩은

(김진09ㄴ:04) 김이로소이다 부인 왈 네 형용이 늬 ᄌ식과 망불허도다 늬 ᄌ

(김진09ㄴ:05) 식과 한가지로 잇쓰미 웃더헌요 진옥이 부인의 말삼을 듯

(김진09ㄴ:06) 고 불승감격허여 초당으로 드러간니 연화는 만발허여 초당을

(김진09ㄴ:07) 둘너는데 분벽ㅅ창 그 가운듸 일위 낭ᄌ 셔안을 의지허여 글을

(김진09ㄴ:08) 익다가 진옥을 보고 듸경 문왈 그듸는 무삼 일노 쳥츈 여ᄌ가 단이

(김진09ㄴ:09) 난요 진옥이 공경 듸왈 소여는 쳔지무ㄱ긱이라 무삼 례졀리

잇스

(김진09ㄴ:10) 리요 낭즈 진옥을 살펴본니 얼골리 쥰슈허여 츄천의 명월

(김진09ㄴ:11) 리 사창에 빗친 듯허고 요죠교틱는 스름의 눈을 놀닉는지라

(김진09ㄴ:12) 낭지 싱각허되 닉 장부가 도야스면 웃지 졍을 익기리요 허며 심

(김진10ㄱ:01) 사가 실난히여 마암을 진졍치 못허더라 진옥의 손을 잡고

(김진10ㄱ:02) 문왈 그틱 살기는 어틱 사나요 진옥이 틱왈 소여는 쳥쥬 쌍에 스

(김진10ㄱ:03) 옵든니 셩은 김이요 일홈은 진옥이압고 나흔 십육셰로소이다

(김진10ㄱ:04) 오셰의 부모을 난즁에 일삽고 의퇵헐 곳지 읍사와 유리걸

(김진10ㄱ:05) 식허나이다 낭지 불상히 싱각하여 다시 문왈 그틱 글을 허는

(김진10ㄱ:06) 다 진옥이 틱왈 글즈는 여간 짐작허나이다 낭지 그 말 듯고 더

(김진10ㄱ:07) 욱 깃거 왈 글을 의논허여 일시 졍담을 화답허미 웃드헌요

(김진10ㄱ:08) 진옥이 답왈 이 틱은 틱승상 틱이라 낭즈는 승상에 귀동여지라

(김진10ㄱ:09) 만일 무단이 노다ㄱ 혹 건칙이 잇시면 그을 웃지 ㅎ오리요 낭즈

(김진10ㄱ:10) 틱왈 그는 염례 말나 부인계셔 그틱 지시혀여 보닉신니 무삼

죄착

(김진10ㄱ:11) 이 잇사오리ㄱ 진옥이 틱왈 소여 비록 미쳔ㅎ오나 십셰 후로는

(김진10ㄱ:12) 외인을 틱면치 안니ㅎ여사온나 만일 번화허여 일시 졍담

(김진10ㄴ:01) 을 다 허지 못헐가 허오니 시비을 각〃 쳐소로 보닉고 조용이

(김진10ㄴ:02) 놀미 조헐ㄱ 허나이다 낭지 그 말을 션타 ㅎ고 시비을 각〃 졔

(김진10ㄴ:03) 방으로 보닉고 직시 진옥으로 더부러 시부도 화답ㅎ고 풍월

(김진10ㄴ:04) 도 을푸며 다졍이든니 〃 젹에 진옥이 풍월을 를푸도 옥 낭즈의

(김진10ㄴ:05) 계 유의ㅎ야 춘졍을 도〃거날 낭지 닉렴에 고히 여기나 일품직

(김진10ㄴ:06) 싱가라 웃지 외인을 범허여시리요 ㅎ고 의심 읍시 노다ㄱ 야

(김진10ㄴ:07) 심무인젹흔틱 등촉는 쇠잔ㅎ고 계명셩은 식벽을 직촉ㅎ거

(김진10ㄴ:08) 날 낭지 왈 우리ㄱ 우연이 만나시나 무궁흔 졍의 칭양 읍도

(김진10ㄴ:09) 다 진옥이 츄연 탄왈 무암이 불편ㅎ와 줌을 리우지 못

(김진10ㄴ:10) 허것스온니 낭즈는 먼져 즈옵소셔 낭즈 답왈 그듸 고향을

(김진10ㄴ:11) 이별ᄒ고 유리허여씨니 웃지 심스ᄀ 온견허리요 그러허

(김진10ㄴ:12) 나 ᄆ암을 진정ᄒ여 안심허라 진옥이 듸왈 일시 고싱은

(김진11ㄱ:01) 사람에 ᄉᄉ라 단심이 읍건이와 소여 갓튼 미쳔ᄒ 몸을 존

(김진11ㄱ:02) 귀허신 니 낭즈을 모시고 놀 쩍의 진적을 은휘허오리요

(김진11ㄱ:03) 마는 소여 본듸 쳥쥬 짱에 스옵다ᄀ 난즁에 부모 존망을 알
　　　　　　　길이

(김진11ㄱ:04) 읍사와 스히 팔방으로 ᄎᄌ도 소식 알 길리 읍스온니 웃지 실
　　　　　　　푸지

(김진11ㄱ:05) 안니허리요 낭즈 답왈 부모 만일 싱존허여시면 필경은 상봉

(김진11ㄱ:06) 허련이와 불힝ᄒ야 셰상을 이별ᄒ야씨면 추역 팔즈라 나

(김진11ㄱ:07) 종지사는 팔즈 소간이라 잠을 펴니 자고 늬일 나문 졍담을 푸러

(김진11ㄱ:08) 볼ᄀ ᄒ나니다 진옥 답왈 낭즈의 말숨을 듯스온니 스셰는 그
　　　　　　　러허

(김진11ㄱ:09) 오나 우리 양인 졍회을 일시나 이져리요 쥬야 흔탄이로소이다

(김진11ㄱ:10) 스룸이 셰상의 쳬ᄒ미 부모의 혈륙을 가져씨니 그 은혜 싱각허

(김진11ㄱ:11) 면 웃지 망극지 안이허리요 웃지 부모 은공 갑기을 이로 칭양

(김진11ㄱ:12) 허오리요 ᄒ고 진옥이 낭즈의 스졍을 이긔지 못허는 쳬ᄒ고

(김진11ㄴ:01) 화류금침의 운우지낙을 리루고즈 ᄒ니 잇쩌는 춘삼월 호시졀

(김진11ㄴ:02) 리라 월식은 만졍ᄒ고 만화방초는 쳐″의 무셩ᄒ여 스룸의 심

(김진11ㄴ:03) 회를 도″는지라 잇쩌 진옥이 활″ 벗고 원낭금침의셔 낭즈 일

(김진11ㄴ:04) 신을 어루만지며 셤″옥슈을 유졍니 당기니 낭지 왈 날 갓튼

(김진11ㄴ:05) 여즈을 이듸지 사랑ᄒ는요 진옥이 듸왈 늬 몸은 팔즈 긔박허여

(김진11ㄴ:06) 듸장부 못된 것시 흔이로다 낭지 답왈 그듸ᄀ 만일 듸장부 되

(김진11ㄴ:07) 야씨면 무삼 원이 잇스리요 진옥이 답왈 늬가 만일 듸장부 되

(김진11ㄴ:08) 야씨면 낭즈 일신을 그재 두리요 낭즈 염용 듸왈 늬가 듸장부 되

(김진11ㄴ:09) 야씨면 그딕 갓튼 미식을 그재 두리요 진옥이 공손이 답왈 닉
ㄱ 과연

(김진11ㄴ:10) 장부로셔 변복허고 낭즈 방에 드러왓스니 낭즈에 처분딕로 죽

(김진11ㄴ:11) 기거나 살이거나 처분딕로 허옵소사 헌니 낭지 마음이 웃더허

(김진11ㄴ:12) 리요 낭지 답왈 닉 집은 직승가 집이라 외인이 간 딕로 츌입
지 못

(김진12ㄱ:01) 허거이와 그딕ㄱ 장부로셔 변복허고 이 지경을 당허여시면 기천

(김진12ㄱ:02) 정 연분이라 허거날 허물며 빅필이야 일너 무엇허리요 진옥

(김진12ㄱ:03) 이 낭즈에 심간을 짐작ᄒ고 츈흥을 못 이기여 낭즈을 잇글고

(김진12ㄱ:04) 금리의 나ㄱ려 헌니 낭지 변식 딕왈 닉 집은 딕승상쳑이라 문호

(김진12ㄱ:05) ㄱ 혁"허여 쳔흐에 진동허거날 일기 진옥이 당돌리 불칙지심을

(김진12ㄱ:06) 먹고 이갓치 불칙헌 힝실을 허는다 그딕는 죄ᄉ무셕이라 나을 원

(김진12ㄱ:07) 망치 말나 그러나 잔명을 익기거든 쌜니 나ㄱ라 만일 즈취을
발부허면

(김진12ㄱ:08) 쥭기을 먼치 못허리라 허며 노긔 등"허거날 잇쩍 진옥이 답
왈 나는

(김진12ㄱ:09) ᄒ날리 닉신 영웅이여날 빅연연분이 월궁션여을 만나야 빅연
빅필

(김진12ㄱ:10) 을 믹질 거시오 만일 그러치 못허면 웃지 여즈을 취허여 쳔상
난봉

(김진12ㄱ:11) 이 오작과 짝을 허리요 낭즈ㄱ 만일 나에 종적을 탈노허여 나
을 죽기

(김진12ㄱ:12) 거나 슈죄허면 나는 쥭는 스룹 되련이와 낭즈는 쳔츄만셰라도

(김진12ㄴ:01) 누명을 면치 못허리닌 낭즈는 젼후사을 싱각지 안코 자최을
현적

(김진12ㄴ:02) 치 말나 빙옥 갓든 마암을 도리여 장부의 호탕지심을 진졍케 허

(김진12ㄴ:03) 옵소셔 낭지 구지 식양허면 나는 쥭으련이와 장부 호탕헌 무
　　　　　　음을

(김진12ㄴ:04) 종시 춤지 못허여 이늬 일신 황쳔긱이 되고 보면 그 안이 젹
　　　　　　원이요

(김진12ㄴ:05) 낭즈는 밧비 〃 〃 허낙ㅎ소셔 낭지 종시 늬의 울 〃 흔 졍을 싱
　　　　　　각지 안

(김진12ㄴ:06) 니허면 나도 늬 무음듸로 헐 테인이 〃왕은 늬의 종젹을 속여
　　　　　　거이와

(김진12ㄴ:07) 나ᄂᆞᆫ 본듸 쳔ㅎ 장식라 야반무인젹 헌데 낭즈을 후리쳐 끼고
　　　　　　담장

(김진12ㄴ:08) 을 너머 불원쳔리허고 도망ㅎ면 낭즈 일신이 그 안이 답 〃 허리

(김진12ㄴ:09) 요 깁피 〃 〃 싱각허라 낭지 슈식이 만면ㅎ야 안져다ㄱ 염용
　　　　　　듸왈

(김진12ㄴ:10) 수셰는 그러허나 〃도 지상가 귀동여지라 믜파을 쳥허고 육례을

(김진12ㄴ:11) 갓츈 후에 다시 만나 은근헌 졍을 풀믜 웃더ㅎ요 진옥이 낭즈
　　　　　　을 위

(김진12ㄴ:12) 로허려 왈 나도 공후 직상가의 아들리라 례법을 모른다 허

(김진13ㄱ:01) 리요만는 셰상 일이 다 허식라 셰상식 무졍셰월리 량유파허

(김진13ㄱ:02) 온니 스룸에 심장 만상허지 마러소셔 늬ㄱ 당초에 들러오기난 부

(김진13ㄱ:03) 인계셔 인도허셔씨니 부인으로 믜팔을 삼고 우리 양인니 화낙

(김진13ㄱ:04) 허여 육례을 갓츄미 무어시 혐의 되리요 낭즈는 요조헌 무음
　　　　　　으로

(김진13ㄱ:05) 장부의 구든 심수을 요동케 마어시고 쳔금 갓튼 졀기을 어셔
　　　　　　〃 〃 허락

(김진13ㄱ:06) ㅎ여 빅연ㄱ약을 졍허옵소셔 월궁션아을 동침동낙지 못허고

(김진13ㄱ:07) 슈 〃 헌 소장부 갓치 무단니 나갈손야 낭즈 늬렴의 싱각허되 스

(김진13ㄱ:08) 셰 부득ᄒ여 낭ᄌ 다시 공경 ᄃᆞ왈 불ᄀᆞ불ᄉ셰 난쳐허여 동침동

(김진13ㄱ:09) 낙헐 모양이라 탐화봉졉을 임의로 헐 슈 읍셔 상셜 갓튼 ᄆ

(김진13ㄱ:10) 암을 츈풍갓치 번화ᄒ여 녹의홍상을 활〃 벗고 원낭금 비

(김진13ㄱ:11) 취침에 두 몸이 혼 몸 되야 만단셜화을 치 못허여 날리 장찻

　　　　　발ᄀ

(김진13ㄱ:12) 온니 민망허기 층양 읍도다 잇써에 낭ᄌ 갈로되 낭군 밀슴올 듯

(김진13ㄴ:01) 사온이 난중에 부모을 이별ᄒ고 신셰 가련ᄒ야 졍쳐 읍시 ᄃᆞ신

(김진13ㄴ:02) 다 허온니 어ᄃᆡ로 힝허여 고싱을 다시 허시려 ᄒ난요 진옥이

(김진13ㄴ:03) 답왈 나는 본ᄃᆡ 쳥쥬 쌍 ᄉ룸이라 부친 휘ᄶᆞ는 혜낭이요 일즉

(김진13ㄴ:04) 등과허여 도젹 파헐 계교을 싱각허시다ᄀᆞ 소인의 춤소을 만나

(김진13ㄴ:05) 무인졀도로 원춘ᄒ시고 싱은 화쵸암의 도ᄉ을 ᄎ쳐가 공부

(김진13ㄴ:06) 허다가 모친을 난즁의 이별허고 싱각이 간졀ᄒ고 슬푼 ᄆ암

(김진13ㄴ:07) 을 읏지 다 칭양허리요만는 낭ᄌ로 ᄀᆞ약을 밋고 일시 쩌날 마

(김진13ㄴ:08) 음이 읍건마는 ᄃᆡ장부 되야나셔 입신양명허고 부모원슈 갑

(김진13ㄴ:09) 고 이별헌 부모을 다시 만난 후에 낭ᄌ을 다시 육례로 미져 일싱

(김진13ㄴ:10) 을 질길ᄀᆞ 허온니 낭ᄌᄂ 마음을 구지 직히다ᄀᆞ 우리 양인이 다

(김진13ㄴ:11) 시 상봉허기을 쳔만 바라노라 헌니 낭ᄌ 흠구 ᄃᆞ왈 쳡도 간밤

(김진13ㄴ:12) 의 일몽을 으든니 낭군 갓튼 영웅을 후원 화쵸 즁의셔 잠간

(김진14ㄱ:01) 만나 츈졍을 희롱허여든니 오날〃 이럿틋시 상봉허여씬니 ᄃᆞ져

(김진14ㄱ:02) 몽ᄉ도 허ᄉ가 안이라 쳔졍연분을 이어 몽ᄉ에 빗쳐신니 몽ᄉ

　　　　　ᄀᆞ 읏지

(김진14ㄱ:03) 허ᄉ라 허오리가 진옥이 ᄃᆞ왈 ᄂᆡᄀᆞ 화쵸산 도ᄉ을 이별헐 ᄯᅦ

　　　　　의 리으

(김진14ㄱ:04) 신 말삼이 셰상에 나와셔 월궁션아을 만나 연분을 밋지라 ᄒ시

(김진14ㄱ:05) 믹 글노 항상 염려허여든니 젼일 혼 쑴을 으든니 여츳〃〃허

　　　　　기로 그ᄃᆡ

(김진14ㄱ:06) 집을 츠져온니 과연 꿈의 보든 집이라 담장이 놉허 드러올 길
리 읍

(김진14ㄱ:07) 셔 여복을 기축허고 드러왓다가 요힝으로 연분을 밋고 간니
장부

(김진14ㄱ:08) 에 흔을 푸러씨나 낭즈 이별헐 싱각이 난쳐허도다 낭지 이미
을 슈기

(김진14ㄱ:09) 고 안재싸ᄀ 이별쥬을 내여 권허거날 진옥이 바다 마신 후에
낭즈

(김진14ㄱ:10) 에 손을 잡고 이연이 낙누 왈 낭군을 이졔 니별허오면 ㅎ연
ㅎ월 ㅎ

(김진14ㄱ:11) 시의 다시 만나볼리가 그렁져렁 동방이 발거ᄂ지라 진옥이 낭즈

(김진14ㄱ:12) 을 붓들고 츠ᄆ 놋치 못허며 왈 부운 갓든 이니 종젹 ᄉ희 팔방

(김진14ㄴ:01) 의 졍쳐 읍도다 부듸 〃〃 신을 직히여 나 도라오기을 고듸허라

(김진14ㄴ:02) 허고 문을 나셔 낭즈 부인계 빅별 왈 소여 갓튼 미쳔흔 인물을

(김진14ㄴ:03) 누추이 여기시지 안니ㅎ시고 일야을 평안니 유슉ㅎ여 쥬신니

(김진14ㄴ:04) 은혜난망이로소이다 부인이 ᄀ로사듸 그듸 웃지 훌〃리 간난
요 여

(김진14ㄴ:05) 러 날 유허라 진옥이 듸왈 일후에 다시 뵈올 날리 잇ᄉ온니 부

(김진14ㄴ:06) 인는 부듸 니〃 무강허옵소셔 부인을 ㅎ직허고 나와 직시 여
복을

(김진14ㄴ:07) 벗고 〃향을 향허여 도아온니 집은 간 듸 읍고 빈터만 나문지라

(김진14ㄴ:08) 뉘라셔 반가허리요 일장통곡헌 연후에 슬품을 이긔지 못

(김진14ㄴ:09) 허여 황셩으로 향헌니라 잇쩌ᄂ 긔ᄉ연 츄구월리라 황졔게셔

(김진14ㄴ:10) 쳔ㅎ틱평허무로 과거을 뵈이실시 진옥이 장즁에 드러ᄀ니 현판

(김진14ㄴ:11) 의 글졔을 본니 강구에 문동요라 ㅎ여거날 잇쩌 진옥이 시지
을 펼

(김진14ㄴ:12) 쳐 녹코 일필휘지허여 일천의 션장흐니 황졔계셔 그 글을 보
시고

(김진15ㄱ:01) 칭찬 왈 이 스룸에 글을 본니 쳔지흥망을 푸문지라 웃지 긔득지

(김진15ㄱ:02) 안니리요 흐시더라 황졔계셔 흔 공쥬을 두어씨되 명은 황금이요

(김진15ㄱ:03) 인물이 졀식이요 지질리 쳔흐의 독보헐지라 이러무로 황졔계셔

(김진15ㄱ:04) 미량 스랑흐사 부마을 간퇵허시든니 맛참 그 글을 보시고 무
슈니

(김진15ㄱ:05) 칭찬허시고 비봉을 쩌여 보신니 쳥쥬 짱의 스 눈 김진옥이요
부명은

(김진15ㄱ:06) 혜낭이라 흐여더라 잇쩌에 공쥬가 스룸 관숭 보기을 거울갓치

(김진15ㄱ:07) 허눈지라 맛춤 침실의 안져다ㄱ 황졔 실늬을 쳥허심을 듯고
과거

(김진15ㄱ:08) 흔 스룸을 추례로 술피든니 잇쩌 김진옥이 장원흐여 궐흐의
부복

(김진15ㄱ:09) 흐거날 공쥬가 진옥의 긔상을 보니 쳔흐의 긔남지라 연연흔
긔승이

(김진15ㄱ:10) 만인 즁에 쑤여난니 비록 초분에 읶운는 만아씨나 늠 〃 헌 풍
치는 일

(김진15ㄱ:11) 딕영웅이라 허시고 칭찬불이허시든니 황졔계셔 그 말을 드러
시고

(김진15ㄱ:12) 딕희허스 진옥을 인견흐스 어쥬 숨 빈을 권허시고 머리의

(김진15ㄴ:01) 어스화요 허리의 옥딕로다 쳥나슴을 쥬신 후의 직시 홀임흑스

(김진15ㄴ:02) 을 계슈허시고 왈 경의 부친 혜낭은 국가에 쥬셕지신으로 흉
심이

(김진15ㄴ:03) 장허든니 짐이 불명흐여 갑즈연 난즁의 소식이 모연흐든니 이제

(김진15ㄴ:04) 부친을 효칙허여 지혜을 닥ㄱ 용문에 올나 짐을 돕게씨니 웃지

(김진15ㄴ:05) 질겁지 안니허오리요 또 가로딕 짐이 흔 공쥬을 두어씨되 금번

(김진15ㄴ:06) 장원으로 부마을 숨으려 흔난니 경은 진실노 공쥬의 쌍나라 므

(김진15ㄴ:07) 암의 웃더흐요 홀임니 복지쥬 왈 신는 본딕 흐방 쳔인으로 외남

(김진15ㄴ:08) 니 츰방흐여 국은이 망극허오나 공쥬는 직덕이 겸젼헐 분더러

(김진15ㄴ:09) 군신지분이 다르거날 신을 더럽다 안니흐시고 여츳 하교흐압

(김진15ㄴ:10) 신니 황공무지로소이다 황졔계옵셔 할님 쥬달흐는 말을 듯고

(김진15ㄴ:11) 불윤흐스 왈 뉘 집에 졍혼흐야는다 진옥이 딕왈 남산봉 화촌

(김진15ㄴ:12) 에 옥승상의 여식과 결혼허엿난니다 황졔 침음양구의 왈 신

(김진16ㄱ:01) 즈지쳬리의 황명을 그역헌니 죄스무셕이나 일윤딕스는 션후

(김진16ㄱ:02) 가 잇쓰니 웃지 회혼허리요 아직 물너 잇쓰라 허신니 홀임이 다

(김진16ㄱ:03) 시 알외지 못허고 물너나온이라 잇써 할님이 으스화을 꽂고 옥

(김진16ㄱ:04) 호을 쥐고 쳥나삼을 닙고 빅옥딕을 씌고 쳘리용춍마의 두

(김진16ㄱ:05) 려시 안져신니 쳥기홍기 반공에 소스잇고 금의화동은 쌍〃이
　　　　　　　　 짜라

(김진16ㄱ:06) 쓴니 위의도 출난허고 풍칙도 늠〃허도다 이날 할님이 슉비흐

(김진16ㄱ:07) 직헌 후에 고향을 싱각허고 나려ㄱ든니 문득 싱각허되 드르민 익

(김진16ㄱ:08) 쥬 짜에 외슉이 잇다 헌니 그리로 ㄱ난 길의 유상셔 쎡으로
　　　　　　　　 ㄱ리라 흐

(김진16ㄱ:09) 고 발힝허려 ㄱ다ㄱ 부모을 싱각허고 눈물을 금치 못허여 나
　　　　　　　　 삼을

(김진16ㄱ:10) 젹시며 쳥쥬 짱에 리으니 스든 터ㄱ 쑥밧치 되어거날 비감헌
　　　　　　　　 므암을

(김진16ㄱ:11) 이긔지 못허여 슬피 통곡헌니 보는 스름이 뉘 안니 스러허리
　　　　　　　　 요 인

(김진16ㄱ:12) 흐여 봉황촌으로 드러간니 유승상이 고히 여기여 영졉

(김진16ㄴ:01) 헌 연후에 문왈 그딕는 어딕 잇관딕 닉 집을 츠져와는다 할님

이 틴왈

(김진16ㄴ:02) 소싱은 쳥쥬 짱의 스옵고 셩명은 김직옥이로소이다 고향으로 가는 길

(김진16ㄴ:03) 의 승상 쳥덕을 스모헌제 오릿든니 그져 ㄱ기 죄송허옵기로 잠시 뵈

(김진16ㄴ:04) 옵고자 ㅎ여 왓나이다 허거날 승상이 진옥의 얼골을 보고 션풍도

(김진16ㄴ:05) 골을 칭찬허스 진짓 황금에 비필리나 임의 익쥬 짱의 비승상과 졍

(김진16ㄴ:06) 혼ㅎ여쓰니 무ㄱ늬하라 허시고 쥬찬을 내와 후딕허여 보늬더라

(김진16ㄴ:07) 잇쩌 시비 드러와 낭즈게 엿즈오되 박게 웃더헌 손님이 왓다 허거날

(김진16ㄴ:08) 낭지 진옥을 이별헌 후에 심스 즈연 살난허여 쥬야로 금침을 의지

(김진16ㄴ:09) 허여 희식이 읍던니 맛참 시비에 말을 듯고 놀나여 문왈 금번 장원

(김진16ㄴ:10) 이 뉘라 허든야 시비 틴왈 승상이 그 할님을 딕허여 쥬찬으로 후딕허시

(김진16ㄴ:11) 고 거쥬 셩명을 무러신니 그 할님이 답왈 쳥쥬 짱에 스는 김진옥이라

(김진16ㄴ:12) 허드이다 낭지 이 말을 듯고 싱각허되 우리 낭군이 장원급제 허여

(김진17ㄱ:01) 나을 위허여 와쓰나 보지도 못허고 간는 심스 여복허리요 허고 ㅁ암

(김진17ㄱ:02) 이 살난허여 침식이 부란허드라 잇쩌 홀님이 익쥬 쌍에 가 외숙을

(김진17ㄱ:03) 츠져 볼식 문경이 할임에 손을 잡고 되경 문왈 네ㄱ 어듸 ㄱ
셔 즈라쓰

(김진17ㄱ:04) 며 이럿트시 영귀허여씨니 질거기는 칭량 읍시나 부모에 소식
을 아라

(김진17ㄱ:05) 눈야 할님이 눈물을 흘이며 되왈 당쵸에 소질은 화쵸암에 ㄱ
셔 공

(김진17ㄱ:06) 부하옵다ㄱ 부모을 난즁에 이별하옵고 화산도스을 만나 슈학

(김진17ㄱ:07) 허든 말과 청힝으로 용문에 올나쓰나 다만 부모 소식을 몰나 답

(김진17ㄱ:08) 답허도소이다 인허여 〃러 날 유슉ㅎ여 삼일잔치 헌 연후의 향

(김진17ㄱ:09) ㅎ여 경셩으로 올나ㄱ 황제계 슉비허온듸 황제 칭찬허시더라

(김진17ㄱ:10) 이젹에 옥낭직 진옥이 단여간 후 빅상셔에 아들과 정혼헌단
말을

(김진17ㄱ:11) 듯고 침셕에 누어 리어나지 안니ㅎ니 얼골리 날노 상허여 다
은 스름

(김진17ㄱ:12) 갓튼니 부인이 가장 고이 여겨 낭즈더러 문왈 늬ㄱ 늣계야 너을

(김진17ㄴ:01) 나셔 귀히 길너 장즁보옥갓치 아랏든니 무삼 슈심으로 음식

(김진17ㄴ:02) 을 젼폐허고 신음으로 진늬는야 낭직 되왈 소여는 부모에계
죄을

(김진17ㄴ:03) 으더신니 어셔 밧비 죽여 쥬옵소셔 부인이 되경 문왈 무삼 연
고로

(김진17ㄴ:04) 죽기을 즈청허는요 소원을 즈셔이 니르라 만단기류허신니 낭
지 눈

(김진17ㄴ:05) 물을 흘리며 다시 고왈 듯스온 젹 소여을 위ㅎ여 혼사을 경ㅎ
셧다

(김진17ㄴ:06) ㅎ온니 졍 말삼이온니ㄱ 부인이 되왈 그러ㅎ건이와 규즁 여자가

(김진17ㄴ:07) 혼사의 아랑곳시 안니여날 무삼 일노 문는요 낭즈 되왈 향즈

의 모

(김진17ㄴ:08) 친계셔 소여을 위ᄒ여 엇더ᄒ 여ᄌ을 보ᄂ실 젹의 그 여ᄌ로 더부러

(김진17ㄴ:09) 문답ᄒ다ᄀ 밤이 깁퍼씬니 그 여ᄌᄀ 안니요 남ᄌ라 피교ᄌ ᄒᄂ들

(김진17ㄴ:10) 웃지 피ᄒ며 죽고ᄌ ᄒ들 웃지 죽ᄉ오리ᄀ 빅계뭇착헐 길 읍

(김진17ㄴ:11) 사와 그 ᄉ룸의 거쥬을 뭇ᄉ온직 쳥쥬 ᄶᅡ에 ᄉᄂ 김진옥이요 김

(김진17ㄴ:12) 상셔의 아들리라 허옵고 갑ᄌ연 난즁에 부모을 이별허고

(김진18ㄱ:01) 유리걸식허여 부모을 ᄎ져 단인다ᄀ 화순도ᄉ을 만나 외퇴허

(김진18ㄱ:02) 여 공부허다ᄀ 경셩으로 과거 보러 가ᄂ 길의 몽ᄉ을 싱각허

(김진18ㄱ:03) 고 몸을 변복허여 드러와 소여로 더부러 일야 ᄉ졍의 빅연긔

(김진18ㄱ:04) 약을 미져신니 죽ᄉ와도 김진옥을 빈반ᄒ고 타문에 ᄀ지 안

(김진18ㄱ:05) 니ᄒ다 ᄒ여신니 녯말의 ᄒ여쓰되 츙신ᄂ 불ᄉ이군이요

(김진18ㄱ:06) 열여ᄂ 블경이부라 ᄒ온니 죽기 슬기ᄂ 부모님계 달여신니

(김진18ㄱ:07) 쳐분되로 하옵소ᄉ 허며 금침을 무옵스고 눈물을 흘리거

(김진18ㄱ:08) 날 부인이 어이 읍셔 싱각다 못허여 치지도위허여든니 그 후의

(김진18ㄱ:09) 승상과 조용한 ᄴᅢ의 말삼ᄒ시다가 여아의 허든 말을 셜화허

(김진18ㄱ:10) 신니 승상이 그 말을 드러시고 되노 왈 ᄂ 집이 구되 졍승집 이라 ᄂ

(김진18ㄱ:11) 계 당ᄒ여 이럭케 망헐 쥴을 웃지 아라시리요 부인이 답왈 이

(김진18ㄱ:12) ᄂ 졔 죄 안이라 쳡의 죄온니 슈원슈구오나 듯사온 젹 그

(김진18ㄴ:01) 집은 김승상의 집이요 그 아들은 금방 장원 김진옥이라 ᄒ더 이다

(김진18ㄴ:02) 아모케나 빅ᄀ의 혼ᄉ을 물리고 장원 김진옥으로 셩혼계 ᄒ옵

(김진18ㄴ:03) 소셔 승상이 되왈 김혜낭은 망죵ᄒ ᄉ룸이라 짐작은 허거이와

(김진18ㄴ:04) 진옥을 잠시 본니 션풍도골리라 여ᄌ의 ᄶᅡᆨ이 되렴즉허나

(김진18ㄴ:05) 빅가의 혼스을 물이치고 김진옥으로 셩혼허면 그간 스졍이 즈연

(김진18ㄴ:06) 탈노허여 남의 시비가 잇실 분더러 문호의 득담이 되리니 무삼

(김진18ㄴ:07) 면목으로 남을 디허리요 부인이 답왈 졔 말리 죽어도 다른 가문

(김진18ㄴ:08) 에는 가지 안이헌다 ᄒ온니 웃지 허오리가 승상이 량구의 부
인이

(김진18ㄴ:09) 말연의 져을 나 귀히 길너믹 금옥갓치 스량허시니 부인의 이휼

(김진18ㄴ:10) 허시는 마암을 위허여 졔 소원을 시항허여 빅가의 혼스을 물

(김진18ㄴ:11) 여 볼가 ᄒ나이다 그 말삼을 부인이 듯고 즉시 드러ᄀ 낭즈의게

(김진18ㄴ:12) 셜화흐니라 각셜 잇써 낭지 할님을 싱각허고 식음을 전폐ᄒ고

(김진19ㄱ:01) 누어씨니 할님의 소식은 돈졀허고 빅가의 혼스는 졈 〃 각ᄀ워

(김진19ㄱ:02) 온니 심스ᄀ 답 〃허여 편지 일장을 써셔 〃안에 녹코 눈물만

(김진19ㄱ:03) 흘이던니 호련 쳥조 한나이 나라와 셔안에 안지며 울거날 낭즈

(김진19ㄱ:04) 반겨 그 쳥조을 보고 경계 왈 너는 비록 미물리나 스람의 심장을

(김진19ㄱ:05) 알거든 이 편지을 갓다가 김할님계 전허여 소식을 알게 ᄒ여
라 그 쳥

(김진19ㄱ:06) 죄 응낙허는 듯허던니 머리을 쪼거날 낭지 편지을 쳥조의 다
리예

(김진19ㄱ:07) 믜고 경계 왈 부디 〃 〃 김할님계 전허여라 헌니 쳥죄 이윽고
나라가

(김진19ㄱ:08) 더라 이젹에 진옥이 할님 쳐소에 잇셔 옥낭즈을 싱각허고 심
장만

(김진19ㄱ:09) 셕이든니 진옥이 침셕에 의지허여 졸든니 비몽스몽 간에 흔
도시

(김진19ㄱ:10) 드러와 안지며 왈 할님은 옥낭즈의 혼스을 이겨는다 슈이 도
라가 혼스

(김진19ㄱ:11) 을 리루라 허거날 할님이 도스을 붓들고 반겨 왈 션싱은 기간

무량

(김진19ㄱ:12) 허신이ᄀ 소ᄌᄂ 부모의 존망을 몰나 쥬야 답〃허온니 명박히

(김진19ㄴ:01) 가르쳐 쥬옵소ᄉ 도시 답왈 부모ᄂ 미구에 상봉헐 기신니 그
듸 모친에

(김진19ㄴ:02) 얼골을 이왕 보와건이와 싱면헐 시졀리 슈이 도라올 거신니
염여

(김진19ㄴ:03) 말나 그듸 시쥬흔 은ᄌᄂ 그듸 모친을 위허여건이와 노고도
되고 복

(김진19ㄴ:04) 자도 되고 쏘 즁도 되고 거ᄉ 되여 길을 인도허미다 그듸 졍
셩을 시염

(김진19ㄴ:05) 허미라 쳔지ᄀ 웃지 무심허리요 허고 간 대 읍거날 ᄭᅵ다르니
남가일

(김진19ㄴ:06) 몽이라 니념의 싱각허되 금은 쥰 거슨 도로 모친을 공급허여
다 허신

(김진19ㄴ:07) 니 반다시 우리 모친니 셰상의 싱존허여 계시되 얼골을 보지
못헌

(김진19ㄴ:08) 니 답〃하도다 한탄허며 시졀을 보니든니 홀연 쳥조 나라와
셔안

(김진19ㄴ:09) 에 안거날 할님이 고이 역여 살펴본니 무삼 편지가 다리례 미
여거날

(김진19ㄴ:10) 급피 그 편지을 ᄯᅳ너 본니 완연헌 옥낭ᄌ에 편지라 그 편지의
ᄒᆞ야

(김진19ㄴ:11) ᄉᆞ되 박명소쳡 옥낭ᄌᄂ 일봉셔을 닥가 김할임 좌흐의 올리나이

(김진19ㄴ:12) 다 낭군은 구버 살피소ᄉ 우리 쳔졍연분으로 규즁침소의셔 〃로

(김진20ㄱ:01) 만나 이셩지친을 미질 적의 이별 마ᄌ 밍셰허여든니 인간에
일리

(김진20ㄱ:02) 만코 조물이 시긔허고 귀신이 작희허여 낙누허고 이별헐 졔
　　　　　　　슈이

(김진20ㄱ:03) 보즈 밍셰허여든니 셰월리 유슈 갓튼니 밍셰가 허스로다 옥빈홍

(김진20ㄱ:04) 안 고은 낭즈 누구로 ᄒ여 다 늑는고 츈풍도 한이 잇셔 도라
　　　　　　　간 봄

(김진20ㄱ:05) 이 다시 오되 ᄒ 번 ᄀ신 후의 낭군은 무삼 일노 안이 오시는
　　　　　　　요 셔산의

(김진20ㄱ:06) 지는 히와 동영의 돗는 달은 밤마다 오건만는 일싱에 품은 한는

(김진20ㄱ:07) 유슈갓치 기러씨니 일쳔 간장이 츈셜갓치 다 녹는다 츈광이

(김진20ㄱ:08) 느져신니 유졍흔 우리 낭군 언약을 이져는가 어이 그리 무심
　　　　　　　헌고 어

(김진20ㄱ:09) 셔 〃 〃 도라와셔 젼언약을 밋스이다 허여거날 보기을 다 헌
　　　　　　　후의

(김진20ㄱ:10) 옥낭즈의 혼스 급흠을 짐작ᄒ고 즉시 회셔을 닥거 쳥조의게

(김진20ㄱ:11) 붓친니라 잇쩌 황졔계셔 할님을 인견ᄒ스 왈 위왕공쥬을

(김진20ㄱ:12) 위허여 부마을 쳥허여씨니 속히 허낙하라 허신 듸 할님

(김진20ㄴ:01) 이 복지 쥬왈 황졔계셔 국스을 위허여 누추 ᄒ교ᄒ옵신니 지극

(김진20ㄴ:02) 황공허오나 옥승상에 여식과 졍혼허여신니 웃지 언약을 져

(김진20ㄴ:03) 바려 구쳔 타일에 원혼이 되계 허오릿ᄀ 복걸 황상은 지삼 생각

(김진20ㄴ:04) 허옵소셔 황졔 쏘 ᄒ교허사 왈 할님이 흔갓 지조만 밋고 교만
　　　　　　　방즈

(김진20ㄴ:05) 허여 ᄒ교을 그역헌니 죄스무셕이라 허시고 즉시 진옥을 착

(김진20ㄴ:06) 가엄슈 허라 ᄒ시고 혼스 진위을 알고즈 허시고 옥승상을 명쵸

(김진20ㄴ:07) 허시더라 잇쩌 쳥죠 나려와 셔안에 안져 울거날 낭지 살펴

(김진20ㄴ:08) 본니 할님에 답셔 왓거날 급피 쎠여본니 허여시되 빅연낭군

(김진20ㄴ:09) 진옥은 일봉셔을 옥낭즈 좌ᄒ의 붓치노라 허여거날 기탁

(김진20ㄴ:10) 흐니 허여씨되 남산에 일장춘몽은 기약이 되고 이화호졉은

(김진20ㄴ:11) 미화가 되고 여복으로 만나보고 남복으로 이별허여든니 무심

(김진20ㄴ:12) 츠는 쳥조편에 일봉셔출 붓쳐쓰니 옥낭즈의 얼골 본 듯 눈

(김진21ㄱ:01) 에 암〃 귀에 경〃 욕망니 난망이요 불사이 자사라 반갑기도
　　　　　　　 칭양

(김진21ㄱ:02) 읍스온니 낭지 날노 인허여 일신에 벙이 된다 헌니 바라건듸 낭

(김진21ㄱ:03) 즈는 쳔금귀체을 아모쪼록 보즁허옵소셔 이늬 일신은 부모

(김진21ㄱ:04) 을 뵈옵지 못허여 염여 무궁ㅎ건니와 셜마 옥낭즈야 이져쓰리

(김진21ㄱ:05) 가 슈이 상봉헐 거신니 후일을 기다리소스 허여거날 그 편지을

(김진21ㄱ:06) 보고 할임에 얼골을 본 듯 반갑더라 잇써 옥승상니 황졔의 명픠

(김진21ㄱ:07) 을 보고 황〃급〃ㅎ야 탑젼에 슉비헌니 황졔 ᄀ로스듸 할님
　　　　　　　 진옥

(김진21ㄱ:08) 으로 부마을 삼으려 허여든니 졔 말리 경에 여식과 졍혼허엿
　　　　　　　 다 헌

(김진21ㄱ:09) 니 그 말리 젹실헌요 옥승상이 황공허여 졔계 희가 될가 허여 쥬

(김진21ㄱ:10) 왈 소신에게 과연 장셩헌 여식이 잇스온나 김진옥과 졍혼헌
　　　　　　　 일리

(김진21ㄱ:11) 읍나이다 황졔 그 말을 드러시고 듸로허스 진옥을 올여 국문헌

(김진21ㄱ:12) 니 진옥이 듸왈 신즈지도리의 웃지 두 말 허오릿ᄀ 죽스와도

(김진21ㄴ:01) 옥낭즈을 비반치 못허리로소이다 황졔 옥승상을 도라보스 왈 경

(김진21ㄴ:02) 이 누듸 직상으로 국녹지신이 되야 명망이 조야의 진동허거날
　　　　　　　 그런

(김진21ㄴ:03) 누명을 웃지 신셜허리요 진옥의 죄을 후인을 경계ㅎ리라 경에 뜻

(김진21ㄴ:04) 시 웃더헌요 승상이 듸답지 안코 집으로 도라와 분을 참지 못
　　　　　　　 허여 낭

(김진21ㄴ:05) 즈을 죽이려 허신니 부인니 고왈 낭즈을 죽이려 허시거든 쳡

과 흔 가지

(김진21ㄴ:06) 로 죽이소셔 당초의 첩의 죄온니 즛지 낭즈만 죽이리요 허며 이걸

(김진21ㄴ:07) 헌니 승상이 부인에 스졍을 싱각허스 노을 진졍헌신니라 잇쩌

(김진21ㄴ:08) 낭지 그 말을 듯고 심사을 진졍치 못허여 즈결코즈 허던니 시 비 난

(김진21ㄴ:09) 향이 붓들고 구안헌 후의 부인의계 고헌니 부인 〃 말을 듯고 젼

(김진21ㄴ:10) 지도지 드러가 낭즈을 붓들고 위로 왈 늬가 죽기로쎠 빅가에 혼스

(김진21ㄴ:11) 을 퇴허고 진옥에 혼스을 되계 헐거신니 염여 말나 허시고 다 시 승

(김진21ㄴ:12) 상계 고왈 그도 역시 쳔졍연분이오니 아모쪼록 진옥에 혼스을

(김진22ㄱ:01) 이루계 흐소스 승상이 〃윽히 싱각흐다가 빅가의 혼스을 퇴하고

(김진22ㄱ:02) 진옥의 혼스을 졍허시다 잇쩌의 졍동한이 황졔계 쥬왈 할님 김진

(김진22ㄱ:03) 옥이 교만방자허여 황명을 거역허고 쪼흔 그 즁의 졔 이비 혜 랑이 션

(김진22ㄱ:04) 우로 더부러 동심함역허여 늬응허여닷가 이리 탈노허여 도망허

(김진22ㄱ:05) 여 월국에 드러ㄱ 오지 못허여스온니 그 죄상을 의논허면 그 아비는 국

(김진22ㄱ:06) 가에 딕역부도라 국법으로 시힝허여 죽이기 맛당헐ㄱ 허나이다

(김진22ㄱ:07) 그 말리 맛지 안이흐여 우승상 남필 등이 출반 쥬왈 긔졀지사 라 츙

(김진22ㄱ:08) 신을 무단니 모히허온니 황상은 명박히 살피스 무죄헌 현인의

(김진22ㄱ:09) 후예을 히치 마러소셔 잇쩌의 죄부쥬스ㄱ 쥬왈 복걸 황상은

(김진22ㄱ:10) 무죄헌 진옥을 히치지 마러시고 방송허옵소서 또 광틱후 김

(김진22ㄱ:11) 홍쳘리 쥬왈 할님 김진옥은 유장쳘혈 안니여든 음향지죄로

(김진22ㄱ:12) 다스리고 져허신니 아모리 위왕공쥬을 위허여 혼인코즈

(김진22ㄴ:01) 허시나 쳔졍연분을 거역지 못허난니 남의 연분을 탈취ㅎ오릿
　　　　　　　 가 무죄헌

(김진22ㄴ:02) 진옥을 쥭이고즈 허실진딘 추라리 소인을 물리치소사 쥭기로
　　　　　　　 쎠 간허니

(김진22ㄴ:03) 황졔 씨다러시고 김응쳘 등을 슈금허신니라 잇쩌의 옥낭지 명
　　　　　　　 지경각

(김진22ㄴ:04) 이라 부인이 민망ㅎ야 황후씌 상쇼ㅎ니 그 상쇼를 보시고 불
　　　　　　　 상히 역

(김진22ㄴ:05) 여 황상씌 쥬왈 인간 혼사는 임의로 못ㅎ난니 위염으로 마옵
　　　　　　　 소셔 쏘

(김진22ㄴ:06) 혼 김진옥의 혼사는 션후가 잇스오니 자셰히 헤아리소셔 황졔
　　　　　　　 드르

(김진22ㄴ:07) 시고 옥승상의 혼스를 허락ㅎ신니라 잇쩌의 김진옥이 옥의셔 나

(김진22ㄴ:08) 오다가 드른니 옥낭즈의 명이 시각의 잇다 ㅎ거날 급히 옥승상

(김진22ㄴ:09) 씩으로 청혼ㅎ니 승상이 허락ㅎ야 즉시 퇵일ㅎ야 보닉니 부인

(김진22ㄴ:10) 이 낭즈다려 졍혼혼 말슴을 ㅎ신대 낭지 그 말슴을 듯고 불승감

(김진22ㄴ:11) 사ㅎ야 의복단장을 다시 ㅎ니 화례혼 틱도가 쏘혼 여젼ㅎ더라

(김진22ㄴ:12) 젼안날을 당ㅎ민 할님이 위의를 갓츄고 교빅셕의 나간니 젼후

(김진23ㄱ:01) 회긱이며 남녀노쇼 옵시 다 충찬 왈 님의 쳔졍년분을 뉘라셔
　　　　　　　 탈취

(김진23ㄱ:02) 홀리요 ㅎ더라 이날 밤의 할님이 낭지를 딕ㅎ야 옥슈를 마죠
　　　　　　　 잡고

(김진23ㄱ:03) 셕사를 죠롱ㅎ며 혼사격년ㅎ야 심장 쎡이든 일과 청죠에 편지 젼

(김진23ㄱ:04) 흥든 일을 셜화ᄒ며 금니에 나아가 운우지낙을 일운이 원앙

(김진23ㄱ:05) 니 뉴슈의 깃드림 갓튼니 질거운 일도 만컨만는 질거운 즁 자미

(김진23ㄱ:06) 가 이에셔 ᄯ 잇슬리요 할님이 낭자로 더부러 금실지낙 조흔

(김진23ㄱ:07) 즁의 부모를 싱각ᄒ고 비창흠을 마지 안이ᄒ더라 각셜 잇

(김진23ㄱ:08) 씌에 우왕이 갑자년에 픽를 보고 도라가 원슈 갑기을 흔ᄒ다가

(김진23ㄱ:09) 다시 긔병ᄒ여 물 미듯시 드러온니 잇씌 할님이 날니 쇼문을

(김진23ㄱ:10) 듯고 낭자다려 왈 내의 팔자는 세상의 용납지 못ᄒ리로다

(김진23ㄱ:11) 부모을 난즁의 이별ᄒ고 용문의 올나 천힝으로 국은이 망

(김진23ㄱ:12) 극ᄒ나 부모가 만일 싱존ᄒ셧더면 일싱 영귀ᄒ야 평싱

(김진23ㄴ:01) 낙을 일울 거시여날 시운이 불힝ᄒ여 ᄯ 난셰을 당ᄒ야 부모

(김진23ㄴ:02) 죤망을 웃지 알리요 ᄒ며 눈물을 금치 못ᄒ니 낭지 위로 왈

(김진23ㄴ:03) 세상사가 인역으로 ᄒᆯ 배 안니라 할님의 팔자쇼관이라 그러

(김진23ㄴ:04) 나 웃지 쳔지무심ᄒ리요 부모 맛날 씌가 잇스리니 일신을 보즁

(김진23ㄴ:05) ᄒ여 시졀을 기다리소셔 잇씌 옥승상이 가권을 다리고 북히

(김진23ㄴ:06) 로 피난ᄒ니라 각셜 잇씌의 장단틱슈가 장계ᄒ여씨되 남션

(김진23ㄴ:07) 우가 대군을 거나리고 장ᄉ 동돌공으로 션봉을 삼아시니 동

(김진23ㄴ:08) 돌공은 당ᄒᆯ 재 읍는지라 육도삼낙과 풍운조화을 임

(김진23ㄴ:09) 의로 부리고 대군을 능멸리 역겨 무인지경갓치 드러온니 복

(김진23ㄴ:10) 걸 황상은 명장을 틱츌ᄒ야 젹병을 막으쇼셔 ᄒ얏거날

(김진23ㄴ:11) 황졔 장계을 보시고 근심ᄒ사 만조빅관을 모아 의논ᄒ시더니

(김진23ㄴ:12) ᄯ흔 경틱슈의 표셔를 올리거날 써여본니 ᄒ엿스되 젹장

(김진24ㄱ:01) 이 쳥픽를 함몰ᄒ고 연경을 함몰ᄒ니 황상은 급희 명장을 죠발

(김진24ㄱ:02) ᄒ야 막계 ᄒᆸ소셔 ᄒ여거날 황졔 대경ᄒ사 졔신을 도라보사 왈

(김진24ㄱ:03) 경 등은 도적 막을 계교을 싱각ᄒ야 짐의 마음을 편케 ᄒ라
　　　　　　　　ᄒ신

(김진24ㄱ:04) 대 승상 남피 등이 쥬왈 대국 명장은 지혜가 겸젼ᄒ고 문무 구비

(김진24ㄱ:05) 흔 장슈을 퇴흐여 쓰고자 흐시면 김진옥의셔 지날 지 읍ㅅ온

니 김진

(김진24ㄱ:06) 을 명쵸흐사 막계 흐소셔 황졔게옵셔 침음흐시더라 이날 밤의

(김진24ㄱ:07) 황졔 흔 쑴을 어던니 일위 도새 탑젼의 쥬왈 할임 김진옥으로 젹

(김진24ㄱ:08) 병을 막계 흐소셔 흐고 간 대 읍거날 황졔 씨다르시고 하교흐

사 김

(김진24ㄱ:09) 진옥으로 명쵸흐신니 명관이 봉황쵼으로 ᄎᄌ 간니라 즉

(김진24ㄱ:10) 시 도라와 보흐되 김진옥이 가쇽을 다리고 북경으로 갓다 흐더

(김진24ㄱ:11) 이다 황졔 사관을 다시 명쵸흐사 북경으로 보닉신니라 잇쩌

(김진24ㄱ:12) 에 할님이 더욱 망극흐야 웃지 홀 쥴을 므로다가 잠간 일

(김진24ㄴ:01) 몽을 으든니 화산도새 와셔 일으되 황졔게셔 할님을 ᄎ지신니 어

(김진24ㄴ:02) 셔 올나가 공명을 일운 후의 부모을 만나 보게 흐라 허거날 할

님이 짐

(김진24ㄴ:03) 작허고 황셩으로 힝하여 궐흐의 복지한듸 황졔 반기스 ᄀ라사

듸 지

(김진24ㄴ:04) 금 남션우 반흐여 딕병을 모라 들어온니 경은 슈고를 잇기지

말고

(김진24ㄴ:05) 딕공을 일우어 사직을 안보허라 흐신듸 할님이 복지 쥬왈 신이

(김진24ㄴ:06) 모략과 용밍이 읍사온나 한 번 나가 흉젹을 소멸흔 후의 위엄을

(김진24ㄴ:07) 딕국의 빗닉리이다 황졔 딕희흐사 김진옥으로 딕원슈를

(김진24ㄴ:08) 정흐시고 딕장군 졀월을 쥬시며 졍병 빅만을 쥬시니 원쉬 국

(김진24ㄴ:09) 은을 사례허고 군ᄉ을 초독허여 북향 ᄉ빅하고 딕장군긔을 셰우

(김진24ㄴ:10) 고 군ᄉ을 호령흔니 원쉬 머리에 순금투구를 쓰고 손에는 팔쳑

(김진24ㄴ:11) 장금을 잡고 몸에는 학금포을 입고 쳔리용춍을 타고 딕장긔

(김진24ㄴ:12) 치에 쪄쓰되 딕국 딕원슈 할님학사 겸 딕사마 딕도독 김진옥

이라

(김진25ㄱ:01) 허고 위염이 상셜 又흔지라 황졔 십리 박게 나와 원슈를 젼송

(김진25ㄱ:02) 허시며 원노에 무스이 회환홈을 당부ᄒ신니 원슈에 긔상이

(김진25ㄱ:03) 늠〃허드라 잇ᄯ에 남션우 쳥파셩을 ᄭ치고 물미듯시 들어

(김진25ㄱ:04) 은니 동돌공 왈 금일 당명황의 쳔디가 ᄂ일 우리 쳔지가 아마

(김진25ㄱ:05) 될 거신니 이번 싸홈에는 당종을 소멸허고 갑ㅈ연 원슈를

(김진25ㄱ:06) 갑풀 거신니 즁국 억만 딕병을 웃지 근심허리요 허며 딧쳐

(김진25ㄱ:07) 들어간니 뉘라셔 당허리요 잇ᄯ 션우에 군졸이 보하되 표향소

(김진25ㄱ:08) 릭 나ᄂ 곳에 즁국 대장이 길을 막고 진을 쳣다 ᄒ거날 션우
　　　　　　 가 멀

(김진25ㄱ:09) 리 바라본니 과연 진을 친지라 김원슈 대군을 모라 진문을 구지

(김진25ㄱ:10) 닷고 군즁에 젼령ᄒ여 왈 명일은 졉젼홀 거신니 단속을 비밀
　　　　　　 리 ᄒ

(김진25ㄱ:11) 라 그날 밤에 ᄒ ᄭ움을 으든니 화산도사 와 일으되 원슈는 무
　　　　　　 스이 힝군

(김진25ㄱ:12) ᄒ야ᄯ다 션우대장 동돌공의 직조는 텬ᄒ의 대젹홀 직 읍ᄂ지라

(김진25ㄱ:13) 원슈는 부대 경젹지 말고 지혜로 잡으라 ᄒ고 간 데 읍거날 놀

(김진25ㄴ:01) 나여 ᄭ다른니 남가일몽이라 즉시 이러나 공즁을 향ᄒ여 빅비

(김진25ㄴ:02) 사례ᄒ고 즉시 졔장을 불너 ᄒ령 왈 오날밤 삼경에 일만군을

(김진25ㄴ:03) 거나려 연셕의 미복ᄒ얏다가 함셩소릭 나거든 졉응ᄒ라 ᄒ

(김진25ㄴ:04) 고 원슈 갑쥬을 갓츄고 젹병을 시살ᄒ며 드러간니 동셔남북이
　　　　　　 일시

(김진25ㄴ:05) 의 졉응ᄒ거날 원슈 고셩대호 왈 동돌공아 네 아모리 강표를 자

(김진25ㄴ:06) 랑ᄒ되 나을 당홀소야 ᄒ거날 잇ᄯ 동돌공이 〃 말을 듯고 분
　　　　　　 긔을

(김진25ㄴ:07) 춤지 못ᄒ야 쳥용도를 빗기 들고 몸의는 녹표운갑을 입고 말

(김진25ㄴ:08) 을 모라 크게 호통허는 소릭 쳔지가 진동허는 듯 허더라 원슈 졍

(김진25ㄴ:09) 창츌마허여 접젼헐시 양쟝의 긔셰가 양〃허여 쳔지을 뒤눕는 듯
(김진25ㄴ:10) 말굽은 분〃허여 씌글리 산하을 덥펴는지라 션우 군즁의셔 항
(김진25ㄴ:11) 을 찰리지 못허던니 원슈에 창은 졈〃씩〃허고 동돌공의 기운
(김진25ㄴ:12) 는 졈〃쇠진헌니 퇴병코져 허거날 원쉬 일월긔을 두류며 호통
(김진26ㄱ:01) 일셩의 좌우 복병 일시에 닉다라 시살헌니 동돌공이 아모리 용
(김진26ㄱ:02) 밍이 잇신들 원슈을 웃지 당허리요 졍신을 밋쳐 슈십지 못허
(김진26ㄱ:03) 여 살기을 바라고 진을 혜치고 다라나거날 원슈 남은 군스 함몰
(김진26ㄱ:04) 흐고 딕군을 호령흐여 젼후을 쪼츠 십여 일만의 남히변의 다
(김진26ㄱ:05) 다른니 션우 비을 타고 만경쳥파의 쩌가거날 원쉬 션봉쟝을 불
(김진26ㄱ:06) 너 왈 도젹이 슈로〃 들 거신니 후한이 될지라 닉심을 다흐여 션
(김진26ㄱ:07) 우를 항복 밧고 동돌공을 자부이라 흐고 풍우갓치 쫏츠
(김진26ㄱ:08) 간니 잇쩌 슈십만 군죨리 반이나 쥬근지라 동돌공이 졔쟝을
(김진26ㄱ:09) 불너 왈 원쉬의 오는 길을 막그라 흐던니 원쉬 말을 모라 드러
(김진26ㄱ:10) 오며 딕호 왈 동돌공은 나와 승부을 결루즈 허며 마져 싸와 백
(김진26ㄱ:11) 여 흡의 이르러 원슈의 쳘퇴가 빗나며 동돌공의 머리을 베
(김진26ㄱ:12) 여 말계 달고 딕병을 모라 월국 쟝안에 드러간니 남션우 동돌공
(김진26ㄱ:13) 에 쥭엄을 보고 낙담상혼허여 졔당치 못헐 쥴 알고
(김진26ㄴ:01) 항셔을 올리거날 원쉬 션우에 항셔을 밧고 승젼고을 올이며 승
(김진26ㄴ:02) 젼헌 픽문을 황졔계 올이인라 잇띡 황졔 김원슈 도젹을 쫏차 월
(김진26ㄴ:03) 국에 드러ᄀ물 듯고 날노 승젼헌 픽문을 고딕허시던니 맛츰
　　　　　　　승젼
(김진26ㄴ:04) 헌 픽문을 보시고 딕히허시더라 김원슈 월국을 평졍흐고 슈로〃
(김진26ㄴ:05) 도라왓던니 원쉬 몸이 곤뇌허여 침셕을 의지허여던니 화산도식
(김진26ㄴ:06) 와셔 갈로되 쳔긔을 살펴본니 슈국에 살긔가 〃득허여씬니 조
(김진26ㄴ:07) 심허라 허시거날 원쉬 잠을 씨다른니 남가일몽이라 즉시 리엽션
(김진26ㄴ:08) 을 타고 향흐던니 홀연 딕풍니 이러나며 빅가 만경창파의 살

(김진26ㄴ:09) 갓치 써나간니 잇씩 원슈가 그 가는 바를 아디 못허든니 한
곳에 다〃

(김진26ㄴ:10) 라 살펴본니 물결은 하날례 다인 듯ᄒ고 송죽은 무성헌딕 김원

(김진26ㄴ:11) 슈 딕셩통곡 왈 늬가 평싱의 부모을 이별허고 쥬야 만나기을
축슈

(김진26ㄴ:12) ᄒ여든이 오날 이곳의셔 슈즁고혼이 될 쥴을 웃지 알라씨리요

(김진27ㄱ:01) 명쳔은 구버 살피소셔 ᄒ든니 문득 딕풍이 긋치며 물결이 잔〃

(김진27ㄱ:02) 허고 희 즁의 큰 셤이 잇거날 눈을 드러 살펴본니 산은 험학허

(김진27ㄱ:03) 고 쵸목은 무셩헌딕 한 갈 밧 속에 한 박발노인니 나오거날 원쉬

(김진27ㄱ:04) 살펴본니 얼골과 일신에 털리 나셔 무슌 짐싱 갓더라 원쉬 무

(김진27ㄱ:05) 러 가로되 어인 노인이관딕 이곳의 홀노 잇난잇가 그 노인이 답

(김진27ㄱ:06) 왈 나는 즁국ᄉ람으로 이 지경이 되엿난니다 원쉬 쏘 문왈 무
삼 일

(김진27ㄱ:07) 로 졀도의 드러와 고싱을 ᄌ취허난이가 노인이 답왈 늬 신셰
긔박

(김진27ㄱ:08) 허여 갑ᄌ연 난즁에 간신의계 춈소을 만나 일이 왓노라 허고
빅슈

(김진27ㄱ:09) 풍진의 흐르ᄂ이 룬물리라 원쉬 위로 왈 팔지 긔박허여 그러허

(김진27ㄱ:10) 나 그 연고을 알고져 허나이다 노인이 딕왈 나도 일즉 쳥운의
올나 벼

(김진27ㄱ:11) 슬허더니 이 지경을 당허믹 쥭기만 원허되 모진 목슘이 쥭지

(김진27ㄱ:12) 못헌니 한니로다 존공은 즁국에 잇다 허온니 어딕 살으셧

(김진27ㄴ:01) 난요 원쉬 딕왈 져 사ᄂ 지방은 쳥쥬 쌍이로소이다 노인 왈
존셩은 뉘

(김진27ㄴ:02) 라 허시오 원슈 딕왈 승은 김이로소이다 노인이 원슈의 말을
듯고

(김진27ㄴ:03) 더욱 실펴 왈 나도 쳥쥬 쌍의 살라나이다 그러ᄒ면 노인 존셩은

(김진27ㄴ:04) 뉘라 ᄒ시ᄂ요 노인이 답왈 ᄂᆡ 셩명은 김혜랑이라 ᄒ나니다 ᄀ러ᄒ

(김진27ㄴ:05) 면 ᄌᆞ숀이 잇나잇가 그 노인이 눈물을 흘리며 왈 사십 후의 ᄒᆞᆫ ᄌᆞ

(김진27ㄴ:06) 식을 두엇다가 갑ᄌᆞ녀 난즁에 일엇난니다 진옥이 왈 그 자식의 일홈

(김진27ㄴ:07) 을 아시난잇가 노인이 답왈 나의 ᄌᆞ식에 일홈은 김진옥이어니와 화

(김진27ㄴ:08) 쵸암에서 공부ᄒ다가 인ᄒ야 이별ᄒ얏던니 지금 사싱존만을 모

(김진27ㄴ:09) 로노라 ᄒ거날 원쉬 그계야 부친인 줄 알고 그 노닌을 붓들고 대셩

(김진27ㄴ:10) 통곡 왈 쇼ᄌᆞ에 일홈이 진옥이로쇼이다 ᄒ니 그 노인이 진옥이ᄂᆞᆫ 말

(김진27ㄴ:11) 을 듯고 대셩통곡ᄒ고 긔졀ᄒ고 업더러진니 진옥이 눈물을 긋치

(김진27ㄴ:12) 고 부친을 위로ᄒ며 젼후ᄉᆞ을 낫〃치 셜화ᄒᆞᆫ 연후의 ᄇᆡ을 타

(김진28ㄱ:01) 고 만경쳥파의 ᄊᆡ셔 고국으로 향ᄒ던니 한 곳의 다〃른니 풍편의 쳥

(김진28ㄱ:02) 아흔 옥져 소ᄅᆡ 들니거날 슬펴본니 일위 동재 쳥의을 입고 머리의

(김진28ㄱ:03) 화관을 쓰고 일엽편쥬를 타고 살갓치 오며 왈 즁국 도원슈 김

(김진28ㄱ:04) 샹셔ᄂᆞᆫ ᄇᆡ를 줌시 머무소셔 ᄒ며 급히 불너 왈 슈부왕이 쳥ᄒᆞ신

(김진28ㄱ:05) 니 가ᄉᆞ이다 ᄒ거날 원쉬 대왈 용왕은 슈부 용신이요 진옥은 진셰

(김진28ㄱ:06) 지인이라 유현이 노슈어날 안득장급ᄒ리요 원쉬 부친긔 고왈 웃

(김진28ㄱ:07) 지 ᄒᆞ오릿가 ᄒ니 샹셰 왈 용왕이 쳥ᄒᆞ신니 웃지 거역ᄒ리요 아

(김진28ㄱ:08) 모케나 가리라 ᄒ시니 원쉬 동ᄌᆞ을 짜라 슈부에 일어니 일월니

(김진28ㄱ:09) 명낭ᄒ고 텬지가 광활ᄒ고 쥬궁굉월에 위의가 거록ᄒ더라 잇쌔

(김진28ㄱ:10) 용왕이 원슈 옴을 듯고 나와 영졉 왈 원슈의 존명을 드른 지 오라

(김진28ㄱ:11) 든니 오날이야 승안을 ᄒ도쇼이다 원쉬 대왈 나는 인간 사ᄋᆷ 이라 이

(김진28ㄱ:12) 대지 관대ᄒ신니 감사무지로쇼이다 슈작이 난만ᄒ던니 흔 신ᄒ

(김진28ㄴ:01) 픠문을 올리되 동국 ᄃᆡ병이 지경을 범ᄒ온니 대왕은 급희 막 으쇼

(김진28ㄴ:02) 셔 하여너라 잇쩌 용왕이 원슈를 도라보아 왈 과인이 김원슈를

(김진28ㄴ:03) 쳥ᄒ 거션 다름이 안이라 동희 용왕이 지경을 침노ᄒ니 원슈는

(김진28ㄴ:04) 일신을 악기지 말고 공을 일우라 만일 젹병을 쇼멸ᄒ면 슈부 의 싱

(김진28ㄴ:05) 광이 될 거시요 쏘 공을 표ᄒ리이다 ᄒ니 원쉬 ᄃᆡ왈 나는 진 셰 ᄉᆞ람이

(김진28ㄴ:06) 라 웃지 슈부 용왕을 당ᄒ리오 그러나 심을 다ᄒ여 보사이다 용왕

(김진28ㄴ:07) 이 대희ᄒ야 즉시 졍병 팔만을 조발ᄒ야 쥬고날 동희 용왕과 대

(김진28ㄴ:08) 진ᄒ니 쳔지가 진동ᄒ고 남희 용궁이 물 미듯 ᄒ더라 원슈 수은

(김진28ㄴ:09) ᄒ고 물너 나온니 군영이 엄슉ᄒ고 위엄이 진동ᄒᄂᆞ지라 각셜 잇

(김진28ㄴ:10) 쎠 즁국 대방이 회환ᄒ다가 원슈를 일코 삼삭 만의 본국의 도라

(김진28ㄴ:11) 와 황졔ᄭᆡ 쥬왈 대원슈 김진옥을 즁노의셔 일어다 ᄒ니 황졔

(김진28ㄴ:12) 그 말을 듯고 대경ᄒ시더라 잇쩌 옥승상과 낭지 이 말을 듯고 ᄃᆡ

(김진29ㄱ:01) 경ᄒ여 아모리 홀 쥴 모로더라 위왕공쥬 김진옥으로 결혼코자

(김진29ㄱ:02) ᄒ다가 셩혼치 못ᄒ여 심즁의 앙〃ᄒ던니 김진옥이 쵸풍횟단

(김진29ㄱ:03) 말을 듯고 잇쩌를 당ᄒ야 모희코자 ᄒ더니 병부 상셔 졍흔 등으

(김진29ㄱ:04) 로 교통ᄒ야 황졔ᄭᆡ 엿ᄌᆞ오되 갑ᄌᆞ년 난즁에 김진옥에 아비 혜

(김진29ㄱ:05) 랑이도 〃적과 늬응ㅎ다가 셩ᄉ치 못홈으로 월국으로 드러가

(김진29ㄱ:06) 던니 지금 진옥이 월국을 치는 체ㅎ다가 월국으로 도망ㅎ야

(김진29ㄱ:07) 졔 아비와 동심합녁ㅎ야 즁국을 희코자 ㅎ온니 그 쳐자을 웃지

(김진29ㄱ:08) 살녀 두리잇가 황졔는 늬두를 싱각ㅎ소셔 황졔 그 쥬언을 드
르시

(김진29ㄱ:09) 고 그러홀 듯 흔지라 즉시 옥승상을 삭탈관직ㅎ고 옥낭ᄌ는

(김진29ㄱ:10) 죽이려 ㅎ더라 잇쩌 김원슈 츌젼홀 쎄에 틱긔 잇슴을 보앗는지

(김진29ㄱ:11) 라 낭지 탄싱흔니 일기 옥동이라 일홈을 이윤이라 ㅎ다 잇쩌를

(김진29ㄱ:12) 당ㅎ믹 옥낭지 이윤을 안고 젼옥에 드러가며 슬피 통곡ㅎ며

(김진29ㄴ:01) 엿자오되 쳡은 죄 즁ㅎ온니 어셔 밧비 죽여 쥬압소셔 하날을 우

(김진29ㄴ:02) 러 〃 통곡 왈 유 〃 창텬은 굽어 살피소셔 ㅎ더라 잇쩌 츌젼ㅎ얏

(김진29ㄴ:03) 든 졔쟝들리며 좌우 졔인이 뉘 안이 슬허ㅎ리요 졔쟝이 황졔
씌 엿

(김진29ㄴ:04) ᄌ오되 김진옥이 대공을 일우고 불힝ㅎ여 쵸풍ㅎ얏사오나 그 쳐

(김진29ㄴ:05) ᄌ야 무슴 죄 잇스오릿가 황상은 널리 싱각ㅎ옵소셔 황졔 드로

(김진29ㄴ:06) 시고 하교 왈 아즉 죽이지는 말나 ㅎ시다 공쥬가 황졔계 엿ᄌ오

(김진29ㄴ:07) 되 그 ᄌ식 이윤은 김진옥에 혈육이온니 우션 그 ᄌ식벗텀 죽
여 후환

(김진29ㄴ:08) 이 읍계 ㅎ소셔 옥낭지 엿ᄌ오되 신쳡을 죽니고 이윤을 슬녀 쥬

(김진29ㄴ:09) 옵소셔 ㅎ고 통곡흔니 황졔 ㅎ교 왈 옥낭ᄌ을 결박ㅎ여 요란

(김진29ㄴ:10) 치 안케 ㅎ라 옥낭지 통곡 왈 이윤아 너는 무슴 죄로 한슈물

(김진29ㄴ:11) 의 고기 밥이 되려 하는야 부모를 줄못 만나 무죄히 죽은니 웃

(김진29ㄴ:12) 지 답 〃지 안니ㅎ리요 이윤을 붓들고 통곡ㅎ다가 피를 토ㅎ

(김진30ㄱ:01) 더라 보는 지 뉘 안이 슬허ㅎ리요 옥낭지 긔졀ㅎ다가 혼미즁
의 누

(김진30ㄱ:02) 엇던니 일위 션녀 ㅎ날노셔 나려와 안지며 왈 낭자는 인간 고

(김진30ㄱ:03) 싱을 흔치 말나 질거운 셰월이 도라온다 ㅎ고 간 듸 읍거날

(김진30ㄱ:04) 놀내 씨다른니 남가일몽이라 낭즈 심즁의 힝여 낭군이나 슈

(김진30ㄱ:05) 이 볼가 ㅎ야 공즁을 향ㅎ야 무슈희 사례ㅎ더라 각셜 잇써

(김진30ㄱ:06) 원슈 〃부에셔 용군 듸병을 거나리고 일즈 쟝슈진을 쳐 졔쟝을

(김진30ㄱ:07) 호령ㅎ신니 션봉 쟝신갑이 쥬왈 동히 용왕은 육슈진을 쳣

(김진30ㄱ:08) 거날 원쉬 웃지 일즈 장슈진을 쳣는잇가 원쉬 소왈 오힝 즁에 극

(김진30ㄱ:09) 슈 잇신니 육슈진에 들면 웃지 살기를 바라리요 졔쟝이 셔

(김진30ㄱ:10) 로 도라보고 왈 원슈의 진법은 진짓 명쟝이라 ㅎ며 칭찬ㅎ더

(김진30ㄱ:11) 라 잇써 원쉬 군법을 졍졔ㅎ고 싸흠을 도〃던니 동히 용왕은

(김진30ㄱ:12) 드러보라 ㅎ며 풍운조화를 부리니 용왕이 듸로ㅎ야 비

(김진30ㄴ:01) 룡마를 타고 쳥젼금을 들고 달녀들거날 원쉬 응쳥 츌마ㅎ

(김진30ㄴ:02) 야 동셔남북으로 츙돌ㅎ다가 용왕의 머리를 베허 들고 만군

(김진30ㄴ:03) 즁에 횡힝ㅎ니 슈즁 명장이 듸경실식ㅎ더라 잇써 젹진 군즁에

(김진30ㄴ:04) 항셔를 뻐 올니거날 원쉬 항셔를 밧은 후에 군슈를 모라 도라온

(김진30ㄴ:05) 니 본부왕이 대희ㅎ야 원슈와 그 부친을 좌상에 안치고 원슈 공

(김진30ㄴ:06) 덕을 무슈희 칭사ㅎ시더라 승상으로 동히군을 봉ㅎ시고 원슈

(김진30ㄴ:07) 로셔 히군을 봉ㅎ시고 스즈을 불너 북히 용왕과 셔히 용왕과

(김진30ㄴ:08) 션관션녀을 쳥ㅎ야 잔치를 빅셜ㅎ고 질기던니 슈문장이 알외

(김진30ㄴ:09) 되 각쳐 용왕이 오신다 ㅎ거날 본부왕과 사히 용왕이 예필좌졍

(김진30ㄴ:10) 후에 본부왕이 원슈의 공을 칭사ㅎ니 여러 왕이 사례ㅎ더라 쏘

(김진30ㄴ:11) 슈문쟝니 보ㅎ되 일광녹 두직미 소동파 니틱빅이 오신다 ㅎ

(김진30ㄴ:12) 거날 용왕이 리러나 영졉ㅎ거날 션관이 원슈의 손을 잡고

(김진31ㄱ:01) 왈 그듸 우리를 아는다 원슈 왈 아지 못ㅎ나이다 션관이 각기
　　　　　　　성명

(김진31ㄱ:02) 을 일으거날 원쉬 반긔며 슈작ㅎ더라 그 션관이 소미로셔 실과

(김진31ㄱ:03) 를 늬여 쥬거날 바다 본니 인간 실과 갓거날 원쉬 바다 먹은니

(김진31ㄱ:04) 쳔상셔 노든 일이 어졔 갓던지라 잇쩌의 삼일 잔치흔 연후의 용

(김진31ㄱ:05) 왕이 그 공덕을 표ᄒ고 다시 풍악으로 질긴 후의 원쉬 몸이 곤

(김진31ㄱ:06) ᄒ야 잠간 조으던니 비몽간에 화산도ᄉ 와 일으되 원쉬 웃지

　　　　오릿

(김진31ㄱ:07) 유슉ᄒ난요 급희 가 낭ᄌ를 구ᄒ라 ᄒ거날 놀내 씌다른니 남

(김진31ㄱ:08) 가일몽이라 즉시 용왕씌 고왈 고국으로 도라가 봉명ᄒ깃ᄉ온

(김진31ㄱ:09) 니 왕은 허ᄒ소셔 흔듸 용왕 왈 그듸 쳔ᄌ씌셔도 기달리 거시요

(김진31ㄱ:10) 쳐ᄌ도 기다릴 거신니 밧비 도라가리 ᄒ고 원슈의 숀을 잡고

　　　　왈 무

(김진31ㄱ:11) 어스로 공덕을 표ᄒ리요 그듸 공덕은 만세불망이라 ᄒ고 비단

(김진31ㄱ:12) 흔 필을 쥰니 원쉬 문왈 무슴 비단이잇가 용왕이 대왈 이

(김진31ㄴ:01) 비단은 텬상즉여의 보물리라 옷슬 지여 입으면 엄동의도 칩지

(김진31ㄴ:02) 안코 하졀의도 덥지 안코 일졀 빗치 변치 안니흔다 ᄒ며 쏘

　　　　진슈

(김진31ㄴ:03) 흔 쪽을 쥬며 왈 이거슬 몸의 진이면 칠십상슈ᄒ리라 용궁의

(김진31ㄴ:04) 지즁흔 보비라 ᄒ고 쏘 일장셔간을 닥가 쥬며 왈 이거슬 갓다가

(김진31ㄴ:05) 그듸 쳔ᄌ을 드리라 헌니 원쉬 바든니라 쏘 일강녹 왈 나는

　　　　무어스

(김진31ㄴ:06) 로 표ᄒ리요 허고 야광쥬 흔 쌍을 쥬고 여동빈 왈 나는 무엇스로

(김진31ㄴ:07) 졍을 표허리요 ᄒ고 붓치을 쥬며 왈 이 붓치을 붓치면 운무ᄀ

(김진31ㄴ:08) ᄌ옥ᄒ고 죽계 된 ᄉ름이라도 살고 죽은 나무을 붓치면 입피

　　　　나고

(김진31ㄴ:09) 쏘 꼿치 피난이라 두목지 왈 나는 무어스로 표허리요 허고 옥

　　　　장도

(김진31ㄴ:10) 을 쥬며 왈 이거시 비록 져그나 몸에 진니면 귀신니 범치 못허고

(김진31ㄴ:11) 밤이 낫 갓튼니 가져ᄀ라 쏘 소동파 왈 나는 무어스로 표허리

요 허고

(김진31ㄴ:12) 화상 그린 족ㅈ을 쥬며 왈 이거시 지극헌 보비라 ㄱ저ㄱ라 쏘 이

(김진32ㄱ:01) 격션이 왈 나는 무어스로 표할리요 ㅎ고 금동ㅈ 흔아을 쥬며 왈 이

(김진32ㄱ:02) 거슬 가져ㄱ라 원쉬 각기 보물을 밧고 치사헌니 쏘 션예 왈 나는

(김진32ㄱ:03) 무어스로 표허리요 허고 꼿 한 가지을 쥬며 왈 이거슬 갓다ㄱ 병의

(김진32ㄱ:04) 쏘져 두면 스시로 향긔 가진동 허리라 원쉬 각〃 졍표을 가지고 길

(김진32ㄱ:05) 을 지쵹헌이 용왕이 노비을 봉허여 쥬거날 원쉬 스양ㅎ고 용왕과

(김진32ㄱ:06) 션관 션여을 니별ㅎ고 도라온이라 각셜 무ㅅ 등이 황명을 밧ㅈ와

(김진32ㄱ:07) 이윤을 자바간니 이윤이 울며 왈 익고 어마님 나는 무슴 일노 어마님을

(김진32ㄱ:08) 예다 두고 어듸로 간단 말리요 어마님 나 죽는 양을 보고 모르는 체허

(김진32ㄱ:09) 시는요 이늬 팔ㅈ 긔박허여 붓친 낫도 모로고 어만님좃츳 이별허

(김진32ㄱ:10) 고 속졀 업시 한슈물의 고기 밥이 되거신니 이 일을 웃지 허잔 말리

(김진32ㄱ:11) 요 익고 스름이야 이늬 몸 인져 가면 언졔 다시 보잔 말리요 무싀 왈 인

(김진32ㄱ:12) 졍은 가긍허나 쳔ㅈ에 명영이라 무가늬ㅎ라 ㅎ고 한슈물에 드리

(김진32ㄴ:01) 치니 쳔지 웃지 무심허리 잇쩌의 통팡이라 허는 스룸이 잇싀

되 소

(김진32ㄴ:02) 연 직상으로 청운을 ᄒ직하고 〃향의 도라와 고기 잡기을 일삼든

(김진32ㄴ:03) 니 우연이 한슈물가의 나간니 홀련 풍편에 처량헌 우름소릭 들

(김진32ㄴ:04) 리거날 고히 역녀 나가본니 한 아히 부모을 부르며 실피 울거날

(김진32ㄴ:05) 통판이 건재 녹코 문왈 너는 어듸 산는 아히로서 이 지경을 당허

(김진32ㄴ:06) 여는요 익윤이 듸왈 늬의 일홈은 익윤이요 살기는 북경의 스압든

(김진32ㄴ:07) 니 우연 문 박긔 나갓다가 도적을 만나 슈즁고혼이 될 거슬 듸인을

(김진32ㄴ:08) 만나 잔명을 살여 쥬옵신니 은혜난망이로소이다 통판 왈 가이 불

(김진32ㄴ:09) 상ᄒ도다 북경의 산다 흐니 부친의 일홈은 뉘라 허는요 익윤이

(김진32ㄴ:10) 듸왈 부친의 홈ᄌ는 자셰이 아지 못ᄒ나이다 통판니 듸답허되

(김진32ㄴ:11) 김진옥이 반심을 두엇다 허던니 황졔계셔 그 쳐ᄌ을 다 죽인다 허

(김진32ㄴ:12) 던니 져 아히가 필시 진옥의 아들이로다 허시더라 옥승상은 나

(김진33ㄱ:01) 의 외슉인이 웃지 그 외손을 져바리 〃요 허더라 이쩍에 옥씨 익윤

(김진33ㄱ:02) 을 이별ᄒ고 마음을 진졍치 못허여 자로 긔졀헌니 시비 등이 붓들

(김진33ㄱ:03) 고 위로 왈 아모커나 원슈 도라오기을 기다리소셔 옥씨 왈 닌들

(김진33ㄱ:04) 웃지 그런 쥴을 모로리요만는 형용이 칙은허고 인졍이 참혹허기

(김진33ㄱ:05) 로 슬품을 참지 못허노라 허며 눈물니 비 오듯 허더라 슬푸

(김진33ㄱ:06) 다 옥씨 신셰을 싱각헌니 옥즁의셔 고싱을 ᄉ오 연에 할님 소식이 돈

(김진33ㄱ:07) 졀헌니 어니 그리 무졍헌가 쑴에도 뵈지 안니허신니 슬푸다

우리

(김진33ㄱ:08) 낭군 꿈에나 볼ᄀ ᄒ나 꿈에도 뵈지 안코 오날리나 소식 올ᄀ 내일

(김진33ㄱ:09) 리나 긔별 올가 소식조차 돈절허다 즁쳔의셔 울고 가는 져 기럭

(김진33ㄱ:10) 아 내에 슬름 가져다ᄀ 김할님 ᄆ나거든 빅연소쳡 옥향금은 지금

(김진33ㄱ:11) 옥즁의셔 미구의 죽어간니 늬에 소식 젼허여라 이쩍 졍동ᄒ이

(김진33ㄱ:12) 황졔계 쥬왈 김진옥이 반ᄒ여 월국에셔 오지 안니ᄒ온니

(김진33ㄴ:01) 그 쳐ᄌ을 역율로 드러늬소셔 황졔 그 말이 올타 ᄒ고 ᄒ교허사

(김진33ㄴ:02) 옥씨를 늬일 오시에 장안 슘노상에셔 죽이리라 ᄒ신니 우승상 죠현

(김진33ㄴ:03) 과 좌별장 흔평니 츌반 쥬왈 황상은 명찰ᄒ사 불상흔 인싱을

(김진33ㄴ:04) 죽니지 마르소셔 김진옥은 국가 공신이라 강젹을 쇼멸ᄒ고 대공

(김진33ㄴ:05) 을 일우어 만리 젼장의 회환ᄒ다가 불힝ᄒ야 즁노에셔 초풍ᄒ

(김진33ㄴ:06) 얏ᄉ온니 진옥이 오기을 기다려 쳐단ᄒ옵소셔 황졔 불윤ᄒ신니

(김진33ㄴ:07) 다시 쥬왈 옥씨 비록 죄명ᄒ얏스나 본시 월궁션아로셔 인간

(김진33ㄴ:08) 의 탄싱ᄒ얏슨니 만일 원통이 죽ᄉ오면 텬앙이 잇ᄉ올 거신니

(김진33ㄴ:09) 복원 황상은 명찰ᄒ옵소셔 이걸흔니 황졔 대로ᄒ사 혼솔을

(김진33ㄴ:10) 슈금흔니라 잇쩍에 평등한 등이 의긔양〃ᄒ야 공쥬 더부러 옥

(김진33ㄴ:11) 씨 모히ᄒ기을 싱각ᄒ더라 잇쩍의 황후가 일자을 탄싱흔니 슘

(김진33ㄴ:12) 일 후에 옥씨를 죽이려 ᄒ더라 각셜이라 잇쩍 원쉬 부친을 뫼 시고

(김진34ㄱ:01) 슈부로 좃ᄎ나와 길을 직쵹ᄒ여 쥬야로 힝ᄒ던니 남텬산을 너머

(김진34ㄱ:02) 용인강을 근너 쥬동녕을 지나 쥬졈에 드러 잠간 소식을 탐지흔

(김진34ㄱ:03) 후에 문경을 지나온니 잇쩍 황졔 황후 싱산ᄒ심을 건긔ᄒ여

(김진34ㄱ:04) 슘일을 지난 후 옥씨를 죽이려 흔니 셔영 등이 호령ᄒ여 죽일

(김진34ㄱ:05) 긔계을 추릴시 옥씨는 할님 오기만 긔달려 흐날을 우러〃 통

(김진34ㄱ:06) 곡흐시 슬푸다 할님은 그딕지 무정흔가 흐며 이별흔 지 스오
년의

(김진34ㄱ:07) 소식좃차 돈졀흐니 사싱존망을 읏지 알리요 가련흐다 이닉 목

(김진34ㄱ:08) 슘 비조즉셕이라 우리 낭군 얼골이나 다시 보앗스며 쥭어도 원

(김진34ㄱ:09) 이 업것도다 잇씩 월왕공쥬 일등 복즈를 쳥흐야 문왈 쳥컨딕 졈

(김진34ㄱ:10) 을 자셔이 흐라 그 복즈의 일홈은 이심이라 공쥬 왈 그딕 만
일 김

(김진34ㄱ:11) 진옥이 도라올 날을 알면 쳔금을 쥬리라 흐니 이심이 졈을 이

(김진34ㄱ:12) 윽희 풀다가 왈 김진옥이 닉일 오시에 오리이다 흐니 공쥬

(김진34ㄴ:01) 이 말을 듯고 셔영 등으로 흐야금 황상계 엿즈오되 신 등이 황상

(김진34ㄴ:02) 의 덕퇵으로 긔흔을 모로오나 민간의 질고를 읏지 모로릿가

(김진34ㄴ:03) 듯즈온 즉 하북은 빅셩이 십년 긔흔을 이긔지 못흔다 흐니 신

(김진34ㄴ:04) 이 흐북의 가셔 창고을 슈운흐야 빅셩을 다살리계 흐오리다

(김진34ㄴ:05) 황졔 그 쥬달흠을 드으시고 가라사딕 예부 상셔를 명초흐라 흐

(김진34ㄴ:06) 신니라 각셜 잇씩 원쉬 황셩강을 근너 빅양슌을 넘어 월지

(김진34ㄴ:07) 슌에 넘어 딕강을 다〃른니 빅가 읍셔 망연답〃흔지라 스공을

(김진34ㄴ:08) 불너 왈 길 막힌 스롬을 구흐라 흐니 스공이 대답흐되 텬지 분

(김진34ㄴ:09) 부흐시되 분한 창고의 곡식을 이운흐라 흐신니 션창강변에

(김진34ㄴ:10) 션쳑을 몰슈이 하람의 이운흐얏긔로 건널 빅 읍나니다 흐거

(김진34ㄴ:11) 날 원슈 더옥 망극흐야 하날을 우러〃 통곡 왈 명년은 구버 살

(김진34ㄴ:12) 피소셔 난즁에 부모를 이별흐고 황명을 밧즈와 월국을 항복

(김진35ㄱ:01) 밧고 도라오난 길의 부친을 상봉흐고 오다가 쏘 드른니 옥낭
즈가

(김진35ㄱ:02) 닉일 오시의 숨노상에셔 쥭는다 흐니 읏지 흐면 슬계 흐리잇
가 앙

(김진35ㄱ:03) 쳔통곡ᄒᆞᄂᆞᆫ 추에 일위 션동이 불너 왈 샹공은 줌간 머무소셔 ᄒᆞ

(김진35ㄱ:04) 고 비을 대이거날 급희 비의 올나 근년 후의 사례 왈 션동의 구

(김진35ㄱ:05) 흠을 입ᄉᆞ와 대강을 무ᄉᆞ히 건너슨니 은혜난망이라 동ᄌᆞ 답

(김진35ㄱ:06) 왈 이 비ᄂᆞᆫ 남ᄒᆞ의 표쥬라 원슈의 싱사를 싱각ᄒᆞ고 표쥬를 보

(김진35ㄱ:07) 닉신니 원슈ᄂᆞᆫ 쎡를 일치 마르시고 윽낭ᄌᆞ의 명이 경각의 잇

　　　　　　　스온니

(김진35ㄱ:08) 원슈ᄂᆞᆫ 용왕의 은혜와 동ᄌᆞ의 공을 치사ᄒᆞ고 길를 직쵹ᄒᆞ야 자

(김진35ㄱ:09) 화 쥬졈에 다〃른니 일셰ᄂᆞᆫ 황혼이라 인마가 뇌곤ᄒᆞ여 침셕

(김진35ㄱ:10) 에 의지ᄒᆞ엿던니 낭지의 소식이 묘연ᄒᆞ야 줌을 일우지 못ᄒᆞ

(김진35ㄱ:11) 다가 잠간 조으던니 비몽ᄉᆞ몽 간에 낭지 드러와 원슈 압헤 안지

(김진35ㄱ:12) 며 슬피 울며 왈 할님은 급피 드러와 쳡을 구ᄒᆞ소셔 ᄒᆞ며 통

(김진35ㄴ:01) 곡ᄒᆞ거날 원쉬 놀내 쎄다른니 남가일몽이라 싱각ᄒᆞ되 낭ᄌᆞ

(김진35ㄴ:02) 무슴 화를 당ᄒᆞ야 쑴에 뵈이ᄂᆞᆫ가 ᄒᆞ고 계명 후에 길을 쎠나려

　　　　　　　ᄒᆞ다

(김진35ㄴ:03) 가 쏘 잠을 든니 화슌도새 와셔 일으되 밧비 도라가기를 싱각

　　　　　　　ᄒᆞ라

(김진35ㄴ:04) 지금 낭지 애미흔 일노 명일 오시에 쥭계 되얏슨니 급희 가

　　　　　　　구ᄒᆞ되 만

(김진35ㄴ:05) 일 닉일 오시만 지나면 낭ᄌᆞ를 구치 못ᄒᆞ리라 ᄒᆞ고 간 듸 업

　　　　　　　거날 원

(김진35ㄴ:06) 쉬 잠을 쎄여 부친게 엿자오되 소재 흔 쑴을 어던니 낭지 드

　　　　　　　러와 애

(김진35ㄴ:07) 미디사를 셜화ᄒᆞ고 쏘 화산도시 일으되 밧비 도라가 낭ᄌᆞ을

　　　　　　　구ᄒᆞ

(김진35ㄴ:08) 라 ᄒᆞ신니 반다시 무슴 변고가 잇사온니 복망 부친은 소자의 뒤

(김진35ㄴ:09) 를 죳차오소셔 ᄒᆞ고 쥬인을 불너 왈 이곳의셔 장안이 얼마나

되는

(김진35ㄴ:10) 요 쥬인이 답왈 여긔셔 구빅니로소이다 허거날 원쉬 직시 말
을 타고 경

(김진35ㄴ:11) 계 왈 네 비록 짐싱이나 날을 위ㅎ여 슈말리 갓다 왓신니 은공
은 젹지 안

(김진35ㄴ:12) 니ㅎ되 늬 집의 ᄉ망지환니 경각의 잇스니 날을 위ㅎ여 평싱
힘을

(김진36ㄱ:01) 다ㅎ여 구빅 리을 늬일 오시의 득달ㅎ게 허라 허며 금편을 흔
번 드러

(김진36ㄱ:02) 치니 그 말도 ᄉ름에 급험을 짐작ㅎ고 살갓치 가더라 잇쩌 경
동한동

(김진36ㄱ:03) 파젼이 알외되 오날 죄슈 옥낭ᄌ 죽일 날이로소이다 황졔 ᄒ
교 왈

(김진36ㄱ:04) 의법허라 허신니 금부도ᄉ 옥낭ᄌ을 장안 삼노상의 잡아늬이
낭ᄌ

(김진36ㄱ:05) 통곡 왈 쳔지도 무심토다 할님을 다시 만나지 못허고 죽게신
니 눈

(김진36ㄱ:06) 을 웃지 감으리요 긔졀허고 업더여 피을 토헌니 시비 등이 위
로 왈

(김진36ㄱ:07) 낭ᄌ은 아모리 설사와도 너머 이통치 마러소소 쳔지일월리 소 〃

(김진36ㄱ:08) 헌니 설무 죽ᄉ오리ᄀ 허며 오슬 붓들고 통곡허며 왈 낭지 만

(김진36ㄱ:09) 일 셰상을 이별허시면 소비 등도 한 가지로 죽고져 허나이다 허

(김진36ㄱ:10) 며 낭ᄌ을 붓들고 긔졀ᄒ니 참옥흠을 참아 보지 못헐너라 잇

(김진36ㄱ:11) 쎠 원슈 남강풍 쳔지경의 다 〃 은이라 말죽참를 듸고 잠간 쉬
든니

(김진36ㄱ:12) 어린아히 칙을 지고 와셔 비우고ᄌ ᄒ거날 원쉬 길을 머

(김진36ㄴ:01) 무르고 글을 가러친 후에 그 아히다려 문왈 네 일홈은 무어시

(김진36ㄴ:02) 며 나는 몃 살리며 부모 다 잇난야 헌니 그 아히 공경 듸왈 소
　　　　　　 즈의

(김진36ㄴ:03) 나는 칠셰요 셩명은 김이윤이요 부친은 즈셔이 아지 못허나이다

(김진36ㄴ:04) 그 말를 듯고 비감허여 쏘 문왈 네 부친을 자셔이 아지 못헌다 흔

(김진36ㄴ:05) 니 네 부친에 일홈을 아는다 그 아히 듸왈 붓친에 일홈은 진옥

(김진36ㄴ:06) 이라 허더니다 원쉬 문왈 너 부모가 살라난야 이윤이 답왈 부

(김진36ㄴ:07) 무가 다 살라씨되 어네 찐 만날지 아지 못허나이다 허며 눈물을

(김진36ㄴ:08) 흘이거날 원쉬 왈 부모 스라씨면 웃지 만나지 못ㅎ는요 이윤니

(김진36ㄴ:09) 답왈 소즈에 준잉헌 스졍을 알여 허시니 부듸 누셜치 마르소

(김진36ㄴ:10) 셔 원쉬 왈 그는 염려치 말나 소원을 일우라 이윤이 슬품을 머

(김진36ㄴ:11) 금고 공경 듸왈 부친이 월국의 가셔〃 오시지 안코 모친는 삼노

(김진36ㄴ:12) 상에셔 죽인다 허온니 즈식이 되야 모친 죽는 것도 보지 못허온

(김진37ㄱ:01) 니 쳔디간의 듸죄인니라 추라리 죽어 모름만 갓지 못허도소이다

(김진37ㄱ:02) 그러나 혹 스다가 글을 빅와 부모의 원슈을 갑풀ㄱ 허여 공부

(김진37ㄱ:03) 허나이다 원쉬 그 말을 듯고 늬가 집을 써날 찍에 틱긔 잇스
　　　　　　 믈 보아

(김진37ㄱ:04) 던니 졍영 이 아히로다 허고 눈물을 흘이며 왈 이윤아 나을 모

(김진37ㄱ:05) 로난야 부즈 쳘윤을 속기지 못허여 ㅎ날리 지시허시도다 이

(김진37ㄱ:06) 윤니 그졔야 부친인 쥴 알고 붓들고 통곡 왈 부친님은 아

(김진37ㄱ:07) 모쪼록 장안 삼노상을 급피 득달허여 죽어가는 모친을 구허

(김진37ㄱ:08) 옵소셔 허고 부친 압헤 업데여셔 머리을 부듸지며 몸부림헌

(김진37ㄱ:09) 니 원쉬 이윤을 달늬여 왈 이윤아 우지 믈고 마음을 진졍허여라

(김진37ㄱ:10) 이윤을 무읍 우의 안치고 머리을 씨다듬으며 만단기유 왈 쳘

(김진37ㄱ:11) 모로는 칠셰 소아가 무어신지 알고 이딕지 이통헌니 이늬 눈의

(김진37ㄱ:12) 셔 피ㄱ 난다 용총마을 직쵹허여 황〃급〃피 길을 써나려 헌니

(김진37ㄴ:01) 익윤이 붓들고 울며 왈 소즈도 한가지로 가셔 모친님을 보고져

(김진37ㄴ:02) 허나니다 허거날 원쉬 익윤을 말계다 안치고 장안을 향헐시 쳘

(김진37ㄴ:03) 리 강산이 눈압폐 어려드라 슌식간의 득달헌지라 잇써 무수 등

(김진37ㄴ:04) 니 낭즈을 자바다ㄱ 삼노상의 늬여 녹코 슈례 우의 실을 지음의

(김진37ㄴ:05) 낭지 정신을 추리지 못흐고 남역을 향허여 속졀 읍시 눈물

(김진37ㄴ:06) 만 흘이더라 시비 난연의 손을 잡고 통곡 왈 나의 팔지 무삼 일노

(김진37ㄴ:07) 가군과 아즈도 보지 못허고 죽게신니 답〃헌 일도 쏘 어듸 잇 스리

(김진37ㄴ:08) 요 익윤아 〃〃〃 나는 이왕 쥭거이와 은제 다시 보자는야 흐고 긔졀

(김진37ㄴ:09) 헌니 쳔디가 아득허고 일월리 무광허더라 잇써 무수 등이 낭즈

(김진37ㄴ:10) 을 쥭이려 헐 졔 김원쉬 소릐을 병역갓치 지러며 용춍을 지

(김진37ㄴ:11) 촉허여 살갓치 달여든니 좌우 나졸리 모다 듸경실색허고 셜녕

(김진37ㄴ:12) 등이 낙담상혼허드라 읏지 낭즈을 임의로 쳐치허리요 원쉬

(김진38ㄱ:01) 말계 나려 슈례 우의 쑤여 올나 낭즈을 붓들고 왈 낭즈은 정 신을 추

(김진38ㄱ:02) 려 눈을 써 보라 김진옥이 〃례 괏노라 일장통곡헌니 익윤이 쏘

(김진38ㄱ:03) 그 모친을 붓들고 얼골을 한데 듸히고 슬셩통곡 왈 익윤이 여긔

(김진38ㄱ:04) 왓수온니 모친은 정신을 추여 눈을 써 보압소셔 허며 긔졀헌 니 잇써

(김진38ㄱ:05) 낭지 계우 정신을 추려 살펴본니 할님도 오시고 평싱 원허든 익윤도 왓

(김진38ㄱ:06) 거날 반가온 즁 눈물만 흘이는지라 원쉬 낭즈을 구허여 집으 로 도

(김진38ㄱ:07) 라온니 그 질거오믈 읏지 다 칭양허리요 잇써 황졔계셔 김진

옥이

(김진38ㄱ:08) 왓단 말을 듯고 일변 반가고도 무류ᄒᆞ야 옥상셔와 례부상셔을

(김진38ㄱ:09) 일변픠츌허ᄉᆞ 원슈을 쳥허신니 원쉬 쳥명허고 곳 쳡셔을 올

(김진38ㄱ:10) 이되 김진옥은 외람이 그을 황졔 계ᄒᆞ에 올리나이다 소신이 희

(김진38ㄱ:11) 즁 경영허여 월국을 쇠멸허고 도라오다ᄀᆞ 쵸풍을 맛나 ᄌᆞ화

(김진38ㄱ:12) 섬 즁에 드러ᄀᆞ 부친 만난 말리며 용궁의 드러가 승젼헌 말

(김진38ㄴ:01) 리며 용왕의 례단을 긔록허여 올인 후의 낭자을 황명 읍시

(김진38ㄴ:02) 구헌 말리며 오다ᄀᆞ 즁노의셔 이윤 만난 말리며 젼후 ᄉᆞ연을

(김진38ㄴ:03) 셜화헌 연후의 황상은 김진옥에 죄을 통쵹허신 후에 국법

(김진38ㄴ:04) 을 시힝허소셔 허여거날 황졔 보시고 낫빗치 불그며 남히 용왕

(김진38ㄴ:05) 에 글을 긔탁허신니 하여씨되 용왕은 두 번 졀허고 글월을

(김진38ㄴ:06) 황상 탑ᄒᆞ에 올리난이다 인간과 슈부ᄀᆞ 다른 고로 한번도 황

(김진38ㄴ:07) 졔계 조회치 못허여신니 불승복모이오며 호아상의 츙신 김진옥

(김진38ㄴ:08) 에 직조을 비러 슈부을 보젼허여사온니 황상에 널부신 덕퇵을

(김진38ㄴ:09) 언졔나 다 갑사오리잇ᄀᆞ 이러므오 약소헌 례단을 올여 졍을 표

(김진38ㄴ:10) 허난니다 ᄒᆞ엿더라 잇썩 낭지 속졀 읍시 죽을 목슘을 쳔힝

(김진38ㄴ:11) 으로 할님이 맛츰 도라와 옥낭ᄌᆞ을 살여 빈 후의 직시 ᄉᆞ은슉비

(김진38ㄴ:12) 헌듸 황졔 되츤허신 후의 할님의 공뇌을 표허시다 잇썩에 낭지

(김진39ㄱ:01) 슉열부인 ᄀᆞ즈을 바든 후의 할님을 듸허여 오열유체 왈 쳡의 즌

(김진39ㄱ:02) 명이 ᄉᆞ오 연 옥즁에셔 거위 쥭계 되여든니 이졔 날을 당ᄒᆞ여

싱각

(김진39ㄱ:03) 허니 도로혀 원통허고 분헌 마음 쥭어도 썩지 안니ᄒᆞ거ᄂᆞ이다

(김진39ㄱ:04) 할님 왈 젼ᄉᆞ을 싱각허면 이로 칭양 읍ᄉᆞ온나 도시 내의 운슈 소

(김진39ㄱ:05) 관이온니 부인은 마암을 진졍허여 과염치 마러소ᄉᆞ 낭지 직

(김진39ㄱ:06) 시 황후계 상소허여신니 그 글레 왈 박명죄슈 옥낭ᄌᆞᄂᆞ 황후

(김진39ㄱ:07) 탑ᄒᆞ에 올리난이다 할님학ᄉᆞ 김진옥이 쳔명을 긔역허고

(김진39ㄱ:08) 황은을 비반허여 반심을 두고 월국과 합역ㅎ여 쳔즈을

(김진39ㄱ:09) 거스리려헌다 허시고 그 쳐즈을 우션 먼져 죽여 후한이 읍계 허

(김진39ㄱ:10) 리라 허시고 소첩을 즙아다ㄱ 〃둔 지 ㅅ오 연에 삼노상에 죽이

(김진39ㄱ:11) 려 허시되 소첩이 외람이 입틱 ㅅ라 잇기도 쳔만황송허거든 도

(김진39ㄱ:12) 로허 슉열부인 가즈을 나리신니 황송허옵기 청양 읍

(김진39ㄴ:01) ㅅ오며 쏘는 김진옥에 아들 이윤이도 진옥에 혈륙이라 술여 두

(김진39ㄴ:02) 엇다가는 후한이 되라라 허시고 한슈 물에 너신 후에 고기밥이

(김진39ㄴ:03) 되야실ㄱ 허여든니 쳔항으로 은인을 만나 준녕을 보젼허여 유

(김진39ㄴ:04) 리걸식 ㅎ옵다ㄱ 졔 이비 진옥을 만나 즁노의셔 다려왓ㅅ온나

(김진39ㄴ:05) 외남이 쳔은을 닙ㅅ와 할님학ㅅ을 졔슈허신니 황공허기 청양 읍

(김진39ㄴ:06) ㅅ오며 이왕 반심 두어든 김진옥을 죄승을 의논허면 죽여도
　　　　　　 악갑

(김진39ㄴ:07) 지 안코 삭탈관직허여도 능허거든 지금거지 오히려 살여 두옵실

(김진39ㄴ:08) 쌘더러 도로혀 우승상을 봉허신니 황공무지로소이다 그러나

(김진39ㄴ:09) 이는 도시 증동환 등과 공쥬에 초ㅅ로 쳔만이미헌 ㅅ름을 공

(김진39ㄴ:10) 연 무죄이 옥즁의 ㅅ오 연 고싱허계 헌 일을 싱각ㅎ면 이ㄱ
　　　　　　 갈니

(김진39ㄴ:11) 고 무죄헌 칠셰 소아 이윤을 한슈물에 늣턴 일을 싱각허면 눈

(김진39ㄴ:12) 에셔 피ㄱ 난나이다 그럼으로 증동환과 공쥬을 늬여 쥬시면 원

(김진40ㄱ:01) 통ㅎ고 이미한 닐을 설치코자 허난이다 황후 보기을 다허미

(김진40ㄱ:02) 자랑컨틱 ㅅ셰 부득허사 황상게 상셔 사연을 쥬달헌니 황졔

(김진40ㄱ:03) 공쥬와 증동환한을 도라보사 왈 김진옥은 짐에 쥬셕지신니

(김진40ㄱ:04) 요 일등공뇌ㄱ 쳔ㅎ만국에 진동허거날 짐이 불명ㅎ야 살

(김진40ㄱ:05) 피지 못허고 그 쳐즈을 이미이 곤욕ㅎ야든니 이졔 와셔 그 쳐낭

(김진40ㄱ:06) 직ㄱ 설치코즈 이쳐름 헌니 ㅅ셰 부득이라 허시고 즉시 증동

(김진40ㄱ:07) 한과 공쥬을 불너 왈 할님학ㅅ 김진옥의 슉열부인 옥씨

(김진40ㄱ:08) ㄱ 그 인민지슈을 원통이 여계 셜치코즈 ㅎ기노 너의을 잡아
　　　　　　　 달나

(김진40ㄱ:09) ㅎ니 빙옥 갓튼 옥씨 졀기로 젼슈을 통분ㅎ여 긔여이 너히가 안

(김진40ㄱ:10) 이 가지 못허리라 허신니 잇써의 즁동한과 공쥬을 잡아 삼노

(김진40ㄱ:11) 상의 닉여 녹쏘 즁동한을 잡아 쑬리고 옥씨 여셩듸미 왈

(김진40ㄱ:12) 역젹 즁동한은 드르보라 너도 국속지신이도야 우히로

(김진40ㄴ:01) 쳔즈을 밧들고 아릭로 창싱을 거나려 이음양슌사시헐 졔 츙의을

(김진40ㄴ:02) 즉장장허여 상션별낙과 현인소인을 분명허여 현인을 상을 쥬

(김진40ㄴ:03) 고 악헌 인을 벌을 쥬고 츙신 친허며 소인 멀리허는 거시 인

(김진40ㄴ:04) 신지도의 썻〃헌 일리여날 네 무삼 죄로 날을 업는 죄을 무히

(김진40ㄴ:05) 허여 옥즁의셔 스오 연을 고싱허계 허여는야 허며 호영이 츄

(김진40ㄴ:06) 상 갓더라 좌우을 호령허여 시각 닉로 베히라 ㅎ며 왈 네 죄을 의

(김진40ㄴ:07) 논허면 쳔참만육허여도 오히려 죄가 남는다 ㅎ며 삼노상의 쥭인

(김진40ㄴ:08) 니 뉘 안이 쥭님을 불상이 역이리요 쏘 공쥬을 잡아닉여 쑬리
　　　　　　　 고 슈

(김진40ㄴ:09) 죄 왈 네 공쥬야 너는 드러라 너는 금지옥엽으로 금의옥식에
　　　　　　　 쓰여

(김진40ㄴ:10) 잇셔 규즁궁궐에셔 무삼 날과 혐의 잇관듸 쳔ㅎ력젹 즁동한

(김진40ㄴ:11) 을 부동ㅎ여 나을 스오 연 옥즁의셔 고싱ㅎ계 ㅎ며 쏘흔 무죄

(김진40ㄴ:12) 헌 소익을 한슈 물례 쌔쳐셔 고기밥이 되계 허여는야 할님

(김진41ㄱ:01) 진옥이 말리 월국의 한 번 ㄱ셔 십만 듸병을 물리치고 네 나라

(김진41ㄱ:02) 스직과 종묘을 보젼ㅎ야거날 무어시 부족ㅎ야 그 쳐즈을 쥭

(김진41ㄱ:03) 이려 ㅎ야는야 네 죄을 의논허면 만번 쥭여도 오히여 죄가 남
　　　　　　　 건만

(김진41ㄱ:04) 는 황상에 은덕과 황틱후에 이휼지틱을 싱각허여 십분 용셔

(김진41ㄱ:05) 허노라 허시고 직시 환궁 식힌이라 잇쎄 황졔 보기을 다허시

(김진41ㄱ:06) 고 원슈에 공을 치스허시며 사관을 쳥ㅎ여 보시고 뭇슈이 치
　　　　　　스허

(김진41ㄱ:07) 신 후의 옥씨 모부인으로 졍열부인을 봉허시고 쏘 옥씨로 슉열

(김진41ㄱ:08) 부인을 봉허시고 원슈로 좌승상을 봉허시다 낭직 슉열부인 가

(김진41ㄱ:09) 즉을 밧고 원슈을 듸허여 눈물을 흘리며 왈 죽어든 인싱이 슉

(김진41ㄱ:10) 열부인 가즉가 쳔만 의외로소이다 옥즁의셔 스오 연 고싱혈 졔

(김진41ㄱ:11) 속졀 읍시 죽을 쥴 알아든이 화가 도로혀 복이 되얏도소이다

(김진41ㄱ:12) 익윤을 어로만지며 왈 네가 한슈 물에 고기밥이 될 쥴

(김진41ㄴ:01) 알아든니 오날 보기는 쳔만 의외로다 그리든 낭군과 죽어든

(김진41ㄴ:02) 즉식을 다시 본니 질겁고도 슬푸도다 할님이 답왈 도시 나

(김진41ㄴ:03) 에 팔직 긔박허여 범스을 살피지 못헌 연고노다 잇써 황졔 ㅎ

(김진41ㄴ:04) 교하사 왈 짐이 원슈에 듸공을 표허노라 허시고 승상으로 양

(김진41ㄴ:05) 산군을 봉허시고 김원슈 집을 별궁으로 졍허신이 위에 그

(김진41ㄴ:06) 륵허더라 잇써 옥낭직 꼿가지을 황병에 쏘져신니 빅화가

(김진41ㄴ:07) 만발허고 향긔 진동헌 가운듸 광풍의 밋친 봉졉 분〃이 나

(김진41ㄴ:08) 라 들고 쏘 흔편 바라본니 산진이며 슈진이라 희동창반 보

(김진41ㄴ:09) 라미는 원산에 치슈을 쫏는 듯ㅎ고 쏘 흔편을 브라본니 한죵

(김진41ㄴ:10) 실 유황슉이 젹토마 밧비 모라와 용션싱 보려 허고 남양 쵸당

(김진41ㄴ:11) 가는 경을 그려 잇고 쏘 흔편을 바라본니 진쳐스 도연명이 핑

(김진41ㄴ:12) 탁영 마다허고 츄강에 비을 쎄여 심양으로 가는 경을 그려 잇

(김진42ㄱ:01) 고 쏘 흔편을 바라본니 육한듸스 승진이 육한즁을 집고 빅운 간

(김진42ㄱ:02) 에 가는 경을 그려 잇고 그 남운 경기을 웃지 다 긔록허리요
　　　　　　잇써

(김진42ㄱ:03) 에 원슨는 즁〃ㅎ고 근슨는 쳡쳡흔듸 긔암은 즁〃 벽계는 곡〃

(김진42ㄱ:04) 헌듸 난봉공죽이 쌍〃이 왕늬허고 두견 졉동는 원랑비쵀 다

(긴진42ㄱ:05) 거리고 비익조란 식가 식시장츈의 쩌나지 안쏘 길드닛드라

(김진42ㄱ:06) 잇쩌에 양순군이 마음이 즈연 울젹허여셔 안을 의지허든니

(김진42ㄱ:07) 화산도시 와 이르되 모친을 ᄎ져 보려 허거든 청보 밋희 장삼

(김진42ㄱ:08) 입고 안져는 여승을 보라 허시고 간 듸 읍거날 놀나 씨다른

(김진42ㄱ:09) 니 남가일몽이라 직시 청보을 나가본니 한 여승이 흔 옷 입고

(김진42ㄱ:10) 누어거날 양산군이 그 여승을 씨운니 그 여승이 〃러나며 합
　　　　　　　장비

(김진42ㄱ:11) 례 왈 웃더헌 상공이관듸 날 갓튼 누츄헌 여승을 ᄎ즈오신난니

(김진42ㄱ:12) 가 양산군이 듸왈 나는 청쥬 쌍에 살건이와 노승계셔는 어

(김진42ㄴ:01) 듸 계신지 모로건이와 이 누츄헌 곳에 와 즈난잇ㄱ 그 노승이 답

(김진42ㄴ:02) 왈 노승는 군산 구월암에 잇삽건이와 상공이 청쥬 쌍의 게시

(김진42ㄴ:03) 다 허온니 반갑도소이다 허고 눈물을 흘리거날 양산군이

(김진42ㄴ:04) 불승비감허여 승을 살펴본니 이별헌 지ㄱ 슈십 연을 격헌지

(김진42ㄴ:05) 라 웃지 알리요 다시 문왈 존스는 무삼 일노 낙누허시난이이가

(김진42ㄴ:06) 듸왈 소승도 청쥬 쌍에 잇삽기로 고향을 싱각허고 즈연 비감허

(김진42ㄴ:07) 여우나이다 양산군이 왈 무삼 일노 삭발위승허고 손즁의 드러와

(김진42ㄴ:08) 무졍세왈을 보늬시난이가 소승도 팔지 긔박ᄒ와 즈식을 갑

(김진42ㄴ:09) 즈연 눈즁의 이별허고 일신을 의탁헐 곳시 읍스 이 지경을 당허

(김진42ㄴ:10) 여난이다 상공언 뉘라 허오며 즈식의 일홈은 뉘라 허시난잇

(김진42ㄴ:11) 가 여승니 듸왈 상공은 즈셔이 아지 못허시리다 가군에 명는
　　　　　　　김혜

(김진42ㄴ:12) 랑이요 즈식의 일홈은 김진옥이라 허느이다 가군이 볘슬ᄒ다

(김진43ㄱ:01) 가 소인의 춤소을 닙어 히도즁에 원찬허시고 진옥은 화초암

(김진43ㄱ:02) 에 가 공부허다ㄱ 난즁에 사싱존망을 아지 못허나이다 양산군

(김진43ㄱ:03) 이 왈 지금 보시면 알아 보시리가 여승 왈 연구체심허여 상봉
　　　　　　　헌들

(김진43ㄱ:04) 웃지 아오릿ㄱ 양산군이 그졔야 울며 왈 소즈ㄱ 진옥이로소이

다 허

(김진43ㄱ:05) 며 붓들고 통곡헌니 부인이 또흔 진옥이란 말을 듯고 양산군

(김진43ㄱ:06) 에 손을 잡고 통곡허여 왈 어듸 가셔 져리 장성허고 부귀ᄒ야는

(김진43ㄱ:07) 요 양산군이 모친을 모시고 도라온니 할님도 또한 듸히허여 죽

(김진43ㄱ:08) 어든 스람갓치 여기더라 이 스연을 황뎨계 쥬달헌니 황계 듸찬

(김진43ㄱ:09) 허스 왈 양산군에 부모는 ᄒ날리 늬신 빅라 허시고 부인으로 공

(김진43ㄱ:10) 열부인을 봉허시더라 양산군이 〃 날 부모을 모시고 질기든

(김진43ㄱ:11) 니 또 화산도스에 이로시든 말슴을 싱각허고 부슈이 탄식허더

(김진43ㄱ:12) 라 잇쎄에 국틱민안허고 시화연풍헌지라 황졔계세

(김진43ㄴ:01) 문무과을 뵈이실시 이윤으로 장원급졔을 졔슈허스 친히 손을

(김진43ㄴ:02) 잡으시고 문장지덕을 칭찬허신 후에 국가을 위허여 짐을 도

(김진43ㄴ:03) 으라 허시더라 직시 할님학스을 졔슈허신니 양산군 왈 우리 부

(김진43ㄴ:04) 즈 황은을 입사와 황공무지로다 허고 또 화산도스에 은혜은 빅

(김진43ㄴ:05) 골난망이라 허고 공즁을 향ᄒ여 무슈리 스례헌 후에 그

(김진43ㄴ:06) 모친 만ᄂ 은덕을 싱각허고 빅빈사례허고 가즁니 다 어듸노 간

(김진43ㄴ:07) ᄂ지 인간 스람은 그 종젹을 ᄌ셔이 알 슈도 읍거이와 그 지

    반일을 싱

(김진43ㄴ:08) 각허면 아실 〃〃헌 쩨도 만쑈 또 긔가 막힐 일도 만쑈 쏘 고

    싱홀 쩨도

(김진43ㄴ:09) 만코 또 조은 쩨도 만쑈 또 허무밍낭헌 쩨도 만쑈 쏘 허 〃우

    슘 우실 일

(김진43ㄴ:10) 도 만커라 그러나 이 칙니 뒤 끗치 지미ㄱ 젹ㅅ온니 보시는

    쳠군ᄌ는

(김진43ㄴ:11) 그런 쥴 아시고 보압소셔

(김진43ㄴ:12) 융히 삼연 사월 이십오일 종

2 / 규중칠우쟁론기

규듕칠우징논긔

(1)니론바 규듕칠우는 부인닉 방 가온딕 일곱 벗즐 니르미오 션비는 필묵과 됴희며 벼로로 문방ᄉ우를 삼ᄂᆞ니 이러모로 침션의 돕ᄂᆞ 뉴를 각〃 명호를 뎡ᄒᆞ야 벗즐 삼을ᄉᆡ 즈로써 쳑부인이라 ᄒᆞ고 바놀노써 셰요각시라 ᄒᆞ고 가뇌로써 교도각시라 ᄒᆞ고 인도로써 인화부인이라 ᄒᆞ며 다루리로써 울낭지라 ᄒᆞ고 실노써 쳥홍흑빅각시라 ᄒᆞ며 골모로써 감토한미라 하여 칠우를 삼아 규듕부인 닉 아ᄎᆞᆷ 소셰를 마ᄎᆞᆫ 후 칠위 일(2)시의 모다 죵시ᄒᆞ기를 의논ᄒᆞ야 각〃 소임을 일워닉ᄂᆞᆫ지라 일〃은 칠위 모다 침션의 공을 의논ᄒᆞ더니 쳑부인이 긴 허리를 샐니 져ᄒᆞ며 닐오딕 졔우ᄂᆞ 드르라 규듕 벗님닉ᄂᆞ 가난 명쥬 굴근 명쥬 빅져포와 셰승포와 쳥홍 능나며 즈라 흑단을 다 닉여 펼쳐노코 남녀의를 마련ᄒᆞᆯᄉᆡ 장단광협이며 슈품졔도를 나 곳 아니면 엇지 알니오 이러모로 작의 공은 닉 웃듬 되ᄂᆞ니라 교도각시 냥각을 샐니 둘으며 닉ᄃᆞ라 닐오딕 쳑부인아 그 말 〃아 그딕 아모리 마련을 (3)잘ᄒᆞᆫ들 버혀닉지 아니면 모양과 졔도 되랴 닉 공과 닉의 덕이니 네 공만 홀노 자랑 마라 셰요각시 가ᄂᆞ 허리 휘둘으며 날난 브리로 이로딕 냥우의 말이 블가ᄒᆞ다 진쥐 열힌딜 ᄭᅦ여야 구술이라 ᄒᆞ니 치단 능나 등으로 잇슨들 나 곳 아니면 엇지 능히 작의를 ᄒᆞ리오 셰누비 쥬누비 가른 솔 썩근 솔을 일워닉문 닉 날난 브리로 즈로 도아 줄게 쓰고 굴게 쎠 ᄆᆞ음ᄃᆡ로 ᄒᆞᄂᆞ니 쳑부인 교도각시ᄂᆞ 마련ᄒᆞ고 버혀닉 공도 날노 ᄒᆞ여 ᄂᆞ나리라 쳥홍각시 면ᄉᆡᆨ이 불그락풀으락ᄒᆞ(4)면서 니르딕 셰요야 네 공 이르ᄆᆡ 닉 공이라 너 혼즈 자랑마라 네 아모리 착ᄒᆞᆫ들 ᄒᆞᆫ 솔 반 솔인들 나 아니면 네 공이 엇지 낫타나리오 감토한미 웃고 이로딕 각시님닉 우인만 자랑 마소 늙으니 슈말겹게 아기ᄶᅵ닉 손부리 알푸지 아니케 바ᄂᆞ질 도와드린 공이니 고인의 니론바 닭의 입이 될지언졍 쇠 뒤히 되지 말나 ᄒᆞ엿ᄂᆞ니 쳥홍흑빅각시ᄂᆞ 셰요의 뒤흘 조ᄎᆞ 단니면셔 무ᄉᆞᆫ 말 ᄒᆞ시ᄂᆞ니잇가 나는 ᄆᆡ양 셰요의 귀의 질이 되 낫가족이 둑거워 견딜 만ᄒᆞ기(5)로 아모 말도 아냣노라 인화부인이 니로딕 그딕닉ᄂᆞ

닷토지 말나 늬 공을 잠간 니르리라 잔〃누비 고은 거시 눌노 흐여 젓가락쳐

로 고으며 혼솔 박은 솔이 나 곳 아니면 엇지 풀노 붓친 듯흐며 침〃 지용 녈

지 들낙날낙흐고 바르지 아니흔 것도 나의 손바닥으로 흔 번 문지르면 잘못된

흔젹도 감초이느니 셰요의 공은 날노 흐여 광치 나〃니라 울낭지 큰 입을 버

리고 넙덕우슴 우어 왈 인화 너와 날과 소임이 상반흐도다 녇이나 인화는 침

션쓘이녀니와 나는 쳔만 가지의 아니 (6)참녜흐는 일이 업스니 가증흔 녀즈들

은 하로 홀 일을 열흘이나 구긔질너 살이 쥬녁쥬역흔 거슬 나의 광둔으로 흔

번 문지르면 굴근 살 가는 솔이 낫〃치 펴이여 졔도와 모양이 고와지고 더옥

하졀을 당흐면 소임이 다〻흐야 일〃도 흔가치 못흔지라 나 곳 아니면 엇지

고으며 더옥 셔답 맛튼 년덜이 게을너 풀 먹여 너러두고 잠만 자면 브드러 말

인 거슬 나의 광둔 곳 아니면 어이 고으며 셰상 남녀 엇지 반〃흔 옷슬 입으리

오 이러모로 나의 공이 웃듬이니라 규듕 흔 부인이 이로듸 (7)칠우는 공을 나

타늬지 말나 즈공 일우기 사롬 쓰기의 잇느니라 엇지 칠우의 공쓘이리오 언필

의 벼기를 도〃고 금니를 취혀 덥고 잠을 깁히 드러느지라 쳑부인이 탄왈 마

야흘샤 스롬이오 공 모롤스 사롬이라 옷 말나 지을 졔는 몬져 찻고 일워늬문

즈긔 공이라 흐고 게어른 종잠 씌오는 막듸도 나 곳 업스면 못 칠 줄 알고 늬

허리 부러짐도 모르니 엇지 노흡고 익들지 아니리오 교도각시 이어 갈오듸 그

듸 말이 가흐다 옷 말나 버힐 젹은 나 곳 업스면 못 홀 줄 아다가도 드느니 아

니 드느니 흐고 (8)양각을 각〃 잡어 흔드러 더질 젹은 토심젹고 노흡기를 어

이 다 측냥흐리오 셰요 잠간이나 쉬랴 다라나면 믹양 늬 탓만 넉녀 문골히녜

놉히 달여 좌우로 고면흐며 젼후로 슈험흐여 츠즈 늬건 일 몃〃 번인동 알니

오 그 공을 모르니 통분흐기 엇더흐리오 셰요각시 한슘 쉬며 이로듸 너는커니

와 늬 일즉 스롬의 손의 보쳐이며 유악지셩을 듯는고 각골통분흐고 나의 약

흔 허리 휘들며 날난 부리 두루져어 힘뼈 침션을 도아쥰 쥴은 젼혀 모르고 임

즈 공으로 일러느니 흐기 (9)셜환흐쟈 간〃이 손톱 밋츨 질너 피를 늬면 조곰

쇠훤흐되 일싱 간흉흔 감토한미 미러 말뉴흐니 익돏고 못 견딀너라 인화 눈물

지어 왈 그딕네는 알파라 ᄒ거니와 나는 무슨 죄로 포악지형을 당ᄒ여 붉으나 붉은 불의 낫출 지"며 구든 것 씨치기와 날을 다 식이니 괴롭고 셜으미 측냥치 못ᄒ노라 울낭지 쳑년 딕왈 그딕와 날과 갓고 욕되기도 ᄒ가지라 제 옷 곱도록 문지르며 멱을 잡아 들가블며 우기 눌너 광쳔이 덥치는 듯 심신이 아득ᄒ야 나의 몸이 싸로 (10)날 적이 멋"이나 혼동 알니오 칠위 이러틋 답논ᄒ여 회포를 일울ᄎ 자던 녀직 문득 씨여 니로딕 칠우를 도라보와 일오딕 졔우는 내 허믈을 그딕도록 ᄒᄂ냐 ᄒ니 감토한미 머리를 두드려 사례 왈 져문 것덜이 망영도이 헴 업슨 말을 ᄒ오나 족가치 못ᄒ리로소이다 저희 등이 직조 잇스나 불과 ᄒ 소임뿐이라 공이 만흐라 자랑ᄒ야 원을 지어시니 맛당이 결곤ᄒ염죽 ᄒ오나 평일 깁흔 정과 저희 죠곰ᄒ 공을 싱각ᄒ야 용샤ᄒ시미 올흘가 ᄒᄂ이다 녀직 답왈 한미 (11)말노조ᄎ 물시ᄒ리니 닉 손부리 셩ᄒ미 한미 힘을 입으미라 쎄녀ᄎ고 단니며 은혜를 잇지 아니ᄒ리니 금낭을 지어 그 가온딕 너허 몸의 진혀 셔로 쩌나지 아녀 그 은혜를 갑흐리라 ᄒ니 한미 고두빅빈ᄒ고 졔부인이 다 각" 참안니퇴러라

쟝딕긔공녹 녀용국평난긔

여용국〈얼굴〉 효장황뎨 식빅 단장을 능허딕〈경딕〉의 즉위ᄒ시고 동원쳥을〈거울〉 승상을 삼마 국듕 딕쇼스를 살피게 ᄒ니 원쳥의 ᄌᄂ 명경이오 별호는 두각션싱이라 낫(12)치 둥굴고 풍신이 말가 사롬의게 비최니 황뎨 좌우희 두어 용모의 부졍ᄒ 거술 씨치고 의관의 ᄇ라지 아닌 거술 일씨오니 황뎨 극히 이듕ᄒ샤 슈유불니ᄒ시고 ᄯ 슈하의 열다숫 대신이 이시니 굴온 틱부 쥬영과〈연지〉 소부 빅광과 분호치장군〈양치딕〉 양속과 슈군도독 관쳥과〈셰슈물〉 모의장군 포셰와〈슈건〉 젼"지휘스 포익과〈휘건〉 참모도위 말영과〈비노〉 형부시랑 방취며〈육향〉 도지스 납용과〈밀기름〉 도어스 차년과〈빈혀〉 평요장군 셥광과〈족집게〉 편장군 소쾌와〈어레빗〉 후장군 소진과〈춤빗〉 죵융스 윤안과〈기

름〉 추 십오(13)장이 다 각〃 지조와 소임을 맛고즈 홀식 ᄆᆞᆷ을 다ᄒᆞ며 힘을 ᄒᆞᆫ가지로 ᄒᆞ여 국ᄉᆞᄅᆞᆯ 다ᄉᆞ리니 황뎨 ᄯᅩᄒᆞᆫ 평싱 브즈런ᄒᆞ샤 날마다 계명의 이러나 능허딕의 듕관을 모호시고 몬져 동승상을 픠초ᄒᆞ시고 버거 십오 딕신을 불너 각〃 직임을 일시의 츌ᄒᆞ니 일노 인ᄒᆞ야 녀용국이 크게 다ᄉᆞ려 풍속이 점점 아람답고 젼년이 미진ᄒᆞ미 업ᄉᆞ니 보ᄂᆞᆫ 지 아니 긔특이 넉이 리 업고 칭찬ᄒᆞ더라 황뎨 나라 다ᄉᆞ리믈 자랑ᄒᆞ고 졍ᄉᆞ의 닷그믈 미더 문득 ᄆᆞᄋᆞᆷ이 푸러지고 ᄯᅳᆺ지 (14)게얼너 츠후ᄂᆞᆫ 능허딕의 됴회ᄅᆞᆯ 폐ᄒᆞ고 다시 국ᄉᆞᄅᆞᆯ 의논치 아니ᄒᆞ니 동원쳥이 집의 들고 나지 아니ᄒᆞ고 잇다감 관쳥과 소쇄ᄅᆞᆯ 부르나 쥬영 등 모든 딕신은 일시의 물너나 소임이 ᄒᆞᆫ가ᄒᆞ니 슈월이 못 ᄒᆞ여 국듕이 크게 어즈러오니 젹장이 쳐〃의 이러나니 젹장의 셩명은 ᄀᆞᆯ온 구리공이라〈낫치썬〉 몬져 광이산을〈귀밋〉 웅거ᄒᆞ고 스스로 흑면딕왕이로라 ᄒᆞ야 군시 다 흑포 흑건의 거믄 긔치로 오악산을〈두눈코틱〉 함물ᄒᆞ니 동승상이 비록 근심ᄒᆞ나 오릭 황뎨긔 뵈지 (15)못ᄒᆞ엿ᄂᆞᆫ지라 감히 간치 못ᄒᆞ니 사방의 젹셰 졈〃 니러나 슬양의 유ᄅᆞᆯ 흑두산〈머리〉을 웅거ᄒᆞ고 무송은〈눈섭의털〉 아미산을 침노ᄒᆞ고 황념은 빅셕산을〈치아〉 함물ᄒᆞ니 여용국이 졍히 위틱터니 황뎨 일〃은 몸이 피곤ᄒᆞ고 긔운이 불평ᄒᆞ야 급히 동승상을 명초ᄒᆞ야 능허딕의 인견ᄒᆞ시니 승상이 나아가 복지 쥬왈 요ᄉᆞ이 국셰 딕란ᄒᆞ와 지경이 함물ᄒᆞ오딕 신 등이 젹을 막지 못ᄒᆞ오니 신 등의 죄 만ᄉᆞ무셕이로소이다 황뎨 쳥파의 크게 놀나 이에 원쳥으로 ᄒᆞ여곰 (16)능허딕의 올나 두루 둘너보니 초목이〈머리터럭〉 거츨고 슬양의 뉴 ᄉᆞ방의 흣터져 은〃이 수풀 ᄉᆞ이로 왕니ᄒᆞ며 구리공의 딕진이 미만ᄒᆞ여 거믄 긔치와 흑포 흑갑의 군ᄉᆞ 무리 지어 수풀 ᄉᆞ이로 영취ᄅᆞᆯ 일웟ᄂᆞᆫ딕 빅셕산 젼후의 황념이 크게 번셩ᄒᆞ야 곡구안〈입안〉으로부터 젹슌관의〈입시울〉 니ᄅᆞ히 웅거ᄒᆞ엿거늘 황뎨 이ᄅᆞᆯ 보시고 크게 근심ᄒᆞ샤 이에 원쳥을 딕ᄒᆞ야 묘칙을 의논ᄒᆞ더니 문득 능허딕 아릭로셔 양인이 ᄶᅱ여나와 고셩 왈 쇼장이 원컨딕 흑두산을 치고 슬(17)양의 뉴ᄅᆞᆯ 싱금ᄒᆞ리이다 ᄒᆞ거늘 모다 보니 압희 션 ᄌᆞᄂᆞᆫ 낫치 븕고 허리 굽으며 풍칙 헌아ᄒᆞ니 추ᄂᆞᆫ 편장군 소쇄라 지후

자는 낫치 누루고 네모나니 추는 후장군 소진이라 황데 듸희흐샤 소쾌로 선봉을 삼고 소진으로 후진을 삼아 긔병훌시 소쾌 일지병을 거느리고 흑두산을 엄습흔듸 슬양의 제군이 감히 듸젹지 못흐야 각 〃 명을 보젼흐랴 혹 광이산으로도 드라나며 혹 상님원으로 도망흐미 소쾌 능히 사로잡지 못흐거늘 소진이 흔 데 덤두관을 거느려 압흘 쌰며 (18)뒤흘 엄습흐여 슬양의 종족을 진슈히 잡아 도라오니 황데 듸열흐샤 두 장슈룰 상스흐시니 감은니퇴러라 슬양의 당뉴룰 노소 업시 졉항셩의 가셔 쳐참흐니 흑두산이 평졍흔지라 이에 납용을 명흐여 흑두산 압흘 진졍흐라 흐고 차년으로 흑두산 뒤흘 직희라 흐시며 다시 구리공 칠 일을 의논흐실시 동승상이 쥬왈 신이 혜아리건듸 구리공이 심히 강셩흐야 제어흐기 어렵스오니 회음후의 농져 파흐던 지모와 지빅의 진양셩 파흐던 묘 칙 곳 아니면 (19)평졍키 어렵스오미 계신 둥 살피오니 오직 관쳥이 슈젼흐 기룰 잘흐오니 가히 뻠즉흐니이다 황데 종기연흐샤 즉시 관쳥으로 슈군대도독 을 흐이시고 포임으로 젼괴위룰 삼고 포셰로 슌무스룰 삼고 말영으로 힝군종 스관을 삼아 슈화 졍병 십만을 거느려 갈시 관쳥이 말영으로 흐여곰 구리공의 듸치룰 엄습흐니 구리공이 져당치 못흐야 드라나거늘 관쳥이 승시흐야 광이산 오악산 스이로 횡힝흐니 구리공의 셰 져당치 못흐야 물의 쌔져 죽(20)느 니도 잇고 스산흐니 포장군으로 더브러 모든 젹당을 파흐고 도라와 공을 쥬흐니 황 데 듸희흐야 무음이 상쾌흐야 삼군을 상스흐고 윤안과 방취로 오악지경을 진 졍흐라 흐고 빅원으로 유겸장군을 삼아 두루 슌힝흐야 도젹을 막으라 흐고 쥬 영으로 상님원을 직희오고 빅광으로 오악 네 지경과 광이산 아릭 포험 니룩히 직희오라 흐니 홀연 흔 장슈 크게 워여 왈 소쾌 관쳥 등이 다 공을 일워거늘 쇼장이 홀노 죤공이 업스오니 엇지 붓그럽지 아니흐리잇고 모다 (21)보니 평 후장군 셥강이라 원컨듸 아미산을 치고 무숑을 파흐리이다 황데 깃거 허락흐 니 셥강이 젼포 쳘갑의 쌍쳠창을 두루며 골희눈을 브릅쓰고 아미산을 급히 치 니 무숑이 넉슬 일허 감히 항거치 못흐는지라 흔 번 싸화 크게 파흐고 도라오 니 쏘 흔 장슈 쒸여 닉드라 고셩 왈 소장이 맛당이 황념을 치고 빅셕산을 진정ᄒ리니다 황뎨 보니 ᄎᄂ 호치장군 양속이라 황뎨 크게 깃거 허락ᄒ니 양속이 명을 바다 빅포 은기의 니화창을 메고 (22)일지병을 통독ᄒ니 허리 길고 아릭 쟐고 우히 퍼져 상뇌 당〃ᄒ며 위풍이 늠〃ᄒ야 가히 공을 일울 지너라 몬져 곡구안의 임ᄒ여 젹슬관 소〃로조ᄎ 급히 치니 황념이 셩 구드믈 밋고 즐겨 항복지 아니ᄒ거늘 황뎨 뒤로ᄒ야 ᄒ ᄧᅦ 슈군을 도발ᄒ야 ᄡᆞ홈을 도으니 황념이 세 궁진ᄒ야 동족을 거ᄂ리고 믈의 ᄲᅥ져 죽으니 이에 빅셕산이 진졍ᄒ니라 황뎨 군ᄉᄅᆞᆯ 평졍ᄒ고 이에 승상으로 더브러 능허뒤의 올나 보시니 강산이 다시 화려ᄒ고 지경이 윤튁(23)ᄒ야 완년이 옛날 튀평긔샹이 잇ᄂᆞᆫ지라 크게 깃거 뒤소 듕관을 모도고 공을 의논ᄒ야 각〃 벼슬을 봉ᄒ올ᄉᆡ 쥬영으로 화국공을 봉ᄒ고 빅광으로 분면후ᄅᆞᆯ 봉ᄒ고 방취로 상산후ᄅᆞᆯ 봉ᄒ고 윤안으로 이셩후ᄅᆞᆯ 봉ᄒ뒤 문득 좌듕의 ᄒ 사ᄅᆞᆷ이 ᄀᆞᆯ오뒤 만일 쇼장이 슈군을 거ᄂ려 구리공을 파치 아니터면 쥬영 빅광 등의 지조ᄅᆞᆯ 발뵈지 못ᄒ리니 이제 도로혀 공이 쥬영 빅광 등의 후의 잇ᄉ오니 엇지 븟그럽지 아니ᄒ리오 황뎨 ᄭᅵᆺ드라 관청의게 (24)칭샤ᄒ고 관청으로 슈졍후ᄅᆞᆯ 봉ᄒ고 말영으로 도셩후ᄅᆞᆯ 봉ᄒ고 소진으로 졉향후ᄅᆞᆯ 봉ᄒ고 납용으로 도셩후ᄅᆞᆯ 봉ᄒ고 차연으로 은셩후ᄅᆞᆯ 봉ᄒ고 셥강으로 쳘셕후ᄅᆞᆯ 봉ᄒ여 각〃 ᄉ연ᄉ악을 쥬시니 십오 쟝쉬 쳔은을 망극ᄒ야 각〃 직임을 브즈런니 ᄒ니 이후로 나라히 튀평ᄒ며 다시 도젹이 업셔 국가의 근심이 업고 평안ᄒ미 반셕 갓ᄒ야 십오 쟝슈로 더브러 튀평안낙ᄒ니라 이 ᄎᆡᆨ 말이 하 뉴리ᄒ기 벗기노라

(25) 몽유ᄉ

초당의 병이 드러	슬피 알코 누어더니
창외예 달이 붉아	학슬침의 비최엿다
뎐〃반측 누엇다가	계유 ᄒᆞᆫ잠 비러드니
츈몽을 일을너라	ᄭᅮᆷ인 쥴 ᄭᅮᆷ의 아라

세상을 구경ᄒᆞ니　　춘흥호긔 졀노 ᄂᆞᆫ다
어드ᄆᆡ로 어듸 가랴　이리로셔 져리 가ᄉᆡ
통천하ᄅᆞᆯ 두루 도라　영웅호걸 다 볼너라
틱고삼왕 다 뵈ᄋᆞᆸ고　인간ᄉᆞ 알왼 후의
26)
공빙안즁 ᄎᆞᄌᆞ 뵈니　시세풍월 무르신다
강픠공을 겨요 만나　강산시즉 엇더터뇨
사마천의 천하문장　왕일소의 만균필법
빅낙천의 장흔가와　도연명의 귀거라ᄉᆞ
오날 녜와 ᄯᅩ 드르니　쳐음인 듯 식로왜라
남향 ᄊᆞ흘 지나다가　와룡당의 드러가니
제갈냥이 한가ᄒᆞ다　학창의ᄅᆞᆯ 썰쳐 입고
비우션을 빗기 들고　쳔하명장 다리시고
눅도삼냑 팔진도와　천금승픠 가르친다
계명산의 올나가니　츄야월이 붉아 잇다
(27)
댱ᄌᆞ방의 퉁소 소릭　듯기 조케 슬피 분다
노나라ᄂᆞᆫ 노릭 명창　초나라ᄂᆞᆫ 츔이로다
등왕각의 올나가니　용사필젹 뉘 글시니
엄ᄌᆞ릉이 듸답ᄒᆞ되　왕희지가 썻다 ᄒᆞᆫ다
만니장셩 산희관은　니자션의 글시로다
쎠ᄂᆞᆫ 마츔 삼월이요　금슈로 ᄭᅮ며ᄭᅩ나
화류풍경 ᄒᆞ랴 ᄒᆞ고　쳔하일슈 모닷고나
글 잘 지은 창힐이오　쳔ᄌᆞ 지은 죵요로다
붓 잘 ᄆᆡᄂᆞᆫ 몽염이오　조희 쓰ᄂᆞᆫ 쵀륜이라
공활막군이오　　낙시 지은 입공이라

(28)

활 잘 쏘는 여포로다   용훈 일슈 의외로다

거문고의 히강이오   분육의는 진평이라

칼춤의는 히어오   노리 명창 연왕이라

민웃풍의 안즈시니   요슌우탕 문왕이라

한 종실 뉴현덕은   도원결의 형데 되야

삼고초려 극진하다   제갈냥을 다려드가

삼국지를 의논하야   도득천하 일운 후의

천즈지위 몸이 되니   위의도 갸륵하다

천하가 공경하니   긔 뉘 아니 브라보랴

죠천하 영웅으로   천만병 거느리고

(29)

천하를 두루 어더   남을 쥬고 물너느니

빅슈 일진 한신이는   초야 후싱 졉어슬 제

표모의게 긔식하고   도듕쇠양 욕을 보되

횡힝천하 명장으로   제초곡의 왕이 되니

위의도 갸륵하다   세상이 공경하니

긔 뉘 아니 브라보리   말 잘하는 소진이니는

소년 젹의 곤궁하여   쳐즈식을 브렷더니

뇩궁상인 츠고 오니   셩명이 갸륵하다

오늘 예 와 쏘 드르니   모롤 일이 쏘 잇고나

요슌은 천즈시나   불초즈를 두오샷다

(30)

쥬공은 셩현이나   불화형데 두오시고

유하혜는 텬스로딕   도쳑 동싱 두어 잇다

인심을 엇지 알며   선악을 어이 아니

달음닷ᄂᆞᆫ 쥬창이ᄂᆞᆫ 위나라 일쳔 니롤
하로 도라 오늘 왓다 범슈쵀틱 됴흔 말노
졔국으로 ᄃᆞ니면셔 변셩명 ᄌᆞ로 듯고
도망은 무삼 일고   갓변 ᄌᆞ로 안줏ᄂᆞᆫ고
각슈길의 다ᄃᆞ롤 졔 네 말 듯기 ᄌᆞ미업다
히 진ᄒᆞ고 술 진ᄒᆞ니 각귀기가 훗터지니
나 혼자 눌과 놀니 하직ᄒᆞ고 갓치 ᄶᅥ나

(31)

창오산 구름 밧긔   슌님군 ᄎᆞ져가니
오련금 빗기 안고   격양가롤 을푸신다
그리로셔 져리로셔 검각산을 너머가니
어양 틔슈 안녹산이 양구비롤 아스려고
당명왕을 모라ᄂᆞ니 마외역 피슨 흙 속의
양구비롤 버히거다 당명왕의 피눈물이
아미산의 쓰리거다 진시황의 어린 계슈
만니장셩 부졀업다 아방궁 불 부치니
종묘사직 한심ᄒᆞ다 초픽왕은 익듭고나
우미인을 앗기다가 젼장의 츈흔 말노

(32)

분노ᄒᆞ야 브르도다 슈양산의 올나가니
고ᄉᆞ리롤 키여먹고 쳥쳥강변 다ᄃᆞ르니
쥬나흘 근심ᄒᆞ니   슈〃사〃두루 도라
빅이슉졔 쥬려 안져 오ᄌᆞ셔와 굴원이ᄂᆞᆫ
원혼으로 단니면셔 위츙졀 깁흔 ᄯᅳᆺ줄
쇠와 갓치 긔 뉘 알니 밍호연의 져ᄂᆞᆫ 나귀
빅낙가가 곳쳐고나 세상 ᄉᆞ람 모진 병은

편작이가 고첫고나　　　　　역산 밋희 우는 소는
그 밧 가던 소로고나　　　　오강가의 우는 말은
항우 타던 츄마로다　　　　　반야신관 우는 둙은
(33)
밍상군의 둙이로다　　　　　니화정 즛는 기는
마구한미 쳥삽술이　　　　　오류촌 지나가니
도연명 졍즈로다　　　　　　셕숭의 십셰수용타
천금보화 억만지물　　　　　노비 젼답 일쳔하의
여긔져긔 버러 잇다　　　　　졈복이는 지조로다
세상 만물 다 민드러　　　　죠반셕쥭 못 이으며
결을업셔 쏨단 말가　　　　　션즈후즈 부귀빈쳔
하늘이 졍흔 딕명이라　　　　속졀이 젼혀 업다
세상일도 흥도 훌샤　　　　　여포의 초션이라
일힝이 젹토마를　　　　　　조밍덕이 가졋다가
(34)
관운장긔 드럿시니　　　　　화룡도 좁은 길의
조″의 항복 밧고　　　　　　품고 누은 초션이룰
허리 버혀 죽여시니　　　　　운장 갓튼 딕장부야
빗겨보 리 뉘 잇스리　　　　만고쳔하 듯지 못ᄒ엿노라

　　십이월가
졍월이라 보름날의　　　　　망월ᄒᄂᆞᆫ 쇼년들아
풍흉도 보려이와　　　　　　부모효양 ᄒ여스라
신체발부 딕스졀을　　　　　부모님긔 타고나셔
틱산갓치 놉흔 덕을　　　　　어이ᄒ여 다 갑흐며
(35)

창회갓치 깁흔 졍을   어이 ㅎ여 니즈리오
호천망극 듕홀시고   쳔셰만셰 밋엇더니
읍풍유어양산ㅎ니   낙시 먹은 고기로다
슈욕졍이풍부지오   즈욕양이친부듸라
공산낙목 일부토의   영결죵천 되단 말가
일년 삼빅육십일의   일 〃 ㅅ친 십이시라
아쉽고 셜운 뜻의   힝혀 올가 브라더니
음용이 젹막ㅎ고   쇼식이 영졀ㅎ니
슬푸다 우리 부모   보롬을 모르시뉘
그 달이 다 진ㅎ고   이월이라 한식날의
(36)
쳔츄젼 원통ㅎ사   개즈츄의 넉시로다
먼 산의 봄이 된들   불탄 풀이 다시 날가
후인이 슬허ㅎ여   한식을 지엇도다
당우 삼듸 셩졔들도   승피빅운 ㅎ시도다
녀산슝빅 무룽츄로   만고영웅 일과 갓다
무셔산지최일어오   듕츈토어셕양이라
망틱힝지 고운ㅎ니   고향이 녀긔로다
슬푸다 우리 부모   한식을 모르시뉘
그 달이 다 지나고   삼월이라 삼일날의
연즈도 나라드러   옛 집을 츠즈오고
(37)
호졉은 편 〃 ㅎ여   봄빗츨 반기는듸
나모나모 입히 퓌고   가지마다 쏫치 퓐다
등졈을 혼측ㅎ야   츈복을 썰쳐 닙고
긔슈의 목욕 감고   무우의 바람 쏘여

흑동고이셔소ᄒ고
만산홍녹들은
춘광을 ᄉ랑ᄒ야
어인 싱지 가젼ᄒ니
슬푸다 우리 부모
그 달이 다 지나고
(38)
남풍지훈혜여
삼각산 졔일봉의
한강슈 깁흔 물의
빅공상화 경셩가롤
요지일월 슌지건곤
금ᄉ인간 져문 날의
만산홍녹들은
춘광을 자량ᄒ여
세상만ᄉ 허ᄉ로다
셰츄영 드러갈 졔
(39)
댱안 만호 등을 달고
슬푸다 우리 부모
그 달이 다 진ᄒ고
일지지어 창외ᄒ니
쳥〃ᄒ 슈퓰 속의
시귀시귀 셩은이야
빅구야 나지 마라
일신이 한가ᄒ니

임쳥뉴이부시로다
일년 일도 다시 만나
싀〃이 픠엿ᄂ듸
탄광음지 여류로다
납쳥을 모ᄅ시늬
ᄉ월이라 초팔일의
회오민지은혜로다
봉황이 우단 말가
하도낙셔 나단 말가
오날 예와 만나리라
틱평셩듸 이 아닌가
쇼년힝낙 언마치리
일년일도 다시 만나
싀〃이 픠엿ᄂ듸
외언싱지 가련ᄒ니
졔요 든 잠 씌올셰라
산호만셰 ᄒ늬그려
관등을 모ᄅ시늬
오월이라 단오일의
하운다어긔봉이라
빅셜이 자〃졋늬
산양 ᄌ치 우는고나
너 잡을 나 아닐다
네나 닉나 다를소냐

명필 셩검 브려 이셔 　　　갈 듸 업셔 네 왓노라
인산의 터룰 닥가 　　　　　구목위소 ᄒ여 두고
(40)
긔슈의 식암을 푸니 　　　　쥬야불식 ᄒᄂ고나
대장부 사름들이 　　　　　이 아니 넉〃ᄒᆫ가
나물 먹고 물 마시고 　　　돌 베고 누어시니
일촌 간장 미친 시름 　　　부모 싱각분이로다
옥창 잉도 불어시니 　　　　원졍부지 이별이오
몽듕 미화 퓌엿시니 　　　　읍츙신이 연옥이라
소졍의 쳥문과와 　　　　　슈양산 고ᄉ리룰
분을 낙을 삼아 　　　　　　부귀공명 니졋도다
남인북사 브리치고 　　　　방〃곡〃 농기로다
숑빅슈양 긴〃 밤의 　　　놉히놉히 쓰늬그려
(41)
녹의홍상 쇼년들은 　　　　오락가락 ᄒ늬그려
슬푸다 우리 부모 　　　　　츄쳔을 모ᄅ시늬
그 달이 다 진ᄒ고 　　　　유월이라 유두날의
건곤이 유의ᄒ야 　　　　　냥신이 삼겨시나
젹셜이 미공ᄒ야 　　　　　홍노유금 되여시니
나쳬노말 못 견듸여 　　　사름마다 번유ᄒ늬
나도 미리 피셔ᄒ여 　　　어듸미로 가잔 말고
도연명 쳔츄 후의 　　　　만고강산 무쳐시라
듁댱망혜 간표ᄌ로 　　　쳔니강산 ᄌᄌ 가니
폭포도 죠커니와 　　　　　녀산이 여긔로다
(42)
비류딕하 삼쳔쳑을 　　　　녯 굴의 드럿더니

의시은하 낙구쳔이   허언이 아니로다
그 물의 뉴누ᄒ고   진금을 시운 후의
셕경노 죠흔 길노   ᄯᅩ 흔 곳 ᄎᆞᄌᆞ가니
져력은 밧츨 갈고   ᄉᆞ호ᄂᆞᆫ 바독 두ᄂᆡ
긔산을 너머드러   영쳔슈로 ᄂᆞ려가니
소부ᄂᆞᆫ 어이ᄒᆞ여   팔언 메고 귀롤 ᄲᅵᆺ고
허유ᄂᆞᆫ 어이ᄒᆞ여   쇠곳비 거ᄉᆞ렷ᄂᆡ
창낭가 반겨 ᄎᆞᄌᆞ   노ᄅᆡᆯ ᄎᆞᄌᆞ 나려가니
엄능탄 여흘 물의   고기 낙ᄂᆞᆫ 져 어옹아
(43)
양구ᄂᆞᆫ 무슨 일노   벗 올 줄 모ᄅᆞ시ᄂᆡ
우회라 셰인이 기굴졍ᄒ니   미ᄌᆡ군형이 역기셰라
황산곡 드러가니   듁님칠현 모혓더라
녕쳑은 쇼을 타고   밍호연은 나귀 탓ᄂᆡ
비낙쳔명 ᄂᆞ려가셔   두목지 보려ᄒᆞ니
녀동빈의 빅녹이오   당건의 승싀로다
밍호야 너른 길노   와룡강변 ᄎᆞᄌᆞ가니
빅우션을 손의 쥐고   학창의예 혁ᄃᆡ로다
팔진도 츅지법을   흉듕만 갑ᄒᆞ여 두고
초당의 조울면셔   듸몽시롤 읇ᄂᆡ그려
(44)
물의 협경 다 버리고   탄〃졍노 다시 ᄎᆞ져
문슈의 빅롤 타고   이쳔으로 흘니 져어
명도의 길흘 뭇고   념계로 나려가며
셩의관 도라보니   삼가 도덕 모닷더라
쵀여산 흔가지로   회암의 드러가니

셩니 디젼 가례칙을　　　좌우희 버려노코
ᄉ셔삼경 녜긔 츈츄　　　읍쥬룰 닉시더고
호걸귀웅이오　　　　　　셩현지학이로다
귀릭 쳔지 괴쳔년고　　　금셩옥진 여긔로다
강산을 민양 보랴　　　　풍월이나 귀경ᄒ자
(45)
강산을 민양 보랴　　　　강남풍월 한가젼을
니틱빅 구경 후의　　　　일신이 혼가ᄒ니
이음안보 셕양쳔의　　　닉 집으로 도라오니
쳥풍이 문을 열고　　　　명월이 방의 든다
이 강산 이 풍월을　　　뉘라셔 금홀쇼냐
이 득지 이 위셩은　　　목우 지어 셩싁이라
슬푸다 우리 부모　　　　유두룰 모ᄅ시닉
그 달이 다 지나고　　　칠월이라 칠셕날의
금풍묘이 셕거ᄒ니　　　옥우환이 징영이라
옥등원의 징영이오　　　물득탁졍 승교틱요
(46)
댱문잠의 칠셕부ᄂ　　　유승인간 긔불회라
츄슈공장 천일싁은　　　왕발의 문장구요
계ᄉ텬 향운외쵸ᄂ　　　송지문의 유졔로다
아미산월 반륜츄ᄂ　　　니젹션의 쳥흥이오
쳥풍칠월 젹벽부ᄂ　　　소동파지 승유로다
츄우오동엽 낙시ᄂ　　　빅낙쳔지 슈셩이오
츄풍흘억 송강노ᄂ　　　당ᄉ군지 귀ᄉ로다
계초명 반야ᄒ니　　　　오즉산이 쳔진이라
슬푸다 우리 부모　　　　칠셕을 모ᄅ시닉

그 달이 다 지나고　　　　팔월이라 츄셕날의

(47)

만곡이 풍등ᄒ고　　　　낙엽이 츄경이라

무졍홀샤 졀셰들은　　　희 〃마다 도라오니

여긔져긔 곳 〃마다　　　벌초향화 ᄒᄂ고나

등셔산지 션도ᄒ니　　　단쳥송지 졍 〃이라

불승감창 일국누롤　　　쇠빅양지 호감지라

슬푸다 우리 부모　　　　츄셕을 모ᄅ시니

그 달이 다 지나고　　　구월이라 등고졀의

쳔봉의 엽탈ᄒ니　　　　산빗치 가려ᄒ다

만학의 단풍 드니　　　곳치 핀 듯 반갑고야

노쇼 늇칠 ᄒ가지로　　　추일 등고 ᄒ시그려

(48)

시유구월 이쌘련가　　　셔슉삼츄 가졀이라

귤동졍지 황향이오　　　듁소상지 니소로다

집흔 막디 즈로 놀여　　　졀피 낙산 올나가니

지셰ᄂ 조커니와　　　　풍경도 그지업다

쳔고지후ᄒ니　　　　　각우쥬지 무궁이라

긔유ᄌ지 일흥ᄒ니　　　됴금냥지 쳥시로다

동모로 머리 드러　　　긔관형셰 ᄇ라보니

금강산 만니쳔봉　　　쳥농방의 둘너 잇셔

은쳔상지 삼광ᄒ여　　　계명셩이 되여 잇고

남으로 머리 드러　　　영남 형셰 ᄇ라보니

(49)

지리산 쳔문봉은　　　쥬작방의 고여 잇셔

울 〃창창 긔가지라　　　노인셩이 되여 잇고

셔흐로 머리 드러 　　히셔가긔 ㅂ라보니
구월산 쳔츄봉은 　　빅호방의 둘너 잇셔
호긔늉반셰로 　　　북도을 괴와 잇고
븍으로 머리 드러 　　관븍창취 ㅂ라보니
묘향산 조동봉은 　　현무방의 막아 잇셔
이워방빅ᄒ냐 　　　틱국셩이 되엿ᄂᄃᆡ
옥야쳔니 명산 삼고 　한나산이 슈귀로다
고왕금늬 싱각ᄒ니 　인걸지령 몃 〃 친고

(50)

장관도 함도훌샤 　　낙됴환가 츠자오니
산간이 젹막ᄒᄃᆡ 　　ᄉ벽이 오립이라
고츠신이 풍뉴ᄒ니 　역셩셰지 일만이라
황화빅쥬 업ᄉ나마 　단포누항 맛겨 잇다
슬푸다 우리 부모 　　등고졀을 모ᄅ시늬
그 달이 다 지나고 　십월이라 첫 마ᄂᆞ릐
증일월 지긔하오 　　니상션빙 되여셰라
쳥쳔의 우ᄂᆞᆫ 홍안 　힝혀 소식 ㅂ라더니
창망흔 구름밧긔 　　빈 소릭 ᄲᅮᆫ이로다
낙월 사창ᄒ여 　　　늬 슈심 도 〃 ᄂᆞᆫ 듯

(51)

잔등을 상ᄃᆡᄒ니 　　벼기 우희 눈물이라
슬푸다 우리 부모 　　마ᄂᆞᆯ을 모ᄅ시늬
그 달이 다 지나고 　십일월 동지날의
만물이 미싱시라 　　일양이 초동쳐오
왕상의 셜니어ᄂᆞᆫ 　지셩이 감쳔이오
밍동의 셜듁슉은 　　조물이 도으미라

언염급초 싱각ᄒᆞ니   통곡망극 시로왜라
그 달이 다 지나고   십이월 졔셕날의
홀계모 어언간ᄒᆞ니   암하쳐이 종늬ᄒᆞ니
가련금일 ᄲᅮᆫ이로다   명하쳐이 종늬던고
(52)
사친졀어 츠시ᄒᆞ니   감구쇼지 여싱이라
반한등허 불명ᄒᆞ니   야초토어 셩심어라
계황신이 종창ᄒᆞ니   경일년이 츈광이라
슬푸다 우리 부모   졔셕을 모ᄅᆞ신다

    상국탄
내 셩벽 고이ᄒᆞ야   편이훌산 국화로다
평싱의 흠모ᄒᆞ믄   군자풍도 너ᄲᅮᆫ이라
회환침 도 〃 베고   북창을 열쳐보니
동니 국화 만발ᄒᆞ고   셔계유풍 찰난터라
(53)
옥노ᄅᆞᆯ 먹음어셔   됴양을 씌여시니
함쇼교틱 모란화ᄂᆞᆫ   미과봉을 웃ᄂᆞ고나
구츄 풍경 됴흔 경의   무민쥬상 흥의 졋늬
숑단낙엽 쓰리치고   노쇼친구 다 쳥ᄒᆞ야
일빅일빅 다시 먹고   명졍토록 취흔 후의
쳥딕구댱 훗더 집고   만원빅황 구경가니
금은황혼 가온듸   한연홍이 픠엿고나
쥬단홍은 넘놀면셔   취양비ᄅᆞᆯ 희롱흔다
반기흔 황학영은   보기예 흐억ᄒᆞ고
밀꼿 갓흔 빅황영은   반갑고 다졍ᄒᆞ다

(54)

흠벅진 홍학영홍은	노숑빅을 얼것고나
옥틱금잔 혼 줄기의	노인빅이 뛰엿고나
대설황은 무亽 일노	너출학영 되엿는고
연졍이 가관ᄒ니	분홍연지 졀묘ᄒ다
대감국 쇼감국은	죠긔황을 지오는 듯
대셜빅이 난만ᄒ되	학졍홍이 별양 붉다
옥 갓흔 쇼셜빅의	금亽홍이 더옥 곱다
픠후황이 몬져 픠니	강졍황은 줍볏ᄒ다
쇼년지 흔편의는	당亽지가 흘는ᄒ다
황홀흔 쥬신황은	쇼진황이 싀긔ᄒ다

(55)

열업슨 단엽오홍	산국갓치 쳔ᄒ니
춍쥐ᄶᅡ 삼식화는	동빅도 휘황ᄒ다
모단식 면분화는	대화란 왜 멸화가
ᄌᆞ별코 찰난토다	쏫치 더옥 긔이ᄒ다
우연이 심은 남기	유법도 ᄒ올시고
아ᄒᆡ야 슐압셔거라	쏘 어티 잇단 말고
금능낙화 못 당흔들	연명치국 부러 ᄒ랴
초셰의 졔국강죵들은	명죵실무 보니 젹다
나의 국화 유신ᄒ여	등양가졀 ᄎᆞᄌᆞ오니
가련흔 우리 인싱	뫼봉ᄎᆞ시 너와 노쟈

(56)

츄흥을 못 니긔여	들을 씌여 도라오니
졍반의 모든 국화	향취로 젼별흔다
아ᄒᆡ야 슐 ᄀᆞ득 부어라	빅연 수회 ᄲᅵ스리라

이 칙이 두 가지는 유리ᄒ여 아ᄒ들 볼 만ᄒ기 벗기고 십이월가는 위친ᄒ여
지은 글이기 닉 녁시 니친지회 금음 업셔 벗겨스나 이 칙이 글 지은 ᄌ는 유식
ᄒ여 이러케 지어스나 나는 단문 졸필이라 닉 속의 가득ᄒᆫ 말을 시작ᄒ면 칙
이 니삼 (57)권 되련마는 못 짓고 벗기기만 ᄒ니 졀통ᄒ도다

졍ᄒᆡ 십이월 초구일 졍부인 니씨는 셔ᄒ니 계셩홀 귀ᄌ가 드러와 ᄌ손니 션〃
ᄒ여 이만 글ᄌ라도 공경ᄒ여 젼지ᄌ손ᄒ기 ᄇ라노라

3

동국패사

郎調絃〉

(동국目錄02ㄱ:09) 金監司緻〈精推斗數快脫禍網〉　　　燕山朝士禍〈名士遁世賤
女蒙恩〉

(동국目錄02ㄱ:10) 許相積當局〈廉夫還報義女合졸〉　　　廣州鄭任實〈君子行仁大
賊歸化〉

(동국目錄02ㄴ:01) 禹兵使夏享〈賤妾明慧冷武榮貴〉　　　金將軍德齡〈推奴棄危爲
婦報仇〉

(동국目錄02ㄴ:02) 柳西崖少時〈名士讀書高僧解義〉　　　公州姜姓班〈懇乞痘神得
活死人〉

(동국目錄02ㄴ:03) 內浦李寧越〈痘神施惠窮命賴活〉　　　鴻山鄭姓班〈痘神占山窮
生得財〉

(동국目錄02ㄴ:04) 嶺南鄭進士〈齋郎行媒哲婦酬恩〉　　　豊原公趙公〈冤鬼訴情凶
身伏法〉

(동국目錄02ㄴ:05) 黃判書仁儉〈悖僧吐眞故人按事〉　　　庶弟友嫡兄〈天賦友愛神
錫財貨〉

(동국目錄02ㄴ:06) 昔有兩班子〈行獵失途消鬼治富〉　　　李大將浣〈義賊知人名將
用盜〉

(동국目錄02ㄴ:07) 京城兩書生〈切友背義賤妓知人〉　　　林將軍慶業〈怒叱地師氣
掘幸塚〉

(동국目錄02ㄴ:08) 平邱朴震憲〈稟精武曲論氣南城〉　　　加平縣校生〈爲壻仙翁逃
亂丙子〉

(동국目錄02ㄴ:09) 丐子蔣都令〈尸解東門身■南岳〉　　　水原人洪悅〈西臺逢仙遠
村遇虎〉

(동국目錄02ㄴ:10) 成琬字伯圭〈三角啖果四仙論詩〉　　　匪解筆妙〈洛第論筆浿樓
觀妓〉

(동국目錄03ㄱ:01) 孝廟意北伐〈鱷夫恃勇瘦儒肆氣〉　　　嶺南崔武弁〈慧女知人頑

夫感化〉

(동국01ㄱ:01) 東國稗史

(동국01ㄱ:02) 李相國浣一日召申大將汝哲曰吾所親人家在不

(동국01ㄱ:03) 遠而以染疾擧家皆死無人殮襲諸具吾已備置今

(동국01ㄱ:04) 夜汝可往其家躬自殮襲可也申公承命而至夜執

(동국01ㄱ:05) 燭而往則一房之內有五屍乃以布衣次次殮之至

(동국01ㄱ:06) 第三屍將殮之時忽然屍起而打頰燭乃滅矣申公

（동국01ㄱ:07）少不驚動以手按之曰焉敢如是呼人爇燭而來其

（동국01ㄱ:08）尸大笑起坐乃是李公也蓋李公欲試其膽氣而先

（동국01ㄱ:09）臥尸側〈此與下文同是一事而未知熟是也〉

（동국01ㄱ:10）南大門外有一窮生家遘毒厲上下老少九人相繼

（동국01ㄴ:01）而歿厲尸滿室而無親不得治喪許相國之招一將

（동국01ㄴ:02）校謂曰某處一室九人皆歿厲而無路殮葬云吾知

（동국01ㄴ:03）汝有氣魄涉危不畏須速往殮殮遂具殮資及九棺

（동국01ㄴ:04）偕送之將校持心甚堅入于亂屍中旣收五尸入棺

（동국01ㄴ:05）後更看則尙餘五尸比初所聞九屍其數加一乃生

（동국01ㄴ:06）疑懼躍出門外旋又自語于心曰吾若畏添屍而經

（동국01ㄴ:07）歸則此豈大監許我以氣魄之意哉復厲神思更入

（동국01ㄴ:08）房中則四屍中有一人披衾起坐乃許積也笑而謂

（동국01ㄴ:09）曰吾欲試汝先汝來隱於衾中矣見汝出門笑其氣

（동국01ㄴ:10）短今能更入所托果不虛矣〈此與上文似是一事而未知熟是也〉

（동국02ㄱ:01）申大將汝哲少時習射于訓鍊院歸路都監軍一人

（동국02ㄱ:02）乘醉詬辱申公仍蹴殺之直入李貞翼公浣家通刺

（동국02ㄱ:03）使之入來而寒暄訖李公問何爲來見申公對曰某

（동국02ㄱ:04）名某也俄於射亭歸路都監軍士如斯如斯某果蹴

（동국02ㄱ:05）殺之矣此將奈何李公笑曰殺人者死三尺至嚴焉

（동국02ㄱ:06）敢逭律申公曰死則一也殺一軍士而死非丈夫之

（동국02ㄱ:07）事欲殺其大將而死如何李公曰汝欲殺我乎申公

（동국02ㄱ:08）曰五步之內公不得恃其象矣李公笑曰第姑俟之

（동국02ㄱ:09）仍分付都監執事曰聞軍卒一人乘醉臥於街上托

（동국02ㄱ:10）以佯死須擔來下隷承命而擔來則挐入決棍而出

（동국02ㄴ:01）之仍以無事李公使留之曰汝大器也可親近往來

（동국02ㄴ:02）愛之如親子侄

（동국02ㄴ:03） 鄭北牕有士人友每請推其命使之休咎而北牕靳

（동국02ㄴ:04） 之其人當臘月委來固請北牕難孤其意強言之曰

（동국02ㄴ:05） 君命壽止來歲若起延年則正月初一日丑時往跪

（동국02ㄴ:06） 南大門開門初最先出由藥峴至萬里峴則當有戴

（동국02ㄴ:07） 蓑笠翁驅牛駄薪逢則跟隨苦乞延壽雖其邁之功

（동국02ㄴ:08） 勿中寢終日東西隨行萬端哀乞老人必有所言矣

（동국02ㄴ:09） 其人一如其言果遇戴薪翁於是拜乞延乞延壽之

（동국02ㄴ:10） 方戴薪翁以慍色對曰賣薪翁何以知延壽之造化

（동국03ㄱ:01） 乎屢次泣請哀乞愈懇其叱愈猛其人踵在翁後隨

（동국03ㄱ:02） 入內城願得延壽口不絕聲翁邈然無敎意及其賣

（동국03ㄱ:03） 薪還出其城也其人猶持前言一向哀乞復隨至藥

（동국03ㄱ:04） 峴之際翁怒叱曰苦哉苦哉誰敎君如此其人言不

（동국03ㄱ:05） 必告以指示之人只願憐此殘殘命惠以一言云則

（동국03ㄱ:06） 翁曰此必鄭礦所指也鄭礦事過甚矣爲懲鄭礦罪

（동국03ㄱ:07） 移鄭礦壽十七年以與君君旣知此退去可也其人

（동국03ㄱ:08） 卽歸訪北牕北牕曰君果如吾言逢見載薪翁否曰

（동국03ㄱ:09） 然矣而翁之慍責緘閉之狀一口難說而畢竟有所

（동국03ㄱ:10） 敎矣北牕曰翁必謂移吾壽與君也曰果然矣北牕

（동국03ㄴ:01） 曰吾已料其如此故每每持難於敎君矣然莫非數

（동국03ㄴ:02） 也亦復奈何其人曰翁是何人北牕曰天上大司命

（동국03ㄴ:03） 星謫下人間者也雖在人間猶能主張壽夭矣

（동국03ㄴ:04） 近世知禮縣金姓別監與同縣一頭陀相善待之以

（동국03ㄴ:05） 儕友頭陀亦倨或以敵抗別監之子內不快外泯圭

（동국03ㄴ:06） 角金以頭陀之解堪輿故托以身後牛岡之卜及金

（동국03ㄴ:07） 死頭陀來弔喪人不請山地之指示頭陀去金妻使

（동국03ㄴ:08） 婢傳語曰亡人卜地旣有生時約何不指示耶頭陀

（동국03ㄴ:09）日吾今發去去路圖從也頭陀去後金家有十一歲

（동국03ㄴ:10）稍慧點女奴金妻命其兒使隨僧往尋所占處頭陀

（동국04ㄱ:01）至一處住錫讚嘆曰此穴極好必當代發福女婢請

（동국04ㄱ:02）裁穴以指則頭陀曰此穴體天作不必揷標而但此

（동국04ㄱ:03）地太過於汝上典福分決不可許更點他處爲宜仍

（동국04ㄱ:04）携至一岡謂厥媤曰此處眞相稱於汝上典歸告於

（동국04ㄱ:05）汝上典以此爲定厥媤心識其先占處秘不出口依

（동국04ㄱ:06）僧言往告以副件金果入葬於其穴厥媤自是後朝

（동국04ㄱ:07）夕食時或不討飯而代受米凡於穀物合升升拮据

（동국04ㄱ:08）鳩聚磨以五六年幾至數石乃乞於憐氓及班奴輩

（동국04ㄱ:09）曰吾父之葬吾嘗在幼權窆於千萬不似之地不耐

（동국04ㄱ:10）其陰寒吾非敢欲擇吉地而欲移葬於某處向陽之

（동국04ㄴ:01）地所願荷諸長老之力無惜一日勞聞者孝其志果

（동국04ㄴ:02）許之卽以所備數石糧作酒飯饋之如計移窆媤自

（동국04ㄴ:03）思曰吾父葬穴雖吉吾若爲人家婢僕而終老則何

（동국04ㄴ:04）從而發福吾將去之而求所以托身踰大小白抵江

（동국04ㄴ:05）陵則有宰相家室族流落鰥居且貧者厥媤乃自請

（동국04ㄴ:06）效身於井臼鰥措大見兒容止甚端頗解人事樂而

（동국04ㄴ:07）育之無異正室産二子如玉其貌才亦穎發出衆女

（동국04ㄴ:08）黽勉有無轉運多方曾未十年家貨豐饒謂其夫曰

（동국04ㄴ:09）雙兒雖俊處地甚賤將爲用之宜追造婚書紙謂我

（동국04ㄴ:10）正室深藏篋笥待後方便夫從之又謂其夫曰士族

（동국05ㄱ:01）沈滯窮鄉無由自振所持旣豊何不置第於京師以

（동국05ㄱ:02）爲兒曹之地夫遂入洛買得千金甲第於右族洞內

（동국05ㄱ:03）當其搬移之際女曰此中本來奴僕知吾地賤恐易

（동국05ㄱ:04）泄漏於人莫如一幷落置使守莊土廣求京中以重

(동국05ㄱ:05) 價購得數三十奴僕與之偕來以備行李所隨則根

(동국05ㄱ:06) 本似可淚然矣夫果依其言就移京第是女儼然爲

(동국05ㄱ:07) 夫之遠近莫有知者家居旣好肴饌亦豊右族輪蹄

(동국05ㄱ:08) 相接競稱至親兼請內謁或呼爲叔母或呼爲嫂氏

(동국05ㄱ:09) 而兩子玉貌爭被宰相族之奇愛携置書塾日就月

(동국05ㄱ:10) 將次第登大小科門闌居然萃赫是女轉爲名士之

(동국05ㄴ:01) 大夫人一日母承夜間婢僕之退去蜜謂二子曰汝

(동국05ㄴ:02) 輩貴盛如此果能詳知外門之微賤乎對曰母氏自

(동국05ㄴ:03) 謂知禮金別監之女吾輩之金別監之爲外祖父矣

(동국05ㄴ:04) 母曰別監尙矣猶屬兩班我非其女乃其婢也不可

(동국05ㄴ:05) 不使汝輩知之母子酬酌之際適有偸兒粘身牕外

(동국05ㄴ:06) 將伺就睡入偸得聞此說話始末歷歷可卜乃自喜

(동국05ㄴ:07) 獨語曰此實奇貨可居往告本主偕來則其利視諸

(동국05ㄴ:08) 些少偸財豈不萬倍乎卽旋踵直走知禮備言其由

(동국05ㄴ:09) 於金別監之子金子樂聞而治裝上京偸兒乃詐爲

(동국05ㄴ:10) 金子御者而來來到此家門外因內奴僕報以知禮

(동국06ㄱ:01) 金別監來到大夫人驚喜曰吾兄來矣顚倒迎入內

(동국06ㄱ:02) 舍備敍同氣積阻之情金亦頗慧隨問隨答仍謂金

(동국06ㄱ:03) 曰甥兄與吾兒輩同房以處必有道理凡其衣食吾

(동국06ㄱ:04) 必盡誠矣金如其言大夫人又飭奴輩曰吾兄率來

(동국06ㄱ:05) 之奴亦當善遇之曾未幾何夜深後招數三健奴密

(동국06ㄱ:06) 托曰吾兄之奴有大罪汝輩須無數勸酒俟其爛醉

(동국06ㄱ:07) 乘夜負厥漢投之于江中健奴依敎灌醉金奴縛而

(동국06ㄱ:08) 沈江偸兒之口於是乎永滅矣金生着萃衣喫珍羞

(동국06ㄱ:09) 風采日勝主人名士儕輩每到知其爲主人之渭陽

(동국06ㄱ:10) 協力周旋於政也筮仕至淸河縣監云

（동국06ㄴ:01）成承旨謹甫有少妹當婚貧無以爲資其大人勝氏

（동국06ㄴ:02）謂以海西有奴僕當親往收拾備婚具甫白日推奴

（동국06ㄴ:03）之行豈士夫之所宜爲哉其大人以爲非此則無處

（동국06ㄴ:04）可措手汝不可尼吾行云則謹甫乃請代行乃以一

（동국06ㄴ:05）馬僕出行幾日日將暮店又遠方以爲悶忽有着平

（동국06ㄴ:06）涼子常人隨後告日若行山中路則可減三十程道

（동국06ㄴ:07）小人請指路公樂從之靡靡踰山轉入窮巷去大路

（동국06ㄴ:08）絶遠公意謂此必是賊徒引入賊藪而勢同觸藩不

（동국06ㄴ:09）得不跟行竟越一峴則有村開豁穹然瓦舍在其中

（동국06ㄴ:10）厥漢立公於門前入告其家郎爲引入有年近八十

（동국07ㄱ:01）老人下交椅迎之禮甚倨視以後生公始驚其狀貌

（동국07ㄱ:02）魁偉及接辯論貫穿萬理博通三敎公瞠然有望洋

（동국07ㄱ:03）之歎主翁日君此行爲何事而向何處公告之其故

（동국07ㄱ:04）主翁日讀書年少不宜有此公答日非不知也勢不

（동국07ㄱ:05）獲已也主翁日所需婚具當取諸老漢家中而賙之

（동국07ㄱ:06）君須自此經還焉公聞其語尤認以多積金錢之賊

（동국07ㄱ:07）魁乃辭以無名與受主翁日然則置之勿論而往諸

（동국07ㄱ:08）奴所則決不可直爲東還千萬望也公日敬奉敎夕

（동국07ㄱ:09）飯後張燈談理纚纚不窮公日以叟丈之幹局以終

（동국07ㄱ:10）老窮山答日老物地甚微詎望需於世乎仍日夜向

（동국07ㄴ:01）深君且就廊底宿所遂與叙別翌曉依翁言東還馬

（동국07ㄴ:02）上自思日翁之導人有理吾之徑歸不害爲雅操而

（동국07ㄴ:03）空手歸家妹婚何爲及抵家門上下內外方盛備婚

（동국07ㄴ:04）需屋頗有潤公怪問之其大人出視一札日此汝自

（동국07ㄴ:05）奴所而送書也書中謂以初到以來徵貢贖良已爲

（동국07ㄴ:06）五百金恐後婚期先送現在錢云故以其來者辦具

(동국07ㄴ:07) 綽有餘裕於婚用矣公細審其書與自己手迹毫髮
(동국07ㄴ:08) 不爽始知老翁之神人無疑也及謀復上王也公白
(동국07ㄴ:09) 其大人曰此事又質於某處老人然後可決其可否
(동국07ㄴ:10) 請以密札報議卽招向來往還之馬前奴問曰汝能
(동국08ㄱ:01) 往尋某處也否奴曰峯壑林灣明辨在心目何難於
(동국08ㄱ:02) 更訪遂坼置書封於去奴衣領裏復縫之使之密傳
(동국08ㄱ:03) 遂抵前去村則一村鞠爲蓬蒿變幻無迹但見老翁
(동국08ㄱ:04) 舊墟有穹然新竪石碑奴辨其文字故就審知則以
(동국08ㄱ:05) 朱字大書曰名留萬古血食千秋事之成否何問於
(동국08ㄱ:06) 我奴謄其十六字歸報於公公復于大人曰神人已
(동국08ㄱ:07) 許我矣更何趑趄遂與五臣定議云
(동국08ㄱ:08) 申文忠叔舟爲擧子時晚赴景福庭試曙色朦朧中
(동국08ㄱ:09) 見巨獸張口橫於闕門擧子從獸口呀處以入忠文
(동국08ㄱ:10) 瞠然却立而諦視之俄有靑衣童子挽公袖問曰公
(동국08ㄴ:01) 或見獸口之之張否曰見之曰此是吾之造化也作
(동국08ㄴ:02) 此怪要公留立而與我相會也公曰汝是何物曰吾
(동국08ㄴ:03) 人也公是大貴人吾爲左右之以度平生云而遂隨
(동국08ㄴ:04) 入試場歸亦偕之入處書堂壁藏中曾不現形於他
(동국08ㄴ:05) 人眼中坐臥起居不離公側公與餘飯則只聞喰聲
(동국08ㄴ:06) 不見器空家事休咎科場得失輒先告之使知之及
(동국08ㄴ:07) 公差日本欲通我國於是爲初役中路遠近風俗險
(동국08ㄴ:08) 易漠然不知公深以爲悶使靑衣童子爲先探審而
(동국08ㄴ:09) 歸靑衣一去四朔苦企始還公曰汝還何遲也靑衣
(동국08ㄴ:10) 曰海深且廣猝難測度吾尺量其闊挾延袤且審其
(동국09ㄱ:01) 津之險某津之順的定水道最穩之道如是商量之
(동국09ㄱ:02) 際自費多月自某處解纜至某處下泊則萬無一憂

(동국09ㄱ:03) 云遂以靑衣所指津路至今爲通信行所由而文忠

(동국09ㄱ:04) 之熟諳日出山川風謠者多得於靑衣云靑衣與公

(동국09ㄱ:05) 一生同周旋及公損館亦隨以閔爲公遺命子孫別

(동국09ㄱ:06) 設靑衣祭故方祭文忠時置一卓或大門內或因側

(동국09ㄱ:07) 數百年來未嘗廢其祭公宗孫居楊州者以爲歲久

(동국09ㄱ:08) 之事不別每每必設而廢之祭後文忠見宗孫夢慍

(동국09ㄱ:09) 色以呵日數百年由來靑衣祭到汝遽闕之今番祭

(동국09ㄱ:10) 饌除分靑衣吾不能飽矣一卓之別設有何大難而

(동국09ㄴ:01) 違吾遺敎耶夢覺而驚異之依歸復設別卓云

(동국09ㄴ:02) 壬辰前有郊居一宰相佩國安危而家有癡叔動止

(동국09ㄴ:03) 不伶俐言語亦野朴宰相常易之癡叔每日君家多

(동국09ㄴ:04) 略不能穩語無論某時乘其無客而邀我可也一日

(동국09ㄴ:05) 家適無挽送伻邀叔之來請對棋宰相日叔父手太

(동국09ㄴ:06) 拙對局無滋味叔日破寂何妨促坐開局先下一子

(동국09ㄴ:07) 宰相以名棋熟度局勢則自家將不得作一家矣宰

(동국09ㄴ:08) 相始之其叔之韜悔跪伏以告日猶夫猶子間半生

(동국09ㄴ:09) 相欺此何事也侄雖愚迷願叔父敎導之叔日君已

(동국09ㄴ:10) 出世今雖陂轍有何可敎但於再明當有白足來到

(동국10ㄱ:01) 固請托宿必須極力麾却指送村後菴子甚可云宰

(동국10ㄱ:02) 相受以脈膺及至再明果有僧來美貌便言明秀可

(동국10ㄱ:03) 愛願倍大監寄宿所廊宰相百端稱托僧也苦口以

(동국10ㄱ:04) 懇主人一切邁邁日吾家有緊故而此村後有一菴

(동국10ㄱ:05) 淨潔可宿師須就其處云云則僧不得已移赴其菴

(동국10ㄱ:06) 所謂癡叔豫爲居士打扮留置一婢子菴中稱爲舍

(동국10ㄱ:07) 堂遙望僧來跟蹡下崖路合掌迎拜日今日有何好

(동국10ㄱ:08) 風而尊師來此陋僻耶欣欣迎入蒲團喚舍堂日遠

(동국10ㄱ:09) 方大師來臨須瀝酒以來及行杯乃旨酒也僧曰主

(동국10ㄱ:10) 人居士之釀何如是佳耶答曰彼舍堂姬曾是各官

(동국10ㄴ:01) 酒母退出者故能善釀矣酒不甚薄願師勿辭也主

(동국10ㄴ:02) 客相酬近十杯此無醺氣而彼頗醉癡叔乃脫去僧

(동국10ㄴ:03) 所着巾撍其耳擠之於席上據胸大喝曰此僧此僧

(동국10ㄴ:04) 惟我在汝何敢到此汝之渡海日子吾已先知今若

(동국10ㄴ:05) 一毫忌諱晴迹則汝命懸吾一指尖而僧曰死期將

(동국10ㄴ:06) 迫小僧當卽告矣吾是日本人也平秀吉方謀發兵

(동국10ㄴ:07) 犯本國最忌下村大監使我先往寄宿其家潛害故

(동국10ㄴ:08) 果爲越海而來大監不許留宿轉倒菴中不意逢着

(동국10ㄴ:09) 如生員主神通人將不保殘命萬乞活我活我癡叔

(동국10ㄴ:10) 曰我國兵禍之迫來者旣關大運吾於一國大運亦

(동국11ㄱ:01) 難容力而至於所居鄕則吾優可以全之汝國兵躪

(동국11ㄱ:02) 吾土一步地則必無一介生還者今我不殺汝而特

(동국11ㄱ:03) 放者要我歸報關白使日本人先知有我也遂赦之

(동국11ㄱ:04) 厥僧走還日本傳其語秀吉大驚方其發兵下令軍

(동국11ㄱ:05) 中曰渡海入鮮地後愼避某邑境如有犯其境者罪

(동국11ㄱ:06) 當夷三族云故當壬辰搶攘時癡叔所居一境晏然

(동국11ㄱ:07) 無警云或云西厓之事

(동국11ㄱ:08) 壬辰之亂天將李提督旣奏平壤之捷留觀上喜

(동국11ㄱ:09) 山川之美暗懷蠶除我國而自爲王以鎭之意一日

(동국11ㄱ:10) 設宴練光亭高開玉帳大會軍僚有村老一人騎牛

(동국11ㄴ:01) 戛過其前故爲犯導提督勃然怒曰何物村翁如是

(동국11ㄴ:02) 無禮命一卒拏致卒承命喝往老人回牛緩驅以去

(동국11ㄴ:03) 卒盡力赶去終不及提督益怒命一校疾走拏來而

(동국11ㄴ:04) 復如前去之提督不勝憤怒自跨馬執鞭而出馬驟

（동국11ㄴ:05）如飛而老人之牛一向徐緩提督愈促蹄而不及牛
（동국11ㄴ:06）數里提督怒氣沖天鼻熟生火踰山越崗殆近三十
（동국11ㄴ:07）里老人俄沒去影提督越坂降入則中有數間茅屋
（동국11ㄴ:08）而鞴鞍牛繫在庭畔垂柳提督料老翁入其中下馬
（동국11ㄴ:09）入室則老翁迎笑提督相向叱曰我我承天命來救
（동국11ㄴ:10）下國威名體貌何等尊嚴而幺麼村翁肆然犯前其
（동국12ㄱ:01）罪敢辭吾一釰耶老翁笑對曰吾雖愚迷村夫豈不
（동국12ㄱ:02）知天將之尊重耶激怒引來者意存焉此隣屋有兩
（동국12ㄱ:03）箇惡少年恃其絕倫之才了無敬老之意將奪我屋
（동국12ㄱ:04）勢難支吾欲借將軍神威除去此惡少爲我解紛釋
（동국12ㄱ:05）亂也提督曰何難之有乎提督移赴少年所少年方
（동국12ㄱ:06）皆讀書提督大喝曰聞汝輩悍惡無禮於長老吾當
（동국12ㄱ:07）斬之仍引釰將加則兩少年輒以手中書鎭撼攔之
（동국12ㄱ:08）釰無由下氣亦隨沮有頃老翁踵至提督迎謂曰彼
（동국12ㄱ:09）惡少年輩膂力無敵恐難爲翁制之耳老翁曰然矣
（동국12ㄱ:10）此乃吾兒也雖合吾兒兩人之力無以抵當吾一老
（동국12ㄴ:01）物而將軍不能制此輩況於我乎我雖跧伏深山而
（동국12ㄴ:02）猶能揣知將軍之意將軍一擧破倭再造東蕃名振
（동국12ㄴ:03）夷夏及此功高望重之時振旅而還則豈不偉矣而
（동국12ㄴ:04）乃有留據箕城僥倖專利之意蓋謂東方無人而如
（동국12ㄴ:05）我者亦足以使將軍不得自肆今日之事要以此意
（동국12ㄴ:06）曉將軍願勿孤此老唐突而速圖班師提督色沮良
（동국12ㄴ:07）久曰謹奉敎遂班師
（동국12ㄴ:08）李土亭與趙重峯同坐海上有水面一葉舟無人自
（동국12ㄴ:09）撓而來土亭問重峯曰汝能知此乎重峯對以不知
（동국12ㄴ:10）土亭曰此乃智異山神人送舟邀我輩也舟仍近前

(동국13ㄱ:01) 兩人乘之舟又自撓而去行半日泊山下捨舟登山

(동국13ㄱ:02) 有一石窟入其中則窟頗明曠赤毛一人引土亭對

(동국13ㄱ:03) 坐於石榻上重峯侍立其下赤毛人打話娓娓重峯

(동국13ㄱ:04) 傍聽而全不省其爲何話俄然相別出石窟外重峰

(동국13ㄱ:05) 問土亭曰俄者石窟先生與先生酬酢之語頗多而

(동국13ㄱ:06) 少子全不省其何語只是臨別時石窟先生曰愼於

(동국13ㄱ:07) 山先生答曰數也奈何此一轉語獨能省得此何謂

(동국13ㄱ:08) 耶土亭曰彼謂吾死於牙山汝當死於錦山須謹避

(동국13ㄱ:09) 云故吾誘之於矣其言果驗

(동국13ㄱ:10) 辛卯鰲山君李擢男年十一歲時侍坐白沙座上奴

(동국13ㄴ:01) 來告曰外有人長二丈許者請見白沙着袍迎見令

(동국13ㄴ:02) 李避匿李於夾室窺見則果有人入來長殆一丈半

(동국13ㄴ:03) 許面亦比凡人倍長眼大如燈口巨而赤爛着弊衣

(동국13ㄴ:04) 周衣枯朽者至膝着弊衲袴而如裹脛而縫之者足

(동국13ㄴ:05) 着弊黑靴直入白沙坐處幾接膝而坐兩手據地膻

(동국13ㄴ:06) 鼻擁鼻巨眼赤口逼近口達移時而去去後李奉問

(동국13ㄴ:07) 之則白沙素期待其侄故但曰其人稱白岳夜叉云

(동국13ㄴ:08) 汝長後當言之固問之則云明年有兵亂云其後過

(동국13ㄴ:09) 亂後詳詳言夜叉者云當生大亂而令監必專當必

(동국13ㄴ:10) 須豫思備禦之策云云李語其妻侄竹西夫人而李

(동국14ㄱ:01) 光州益命親聞於其慈堂而云

(동국14ㄱ:02) 李佐郎慶流韓山人也早登第爲兵郎當壬辰倭亂

(동국14ㄱ:03) 而其仲氏投筆供無職助防將邊璣出戰時以其仲

(동국14ㄱ:04) 氏從事官啓下而名字誤以公書之仲氏曰以吾啓

(동국14ㄱ:05) 下而誤書汝名吾可往矣公曰旣以吾名啓下則吾

(동국14ㄱ:06) 當往仍束漿而辭于慈親蒼黃赴陣邊璣出陣于嶺

(동국14ㄱ:07) 右大敗而逃軍中無主將仍大亂公聞巡邊使李鎰

(동국14ㄱ:08) 在尙州單騎馳赴之與尹公暹朴公籛同處幕下又

(동국14ㄱ:09) 戰不利一陣陷沒尹朴兩公皆被害公出陣外則奴

(동국14ㄱ:10) 者牽馬而待之見而泣告曰事已到此願速速還洛

(동국14ㄴ:01) 可也公笑曰國事如此吾何忍偸生仍索筆告訣于

(동국14ㄴ:02) 老親及伯氏藏于袍裾中使奴傳之欲還向敵陣則

(동국14ㄴ:03) 奴子抱而泣不捨公曰汝誠亦可佳吾當從汝言而

(동국14ㄴ:04) 吾飢甚汝可得飯而來奴子信之不疑尋人家乞飯

(동국14ㄴ:05) 而來則公已不在矣奴子望敵陣痛哭而歸公以得

(동국14ㄴ:06) 飯爲托而送奴仍回身更赴敵陣手擊殺數人而仍

(동국14ㄴ:07) 遇害時年二十四四月二十四日而尙州北門外坪

(동국14ㄴ:08) 也其奴牽馬而來擧家始聞凶報以發書之日爲忌

(동국14ㄴ:09) 日始擧喪其奴自頸而死之馬亦不食斃以所遺衣

(동국14ㄴ:10) 冠斂而入棺葬于廣州突馬面先塋之左麓而其下

(동국15ㄱ:01) 又葬奴與馬尙州士人設壇而行俎豆禮自朝家贈

(동국15ㄱ:02) 職都承旨正廟朝以親筆書忠臣義士壇建閣於北

(동국15ㄱ:03) 命使三從事竝享而春秋行祀公卒後每夜來家中

(동국15ㄱ:04) 聲音笑貌宛如生時對夫人趙氏酬酢無異平時每

(동국15ㄱ:05) 具膳以進則飲啖如生時而乃見之則飲食如前每

(동국15ㄱ:06) 於日昏後始來臨鷄鳴則出門而去夫人問公之遺

(동국15ㄱ:07) 骸在於何處若知之則將反葬矣公愀然曰許多白

(동국15ㄱ:08) 骨堆中何由於辨知乎不知置之爲好且吾之白骨

(동국15ㄱ:09) 所埋處亦自害矣其他家事區處一如平時小祥後

(동국15ㄱ:10) 間日降臨矣及大祥時乃辭曰從今以後吾將不來

(동국15ㄴ:01) 矣時公子府使穧年四歲矣公抔而嗟嘆曰此兒必

(동국15ㄴ:02) 登第不幸當不幸時然而伊時吾當更來仍出門伊

(동국15ㄴ:03) 後更無形影其後二十餘年後光海朝公之子登第

(동국15ㄴ:04) 謁廟之時自空中呼新恩進退人皆異之公之母親

(동국15ㄴ:05) 常在病患時則五六間也喉喝思橘若得喫則病可

(동국15ㄴ:06) 解矣無由得橘數日後空中有呼兄聲伯氏公下庭

(동국15ㄴ:07) 而仰視則雲務中公以三橘投之日老母念橘故吾

(동국15ㄴ:08) 於洞庭得來矣可以進之因忽不見以橘進之病患

(동국15ㄴ:09) 卽差此是陶菴李文正神道碑銘曰空裡投橘恍惚

(동국15ㄴ:10) 兮云者卽此也每當忌辰行祀時闔門之後則必有

(동국16ㄱ:01) 匙著聲其庶族秉鉉語人曰吾少時參祀每聞此聲

(동국16ㄱ:02) 矣近日則未嘗聞云矣其家行祀時餠有人毛之入

(동국16ㄱ:03) 者罷祀後聞之則外舍有呼奴聲家人怪而聽之則

(동국16ㄱ:04) 出自舍廊奴子承命而入則使促致蒸餠婢子分付

(동국16ㄱ:05) 曰神道忌人毛髮汝何不察汝罪可撻楚自是每當

(동국16ㄱ:06) 忌辰雖年久之後家人不敢少忽焉

(동국16ㄱ:07) 鄭起龍者本是尙州人而往晉州隸兵營奴案一日

(동국16ㄱ:08) 在營庭晝眼忽大呼兵相招叱曰汝何以魔語鬧公

(동국16ㄱ:09) 庭耶對曰身雖賤而志則雄大丈夫壯大不能建旗

(동국16ㄱ:10) 鼓鬱鬱仍睡覺時作聲大呼兵使卽爲放良或爲官

(동국16ㄴ:01) 吏輩使喚衣雖縕縷而志氣身數頗不草草矣時全

(동국16ㄴ:02) 州府首吏忘其姓名家貲甚饒有獨女年可及笄父

(동국16ㄴ:03) 母鍾愛之欲擇壻則女曰女子百年事專在良人一

(동국16ㄴ:04) 身一番誤了則悔無及矣豈可含羞黙坐只待父母

(동국16ㄴ:05) 之定配乎吾父在本府雖爲解事吏而自是下流安

(동국16ㄴ:06) 有藻鑑吾將以吾眼自擇雖至過時必得可人而後

(동국16ㄴ:07) 已父母不能强而荏苒屢歲苦無所定每咎責其女

(동국16ㄴ:08) 而已全州晉州兩州首吏相爲姻査晉州首吏要起

(동국16ㄴ:09) 龍傳渠書於全州吏起龍從之帶其書赴其家則首
(동국16ㄴ:10) 吏夫妻適往親族菶詳獨留其女守家起龍叩門喚
(동국17ㄱ:01) 人其女自門內問曰汝是何處人起龍對曰以晉州
(동국17ㄱ:02) 吏房使喚爲傳書而來也其女側耳聽其語音已知
(동국17ㄱ:03) 其非凡人出倚大門見之則乃表鶉一總角也熟察
(동국17ㄱ:04) 良久曰吾嚴親卽當還汝姑坐舍廊前以待之旋又
(동국17ㄱ:05) 語之曰入坐中門內可也有頃吏房妻先歸語其女
(동국17ㄱ:06) 曰彼何兒也使坐於內近地耶此是晉州吏房伻人
(동국17ㄱ:07) 而兒已決以爲吾配故不嫌其近內坐矣母怒叱曰
(동국17ㄱ:08) 汝不許父母之擇配而期以自擇神通者今乃以衣
(동국17ㄱ:09) 鶉乞兒自定汝之眼孔可刺也女曰母勿雜言有頃
(동국17ㄱ:10) 吏房至亦如妻言女曰吾父眼力終是卑劣何得以
(동국17ㄴ:01) 識此兒此兒雖在繼縷中各離其耳目口鼻而細察
(동국17ㄴ:02) 之豈有一處不善生乎其父細觀似然乃曰汝意牢
(동국17ㄴ:03) 定不得不依汝言矣覽來書畢起龍入舍廊詳問門
(동국17ㄴ:04) 地凡百起龍對之甚悉吏房曰吾欲以汝爲壻對曰
(동국17ㄴ:05) 以上調之勢豈有壻乞兒之理乎吏曰汝留此而娶
(동국17ㄴ:06) 吾女之意書告汝母氏則吾當送奴往復矣起龍曰
(동국17ㄴ:07) 吾雖極寒殘而如此婚娶大事遠外書告恐非子道
(동국17ㄴ:08) 莫如吾自往告而復來矣吏曰汝言誠是吾當備奴
(동국17ㄴ:09) 馬以送矣起龍曰吾以賤者有兩脚何必取馬吏曰
(동국17ㄴ:10) 旣定吾壻何可使步行耶其家有惡駒生五六禾有
(동국18ㄱ:01) 人近前輒張紅口仰四足而起立給芻時以長竿縛
(동국18ㄱ:02) 蕢在遠投之欲殺而不忍女曰父親猶不能的知起
(동국18ㄱ:03) 龍之眞箇不凡被馬雖惡而實驗必能解起龍之不
(동국18ㄱ:04) 凡試使起龍騎往晉州也吏問起龍曰汝能制彼馬

(동국18ㄱ:05) 否對日吾未嘗御馬而豈有男子而不能制一馬子

(동국18ㄱ:06) 進向糟前馬始張口欲立起龍批馬頰喝日汝何無

(동국18ㄱ:07) 禮耶馬逐俛首起龍進而刷之摩之一味馴良女喜

(동국18ㄱ:08) 日馬固知人矣起龍騎歸晉州告娶於其母而復往

(동국18ㄱ:09) 全州行醮吏謂起龍日汝在晉州旣無依賴奉母來

(동국18ㄱ:10) 吾家穩度平生爲可云則女日吾夫雖是晉州店門

(동국18ㄴ:01) 之丏子晉猶本家女子有行遠父母兄弟宜就其夫

(동국18ㄴ:02) 鄕矣吾父萬金之富何難轉輸於二日程以一女之

(동국18ㄴ:03) 理乎逐偕其夫歸晉州未幾遇壬辰亂起龍舞變起

(동국18ㄴ:04) 妻日君志則壯矣立功之期勒王爲先遠向京師可

(동국18ㄴ:05) 也起龍日其於老母弱妻之難捨何哉妻日以吾姑

(동국18ㄴ:06) 婦移置峽中則吾當善護吾姑不貽憂於君矣起龍

(동국18ㄴ:07) 依其言區處母妻然後騎自完騎來之駿駒到漢江

(동국18ㄴ:08) 上遇招討使聞大駕已去邠矣入城無可爲故彷徨

(동국18ㄴ:09) 靡所托招討使請與俱南逐隨其行到嶺外爲招討

(동국18ㄴ:10) 使往探賊情於數十里地往還之間倭兵已虜招討

(동국19ㄱ:01) 使一行三十人以去矣起龍日吾旣與彼同事豈忍

(동국19ㄱ:02) 獨生逐躍馬大呼馳赴倭陣突入陣內倭人披靡倭

(동국19ㄱ:03) 將麾下縛置三十人起龍直入解縛引出賊莫可誰

(동국19ㄱ:04) 何仍勸晉牧勤王而不肯起龍釰斬之而率其衆逐

(동국19ㄱ:05) 募兵屢戰殺倭甚衆歸省母母無恙妻日晉州未免

(동국19ㄱ:06) 要衝錦山旣經義兵破陣必無重被兵禍之慮請移

(동국19ㄱ:07) 我姑婦於錦山起龍從之而更赴戰陣〈前後效勞不少朝家聞之

(동국19ㄱ:08) 拜官還轉亂平後官至北兵使云〉

(동국19ㄱ:09) 鄭桐溪蘊發解增廣試與道內名下士兩人聯鑣赴

(동국19ㄱ:10) 會同行至一處有一素轎或先或後有了鬟隨後編

(동국19ㄴ:01) 髮至半身姿色出衆三人皆於馬上顧眄了鬟相與

(동국19ㄴ:02) 稱艶了鬟且行且顧注目於桐溪至三四次同行兩

(동국19ㄴ:03) 人皆曰文章學識輝遠勝於吾輩而外面似損於吾

(동국19ㄴ:04) 輩恐不入於女眼而彼了鬟獨見輝遠誠未知可也

(동국19ㄴ:05) 行之未久轎入村中桐溪駐馬謂同行曰此去數十

(동국19ㄴ:06) 里有店舍君輩先往待我我則投宿彼處而去矣兩

(동국19ㄴ:07) 人責之曰吾輩期待於君何有而今作大科會行路

(동국19ㄴ:08) 上見一妖物空然爲情慾所牽妄生非義之心望一

(동국19ㄴ:09) 夜難期之緣棄千里同行之友人固未易知知人亦

(동국19ㄴ:10) 難矣桐溪笑而不答促鞭隨其女入去同行咄咄不

(동국20ㄱ:01) 已桐溪及入其村則有一大家舍外廊廢已久矣下

(동국20ㄱ:02) 馬坐於外廊軒上矣其女隨轎入內少焉出來笑容

(동국20ㄱ:03) 可掬仍言曰行次不必坐此冷軒暫往小婢之房桐

(동국20ㄱ:04) 溪隨入其房則極其淨潔已而進夕飯亦疏淡而旨

(동국20ㄱ:05) 又云掃廚更來矣初更果然出來揮送親屬促膝而

(동국20ㄱ:06) 坐桐溪笑而謂曰汝何由知吾之來而出迎也其女

(동국20ㄱ:07) 曰小女貌旣免矗年方十七未嘗擧目而對人今日

(동국20ㄱ:08) 路上屬目於行次者非止一再則行次雖是剛腸男

(동국20ㄱ:09) 兒何能不隨來耶小女之如是者竊有悲冤之懷實

(동국20ㄱ:10) 非情慾之所牽行次其肯許之否桐溪細問其由乃

(동국20ㄴ:01) 曰小婢之上典以屢世獨子娶一淫婦靑年死於奸

(동국20ㄴ:02) 夫之手而强近親屬無可以雪冤復讎者只由小婢

(동국20ㄴ:03) 一人知其事而冤憤之心結于胸膈而弱女無策慟

(동국20ㄴ:04) 泣度日只擬許身傑男假手雪憤矣今日淫婦自本

(동국20ㄴ:05) 家還來故小婢不得已隨後來往路上見行次諸人

(동국20ㄴ:06) 中行次貌頗雄而膽最大可托大事故以目誘致而

(동국20ㄴ:07) 讎漢又聞素轎之還方來媒戲此千載一時願速圖

(동국20ㄴ:08) 之桐溪日汝志則奇且壯矣我是書生何以輕殲大

(동국20ㄴ:09) 漢了鬟日吾之備置好弓利矢者久矣行次雖不知

(동국20ㄴ:10) 射法豈不知彎弓而放矢乎若放矢而中則渠雖凶

(동국21ㄱ:01) 獰之漢豈有不死之理哉仍出弓矢而與之偕入內

(동국21ㄱ:02) 室從牕中伺看則燭火明亮一胖大漢脫衣露胸與

(동국21ㄱ:03) 淫婦相抱戲謔無所不至而其坐稍近於洞門桐溪

(동국21ㄱ:04) 乃彎弓而射之一發痛胸而死又欲一矢射去淫婦

(동국21ㄱ:05) 童婢揮手止之促使出外日彼雖可殺吾事之久矣

(동국21ㄱ:06) 奴主之分旣嚴何忽自吾手殺之不如棄之而去至

(동국21ㄱ:07) 渠房收拾行李促與隨行桐溪適有餘馬仍與載歸

(동국21ㄱ:08) 行到幾里使其奴自遠呼同行奴奴於暝中望見卜

(동국21ㄱ:09) 馬上有女告其上典則兩人咄咤及其鼎坐一人峻

(동국21ㄱ:10) 辭責之日吾於平日以輝遠謂學問中人矣今忽於

(동국21ㄴ:01) 路次携女而來君之有此行吾儕意慮之所不到也

(동국21ㄴ:02) 士君子行事固如是乎桐溪笑日吾豈貪色之徒箇

(동국21ㄴ:03) 中多有委折從當知之矣仍與之上京置之店幕公

(동국21ㄴ:04) 果中會試放榜還鄉之日又與之率來仍作副室其

(동국21ㄴ:05) 人溫恭妍美百事無不可意家鄉稱其賢淑生子皆

(동국21ㄴ:06) 俊俏云

(동국21ㄴ:07) 南宮斗咸悅人也〈許筠看竹集九詳〉爲人剛厲與人好爭鬪

(동국21ㄴ:08) 人皆避之以進士居齋于太學常置千里馬每昏輒

(동국21ㄴ:09) 向南下鄉見其愛妾曉頭上京一日望妾家而來偶

(동국21ㄴ:10) 爾自窓隙窺見則其妾與外侄同寢斗引弓射殺之

(동국22ㄱ:01) 以席裏兩尸置之淺巷不到其家而直還外侄家得

(동국22ㄱ:02) 屍日斗本憎外侄故無故殺之而欲掩其迹幷其妾

（동국22ㄱ:03）殺之因訴於官自太學促斗以來斗本富人也其妻

（동국22ㄱ:04）聞斗拏來請備酒饌來迎草露橋守護隷卒令盡醉

（동국22ㄱ:05）其妻乘間解縛使之逃去斗卽入大芚山隱居半年

（동국22ㄱ:06）夢有人來告曰官差今方來到速速避去覺又逃走

（동국22ㄱ:07）官差追之不及斗遂削髮爲僧向浮石寺未及其寺

（동국22ㄱ:08）路逢一僧其僧睨視斗曰可惜好人爲僧然恨未早

（동국22ㄱ:09）爲矣又曰來時殺二人耳斗奇其言拜請曰願禪師

（동국22ㄱ:10）敎我以神術僧曰吾無所知何以敎之斗固請僧曰

（동국22ㄴ:01）我實凡僧而吾之神師在稚裳山中謂我以庸才只

（동국22ㄴ:02）以相法敎之故但知此已而而吾欲學神術尋吾師

（동국22ㄴ:03）可矣斗往稚裳山則山是不深不大而周尋三年幾

（동국22ㄴ:04）記一草一木而不得神迹斗尋覓不得自以爲浮石

（동국22ㄴ:05）僧欺我矣將上山忽見桃核流來澗水而果人所食

（동국22ㄴ:06）餘矣驚喜曰此桃核必有所食人矣遂緣澗水而八

（동국22ㄴ:07）源盡有小林披草而八有一洞開朗小菴中僧立膝

（동국22ㄴ:08）而坐見斗而若不見斗拜請學神術亦聽而不聽斗

（동국22ㄴ:09）固請僧謂以無所知責之曰山僧有何所知來客如

（동국22ㄴ:10）此困逼豈有如許孟浪之事乎如是過三日其僧始

（동국23ㄱ:01）曰君意甚切雖欲敎之君才庸劣似難覺得只以不

（동국23ㄱ:02）死之術敎之以絕穀然後能爲之君能如是乎斗答

（동국23ㄱ:03）曰何難之有雖然斗本多食猝難絕粒矣始曰朝夕

（동국23ㄱ:04）各食五合數日後日中又數日後代粥又數日後永

（동국23ㄱ:05）爲絕穀而當無虛乏矣其僧又曰不眠然後爲之能

（동국23ㄱ:06）之乎斗曰諾卽爲堅坐不眠至三四日後體欹難堪

（동국23ㄱ:07）過數日後始無睡其僧喜謂曰汝之心力能如此足

（동국23ㄱ:08）爲上座因出黃廷經使讀萬回其僧錫以內外關秘

(동국23ㄱ:09) 訣使之勤工如是數朔萬念都虛身骨俱輕又十朔
(동국23ㄱ:10) 後忽自右牙邊墜一小珠持以示其僧曰此何瑞也
(동국23ㄴ:01) 僧曰參同契所云大黍者也此珠生則不待九轉但
(동국23ㄴ:02) 徐徐修養以待其時愼勿生懆急之心月餘斗忽思
(동국23ㄴ:03) 曰我旣辦仙術而但何時白日升天乎極菀且悶云
(동국23ㄴ:04) 云矣忽自九竅火急燃上耳目口鼻皆流血昏絕赴
(동국23ㄴ:05) 地其僧驚曰果誤吾術矣急以丹藥注喉則蘇過一
(동국23ㄴ:06) 望能語其僧曰吾所講術水火交濟然後可能成矣
(동국23ㄴ:07) 然勿生懆心汝果不聽矣大凡燥則火動火動則水
(동국23ㄴ:08) 激故汝之一念躁動而火生流血然汝自無仙分而
(동국23ㄴ:09) 如此固無恨矣但大誤我術矣斗問曰斗一念差錯
(동국23ㄴ:10) 未得仙術此眞吾過而但誤了師術果何事耶僧曰
(동국24ㄱ:01) 吾之平生顚末待汝得道而告之今汝自誤留此無
(동국24ㄱ:02) 益矣今當出送從此無以相見故玆以告汝愼勿傳
(동국24ㄱ:03) 世間也我本安東人也生於宋神宗熙寧二年十四
(동국24ㄱ:04) 忽得滿身瘡疾祈死不得不堪悶菀告父母棄居山
(동국24ㄱ:05) 中雖甚痛楚亦甚飢餓矣臥處有草不知名而其莖
(동국24ㄱ:06) 連葉且溫柔手取食之不知腹空且猛虎來吮瘡處
(동국24ㄱ:07) 痛入骨髓余謂猛虎何不往食我而使我苦痛至此
(동국24ㄱ:08) 也虎吮瘡益甚吮其一身而去見瘡處則已作痂矣
(동국24ㄱ:09) 自此完合過十餘日後身膚白如雪耳日食厥草身
(동국24ㄱ:10) 能運動少久身銳善步愈久則支節飄飄運身若飛
(동국24ㄴ:01) 騰之狀遂習飛騰漸漸高飛一日隨意飛騰至太白
(동국24ㄴ:02) 山頂有僧見我忽然迎我入室敎以神仙之術蓋天
(동국24ㄴ:03) 地之間遍有神仙而獨我東無之矣法當生八百餘
(동국24ㄴ:04) 年故平日張國師以遺言傳義藏大師使司東方神

(동국24ㄴ:05) 仙義藏大師卽令東方過幾年得吾之所遇太白山

(동국24ㄴ:06) 僧傳之其師使司東方義藏大師升天太白山僧又

(동국24ㄴ:07) 傳我而升天我則緣分太緩八百年來不得傳道之

(동국24ㄴ:08) 人久留世上至今不得升天今乃逢汝而心力頗好

(동국24ㄴ:09) 待其成道將欲傳道汝又如此未知自此幾年能得

(동국24ㄴ:10) 永傳之人乎此所謂誤了我術之言也見其僧臍下

(동국25ㄱ:01) 常有傳綿仍問何故常有臍下之綿乎其僧曰此是

(동국25ㄱ:02) 吾鍊丹之穴汝欲見之則當示之須勿驚焉卽去其

(동국25ㄱ:03) 綿金彩照耀滿室燦爛其僧更爲傳綿斗又問曰無

(동국25ㄱ:04) 他事也每年正月一日群仙朝于上帝初二日東方

(동국25ㄱ:05) 神仙皆朝我東方境內我之所守處故群仙修其職

(동국25ㄱ:06) 分也我則人間塵陋難以受朝故每昇天受朝而來

(동국25ㄱ:07) 矣來年今不遠將爲汝受朝于此使汝觀光如姑由

(동국25ㄱ:08) 此觀光而去及其正月二日平明有一彩燈掛于樹

(동국25ㄱ:09) 梢而已次第來掛不知幾千萬自空中仙樂隱隱金

(동국25ㄱ:10) 光燦爛瑞靄千疊彌滿洞口群仙或爲駕鶴或騎龜

(동국25ㄴ:01) 龍佩玉鏘鏘冠冕煒煌照耀天日群仙雲裳玉節翩

(동국25ㄴ:02) 翩而降其餘靑龍貴王屬于東方者無不來會千態

(동국25ㄴ:03) 萬狀奇奇怪怪其僧坐受禮拜神仙中尊體重者擧

(동국25ㄴ:04) 手掘身而位最重者或堂下迎之餘仙則無論尊卑

(동국25ㄴ:05) 皆起身迎坐禮貌嚴肅殊駭凡眼其酬酢之說殆不

(동국25ㄴ:06) 省也而已一燈登去樹梢次第續登須臾而盡群仙

(동국25ㄴ:07) 亦以此辭去威儀擧動與其來會時同然斗將出山

(동국25ㄴ:08) 問曰弟子從此當無一事之可成乎僧曰汝今出世

(동국25ㄴ:09) 行吾警戒則可享八百歲當爲神仙而苦做工不已

(동국25ㄴ:10) 則後天之氣卽先天之氣可期升天矣臨別謂斗曰

(동국26ㄱ:01) 汝之八字當有二子以余急於傳道强以敎汝其不

(동국26ㄱ:02) 成宜矣然始敎也所食丹藥已杜情欲之竇若不復

(동국26ㄱ:03) 開則不復生育矣遂出丹藥使之吞下日服此則精

(동국26ㄱ:04) 血當開矣斗還尋其家則其妻死已久矣間經倭亂

(동국26ㄱ:05) 家宅田畓蕩然無存乃娶百姓之女居于井邑果生

(동국26ㄱ:06) 二女人或問曰向修仙道乎斗曰皆忘之矣其寢食

(동국26ㄱ:07) 起居嗜慾凡節無異恒人年近百歲而尙如嬰兒矣

(동국26ㄱ:08) 嶺南有一士人以一馬兩奴作數百里行遇店舍日

(동국26ㄱ:09) 且暮遙望一孤村有兩班莊舍驅馬直到門前寂無

(동국26ㄱ:10) 人迹下馬登軒則塵埃滿壁極目荒凉進退莫決姑

(동국26ㄴ:01) 爲留坐俄有老婢自內出曰吾家阿只氏傳喝於行

(동국26ㄴ:02) 次矣士人莫知其由而第令傳其言則曰行中氣體

(동국26ㄴ:03) 平安乎意外來臨不勝欣幸卽欲出拜而姑侯備送

(동국26ㄴ:04) 夕飯先此問安云云士人心內自語曰平生聲聞不

(동국26ㄴ:05) 相及之家有此內間傳喝辭意親熟誠不可曉而第

(동국26ㄴ:06) 當依其言答送以觀頭緖可也乃答傳喝曰來此聞

(동국26ㄴ:07) 平安不勝其喜適有過此事爲拜入來第待夕後相

(동국26ㄴ:08) 拜矣俄又夕飯出來頗精潔烘其突張其灯士人黙

(동국26ㄴ:09) 坐起訝矣夜來有一處女自內出來編髮甚盛擧止

(동국26ㄴ:10) 穩重未入門之前遽曰兄媤訪我無依之四寸可感

(동국27ㄱ:01) 可喜入門相拜士人曰吾過此地豈不訪妹氏那語

(동국27ㄱ:02) 數轉處女曰夜中久坐非便請入內復出矣數食頃

(동국27ㄱ:03) 處女手持一張諺書置于士人前曰願依此所言而

(동국27ㄱ:04) 曲施焉士人排燈詳視則其略曰薄命女子一時失

(동국27ㄱ:05) 怙恃將近大祥孑子一身親無緦功獨處空舍已極

(동국27ㄱ:06) 危怕而家中一奴心懷不測欲劫以非禮吾義不受

(동국27ㄱ:07） 辱而力拒之際必至殺身此身一死則父母之香火
(동국27ㄱ:08） 絕矣私情不勝痛迫姑設權辭以緩渠意曰四顧無
(동국27ㄱ:09） 親惟汝是依非汝言是從而誰從乎但喪中不可行
(동국27ㄱ:10） 無禮之事徐待服闋爲宜云彼漢準信而姑無變怪
(동국27ㄴ:01） 第服闋不遠命卒之秋迫矣何幸天遣尊駕意外臨
(동국27ㄴ:02） 此從門隙窺見尊客軀幹壯偉兩奴亦健薄命竊以
(동국27ㄴ:03） 爲假手之便此處前川頗深尊行必於鷄鳴後卽渡
(동국27ㄴ:04） 此川而今夜豫爲傳喝於吾請慣水奴子指導則當
(동국27ㄴ:05） 命送厥漢厥漢大慾在前目下使令如律令必無不
(동국27ㄴ:06） 去之理入水後奴主三人并力則可以容易罽除伏
(동국27ㄴ:07） 望施德於不報之地除此禍根俾我一日生存以延
(동국27ㄴ:08） 父母之祀千萬泣祝士人見畢欽服其節行知慮迥
(동국27ㄴ:09） 出凡女子便覺毛骨洒洒喚起眠奴附耳囑托如是
(동국27ㄴ:10） 如是乃依書意傳喝於處女處女卽命厥漢使指導
(동국28ㄱ:01） 可渡之處四更昏黑客到水邊厥漢居前至中間士
(동국28ㄱ:02） 人捽其頭兩奴左右搤其臂擠之於水中以大石撞
(동국28ㄱ:03） 其胸厥漢之屍浮於水而蒼黃馳歸盛言女賢於家
(동국28ㄱ:04） 大人周年士人欲探其處女之下落復往其處猶畏
(동국28ㄱ:05） 厥漢親屬潛隱其村詗問則厥漢之妻與弟適往經
(동국28ㄱ:06） 宿地士人乃馳入處女家卽見出來尙未嫁矣攢手
(동국28ㄱ:07） 謝前恩士人曰前日一言旣結男妹之誼則吾之用
(동국28ㄱ:08） 誠靡不庸克閨中年紀如彼晼晩單獨無依將何以
(동국28ㄱ:09） 自處處女答曰初以閨中之身出見生面男子者非
(동국28ㄱ:10） 但乞除禍根而已欲以此身平生仰托也幸望從長
(동국28ㄴ:01） 顧恤焉士人曰吾家不甚貧窘將欲奉之以歸掃一
(동국28ㄴ:02） 室安頓以數婢奉侍使喚以效娚妹之誠未知意下

（동국28ㄴ:03）何如處女曰此敎非不銘感而女子遷動不可容易

（동국28ㄴ:04）更望三思士人逐詳問其族派與班閥來歷稍遜自

（동국28ㄴ:05）已家而猶有士族名族堪連姻而家有未娶之弟歸

（동국28ㄴ:06）告其父卽書其弟之四柱單子并爲擇日作諺簡送

（동국28ㄴ:07）奴往還後又作圍繞於婚行持轎馬以去旣醮經宿

（동국28ㄴ:08）卽爲捲歸內行純備甚宜家穩度平生云

（동국28ㄴ:09）光海朝畿邑朴姓人儱侗無文識其妻淑慧過人赤

（동국28ㄴ:10）手治生儼成千石君家産旣饒妻謂其夫曰士夫不

（동국29ㄱ:01）可埋頭鄕曲吾家家力足以京居須入京買屋聞京

（동국29ㄱ:02）中禁防金同知遆解官閑居人是長者可堪作隣云

（동국29ㄱ:03）必就其隣近處買屋勿拘價也朴如其言定宅於金

（동국29ㄱ:04）隣卽爲徹家上去朴內卽通婢使於金家金家甚貧

（동국29ㄱ:05）朴內以錢貫租石斗米給繹周急內交漸熟方其時

（동국29ㄱ:06）也金公已有反正之謀計矣一日朴內謂其夫曰浪

（동국29ㄱ:07）遊可悶讀書雖晚旣有隣金之能文閑居往請受業

（동국29ㄱ:08）可也仍抽架上漢書一卷以授曰往金宅必請學霍

（동국29ㄱ:09）光傳也朴以駭癡者每事從婦敎卽爲袖書往焉金

（동국29ㄱ:10）曰尊來比阽已久內間便使甚熟而尊獨初面也來

（동국29ㄴ:01）訪可喜朴曰小生少而失學今已壯大讀書無益而

（동국29ㄴ:02）猶望令監之敎誨也金曰討論書册誠好矣所欲受

（동국29ㄴ:03）者何書朴袖出霍光傳願學此傳也金大驚愕瞪目

（동국29ㄴ:04）良久乃問曰尊之請學此傳果出尊心耶或有人指

（동국29ㄴ:05）敎耶直陳無隱朴曰小生卜京居與爲阽令監宅俱

（동국29ㄴ:06）是吾妻之指揮也今日吾妻抽此書授吾使請學故

（동국29ㄴ:07）若是矣金知朴內之英慧謂朴曰比阽無異至親自

（동국29ㄴ:08）此通內外可乎仍敎其書一篇而送之矣間使傳喝

(동국29ㄴ:09) 於朴內日請其明日來訪朴內快允之金家設小饌
(동국29ㄴ:10) 朴內旣至金傳喝於朴內日昨有言及於尊夫壻今
(동국30ㄱ:01) 日內行來臨望修嫂叔之禮朴內答日固所願也何
(동국30ㄱ:02) 幸何幸金卽入見則朴有姿色而白晳金一見可知
(동국30ㄱ:03) 多慧識金跪問日昨日尊夫壻請學霍光傳謂嫂氏
(동국30ㄱ:04) 之意也他書之可讀者多而必勸此者何也敢問其
(동국30ㄱ:05) 指意之所在遂辟左右只留金之夫人朴內日草野
(동국30ㄱ:06) 婦女雖甚愚迷亦有所以察天時人事於心內者極
(동국30ㄱ:07) 則必變變則必通來頭事豈無吻合此傳中事耶金
(동국30ㄱ:08) 大驚服乃直吐所爲之事日此是至危至難之事也
(동국30ㄱ:09) 或可成乎朴內日必成無疑請勿趑趄愚婦亦當以
(동국30ㄱ:10) 如干鄕莊穀石助其費也金與同志之謀議或有智
(동국30ㄴ:01) 慮之所不及者則輒致朴內而商確閨見之過於金
(동국30ㄴ:02) 者頗多多所資益於大議者及至改玉後論功行賞
(동국30ㄴ:03) 昇平極力援拔朴生至典縣邑諸功臣議其授爵於
(동국30ㄴ:04) 不似之人昇平日他人所不知之中自有必報之隱
(동국30ㄴ:05) 功不可負故如是云
(동국30ㄴ:06) 楊蓬萊士彦之大人以蔭官爲靈光郡守受由上京
(동국30ㄴ:07) 還官之路未及靈光一日程食前作行店路尙遠欲
(동국30ㄴ:08) 朝炊於道傍村舍工房挾席入村時當農節皆出野
(동국30ㄴ:09) 耘鋤村中一空只一處有一女子年可十餘歲獨留
(동국30ㄴ:10) 其家告于工房日行次入吾家則吾當炊飯以納矣
(동국31ㄱ:01) 工房日如汝幼女詎能善炊行次進支乎厥兒日吾
(동국31ㄱ:02) 吾優爲之勿慮也官行遂驅入其家厥兒持大瓢出
(동국31ㄱ:03) 來日行次進支當用吾家米只出下人糧可也厥兒
(동국31ㄱ:04) 容貌明秀語音琅然磨豆切菜無不精而敏一行止

(동국31ㄱ:05) 下擧皆稱奇太守問汝年幾何對日今方十二汝父
(동국31ㄱ:06) 何業日隨行本官將校而今方偕吾母出鋤矣仍獻
(동국31ㄱ:07) 朝飯飯與菜饌極可食太守欲賞之以靑紅扇各一
(동국31ㄱ:08) 柄招使來前將授之際太守戲日吾之給此乃是納
(동국31ㄱ:09) 采也厥兒聞其語卽趨入室中持小紅褓出來日請
(동국31ㄱ:10) 置扇於此褓太守日何用褓也兒日納采禮重豈可
(동국31ㄴ:01) 手受也一行尤稱奇遂還發楊在靈光滿苽將歸一
(동국31ㄴ:02) 日吏入告日某邑將校請謁矣楊招入進前日汝是
(동국31ㄴ:03) 何人爲何事而來將校日案前能記某年自京還官
(동국31ㄴ:04) 歷入村家朝炊之事乎楊日吾豈忘之乎兒女奇異
(동국31ㄴ:05) 矣到今森森於目矣其人日厥兒乃是小人女也今
(동국31ㄴ:06) 年十六方欲擇壻則渠謂曾受納采於靈光官主誓
(동국31ㄴ:07) 不他適百般開誘一切固執日靈光官主若不推我
(동국31ㄴ:08) 我當以處女老之萬無奪去之道敢此來告楊日汝
(동국31ㄴ:09) 女美意豈忍孤之汝須擇日以來吾當往取以妾禮
(동국31ㄴ:10) 也果以吉日往娶纔絜來衙中楊之夫人喪逝逐使
(동국32ㄱ:01) 其妾入處正寢專當家政未幾解官還京厥妾善處
(동국32ㄱ:02) 於一門宗族與婢僕間咸得其欣心無不輻湊傾向
(동국32ㄱ:03) 産一男子乃蓬萊也貌與材俱奇絶妙尤添光色於
(동국32ㄱ:04) 其母也迨楊之歿也宗族咸集於成服日蓬萊之母
(동국32ㄱ:05) 出拜於諸人前日吾有仰托於喪主與夫宗諸人其
(동국32ㄱ:06) 能允許否咸日第言之誰能違也蓬萊母日吾有一
(동국32ㄱ:07) 塊血稍免愚迷而我國賤産將焉用之嫡子主與一
(동국32ㄱ:08) 家庶或愛恤施之以無間隔之恩顧此賤身徐死使
(동국32ㄱ:09) 嫡子服庶母服則間隔判然吾兒行世其何以沒痕
(동국32ㄱ:10) 迹乎是故吾必欲決死於進腸主成服日要以彌縫

(동국32ㄴ:01) 掩翳其服制泯吾兒嫡庶之別斂位幸矜死者之情

(동국32ㄴ:02) 善待吾兒也斂曰第當曲從何必至決性命乎蓬萊

(동국32ㄴ:03) 母曰斂意雖如此終不如吾之殆今死矣遂引歐刀

(동국32ㄴ:04) 自刎於靈几前諸人無不大驚大慽曰斯人也死以

(동국32ㄴ:05) 要之生者怫之非人情之所可忍也遂待其弟了無

(동국32ㄴ:06) 別於同腹反蓬萊之長成名滿一世所歷仕宦俱是

(동국32ㄴ:07) 士夫之窠也世疑蓬萊爲庶者本非誣也

(동국32ㄴ:08) 朴醉琴彭年禍後子孫流落於大邱地貧甚不振家

(동국32ㄴ:09) 濱於洛東江當秋集村夫打搯於野場忽有一獐跟

(동국32ㄴ:10) 蹌走來投匿於亂藁堆聚中俄有荷銃一獵夫來到

(동국33ㄱ:01) 稻場曰我纏迹　入此處果見獐否朴生曰獐若有

(동국33ㄱ:02) 到則兩班豈利藏所迹之獸隱諱而橫占乎獵夫再

(동국33ㄱ:03) 三嘆訝曰的知獐所投而今乃無之盤桓良久而獵

(동국33ㄱ:04) 夫去後獐猶不出打稻夫輩意必縛歸朴廚以資盤

(동국33ㄱ:05) 醒矣向夕朴生以箒撥藁堆於獐曰今可出矣獐屢

(동국33ㄱ:06) 顧如致謝狀遂跂跂而去是夜朴夢見一老人曰我

(동국33ㄱ:07) 是獐也蒙君全活必欲報德此洛東下流限四十里

(동국33ㄱ:08) 出立案則坐以致萬金矣朴覺來記得了之而歸之

(동국33ㄱ:09) 虛荒不經意思改就睡老人更曰吾欲報君之恩則

(동국33ㄱ:10) 豈有指君虛誑之事理乎明年必入官立案可也朴

(동국33ㄴ:01) 睡覺而猶未信就睡復如初夢復如之其勸益苦朴

(동국33ㄴ:02) 遂於明日就官庭請之太守大笑曰汝無乃病風人

(동국33ㄴ:03) 耶大江立案誠是曾未聞之怪說也朴曰民亦知其

(동국33ㄴ:04) 孟浪而竊有異兆聊此請立案矣太守笑而從之從

(동국33ㄴ:05) 某至某長四十里廣幾許里出立案歸來未十日江

(동국33ㄴ:06) 水忽舍舊道而橫走蓋其江流回轉處舊有一阜水

(동국33ㄴ:07) 抱其皐匯折而追下矣一夜之間江水決其皐直射

(동국33ㄴ:08) 占新道前所謂大江者茫然風沙一望無際朴氏乃

(동국33ㄴ:09) 懇良田美畓於舊江墟首尾近三百年猶未墾其不

(동국33ㄴ:10) 宜穀於邊側處則種之以粟朴富世傳雄於一路每

(동국34ㄱ:01) 年所收穀未知其幾許粟賭地洽滿千石粟庫與奴

(동국34ㄱ:02) 每年遞易而一年庫子亦足一生免飢云

(동국34ㄱ:03) 呂州舊有許姓兩班仁善而貧甚家有三子勸課儒

(동국34ㄱ:04) 術徧乞於四方親知以作三兒書糧以許老仁善之

(동국34ㄱ:05) 故人皆善待而優助而數年之間夫妻俱沒鄕里斗

(동국34ㄱ:06) 護喪葬甫畢及至三祥才過家計又無可言仲子名

(동국34ㄱ:07) 珖語其兄與弟曰自前吾輩之得免飢餓者都緣先

(동국34ㄱ:08) 親得人心之致而今則三祥已過父母餘澤無可更

(동국34ㄱ:09) 藉以此倒懸之勢必至全沒之境第各思各生之策

(동국34ㄱ:10) 可也兄及弟皆曰言固是矣而吾等之自少所業不

(동국34ㄴ:01) 過文字而已農業之事非徒無物且昧向方將他以

(동국34ㄴ:02) 爲之乎忍飢課工之外更無他道矣珖曰人見不同

(동국34ㄴ:03) 各從所好兄與弟氣質脆弱復理學業可也吾則當

(동국34ㄴ:04) 限十年竭力治産以作日後三兄弟賴活之資矣自

(동국34ㄴ:05) 今日爲始伯季則上寺做業寄口腹於僧徒兩嫂則

(동국34ㄴ:06) 破産離家托身世於本家待十年更與團會可也而

(동국34ㄴ:07) 所謂世業不過家垈牟田三斗落及童婢一口而已

(동국34ㄴ:08) 此是宗物日後自當還宗而今姑借我以作營産之

(동국34ㄴ:09) 資如何僉曰諾惟汝所命於是兄弟內外酒淚相別

(동국34ㄴ:10) 兩嫂各送本家伯季卽向山寺賣其妻新婚資粧價

(동국35ㄱ:01) 至七八兩而已適值木綿大登貿藿負背四訪其父

(동국35ㄱ:02) 平日往來乞糧之親知家以藿如干葉作幣乞綿則

(동국35ㄱ:03) 諸人念舊憐貧莫不優副所聚木綿毋論好否洽滿

(동국35ㄱ:04) 數百斤矣又貿耳年十石餘每日作粥二器一器則

(동국35ㄱ:05) 夫妻分半而食之一器則全給童婢曰汝若以耐飢

(동국35ㄱ:06) 爲難則任汝他往吾不責汝矣其婢泣曰上典則喫

(동국35ㄱ:07) 半器小的則喫一器敢曰飢乎雖死不往許乃盡去

(동국35ㄱ:08) 衣冠只以一衫一袴掩体而已夫則織席捆屨妻則

(동국35ㄱ:09) 織布孜孜爲業不舍晝夜親知間或有來訪者使坐

(동국35ㄱ:10) 籬外自內遙語曰吾今廢人事矣勿復責以禮節自

(동국35ㄴ:01) 外退去可也三四年財則稍殖適有門外畓十斗落

(동국35ㄴ:02) 田數頃京師人所賣者準其價而買得及春耕作時

(동국35ㄴ:03) 乃曰無多田畓何可雇人耕播不如自已之勤力其

(동국35ㄴ:04) 中於是乎迎老農盛酒食待之使坐岸上親執耒耟

(동국35ㄴ:05) 隨其指敎而爲之耕之鋤之必三倍於他人故秋收

(동국35ㄴ:06) 之穀亦倍於他人田則爲種煙草無數穿穴於畝上

(동국35ㄴ:07) 以待天雨恐致旱損早春築長行架播草種於其下

(동국35ㄴ:08) 數灌以水其年適大旱到處草種盡死而此獨茂盛

(동국35ㄴ:09) 待雨卽移不日內葉大如蕉蔚然蔽地未及藥液之

(동국35ㄴ:10) 盡生江上草商以二百金全一田請貿及其再芽又

(동국36ㄱ:01) 以百金貿去十斗落穀亦至百石自貰曰給歲屨曾

(동국36ㄱ:02) 未五六年露積充牣阡陌相連百里田畓俱歸於許

(동국36ㄱ:03) 四方人民莫不有求各處佃夫每以酒饌魚肉作人

(동국36ㄱ:04) 情卓上美饌陳陳相仍而耳牟粥半盌了無增減及

(동국36ㄱ:05) 至八年其兄與弟聞其家計之漸成陶猗欲敍離懷

(동국36ㄱ:06) 兼探眞假一日兄弟連袂委訪則珙之內外欣然款

(동국36ㄱ:07) 洽許妻出其隣饋之酒肉以供之到夕備進三杯飯

(동국36ㄱ:08) 甚精潔蓋以兩叔之八年始逢不可用耳牟粥故也

(동국36ㄱ:09) 許乃見飯而怫然起怒張目叱之使以一盂飯爛作

(동국36ㄱ:10) 兩器粥以來其兄怒曰汝富如是而兄弟相逢於八

(동국36ㄴ:01) 年之後退其已炊之飯更進一器之粥此豈人道天

(동국36ㄴ:02) 理耶許曰吾有所執限姑未滿兄雖怒責弟不介懷

(동국36ㄴ:03) 矣兄弟遂舍慍還山矣翌年春兄與弟聯璧而小成

(동국36ㄴ:04) 矣珙多持錢帛而上京以備應榜之需率倡而到門

(동국36ㄴ:05) 伊日招倡優而諭之曰吾家兄弟今雖小成且有大

(동국36ㄴ:06) 科又當上山而工課汝等無益可以還歸汝家各給

(동국36ㄴ:07) 錢兩而送之對其兄及弟而言曰十年之限姑未及

(동국36ㄴ:08) 須卽上寺待限滿下來可也仍卽日送之上山及到

(동국36ㄴ:09) 十年之限奄成萬石君矣仍擇布帛之細者新造男

(동국36ㄴ:10) 女衣裳各二件送人馬於二嫂之家約日率來又以

(동국37ㄱ:01) 人馬送之山寺迎來兄及弟團聚一室過數日後對

(동국37ㄱ:02) 兄弟而言曰此室夾隘無以容膝吾有所經管者可

(동국37ㄱ:03) 以入處仍與之偕行行數里許越一岡則山下之大

(동국37ㄱ:04) 洞有一甲第前有長廊奴婢牛馬充溢其中內舍則

(동국37ㄱ:05) 分三區外舍則只有一區而甚廣闊三兄弟內眷各

(동국37ㄱ:06) 占內舍之一區兄弟則同處一房長枕大被其樂融

(동국37ㄱ:07) 洽其兄驚問曰此是誰家如是壯麗答曰此是弟所

(동국37ㄱ:08) 經紀者亦不使家人知之矣仍使奴隸舉木函四五

(동국37ㄱ:09) 雙置于前曰此是田土之券從今吾輩均分可也仍

(동국37ㄱ:10) 言曰家産之致此荊妻之所殫竭者也不可不酬勞

(동국37ㄴ:01) 乃以二十石落畓券給其妻三人各以五十石落分

(동국37ㄴ:02) 之從此以後衣食極其豊潔其隣里宗族之貧窮量

(동국37ㄴ:03) 宜周給人皆稱之一日珙忽爾悲泣其兄怪而問之

(동국37ㄴ:04) 今則吾輩衣食不換三公矣有何不足事而如是疚

(동국37ㄴ:05) 懷耶答曰兄及弟旣隸課工皆小科已出身矣而顧

(동국37ㄴ:06) 弟汨於治産舊業荒蕪卽一愚蠢之人先親之所期

(동국37ㄴ:07) 望者於弟蔑如矣豈不傷痛哉今則年記老大儒業

(동국37ㄴ:08) 無以更始不如投筆而武科自其日備弓矢習射數

(동국37ㄴ:09) 年之後登武科上京求仕得付內職轉而陞品得除

(동국37ㄴ:10) 安岳郡守定赴任之期而奄遭妻喪琪喟然歎曰吾

(동국38ㄱ:01) 旣永感之下祿不逮養猶欲赴外任者爲老妻之一

(동국38ㄱ:02) 生難苦使一番榮貴矣今焉妻又沒矣我何赴任爲

(동국38ㄱ:03) 哉仍呈辭圖逮下鄕終老云耳

(동국38ㄱ:04) 順興有黃姓人卽萬石君富家翁也其比隣士人有

(동국38ㄱ:05) 壻在豊基崔其姓而華閥能文將赴庭試而貧無以

(동국38ㄱ:06) 資往見婦翁要其圖債於黃富人崔之婦翁曰黃家

(동국38ㄱ:07) 慳吝天下無雙每當親忌只以三升米三尾蘇魚行

(동국38ㄱ:08) 祀豈有一分錢出手及人之理乎崔認其言爲妬富

(동국38ㄱ:09) 遇實自擬以不計生面躬懇黃翌朝不告於婦翁直

(동국38ㄱ:10) 抵黃家反到其門則靑衣兩人欣然迎入坐於舍廊

(동국38ㄴ:01) 曰吾上典生員主朝自出獵留囑門保如有客到爲

(동국38ㄴ:02) 延入接待云云而旋進盛饌一卓崔喫訖主翁臂蒼

(동국38ㄴ:03) 牽黃偕六七豪奴揚揚而歸豊軀寬衣令人可敬入

(동국38ㄴ:04) 門而揖客以禮謂門僕曰客臨似移時矣果已進饌

(동국38ㄴ:05) 否僕唯唯問客何居對以姓名主翁曰隣友之壻見

(동국38ㄴ:06) 之何晩又進朝飧妙羞滿盤客對案告主翁曰世之

(동국38ㄴ:07) 人向富家疵毀之說决不可信今以後始知也主翁

(동국38ㄴ:08) 曰何爲也崔具道委來妻家之田翁壻酬酢之說曰

(동국38ㄴ:09) 今見尊丈初面對我厚饋盛待之意則吾婦翁吾云

(동국38ㄴ:10) 萬萬不讎矣主翁曰尊岳丈是我比隣切友最詳我

（동국39ㄱ:01）本末親忌時三升米三尾蘇魚之說無一毛過實請

（동국39ㄱ:02）詳告我初困後享之狀老夫早喪父母至貧無依娶

（동국39ㄱ:03）婦於安東等地婦之爲人可以治生遂乃約誓援貧

（동국39ㄱ:04）之計此家垈前卽大道道傍有陳荒野磧乃以鐵鍬

（동국39ㄱ:05）墾陳土鑿亂穴置十八盆於路傍酒爐前受貯行人

（동국39ㄱ:06）溲溺灌之於所鑿穴中妻落秋種吾覆以土遍種於

（동국39ㄱ:07）一日耕餘秋乃茂苗秋得數百石夫婦胼胝手足汩

（동국39ㄱ:08）汩治生凡所拮据無不如意家中成約惜一粒如千

（동국39ㄱ:09）金故親忌所入果不過尊岳丈所云而要待家貨滿

（동국39ㄱ:10）萬石然後方可用財而秋捧九千石已過十年更加

（동국39ㄴ:01）千石勢甚爲易而或被水旱之所損或遭鬼幕之回

（동국39ㄴ:02）祿終未充所期之數昨日老夫妻相謂曰造物之意

（동국39ㄴ:03）不欲盡藏之充萬而內外年紀俱垂七耋今不施與

（동국39ㄴ:04）一朝奄忽粗將未免王將軍之庫子矣豈不悲也哉

（동국39ㄴ:05）待客博施自明日爲始以示富名於未死之前得爲

（동국39ㄴ:06）云使置守門奴一人使之引客恒具盛饌要餉不時

（동국39ㄴ:07）之客矣約束初定之日尊先入而至眞是有橫財數

（동국39ㄴ:08）之人也推此以觀今科似必摘老夫之於必貴之人

（동국39ㄴ:09）豈惜相濟乎卽招首奴曰此位書房主隣舍某生員

（동국39ㄴ:10）主女婿也將作科行而無其資汝須覓去庫中錢五

（동국40ㄱ:01）十兩且以一匹卜馬資送此位行而路備雖無慮家

（동국40ㄱ:02）孥之飢餓關念則場中作文必不盡意汝作吾牌子

（동국40ㄱ:03）於近豊基莊奴處使之載送三十包租以供本宅糧

（동국40ㄱ:04）資可也崔謝其萬萬之盛惠則主翁曰多積不散亦

（동국40ㄱ:05）將何爲然而天生財産固是適來適去之物幾何以

（동국40ㄱ:06）不易主乎此家宅會當爲蓬蒿之場尊之顯達後如

(동국40ㄱ:07) 有過此幸瀝一杯酒以醉老夫之魂崔曰如此大産

(동국40ㄱ:08) 雖歷世豈有猝壞之理乎主翁曰速成速敗理固然

(동국40ㄱ:09) 矣遂相與作別崔果於是科大闡崔之妻家移居他

(동국40ㄱ:10) 方故崔絕不往來於順興荏苒十三年矣崔之進道

(동국40ㄴ:01) 大闡遽爲本道觀察使巡路先使順興官支待於黃

(동국40ㄴ:02) 村及襜帷臨其處黃氏大莊院鞠爲茂草茫無人迹

(동국40ㄴ:03) 崔巡相驚愕嗟傷覓黃家餘種則有一老奴方爲本

(동국40ㄴ:04) 村後佛堂居士云遣吏招來問其上典敗亡太暴之

(동국40ㄴ:05) 由則對曰老上典之後上典兄弟雖無父兄幹局然

(동국40ㄴ:06) 不甚迂闊而天必速亡之今年某處農幕火燒多穀

(동국40ㄴ:07) 明年某處莊水破許多畓危形敗兆層生疊出少上

(동국40ㄴ:08) 典兄弟生於大富後初不省審田畓之某坪爲某字

(동국40ㄴ:09) 某卜數矣一日無從之火燒盡田畓文券十數櫃無

(동국40ㄴ:10) 片紙餘存雖其良田美畓遍滿東西而何憑而指爲

(동국41ㄱ:01) 自已之物乎又從而變喪次第而出伯上典仍爲作

(동국41ㄱ:02) 故季上典流丐出去風聞方在密陽浦所爲鹽漢保

(동국41ㄱ:03) 負鹽糊口云矣崔巡相駐駕下坐撰誅文備述舊眷

(동국41ㄱ:04) 之難忘先見之果驗設祭於癈墟歎惋而去行關於

(동국41ㄱ:05) 密陽使之物色黃鹽夫待令於巡到時引入見之則

(동국41ㄱ:06) 身瘦面黑所見慘矜爲之道舊問其速敗之由則所

(동국41ㄱ:07) 對一如居士奴子之言崔巡相憐而語之曰此敗亡

(동국41ㄱ:08) 之餘如得財産基址則猶可以復爲資生之道乎對

(동국41ㄱ:09) 曰足可爲之矣崔約以還營後乃訪黃鹽夫果如期

(동국41ㄱ:10) 而至脫其所着盛庀衣冠留置營中於其歸也特損

(동국41ㄴ:01) 五百金以付之黃藉手治生復生中富云

(동국41ㄴ:02) 京中金姓窮生絜妻子流離糊口行到南陽地依山

(동국41ㄴ:03) 築一蝸以居金之長子年過三十未娶與其弟日出

(동국41ㄴ:04) 乞糧以歸則金之老妻炊之厥村下有張氏風憲居

(동국41ㄴ:05) 之卽本平民而亦貧甚有女當嫁年一日金子謂其

(동국41ㄴ:06) 父曰毋年漸高難以尸饗吾無主饋之人以此老都

(동국41ㄴ:07) 令何爲生不可不斯速求娶矣其父曰我於汝娶豈

(동국41ㄴ:08) 肯或忽而誰肯送女於如此貧乞家耶金子曰村中

(동국41ㄴ:09) 張風憲有女當婚吾當面請矣其父曰窮雖欲死結

(동국41ㄴ:10) 婚平民豈不重難乎金子曰父言闊甚到此地頭眞

(동국42ㄱ:01) 所謂晨虎不暇擇僧狗也逐借着其父弊陋衣冠就

(동국42ㄱ:02) 見張風憲曰吾有所欲言而來矣張曰何言也金曰

(동국42ㄱ:03) 尊亦聞吾門地自是班族而過時未娶尊以女妻我

(동국42ㄱ:04) 未知如何天不生無祿之人貧亦有支過之班矣張

(동국42ㄱ:05) 曰女入君家則飢死必矣君何爲此不成說之言乎

(동국42ㄱ:06) 麾手止之金遂無聊而退張入其內屋作餘語嘆咤

(동국42ㄱ:07) 曰其言大不當大不當女方入朝廚淅米而出問曰

(동국42ㄱ:08) 父緣何而如是不丕耶張曰非汝所知女再三請其

(동국42ㄱ:09) 由父乃曰上村金都令請爲吾壻故吾已斥退而其

(동국42ㄱ:10) 言大不當矣女曰吾家迎壻入內房不過荷銳正兵

(동국42ㄴ:01) 而金都令猶有班名豈不頓勝於彼乎貧富生死各

(동국42ㄴ:02) 係分福彼之請婚不甚可駭必爲見許是所望也張

(동국42ㄴ:03) 曰汝意如此則曲從何妨女曰金都令易闕朝食吾

(동국42ㄴ:04) 家朝飯已入鼎迎還療飢兼爲許婚以送爲好張卽

(동국42ㄴ:05) 出籬外手招金還坐而語之曰兩窮相合甚可悶也

(동국42ㄴ:06) 而吾欲依君言結婚矣金曰尊果善思之金卽指五

(동국42ㄴ:07) 掌脂擇生氣福德曰再明爲吉張曰太促矣金曰以

(동국42ㄴ:08) 尊家赤立之勢初無衾枕可具之望安用緩期爲也

（동국42ㄴ:09）男女同寢便是醮也張曰是矣討飯而歸金父曰張

（동국42ㄴ:10）之所答何如金父亦曰太促其子曰吾家雖緩定醮

（동국43ㄱ:01）期顧何從而錦帛華服鞍馬乎更借父親弊衣冠於

（동국43ㄱ:02）期日足矣及期同枕張女曰尊姑篤老難任炊爨吾

（동국43ㄱ:03）旣爲子婦雖一日之間莫如早往代其勞以修婦道

（동국43ㄱ:04）請明朝同歸及曉謂其父曰吾家送我旣無其具吾

（동국43ㄱ:05）代姑勞不可少緩請偕卽同往矣仍以大小梳置懷

（동국43ㄱ:06）中以小柳篋戴於頭隨卽同行立於蝸屋前男先入

（동국43ㄱ:07）告父母曰同妻以來矣卽呼婦入拜舅姑卽入廚任

（동국43ㄱ:08）炊卽兄弟出丐以歸隨丐隨炊一日妻謂其夫曰生

（동국43ㄱ:09）爲丈夫全不謀食只事丐乞其將何爲夫曰不學鋤

（동국43ㄱ:10）耘不學薙牧舍丐何求妻卽於柳篋中出二疋似錦

（동국43ㄴ:01）非綿之物縷緋不可卞云以在家手織謂曰赴市善

（동국43ㄴ:02）賣則可以各捧三十兩而隨其初逢之人不計高下

（동국43ㄴ:03）斥賣則亦不下各二十兩以十兩貿木花留糧米携

（동국43ㄴ:04）歸餘錢云云金如其言所捧果爲四十兩除市用而

（동국43ㄴ:05）餘數三十也滿室歡喜以米糊口以花織布出給三

（동국43ㄴ:06）十兩於其夫使往鹽所約束鹽漢曰入此錢於鹽所

（동국43ㄴ:07）三年貿出爲販及滿三年則當不推本錢云云則鹽

（동국43ㄴ:08）漢必諾從矣負鹽遍行百里內必不多數捧價留給

（동국43ㄴ:09）外上結人情俾成丹骨則其贏必多矣金果依其言

（동국43ㄴ:10）往約于鹽漢則鹽漢只利目前三十財之不少而不

（동국44ㄱ:01）能較量三年所負積小成多必要其三年內以利錢

（동국44ㄱ:02）鹽及限滿復推本錢而金固辭之自其翌日逐日背

（동국44ㄱ:03）負而出遍行數郡或捧價或外上所到村里皆成熟

（동국44ㄱ:04）面雖有他鹽賈之來到必待金書房之鹽云云遂滿

(동국44ㄱ:05) 三年之限婦語其夫曰所易交與所外上摠計當爲

(동국44ㄱ:06) 幾何金曰當近三千金矣婦又出三十金付之曰持

(동국44ㄱ:07) 此更往鹽所如前約束而今番則雖請以兄弟同負

(동국44ㄱ:08) 彼必不拒矣金以此意往言于鹽漢則鹽漢皆曰君

(동국44ㄱ:09) 之向來退出時不推本錢太廉今許兩人幷負有何

(동국44ㄱ:10) 難哉金乃與其弟日日負出如前遍散又過一年後

(동국44ㄴ:01) 請於其妻曰四年負鹽背骨摧壓要爲馬載妻曰馬背

(동국44ㄴ:02) 之利不如人背而負若難堪載之可也以十許兩買

(동국44ㄴ:03) 一牝馬載鹽馬載以後幷除弟負馬遂有孕一日出

(동국44ㄴ:04) 去時妻囑之曰今日販鹽歸路入送厥馬于家中往

(동국44ㄴ:05) 鹽所背負可也果自中路還送是日馬産牝雛卽絶

(동국44ㄴ:06) 等名駒也販鹽之限又滿三年其妻紡績所辦亦餘

(동국44ㄴ:07) 千金鳩聚鹽利而都計之殆近萬金儼然雄於鄕里

(동국44ㄴ:08) 駒亦至五六禾騰驤馳驟其價漸高洞內有武弁李

(동국44ㄴ:09) 先達願買以爲入京所乘而李之早稻畓三十斗落

(동국44ㄴ:10) 在金門前請以畓換馬金妻聞之要其夫邀致李弁

(동국45ㄱ:01) 親與賣買李弁果至金妻隔扉相語曰貴宅必欲買

(동국45ㄱ:02) 取吾家馬乎李曰然矣金曰望見陳田三日耕聞是

(동국45ㄱ:03) 貴宅物云以此相換爲好矣李曰是等棄之物何敢

(동국45ㄱ:04) 計價而賭人駿驄乎請以此田添之於已約之所換

(동국45ㄱ:05) 早稻畓以致矣金妻固請舍畓而取田乃成文券以

(동국45ㄱ:06) 換而不多日內求買大屋材就其所換田突起傑舍

(동국45ㄱ:07) 入此以處

(동국45ㄱ:08) 尹進士潔中廟人讀孟子千遍能文章而屛居窮巷

(동국45ㄱ:09) 門稀長者轍一日有奴入告有客到門外服飾鞍馬

(동국45ㄱ:10) 非宗班則武弁也請謁進士主云云尹乃延入客曰

(동국45ㄴ:01) 飽聞主人上舍詩名方有切已事非君則無已解紛
(동국45ㄴ:02) 故委到以懇矣尹曰有何可藉於窮措大願聞其由
(동국45ㄴ:03) 客曰我以武弁官經閫帥曾以水原妓作妾家畜生
(동국45ㄴ:04) 子矣時任水原府使張玉決意刷還以還原籍屢受
(동국45ㄴ:05) 諸宰相位札百端挽解終無以動得張府使之言曰
(동국45ㄴ:06) 若如尹進士潔之能詩者以佳句揚挖此妓事則容
(동국45ㄴ:07) 或快許於某武弁不然而四面有力勢之言都不掛
(동국45ㄴ:08) 耳云云願乞一首瓊作以解此急尹曰吾於張府使
(동국45ㄴ:09) 自是素昧身又寒畯豈有以妓易吾詩之理乎恐是
(동국45ㄴ:10) 風傳浪語也武弁曰吾已的知張意如此但乞毋慳
(동국46ㄱ:01) 一揮筆如此則妓自來至矣尹笑而許之武弁持詩
(동국46ㄱ:02) 拜謝而去後十餘日復來告曰瓊作果得傳送隋城
(동국46ㄱ:03) 則府伯大喜永刊其名於妓案卽以官馬馱送自此
(동국46ㄱ:04) 百年抱裯可得無憂一詩之惠奚啻千金之贈也張
(동국46ㄱ:05) 卽谿谷之高祖耽詩愛材至今傳爲美談而尹則酒
(동국46ㄱ:06) 飲放言夜就具都尉思顔家有酒後危言具是平生
(동국46ㄱ:07) 切友而恐醉裡酬酢掩置不發以致發覺後大禍延
(동국46ㄱ:08) 已不待尹歸趁曉告變使罹極刑文人恃才買禍者
(동국46ㄱ:09) 可不成哉
(동국46ㄱ:10) 盧玉溪禛早孤家貧居在南原地年旣長成無以婚
(동국46ㄴ:01) 娶又有妹過時未婚適其堂叔投筆時爲宣川府使
(동국46ㄴ:02) 玉溪母親勸往宣川得婚需以來玉溪以編髮徒步
(동국46ㄴ:03) 作行至宣川阻閡未得入彷徨路上適有一童妓衣
(동국46ㄴ:04) 裳鮮明過去停步熟示而問曰都令主從何以來玉
(동국46ㄴ:05) 溪以實言之妓曰吾家在某洞第幾家須定下處於
(동국46ㄴ:06) 吾家玉溪許之艱辛入官門見其叔言下來之由則

(동국46ㄴ:07) 顚蹶日新延未幾官債山積是可悶也云而殊甚冷

(동국46ㄴ:08) 落玉溪以出宿下處之意告之而出門卽訪其妓之

(동국46ㄴ:09) 家其妓欣迎使其母精備夕飯而進之夜與同枕其

(동국46ㄴ:10) 妓曰吾見使道手段甚細雖是至親必難優副吾見

(동국47ㄱ:01) 都令骨相可以大顯何必自作乞駄客耶吾有私儲

(동국47ㄱ:02) 銀五百餘兩留此幾日不必更入官門持此卽還可

(동국47ㄱ:03) 矣玉溪不可日行止如是閃忽則豈不遭嗔責於長

(동국47ㄱ:04) 者邪妓曰留此多時不過候人喉下氣伺人眉睫色

(동국47ㄱ:05) 及其贐行必不踰數十金骨肉間炎涼有甚於他人

(동국47ㄱ:06) 何必逗遛不如自此直還也數日晝則入見其叔夜

(동국47ㄱ:07) 則宿於其家一日之夜妓於燈下理其行裝出銀子

(동국47ㄱ:08) 裹以裰及曉牽出廐上一疋馬使之促行曰都令不

(동국47ㄱ:09) 過十年內必大貴吾當潔身而俟之會面之期在此

(동국47ㄱ:10) 一條路而已千萬保重臨別不作戚戚之色玉溪不

(동국47ㄴ:01) 得已辭其叔而發還平明其叔使人招之則已去莫

(동국47ㄴ:02) 追矣責其行迹之狂妄而反喜俸錢之不費也玉溪

(동국47ㄴ:03) 歸家以其銀嫁姊娶妻兼寬衣食之專意科業數年

(동국47ㄴ:04) 登科風儀才望厚受上知曾未幾受關西繡衣命以

(동국47ㄴ:05) 微服直到其妓之家則其母獨在省識故人面乃執

(동국47ㄴ:06) 袂而泣曰吾女自送君後棄母謝家逃去不知去向

(동국47ㄴ:07) 于今幾年老母淚無乾時矣玉溪茫然自失自量以

(동국47ㄴ:08) 爲吾之此來全爲故人相逢矣今無形影心膽俱墜

(동국47ㄴ:09) 然而渠必爲我而晦迹也乃更問老嫗之女自一去

(동국47ㄴ:10) 之後存沒尙未聞之否曰近者傳聞吾女寄迹於宣

(동국48ㄱ:01) 川境內之山寺藏蹤秘迹人無見其面者云云風傳

(동국48ㄱ:02) 之言儕未可信老身年衰無氣且無男子無以追尋

(동국48ㄱ:03) 矣玉溪聽罷仍直往成川地遍訪一境之寺刹窮搜
(동국48ㄱ:04) 而終無形影行尋一寺寺後有千仞絕壁其上有一
(동국48ㄱ:05) 小菴而峭峻無着足處玉溪拚蘿扶藤艱辛上去則
(동국48ㄱ:06) 有數三間僧徒問之則以爲四五年前有一介年可
(동국48ㄱ:07) 二十之女子以如干銀兩付之禮佛之首座以爲朝
(동국48ㄱ:08) 夕之費而仍伏於佛堂之卓下披髮掩面而朝夕之
(동국48ㄱ:09) 飯從窓穴入送或有大小便之時暫時出門而還入
(동국48ㄱ:10) 如是者已有年所小僧皆以爲菩薩生佛而不敢近
(동국48ㄴ:01) 前矣玉溪心知其妓乃使首座從窓隙傳言曰南原
(동국48ㄴ:02) 盧都令今爲娘子而來此何不開門而迎見其女仍
(동국48ㄴ:03) 其僧而問曰盧都令如來則登科乎否乎玉溪遂以
(동국48ㄴ:04) 登科後方以繡衣來此云云其女曰妾之如是積年
(동국48ㄴ:05) 晦迹而喫苦專爲郎君地豈不欣欣然卽他出迎而
(동국48ㄴ:06) 積年之鬼形難現於丈夫行次如爲我留十餘日則
(동국48ㄴ:07) 妾謹當洗理粧復其本形相見好矣玉溪依其言遲
(동국48ㄴ:08) 留矣過十餘日後其女凝粧盛飭出而見之相與執
(동국48ㄴ:09) 手而悲喜交至居僧始知其來歷莫不嗟歎玉溪通
(동국48ㄴ:10) 于本府借轎馬駄送宣川與其母相面竣事復命之
(동국49ㄱ:01) 後始送人馬率來同室終身愛重云耳
(동국49ㄱ:02) 安東有權姓士人家饒性嚴御家以威妻孥慄栗有
(동국49ㄱ:03) 獨子娶悍婦而亦不敢出聲於尊舅前權有怒事輒
(동국49ㄱ:04) 命設席中堂而坐往往奴僕死於杖下矣其獨子之
(동국49ㄱ:05) 妻家在四十里往省岳父母而歸途過店舍遇雨避
(동국49ㄱ:06) 入少年行客先入店而坐廄係肥馬五六匹前有豪
(동국49ㄱ:07) 奴十許名酒榼饌器羅列坐前邀權少年合席同杯
(동국49ㄱ:08) 酒極洌肴極瘦兩人對酌至醉權少年先醉倒夜深

(동국49ㄱ:09) 始醒開眼示之則同杯少年已不知去處身臥內店

(동국49ㄱ:10) 傍有素服一女子年可十八九容貌態度決是京士

(동국49ㄴ:01) 大夫家婦女也權少年驚問君是何人我何以從外

(동국49ㄴ:02) 店移臥此處累問不答良久乃言曰夜間奴子負尊

(동국49ㄴ:03) 移處而吾則京中大閥也十六而嫁十七喪夫先娚

(동국49ㄴ:04) 棄世已久而兄幹家事兄僻不欲從國俗老孀妹四

(동국49ㄴ:05) 求改適處一門宗族苦口沮禁曰何乃自汝手汚玷

(동국49ㄴ:06) 門戶乎衆言甚嚴兄乃載吾在道路已四年其意蓋

(동국49ㄴ:07) 有入眼男子則劫迫委之然後逃去使其蹤迹欲拚

(동국49ㄴ:08) 宗族耳目之計而今君在傍兄想已遠去矣因持一

(동국49ㄴ:09) 封物曰此是四百銀子而留此爲生活之地也權少

(동국49ㄴ:10) 年出見外店則其少年人馬并去無迹而但二婢留

(동국50ㄱ:01) 在矣年少男女深夜同席豈無合歡之事乎結情後

(동국50ㄱ:02) 權少年自語於心曰嚴父侍下擅自卜妾則必生大

(동국50ㄱ:03) 變且無制其妒妻之策所當好事反添深憂不知所

(동국50ㄱ:04) 爲囑其女子姑留店中亦使兩婢同守歸路中仍訪

(동국50ㄱ:05) 平日知舊中有知謀之人備告其事且問侍下善處

(동국50ㄱ:06) 其友曰數日後吾當設酒會君必來會君復如是則

(동국50ㄱ:07) 酒蘭後吾輩乘間以好事當回尊丈之嚴必依此爲

(동국50ㄱ:08) 之權少年反面數日後以其友來參酒會之意告于

(동국50ㄱ:09) 嚴親而去其後權少年亦以請朋友同樂之意稟于

(동국50ㄱ:10) 嚴父後請其朋儔則其智謀畫策之少年與他友一

(동국50ㄴ:01) 齊來拜權翁曰少年輩頗設酒會不請如此老夫豈

(동국50ㄴ:02) 不慨然乎其少年輩對曰如尊丈之嚴正老人在座

(동국50ㄴ:03) 則輒生殺風景故不敢仰請矣權翁曰今日吾當參

(동국50ㄴ:04) 君輩酒會不狗長幼之禮君輩或臥或踞團樂任意

(동국50ㄴ:05) 同樂可也諸少年皆曰諾老少相與雜坐酒酣興闌

(동국50ㄴ:06) 老權曰今日之遊樂哉少年等以古談慰我老人豈

(동국50ㄴ:07) 不使老人心喜乎於是智謀少年以權少年店中逢

(동국50ㄴ:08) 女事奇緣把作古談備述一統權翁樂聞之言罷其

(동국50ㄴ:09) 少年曰尊丈若當如此境界則與厥女同枕乎否權

(동국50ㄴ:10) 權翁曰不然其少年旣非醉入厥女之房被人所欺

(동국51ㄱ:01) 且非故爲之事也厥女又是士族女子而依我無去

(동국51ㄱ:02) 處若不成其願則年少婦女將托何許賤人而失身

(동국51ㄱ:03) 乎此事非積善非人情也土君子何以行如此行之

(동국51ㄱ:04) 事乎使我當之必當同禍不待再思矣其少年又曰

(동국51ㄱ:05) 事理當如此乎老權生員曰固然固然矣於是少年

(동국51ㄱ:06) 笑曰侍生俄者之非古談也卽令胤之目下所當也

(동국51ㄱ:07) 尊丈旣知事理如此而質言又二三次令允雖有此

(동국51ㄱ:08) 事尊丈必不罪責矣老權卽瞪目正色曰君輩皆罷

(동국51ㄱ:09) 去吾當有處置之事矣因逐少年輩下令首奴設席

(동국51ㄱ:10) 中堂而坐曰磨刀以來聲震一家孰敢慢忽卽時持

(동국51ㄴ:01) 刀以來則又高聲曰書房主急急拏入伏於刀下斯

(동국51ㄴ:02) 速斫之首奴急携少上典伏於刀下則數罪曰汝以

(동국51ㄴ:03) 小兒不告父兄擅自卜妾乎行事如此必亡吾家迨

(동국51ㄴ:04) 我在世當斬汝頭以絕後患矣言罷使听號令如雷

(동국51ㄴ:05) 此時上下遑遑面無人色其妻其婦一齊下堂萬端

(동국51ㄴ:06) 哀乞曰彼罪雖云可殺獨子何忍如是老權聽若不

(동국51ㄴ:07) 聞連聲速斬其妻則失魂驚走其婦則叩頭哀乞曰

(동국51ㄴ:08) 年少之人設有放恣自擅之罪舅家血屬只此一身

(동국51ㄴ:09) 何忍作此殘酷之擧自絕祖先之祀乎伏願特貸一

(동국51ㄴ:10) 縷以妾代之老權曰與其家有悖子而亡其家無寧

(동국52ㄱ:01) 殺之目前以袪禍根更求螟嗣而奉祀也以此以彼

(동국52ㄱ:02) 亡則一也不如其亡之乾淨也愈益怒叱促其速斬

(동국52ㄱ:03) 奴子口雖應諾而不忍下手其婦叩頭流血寸腸欲

(동국52ㄱ:04) 斷老權曰此子亡家之兆非一家有父母而擅自畜

(동국52ㄱ:05) 妾亡兆一也汝以悍妬家政日亂亡兆二也有此亡

(동국52ㄱ:06) 兆不如早除之爲愈也其婦曰妾亦具人面人心矣

(동국52ㄱ:07) 目見此等光景何可念及於妬之一字乎若蒙一番

(동국52ㄱ:08) 容恕則謹當與之同處不失其和矣願尊舅勿以此

(동국52ㄱ:09) 爲慮特賜曠蕩之恩老權曰汝雖迫於今日擧措不

(동국52ㄱ:10) 得已有此言必也面諾而心不然矣婦曰寧有是理

(동국52ㄴ:01) 如或近於此則天必殛之鬼必誅之矣老權曰汝於

(동국52ㄴ:02) 吾之生前無或然矣而吾死之後汝必復肆其惡此

(동국52ㄴ:03) 時則吾已不存悖子不敢制此非亡家之事乎婦曰

(동국52ㄴ:04) 焉敢如是尊舅下世之後如或有一分非心則狗彘

(동국52ㄴ:05) 不若謹當矢言而納侤矣老權曰若然則書紙以納

(동국52ㄴ:06) 婦乃書以禽獸之盟且曰一有違背之事子婦父母

(동국52ㄴ:07) 之肉可以生啗失言至此而尊舅終不信聽有死而

(동국52ㄴ:08) 已權乃赦而出之仍呼首奴曰汝可率轎馬人夫往

(동국52ㄴ:09) 迎書房主小室而來奴子承命而迎來行現舅姑之

(동국52ㄴ:10) 禮又禮拜於正配而使之同處其婦不敢出一聲至

(동국53ㄱ:01) 老和同人無間言云爾

(동국53ㄱ:02) 嶺南有一巨擘發增別鄕解近十四五次及至會圍

(동국53ㄱ:03) 輒不得志于有司家事剝落無餘地同鄕有金姓人

(동국53ㄱ:04) 善推命每於會行往卜則必告以不利初不準信竟

(동국53ㄱ:05) 如其言向晚聞庭試之奇又往問利敗於金生金生

(동국53ㄱ:06) 作卦以解曰今番場屋得失姑捨結果性命之大厄

(동국53ㄱ:07) 迫至可悶可愕矣巨擘哀乞日尊旣知未來事如神

(동국53ㄱ:08) 亦能回凶爲吉乎願爲我更加考驗焉金生黙寫良

(동국53ㄱ:09) 久日細度當前之厄則今科可必捷而脫厄無述奈

(동국53ㄱ:10) 何有頃乃日吾已思得出危入榮之道尊遂勿還家

(동국53ㄴ:01) 治科目自此直發京行抵宿五十里明曉踰泰嶺歷

(동국53ㄴ:02) 長谷以下則川上柳下當有素服女人抵死圖其和

(동국53ㄴ:03) 姦則其間艱危不可狀而一第自可得矣巨擘遂謝

(동국53ㄴ:04) 金生出語其牽卒雇奴日當自此直發科行矣雇奴

(동국53ㄴ:05) 怫然日千里科行不齎一錢將何以爲人馬三口糧

(동국53ㄴ:06) 乎惟當還家治具徐發矣儒生語雇奴日吾之旣往

(동국53ㄴ:07) 科事毫不差爽於金生員之卜矣今番則金卜以爲

(동국53ㄴ:08) 今日直發則庶可發利不然則有必死之厄云其言

(동국53ㄴ:09) 必不誕妄吾之大命將盡何暇論治行具耶遂强發

(동국53ㄴ:10) 雇奴黽勉跟隨夕抵五十里店人馬俱飢翌曉取東

(동국54ㄱ:01) 踰峴則地勢一如金卜所指飢甚而心獨喜迤下谷

(동국54ㄱ:02) 路則大村前臨溪柳陰有老妾方漂傍有素服一少

(동국54ㄱ:03) 娥貌甚靚麗乍晛馬上客蒼黃促鞭老婆戴漂入村

(동국54ㄱ:04) 去儒生疾馳跟之則素服女走入中門門閉儒生下

(동국54ㄱ:05) 馬於舍廊前則所謂舍廊寂無人塵埃滿生儒生繫

(동국54ㄱ:06) 馬庭樹升坐塵牀無人應接良久有老叟自隣屋來

(동국54ㄱ:07) 日何方客投此空舍廊耶此是吾子婦靑孀家也無

(동국54ㄱ:08) 男丁可作主人願隨我往弊屋經宿以去儒生日我

(동국54ㄱ:09) 非欲以人馬貽弊孀家也只欲借一片塵牀待明朝

(동국54ㄱ:10) 發去有意所存不願隨翁去也翁再三言其不可留

(동국54ㄴ:01) 之意客不允從翁示不平色而去遂昏黑向夜矣入

(동국54ㄴ:02) 夜儒生謂雇奴日吾當以某隙穴入此內屋入去後

(동국54ㄴ:03) 如有喧譁聲則是吾決性命也汝無幷死之義盡力

(동국54ㄴ:04) 急躲可也其家垣墻四面高且堅中門着大鎖下鑰

(동국54ㄴ:05) 無路闖入儒生無數回旋於墻底竟得墻決處一小

(동국54ㄴ:06) 竇束衣斂體艱辛穿入則房舍虛空使人迷眩一窓

(동국54ㄴ:07) 隅設廚繫一駿駒駒見人作聲亦爲危怖之端儒生

(동국54ㄴ:08) 戞過馬前抱壁回進則房中燈光穿過穴牕隙窺見

(동국54ㄴ:09) 則桁下掛素衣服牀中鋪素衾枕而無人卽是孀女

(동국54ㄴ:10) 所寢處而燈猶懸矣儒生又轉向越廊他室而窺見

(동국55ㄱ:01) 則有一女人率數三子女在其中嬉笑孀女亦就其

(동국55ㄱ:02) 所打話厥房主卽孀女小姑也儒生意其孀女必歸

(동국55ㄱ:03) 本房滅燭潛伏良久孀女果歸開門却立而獨語曰

(동국55ㄱ:04) 灯火不當自滅而滅火誠是可怪也如是作言者四

(동국55ㄱ:05) 五次足不入房回徨嘆咤儒生暗中只增焦燥少頃

(동국55ㄱ:06) 孀女入就素衾枕上噓唏而臥儒生出聲曰有人來

(동국55ㄱ:07) 此矣孀女驚起曰如此深更何人敢入孀女之室乎

(동국55ㄱ:08) 儒生低聲乞憐曰我非牽情欲而入來也初有可憐

(동국55ㄱ:09) 情事只願主人勿高聲而細聽始末也女曰第言之

(동국55ㄱ:10) 儒生乃具道所以然女聽畢卽曰此是天也吾豈違

(동국55ㄴ:01) 天乎吾以某鄕富民之女十六嫁作此家長子婦十

(동국55ㄴ:02) 七喪夫牕外馬卽吾夫所曾愛故吾手自餂抹如對

(동국55ㄴ:03) 吾夫矣今年十九準許終身守節矣昨夜夢前川有

(동국55ㄴ:04) 黃龍自西浮來化爲人傍有一人指而語曰彼是汝

(동국55ㄴ:05) 夫貴且吉云云覺來森然可記今朝要驗其夢之靈

(동국55ㄴ:06) 實使老婢戴漂盆出川上俄有騎馬客來到擧目瞥

(동국55ㄴ:07) 看便與夢中黃龍所化之人毛髮不差十分驚異卽

(동국55ㄴ:08) 爲走還而終日不能釋然於心此來尊客必是朝間

(동국55ㄴ:09) 馬上客也俄自小姑房還來時見燈滅霍然心勤必
(동국55ㄴ:10) 有人入房若於不入室趍趍之祭一聲招呼則夫弟
(동국56ㄱ:01) 三四如虎如狼俱當聞聲卽至客必爲肉醢矣忍不
(동국56ㄱ:02) 發聲者蓋有黙運而今聽尊言又有卜說之符合於
(동국56ㄱ:03) 夢境豈非天所爲耶仍與穩同枕席旋復效起日郎
(동국56ㄱ:04) 之一第已決必得矣趁科戾京似非駑駘所能且必
(동국56ㄱ:05) 須厚齎盤纏然後可成大事吾當治行送郎矣郎持
(동국56ㄱ:06) 燭上樓多取布帛銀錢果作一擔牽出廚馬開門鑰
(동국56ㄱ:07) 以出還閉中門女卽毀他隔墻缺處假作偸兒出馬
(동국56ㄱ:08) 穴及至天明女忽大笑日吾以吾馬視以吾夫何物
(동국56ㄱ:09) 大盜今忽賊去吾之悲如在喪初女之老舅與夫弟
(동국56ㄱ:10) 諸人聞笑齊來怒喝儒生日此漢昨夕不肯移赴吾
(동국56ㄴ:01) 家固守此處故慮其有此等事今果盜人駿馬不可
(동국56ㄴ:02) 不打殺此賊遂擧大杖而相擬儒生低頭以對日吾
(동국56ㄴ:03) 欲盜馬則乘夜遠走事理當然豈可坐受此困厄乎
(동국56ㄴ:04) 少年日汝奴何去對日睡頃已失之矣不知所向所
(동국56ㄴ:05) 騎無牽罔知所措而逃奴盜馬之名固然死生惟命
(동국56ㄴ:06) 老翁日誠如客言渠果盜馬則固當卽走豈有堅坐
(동국56ㄴ:07) 之理乎又日失馬事已矣客子自昨連飢似必難支
(동국56ㄴ:08) 請向吾家朝飯仍携歸善供客乃攉謝老翁而發行
(동국56ㄴ:09) 追至四十里店舍則奴果持馬先到蓋奴於女家深
(동국56ㄴ:10) 夜昏睡之時聞其主喚醒之聲生惻以爲其主逢禍
(동국57ㄱ:01) 俄已定情聞語始知月繩偕心風蹄入手回悶爲欣
(동국57ㄱ:02) 卽騎其馬不計虎豹之患盡力以走留待於店舍奴
(동국57ㄱ:03) 主相會趁期入京天佑神助得紅牌如拾芥唱榜後
(동국57ㄱ:04) 復尋鄉路到一處路上有四五人來待日新恩行次

（동국57ㄱ:05）是某邑某先達乎曰然矣女人父母家距大道不遠
（동국57ㄱ:06）女人已通本家抽身大歸豫備新恩到門送人中路
（동국57ㄱ:07）迎入新恩吹留抵其家則大幕高張親戚大會一如
（동국57ㄱ:08）女壻到門例喜氣盈門十餘日前中夜相會之女人
（동국57ㄱ:09）盛粧出迎其喜可知終身和合富貴雙全云
（동국57ㄱ:10）李延原光廷爲楊牧時有鷹師日日送獵向夕輒歸
（동국57ㄴ:01）矣一日鷹師忽經宿而還傷足行蹇公怪而問之笑
（동국57ㄴ:02）而對曰昨日放鷹獵雉雉逸而鷹逃四面搜訪則鷹
（동국57ㄴ:03）坐某村李座首門外大樹上故艱辛呼鷹而臂之欲
（동국57ㄴ:04）復路之際忽聞籬外有喧擾之聲故自籬間窺見則
（동국57ㄴ:05）有五介處女豪健如壯男樣相率而來氣勢甚猛故
（동국57ㄴ:06）意其或被打急急避身足滑而傷曰勢漸昏隱於籬
（동국57ㄴ:07）下叢樾之中而聞之則其五處女相謂曰今日適從
（동국57ㄴ:08）容當作太守戲乎僉曰諾其中大處女稱以太守設
（동국57ㄴ:09）一平牀於地上而高拱端坐其第二稱座首第三稱
（동국57ㄴ:10）刑房第四稱吸唱第五稱使令侍立於太守之前已
（동국58ㄱ:01）而太守處女出令曰座首拏入刑房處女呼及唱傳
（동국58ㄱ:02）分付及唱處女呼使令傳分付使令處女高聲長對
（동국58ㄱ:03）捉下座首處女跪于庭下太守處女厲聲數罪曰婚
（동국58ㄱ:04）姻何等大倫而汝之末女年既過時其兄之婉晩可
（동국58ㄱ:05）知汝何優遊不斷將使五女俱爲廢倫耶座首處女
（동국58ㄱ:06）俯伏而奏曰民豈不知倫紀之重但家計赤立婚具
（동국58ㄱ:07）果無可辦之道所以荏苒至此也太守曰婚姻稱家
（동국58ㄱ:08）之有無兄具單衾勺水成禮可也汝言太迂闊矣座
（동국58ㄱ:09）首曰民女非一二人郎材無可求之處矣太守叱曰
（동국58ㄱ:10）汝若誠心廣求何患無人某村之宋座首吳別監某

(동국58ㄴ:01) 里之鄭座首金別監崔鄉所皆有郎材已足五人數
(동국58ㄴ:02) 此皆與汝地醜德齊有何不可之理乎座首曰謹當
(동국58ㄴ:03) 依下敎通婚而彼必以民之家貧不肯矣太守曰汝
(동국58ㄴ:04) 罪當重治而今姑參酌斯速定婚而成禮俾免重究
(동국58ㄴ:05) 可也仍命拏出五處女相與大笑一鬨而散其狀絕
(동국58ㄴ:06) 倒日已昏黑寄宿旅舍今始還來矣延原聞而亦大
(동국58ㄴ:07) 笑仍召鄉所問某面有李座首者乎對曰有之延原
(동국58ㄴ:08) 日來歷與家勢貧富何如子女亦幾許對曰曾經首
(동국58ㄴ:09) 鄉而家勢赤立無子而有五女家貧之故五女皆已
(동국58ㄴ:10) 過時而尙未成婚矣延原卽使禮吏邀致李座首招
(동국59ㄱ:01) 見曰君是曾經首鄉則必解事務欲議邑事而未果
(동국59ㄱ:02) 矣仍問子女幾何對曰民命道奇窮未育子只有無
(동국59ㄱ:03) 用女五人矣問俱婚嫁否對曰一未成婚矣又曰年
(동국59ㄱ:04) 各幾何對曰第五女已過時矣公乃以俄所聞太守
(동국59ㄱ:05) 處女之言問之則其答亦如座首處女之答繼告以
(동국59ㄱ:06) 郎材之難公乃擧處女口中所言五家郎材而曰何
(동국59ㄱ:07) 不通婚也對曰渠輩必嫌民貧甚而不肯矣公曰此
(동국59ㄱ:08) 事吾當居間矣使之出去又使禮吏請五鄉所而問
(동국59ㄱ:09) 曰君家俱各有郎材云然否對曰果有之已成娶否
(동국59ㄱ:10) 曰姑無定婚矣公曰吾爲君輩居媒可乎對曰何幸
(동국59ㄴ:01) 何幸不敢不敢公曰吾聞某里某座首家有五女云
(동국59ㄴ:02) 何不通而結親乎五人躊躇不卽應公正色曰彼鄉
(동국59ㄴ:03) 族此鄉族門戶相適君輩不肯只以貧也貧家之女
(동국59ㄴ:04) 其將編髮而老死乎吾之年位比君輩何如吾旣發
(동국59ㄴ:05) 說則君輩焉敢不從乎乃出五幅簡使置于五人之
(동국59ㄴ:06) 前曰各盡其子四柱可也聲色俱厲五人惶蹙俯伏

(동국59ㄴ:07) 日謹奉教矣仍各書四柱以納公以其年紀之多少

(동국59ㄴ:08) 定其處女之次第因有擇吉語五人曰彼家至貧何

(동국59ㄴ:09) 以或先或後五次過婚乎五雙夫婦一時交合極爲

(동국59ㄴ:10) 稀罕盛事吾當先往其家應接凡其君輩依此爲之

(동국60ㄱ:01) 因饋酒肴各給苧布一疋曰以此爲道袍之資卽日

(동국60ㄱ:02) 送吏李座首家告以婚期且曰五處女粧束與醮日

(동국60ㄱ:03) 宴需當自官備送本家勿慮云云李家鼓舞激伊日

(동국60ㄱ:04) 公出往李家屛障鋪陳之屬一齊輸來大張白幕與

(동국60ㄱ:05) 花席列五卓於庭中五郎五妹一時行禮觀者如堵

(동국60ㄱ:06) 嘖嘖稱歎延原後承蕃衍顯達者實基於皆積善云

(동국60ㄱ:07) 一宗室卽麟坪之遜也年近四十未有子矣一日以

(동국60ㄱ:08) 木道作行上遊見沙嘴骸骨漂來半翳半露湍齧礫

(동국60ㄱ:09) 撞公子見而悶之使從人小心掘出裹以細紬埋之

(동국60ㄱ:10) 於江上精潔地其夜夢見一老人來謝曰吾之遺骸

(동국60ㄴ:01) 暴露靈魂疚腸矣荷君罔極之恩獲入燥之內吾將

(동국60ㄴ:02) 有必報來月可驗矣其翌月始有胎候滿朔生玉貌

(동국60ㄴ:03) 男子夢中更有一老人來告曰君家地處實難保全

(동국60ㄴ:04) 門宗無寧使君新兒永無病人革至不死以爲免禍

(동국60ㄴ:05) 之地然后吾所報恩乃全矣曾未數月兒患痘口全

(동국60ㄴ:06) 啞耳亦聾而尙能復起爲人好德善文穩享富貴年

(동국60ㄴ:07) 過周甲子遜至今圓吉啞公子卽安興君腜也〈腜一作㰈

(동국60ㄴ:08) 未知孰是〉

(동국60ㄴ:09) 洪公脩高陽人也赴武科之路見靑巖察訪內行忽

(동국60ㄴ:10) 被可羅道頑僧之奪轎上山驛下人受其打踢莫敢

(동국61ㄱ:01) 近前僧且行且披轎門以覘曰貌美可愛也轎內哭

(동국61ㄱ:02) 聲出洪公不勝血憤將欲與僧戰同行擧子皆曰浪

（동국61ㄱ:03）死無益公曰寧死豈忍見此恝然乎仍携六兩箭向

（동국61ㄱ:04）僧前進大喝曰此僧此僧白日之下汝何敢無禮若

（동국61ㄱ:05）是僧回睨曰此兒在家飲乳足矣何乃喃喃作不緊

（동국61ㄱ:06）語耶公之喝聲愈高僧乃置轎子於平地向洪而下

（동국61ㄱ:07）曰此兒不可使放骨糞矣緣巖方下之際洪自巖下

（동국61ㄱ:08）仰踢僧額僧蹶於地洪以足躪僧項以大箭盡力打

（동국61ㄱ:09）僧僧立斃乃招靑巖官隷之逃匿者使來奉轎轎內

（동국61ㄱ:10）婦人涕泣百拜僕僕稱恩洪之子卽慕堂而百子千

（동국61ㄴ:01）孫宰相輩出儼成國中大家以爲殺頑僧救婦人之

（동국61ㄴ:02）餘慶云耳

（동국61ㄴ:03）淸風金氏之子中葉甚微金和順之父金斯文仁伯居

（동국61ㄴ:04）在廣州沙斤川貧且賤人無知者樂靜趙公錫胤適

（동국61ㄴ:05）比隣而居京第書籍未及搬來聞金氏家有綱目而

（동국61ㄴ:06）請借則屢諾而終靳樂靜怪之矣趙婢以比隣之故

（동국61ㄴ:07）時時來往於金家端午日趙家女婢自金家還告其

（동국61ㄴ:08）內上典曰俄往金宅見其行祀誠一異觀始知吾家

（동국61ㄴ:09）上典宅祭雖豐而誠不足神必不格恐是虛祭矣夫

（동국61ㄴ:10）人曰金祭果何如對曰淨掃階庭無半點埃金宅內

（동국62ㄱ:01）外洗灌垢衣如雪色糊强熨平沐髮浴體去垢十分

（동국62ㄱ:02）祭需則數爻不多而蔬果香潔以其器皿之乏少其

（동국62ㄱ:03）乾者皆盛于新件冊冊面進饌爇香旣誠旣敬夫婦

（동국62ㄱ:04）拜奠禮數備至小婢立其閱見始末不覺毛髮洒淅

（동국62ㄱ:05）宛見神靈來招如此然後方可謂祭祀安用物豐哉

（동국62ㄱ:06）蓋其盛乾需之冊卽樂靜所欲借之綱目也以其用

（동국62ㄱ:07）替籩豆所以持難於借人也趙公聞而奇之卽夕扶

（동국62ㄱ:08）杖往訪而賀之曰聞尊有篤行餘慶不可量不勝欽

(동국62ㄱ:09) 嘆吾欲成就令胤其果許之否金斯文大樂而許之

(동국62ㄱ:10) 金和順初受學於樂靜之門後又爲朴潛冶門人以

(동국62ㄴ:01) 學行薦至縣監自其孫監司澄始顯達至曾玄大昌

(동국62ㄴ:02) 三世五公世罕有大家福慶蓋有其本矣

(동국62ㄴ:03) 一松沈相國喜壽以寡家子幼少時豪湯不檢纔過

(동국62ㄴ:04) 十歲輒慕少艾聞公子王孫之宴歌娥舞姝之會無

(동국62ㄴ:05) 處不往蓬頭突鬢破屐弊衣雜於紅粉少無羞涉唾

(동국62ㄴ:06) 罵而不顧驅逐而不去人皆目之以狂童一日某家

(동국62ㄴ:07) 宴座有名妓一朶紅者新自錦山上來容貌歌舞獨

(동국62ㄴ:08) 步一世沈童悅之迫坐其側紅不以爲嫌時送秋波

(동국62ㄴ:09) 微察動靜仍起如側手招沈童沈童欣然跟之紅附

(동국62ㄴ:10) 耳而語曰君家在何邊沈詳指之紅曰君須先往妾

(동국63ㄱ:01) 當隨後幸俟之妾不失信沈童大喜過望先歸家淨

(동국63ㄱ:02) 掃而待之日未暮紅果如約而至沈不勝欣幸踞牀

(동국63ㄱ:03) 接膝昵昵相語童婢出見其狀回告于母夫人夫人

(동국63ㄱ:04) 歎咤其狂湯方欲招之以責少選紅因女婢請謁於

(동국63ㄱ:05) 大夫人拜於階下曰妾是錦山新來妓某也今日某

(동국63ㄱ:06) 宰宅宴會適見貴宅都令主人皆以狂童目之而賤

(동국63ㄱ:07) 妾偶見則可知其大貴人骨相也第其稟氣逸難馴

(동국63ㄱ:08) 專於耽色今若因其所好而利導之則庶幾成就妾

(동국63ㄱ:09) 自今日爲都令主斂迹於歌舞花柳之場與之周旋

(동국63ㄱ:10) 於筆硯書籍之間冀其有成就之道未知夫人意下

(동국63ㄴ:01) 如何妾之此言如出情慾則富豪壯健之美男亦多

(동국63ㄴ:02) 矣何必取枯淡寡宅之狂童乎妾雖侍側衽席之間

(동국63ㄴ:03) 十分沮抑必不使受傷此則勿慮焉夫人曰吾兒卑

(동국63ㄴ:04) 失家嚴不事學業全事狂蕩老身無以制之晝宵憂

(동국63ㄴ:05) 慮矣何來好風吹送如汝佳人誘掖狂童俾至成立
(동국63ㄴ:06) 則可謂莫大之恩人吾何嫌何疑然而吾家貧寒朝
(동국63ㄴ:07) 夕難繼汝以豪奢人其能忍飢寒而留此乎紅日此
(동국63ㄴ:08) 則少無嫌萬勿慮遂自其日絶迹於娼樓隱身於沈
(동국63ㄴ:09) 家其洗垢梳頭之節終始不怠日出則使之挾册學
(동국63ㄴ:10) 於隣家歸後坐於案頭晨夕勸課嚴立課程少有怠
(동국64ㄱ:01) 意則以別去之意恐動而勃然作色沈童愛而憚之
(동국64ㄱ:02) 課工不懈及到議親之時沈童以紅之故不欲娶妻
(동국64ㄱ:03) 紅知其意詰其故乃嚴責日君以名家子弟前程萬
(동국64ㄱ:04) 里何可因一賤娼欲癈大倫乎妾決不欲因妾之故
(동국64ㄱ:05) 而亡人之家矣妾從此而去矣沈童不得已娶妻紅
(동국64ㄱ:06) 下氣怡聲洞洞屬屬事之如老夫人使沈童定日限
(동국64ㄱ:07) 五日內四日入處正房一日許入渠房而若未及當
(동국64ㄱ:08) 御之夕而至則必拒門不納如是者數年矣沈生厭
(동국64ㄱ:09) 學之心尤倍于前一日投書於紅而臥日汝雖勤於
(동국64ㄱ:10) 勸課其於吾之不欲何紅度其怠慢之心有不可以
(동국64ㄴ:01) 口舌爭也乘沈生出外之時告于老夫人日妾之留
(동국64ㄴ:02) 此全爲阿郎之學業而近日則厭症尤肆雖以妾之
(동국64ㄴ:03) 誠亦無奈何妾從此辭矣妾之此去卽激勸之策也
(동국64ㄴ:04) 今雖出門何可永辭乎如聞登科之報則須當卽地
(동국64ㄴ:05) 還來矣仍起而拜辭夫人執手而泣日自汝之來吾
(동국64ㄴ:06) 家狂悖之兒如得嚴師幸免蒙學者皆汝之力也今
(동국64ㄴ:07) 何因厭讀之微事舍吾母子而去也紅起拜日妾非
(동국64ㄴ:08) 木石豈不知別離之苦乎然而激勸之道在此一條
(동국64ㄴ:09) 阿郎歸聞妾之告辭以決科後更逢爲約之言則必
(동국64ㄴ:10) 也發憤勤業矣遠則六七年近則四五年間事也妾

(동국65ㄱ:01) 當潔身而處以俟登科之期矣幸以此意傳布于阿

(동국65ㄱ:02) 郎是所望也仍慨然出門遍訪老宰無內眷之家竟

(동국65ㄱ:03) 得一處見其主人老宰而言曰妾以禍家餘生托身

(동국65ㄱ:04) 無處願得廚婢僕之列俾效微誠針線酒食謹當看

(동국65ㄱ:05) 檢矣老宰見其端麗聰慧憐而愛之許其住接紅自

(동국65ㄱ:06) 其月入廚備饌極其甘旨適其食性老宰尤奇愛之

(동국65ㄱ:07) 仍曰老人以奇窮之命幸得如汝者衣服飲食便於

(동국65ㄱ:08) 口體今則依賴有地吾旣許心汝亦殫誠自今結父

(동국65ㄱ:09) 女之情可也仍使之入處內舍以女呼之沈生歸家

(동국65ㄱ:10) 則紅無去處怪而問之則其母夫人傳其臨別時言

(동국65ㄴ:01) 而責之曰汝以厭學之故有此事將以何顏日後相

(동국65ㄴ:02) 對乎渠旣以汝之登科爲期其爲人也必無食言之

(동국65ㄴ:03) 理汝若不得決科則將無更逢之期惟汝意爲之沈

(동국65ㄴ:04) 生聞而大慽惘然如有失數日遍訪京城內外終無

(동국65ㄴ:05) 蹤迹乃失于心曰吾爲一女子見期以何顏面對人

(동국65ㄴ:06) 彼旣有科後相逢之約則生曰吾當刻意工課以爲故

(동국65ㄴ:07) 人相逢之地而如不得科名而不如約則生而何爲

(동국65ㄴ:08) 遂杜門謝客日宵不掇其做讀才過數年嵬捷龍門

(동국65ㄴ:09) 生以新恩遊街之日遍訪先進老宰卽沈之父執也

(동국65ㄴ:10) 歷路拜謁則欣然迎之敍古話今留與從客做話已

(동국66ㄱ:01) 而自內饋膳新恩見杯盤饌品愀然變色老宰怪而

(동국66ㄱ:02) 問之則仍以紅之始末詳告之且曰待生之列意做

(동국66ㄱ:03) 業期於登科者全爲故人相逢之地也今則饌品則

(동국66ㄱ:04) 宛是紅之所爲也故自爾傷心矣老宰問其年紀貌

(동국66ㄱ:05) 狀而言曰吾有一箇養女而不知所從來矣無乃此

(동국66ㄱ:06) 女乎言未畢忽有一佳人推後窓突入抱新恩而痛

(동국66ㄱ:07) 哭新恩起拜於主人曰尊丈今則不可不許此女於
(동국66ㄱ:08) 侍生矣主人曰吾於垂死之年幸得此女依以爲命
(동국66ㄱ:09) 今若許送則老夫如失左右手矣事甚難處而其事
(동국66ㄱ:10) 也甚奇相愛如此吾豈忍不許新恩起拜而僕僕稱
(동국66ㄴ:01) 謝時日已昏黑與紅并一馬以炬導前而行女婢望
(동국66ㄴ:02) 見鞍背有女并騎急告大夫人夫人輒而登科而無
(동국66ㄴ:03) 戒行爲悶矣新恩來近家門遙呼母親曰吾今得紅
(동국66ㄴ:04) 而來母夫人不勝奇喜屢及於中門之內執紅手而
(동국66ㄴ:05) 陞階喜溢堂宇復續前好沈後爲天官郎一夕紅斂
(동국66ㄴ:06) 衽而言曰妾之一端心誠專爲進賜之成就十餘年
(동국66ㄴ:07) 念不及他吾鄕父母之安否不遑聞之矣此是妾之
(동국66ㄴ:08) 日夜拊心者也進賜今當可爲之地幸爲妾求爲錦
(동국66ㄴ:09) 山宰使妾得見父母於生前則至恨畢矣沈曰此是
(동국66ㄴ:10) 至易之事乃治疏乞郡果爲錦山依挈紅偕生赴任
(동국67ㄱ:01) 之日問紅父母之安否則果皆無恙過三日後自官
(동국67ㄱ:02) 府盛具酒饌而往其本家拜見父母會親黨三日大
(동국67ㄱ:03) 宴衣服需用之資極其豊厚以遺父母而言曰官府
(동국67ㄱ:04) 異於私室官家內眷尤有別於他人父母兄弟如或
(동국67ㄱ:05) 因緣出入則招人言累官政兒今入衙之後不得更
(동국67ㄱ:06) 出亦不得頻數相通以在京樣知之勿復往來相通
(동국67ㄱ:07) 以嚴內外之分仍拜謝而入一未相通于外幾過半
(동국67ㄱ:08) 年內婢以小室之意請入適有公事未卽起婢子連
(동국67ㄱ:09) 續來請公怪之入內而問之則紅着新件衣服鋪新
(동국67ㄱ:10) 件沈席別無病恙而顏帶悽愴之色曰妾於今日永
(동국67ㄴ:01) 訣進賜而長逝之期也願進賜保重長享榮貴而勿
(동국67ㄴ:02) 以妾之故而疚懷焉妾之遺骸幸返葬於進賜先塋

（동국67ㄴ:03）下是所願也言罷奄然而歿公哭之慟仍曰吾之出

（동국67ㄴ:04）外紅娘之故也今焉渠已身死我何獨留仍呈辭單

（동국67ㄴ:05）而圖遞以其極同行錦江有錦江秋雨銘旌濕之句

（동국67ㄴ:06）疑是佳人泣別時之悼亡詩

（동국67ㄴ:07）昔有關西伯有獨子甚愛重之年方十四歲隨父赴

（동국67ㄴ:08）營營童妓有同庚者貌妍性慧同遊昵狎仍與目成

（동국67ㄴ:09）情愛如山及其苽滿將歸父母慮其子之不能斷情

（동국67ㄴ:10）相別問曰汝與某妓有情今日儻能割情相別否對

（동국68ㄱ:01）曰此不過一時風流好事有何戀戀難捨之道耶父

（동국68ㄱ:02）母極以爲幸及還京負笈上寺俾勤三餘之工一夜

（동국68ㄱ:03）大雪初霽皓月滿庭獨倚欄檻悄然四顧萬籟收聲

（동국68ㄱ:04）千林闃如雲間獨鶴失聲而悲鳴巖上孤猿喚侶而

（동국68ㄱ:05）哀號生於此時心懷愀然關西某妓忽然入想其妍

（동국68ㄱ:06）美之態端麗之容森然在目相思之懷川湧火燃抑

（동국68ㄱ:07）遏不得若待晨鍾之鳴不告傍人躡草履佩盤纏步

（동국68ㄱ:08）出山門直向關西大道而行䚓諸僧及同愡之人大

（동국68ㄱ:09）驚搜索終無刑影告于本家擧家驚惶遍尋山谷意

（동국68ㄱ:10）謂虎豹所嚙悲痛哀號無以形言矣生足繭肥瘃董

（동국68ㄴ:01）達箕城直到厥妓之家則妓不在而只有其母見生

（동국68ㄴ:02）行色之草草冷眼相待全無所欣之色生問曰君之

（동국68ㄴ:03）女何在對曰方爲新使道子弟守廳一入而尙不得

（동국68ㄴ:04）出來然而都令主何爲千里徒步而來也生曰吾以

（동국68ㄴ:05）思想君女之柔腸欲斷不遠千里而來者全爲一面

（동국68ㄴ:06）之地也願使圖速見之道焉妓母冷笑曰千里他鄉

（동국68ㄴ:07）空然作虛行矣吾女吾亦不得相見何況都令主乎

（동국68ㄴ:08）官門如海相通無路不如早歸矣言罷入房少無迎

(동국68ㄴ:09) 接之意生慨歎出門無可向處仍念營吏房曾犯死
(동국68ㄴ:10) 罪被生之力救得以全活常視爲罔極之恩故謂可
(동국69ㄱ:01) 以居停而往投焉厥吏大驚勞問今以貴价公子千
(동국69ㄱ:02) 里長程徒步作行誠是夢寐之外敢問何故生具道
(동국69ㄱ:03) 其故且請相逢之策厥吏掉頭曰大難大難見今使
(동국69ㄱ:04) 道子弟寵愛此妓跬步不離實無相面之道姑留吾
(동국69ㄱ:05) 家相機徐圖爲好仍接待款洽居數日天忽大雪吏
(동국69ㄱ:06) 日今有相面之道能行之否生日若使吾一見此女
(동국69ㄱ:07) 之面則死且不避何況此外事乎吏日明朝調發府
(동국69ㄱ:08) 下人丁掃雪營庭將以都令主充於冊房掃雪之役
(동국69ㄱ:09) 則或可瞥眼相面矣生欣然從之着弊衣長籤混於
(동국69ㄱ:10) 役丁方掃冊舍庭雪而時以偷眼頻瞻廳下終無形
(동국69ㄴ:01) 影過食頃後房門開處厥女凝粧而出立於曲欄之
(동국69ㄴ:02) 頭閑玩雪景生停掃而注目視之厥女忽然色變入
(동국69ㄴ:03) 房而更不出心甚恨之無聊而出其吏問日得見厥
(동국69ㄴ:04) 妓否生日霎時見面仍道入房不出之狀吏日妓輩
(동국69ㄴ:05) 情態本自如此較冷暖而送舊迎新何足責也生自
(동국69ㄴ:06) 念行色進退不得心甚憫鬱所妓一見生面知其爲
(동국69ㄴ:07) 渠作此狀欲出一見而其奈衙童之不使暫離何哉
(동국69ㄴ:08) 仍心思一計忽爾揮涕作悲苦之狀衙童驚問日汝
(동국69ㄴ:09) 何作此狀妓掩抑而對日吾無他兄弟故在家之日
(동국69ㄴ:10) 每當大雪則掃亡父之墳上今日大雪無人往掃是
(동국70ㄱ:01) 以悲之衙童日若然則當送一隷掃之矣日不然若
(동국70ㄱ:02) 若送一隷則官令之下渠焉敢不往而壯雪寒冱爲
(동국70ㄱ:03) 賤妓替勞則辱說悖談必及於亡父不知不掃之爲
(동국70ㄱ:04) 愈父墳在於城外十里之地去來之間不過數食頃

(동국70ㄱ:05) 吾請暫往旋還其果許之否衙童憐其情而許往厥
(동국70ㄱ:06) 妓卽歸其家語其母曰某都令主不來此耶母曰數
(동국70ㄱ:07) 日前暫來卽去矣妓曰何不請留而送去耶母曰汝
(동국70ㄱ:08) 旣不在留之何益妓曰向何處云耶母曰吾亦不問
(동국70ㄱ:09) 彼亦不言而去矣妓吞聲飮泣責其母曰人情固如
(동국70ㄱ:10) 是乎彼以卿相家貴公子千里徒步全爲見我一面
(동국70ㄴ:01) 則挽留而通知於我可也而以冷淡之色相接其肯
(동국70ㄴ:02) 留乎仍揮淚不已欲訪其所在而無可問忽念前等
(동국70ㄴ:03) 吏房每親近於營門無或寄宿於其家耶仍忙步往
(동국70ㄴ:04) 尋則果在其家矣相與執手悲喜交切妓曰到此地
(동국70ㄴ:05) 頭不可一面卽別卽還其家則其母適不在矣乃搜
(동국70ㄴ:06) 出箱篋中資粧貝又以私儲之五百銀子作一負賷
(동국70ㄴ:07) 人携至諸吏以賷馬二疋吏曰賷馬往來蹤迹易露
(동국70ㄴ:08) 吾有數匹健馬可以贐之矣又以五十兩銀子於是
(동국70ㄴ:09) 乎女前男後卽發潛行向陽德孟山之境買舍於靜
(동국70ㄴ:10) 僻處以居焉伊日衙童怪其妓之到晚不還使人探
(동국71ㄱ:01) 之則無形影問于其母則其母亦驚惶而不知去向
(동국71ㄱ:02) 使人四索而終無得矣厥妓整頓家事謂生曰郞卽
(동국71ㄱ:03) 背親而作此行則父母之罪人也贖罪之道惟在於
(동국71ㄱ:04) 決科決科之道惟在於勤業衣食之憂付之於妾做
(동국71ㄱ:05) 讀之工倍之於人然後可以有爲使之遍求書冊不
(동국71ㄱ:06) 計價而買之夫讀婦紅晝夜罔輟女每赴市貿來柴
(동국71ㄱ:07) 買蔬魚以供夫壻於是科工日就生計亦饒如是過
(동국71ㄱ:08) 四五年國有大慶設科取士女乃勸郞赴擧生曰吾
(동국71ㄱ:09) 獨置汝於四顧無親寂寞之地何忍作千里別乎女
(동국71ㄱ:10) 曰丈夫做大事何可拘於區區之情乎買馬備路需

(동국71ㄴ:01) 卜日送行生到京不敢入其家寓於旅舍及期赴場

(동국71ㄴ:02) 盡意製寫及其坼榜擢爲第一自上招吏判敎日曾

(동국71ㄴ:03) 聞卿之獨子讀書上山爲虎所噬今見新榜壯元的

(동국71ㄴ:04) 是卿子而職銜之不以吏判而大憲書之者尤可訝

(동국71ㄴ:05) 也吏判俯伏曰臣亦莫曉其由而臣之子必無生存

(동국71ㄴ:06) 之理矣上曰不待唱榜招見破疑可矣命新恩入侍

(동국71ㄴ:07) 則雖是近十年久別之儀容父子相逢豈不相知相

(동국71ㄴ:08) 握大慟繼以歡忭上大異之詳詢其始末對曰逃父

(동국71ㄴ:09) 隨娼匿迹遯鄕自歸悖戾雖幸釋禍臣罪萬死遂陳

(동국71ㄴ:10) 山寺之對月興懷營庭之掃雪見面偕妓匿迹勤工

(동국72ㄱ:01) 登科之由上拍案稱奇曰汝非悖子乃是孝子也此

(동국72ㄱ:02) 女節操志慮卓越今古誰料賤娼中乃有如此人物

(동국72ㄱ:03) 此不可以賤娼待之卽可陞爲副室卽爲下諭關西

(동국72ㄱ:04) 伯刻日治送新恩謝恩而退隨父還家死者復生纔

(동국72ㄱ:05) 逢而已榮歡聲如雷中外相傳〈職銜之書以大憲蓋是上山時所帶職
妓

(동국72ㄱ:06) 名紫鸞宇玉簫仙云〉

(동국72ㄱ:07) 昔有文士一人接於龍山隣舍有女哀哭自曉至日

(동국72ㄱ:08) 晚不止文士輩知其常漢寡女齊就其家則乃素服

(동국72ㄱ:09) 女子也問其哀慟之由則其女對曰妾本城內名娼

(동국72ㄱ:10) 也一日赴貴家宴席夕歸餘醺在面新月如鏡乘興

(동국72ㄴ:01) 散步前街有一少年男子着艸笠步過其貌如玉一

(동국72ㄴ:02) 見已不勝悅慕進前以告曰妾是娼而家在此街內

(동국72ㄴ:03) 可能吸煙茶以歸否男子快允卽携入室中張燈對

(동국72ㄴ:04) 坐其喜可掬卽沽進美酒以代夕炊妾歌一曲少年

(동국72ㄴ:05) 和之其聲繞樑又彈琴琴亦如之妾不及問其誰某

(동국72ㄴ:06) 只其才貌以爲平生奇絕情愛如山滅灯經雲雨而
(동국72ㄴ:07) 兩相就眠妾眠乍醒更欲緊抱則腥寒襲鼻定睛視
(동국72ㄴ:08) 之釖割其腹流血滿牀妾驚慌而起月色映牕玉面
(동국72ㄴ:09) 對暈死亦可愛痛毒慘愕姑不暇論而家無丁男斂
(동국72ㄴ:10) 尸罔措艱辛曳藏於挾房待翌夜更爲步出前街蓋
(동국73ㄱ:01) 欲邀入男子以付托處置屍身之計也果有長身武
(동국73ㄱ:02) 弁着項羅天翼冉冉過去身手輕快妾接話請入一
(동국73ㄱ:03) 如前夜行杯纔羅妾泣告曰奉邀進賜非牽春情竊
(동국73ㄱ:04) 有目下罔極罔措之事敢欲貽勞若蒙肯許則謹當
(동국73ㄱ:05) 終身爲妾爲婢以報其恩矣乃細陳之武弁曰慘矣
(동국73ㄱ:06) 買斂布以來武弁脫衣韛臂從容殮襲裹以油芚將
(동국73ㄱ:07) 踰城往埋謂妾曰汝亦往見埋窆否曰固所願而何
(동국73ㄱ:08) 以越城乎武弁左挾尸體右挾小妾越城躍下至下
(동국73ㄱ:09) 處深穿穴厚埋屍還到妾家意其是夜同歡武弁曰
(동국73ㄱ:10) 吾今夜當宿此而便若責報吾不爲也吾欲爲少年
(동국73ㄴ:01) 報讎於汝意何如妾曰何等恩德從何覓賊耶武弁
(동국73ㄴ:02) 曰曾或有慕汝而不從者乎初曰無之良久思之曰
(동국73ㄴ:03) 家後有官家馬直而面貌可憎留意於吾已久而牢
(동국73ㄴ:04) 拒之矣武弁頷之及至明日武弁敞開後門搜吾臂
(동국73ㄴ:05) 臨門狎坐藝戲多端午後乃止至夜武弁臥前牕內
(동국73ㄴ:06) 鼻息齁齁妾亦以前夜失眠之故昏倒熟眠夜深後
(동국73ㄴ:07) 睡中忽有橐橐聲意謂今夜又笑武弁心魂驚散不
(동국73ㄴ:08) 勝戰栗更有人語使速爇火卽是武弁語音也急起
(동국73ㄴ:09) 張燭則有人碎頭仆死窓下矣武弁曰此是誘汝之
(동국73ㄴ:10) 官馬直否諦視則果然矣問其何以致此則武弁曰
(동국74ㄱ:01) 當盡戲汝要致此漢千間此漢壓後墻窺睍而眼色

（동국74ㄱ:02）不良故吾已知夜來害我故於當門伴睡果有持釽

（동국74ㄱ:03）開門而入吾以袍中鐵椎留擊而殺之卽束其屍挾

（동국74ㄱ:04）以越城拚土而歸武弁不待天明拂衣而還妾乃願

（동국74ㄱ:05）隨而拒之甚堅願聞所居洞與何姓何官亦不告而

（동국74ㄱ:06）去妾遂賣京第出居龍山爲少年守節今日是少年

（동국74ㄱ:07）受害日也故祭罷哀不能止云〈此事與子所知者大同小異此必一事而

（동국74ㄱ:08）誤傳者故余所知者更錄于下未知孰是〉

（동국74ㄱ:09）英廟初有一宰相當邦慶設都監爲堂上而一日赴

（동국74ㄱ:10）會各司諸妓方爲針線之役其中一老妓忽出頭欄

（동국74ㄴ:01）外如銀箸血淚兩行瀉出兩眼之孔仍復晏然針線

（동국74ㄴ:02）宰相見其狀甚怪之招問其由則老妓對曰妾少時

（동국74ㄴ:03）才貌冠絶若無風儀才藝之合於眼者自誓以不許

（동국74ㄴ:04）人買舍於通衢琴歌自娛遍察往來之人而經年閱

（동국74ㄴ:05）歲終未得一人矣某日夕陽時方坐樓上彈琴以敍

（동국74ㄴ:06）幽菀之懷有一箇美少年着草笠騎健驢雅雅而過

（동국74ㄴ:07）聞琴聲瞻樓上乃語牽奴曰駐馬於彼門前於是下

（동국74ㄴ:08）驢皆入門而又語其奴曰罷漏後携驢而來也卽入

（동국74ㄴ:09）樓上擧止毫爽顏貌如玉分榻相對已十分悅慕少

（동국74ㄴ:10）年曰俄聞琴聲悽楚如有所感爾以芳年妙貌有何

（동국75ㄱ:01）不平之氣發如是也及聞此語可知其知音也狀貌

（동국75ㄱ:02）旣如彼俊俏知音又若是奇絶今日可遂平生之願

（동국75ㄱ:03）安得不欣喜快樂乎酌酒相勸情愛如山滅燭成歡

（동국75ㄱ:04）心竊自賀鴛枕裴衾醉眠方熟忽爾眠覺腥臭襲鼻

（동국75ㄱ:05）以手撫靡則流血滿牀不勝驚慌急起明燭則釽抑

（동국75ㄱ:06）於少年之腹死已久矣慘愕痛楚姑不暇論而心戰

（동국75ㄱ:07）膽掉莫知所以忽聞門外有人剝啄聲罔極之中尤

(동국75ㄱ:08) 爲罔措屍身急急曳藏於夾房淨掃牀席而出門迎

(동국75ㄱ:09) 入則有何許武夫戴總細笠身着綵錦掛子手持一

(동국75ㄱ:10) 條藤鞭大踏步入門氣像豪俊狀貌雄健果是平生

(동국75ㄴ:01) 初見之奇男子也纔入門而呼酒痛飮數碗仍問曰

(동국75ㄴ:02) 汝以賤倡何乃誘入宰相家少年子弟作此殺越之

(동국75ㄴ:03) 變也及聞此語膽落心慌不得已悉陳顚末以請殘

(동국75ㄴ:04) 命武弁曰汝之作變者之爲誰乎對曰深夜熟睡之

(동국75ㄴ:05) 中豈知誰人之所爲哉武弁曰吾當爲汝報讎乎對

(동국75ㄴ:06) 曰何等恩德從何覓賤乎武弁又呼酒痛飮卽出門

(동국75ㄴ:07) 去少頃武弁又到投一人首於座前曰此是汝讎也

(동국75ㄴ:08) 汝知此頭之爲何人頭乎曰不知也武弁曰昨夕少

(동국75ㄴ:09) 年下驢時有何許總角執鐙而下之汝果見之否曰

(동국75ㄴ:10) 見之矣武弁曰此總角曾留意於汝而汝不從乎曰然

(동국76ㄱ:01) 矣武弁曰此漢嫌汝不從渠意而乃與少年相昵以

(동국76ㄱ:02) 其妬悍之心反生害他之計故於下驢時執鐙而示

(동국76ㄱ:03) 意也此是厥漢之頭也此兩屍汝其善爲區處也妾

(동국76ㄱ:04) 曰以此弱女一屍猶難區處況兩屍乎武弁乃大笑

(동국76ㄱ:05) 而起又呼酒痛飮以其總角之頭向空揮斥不知落

(동국76ㄱ:06) 在誰家又以布匹斂其年少之屍越城掩埋而歸又

(동국76ㄱ:07) 呼酒痛飮因卽辭去妾對其狀貌見其擧措果是眞

(동국76ㄱ:08) 丈夫而古所稱俠士也以平生矢心之願豈無相從

(동국76ㄱ:09) 之心乎問其姓名而不答問其居住而又不答莞爾

(동국76ㄱ:10) 投袂而出天明後卽爲移寓他處守節獨居期圖更

(동국76ㄴ:01) 見此人之計而積久歲月終無影響矣乙亥某月日

(동국76ㄴ:02) 聞罪人自禁府狎去行刑云故偶往觀之則車上所

(동국76ㄴ:03) 立之人卽是此人也見此光景不覺魂兒驚散眼血

(동국76ㄴ:04) 迸流自此以後每一念到於此眼血之流如是今日

(동국76ㄴ:05) 公會又此露醜甚悚甚悚云〈此罪人朴纘新云〉

(동국76ㄴ:06) 兪斯文命舜卽兪相拓基伯父也身長十餘尺風神

(동국76ㄴ:07) 秀麗映發幾乎潘衛之貌方十六歲過妓家妓適襄

(동국76ㄴ:08) 簾目招以入妓亦玉貌自言新自湖南選屬梨園籍

(동국76ㄴ:09) 京居屬耳雖混墻花恥伴木鷄平生志願要遇橘車

(동국76ㄴ:10) 之風流以傍奉匜之列今見君子眞其人也敢欲許

(동국77ㄱ:01) 身噬肯我願否兪亦欣然曰兩美相遇兩情豈異功

(동국77ㄱ:02) 名吾所固有差待釋褐後結歸亦未晩也山海之情

(동국77ㄱ:03) 旣堅于心衽席之事何論有無也妓亦樂聞曰可自

(동국77ㄱ:04) 是以後路過其處輒歷入覓醉和歌兩相歡然自處

(동국77ㄱ:05) 以鴛鴦但不同枕矣兪斯文不幸以布衣早折厥妓

(동국77ㄱ:06) 驚痛奔喪次將欲散髮服喪兪之弟命健麾叱曰汝

(동국77ㄱ:07) 無結髮於吾兄而乃欲服喪者誠爲妄矣十分毆逐

(동국77ㄱ:08) 使不得接足厥妓抵死願留而終無奈何方其臨去

(동국77ㄱ:09) 告泣命健曰雖被本宅牢距不能成吾志而誓不獨

(동국77ㄱ:10) 生以負幽明歸當自裁而竊有奉托小人之姨從弟

(동국77ㄴ:01) 爲妓自錦山來者每謂小人曰願得京華第一美丈

(동국77ㄴ:02) 夫以托吾身兄其爲我圖之也小人對曰以吾所見

(동국77ㄴ:03) 余所成約之兪氏卽實爲京華第一人其弟抑其次

(동국77ㄴ:04) 也妓曰然則願爲我紹介於其弟俾吾兩人以成妯

(동국77ㄴ:05) 娌則萬幸小人已諾其行媒矣小人死後使吾弟得

(동국77ㄴ:06) 侍書房主巾櫛則稍慰吾長逝之魂矣厥妓還家果

(동국77ㄴ:07) 卽自裁兪氏感其節而悲其志果以錦山妓爲命健

(동국77ㄴ:08) 甫小室畜置家中云

(동국77ㄴ:09) 又兪斯文曾作鄉行過一處投宿於村中大屋叩門

(동국77ㄴ:10) 無應者俄有一美處女蔽身於門內而語曰家中一
(동국78ㄱ:01) 空何方客欲投宿於此耶必欲投宿則不可不抵此
(동국78ㄱ:02) 內舍矣俞幸其許宿而內舍則又過望矣及入門見
(동국78ㄱ:03) 其處女姿貌綽約尤爲悅慕問其弱女獨守之由謂
(동국78ㄱ:04) 其繼母出他不還矣炊進夕飯饌物精備少男少女
(동국78ㄱ:05) 同一席自不得無事欲結雲雨之歡則女曰夜中內
(동국78ㄱ:06) 屋引入男子有意所在若成吾意則何敢阻拒也俞
(동국78ㄱ:07) 問其欲女曰兒家門地非兩班非常賤也父得惡妾
(동국78ㄱ:08) 惡妾擅家與其同生娚凶漢合勢或置毒或咀呪吾
(동국78ㄱ:09) 母吾兄弟皆死於非命至冤至痛塡骨入骸而如此
(동국78ㄱ:10) 弱女無路復雪惟擬托身於人假手以圖之客如一
(동국78ㄴ:01) 副吾願則今夜同衾吾所不辭不然則不可以情慾
(동국78ㄴ:02) 奪吾志矣俞素好意氣憐其志因許之是夜同枕席
(동국78ㄴ:03) 明日入官以女名呈狀逐日待令官門外凡十一呈
(동국78ㄴ:04) 乃得正罪惡女之娚則伏法惡女則遠逐俞仍還京
(동국78ㄴ:05) 而挈其女在所難便留置以去一散以後會面無緣
(동국78ㄴ:06) 而女獨居志甚堅及聞俞沒卽日自裁殉節同時二
(동국78ㄴ:07) 烈女皆爲一人誠是三綱行實所未有而俞之風采
(동국78ㄴ:08) 感人亦可推知矣
(동국78ㄴ:09) 有京城一朝士臨終遺命三子曰葬地必待沔川李
(동국78ㄴ:10) 生員指示愼勿違吾言云喪後一二朔沔川李生員
(동국79ㄱ:01) 果來弔喪人告以遺命李曰吾安得不擇先大夫葬
(동국79ㄱ:02) 地耶喪人請發看山行李卽令行喪喪人惟令是從
(동국79ㄱ:03) 李隨紼偕行出西門向長坡間至一處令停喪卽使
(동국79ㄱ:04) 用鍤鑿破一處穴至數尺餘已令下棺喪人兄弟曰
(동국79ㄱ:05) 士夫葬禮豈可如是草率乎李曰葬禮之具不具非

(동국79ㄱ:06) 吾所知非此地則無可葬地非今時則無可葬時奚

(동국79ㄱ:07) 暇論灰隔外棺等浮文乎喪人不得已直加莎土於

(동국79ㄱ:08) 棺上成墳堇以覆盆狀喪人情事罔極私相語曰今

(동국79ㄱ:09) 日事爲有遺命姑依李言勢將更擇地具禮以窆耳

(동국79ㄱ:10) 仍與李同歸馬上謂李曰葬事旣已一聽尊丈言地

(동국79ㄴ:01) 理果何如李曰吾於先大夫葬地豈有不善擇之理

(동국79ㄴ:02) 乎喪人曰前頭禍福何如李曰初年禍在所不避伯

(동국79ㄴ:03) 哀似不久矣俄又曰仲亦然矣季則最吉矣季也時

(동국79ㄴ:04) 未冠及闋服娶於義洞成承旨女在妻家時倭破東

(동국79ㄴ:05) 萊之報適至伯仲送書促歸要與避亂而新情難別

(동국79ㄴ:06) 伯仲書三到以後始歸歸時折牧丹花一枝揷妻笄

(동국79ㄴ:07) 上灑淚而別兄弟三人同避亂行到一處遇倭兵一

(동국79ㄴ:08) 時被擄縛致磧質上次第斬頭先斬伯仲未及至季

(동국79ㄴ:09) 之時其家奴子在後目擊而渠獨遽還往見季之妻

(동국79ㄴ:10) 於苑後細報其上典三兄弟俱死倭鋒之由成夫人

(동국80ㄱ:01) 爲共死矣時將斬季也倭帥一人愛其貌美救而免

(동국80ㄱ:02) 之因號爲養子提挈左右甚加撫護歸本國留至十

(동국80ㄱ:03) 年倭中約束他國人試才之科十年一設不中式則

(동국80ㄱ:04) 殺之此人漏於其試所謂養父倭救之得免又十年

(동국80ㄱ:05) 赴試又不中將殺之際倭中大師高僧請免其死以

(동국80ㄱ:06) 爲闍梨遂寄空門又將十年高僧病將死問此人以

(동국80ㄱ:07) 所欲則願還本國高僧乃行關於沿路州縣乘障梁

(동국80ㄱ:08) 津使之勿禁而護送之渡海抵王京尋其故閭則全

(동국80ㄱ:09) 家覆沒於亂中無所止托往尋於義洞妻家亦已易

(동국80ㄱ:10) 主無憑可問四顧彷徨仍西走將省父母山入其洞

(동국80ㄴ:01) 遙望則舊日薄葬之壙不可復識有上下二墳封築

(동국80ㄴ:02) 嵯峨玲瓏前各立碑齋室穹崇意謂親山一麓已爲

(동국80ㄴ:03) 勢家奪占矣進問於墓直云是乃任平安監司宅山

(동국80ㄴ:04) 所就讀其碣文則上墳職衛事實子女錄的是其考

(동국80ㄴ:05) 也下墳則被禍倭亂葬以衣履而關西伯爲其遺腹

(동국80ㄴ:06) 子云而生年配耦兄弟序次的是自己事也意想恍

(동국80ㄴ:07) 惚如幻如癡卽向平壤府而布政司門深如海無由

(동국80ㄴ:08) 進身而身上倭腹尙不變一箇山僧樣也乃大其衲

(동국80ㄴ:09) 衣之袖拱立布政門外垂袖俯身三日峙不動營中

(동국80ㄴ:10) 上下相傳爲怪事方伯聞之而招問其槩對云如許

(동국81ㄱ:01) 如許方伯謂神將曰彼僧之言如何神將曰其言萬

(동국81ㄱ:02) 萬妖惡使道不必與之酬酢惹疑於聽聞付之小人

(동국81ㄱ:03) 則小人當自下處置處置云者滅口之謂也監司曰

(동국81ㄱ:04) 可裨將引其僧出去大夫人招監司以問曰俄聞有

(동국81ㄱ:05) 怪事汝何以處之對曰神將謂當處置而已引去矣

(동국81ㄱ:06) 大夫人曰安知其必僞而非眞乎吾當隔簾而躬問

(동국81ㄱ:07) 之斯速招入裨將未及下手旋爲入送僧所對一如

(동국81ㄱ:08) 對監司之言大夫人曰汝言大體則符合而第言其

(동국81ㄱ:09) 最明之證驗也僧曰方在妻家時伯仲氏促歸之書

(동국81ㄱ:10) 皆付內手且與內相別時折牧丹揷其筓此爲堅證

(동국81ㄴ:01) 大夫人曰此已事已有名於朝廷聖上亦喜遺腹子

(동국81ㄴ:02) 之顯達并奇其母以牧丹揷筓命題使臣僚製進汝

(동국81ㄴ:03) 或聞之於歷過京師時以此不足爲信驗莫如指吾

(동국81ㄴ:04) 幽暗處隱表之爲可信也僧趑趄良久曰吾妻小腹

(동국81ㄴ:05) 下有七點黑子橫於肌膚同禂撫摩時戲以爲北斗

(동국81ㄴ:06) 七星矣大夫人聽未畢撤簾突出直前抱僧宛轉大

(동국81ㄴ:07) 哭曰此是吾夫千明萬白天乎天乎奇遇奇遇一營

(동국81ㄴ:08) 震動卽脫其巾衲加以冠服賀語如沸監司上書自

(동국81ㄴ:09) 陳亡父生還之始末急就松楸削其墳仆其碣李之

(동국81ㄴ:10) 擇地果神矣

(동국82ㄱ:01) 昔有二文士臨別試開做工於北漢寺同房其人是

(동국82ㄱ:02) 赤貧而腹着饌物殆踰豪富家其一人異而問之累

(동국82ㄱ:03) 問始對曰吾妻才智出衆赤手經營無不辦識組烹

(동국82ㄱ:04) 飪在東國必無二故供給夫壻如是云則其人聽罷

(동국82ㄱ:05) 望遠山默不語未幾先罷歸家一人徐罷接歸家問

(동국82ㄱ:06) 之則其人輟家遠去不知所向永隔聲息殆十許年

(동국82ㄱ:07) 一人則卽爲登科轉至崇品拜關西伯携內行赴任

(동국82ㄱ:08) 未至關西境午將炊店舍在道見一人所騎如龍趨

(동국82ㄱ:09) 從如雲上下服飾輝煌氣勢豪健近而諦視則乃舊

(동국82ㄱ:10) 日北漢同硯生也同入店舍欣然敍阻懷監司仍問

(동국82ㄴ:01) 昔在北漢何故經罷仍使人不知去處耶其人對曰

(동국82ㄴ:02) 其時君自謂君妻才智冠於我國吾聞君言猝生異

(동국82ㄴ:03) 心自誓於中曰吾不能奪此人之妻則生世何爲卽

(동국82ㄴ:04) 日定計捨京下鄕爲巢窟於深處嘯聚賊黨部落遍

(동국82ㄴ:05) 於一國健卒數萬彼隨來軍校如貔如虎一人無不

(동국82ㄴ:06) 當君營隷十百今日之行全爲要路攔去君內也君

(동국82ㄴ:07) 內雖升天入地無所逃避道伯之勢直螳臂直須無

(동국82ㄴ:08) 辭奉納也監司聞之膽墮罔知收措但曰入語婦矣

(동국82ㄴ:09) 乃入內店舍氣色慘怛夫人怪問之監司哽咽擧言

(동국82ㄴ:10) 陳其暴客來劫之狀夫人笑曰令監雖爲好方伯終

(동국83ㄱ:01) 不免拙夫矣今聞其人言卽是大英雄也女子之生

(동국83ㄱ:02) 爲英雄妻不豈快乎正合吾願何足驚心請於午飯

(동국83ㄱ:03) 後相別矣監司泣曰君何爲出此言也夫人一邊分

(동국83ㄱ:04) 出行裝以治從賊之具監司出謂賊魁曰吾妻願從
(동국83ㄱ:05) 君矣賊魁曰君妻明知其不得避者蓋亦解事故耳
(동국83ㄱ:06) 招其軍校曰內行轎子已來此待令乎對以已具仍
(동국83ㄱ:07) 曰速入內舍奉出夫人賊之校卒與賊之侍婢請夫
(동국83ㄱ:08) 人入轎賊魁亦與監司擧手作別勸馬一聲翩然以
(동국83ㄱ:09) 去只見行塵之蔽天而已方伯見夫人被奪於賊帥
(동국83ㄱ:10) 雖欲赴任無以擧顔對吏人旣已辭朝亦不可自中
(동국83ㄴ:01) 路徑還進退俱難情事罔極淚下如兩過數食頃後
(동국83ㄴ:02) 欲見夫人俄坐處以慰彷佛像想而思入就內店則
(동국83ㄴ:03) 夫人兀然端坐自如也監司驚曰俄者目睹夫人之
(동국83ㄴ:04) 乘賊轎從賊去矣忽已在此鬼耶人耶夫人曰吾豈
(동국83ㄴ:05) 被賊劫而去者邪當初令監之語此事也吾所對若
(동국83ㄴ:06) 有不肯意則賊耳屬垣卽刻必生意外變故佯對而
(동국83ㄴ:07) 使賊信之不疑仍出一計潛誘隨來某婢曰汝之姿
(동국83ㄴ:08) 色如彼而平日爲人僕役誠困矣彼賊帥誠一豪汝
(동국83ㄴ:09) 爲其妻則一生衣食無異公侯夫人矣汝若代吾行
(동국83ㄴ:10) 而牢諱汝本色則豈非難得之好機乎婢欣然從之
(동국84ㄱ:01) 盛粧粧出以入於賊轎而吾則隱於屛後待賊遠去
(동국84ㄱ:02) 今始出來如是臨機應變之策苟不思得則安得免
(동국84ㄱ:03) 庸婦也監司頃刻間頓失錯愕歡天喜地同同赴任
(동국84ㄱ:04) 焉
(동국84ㄱ:05) 昏朝有兩名士相爲莫逆友一名士忽遘疾携家出
(동국84ㄱ:06) 廣州周年後送言于在京名士曰吾病更無望矣君
(동국84ㄱ:07) 須來訣其人卽出往先見其子問曰汝之親患何如
(동국84ㄱ:08) 請入見之其子曰氣息奄奄尤多驚悸聞人語聲輒
(동국84ㄱ:09) 生怕不可猝入見尊丈姑坐外舍待病候之少間時

(동국84ㄱ:10) 吾當奉入矣有頃請客客到病人所處則四面牕戶

(동국84ㄴ:01) 皆以藁草束厚蔽之入房中一漆室也對面不相省

(동국84ㄴ:02) 識客問曰君之病一何如是耶病人以喉中語僅對

(동국84ㄴ:03) 一二客仍還京又周年復送言曰目下吾之危喘不

(동국84ㄴ:04) 啻如昨年君必掃萬出來以聽身後之托可也依其

(동국84ㄴ:05) 言又出去坐外舍須曳引入病人命子侄盡撥去四

(동국84ㄴ:06) 面蔽陽之藁草束房櫳乃明病人張目向客而坐曰

(동국84ㄴ:07) 吾初非病者也時事局勢非久必將大飜覆必將大殺

(동국84ㄴ:08) 戮吾病三年絕迹朝廷今則快已出危入安矣吾獨

(동국84ㄴ:09) 全身而使君不能免禍則非平生切友之道也今日

(동국84ㄴ:10) 之邀君蓋欲指君免禍之計也仍取一紙於高飛上

(동국85ㄱ:01) 投之客前曰此乃吾所著請斬爾瞻頭之疏君必塡

(동국85ㄱ:02) 君名而書納之然後方可以圖生矣〈只此未聞客從何居〉金倡

(동국85ㄱ:03) 義使千鎰夫人不知誰氏而身長大意豁達于歸以

(동국85ㄱ:04) 後高枕而全無所事尊舅語之曰汝固佳婦而爲人

(동국85ㄱ:05) 家婦全不留意於産業是可憫也婦對曰手中無可

(동국85ㄱ:06) 藉何從以治生乎尊姑卽別給奴婢各五名牛二隻

(동국85ㄱ:07) 租二十石曰可資以謀生乎對曰然矣卽招奴婢曰

(동국85ㄱ:08) 汝輩旣屬吾當聽吾指揮自今以此牛馱此租入茂

(동국85ㄱ:09) 朱深峽斫木築屋春租爲農糧治火田服力每秋只

(동국85ㄱ:10) 告收獲都數於我旋卽作米積置歲以爲常卽日送

(동국85ㄴ:01) 十奴婢入茂峽且謂夫壻曰丈夫手中全無錢穀何

(동국85ㄴ:02) 事可辦金公曰吾方仰哺於父母從何得錢穀乎婦

(동국85ㄴ:03) 曰洞內李生卽累萬石富家而好博喜賭云卽何不

(동국85ㄴ:04) 賭取其千石露積而歸也金公曰彼博擅名吾手甚

(동국85ㄴ:05) 拙安敢生賭勝計耶婦使金公取博局進來半日指

(동국85ㄴ:06) 揮妙訣曰往賭時初局則故輸再局則只要取贏旣

(동국85ㄴ:07) 得露積後彼請更博則落落用高着取勝毋使彼下

(동국85ㄴ:08) 手可也金公往見李請與賭博則李曰君之於我巧

(동국85ㄴ:09) 拙懸殊其可以賭乎金固勝以千石爲賭而初局故

(동국85ㄴ:10) 輸李曰然矣君安能敵我二局三局連雋李曰異哉

(동국86ㄱ:01) 怪哉旣許之露積不可食言卽刻推去而使我更着

(동국86ㄱ:02) 雪恥無所不可也金公於是盡用神訣李截然落下

(동국86ㄱ:03) 不敢枝吾矣歸報其妻以賭得露積婦曰固已料之

(동국86ㄱ:04) 矣金公曰安所用此婦曰君所知知舊中有窮乏而

(동국86ㄱ:05) 難措婚喪者卽以此穀量宜遍施之百里內相識中

(동국86ㄱ:06) 好人無論尊卑日日携來則吾當以此穀備酒饌以

(동국86ㄱ:07) 供之金公如其言一歲中盡散其千苞婦又請於尊

(동국86ㄱ:08) 舅曰子婦有緊事願得垈田三日耕爲農尊舅許之

(동국86ㄱ:09) 乃遍一田種匏匏實旣堅盡鑿爲圓匏招致漆匠一

(동국86ㄱ:10) 一漆之又招水鐵匠以鐵依圓匏樣造成二箇俱積

(동국86ㄴ:01) 三間庫中人不識其何用及壬辰倭亂之起也夫人

(동국86ㄴ:02) 謂金公曰平時之勸君交結好人賙救貧窮者正爲

(동국86ㄴ:03) 此時之得力也君收聚義兵則舅姑之避亂自有茂

(동국86ㄴ:04) 朱積粟奉入其中自當無患吾當留家接濟軍糧云

(동국86ㄴ:05) 金公遂倡率義兵將與倭接戰夫人使義兵每人以

(동국86ㄴ:06) 長竹竿掛漆圓匏以荷於肩見倭伴敗歸時置鐵圓

(동국86ㄴ:07) 匏手時倭兵逐北至鐵圓匏所在處試舉之而重難

(동국86ㄴ:08) 動倭乃驚相告曰鮮兵肩荷如此重匏而其走甚捷

(동국86ㄴ:09) 此輩皆是神力其敗走者誘我也愼莫近前恐墮其

(동국86ㄴ:10) 計也云義兵因此屢交峯而不取敗金公之倡義始

(동국87ㄱ:01) 末多夫人之助云

(동국87ㄱ:02) 李相國浣爲訓將贊北伐廣搜人才以備折衝城內

(동국87ㄱ:03) 出入時有步行遮扇者必使前騶告以袪扇省其面

(동국87ㄱ:04) 驗其人遇好身手輒薦於朝嘗爲掃墳而呈辭下畿

(동국87ㄱ:05) 邑行到龍仁酒幕前馬上俯見一總角面長尺餘瘦

(동국87ㄱ:06) 骨峻嶇弊衣不掩骼箕坐酒罏沽取獨酒一小盆雙

(동국87ㄱ:07) 手擎之仰面盡吸李公見而異之下馬地坐召其人

(동국87ㄱ:08) 使前箕踞不拜絞膝而坐李公問曰汝是何地何如

(동국87ㄱ:09) 人何姓名對曰本邑兩班子支而早孤赤貧周行閭

(동국87ㄱ:10) 里糊口而往姓朴名鐸耳又何瘦何至此曰飢餓故

(동국87ㄴ:01) 耳李公曰汝能復飲乎對曰固所願也李公卽使下

(동국87ㄴ:02) 人覓行中一貫錢買濁醪以來李公自持一碗以其

(동국87ㄴ:03) 餘付之又爲吸盡李公曰汝雖埋伏草野流離飢困

(동국87ㄴ:04) 而骨相不凡可堪大用汝或聞我姓名乎我是李浣

(동국87ㄴ:05) 官是大將方今朝廷有大計汝從我以去則功名可

(동국87ㄴ:06) 立也對曰貧殘肆志固是吾分且老母在吾身不敢

(동국87ㄴ:07) 自由矣李公曰吾當往拜汝慈氏而面請焉汝須前

(동국87ㄴ:08) 導也行十數里抵其家卽一蝸殼無坐客處李公入

(동국87ㄴ:09) 送朴總角請拜於其母其母使先布弊席於門外整

(동국87ㄴ:10) 蓬首着短裳自內出來擧止頗布度相拜坐處定李

(동국88ㄱ:01) 公先告職姓名仍請方以省楸下鄉路遇允童可知

(동국88ㄱ:02) 爲人傑嫂氏有子如是誠可欽歎朴母斂衽對曰寒

(동국88ㄱ:03) 家孤童生而無教便是山禽野獸有何稱道憨愧憨

(동국88ㄱ:04) 愧李公道其來意請其帶去朴母對曰老身有此獨

(동국88ㄱ:05) 子相依爲命而苟可以有毫裨於國家則豈拘母子

(동국88ㄱ:06) 之私情而不爲之斷送乎惟命是從李公遂拜謝朴

(동국88ㄱ:07) 母携朴鐸還到龍仁邑得米包醬輸送朴母處卽爲

(동국88ㄱ:08) 還京請對上曰卿掃墳由限未至卽日往還何也李

(동국88ㄱ:09) 公對曰小臣行到龍仁見路上丐兒氣宇骨骼迥出

(동국88ㄱ:10) 凡人故急於薦白自中路携還矣上卽令招入則蓬

(동국88ㄴ:01) 頭總角長身長面瘦黑不媚嫵頏駭瞻視至榻前又

(동국88ㄴ:02) 舒膝箕坐而不拜上問何故瘦甚對曰大丈夫不得

(동국88ㄴ:03) 志故耳上曰此一語誠壯矣李公曰姑不得以繩墨

(동국88ㄴ:04) 責之臣提挈敎誨時月績久然后方可需用矣上曰

(동국88ㄴ:05) 善卽命加冠付李公敎李公常使宿臥內指導世事

(동국88ㄴ:06) 兼誨兵法則智慮日漸將就上每對李公輒問朴鐸

(동국88ㄴ:07) 今至何境對曰漸勝於前矣迄過期年以後則每當

(동국88ㄴ:08) 夜深李公與之商講北伐事鐸之思慮所到或驀過

(동국88ㄴ:09) 李公公甚奇之將白上大用矣孝廟貧天鐸隨衆詣闕

(동국88ㄴ:10) 下參哭班數日後獨就隱避處終日痛哭目盡瘇歸

(동국89ㄱ:01) 到李公所告以辭歸李公愕然曰汝之於我義猶父

(동국89ㄱ:02) 子汝何忍辭我而永去耶對曰吾非木石豈不知感

(동국89ㄱ:03) 於大監之恩而當初大監之携我以來我之隨大監

(동국89ㄱ:04) 來者俱以上有英主時事可爲故也今我國不幸大

(동국89ㄱ:05) 行禮陟志士才臣無所可試我若勝戀大監之恩眷

(동국89ㄱ:06) 仍因蹲留城闉則無義甚矣吾爲是哉李公不能挽

(동국89ㄱ:07) 遂洒淚相別鐸歸鄕卽將毋移去不知所終宋尤庵

(동국89ㄱ:08) 對人言談此事云

(동국89ㄱ:09) 崇禎後皇朝人爲僧東來蓋黙揣我國北伐謀故也

(동국89ㄱ:10) 一日謂其上座曰吾聞懷德宋判書方贊大義鎭嶺

(동국89ㄴ:01) 申生員亦將豫將略薦云吾將往觀其人矣行到振

(동국89ㄴ:02) 威尤庵適上京單騎作行僧納於拜馬前尤齋欣然

(동국89ㄴ:03) 語曰與草草相遇於路次誠爲大恨必欲一番相會

(동국89ㄴ:04) 從容師於幾時上京願訪我於京邸指示入城後所

(동국89ㄴ:05) 住處舉鞭作別僧顧謂上座曰宋大監一舉目而便

(동국89ㄴ:06) 知我爲有心人識鑑如此何事不成所聞誠不虛矣

(동국89ㄴ:07) 轉到鎭岑適到朝飯時申斯文座草堂捲竹簾對飯

(동국89ㄴ:08) 自門外納拜仍乞飯申斯文忙急手招曰師乎師乎

(동국89ㄴ:09) 自何來斯速上堂同我討飯僧固辭以不敢主人固

(동국89ㄴ:10) 口强之乃上呼婢取匙來請與同一碗飯僧又辭乃

(동국90ㄱ:01) 推而食之接待一如齊等平生故舊霅霅不厭源源

(동국90ㄱ:02) 願逢僧辭退謂上座曰申生員亦優於當大事東國

(동국90ㄱ:03) 朝廷草野俱有人焉亡國餘生之至願或有諧耶但

(동국90ㄱ:04) 未識主上之如何耳還京後大駕親幸露梁閱武僧

(동국90ㄱ:05) 潛伏路傍堤下仰察天顔及回輦之後僧坐路傍移

(동국90ㄱ:06) 時放聲大哭上座曰師主如何是哀痛耶僧曰吾之

(동국90ㄱ:07) 東來只冀北伐有期向來所見兩大人俱足以仰贊

(동국90ㄱ:08) 大有爲庶幾天從吾願矣今望主上之顔色雖是本

(동국90ㄱ:09) 來英雄卽今滿面屍氣也豈久於世乎大事而已矣

(동국90ㄱ:10) 安得不哀痛乎未幾孝廟賓天僧之下落更不聞云

(동국90ㄴ:01) 仁孝間淸人疑我用山林虛喝相續且遣蜜謀潛伏

(동국90ㄴ:02) 我都中詗察事情時李公浣帶捕將譏捕如神每當

(동국90ㄴ:03) 出入時隨行牢子背詳覘李公之眉睫以察殊常人

(동국90ㄴ:04) 之蹤迹待令卽擒來矣一日李公自街上還家分付

(동국90ㄴ:05) 捕校曰今日有所見須卽捕來也捕校牢子背相聚

(동국90ㄴ:06) 謀曰午間典醫監路上使道見一僧之擔鉢囊過前

(동국90ㄴ:07) 注目凝視必是此也窮尋其蹤則城北最深僻巷有

(동국90ㄴ:08) 一頑僧住接於老嫗家時日頗久身長八尺兩眼如

(동국90ㄴ:09) 燈狀貌獰特似抱百夫難當之勇捕卒輩莫敢犯手

（동국90ㄴ:10） 密招老嫗而潛伏於前細問之答曰不知何方僧而

（동국91ㄱ:01） 一時所噉五升飯一盆羹一盆熟冷云云捕卒乃以

（동국91ㄱ:02） 內應之方指敎老嫗而潛伏於戶側及進夕飯時老

（동국91ㄱ:03） 嫗爛沸熟冷一鍮盆將以擧進之際被之於僧面僧

（동국91ㄱ:04） 爛傷蒼黃雙手捧面捕卒數十人突入一邊以朱杖

（동국91ㄱ:05） 打作肉醬一邊以牢索綑縛肢體曳到捕廳拷掠訊

（동국91ㄱ:06） 問則終不開口嚼舌而死搜出鉢囊中所貯則都是

（동국91ㄱ:07） 我國逐日朝紙也其爲淸謀無疑矣

（동국91ㄱ:08） 海豊君鄭孝俊擧國號爲大福人而年四十三三喪

（동국91ㄱ:09） 配有三女無一子科止小成家徒四壁而寧陽慰卽

（동국91ㄱ:10） 其曾祖考本宅奉祀外端宗大王顯德王后權氏魯

（동국91ㄴ:01） 陵王后宋氏三位神主皆奉于其家而香火難繼在

（동국91ㄴ:02） 家無以自慰日就比隣李兵使眞卿家對博眞卿卽

（동국91ㄴ:03） 判書俊民之孫御將義豊之高祖也一日海豊謂李

（동국91ㄴ:04） 兵使曰我有一言君能聽施否李曰君我交好豈有

（동국91ㄴ:05） 可哺之事乎第言之海豊曰吾非但私門奉祀兼當

（동국91ㄴ:06） 朝家奉祀而望五之年方無妻矣子亦何從而生乎

（동국91ㄴ:07） 絕祀必矣寧不可憐非君則誠難開口君能恤我情

（동국91ㄴ:08） 境許爲壻否李勃然作色曰君言眞耶戲耶君年踰

（동국91ㄴ:09） 四十五女方十六歲其不相當何如耶不料君作此

（동국91ㄴ:10） 不成之話也海豊無聊而退自是不復往博其后十

（동국92ㄱ:01） 餘日李兵使寢于舍廊昏夢中門庭喧擾遠遠有警

（동국92ㄱ:02） 蹕之聲一位官服者入來曰大駕降臨李慌忙下階

（동국92ㄱ:03） 伏地則少年大王端冕珠梳陞坐大廳命李近前敎

（동국92ㄱ:04） 曰汝與隣舍鄭某親好否對曰然又敎曰汝以鄭某

（동국92ㄱ:05） 爲婚好矣李對曰聖敎之下何敢違拂而鄭某與臣

（동국92ㄱ:06）女年紀差池幾近三十年寧不功迫乎上曰年齡多
（동국92ㄱ:07）小無妨必須結姻也旋即回鸞李乃睡覺了了紀得
（동국92ㄱ:08）倘況入內舍則夫人亦已睡覺曰深夜入來何也李
（동국92ㄱ:09）曰吾有怪夢心中不乎玆今入來矣夫人曰吾亦有
（동국92ㄱ:10）怪夢如是耿耿不寐矣相對說夢如合符節李曰事
（동국92ㄴ:01）不偶然誠可悶慮夫人曰夢是虛境何可相信耶又
（동국92ㄴ:02）十餘日李夢如前玉色不懌曰前有所敎何不奉行
（동국92ㄴ:03）李曰謹當商量決定矣是夜內外之夢又相同李語
（동국92ㄴ:04）夫人曰一之爲異況至於再殆是天也不從則恐有
（동국92ㄴ:05）禍矣夫人曰夢則誠異而事黨重難矣李自是疑慎
（동국92ㄴ:06）懷胎寢食不安不多日又夢大駕來臨聲色俱厲曰
（동국92ㄴ:07）吾於汝權以有福無害之事而汝終違拒吾將降禍
（동국92ㄴ:08）於汝矣李惶恐請依敎上曰此非汝意專由於汝妻
（동국92ㄴ:09）之須不奉命當治其罪仍下敎挐入大張刑具而數
（동국92ㄴ:10）罪曰汝夫欲從吾言而汝獨不奉此何道理夫人猶
（동국93ㄱ:01）有持難色遂施刑四五度李妻惶恐哀乞曰何敢違
（동국93ㄱ:02）越謹當奉命仍停刑回鸞李乃驚覺入內則夫人以
（동국93ㄱ:03）夢中事言之捫膝而坐膝有刑痕李之夫婦大驚恐
（동국93ㄱ:04）相與議定天明送伴於海豊而邀來迎謂曰近何許
（동국93ㄱ:05）久絶迹耶海豊曰頃吾妄言尙今懷慚姑不敢更來
（동국93ㄱ:06）矣李曰吾於近日反覆商量則環顧此世非我則果
（동국93ㄱ:07）無濟君恤君之人雖誤了吾女之平生斷當送歸于
（동국93ㄱ:08）君吾意已決寧何他議仍於座上給簡受柱單披曆
（동국93ㄱ:09）而涓吉日丁寧相約而送之翌朝處女告其母曰夜
（동국93ㄱ:10）夢嚴君之博偶鄭進士忽化爲龍向汝言曰汝受吾
（동국93ㄴ:01）子吾乃開裳幅而受之五箇龍雛蜿蜿蛇蛇受授之

(동국93ㄴ:02) 際一箇落地折項而死豈不怪哉父母聞甚異之及

(동국93ㄴ:03) 入鄭門欠第生五子曰艦曰晳曰樸曰檟曰植纔成

(동국93ㄴ:04) 長皆登第艦判書晳樸俱參判檟植皆春防亞憲孫

(동국93ㄴ:05) 重徽亦於祖父母在時登科女壻吳翶亦登第官參

(동국93ㄴ:06) 議海豐享年九十餘以待從身父及五子登科加資

(동국93ㄴ:07) 承襲封君官躋正卿簪纓滿室內外諸孫不可勝計

(동국93ㄴ:08) 末子以書狀赴燕以喪歸於父母生前果應龍雛頂

(동국93ㄴ:09) 折之夢夫人與海豐同禍四十年先海豐三年而沒

(동국93ㄴ:10) 夢中君上卽端宗之靈也爲其祠宇之在鄭家現靈

(동국94ㄱ:01) 寔佑若是昭昭豈不異哉海豐在窮途時適往知舊

(동국94ㄱ:02) 家則湖西術士風鑑錄命俱神坐在中央名士儒生

(동국94ㄱ:03) 之質問環坐四面充滿三間大廳術士不勝酬應之

(동국94ㄱ:04) 勞主人戲謂海豐曰君何不質身命海豐曰吾之身

(동국94ㄱ:05) 數窮凶今已出場問之則何益術士熟視之請問四

(동국94ㄱ:06) 柱海豐曰窮命如是如是世所共厭何敢煩入推數

(동국94ㄱ:07) 乎術士强請之遂告四柱術士沈吟良久曰凶矣凶

(동국94ㄱ:08) 矣如此命數生來初見者也海豐曰凶之云者是惡

(동국94ㄱ:09) 之謂也今無妻而非久當娶久久偕老矣今云無子

(동국94ㄱ:10) 而宰相名士富滿膝下不勝其多矣窮寒坐躋正卿

(동국94ㄴ:01) 其壽則望百滿堂諸人寧有彷彿於彼福者乎後來

(동국94ㄴ:02) 果一如其言矣海豐初娶時夢入醮席則堂上位置

(동국94ㄴ:03) 了然可期而所謂新婦初無形影及其再醮時夢中

(동국94ㄴ:04) 又入前夢之家則凡具一如前夢新婦纔成孩提三

(동국94ㄴ:05) 娶又夢如前而新婦年近十餘歲及聘李夫人也內

(동국94ㄴ:06) 舍排設果若三次夢境而新婦卽是自孩提漸長之

(동국94ㄴ:07) 夢中兒也凡事皆有定限安能容人力於其間哉

(동국94ㄴ:08) 無谷尹判書絳六旬後約妾婚於龍仁金梁村柳姓
(동국94ㄴ:09) 人家卽鄕班也前期二日來留柳村柳氏處女私使
(동국94ㄴ:10) 老婢傳語於尹公曰老氣遠臨不瑕有損伏聞以此
(동국95ㄱ:01) 身之故今作此行實用惶愧吾家雖甚寒微而猶有
(동국95ㄱ:02) 鄕曲間班名矣一若爲宰相宅妾則永側於中庶之
(동국95ㄱ:03) 列無復可振之望緣此不肖之女誤了本家之門戶
(동국95ㄱ:04) 思之及此中心是悼切伏念大監位躋正卿年又過
(동국95ㄱ:05) 周甲雖欠光鮮無損於身名諒此患婦悶菀情地改
(동국95ㄱ:06) 圖强循齊体之禮假以正室之名則在吾門榮感萬
(동국95ㄱ:07) 萬閨女此言極知唐突而冒羞敢達不任慚惡尹公
(동국95ㄱ:08) 答曰所報當依施矣改寫婚書具冠服入醮一宿而
(동국95ㄱ:09) 更思之十分不肖於心如食死肉頓無宴爾之心卽
(동국95ㄱ:10) 還京第一切疏薄切不通聲聞柳家夫妻咎其女曰
(동국95ㄴ:01) 依初約爲小室則必無此患妄作唐突之計自誤汝
(동국95ㄴ:02) 平生更誰怨過一年後柳氏請於父母願備新行父
(동국95ㄴ:03) 母曰大監全然疏弁如視楚越汝何顏冒進耶柳氏
(동국95ㄴ:04) 曰吾旣爲尹氏人彼雖弁吾吾則生死當於尹氏家
(동국95ㄴ:05) 不可留父母家矣第願婢僕之多數隨轎去矣柳家
(동국95ㄴ:06) 富饒故新行盛備以發到尹公門外尹家婢僕出問
(동국95ㄴ:07) 曰何處內行也對以龍仁夫人抹樓下新行次尹氏上
(동국95ㄴ:08) 下落落無延入之意柳氏使掃行廊一淨房下轎入
(동국95ㄴ:09) 坐時公之長子持平公已沒次子議政斗浦公爲承
(동국95ㄴ:10) 旨三子議政東山公爲校理是日俱不在家柳氏豫
(동국96ㄱ:01) 囑自已奴子輩何候承旨校理之歸來自大門外擎
(동국96ㄱ:02) 入矣俄而承旨校理同到其門見轎卒之盈門問知
(동국96ㄱ:03) 其龍仁內行姑欲入稟大庭以決迎接與否直向舍

（동국96ㄱ:04）廊則柳家諸僕以夫人命挐入脫其冠而伏之於柳

（동국96ㄱ:05）氏所在房門前據門限厲聲大叱曰我雖地閥卑微

（동국96ㄱ:06）旣被大監六禮之聘則於汝爲母母居未百里程而

（동국96ㄱ:07）爲子者周年不一來見大監之疏弁固不敢怨而汝

（동국96ㄱ:08）輩人事誠爲可駭吾方來坐此處汝輩固當外自直

（동국96ㄱ:09）到吾坐相面而直向舍廊亦極非矣承旨兄弟件件

（동국96ㄱ:10）伏罪柳氏曰吾欲答治汝輩而汝輩是王人吾姑寬

（동국96ㄴ:01）之起而着冠入房可也使之近前坐溫言問曰大監

（동국96ㄴ:02）近日寢啖起居何如酬酢凜然便有灑洩之意一自

（동국96ㄴ:03）柳氏入坐行廊尹公使婢僕瞷其所爲續續來報初

（동국96ㄴ:04）聞猝入承旨兄弟大歎咤曰吾娶悍婦生出橫逆吾

（동국96ㄴ:05）將亡家矣及聞曉諭之言辭嚴意正拍膝稱道曰慧

（동국96ㄴ:06）夫人慧夫人吾不知人而久置疏弁可悔可悔卽命

（동국96ㄴ:07）家人掃正寢延入使一門上下老少一齊納謁於新

（동국96ㄴ:08）婦人琴瑟款洽家庭雍穆柳夫人所生有二子長趾

（동국96ㄴ:09）慶蔭牧次趾仁兵判長子之子庭吏議次子之子容

（동국96ㄴ:10）兵判子姓繁衍矣

4 / 두껍전

(듁겁01ㄱ:01)　　듁겁젼　권지일

(듁겁01ㄱ:02) 틴명 슝졍 시졀에 쳔히 틱평ᄒ고 ᄉ방에 무일ᄉ좌 긔

(듁겁01ㄱ:03) 쥬 쓴의 흔 뫼히 이스되 일홈은 한산이오 그 북편에 쏘 한

(듁겁01ㄱ:04) 산이 잇스니 일홈은 오륜산이라 그 뫼히 놉기는 하늘에 다

(듁겁01ㄱ:05) 핫고 만쳡쳥산은 구름 속에 소산난되 층암졀벽은 병풍

(듁겁01ㄱ:06) 을 두른 듯ᄒ니 ᄉ람의 ᄌ최 통치 못ᄒ는지라 그 산즁에 흔

(듁겁01ㄱ:07) 즘싱이 〃스되 빗튼 부히고 쥬동이는 썔쥭ᄒ고 두 귀는 발그■

(듁겁01ㄱ:08) ᄒ고 쇠리는 뜨르고 셔면 허리를 송고리고 단닐 졔는 쒸기

(듁겁01ㄱ:09) 를 잘ᄒ니 ᄉ람이 일으기를 노뢰라 ᄒ더라 우희로

(듁겁01ㄴ:01) 양친을 모시고 알히로 안히와 열어 ᄌ녀를 거나려 향

(듁겁01ㄴ:02) 슈틱평ᄒ여 오복이 겸비ᄒ니 산즁쥬속들이 존경

(듁겁01ㄴ:03) ᄒ여 부르기를 쟝션싱이라 ᄒ더라 쟝션싱이 틴부인 환

(듁겁01ㄴ:04) 갑을 당ᄒ여 잔치를 빅셜ᄒ고 ᄌ식과 손ᄌ를 ᄉ쳐로 보

(듁겁01ㄴ:05) 닉여 나는 즘싱과 긔는 즘싱 드를 모다 쳥헐ᄉᆡ 쟝션싱의

(듁겁01ㄴ:06) 맛손지 엿ᄌ오되 닉 집의 경연를 빅셜ᄒ여 각쳐 빈긱를

(듁겁01ㄴ:07) 다 쳥ᄒ되 홀노 빅호산군를 아니 쳥ᄒ오시니 어린 소건의

(듁겁01ㄴ:08) 싱각ᄒ건되 후일 험의가 될 터이온즉 염녀 불소ᄒ오니

(듁겁01ㄴ:09) 조부쟝게옵셔 의향이 엇더ᄒ옵실넌지 널니 ■ 깁피 싱

(듁겁02ㄱ:01) 각ᄒ옵쇼셔 쟝션싱이 눈를 감고 이윽히 싱각ᄒ다가 이

(듁겁02ㄱ:02) 로되 그러치 아니ᄒ다 빅호산군이 본되 긔운만 밋고 힝악

(듁겁02ㄱ:03) 이 무쌍ᄒ여 친구를 모로고 셰의를 져바려 일젼에 네 형

(듁겁02ㄱ:04) 를 희코져 ᄒ여 급피 쪼치니 네 형이 만일 쒸기를 잘 못

(듁겁02ㄱ:05) ᄒ던덜 쥭기를 면치 못할 번ᄒ여 난지라 그 후는 닉 집

(듁겁02ㄱ:06) 과 혐의 잇셔 의를 졀ᄒ고 아니 단일 분더러 산군을 쳥

(듁겁02ㄱ:07) ᄒ면 각쳐 손임이 필연 황겁ᄒ여 ᄒ나도 아니 올 거시

(듁겁02ㄱ:08) 니 산군을 쳥치 아니미 맛당ᄒ도다 손지 명를 듯고 나

(둑겁02ㄱ:09) 가니라 추시는 갑즈 춘삼월 호시졀이라 이화 도화

(둑겁02ㄴ:01) 만발ᄒ고 두견쳘쥭 피여ᄂ디 문젼 양유는 초록

(둑겁02ㄴ:02) 쟝를 드리온 듯 경기 졀승흔지라 이날 쟝션싱이 잔

(둑겁02ㄴ:03) 치를 비셜헐시 구름으로 치일ᄒ고 층암으로 병풍 삼고

(둑겁02ㄴ:04) 잔듸로 잘이ᄒ고 바회로 안셕흔 후에 의관를 졍졔ᄒ고

(둑겁02ㄴ:05) 동구에 나와 열어 빈킥를 마즐시 각식 손임 모혀든다

(둑겁02ㄴ:06) 소리 명창 암콤이며 츔 잘 츄는 두루미며 굿 잘허는 할미

(둑겁02ㄴ:07) 식며 요령 치는 방울시며 말 잘ᄒ는 잉무시며 어질다 미

(둑겁02ㄴ:08) 젹이며 쳥한ᄒ다 빅학이며 욕심 만흔 솔기미며 심슐

(둑겁02ㄴ:09) 구즌 독슐이며 쌀 긴 ᄉ슴 요망흔 토기며 열 업슨 승냥이며

(둑겁03ㄱ:01) 방졍 마즌 잔닉비며 쇠 만흔 여호며 슬거운 둑겁이며 겻

(둑겁03ㄱ:02) 츨할ᄉ 고슴돗치 미련ᄒ다 너구리며 무식헌 두더쥐며 의

(둑겁03ㄱ:03) ᄉ만한 슈달피며 어엽불ᄉ 담뷔 등니 압 셔거니 뒤 셔거니

(둑겁03ㄱ:04) 일시에 모다ᄂ디 쟝션싱이 읍ᄒ여 마즈 빈킥은 셔계로 오

(둑겁03ㄱ:05) 로고 쥬인은 동계로 올나 셔로 예흔 후 각〃 상좌에 안지려 셔

(둑겁03ㄱ:06) 로 닷토와 좌를 졍치 못ᄒ고 분〃요란ᄒ여 아모리 헐 줄 몰

(둑겁03ㄱ:07) 나 쥬져ᄒ는 즁 둑겁이는 본듸 쳬소허기로 분요 즁에 말을 못

(둑겁03ㄱ:08) ᄒ고 발피여 쥭을가 염녀ᄒ여 가만〃〃 엉금〃〃 긔어

(둑겁03ㄱ:09) 나가 한모퉁니에 업듸여 동졍만 보고 잇더니 톡기

(둑겁03ㄴ:01) 가 눈를 씀젹이며 말을 펴 왈 모히신 열어 손임

(둑겁03ㄴ:02) 늬는 훤화 말고 늬 말 드르소셔 장션싱이 왈 무슴

(둑겁03ㄴ:03) 말숨인잇고 톡기 왈 오날 모히신 손임늬ᄂ 됴용이 좌를

(둑겁03ㄴ:04) 졍ᄒ고 녜법으로 헐 거시여늘 한갓 요란만 ᄒ고 무례 특

(둑겁03ㄴ:05) 심ᄒ니 엇지 히년치 아니리잇고 장션싱이 우어 갈로듸

(둑겁03ㄴ:06) 토션싱의 말이 가장 유리ᄒ니 원컨듸 션싱은 조흔 도리

(둑겁03ㄴ:07) 로 ᄒ여 좌를 졍ᄒ게 ᄒ쇼셔 톳기 졔긱을 도라보와 갈오듸

(둑겁03ㄴ:08) 드르니 조정에는 막여작이요 향당의는 막여치라 ᄒ니 부

(둑겁03ㄴ:09) 졀업시 닷토지 말고 년치로 좌를 졍ᄒ소셔 좌즁이 모다

(둑겁04ㄱ:01) 올타 ᄒ거늘 노뤼 허리를 굽픠고 펄젹 쮜여 늬다라 글오

(둑겁04ㄱ:02) 듸 늬가 나히 만하 허리가 이러케 굽어스니 상좌의 맛당ᄒ도다

(둑겁04ㄱ:03) ᄒ거늘 모다 말헐이 업더니 여회 싱각ᄒ되 져 놈이 흔갓 허리

(둑겁04ㄱ:04) 굽기로 나히 만흔 쳬ᄒ니 늬 엇지 그져 이시리요 ᄒ고 슈념을 쓰

(둑겁04ㄱ:05) 다듬으며 늬다라 글오듸 나도 나히 만하 슈염이 〃렷 셰엿노
　　　　　라 ᄒ고

(둑겁04ㄱ:06) 앙살픠게 거러 상좌의 안지려 ᄒ거늘 노뤼 가로듸 네가 나히
　　　　　만타

(둑겁04ㄱ:07) ᄒ니 어늬 갑ᄌ의 낫는뇨 호픠를 올나라 여회 답왈 늬 소년시

(둑겁04ㄱ:08) 졀의 쳥누쥬ᄉ의 단일 졔 슐이 듸취ᄒ여 듸신의게 범마

(둑겁04ㄱ:09) ᄒ여 호픠를 쎠히고 이쎠 가지는 못ᄒ엿건이와 텬지기벽

(둑겁04ㄴ:01) ᄒ고 황하슈 치던 시졀의 날다려 용력 무던타 ᄒ여 가뤼

(둑겁04ㄴ:02) 장부를 달의여스니 엇지 늬 나히 만치 아니ᄒ리오 그러나 너

(둑겁04ㄴ:03) 는 어늬 갑ᄌ의 낫느뇨 노뤼 왈 나는 텬지기벽ᄒ고 하늘의 별

(둑겁04ㄴ:04) 박을 쎠의 날다려 의ᄉ 만코 지죄 잇다 ᄒ고 별자리를 마련ᄒ여

(둑겁04ㄴ:05) 스니 늬 나히 만치 아니ᄒ리요 ᄒ고 이럿튯 닷톨 졔 둑겁이 것

(둑겁04ㄴ:06) 희 업다엿다가 싱각ᄒ되 져 놈들이 거즛말노 셔로 나 만흔 쳬

(둑겁04ㄴ:07) ᄒ니 닌들 무슴 쇠로 져의만치 거즛말을 못ᄒ리오 ᄒ고 슬푼

(둑겁04ㄴ:08) 긔식으로 눈물을 흘이니 여회 글오듸 이 궁흉갈능흔 놈아

(둑겁04ㄴ:09) 무슴 시름이 잇관듸 남의 경연의 참예ᄒ여 상셔롭지 아닌 거

(둑겁05ㄱ:01) 동을 ᄒ는다 둑겁이 답왈 건넌산의 고양 남글 보니 ᄌ연 비감ᄒ

(둑겁05ㄱ:02) 여 그리ᄒ노라 여회 글오듸 그 고양 나무 속의셔 녜 됴샹들이 나

(둑겁05ㄱ:03) 온 궁기냐 엇지 그리 슬허ᄒ는뇨 둑겁이 변식 듸왈 너는 쥬동이

(둑겁05ㄱ:04) 만 ᄉ라 어룬의게 말씨을 함부로 ᄒ고 삼가지 아니ᄒ거이와

네 귀가

(둑겁05ㄱ:05) 잇거든 드르라 늬 슬허ㅎ는 바는 쇼년 쎅의 져 나무 세 쥬를 심엇

(둑겁05ㄱ:06) 더니 흔 쥬는 하늘의 별 박을 쎅의 방망이감으로 버혀 가고 쏘 흔

(둑겁05ㄱ:07) 쥬는 늬 둘지 아들이 황하슈 칠 쎅의 준천부장을 ㅎ여 ㅎ고 버혀

(둑겁05ㄱ:08) 갓더니 두 아들이 그 나무 버힌 탓스로 머리 아라 죽고 다만 져

(둑겁05ㄱ:09) 나무 한 쥬만 남아잇고 늬 목슘은 스라 잇스니 그 쎅의 쏙 죽

(둑겁05ㄴ:01) 어 모로고져 ㅎ나 완명이 잇쎅가지 스라 잇다가 오날늘 져 나무

(둑겁05ㄴ:02) 를 다시 보니 녯일을 싱각ㅎ여 엇지 비감치 아니ㅎ리뇨

(둑겁05ㄴ:03) 여회 글오듸 진실노 그럴진듸 좌즁에 제일 나히 만탄 말가 둑겁

(둑겁05ㄴ:04) 이 글오듸 네 아모리 미련헌 즘싱인들 소견이 〃슬 거시니 싱각ㅎ여

(둑겁05ㄴ:05) 보면 네게는 고고존장이 되고도 남무리라 톡기 이 말을 듯고 쑤러 글

(둑겁05ㄴ:06) 오듸 그러ㅎ오면 둑겁 돈장이 상좌에 안즈쇼셔 둑겁이 거즛 스양 왈

(둑겁05ㄴ:07) 그러헐지라도 늬의셔 나히 만흔이 잇거든 상좌ㅎ라 좌즁이 다

(둑겁05ㄴ:08) 이러 글오듸 우리는 다 시싱이라 하늘의 별 박고 황하슈 치단 말

(둑겁05ㄴ:09) 도 듯지 못ㅎ엿노라 ㅎ니 둑겁이 그졔야 펄젹 쮜여 상좌의 안 즈니

(둑겁06ㄱ:01) 그 나마는 츠 〃년치로 좌를 졍헐싀 노로는 동반의 쥬좌ㅎ고 여회

(둑겁06ㄱ:02) 는 셔반의 쥬좌흔 후 샹을 츠려로 드리고 풍뉴를 진쥬ㅎ며 슐

(둑겁06ㄱ:03) 이 여러 슌ㅂㅣ 지닉민 여회 상좌의 못 안지물 양〃ㅎ여 텹〃니

구로

(둑겁06ㄱ:04) 둑겁이를 조롱ㅎ여 왈 됸쟝게옵셔 츈츄가 놉흐시니 응

(둑겁06ㄱ:05) 당 구경도 만이 허여 계실 듯ㅎ오니 어딘 어딘 보오신이잇고 둑

(둑겁06ㄱ:06) 겁이 답왈 나의 구경헌 바는 측양이 업거니와 너는 구경를

(둑겁06ㄱ:07) 언마나 흔다 구경헌 바를 몬져 알외라 여희 미쇼ㅎ고 민

(둑겁06ㄱ:08) 헌 말노 되답ㅎ되 닉 구경헌 바는 천하구쥬를 편답ㅎ여

(둑겁06ㄱ:09) 동으로 틱산과 셔흐로 화산과 남으로 형산 북으로 향산

(둑겁06ㄴ:01) 즁앙으로 슝산이며 츈풍화류와 츄월단풍으로 년ㅎ여

(둑겁06ㄴ:02) 벗즐 삼아 〃름다온 경치를 낫〃치 구경ㅎ엿스니 돗히 쳥

(둑겁06ㄴ:03) 츈쇼년의 흥미를 도릅너라 쇼상강 한산ᄉ와 악냥누 봉황

(둑겁06ㄴ:04) 딕를 곳〃지 올나 가니 동졍호 칠빅니와 무산 십이봉이 안젼의

(둑겁06ㄴ:05) 버럿는딕 오초냥국 샹고 들은 구름가치 돗츨 달고 이리져리

(둑겁06ㄴ:06) 왕닉ㅎ며 고기 잡는 어션들은 관닉 일셩 노릭ㅎ며 월하의 화

(둑겁06ㄴ:07) 답ㅎ니 이도 쏘한 되쟝부의 심ᄉ를 샹쾌ㅎ리로다 칙셕강

(둑겁06ㄴ:08) 젹벽과 좌동졍 우핑녀와 오초동남 도라드니 쳐〃강산 칙

(둑겁06ㄴ:09) 셕누딕 황홀녕농흔 곳의 호걸이며 젹긱들이 무슈이 왕

(둑겁07ㄱ:01) 닉ㅎ니 슬푼 ᄉ람은 더 슬푸고 질거운 ᄉ람은 더 질기니 진짓

(둑겁07ㄱ:02) 졔일 강산이러라 동남를 다 본 후의 즁원으로 드러가니 슬푸다

(둑겁07ㄱ:03) 아방궁은 진시황젹 지음이요 동작딕 놉흔 누는 툇글에 잠

(둑겁07ㄱ:04) 계 잇고 강벽냥뉴와 만경녹슈는 산쳔이 소슬ㅎ니 쳔고흥

(둑겁07ㄱ:05) 망이 일쟝츈몽이라 탁녹에 너른 들과 거록의 놉흔 언덕

(둑겁07ㄱ:06) 은 녓ᄉ람 젼장터의 젼망흔 고혼들을 뉘라셔 위로ㅎ리오

(둑겁07ㄱ:07) 그 즁의 슬푸기는 창오산 져문 날에 졍군의 ᄌ최 업고 쇼상강

(둑겁07ㄱ:08) 바쥭의 아황녀영의 눈물 흔젹이 식로이 쳐량ㅎ다 금능

(둑겁07ㄱ:09) 을 구경ㅎ고 황하슈로 도라드러 무릉도원 드러가니 봉만이

(둑겁07ㄴ:01) 쳡〃ㅎ고 만학은 깁고 깁허 도화는 만발ㅎ여 시닉를 덥허

(둑겁07ㄴ:02) 스니 이는 진짓 션경이라 도원을 이별ㅎ고 위슈를 향헐 젹

(둑겁07ㄴ:03) 의 관즁을 지니가며 검각을 올나가니 촉산 쳔만봉이 하늘의

(둑겁07ㄴ:04) 다하스며 삼쳔희슈는 겹〃이 둘너스니 진짓 쳔부금셩이오 옥

(둑겁07ㄴ:05) 야쳘니러라 스희팔방을 다 본 후의 심냥을 건너와셔 뇨동을

(둑겁07ㄴ:06) 두로 보고 됴션를 구경ㅎ려 압녹강 건너와셔 통군졍 본 연후

(둑겁07ㄴ:07) 의 그리로 평양을 늬다르니 강산도 졔일이오 경긔도 됴흘시고 년

(둑겁07ㄴ:08) 광명 부벽누는 딕동강이 둘너잇고 모란봉 능나도는 표묘ㅎ고 긔

(둑겁07ㄴ:09) 이허다 영명亽 보통문은 녯 모냥이 완년ㅎ니 그 아니 명승지
　　　　　　런가

(둑겁08ㄱ:01) 송도를 지나와셔 한양을 바라보니 도봉산 나린 믹이 삼각산

(둑겁08ㄱ:02) 되여 잇고 북악산이 쥬산이오 죵남산이 안산 되고 타락뫼 쳥

(둑겁08ㄱ:03) 용 되고 인왕산이 빅회 되고 한강슈가 둘너잇셔 관악산이 막

(둑겁08ㄱ:04) 아스니 산쳔도 아름답고 형셰도 웅장ㅎ다 녜악법도와 의관문

(둑겁08ㄱ:05) 물이 즁국과 일반이라 동으로 금강산과 셔으로 구월산과 남으

(둑겁08ㄱ:06) 로 지리산과 북으로 빅두산을 녁〃히 다 본 후의 동히를 건너쒸

(둑겁08ㄱ:07) 여 일본을 보려 ㅎ고 딕마도를 잠간 지나 일긔도를 드러딕 한
　　　　　　산셩

(둑겁08ㄱ:08) 드려가니 인물도 번셩ㅎ고 산쳔도 험악ㅎ다 됴션으로 와셔

(둑겁08ㄱ:09) 빅두산 잠간 보고 압녹강 건너오니 젼후 단닌 거시 억만여 리라

(둑겁08ㄴ:01) 만슈쳔산의 왕늬ㅎ여 지우금 亽라스딕 몃 히를 더 슬는지

(둑겁08ㄴ:02) 긔필은 못ㅎ거니와 죤장은 언마나 구경ㅎ시니잇고 둑겁

(둑겁08ㄴ:03) 의 거동 보쇼 진즁이 딕답ㅎ되 네 구경인즉 무던이 ㅎ엿다마
　　　　　　는 풍

(둑겁08ㄴ:04) 경만 구경ㅎ고 왓도다 딕졔 텬지만물이 다 츌쳐가 잇느니 그
　　　　　　근본

(둑겁08ㄴ:05) 를 다 아라야 구경이 무식치 아니미니 쇼년들아 노인의 말슴

을 자

(둑겁08ㄴ:06) 시 듯고 근본 츌쳐를 알나 너의들이 나의 구경흔 바를 드르면 모다

(둑겁08ㄴ:07) 긔급홀 거시니 졍신 찰혀 즈시 드르라 늬 구경헌 바는 ᄉ히지 늬를

(둑겁08ㄴ:08) 니르지 말고 ᄉ히 밧그로 방쟝 봉늬 영쥬산과〈삼신산이라〉 일월 돗는 부

(둑겁08ㄴ:09) 상과 일월 지는 함지를 다 보와시니 부상이란 뽕남기 동희가의

(둑겁09ㄱ:01) 잇셔 그 놉기는 삼쳔 쳑이니 하늘 금계가 그 남긔셔 울면 인간 둙

(둑겁09ㄱ:02) 이 듯고 울며 함디의는 노숑이 잇스니 쥬회 삼쳔니라 팔방졔국

(둑겁09ㄱ:03) 를 곳〃지 아난 ᄉ람이 본듸 업거니와 네 일은바 구쥬와 구틱은 하우

(둑겁09ㄱ:04) 씨 구년를 단이시며 치슈ᄒ실시 ᄒ슈를 인도ᄒ여 만민를 살니

(둑겁09ㄱ:05) 시고 십이졔국은 쥬문왕이 은나라를 멸ᄒ시고 졔후를 각〃 봉ᄒ

(둑겁09ㄱ:06) 신 비오 오악이란 거슨 동은 틱산이오 셔는 화산 남은 형산 북은 향

(둑겁09ㄱ:07) 산 가운듸는 슝산이니 텬디오힝를 응ᄒ여 잇고 쇼상강 한산 ᄉ와

(둑겁09ㄱ:08) 악양누 봉황듸는 강남에 유명ᄒ니 만고문쟝 ᄉ마쳔 쇼동

(둑겁09ㄱ:09) 파 니뎍션 두목지 여러 시쥬긱들이 삼츈화뉴 만발시와 구

(둑겁09ㄴ:01) 츄단풍 조흔 쎡의 음풍영월ᄒ고 지닐 젹의 당나라 한님학

(둑겁09ㄴ:02) ᄉ 니틱빅이 쳔즈게 슈명ᄒ야 쥬류쳔하ᄒ며 명승지디를

(둑겁09ㄴ:03) 두로 구경타가 치셕강 도라드니 향노는 습의ᄒ고 쎄길러

(둑겁09ㄴ:04) 기 슬피 울며 금풍은 쇼슬ᄒ고 월쇡이 명낭흔듸 태빅이 일

(둑겁09ㄴ:05) 엽쇼션 흘니 져어 야심토록 쥬류ᄒ다가 술이 딕취ᄒ여

(둑겁09ㄴ:06) 취흥를 이긔지 못ᄒᆞ여 믈 속의 달를 싸라 드러가 혼빅이 비상

(둑겁09ㄴ:07) 텬홀 졔 긴고릭 칩더 타고 비거샹텬ᄒᆞ여스며 젹벽강은 만고

(둑겁09ㄴ:08) 문쟝 쇼ᄌᆞ쳠이 임슐지츄칠월 긔망일의 비를 타고 논닐 젹

(둑겁09ㄴ:09) 의 붓슬 드러 젹벽부를 지어닉니 이러헌 됴흔 강산이 삼국 시

(둑겁10ㄱ:01) 졀의 젼장 되여 조밍덕의 빅만군이 화렴즁의 드러스니 불상

(둑겁10ㄱ:02) ᄒᆞ고 가련ᄒᆞ다 졔갈량 동남풍에 빅만웅병 다 픠ᄒᆞ고 다방댜방

(둑겁10ㄱ:03) 나롯 거ᄉᆞ리고 불과 슈십 긔 거ᄂᆞ리고 화룡도로 지닐 젹에 관공

(둑겁10ㄱ:04) 의 후덕를으로 셩명보젼ᄒᆞ여 도라가니 긔도 쏘한 텬슈러라 밍

(둑겁10ㄱ:05) 덕이 흔창 젹의 딕션의 놉피 안자 졔장을 다리고 잔치ᄒᆞ고 노릭

(둑겁10ㄱ:06) 헐 졔 맛춤 가마귀 울고 가니 그를 두고 ᄒᆞ는 말이 월명셩희에 오

(둑겁10ㄱ:07) 작이 남비ᄒᆞ니〈달은 붉고 별은 드문듸 가마귀 남으로 나단 말

이라〉 슬푸다 조밍덕의 군시 쥬랑의

(둑겁10ㄱ:08) 게 픠ᄒᆞ여 츈몽갓치 스러지니 엇지 아니 가련허랴 좌동졍

(둑겁10ㄱ:09) 우평녀는 삼황오졔 도읍터이라 훗님군이 덕를 닥지 아니

(둑겁10ㄴ:01) ᄒᆞ니 하후씨가 멸ᄒᆞ시고 진나라 시황뎨는 한단짜 고를 계집 빅

(둑겁10ㄴ:02) 고 온 ᄌᆞ식이라 아비는 양젹딕고 녀불위니 텬륜를 긔이고 진

(둑겁10ㄴ:03) 시황이 되여스니 긔셰도 웅장ᄒᆞ고 위엄도 밍널ᄒᆞ다 뉵국를 진

(둑겁10ㄴ:04) 멸ᄒᆞ고 아방궁 놉피 짓고 옥야쳘니 너른 들과 만리장셩 긴 담

(둑겁10ㄴ:05) 안의 함곡관 놉흔 문를 졍동으로 여려노코 텬하를 통합

(둑겁10ㄴ:06) ᄒᆞ니 공덕이 거록ᄒᆞ여 만셰를 누리려 ᄒᆞ엿더니 이 셰의 망ᄒᆞ니

(둑겁10ㄴ:07) ᄌᆞ식 못 둔 타시로다 동작딕 조흘시고 한승샹이〈조죠라〉 지은

빅라 협

(둑겁10ㄴ:08) 쳔ᄌᆞ이령계후ᄒᆞ니 심ᄉᆞ 싱각ᄒᆞ면 만고영웅이오 지략를 펼 논

(둑겁10ㄴ:09) ᄒᆞ면 일딕에 호걸이라 그러ᄒᆞ나 후셰의 역명을 면치 못ᄒᆞ엿

(둑겁11ㄱ:01) 도다 탁녹은 황졔 헌원씨 치우와 빳호던 터이라 치우의 우인

(둑겁11ㄱ:02) 이 구리머리의 쇠이마오 입으로 안기를 토ᄒᆞ면 텬디 아득ᄒᆞ여 동

(둑겁11ㄱ:03) 셔를 분별치 못ㅎ는 고로 헌원씨 지남거를 민다라 만군를 거ᄂ

(둑겁11ㄱ:04) 리고 오방긔치를 방위ㅎ여 치우를 쳐 업시 ㅎ여스니 약간 요슐

(둑겁11ㄱ:05) 이 졍도를 당혈손야 거록은 초비왕이 장감과 ᄡ호던 곳이라

　　　　　항우

(둑겁11ㄱ:06) 는 초나라 명장이라 신장이 팔쳑이오 미간이 너르며 녁발산긔

　　　　　긔셰

(둑겁11ㄱ:07) 라 강동 ᄌ졔 팔쳔 인을 거ᄂ려 잇고 강를 건너와셔 진나라를

　　　　　멸ㅎ고

(둑겁11ㄱ:08) 아방궁를 불 지르니 불쇼치 셕달이로딕 ᄶ지디 아니헌지라

(둑겁11ㄱ:09) 픡공를 쵹에 가두고 진왕으로 관즁를 직희오고 스스로 셔〃

(둑겁11ㄴ:01) 셔쵸비왕이 되여스니 그 아니 영웅인가 회음 ᄉ람 한신이는

　　　　　표모의

(둑겁11ㄴ:02) 계 밥를 비러 쥴인 비를 치오더니 한고됴의 딕장 되여 삼군를 호

(둑겁11ㄴ:03) 령ㅎ고 한인쟝 ᄌ방은 계명산 츄야월의 옥통쇼 ᄒᆫ 곡됴로 ᄉ향

(둑겁11ㄴ:04) 곡를 슬픠 부니 항우의 팔쳔 졔지가 일시의 훗터지는지라 장즁

(둑겁11ㄴ:05) 의 잠든 픡왕이 놀나 니러나 슐를 나와 먹을 졔 우미인의 손

　　　　　를 잡

(둑겁11ㄴ:06) 고 ᄒᆫ 곡됴 노릭ㅎ여 굴오딕

(둑겁11ㄴ:07) 　　힘이 산를 ᄲ이히미여 긔운이 셰상의 덥혓도다 ᄶ가

(둑겁11ㄴ:08) 　　니치 못ㅎ미여 오츄미 가지 아니ㅎ는도다 우미인가 우미

(둑겁11ㄴ:09) 　　인가 일를 엇지헐가

(둑겁12ㄱ:01) 소릭를 파ㅎ고 자연이 눈물를 나리오니 우미인이 눈물지고 대

(둑겁12ㄱ:02) 답ㅎ되 쳡이 딕왕를 뫼시고 억만 군즁의 팔년을 단이옵더니

(둑겁12ㄱ:03) 시운이 불힝ㅎ여 오날놀 초국을 일허스니 딕왕은 싱각지

(둑겁12ㄱ:04) 말고 급히 오강을 건너 강동으로 가소셔 ㅎ고 다시 슐를 부어

(둑겁12ㄱ:05) 픡왕를 권ㅎ고 노릭 불너 니별헐시 옥뉘 나삼을 젹시니 영웅

(둑겁12ㄱ:06) 의 간장인들 엇지 견ᄃᆡ 견듸여 보리오 우미인이 인ᄒᆞ여 니르
　　　　　　듸 쳡

(둑겁12ㄱ:07) 갓튼 인ᄉᆡᆼ이야 술기를 바라리잇가 말 맛츠며 튜상 갓튼 칼을 ᄲᅢ

(둑겁12ㄱ:08) 혀 빙셜 갓튼 목을 질너 쥭으니 슬푸다 녀즁군ᄌᆞ요 만고 녈

(둑겁12ㄱ:09) 녀러라 픽왕이 눈물 거두고 오쥬마를 칩더 타고 오강을 향

(둑겁12ㄴ:01) ᄒᆞ다가 큰못 가의 ᄲᅡ져 간신이 사라 강가의 다ᄃᆞ라니 오강의 졍

(둑겁12ㄴ:02) 장이〈빅ᄉᆞ공이라〉 빅를 듸이며 엿ᄌᆞ오듸 강동이 비록 젹ᄉᆞ오
　　　　　　나 디방

(둑겁12ㄴ:03) 이 쳘니〃 가히 왕혈지라 급피 이 빅로 건너쇼셔 픽왕이 분긔
　　　　　　를 니

(둑겁12ㄴ:04) 긔지 못ᄒᆞ야 녀마동을 불너 굴오듸 너의 공을 갑풀 길이 업더니

(둑겁12ㄴ:05) 닉 드르니 닉 머리을 어더 오는 ᄌᆞ는 쳔금상에 만호후를 봉ᄒᆞᆫ
　　　　　　다 ᄒᆞ

(둑겁12ㄴ:06) 니 닉 너의 덕을 갑풀리라 ᄒᆞ고 ᄌᆞ문ᄒᆞ여 쥭으니 슬푸다 도시 쳔

(둑겁12ㄴ:07) 쉬니 영웅을 엇지 의논ᄒᆞ리요 슈양졔는 호화부귀가 텬하의

(둑겁12ㄴ:08) 웃듬이라 연담 안의 모슬 파고 쥬회가 빅니라 못가의 버들을

(둑겁12ㄴ:09) 심어 빅니를 연ᄒᆞ엿고 우슈의 슈치 노아 공즁의 흘너ᄉᆞ니 텬
　　　　　　연헌

(둑겁13ㄱ:01) 빅옥경의 은하슈 무지게 ᄲᅢ친 듯 긔화요초를 무슈이 심으고 츄

(둑겁13ㄱ:02) 졀이 드러 초목이 황낙ᄒᆞ면 치식비단으로 쏫과 입흘 민다라
　　　　　　나무

(둑겁13ㄱ:03) 가지의 거러노코 ᄉᆞ시장츈를 니어시니 은〃헌 셜즁츈광이라 치

(둑겁13ㄱ:04) 션를 민ᄐᆞ라 년당의 ᄲᅴ여노코 츄월츈화 ᄯᅢ를 됴차 빅를 타

(둑겁13ㄱ:05) 고 즁뉴ᄒᆞ여 꼿 ᄀᆞ흔 삼쳔궁녀 치복으로 단장ᄒᆞ여 풍악으로

(둑겁13ㄱ:06) 논일 젹의 빅니창파의 사람의 그림ᄌᆞ는 오식치운이 니러온는

(둑겁13ㄱ:07) 듯 졍ᄉᆞ의 무심ᄒᆞ고 힝낙만 이갓트니 됴물이 싀긔ᄒᆞ여 일죠의

(둑겹13ㄱ:08) 퓌망ᄒ니 쳔도가 무심헌가 챵오산은 슌임군의 봉ᄒ신 곳

(둑겹13ㄱ:09) 이라 두 부인은 아황 녀영이시니 쇼상강 대슈풀의 헐누를 ᄲᅢ

(둑겹13ㄴ:01) 려 반쥭이 되시니 엇지 비감치 아니ᄒ리오 무릉도원은 텬

(둑겹13ㄴ:02) 디간 별건곤이라 츈풍화뉴 됴흔 ᄯᅢ의 ᄒ 어옹이 일엽쇼선

(둑겹13ㄴ:03) 을 ᄐ고 쳥산리 벽계슈의 드러가니 긔화요초 어린 곳의 일월
이 명

(둑겹13ㄴ:04) 냥ᄒ고 산쳔이 슈려ᄒ다 쳔여 호 딕촌이어시니 아마도 별유쳔
디비

(둑겹13ㄴ:05) 인간이라 어옹이 한 노인다려 무르딕 엇지ᄒ여 이곳의 와 ᄉ
는요 긔인이 답왈

(둑겹13ㄴ:06) 본시 진나라 숨람으로셔 피란ᄒ야 이곳의 와 이션 지 몃 츈츄
가 된지

(둑겹13ㄴ:07) 모르는 즁 빅발이 환흑ᄒ고 반노셩동ᄒ여 인간영욕과 셰상흥망

(둑겹13ㄴ:08) 을 쑴 밧긔 붓쳐 두고 한가이 셰월을 보닉니 곳치 픠면 봄인
줄 알고

(둑겹13ㄴ:09) 닙히 ᄯᅥ어지면 가을노 알고 잇노라 어옹이 신긔히 녁여 션경
이물 ᄶᅵ

(둑겹14ㄱ:01) 닷고 ᄒ즉고 나올ᄉᆡ 딕를 ᄭᅥ거 십보의 ᄒ나식 쏘쟈 표을 ᄒ고
나와

(둑겹14ㄱ:02) 명츈의 쳐ᄌᆞ를 드리고 드러가니 도화는 만발ᄒ고 초목은 울밀
ᄒ여

(둑겹14ㄱ:03) 어닉 곳이 도원인지 찻지 못ᄒ고 도라오니라 조션국은 녜의지
국이라 문

(둑겹14ㄱ:04) 명지방이니 경상도 틱빅산 단목하의 신인이 나려와 군장이 되
여더

(둑겹14ㄱ:05) 니 그후의 쥬무왕이 긔ᄌᆞ를 조션의 봉ᄒ여 평양의 도읍ᄒ니

교화를

(둑겁14ㄱ:06) 베푸러 녜악법도와 의관문물이 즁화의 비길지라 그후의 경상도

(둑겁14ㄱ:07) 계림 씌히 흔 신인이 탄강ㅎ시니 셩은 박시라 경쥬의 도읍ㅎ여 신

(둑겁14ㄱ:08) 라왕이 되엿스니 요슌 갓흔 셩군이라 지금가지 칭숑ㅎ고 강

(둑겁14ㄱ:09) 원도 금강산는 깁고 놉흔 일만이쳔봉이 흐날의 다하는듸 비옥 갓

(둑겁14ㄴ:01) 흔 층암들은 온갓 물형 되여 잇고 삼쳔구암ㅈ는 곳〃이 찬란

(둑겁14ㄴ:02) 흔듸 무변듸히는 일망무졔ㅎ니 진짓 텬하 졔일 명산이라 일

(둑겁14ㄴ:03) 본국은 진시황이 방ㅅ 셔시로 삼신산 불ㅅ약를 어드러고 동남동

(둑겁14ㄴ:04) 녀 오빅인 싯고 동히 보늬엿더니 셔시 그곳의 인ㅎ여 도읍ㅎ여 일본

(둑겁14ㄴ:05) 이 되엿시니 셰상 만물이 다 츌쳐가 잇는듸 그런 줄은 모로고 구경 만이

(둑겁14ㄴ:06) 헌 쳬ㅎ고 쥬젹이니 일흔바 슈박 것흐로 할트미오 할로 미아지 셔

(둑겁14ㄴ:07) 울 단녀오미로다 녀회 어이 업셔 물너 안지며 허는 말이 그러ㅎ오면

(둑겁14ㄴ:08) 존장이 하늘도 구경ㅎ여 계시니잇가 둑겁이 진즁이 듸답ㅎ되 너는

(둑겁14ㄴ:09) 하늘를 구경ㅎ엿는다 녀회 왈 샹년 삼월의 구경ㅎ엿ㄴ이다 둑겁

(둑겁15ㄱ:01) 이 갈오듸 그러면 네 구경헌 바 하날 경기를 엿ㅈ오라 녀회 착헌 쳬

(둑겁15ㄱ:02) ㅎ고 코살을 빵긋거리며 텹〃니구로 듸답ㅎ되 하늘의 올나가셔

(둑겁15ㄱ:03) 구경ㅎ니 구만리 장쳔이 지쳑 갓고 인간은 묘연헌듸 삼십삼 텬를

(둑겁15ㄱ:04) 다 구경헐시 은하슈 텬진교를 건너 흔 곳에 니르니 일홈은 텬
　　　　　　　상 빅

(둑겁15ㄱ:05) 옥경이오 초목금슈들이 세상의셔 보지 못허든 빅오 긔화요초 셧

(둑겁15ㄱ:06) 긴 곳에 계슈나무 측빅나무는 얼거지고 트러진듸 쳥학 빅학 긔

(둑겁15ㄱ:07) 린이며 비취공작 봉황시는 똥을 지어 왕니ᄒ고 오싴구름 모

(둑겁15ㄱ:08) 힌 즁의 흔 션관이 머리에 월봉닙을 쓰고 황농을 멍에

(둑겁15ㄱ:09) 허며 구름 속의 밧츠 갈며 녕지초를 심으니 그 거동을 보미

(둑겁15ㄴ:01) 세상 싱각이 엽는지라 그리로 늬다라 셋지 하늘 올나가셔

(둑겁15ㄴ:02) 은하슈 근원을 츠져 가셔 심누를 구경ᄒ고 황지라 허는 물

(둑겁15ㄴ:03) 가의 궁문를 틱극으로 지어 잇고 그 문 우히 현판호듸 직녀궁이

(둑겁15ㄴ:04) 라 ᄒ엿더라 그 궁의 드러가니 ᄉ면이 젹〃흔듸 다만 뵈 ᄯᄂ는
　　　　　　　소리

(둑겁15ㄴ:05) 들이거늘 가만이 보니 은하슈 한 구뷔는 반공의 휘어 드리왓고

(둑겁15ㄴ:06) 슈졍궁 칠보듸의 금슈장을 드리웟는듸 위의 심히 엄슉흔

(둑겁15ㄴ:07) 지라 냥슈 거시ᄒ고 울러〃보니 흔 션녜 칠보월픠를 갓초고 칠

(둑겁15ㄴ:08) 냥 뵈틀에 안즈 비단를 ᄯ거늘 공슌이 녜ᄒ고 뭇즈오듸 엇더
　　　　　　　ᄒ신

(둑겁15ㄴ:09) 션녀시니잇가 그 션녜 북를 머무르고 굴오듸 나는 인간의셔
　　　　　　　직녀

(둑겁16ㄱ:01) 라 ᄒ는 션녀라 옥황상뎨의 쇼녀로셔 비필을 견우 셩일넌니 상

(둑겁16ㄱ:02) 뎨 ᄉ랑ᄒ시기를 비헐 듸 업셔 거지방탕ᄒ야 엄헌 쥴를 모르
　　　　　　　고 일

(둑겁16ㄱ:03) 일은 샹뎨 안젼의셔 견우와 희롱ᄒ여 몸의 츳던 옥픠를 글너

(둑겁16ㄱ:04) 쥬다가 상뎨게 죄를 어더 나는 동으로 귀향 가고 견우는 셔흘
　　　　　　　로 귀

(둑겁16ㄱ:05) 향 보늬여 쳔만 길이나 되는 은하슈가 〃로 막혀시며 젼싱의

깁흔

(둑겁16ㄱ:06) 연분이 만리예 막혀시니 여름 긴〃날과 겨를 긴〃밤의 상수불견

(둑겁16ㄱ:07) 맷친 마음 구곡간장 다 녹다가 일년일도 칠월칠셕 은하슈 깁

(둑겁16ㄱ:08) 흔 물의 오작으로 다리 노와 흐로밤 만나보니 그리던 만단회포

(둑겁16ㄱ:09) 엇지 다 프러보랴 속졀 업시 눈물 쑤려 인간의 비가 되니 만나기

(둑겁16ㄴ:01) 는 잠간이오 니별키는 오릭도다 젹소의 오릭 잇셔 의복인들

(둑겁16ㄴ:02) 오작헐가 녀즈의 도리에 의복이나 흐여 볼가 광쥬리를 엽

(둑겁16ㄴ:03) 히 씨고 부상의 쏭를 쓰셔 누에치기 심 씌흐여 운문금 비단을 필

(둑겁16ㄴ:04) 필이 쓰늬여 은침셜노 슈를 노하 낭군의 옷슬 짓고 그 외의 맛튼 일

(둑겁16ㄴ:05) 은 셰상스람의 부〃연분를 마련흐여 오식실노 믹즈늬니 부〃는 하

(둑겁16ㄴ:06) 늘이 뎡헌 비라 엇지 인력으로 흐리오 쳥년 과부도 역시 텬슈라 셜

(둑겁16ㄴ:07) 워흐야 부졀 업도다 흐거늘 다시 엿즈오딕 오날 직녀게 뵈오니 무슴

(둑겁16ㄴ:08) 표를 쥬시면 인간의 나려가셔 알계 흐여지이다 흔딕 션녜 니려나 뵈

(둑겁16ㄴ:09) 틀의 괴엿든 돌을 쥬거늘 바다 가지고 하직고 나와 또 한 층을 올

(둑겁17ㄱ:01) 나가니 은연이 구름 속의 붉근 빗치 어릭엿거늘 드러가 보니

(둑겁17ㄱ:02) 크다헌 궁젼이 니스되 일홈은 광한뎐이라 그 압희 계슈남기

(둑겁17ㄱ:03) 쳔디만엽이 드리웟고 남녁가지에 그늬를 믹엿시니 비단실

(둑겁17ㄱ:04) 이 무지기 갓고 그 북녁희 옥톡기 불스약을 찟는딕 쥬렴 속

(둑겁17ㄱ:05) 에 흔 션녜 금둑겁이를 안고 한가이 조흘거늘 즈시 보니 살빗도

(둑겁17ㄱ:06) 둘 갓고 의복도 둘 갓튼듸 미간의 근심을 씌여시니 이는 월궁

(둑겁17ㄱ:07) 향애라 쳥상과부 되여 쳔만년 장싱불사ᄒᆞ는 별히 쳥뎐에

(둑겁17ㄱ:08) 밤마다 독슉공방 불상ᄒᆞ다 월궁을 본 년후의 흔 츙를

(둑겁17ㄱ:09) 올나가니 셔편에는 셔왕모 잇는 곳지라 그 안에 벽도 한 쥬를

(둑겁17ㄴ:01) 심어 구름으로 덥허는듸 쳥죠는 쌍〃이 나라드러 츈광으로

(둑겁17ㄴ:02) 희롱ᄒᆞ니 이는 셔왕모의 시비라 벽도를 우러〃 보니 이 남근 삼

(둑겁17ㄴ:03) 쳔년의 여름이 여나니 잇쩌 벽도가 난만이 익어거늘 이를 먹으면 장

(둑겁17ㄴ:04) 싱불스ᄒᆞ는 거시기로 ᄒᆞ나흘 싸 먹고져 ᄒᆞ다가 다시 싱각ᄒᆞ니 이 젼의

(둑겁17ㄴ:05) 동방삭이 하늘 ᄉᆞ람으로 텬도를 도젹ᄒᆞ여 먹고 인간의 귀향 왓시

(둑겁17ㄴ:06) 니 닉 만일 도젹ᄒᆞ엿다가 들키면 쥭기를 면치 못ᄒᆞ리니 삼쳔갑

(둑겁17ㄴ:07) 즈를 엇지 도싱ᄒᆞ리오 ᄒᆞ고 빅옥경을 나가 문 틈으로 여어 보니

(둑겁17ㄴ:08) 셔왕뫼 부용관 쓰고 셔안을 의지ᄒᆞ여 슬픈 노릭 흔 곡됴를 부르듸

(둑겁17ㄴ:09) 빅운이 젹텬ᄒᆞ니 인간이 묘연ᄒᆞ다 쥬목왕은 한번 간 후 다시 올

(둑겁18ㄱ:01) 쥴 모르ᄂᆞᆫ고 ᄒᆞ거늘 그 소릭를 드른 후의 한 곳의 다ᄃᆞ르니 한 누각

(둑겁18ㄱ:02) 이 표묘헌듸 풍뉴 소릭 은〃 흔 즁 분장헌 션녀들이 쌍을 지어 능

(둑겁18ㄱ:03) 파곡을 부르거늘 슬퍼보니 모든 션녜 치의을 입고 옥픽를 울

(둑겁18ㄱ:04) 녀 화긔가 만면헌듸 그 즁 한 션녜 화관을 놉피 쓰고 금봉차 뒤의

(둑겁18ㄱ:05) 쏫고 옥 갓튼 얼골에 눈물 흔젹이 어릭엿스니 희당화 됴로을

(둑겁18ㄱ:06) 멱음은 듯 이는 다르 니 아이라 당명황의 양귀비라 즈는 옥진

(둑겁18ㄱ:07) 이니 치션으로 얼골을 가리오고 슈식이 만안ᄒ여 굴오디 젼싱의

(둑겁18ㄱ:08) 무슴 죄로 인간의 젹강ᄒ여 십팔 셰 겨우 되어 명황을 셤

(둑겁18ㄱ:09) 겨시니 영춍도 거룩ᄒ고 연분도 깁흘시고 칠월 칠일 장싱

(둑겁18ㄴ:01) 뎐의 고요ᄒ고 깁흔 밤의 밍셰ᄒ여 니른 말이 하늘의 잇셔

(둑겁18ㄴ:02) 셔는 비익됴란 식가 되고 ᄯᅡ의 잇셔〃는 년리지란 남기 되여
　　　　쥬야

(둑겁18ㄴ:03) 장싱의 ᄯᅥ나 ᄉ지 마ᄌᆡ더니 안녹산의 난을 만나 명황이 쬬치여

(둑겁18ㄴ:04) 셔 만리 힝촉ᄒ오실 졔 뇩군이 아니 가니 츙심를 어이ᄒ고 늬

(둑겁18ㄴ:05) 몸이 무슴 되로 마외역 너른 들의 깁 슈건의 목을 미야 쳥뎐

(둑겁18ㄴ:06) 의 고혼 되니 슬프다 우리 명황 어이 그리 무졍ᄒ고 다시금 싱각

(둑겁18ㄴ:07) ᄒ니 사즉을 위ᄒ미라 하늘을 한ᄒᆯ손가 사람을 원망ᄒᆯ

(둑겁18ㄴ:08) 가 일쳔고혼이 바람의 부치어셔 옥경에 올나오니 싱젼의 깁

(둑겁18ㄴ:09) 흔 졍회 죽은들 니즐손가 인간를 바라보니 구만리가 묘연ᄒ다

(둑겁19ㄱ:01) 고졍을 싱각ᄒ고 옥찰을 부쳐시니 구화장를 밧비 열고 셤

(둑겁19ㄱ:02) 돌 아라 나러가셔 옥찰을 밧비 보니 심회가 챵연ᄒ다 회

(둑겁19ㄱ:03) 답을 쓰러 ᄒ니 문물을 어이ᄒ리 옥지환 한 ᄶᆞᆨ 미셔 심즁에

(둑겁19ㄱ:04) 표ᄒ리라 하늘이 것츨고 ᄯᅡ히 누르기로 만고의 깁푼 한을 엇지

(둑겁19ㄱ:05) ᄒ여 풀일손가 슬푸다 그 말를 듯고 눈물 아니 흘니 리 업더라

(둑겁19ㄱ:06) 심회가 챵연ᄒ여 즉시 나와 두로 단이다가 ᄯᅩ 흔 층을 올나가니

(둑겁19ㄱ:07) 오〃는 이십오라 즁황 도를 응ᄒ여 황뉴리셰계라 십이 누를

(둑겁19ㄱ:08) 오졍의 지어시니 이난 ᄌᆞ미궁이라 오방신장과 ᄉᆞ히 용왕이

(둑겁19ㄱ:09) ᄉᆞ면으로 호위ᄒ고 삼ᄐᆡ 오셩이며 이십팔쉬 각〃 시위ᄒ고

(둑겁19ㄴ:01) 동방쳥졔지신은 쳥용를 호위ᄒ고 남방젹졔지신은 쥬작

(둑겁19ㄴ:02) 니 호위ᄒ고 셔방빅졔지신은 빅호가 호위ᄒ고 북방흑졔지

(둑겁19ㄴ:03) 신은 현무가 호위ᄒ고 즁앙황졔지신은 구진등ᄉᆞ가 호위ᄒ여
　　　　스니

(둑겁19ㄴ:04) 엄슉ᄒ여 드러가지 못ᄒ고 문 박게셔 슘어 보니 열어 션관이

　　　　　　학창

(둑겁19ㄴ:05) 의 입고 옥픠를 추고 금홀을 쥐고 상뎨게 됴회ᄒ러 드러오니

　　　　　　틴상

(둑겁19ㄴ:06) 노군 일광노군 니젹션 여동빈 안긔싱 젹송ᄌ 두목지 장건이

　　　　　　다 모다

(둑겁19ㄴ:07) 더라 남으로 나와 화덕진군을 잠간 보고 마고할미 집을 추져

　　　　　　가셔

(둑겁19ㄴ:08) 술 한잔 바다 먹고 그리로 늬달아 남극 노인셩 보려 ᄒ고 병

　　　　　　졍방

(둑겁19ㄴ:09) 을 추져가니 칠층 보탑에 홍나장을 치고 홍포옥듸로 안자시니

(둑겁20ㄱ:01) 의연흔 빅발노인이라 셔안의 칙을 펴고 붓슬 드러 무어슬 긔

(둑겁20ㄱ:02) 록ᄒ니 이ᄂ 셰상스람의 슈요장단과 부귀빈쳔를 졈지ᄒ

(둑겁20ㄱ:03) 미니 틱졔 ᄉ쥬에 졔왕셩이 니스면 부ᄌ 되고 망신살이 잇스

　　　　　　면 가

(둑겁20ㄱ:04) 눈ᄒ고 장싱셩이 니스면 장슈ᄒ고 겁살이 잇으면 단슈ᄒ고

　　　　　　역마

(둑겁20ㄱ:05) 지인이 잇스면 벼슬ᄒ고 뉵희살이 잇으면 믹스를 불셩ᄒ고 슘

(둑겁20ㄱ:06) 형살이 잇으면 옥의 갓치고 마달셩이 잇스면 귀향 가ᄂ니 일

　　　　　　노 보면

(둑겁20ㄱ:07) 팔ᄌ를 엇지 속기리요 그 즁에 마음이 착ᄒ면 무ᄉᄒ고 팔ᄌ

　　　　　　라도 심

(둑겁20ㄱ:08) 덕으로 ᄌ녀를 두고 쏘 음식을 상가오고 쥬쇽을 조심ᄒ면 요슈

(둑겁20ㄱ:09) 헐 스람도 익슈ᄒ리라 ᄒ더라 남편을 다 본 후의 졔불졔쳔을

(둑겁20ㄴ:01) 보려 ᄒ고 삼십삼쳔 말지 하늘의 올나가니 그곳은 극낙셰

(둑겁20ㄴ:02) 계라 틱웅젼 놉푼 집에 나무아미타불과 관셰음보살과

(둑겁20ㄴ:03) 지장보살 숨불이 좌정호고 그 압히 제불이 열좌호엿스니 십이

(둑겁20ㄴ:04) 층 보탑이 광치 영농호고 긔화요초 무셩헌디 문젼의 황금ᄉ장

(둑겁20ㄴ:05) 이 쳔리에 명낭호니 물식이 황홀호다 식짐싱도 염불호니 진실

(둑겁20ㄴ:06) 노 셰렴이 업더라 셰상ᄉ람이 일념의 그른 ᄯ를 먹지 말고 부

　　　　　　　모의게

(둑겁20ㄴ:07) 효도호고 형제 우이호며 쥬린 ᄉ람 밥를 쥬고 벗슨 ᄉ람 옷슬

　　　　　　　쥬고

(둑겁20ㄴ:08) 즘싱을 살히 말고 남의 몸를 히치 말면 늬의 몸이 영귀호고

　　　　　　　후셰

(둑겁20ㄴ:09) 의 극낙셰계로 가난이라 극낙 다 본 후의 북편으로 드러가니

　　　　　　　흔 곳에

(둑겁21ㄱ:01) 야채라 호는 귀신이 무슈헌 귀졸를 거ᄂ려스니 창검이 상셜

　　　　　　　갓고 황

(둑겁21ㄱ:02) 건력식 슈문를 엄슉히 호엿스니 이는 지옥이라 나지 밤 갓고

　　　　　　　여름

(둑겁21ㄱ:03) 이 겨울 갓트여 음닝호기 ᄲ를 사못는지라 문 틈으로 살펴보

　　　　　　　니 흔

(둑겁21ㄱ:04) 퇴인을 쳘삭으로 동혀ㅂ고 무슈헌 귀졸이 졈〃이 졈이거늘 져

(둑겁21ㄱ:05) ᄉ람은 무삼 퇴로 져러호요 귀졸이 딕답호되 져 놈은 웃ᄉ람

　　　　　　　을 속

(둑겁21ㄱ:06) 이고 만민의 직물을 억탈호여 불의힝ᄉ가 만키로 져 죄을 밧

　　　　　　　는이

(둑겁21ㄱ:07) 라 ᄯ 한 곳에 무슈흔 죄인을 형벌 바드니 차마 들을 슈 업거늘

(둑겁21ㄱ:08) 물흐니 져 죄인들은 셰상의셔 도젹질호고 상피도 갈으지

(둑겁21ㄱ:09) 아니호고 남를 히쳐 심슐굿고 암상호며 투긔호고 상젼를

(둑겁21ㄴ:01) 속기고 혈육지친을 모로고 견곡이 만흐되 빈족를 구졔치 아니

(둑겁21ㄴ:02) ᄒ던 죄로 져 형벌를 당ᄒᄂ이라 ᄒ거놀 이를 보니 ᄎ후야 엇지

(둑겁21ㄴ:03) 글은 일을 힝ᄒ리오 인ᄒ여 퇴쳥ᄒ여 한 곳의 이르니 만쳡 산즁

(둑겁21ㄴ:04) 의 경기 졀승ᄒᄃ 초당 슴간을 정묘히 지혓고 빅발노인이 갈건

(둑겁21ㄴ:05) 야복으로 거문고를 비기 노코 쳥학 빅학를 희롱ᄒ거놀 드러가

(둑겁21ㄴ:06) 녜비를 맛친 후 그 노인이 동ᄌ를 명ᄒ여 쥬찬으로 ᄃ졉ᄒ거 놀 맛

(둑겁21ㄴ:07) 슬 보니 인간의셔 보지 못ᄒ 빅라 그 노인이 슐를 권ᄒ며 이로 ᄃ 노

(둑겁21ㄴ:08) 쳐의 병이 뵈 ᄠ다가 어든 지 열어 히에 빅약이 무효ᄒ야 졈 〃 더ᄒ

(둑겁21ㄴ:09) 니 쥭기를 먼치 못헐지라 글노 민망ᄒ여 ᄒ노라 ᄒ거놀 닉 싱각

(둑겁22ㄱ:01) 싱각ᄒ니 직녀의 뵈틀 괴엿던 돌이 약이 될 듯ᄒ여 이로ᄃ 닉게 션

(둑겁22ㄱ:02) 약이 잇스니 아모커나 시험ᄒ여 보ᄉ이다 ᄒ고 돌을 닉여 물에 갈라

(둑겁22ㄱ:03) ᄒ 보아를 쓰라 ᄒ니 먹은 후 직시 쾌ᄎᄒ거놀 그 노인이 무 슈히 사

(둑겁22ㄱ:04) 례ᄒ여 왈 쯧밧게 그ᄃ를 만나 쥭를 목슘을 사로니 은혜를 무어

(둑겁22ㄱ:05) 스로 갑푸리오 닉 소년시졀에 ᄒ 슐업를 빅와더니 그ᄃ를 갈 으칠

(둑겁22ㄱ:06) 이라 ᄒ고 붉근 구슬 하나를 쥬어 왈 이거슬 싱키고 산즁의 단이며

(둑겁22ㄱ:07) 스람의 ᄒᆡ골을 어더 머리에 쓰면 빅가지 변화를 마음ᄃ로 ᄒ 리라 ᄒ거

(둑겁22ㄱ:08) 늘 노인을 하직ᄒ고 인간에 나려오니 졍신이 쇄락ᄒ고 벤화ᄒ

(둑겁22ㄱ:09) 난 법이 신통ᄒ여노라 둑겁이 ᄃ소왈 그러ᄒ면 늬 긋쎠의 옥경

(둑겁22ㄴ:01) 의 올나가 신션과 바독 두다가 슐이 ᄃ취ᄒ여 난간을 의지ᄒ여

(둑겁22ㄴ:02) 조으더니 문득 밧긔셔 헌화ᄒ는 소리 나거늘 잠을 씨여 동ᄌ

(둑겁22ㄴ:03) ᄃ려 무르니 밧긔 엇던 즘싱이 왓는ᄃ 빗친 누르고 쇼리는 길
　　　　　고 쥬

(둑겁22ㄴ:04) 동이는 셜쥭ᄒ고 마치 도젹긔 갓튼 즘싱이라 ᄒ거늘 동ᄌᄃ려

(둑겁22ㄴ:05) 쏘치라 ᄒ엿더니 그쎠에 네가 왓던가 보다 너 온 줄을 아라드면

(둑겁22ㄴ:06) 불너보드면 조흘낫다 좌즁이 박장ᄃ소ᄒ더라 우흡다 녀호의

(둑겁22ㄴ:07) 간ᄉ헌 말노 쳔만가지로 ᄭ며 둑겁이를 이긔시 못ᄒ고 도로
　　　　　혀 무

(둑겁22ㄴ:08) 슈이 욕을 보니 앙〃헌 분을 참지 못ᄒ엿다가 조흔 말노 둑겁다

(둑겁22ㄴ:09) 려 이로되 늬 소년시졀의 일힝쳔니ᄒ여 쥬류사방헐 졔 우슈은

(둑겁23ㄱ:01) 일를 다 보앗나이다 둑겁이 왈 네 무슴 우슈은 일을 보왓는
　　　　　다 녀

(둑겁23ㄱ:02) 회 일오되 맛춤 쳥누에 갓다가 슐이 ᄃ취ᄒ여 녹음를 향ᄒ여

(둑겁23ㄱ:03) 한 못가의 지나더니 콘 ᄃ망이 긔고리을 물고 길히 누어거늘 놀

(둑겁23ㄱ:04) 나 물너셔니 그 긔고리 소리ᄒ여 왈 어와 져 손임아 불상헌 목

(둑겁23ㄱ:05) 슘를 살여 쥬옵소셔 ᄒ거늘 그 놈의 간릉흔 줄은 본ᄃ 아난지

(둑겁23ㄱ:06) 라 칼를 셰허 구ᄒ려 ᄒ더니 맛참 산힝ᄒ는 ᄉ람이 급피 오기

(둑겁23ㄱ:07) 로 그 비암을 쥭이지 못ᄒ고 왓건이와 그쎠야 둑겁 존장과 쳑분

(둑겁23ㄱ:08) 잇는 줄을 아라노라 ᄒ거늘 둑겁이 ᄃ소왈 네 말은 막치면 총

(둑겁23ㄱ:09) 마진 놈의 말이로다 나는 드르니 한틔조 미시에 슐이 ᄃ취ᄒ야

(둑겁23ㄴ:01) 못가을 지나다가 큰 비암이 길을 막아 누어거늘 칼을 셰야 그

(둑겁23ㄴ:02) 비암을 쥭여더니 그후 밤의 흔 노괴 울며 왈 늬 아달은 빅졔

(둑겁23ㄴ:03) 의 잘너니 젹졔의 자의게 죽은 비 되도다 ᄒ더니 그후에 픵공

이 쳔

(둑겁23ㄴ:04) 하를 어더 만승쳔지 되엿스니 그 말은 올컨이와 너 허는 말를
드르니

(둑겁23ㄴ:05) 밥 먹고 헷방귀로다 나는 본듸 공손〃으로 친쳑이 업시 나려
오난 냥

(둑겁23ㄴ:06) 반이요 다만 동성 ᄉ촌 하나히 월궁의 잇도다 올창이로 기고
리 된단

(둑겁23ㄴ:07) 말은 올컨이와 네 말은 피육부당이로다 네 아모리 쇠로 어론
를 희

(둑겁23ㄴ:08) 롱ᄒ려 흔들 되지 못흔 말은 쓸 듸 업도다 옛젹 밍상궁이 손를
조아

(둑겁23ㄴ:09) ᄒ여 밥 먹는 손이 삼쳔이라 녀호를 만히 잡아 겨드랑이에 흰
털을

(둑겁24ㄱ:01) 모하 갓옷슬 민드니 이 일은바 호빅구 갓옷시라 쳔하의 지극

(둑겁24ㄱ:02) 헌 보빅로 진왕게 드려시니 그쩌에 네 고족지망울이 다 잡펴 쥭

(둑겁24ㄱ:03) 어슬 거시니 이번 그도 분명 밍상군의 산양군으로 네 족속를
다 잡으

(둑겁24ㄱ:04) 려 왓던가 보다 만일 네 잡펴 갓드면 이런 셩연의 참녜도 못ᄒ
고 밍

(둑겁24ㄱ:05) 상군의 갓옷시 될 번 ᄒ엿도다 녀회 그 말을 드르민 분ᄒ기
충냥 업스나

(둑겁24ㄱ:06) 아모 말도 못ᄒ고 입를 싹〃이며 잇다가 다시 엿ᄌ오듸 존장
의 소견이 궁

(둑겁24ㄱ:07) 통ᄒ시니 텬문지리와 뉵도삼냑이며 의약복셔를 아르시는잇
가 둑

(둑겁24ㄱ:08) 겁이 눈를 씀젹이며 턱을 벌덕이고 진즁이 듸답ᄒ되 늬 일르

(둑겁24ㄱ:09) 리니 주시 드르라 텬지 삼긴 후의 음양이 되엿시니 묽은 긔운

(둑겁24ㄴ:01) 은 하늘이 되고 탁헌 긔운은 ᄯᅡ히 되여 하늘은 양이오 ᄯᅡ은
음이라

(둑겁24ㄴ:02) 음양이 조판 후에 오힝이 상싱ᄒ니 일은 양이오 월은 음이라 오

(둑겁24ㄴ:03) 힝은 오셩이 되여 만물 환싱ᄒ니 그 즁의 ᄉ람이 가장 귀흔지
라 ᄉ

(둑겁24ㄴ:04) 람은 오힝를 나타나고 텬지가 만물를 늬샤 길흉화복을 응ᄒ

(둑겁24ㄴ:05) 여 변화 무궁ᄒ니 이런 고로 틱극이 음양을 싱ᄒ고 음양이 팔괘

(둑겁24ㄴ:06) 을 싱ᄒ고 팔괘 뉵갑을 싱ᄒᄂ니 오힝은 금목슈화토요 상싱

(둑겁24ㄴ:07) 지법은 금싱슈 〃싱목 목싱화 〃싱토 〃싱금이오 상극지법
은 금

(둑겁24ㄴ:08) 극목 〃극토 〃극슈 〃극화 〃극금이니 길흉화복은 상싱상극을

(둑겁24ㄴ:09) 응ᄒ여시며 오방은 동셔남북즁황이오 〃싴은 쳥황젹빅흑

(둑겁25ㄱ:01) 이라 동은 목이니 푸른 빗치오 셔는 금이니 흰 빗치오 남은 홰
니 붉

(둑겁25ㄱ:02) 근 빗치오 북은 슈니 검은 빗치오 즁황은 토이니 누른 비치라
봄은

(둑겁25ㄱ:03) 동를 응ᄒ야 목이 왕셩ᄒ고 여름은 남을 응ᄒ야 화가 왕셩ᄒ고

(둑겁25ㄱ:04) 가을른 셔를 응ᄒ야 금이 왕셩ᄒ고 겨울은 북을 응ᄒ야 슈가

(둑겁25ㄱ:05) 왕셩ᄒ고 즁황은 토이니 셕달의 십팔일식 왕셩ᄒ여 칙역에

(둑겁25ㄱ:06) 통왕용ᄉ라 ᄒ는 법을 마련ᄒ엿시니 그날은 인간의셔 흙글 달아

(둑겁25ㄱ:07) 토역을 못ᄒᄂ니라 갑을병졍무긔경신임계는 하늘를 응흔

(둑겁25ㄱ:08) 십갑이오 ᄌ츅인묘진ᄉ오미신뉴슐희는 ᄯᅡ흘 응헌 십이지라

(둑겁25ㄱ:09) 갑을일은 동방목이오 병졍일은 남방화오 무긔일은 즁황토

(둑겁25ㄴ:01) 오 경신일은 셔방금이오 임계일은 북방슈를 응ᄒ여시며 ᄌ는

(둑겁25ㄴ:02) 졍북이오 츅인은 동북간이오 묘는 졍동이오 진ᄉ는 동남간이오

(둑겹25ㄴ:03) 오는 졍남이오 미신는 셔남간이오 유는 졍셔오 슐히는 셔북간
　　　　　이니

(둑겹25ㄴ:04) 방위를 응ᄒ여 십간과 십이지를 응ᄒ여 육갑이 되여ᄂ지라 셰

(둑겹25ㄴ:05) 상의 초목이며 빅곡이 봄의 싱겨나셔 어름에 왕셩ᄒ고 가흘에

(둑겹25ㄴ:06) 셩실ᄒ여 겨울의 감초ᄂ니 그러ᄒ건니와 너 갓튼 놈은 변화무
　　　　　궁헌

(둑겹25ㄴ:07) 법를 일은덜 엇지 알뇌야 되강 일을 거시니 드러보라 쳔문법은

(둑겹25ㄴ:08) 상고젹 티호 복희씨 쳔문을 슬피ᄉ 일월도슈를 졍ᄒ시고 졔오

(둑겹25ㄴ:09) 도당씨는 일년 열두달과 윤삭 드는 법를 졍ᄒ시고 졔슌 유우
　　　　　씨는

(둑겹26ㄱ:01) 션괴옥형를 민드러 일월과 쳔지도슈를 말련ᄒ시니 디졔 쳔지

(둑겹26ㄱ:02) 삼긴 후 모양이 둙긔알 가타여 흰ᄌ는 하늘이 되고 누른ᄌ는
　　　　　ᄯ히 되여

(둑겹26ㄱ:03) 하늘은 왼편으로 돌고 ᄯ흔 가온디 잇시며 일월셩신은 음양도
　　　　　슈로

(둑겹26ㄱ:04) 왕닉ᄒᄂ니 도슈는 삼빅육십오도 ᄉ분도지일이니 희는 하늘
　　　　　ᄉ분도

(둑겹26ㄱ:05) 지일를 돌고 달은 ᄉ분도지일를 도라 희와 달이 마조쳐 혹 일
　　　　　식도

(둑겹26ㄱ:06) 되며 혹 월식도 되ᄂ니 희는 삼빅육십일의 일초식 돌고 달은 숨

(둑겹26ㄱ:07) 빅일에 일초식 도니 일언고로 흔 달은 숨십일이오 일년은 열두

(둑겹26ㄱ:08) 달 하로는 열두 시라 이십팔슈에 각 항져방시미기는 동방 쳥용

(둑겹26ㄱ:09) 를 응ᄒ고 두우녀 허우실 벽은 북방 현무를 응ᄒ고 규루위묘

(둑겹26ㄴ:01) 필ᄌ삼은 셔방 빅호를 응ᄒ고 졍귀유셩장익진은 남방 쥬작를

(둑겹26ㄴ:02) 응ᄒ여 잇스며 북두칠셩은 하늘 도는 지도리라 자미셩은 하늘

(둑겹26ㄴ:03) 가온디 잇셔 쳔ᄌ을 응ᄒ는 별이라 숨티셩은 경슈도로 좃고

보필

(둑겁26ㄴ:04) 셩은 인간 화복길흉을 다 각〃 맛타 잇스며 풍우상셜과 뇌정벽

(둑겁26ㄴ:05) 역이 다 음양조홰라 천긔은 알릐로 날이고 지긔는 우흐로 올
나짜

(둑겁26ㄴ:06) 가 마조쳐 천동과 번긔 나고 비 오며 히빗치 나면 음양이 상박
ᄒ여 무

(둑겁26ㄴ:07) 지긔 되고 밤긔운이 엉긔여 이슬이 되고 비가 엉긔어 눈이 되
고 가을에 비

(둑겁26ㄴ:08) 가 ᄌ조 오면 닉년이 가물지 아니ᄒ고 정월 초일〃의 ᄾ방에
흰 구름

(둑겁26ㄴ:09) 이 잇스면 그 ᄒ가 풍년 들고 북방에 거문 구름이 지고 사방에
젹운이

(둑겁27ㄱ:01) 일면 그 ᄒ가 〃물고 황운이 만이 일어나면 날니 나는이라 정
월 망

(둑겁27ㄱ:02) 일에 달이 북으로 당긔어 쓰면 두메가 풍년 들고 남으로 각〃
이 쓰면

(둑겁27ㄱ:03) ᄒ변이 풍년 들고 불그면 가물고 희면 물지고 둥글고 황흑ᄒ면

(둑겁27ㄱ:04) 두로 풍년 드난이라 정월 초일〃에 비가 오면 칠월에 물지고
초이

(둑겁27ㄱ:05) 일에 비 오면 유월에 물지고 초삼일에 비 오면 보리 풍년 들
고 물

(둑겁27ㄱ:06) 지며 초오륙일에 비 오면 그 ᄒ가 크게 가물고 초팔일에 비가
오면 오

(둑겁27ㄱ:07) 곡이 불길ᄒ고 젹난이 잇ᄂ니라 정월 초일〃이 갑을일이면 청용

(둑겁27ㄱ:08) 이니 빅셩이 니산ᄒ고 물이 만흐며 무긔일이면 황용이니 천
히 듸

(둑겁27ㄱ:09) 풍ᄒ고 ᄌ일이면 오곡이 불셩ᄒ고 가을 계을에 물이 만흐며
묘일

(둑겁27ㄴ:01) 이면 오곡이 듸길ᄒ고 병히 만흐며 진일이면 오곡이 부셩ᄒ고

(둑겁27ㄴ:02) 먼져 가물며 오일이면 여름에 병히 만흐며 미일이면 봄과 여름

(둑겁27ㄴ:03) 이 가물고 풍우가 만흐며 신일이면 오곡이 길ᄒ고 빅셩이 편
ᄒ고

(둑겁27ㄴ:04) 물이 만흐며 유일이면 오곡이 평〃ᄒ고 병이 젹고 먼져 물지
고 후의 가

(둑겁27ㄴ:05) 물며 슐일이면 오곡이 셩ᄒ고 몸져 가무는이라 졍월 초일〃에
동풍

(둑겁27ㄴ:06) 이 불면 인민이 다병ᄒ고 이산ᄒ며 셔풍이 불면 듸풍ᄒ며 남
풍이 불

(둑겁27ㄴ:07) 면 봄이 가물고 오곡이 길ᄒ고 물지고 우마가 죽느니라 졍월
초일

(둑겁27ㄴ:08) 일에 동방에셔 젹운이 일어나면 봄이 가물고 빅운이 일어나면 풍

(둑겁27ㄴ:09) 지가 잇고 셔방에셔 젹운이 일어나면 겨울이 가물고 황운 일어

(둑겁28ㄱ:01) 나면 봄이 가물고 남방에셔 젹운이 일어나면 여름이 가물고 봄

(둑겁28ㄱ:02) 도 가물고 인민이 니산ᄒ며 흑운이 일어나면 오곡이 길ᄒ고
북방

(둑겁28ㄱ:03) 에셔 빅운이 일어나면 겨울이 가물고 사면에 젹운이 일면 국

(둑겁28ㄱ:04) 가에 불안ᄒ느니리 츠쳥하회ᄒ라

(둑겁29ㄱ:01)　　둑겁젼 권지이 죵

(둑겁29ㄱ:02)　　　텬동법

(둑겁29ㄱ:03) 츠셜 둑겁이 녀호다려 일너 글오듸 늬 열러 가지 말을 니를 거
시니

(둑겁29ㄱ:04) 어론의 말슴을 ᄌ시 드러 보라 갑을일에 텬동ᄒ면 티평ᄒ고

병졍일

(둑겹29ㄱ:05) 에 텬동ᄒ면 크게 가물고 무긔일에 텬동ᄒ면 듸풍지고 경신일에 텬

(둑겹29ㄱ:06) 동ᄒ면 난니 나고 오곡이 길ᄒ며 임계일에 텬동ᄒ면 물이 만아지고 ᄉ

(둑겹29ㄱ:07) 람의게 병이 만흔 법이니 ᄯᅩ 지동ᄒ는 법을 일르이라 드르라 졍월에

(둑겹29ㄱ:08) 디동ᄒ면 ᄌᆢ농이 되지 못ᄒ고 빅셩이 쥬리며 이월에 디동ᄒ면 병

(둑겹29ㄱ:09) 이 만코 빅셩이 쥬리며 칠월 팔월과 구월 십월에 디동ᄒ면 병이

(둑겹29ㄴ:01) 만코 빅셩이 죽으며 셧달에 디동ᄒ면 우마가 만히 죽ᄂᆞᆫ니라

(둑겹29ㄴ:02)　　　부귀 되는 법

(둑겹29ㄴ:03) 부귀 되는 법을 드르라 졍월 경인일에 부ᄌᆞ의 집 뎐답 흙을 파다가

(둑겹29ㄴ:04) 집 십니 외에 두면 부ᄌᆞ가 되고 듸로상에 흙을 파다가 신유방에〈집안으로 이른 말〉

(둑겹29ㄴ:05) 무드면 부귀ᄒ고 쇠쏠 속에 쎠를 집안 북편에 무드면 삼년 늬에 부귀ᄒᆞᄂᆞ니라

(둑겹29ㄴ:06)　　　틱 술오는 법

(둑겹29ㄴ:07) 틱 술오는 법를 드르라 틱를 동방에 술오면 그 아ᄒᆡ 가장 슈ᄒ고 글 잘

(둑겹29ㄴ:08) ᄒ고 과거ᄒ며 틱를 셔방에 술오면 만시 두로 됴ᄒ며 틱를 남방에 술

(둑겹29ㄴ:09) 오면 장슈ᄒ고 부귀ᄒ며 북방에 술오면 그 아희 ᄌᆞ라면 도적질ᄒ고 틱

(둑겹30ㄱ:01) 를 동남간에 술오면 부귀ᄒ고 노비가 셩ᄒ며 셔남간에 술오면

(둑겁30ㄱ:02) 가줏이 불안ᄒᆞᄂ이라

(둑겁30ㄱ:03)　　　우물 파는 법

(둑겁30ㄱ:04) 우물 파는 법를 드르라 우물를 동에 파면 챡ᄒᆞᆫ ᄌᆞ손이 나고 셔남간

(둑겁30ㄱ:05) 에 파면 ᄌᆞ손이 음난ᄒᆞ고 오방에 파면 죠흔 일이 나고 미방에 파면 쓸ᄌᆞ

(둑겁30ㄱ:06) 식이 음난ᄒᆞ고 ᄉᆞ방에 파면 ᄌᆞ손이 창셩ᄒᆞ고 북방에 파면 ᄌᆞ손의게 불

(둑겁30ㄱ:07) 길ᄒᆞ고 츅방에 파면 부〃가 이별ᄒᆞ고 인방에 파면 ᄌᆞ손이 부귀ᄒᆞ고 영

(둑겁30ㄱ:08) 화롭고 술방에 파면 병살 잇고 진방에 파면 쥬육이 만흐니라

(둑겁30ㄱ:09)　　　집의 녀인 드리는 법

(둑겁30ㄴ:01) 집의 ᄉᆞ람을 드리되 봄에 동으로 녀인이 드러오면 그 집 가장이 죽고

(둑겁30ㄴ:02) 가을에 셔으로 드러오면 화지 보고 겨을에 북으로 드러오면 그 집

(둑겁30ㄴ:03) 이 크게 흉ᄒᆞ니라

(둑겁30ㄴ:04)　　　옷 마르는 법

(둑겁30ㄴ:05) 이 옷 마르는 법은 칙녁의 이십팔슈일ᄌᆞ를 보아 옷슬 마르ᄂ니 드르라

(둑겁30ㄴ:06) 각일에 마르면 집안이 평안ᄒᆞ고 항일에 마르면 조흔 음식 어더 먹고 방

(둑겁30ㄴ:07) 일에 마르면 먹를 거시 만코 두일에 마르면 아름다온 음식을 먹고 우

(둑겁30ㄴ:08) 일에 마르면 길헌 일이 잇고 허일에 마르면 냥식을 만이 엇고 벽일

(둑겁30ㄴ:09) 에 마르면 보비를 엇고 규일에 마르면 직물을 엇고 누일에 마
르면 연

(둑겁31ㄱ:01) 년익슈ᄒ고 위일에 마르면 길ᄒ고 샹셔롭고 장일에 마르면 즐거

(둑겁31ㄱ:02) 온 일이 만코 익일에 마르면 관녹을 엇고 진일에 마르면 만시
장구

(둑겁31ㄱ:03) 티평ᄒᄂ니 이십팔슈 즁에 이 날은 다 죠코 이외에 날은 다
불길ᄒ

(둑겁31ㄱ:04) 니 아모날이나 옷슬 마르지 아니ᄒᄂ니라

(둑겁31ㄱ:05) 츈상갑에 비가 오면 젹지쳔니ᄒ고 하상갑에 비가 오면 승션입
시ᄒ고

(둑겁31ㄱ:06) 츄상갑에 비가 오면 화두 싱각ᄒ고 동상갑에 비가 오면 우양
이 동ᄉᄒᄂ니라

(둑겁31ㄱ:07) 텬문과 지리가 잇ᄂ니 놉푼 거슨 뫼히 되고 깁흔 거슨 물이 되
야 물은 움

(둑겁31ㄱ:08) 죽이니 양이 되고 산은 안졍ᄒ니 음이 된지라 곤륜산은 쳔하
산에

(둑겁31ㄱ:09) 근원이오 곤륜산 삼파슈가 쳔하로 퍼져 동희슈 되고 동희슈가

(둑겁31ㄴ:01) 하늘 ᄀᄅ를 년ᄒ여 하늘과 상통ᄒᄂ니라 지리를 의논ᄒ면 뫼터

(둑겁31ㄴ:02) 인즉 구가화포ᄒ고 닉룡이 웅쟝ᄒ고 쳥룡은 나셔들고 빅호는

(둑겁31ㄴ:03) 너머셔며 안산은 유졍ᄒ고 ᄉ면이 균젹ᄒ며 좌션군 우션군에
회듸

(둑겁31ㄴ:04) 슈 되고 명당이 광활ᄒ면 듸강이 명승지디라 산진슈회ᄒ면 명

(둑겁31ㄴ:05) 긔 싱기고 산슈동지ᄒ면 혈 아니지고 병졍봉이 근슌ᄒ면 파거
ᄒ고

(둑겁31ㄴ:06) 건슐봉이 웅쟝ᄒ면 부ᄌ 나고 쳥룡이 회뇨ᄒ면 ᄌ손이 만당ᄒ
고 쳥

(둑겁31ㄴ:07) 룡이 혀어지면 즈손이 훗터지고 오호풍이 드러오면 신체가 업

더

(둑겁31ㄴ:08) 지고 염졍슈가 빗최면 지즁에 화픠 잇고 계츅을 범ᄒ면 즈손

이 망

(둑겁31ㄴ:09) ᄒ고 슈구가 허여지면 집이 가난ᄒ고 쳥룡ㅅ각이 잇스면 후손

의 양

(둑겁32ㄱ:01) 즈 ᄒ고 인방에 바회 잇시면 즈손이 호랑의게 쥭고 물이 ᄉ면

으로 훗

(둑겁32ㄱ:02) 터지면 즈손이 기걸ᄒ고 탈지살이 도화살을 ᄱᅵ면 쳥상이 나고

(둑겁32ㄱ:03) 경피풍이 드러오면 즈손이 거줏말 잘ᄒ고 쥬작봉이 흉살을

ᄱᅵ면

(둑겁32ㄱ:04) 두 아비 두는 놈이 잇고 진ㅅ방에 규봉이 잇스면 과거도 나고

말직쏠이

(둑겁32ㄱ:05) 일쇡이 나고 외쳥룡이 죠흐면 외숀이 잘 되ᄂᆞ니 지리는 딕강

이러ᄒ니라

(둑겁32ㄱ:06) 인ㅅ로 의논ᄒ면 ᄉ람은 텬지를 응ᄒ여 셰상의 나오며 딕져

싱긴 모양

(둑겁32ㄱ:07) 이 머리는 하늘을 응ᄒ여 둥굴고 발은 ᄯᅳ를 응ᄒ여 모지고 힝ᄒ

(둑겁32ㄱ:08) 믹 셔 〃 단니고 손의 십이방위와 구궁슈가 잇고 텬지만물을 문

(둑겁32ㄱ:09) 불통지ᄒ니 만물 즁의 읏듬이오 ᄯᅩ 귀헌 바는 오륜이 잇시미라

(둑겁32ㄴ:01) 즘싱은 오힝 즁에 ᄒ나만 알고 힝허믹 갈로 누어 단이는이라

(둑겁32ㄴ:02) ᄉ람의게 오륜이란 거슨 부즈유친과 군신유의와 부 〃 유별과

(둑겁32ㄴ:03) 장뉴유셔와 붕우유신이라 ᄉ람이 되여 오륜를 모로면 엇지 금

(둑겁32ㄴ:04) 슈와 다르리요 오륜를 드르라

(둑겁32ㄴ:05)   부즈유친

(둑겁32ㄴ:06) 부모 셤기는 법은 빅힝의 근원이라 아비가 나를 나흐시고 어

미가 날

(둑겁32ㄴ:07) 날을 길르시니 깁흔 은혜를 갑고져 홀진듸 호텬망극이로다 그러

(둑겁32ㄴ:08) 무로 녜젹의 슌임군이 역산의 밧칠 가라 부모를 봉양ᄒ고 즈
로는

(둑겁32ㄴ:09) 빅니에 뿔을 져다가 부모를 효도로 봉양ᄒ고 노릭ᄌ는 칠십
의 냥

(둑겁33ㄱ:01) 친를 뫼셔 오쇡반의를 입고 싀식기를 길드려 부모의 마음을
깃부

(둑겁33ㄱ:02) 게 ᄒ고 왕상은 부모를 봉양ᄒ다가 동졀의 니어를 구ᄒ는 명
를 듯고

(둑겁33ㄱ:03) 독긔로 어름를 뾰긔고 니어가 즈연이 쒸여 나오고 밍종은 부
모가 병드

(둑겁33ㄱ:04) 러 동텬의 듁슌룰 구허거늘 비쳘의 듁슌을 어듸 가 어드리요
듸밧

(둑겁33ㄱ:05) 희 나아가 듁슌를 못 어더 부모를 봉양치 못ᄒ리라 ᄒ여 듁림을

(둑겁33ㄱ:06) 잡고 울다가 우름을 긋치고 보니 난듸업는 듁슌이 낫는지라
만심

(둑겁33ㄱ:07) 환희ᄒ야 가져와 부모의게 봉양ᄒ고 황향은 어려셔 녀름을 당

(둑겁33ㄱ:08) ᄒ여 부모의 즈리를 스스로 붓치질ᄒ여 셔늘케 ᄒ고 육젹은

(둑겁33ㄱ:09) 어렷슬 쎄의 님군이 귤를 쥬시니 품 속의 품어와 부모의게

(둑겁33ㄴ:01) 드리니 어린 아희라도 부모 셤기는 마음이 니러ᄒ거든 허물며

(둑겁33ㄴ:02) 지각난 스람이야 부모를 효양치 아니랴 부모 봉양ᄒ되 칩고

(둑겁33ㄴ:03) 더우며 빅곱프고 빅부르며 셩졍지례를 폐치 말고 극진봉양ᄒ

(둑겁33ㄴ:04) 여 일시도 마음을 게을니 말나 부모의 마음을 편케 ᄒ는 거시
인즈의

(둑겁33ㄴ:05) 당연ᄒ 도리니라 부모가 ᄒ번 도라가면 어듸 가 효를 헐가 후회

(둑겁33ㄴ:06) 막급ᄒ지 말고 극진효양ᄒᆞᆯ이로다 ᄒᆞ며 늬 효를 도라보와 ᄀᆞᆯ오

(둑겁33ㄴ:07) 듸 슬프다 늬 부모 게실 ᄢᅥ의 집이 구간ᄒᆞ여 부모게 고량으로 봉양

(둑겁33ㄴ:08) 치 못ᄒᆞ고 초식으로 봉양ᄒᆞ다가 냥친을 여희고 영감하 되엿시니

(둑겁33ㄴ:09) 아모리 봉양ᄒᆞ려 ᄒᆞᆫ들 어듸 가 ᄒᆞᆫ쟌 말가 쳔고의 효이로다 오날늘

(둑겁34ㄱ:01) 만반진슈를 바다시니 젼의 초식으로 봉양ᄒᆞ던 일를 싱각ᄒᆞ니

(둑겁34ㄱ:02) 목이 메여 먹지 못ᄒᆞᆨ깃고 쥬인를 못늬 불워ᄒᆞ노라

(둑겁34ㄱ:03)　　　군신유의

(둑겁34ㄱ:04) 신하가 님군 셤기는 법은 녜악샤어셔슈 여셧 가지를 비화 홍진

(둑겁34ㄱ:05) 자믹의 츌쟝입샹ᄒᆞ여 텬하를 평치ᄒᆞ고 만민을 슈역의 올

(둑겁34ㄱ:06) 녀 틱평을 일위고 공명을 다ᄒᆞ여 얼골을 긔린각의 그리고 일홈

(둑겁34ㄱ:07) 을 쳔츄의 나타늬는 거시듸 쟝부의 쾌ᄒᆞᆫ 일이오

(둑겁34ㄱ:08)　　　부부유별

(둑겁34ㄱ:09) 부〃의 도리는 이셩지합ᄒᆞ미오 만복지근원이라 삼싱의 인

(둑겁34ㄴ:01) 연을 믿ᄌ 셔상의 샹봉ᄒᆞ니 지아비는 화락ᄒᆞ고 지어미는 승슌

(둑겁34ㄴ:02) ᄒᆞ면 가되 창셩ᄒᆞ고 ᄌᆞ손이 안락ᄒᆞ리라 부〃 화락지 못ᄒᆞ면 빅ᄉ

(둑겁34ㄴ:03) 가 슌치 아니ᄒᆞ고 가도가 아니 되ᄂᆞ니 부듸 죠심ᄒᆞᆯ지라 지아비는 하늘

(둑겁34ㄴ:04) 이오 지어미는 ᄯ히니 ᄯ히 엇지 하늘를 거역ᄒᆞ리오 쥬야로 됴심공

(둑겁34ㄴ:05) 근ᄒᆞ여 지아비 니르는 듸로 마음을 승슌ᄒᆞ고 일심젹녁이 동〃촉

(둑겁34ㄴ:06) 촉ᄒᆞ여 지아비 위ᄒᆞ는 졍셩이 금셕 갓트미 녀ᄌᆞ의 힝실이오

(둑겁34ㄴ:07)　　　장유유셔

(둑겁34ㄴ:08) 졀믄니 어룬를 공경ᄒᆞ는 법이 늬 부모 셤기는 마음으로 남의 부

(둑겹34ㄴ:09) 모를 셤겨 공경ᄒ고 공슌ᄒ여 부모의게 욕이 밋지 아니ᄒ는
　　　　　　　거시

(둑겹35ㄱ:01) 경장ᄒ는 도리여늘 너 갓흔 불학무식흔 놈은 어룬을 모로고
　　　　　　　죤장

(둑겹35ㄱ:02) 을 공경치 아니ᄒ여 말씨를 함부로 ᄒ니 후레ᄌ식들이로다

(둑겹35ㄱ:03)　　　　　붕우유신

(둑겹35ㄱ:04) 붕우지도는 신이 웃듬이라 신이 업스면 남이 밋지 아니ᄒ며
　　　　　　　스람 노

(둑겹35ㄱ:05) 릇슬 못ᄒ여 남이 업슈이 넉이고 제 몸이 도로혀 희로리니 그
　　　　　　　러무

(둑겹35ㄱ:06) 로 텬지는 ᄉ시로 신를 일치 아니ᄒ고 바다물은 됴셕됴슈로
　　　　　　　신을 일

(둑겹35ㄱ:07) 치 아니ᄒᄂ니 이 다셧 가지를 일치 말고 힘뼈 힝ᄒ면 뉘 아니
　　　　　　　공경ᄒ리오

(둑겹35ㄱ:08) 뉵도삼냑은 장슈의 비홀 거시니 녜젹 황데 헌원씨 시졀의 구

(둑겹35ㄱ:09) 텬헌녀가 하늘로 나려와서 병법을 가르쳐시니 그씨의 헌원씨

(둑겹35ㄴ:01) 의 신하 영목이 그 병법을 비화 그 후의 장슈가 되고 그 후 쥬나

(둑겹35ㄴ:02) 라 씨의 강튀공이 그 병법을 통달ᄒ여 팔십지년에 위슈변

(둑겹35ㄴ:03) 의 고든 낙시를 드리오고 시졀을 기다리다가 쥬문왕을 만나
　　　　　　　인ᄒ여

(둑겹35ㄴ:04) 장쉬 되여 은나라를 쳐멸ᄒ고 쥬의 쳡 달긔를 잡아 쥭여시니 달

(둑겹35ㄴ:05) 긔는 본딕 유웅나라 님군의 쓸이니 텬하일싁이라 은나라의 시

(둑겹35ㄴ:06) 집 갈 졔 즁노의셔 밤을 ᄌ더니 밤즁의 쇼리 아홉 가진 녀호
　　　　　　　가 달긔

(둑겹35ㄴ:07) 자는 방의 드러가 달긔를 쥭이고 달긔 미골를 쓰고 잇스니 힝
　　　　　　　즁 스람이

(둑겁35ㄴ:08) 알 니 업는지라 인ᄒ여 ᄃ려다가 쥬의 안히를 삼으니 것흔 달

구나

(둑겁35ㄴ:09) 속인즉 구미회라 쥬의 마음을 고혹게 ᄒ여 ᄉ람을 만히 쥭이고

(둑겁36ㄱ:01) 밤이면 ᄀ만이 나가 쥭은 ᄉ람의 피를 먹어 화식이 더옥 긔이

헌 일식

(둑겁36ㄱ:02) 이 되여 튱신열ᄉ를 참소ᄒ여 만히 쥭이고 필경 은나라를 망

케 ᄒ

(둑겁36ㄱ:03) 니 만일 강틱공이 아니런들 구미호를 엇지 아라 잡아 쥭이리

요 ᄒ고

(둑겁36ㄱ:04) 인ᄒ여 우스며 녀호를 보아 굴오딕 너희 동낙이 니젼부터 간

악ᄒ

(둑겁36ㄱ:05) 고 요괴로은 심ᄉ를 늬여 사람을 무슈이 쥭이고 그 몹슬 마음

으로

(둑겁36ㄱ:06) 유위부죡ᄒ여 필경 그 나라를 망케 ᄒ니 네 아는다 모로는다

녀회

(둑겁36ㄱ:07) 아모 말도 못ᄒ고 낫빗치 붉근지라 둑겁이 다시 일오딕 늬 진

법을 이

(둑겁36ㄱ:08) 르니 드려 보라 팔진도법은 풍운묘화를 응ᄒ여 팔문를

(둑겁36ㄱ:09) 늬여스니 팔문이 각〃 변ᄒ여 구궁진과 팔괘진과 뇩화진이 되

ᄂ니

(둑겁36ㄴ:01) 싱문방으로 나아가 ᄉ문방을 치면 텬지가 회명ᄒ고 풍운이 어

(둑겁36ㄴ:02) ᄌ러워지며 룡호는 호위ᄒ여 슈미를 응ᄒ야 오방 긔치를 좌

(둑겁36ㄴ:03) 우로 쏘즈스니 동방 쳥긔는 쳥룡을 그리고 남방 젹긔는 쥬작

를 그

(둑겁36ㄴ:04) 리고 셔방 빅긔는 빅호를 그리고 북방 흑긔는 현무를 그리고 즁

(둑겁36ㄴ:05) 앙 황긔는 구진등ᄉ를 그리워는딕 오방신장은 북며군를 갓초고

(둑겁36ㄴ:06) 오방 그리엿던 귓발이 공즁의 붓치여 셔로 응ᄒᄂ니라 이 진법

(둑겁36ㄴ:07) 를 강틱공이 쥭은 후의 황셕공이 쟝ᄌ방의게 젼ᄒ고 쟝ᄌ방

(둑겁36ㄴ:08) 은 제갈량의게 젼ᄒ여 어복포에 돌노 팔진도를 버린 거시니 지

(둑겁36ㄴ:09) 금가지 완연ᄒ거니와 그 후는 뉵도삼약을 아는 직 업는이라

(둑겁37ㄱ:01) 의약ᄒ는 법은 녬데 신농씨 빅 가지 풀를 맛보아 의약을 졍련

(둑겁37ㄱ:02) ᄒ여 그 법을 변작이와 우〃좌와 화타의게 젼ᄒ여스니 이는 텬왕

(둑겁37ㄱ:03) 비결이라 변작이는 긔이ᄒ 슐법 당상군의게 비화 스람의 소리

(둑겁37ㄱ:04) 만 드러도 무삼 병이 날 줄을 알고 스람의 그림ᄌ를 보고도 오 장의

(둑겁37ㄱ:05) 든 병를 짐작ᄒ여 무슴 병이니 아모 약을 쓰라 ᄒ여 약을 쓰 면 빅

(둑겁37ㄱ:06) 발빅즁ᄒ여 곳치기로 셰상의 능ᄒ다 ᄒ더니 그쎡의 진나라 님

(둑겁37ㄱ:07) 군이 병드러 쥭은 지 칠일이 되도록 명문이 오히려 더운 고로 념

(둑겁37ㄱ:08) 습을 아니ᄒ엿더니 변작이 그 말을 듯고 나아가 진믹ᄒ 후

(둑겁37ㄱ:09) 일호딕 이난 시병이라 침 한 곳즐 쥬고 화계탕를 닙의 드리

(둑겁37ㄴ:01) 워더니 즉시 환싱ᄒ여 일어 안져 굴오딕 ᄌ손이 부딕 평왕이 되

(둑겁37ㄴ:02) 리라 ᄒ니 이상ᄒ고 긔이헌 슐법이러라 화타의 신긔헌 방슐은

(둑겁37ㄴ:03) 병를 당ᄒ여 못 곳치는 일 업고 신긔ᄒ미 층양 업더니 ᄒ 스람 이 슐

(둑겁37ㄴ:04) 병이 잇다 ᄒ거늘 본즉 챵ᄌ 한 구뷔가 쎡거거늘 마졔방 ᄒ 첩을 몍

(둑겁37ㄴ:05) 여 쥭이고 빅를 가른 후 창ᄌ를 닉여 물에 삐셔 셕은 챵ᄌ을 벼히고

(둑겁37ㄴ:06) 기 챵ᄌ를 니어 넛코 도로 쎄여 민인 후 회싱산 ᄒ 첩을 멕이 니 즉

(둑겹37ㄴ:07) 시 쾌츠ᄒ여 이 소문이 셰상의 모로 리 업더니 그쩍 한승상 됴뙤 머리

(둑겹37ㄴ:08) 를 아라 화타를 쳥ᄒ여 문병홀ᄉᆡ 화틔 진믹ᄒ고 이로ᄃᆡ 이는 귀

(둑겹37ㄴ:09) 슈라 병이 골슈의 드러스니 약으로난 치료치 못홀지라 ᄒᆞᆫ 법 이 잇

(둑겹38ㄱ:01) 스니 시험ᄒ시리잇가 됴뙤 왈 무슴 묘법이요 화틔 글오ᄃᆡ 독 긔로

(둑겹38ㄱ:02) 골를 씨치고 골를 늬여 물의 ᄲᅵ슨 후 다시 녀코 골을 맛초면 쾌츠ᄒ

(둑겹38ㄱ:03) 리이다 됴뙤 글오ᄃᆡ 골를 씨치면 스람이 엇지 살니오 스람의 혼빅이

(둑겹38ㄱ:04) 두골의 잇거놀 혼빅이 허여지면 아모리 맛촌들 스니는 업스리니

(둑겹38ㄱ:05) 네 분명 날를 쥭이려 ᄒ는도다 ᄒ고 옥의 가두와 쥭이려 ᄒ니 화태

(둑겹38ㄱ:06) 옥 직킨 군스를 불너 쳥냥셔를〈병 곳치는 긔이헌 방셔칰이라〉 쥬어 글오ᄃᆡ 이는 텬하

(둑겹38ㄱ:07) 의 긔이헌 보비라 그ᄃᆡ의게 젼ᄒᄂᆞ니 이거슬 보와 후일 병든 스람를

(둑겹38ㄱ:08) 구졔ᄒ라 옥쬴이 바다 가지고 졔 집의 와 슈말를 니르고 두엇

(둑겹38ㄱ:09) 더니 그 후의 옥쬴의 계집이 그 말를 듯고 니로ᄃᆡ 이는 졔 몸를

(둑겹38ㄴ:01) 쥭이는 비결이라 두지 못ᄒ리라 ᄒ고 가마니 늬여 불 술나 업시

(둑겹38ㄴ:02) ᄒ엿기로 그 후는 셰상의 젼치 못ᄒ여 신통ᄒᆞᆫ 법이 업셔졋시되

(둑겹38ㄴ:03) 디져 스람의 병이 안으로 음식이 창ᄒ고 밧그로 쥬식의 상ᄒ 여 빅 가

(둑겹38ㄴ:04) 지 병이 되고 긔품이 부죡ᄒᆞᆫ 스람은 신병이 무슈ᄒ고 병이 즈 로 나는

(둑겁38ㄴ:05) 니 병 곳치는 법은 몬져 병든 스람의 긔품부터 무러 안 후의 약을 쓰

(둑겁38ㄴ:06) 느니 믹법은 초팔믹이 좌우의 이셔 부믹이 모혀 십이믹이 되느니

(둑겁38ㄴ:07) 라 슈죡이 불화ᄒ면 신경병이오 어유믹이 되면 삼일 늬의 듁고 됴

(둑겁38ㄴ:08) 탁믹이 되면 ᄒ로를 못 살고 장믹이 업스면 관를 예비ᄒ라 각식 병

(둑겁38ㄴ:09) 의 속히 쓰는 약를 딕강 니르이니 드르라 세상 스람이 모르리 만흐니라

(둑겁39ㄱ:01) 시병의 쓥 못 늬여 열이 밋친 딕는 무가산를 콩과 흔딕 복가 물을 부

(둑겁39ㄱ:02) 어 울려 그 물을 쓰고 홍역과 역질에는 승마갈근탕을 쓰고 그 다음에

(둑겁39ㄱ:03) 는 픠독산을 쓰고 곽난에는 곽향뎡긔산을 쓰고 산후 부긔에는 가물

(둑겁39ㄱ:04) 치을 쓰고 치통에는 말 발에 발핀 돌을 달와 물에 더어 그 물을 입에

(둑겁39ㄱ:05) 물어다가 토ᄒ여 바리면 즉ᄎ고 안질에는 뽕나무 벌어지를 자

(둑겁39ㄱ:06) 바 눌너 터진 물을 너코 쏘 쳔황년을 스람의 졋세 담가 너흐면 조

(둑겁39ㄱ:07) 코 둉긔에는 둥구레을 슐에 다려 먹고 쏘 작말ᄒ여 슐의 반죽

(둑겁39ㄱ:08) ᄒ여 부치고 더위의는 빅꼽에 소금을 펴고 쓰면 신통ᄒ고 뉵

(둑겁39ㄱ:09) 체에는 산스와 비나무 썹질을 달혀 먹고 쳥년과부는 사간탕

(둑겁39ㄴ:01) 를 먹으면 마음을 안뎡ᄒ고 옴 올닌 딕는 듁엽을 슬나 참기

(둑겁39ㄴ:02) 름에 기야 바르면 나호디 졔일은 비상의 피는 거시 신긔ᄒ고 첫

(둑겁39ㄴ:03) 지 남의게 옴기지 아니ᄒᄂ이라 변두풍에는 쇠머리 골를 ᄒ보

(둑겁39ㄴ:04) 에 쳥궁빅지를 작말ᄒ여 흔듸 너어 반싱반슉ᄒ여 먹으면 즉츠

(둑겁39ㄴ:05) ᄒ고 귀 먹은 듸는 창포를 불의 살와 파쑉리와 흔듸 씨여 버무

(둑겁39ㄴ:06) 려 귀에 막으면 삼년 된 병이라도 즉차ᄒ고 ᄯ 호도기름도 녓
코 길에

(둑겁39ㄴ:07) 졀노 쥭은 지룡이 어더 솜에 ᄡ셔 귀에 씨여 두면 조코 인후
에는 음ᄉ

(둑겁39ㄴ:08) 피를 작말ᄒ여 슐의 타 먹고 ᄯ 듸통에 너허 목궁게 쑈리기도
ᄒ고

(둑겁39ㄴ:09) 흉복통에는 토란을 갈아 싱쳥에 버무려 먹으면 조코 요통의
는 녹

(둑겁40ㄱ:01) 각상를 작말ᄒ여 슐에 타 먹고 귀 속를 알는 듸는 잠두ᄌ를
살나 슐

(둑겁40ㄱ:02) 에 트 먹고 학질에는 쥐머나리를 작말ᄒ여 슐의 타 먹고 쇼변
불통

(둑겁40ㄱ:03) 에는 길경이를 숄에 너허 물을 만이 붓고 달혀 먹고 님질에는
우슬을

(둑겁40ㄱ:04) 탁쥬의 다려 먹고 치질에는 웅담을 초에 나 담빅침에 기야 바
르고 히

(둑겁40ㄱ:05) 슈에는 싱강 넉 냥쥼과 거문엿 흔근를 흔듸 교합ᄒ여 ᄉ긔그
르식 담아

(둑겁40ㄱ:06) 밥 우희 쪄 날마다 여러 번의 먹으면 조코 치통에는 옷슬 알는
니의

(둑겁40ㄱ:07) 바르고 풍단에는 침 쥬고 검금과 빅쵸를 흔듸 두다려 붓치고
셜ᄉ에

(둑겹40ㄱ:08) 는 싱강 구어 뾱과 흔듸 달혀 먹고 니질에는 됴긔골에 올흔
편 쎄

(둑겹40ㄱ:09) 를 갈히여 작말ᄒ여 미음에 여려 번 타 먹고 안질에는 나상이
를 물

(둑겹40ㄴ:01) 를 닉여 바르고 삼눈에는 니어 쓸기를 닉여 너흐면 즉츠ᄒ고
옷 옥는

(둑겹40ㄴ:02) 듸는 솔입흘 찌어 즙를 닉여 바르고 쏘 잔듸밧희 구을며 잔듸쏼

(둑겹40ㄴ:03) 희를 달혀 먹으면 즉츠ᄒ고 틱 못 낫는 듸는 아희 아비 속거
슬 우물

(둑겹40ㄴ:04) 을 덥흐면 즉싱ᄒ고 아히 나흘 졔 염불 쎈 진 듸는 피마ᄌ뼈을
만히

(둑겹40ㄴ:05) 찌어 머리 뎡슈리에 부치고 뎡동에는 참식를 잡아 뎡난 우희
노하

(둑겹40ㄴ:06) 쏼닌 후에 쇼아리를 터져 부치고 쏘 마늘을 얄게 쏘긔여 붓치
되 죽

(둑겹40ㄴ:07) 침으로 구멍을 송〃ᄒ게 쑤러 뎡 우희 노코 그 우희 뾱를 노
하 불을

(둑겹40ㄴ:08) 부쳐 뾱김을 ᄌ로 드리면 됴코 부긔에는 긔 쓸기을 다섯 부만
먹고 황

(둑겹40ㄴ:09) 달에는 독고마리 즙을 닉여 먹고 쏘 가물치도 먹고 쏘 미나리
를 찌어

(둑겹41ㄱ:01) 즙를 닉여 슈삼ᄎ 먹고 긔게 물닌 듸는 황연을 작말ᄒ여 부치면

(둑겹41ㄱ:02) 됴코 비암의게 물닌 듸는 인분을 부치고 쏘 셕웅황을 작말ᄒ
여 만

(둑겹41ㄱ:03) 히 부치면 됴코 듸하증에는 옷 빅를 불에 술나 슐의 타 먹고
쏘 빅

(둑겹41ㄱ:04) 탄슛흘 작말ᄒ여 슐의 타 먹고 ᄯᅩ 익모초을 달혀 공복에 먹고

(둑겹41ㄱ:05) 경풍에는 소곰을 머리 뎡슈리에 문지르고 체를 얼골에 쓰이 고 찬

(둑겹41ㄱ:06) 물을 입에 물어 두셰 번을 놀납게 쏨으면 즉츠ᄒ고 복학에는 뽁

(둑겹41ㄱ:07) 물도 먹고 ᄯᅩ 웅담도 먹고 ᄯᅩ 마른 송이을 작말ᄒ여 진유에 기야셔

(둑겹41ㄱ:08) 복학 잇는 비 우희 바르고 협담에는 마와 삼ᄡᅵ을 흔듸 ᄲᅵ여 붓치고

(둑겹41ㄱ:09) 몸이 두로 가려온 듸는 사샹ᄌ을 닭긔 알희 너어 부치면 죠호 리라

(둑겹41ㄴ:01)　　　송엽쥬법

(둑겹41ㄴ:02) 솔입흘 열 말만 ᄰ다가 흔 번을 물에 싀려 바리고 다시 물 열 말을

(둑겹41ㄴ:03) 부어 솔입흘 살마 물이 두 말 되게 됴린 후 솔입흔 건져 바리 고 빅

(둑겹41ㄴ:04) 미 흔 말을 졍ᄒ게 쓸코 ᄲᅵ셔 작말ᄒ여 그 싀린 물에 기여 누 록 닷

(둑겹41ㄴ:05) 홉를 셰말ᄒ여 셕거 항아리에 너헛다가 삼칠일 후의 먹으면 즁

(둑겹41ㄴ:06) 병에 뎨일이오 평싱에 장복ᄒ면 년〃익슈ᄒᄂ이라 이 슐법

(둑겹41ㄴ:07) 은 신션의 슐법이니라

(둑겹41ㄴ:08)　　　졈 치는 법

(둑겹41ㄴ:09) 졈법를 드러 보라 상고시졀에 틔호 복희ᄡᅵ 쳐음으로 팔괘을 그

(둑겹42ㄱ:01) 어 니시니 이는 션쳔슈요 쥬나라 문왕이 뉵십ᄉ괘를 니이시 니 이

(둑겹42ㄱ:02) 는 후텬슈라 텬지만물에 화복길흉을 다 여긔 잇더니 그 후에

(둑겹42ㄱ:03) 엄군평과 니슌풍과 곽박 션싱과 쥬회암이 다 유명흔 졈이라

(둑겁42ㄱ:04) 삼효와 상싱상극과 삼합과 뉵십스괘를 마련ㅎ여 사람의

(둑겁42ㄱ:05) 길흉화복을 판단ㅎ엿ᄂ니라

(둑겁42ㄱ:06)　　　상 보는 법

(둑겁42ㄱ:07) 상 보는 법을 니르리니 드러 보라 디졔 스람의 오악을 살피
고 쳘

(둑겁42ㄱ:08) 식을 보와 부귀공명을 알고 금목슈화토 오힝으로 뉵엽

(둑겁42ㄱ:09) 을 붓쳐 보ᄂ니 일월각이 조흐면 쇼년급졔ㅎ고 귀와 눈이 영

(둑겁42ㄴ:01) 치가 잇스며 눈셥이 초싱달 갓트면 고관딕작ㅎ고 임즁이 길

(둑겁42ㄴ:02) 고 슈염이 잇스면 장슈ㅎ고 면지와 법영이며 코가 됴흐면 부즈

(둑겁42ㄴ:03) 되고 인즁이 골이 깁흐면 ᄌ식이 만코 누당이 ᄂ지며 임즁이
번두ㅎ면

(둑겁42ㄴ:04) ᄌ식이 업고 눈셥이 길면 형졔가 만코 눈셥 곳히 살이 잇스면
쳐궁

(둑겁42ㄴ:05) 이 그르고 눈츄리가 아릭로 처지면 더부러 말을 말고 눈이 셰
모이 지

(둑겁42ㄴ:06) 면 셩품이 독ㅎ고 입슈알이 건슙지면 셩품이 고약ㅎ고 입슈
알이

(둑겁42ㄴ:07) 여르면 가ᄂ하고 우슬 졔 눈를 감으면 죽어 관곽이 업ᄂ니라
그러나 오

(둑겁42ㄴ:08) 날 네 상을 보니 인즁이 비록 져르되 옥노셩이 놉하시니 장슈
홀 거

(둑겁42ㄴ:09) 시오 난 딕가 분명ㅎ니 ᄌ궁도 됴흘 거시오 하관이 비록 쌘나
법영이

(둑겁43ㄱ:01) 두렷ㅎ니 의식도 무던홀 거시니 다만 귀가 열고 셩곽이 너부
니 상

(둑겁43ㄱ:02) 쳐ㅎ기 쉬우리라 녀회 갈오딕 과연 시싱의 쳐가 복통으로 딕

단ᄒ

(둑겁43ㄱ:03) 여 지금 여러 달이 되〃 낫지 아니ᄒᆞ니 쥭기가 쉬울지라 원컨
딕 조흔 약

(둑겁43ㄱ:04) 을 가르쳐 쥬옵소셔 둑겁이 웃고 니오딕 열 업슨 약으로 알지
말고

(둑겁43ㄱ:05) 시험ᄒᆞ라 젹두 셰흘 먹으면 셜스가 날 거시니 그 후의 흰 쥭
을 쑤

(둑겁43ㄱ:06) 어 멕이면 나흐리라 녀회 샤례왈 그딕로 ᄒᆞ리이다 그러나 존
장이 텬

(둑겁43ㄱ:07) 문지리와 텬지만물을 무불통지ᄒᆞ옵시니 글도 ᄒᆞ시ᄂᆞ니잇가 둑

(둑겁43ㄱ:08) 겁이 굴오딕 이 밀련ᄒᆞ 죵만 든 즘싱놈아 글을 못ᄒᆞ면 텬문지리

(둑겁43ㄱ:09) 와 뉵도삼약이며 의약복셔를 엇지 알니오 녀회 굴오딕 그러
ᄒᆞ시

(둑겁43ㄴ:01) 면 존장의 풍월을 ᄒᆞᆫ번 드러지이다 둑겁이 니르딕 쇽담에 쇠

(둑겁43ㄴ:02) 귀에 경이란 말을 드럿더니 네게 당ᄒᆞᆫ 말이라 풍월을 헌들

(둑겁43ㄴ:03) 네가 알소야 녀회 굴오딕 알 만ᄒᆞ오니 ᄒᆞᆫ번 듯기를 원ᄒᆞᄂᆞ이
다 둑겁

(둑겁43ㄴ:04) 이 허락ᄒᆞ고 붓쳐로 췩상을 두다리며 풍월을 읇흐니 ᄒᆞ여시되

(둑겁43ㄴ:05)　　　관영소디　　관을 쓰니 씐이 ᄯᅳ의 쓸니고

(둑겁43ㄴ:06)　　　니혜반신몰　신을 신으니 반이나 몸이 쌘지도다

(둑겁43ㄴ:07)　　　약봉우쥬슈　만일 쇠볼ᄌᆞ국 물을 만나면

(둑겁43ㄴ:08)　　　회슈환션릭　손을 두르고 빅을 오라 부리리로다

(둑겁43ㄴ:09)　　　딕월강두입　달을 기다려 강머리에 셧시니

(둑겁44ㄱ:01)　　　고쥬셕양부　외로온 빅가 셕양에 셧도다

(둑겁44ㄱ:02) 읇기을 맛치며 차을 쳥ᄒᆞ여 먹으니 녀회 굴오딕 읇푸시기도 잘

(둑겁44ㄱ:03) ᄒᆞ시건이와 슌식간에 셩편ᄒᆞ시니 과연 용ᄒᆞ샤이다 그러나 노

리도

(둑겁44ㄱ:04) 호시난잇가 둑겁이 되왈 되장부가 쳥누 쥬가에 단일 젹의 가무

(둑겁44ㄱ:05) 을 엇지 못호리오 두어 곡죠를 부르리니 드러보라

(둑겁44ㄱ:06)　　셕양에 반취호여 쳥누로 올나가니 운간에 명월이어 슈즁에

(둑겁44ㄱ:07)　　년홰로다 아마도 운간명월 슈즁년이 니 벗인가

(둑겁44ㄱ:08)　　미쥭녕 붉근 둘에 넷일이 쳐량호다 강산은 넷빗치오 님

(둑겁44ㄱ:09)　　즈는 즈최 업다 두견졔강즈류호니 그를 슬워

(둑겁44ㄴ:01)　　오날은 무슴 날고 친구 벗지 만호여 거문고 당〃 소리호고

(둑겁44ㄴ:02)　　두루미 둥〃 츔을 춘다 동즈야 칭피시굉호시니 취코 놀셰

(둑겁44ㄴ:03) 둑겁이 노리를 마치며 슐를 부으라 호여 먹고 취홍이 도〃호여

(둑겁44ㄴ:04) 질기니 녀회 굴오되 과연 존장이 노리도 명챵이시니 음식 민 들는

(둑겁44ㄴ:05) 법을 아르시느니잇가 둑겁이 굴오되 텬문지리인스를 모를 거시

(둑겁44ㄴ:06) 업는되 음식 민다는 법을 엇지 모로이오 셰상의 못 먹어본 음식

(둑겁44ㄴ:07) 이 업스니 젼라도 한산쥬며 평안도 감홍노며 츙쳥도 쳥명쥬와

(둑겁44ㄴ:08) 쳥쥬 탁쥬 닝면 시면 열구즈 꿀썩이 다 조코 슌챵 쑨의는 고초

(둑겁44ㄴ:09) 장이 졔일이니 네 엇지 알이오 음식 민다는 법을 말호려 호 면 쳔

(둑겁45ㄱ:01) 만 가지 음식이라 하로 이틀노는 다 이를 길이 업스니 다시 뭇지

(둑겁45ㄱ:02) 말나 녀회 무른즉 모르는 거시 업고 이졔는 무를 말이 업셔 다 시 미

(둑겁45ㄱ:03) 소 문왈 존장의 왼몸에 두틀〃〃호여 보기에 움슝이 갓트니 그 거

(둑겁45ㄱ:04) 슨 어이 곳치지 아니하시느니잇가 둑겁이 되왈 그것슨 병 아 니라 니

(둑겁45ㄱ:05) 쇼년시졀에 허다 쳥누방에 늬 집갓치 쥬야로 왕늬헐 졔 졀듸가

(둑겁45ㄱ:06) 인이 무슈ᄒ니 다 각〃 권ᄒ는 거시 지독헌 슐을 큰 잔의 졔
         정과 갓

(둑겁45ㄱ:07) 치 가득 부어 셤〃옥슈로 잔을 잡고 잉도 갓흔 입을 녈어 권쥬

(둑겁45ㄱ:08) 가로 권헐 씌의 졍으로도 먹고 노릐로도 먹고 먹는 이 나 혼지

(둑겁45ㄱ:09) 라 빅년에도 삼만뉵쳔일에 어늬 날를 걸흘소냐 날마나 슈빅

(둑겁45ㄴ:01) 빈식 먹으니 무진무진 먹어시며 쥬열이 것흐로 닉여 붓쳐 그러

(둑겁45ㄴ:02) ᄒ니 곳치랴면 못 곳칠니 업스되 만일 열이 속으로 들면 슉호

(둑겁45ㄴ:03) 츙비가 될 듯ᄒ여 아즉 그듸로 지늬로다 녀회 굴오듸 존장님
         이 눈

(둑겁45ㄴ:04) 이 불쏘 턱 밋치 벌덕벌덕ᄒ시니 뉘게 쫏치인 모양 갓스오니 그

(둑겁45ㄴ:05) 거슨 엇지 ᄒ여 그러ᄒ시니잇가 둑겁이 졍싁ᄒ여 굴오듸 네
         가 존

(둑겁45ㄴ:06) 장을 모로고 말시를 함부로 ᄒ기에 분ᄒ여 분를 춤지 못ᄒ여
         그러

(둑겁45ㄴ:07) ᄒ니 너 갓흔 놈은 셕긴 것 업는 진품 후레ᄌ식이로다 좌즁
         이 박

(둑겁45ㄴ:08) 장듸소ᄒ더라 그렁져렁 ᄒ노라니 날이 져무러 일낙함지ᄒ고 월

(둑겁45ㄴ:09) 츌동영ᄒ민 잔치을 파ᄒ고 슐이 취ᄒ여 각〃 졔 집으로 도라
         가니

(둑겁46ㄱ:01) 라 직셜 둑겁이 집의 도라와 샤당에 비알헌 후 쳐ᄌ를 거느려

(둑겁46ㄱ:02) 질기더니 ᄎ시 텬운이 불길ᄒ여 흉년이 년쳡ᄒ여 인민이 황듁흔

(둑겁46ㄱ:03) 지라 둑겁이 슬기는 동졍호의 스니 동뎡호는 광능 쏜히니 광능

(둑겁46ㄱ:04) 원이 도젹의게 의복즙물을 다 일코 병부와 옷과 함긔 일허시

(둑겁46ㄱ:05) 니 국가에 큰 죄인이라 죽기를 엇지 면ᄒ리오 광능원이 크게
         근심

(둑겁46ㄱ:06) ᄒ여 일등포교를 갈희여 ᄉ쳐로 노하 도젹을 잡으려 ᄒ되 둉시

(둑겁46ㄱ:07) 잡지 못ᄒ여 쥬야로 침식이 불안ᄒ더니 하로는 승발이 관젼에

(둑겁46ㄱ:08) 드려와 엿ᄌ오되 풍편의 드르니 동졍호가에 명복이 잇는되

(둑겁46ㄱ:09) ᄉ람도 아니오 귀신도 아니오 텬디만물을 무불통지ᄒ여 풍운

(둑겁46ㄴ:01) 조화며 늇뎡늇갑을 부리는되 별호는 둑겁 존장이라 ᄒ오니

(둑겁46ㄴ:02) 한번 쳥하여 문ᄎᆞᄒ시미 조흘가 ᄒᄂ이다 본관이 그 말을 듯고

(둑겁46ㄴ:03) 되희ᄒ여 밧비 장교와 형방을 명ᄒ여 쥬뉵을 만이 봉ᄒ고 존문

(둑겁46ㄴ:04) 을 공슌이 ᄡᅥ 보니니 장교 등이 쎨니 힝ᄒ여 동졍호가의 나아가

(둑겁46ㄴ:05) 본관의 존문을 젼ᄒ니 둑겁이 바다 보고 닐오되 솔토지민이
　　　　막비

(둑겁46ㄴ:06) 왕신이라 나도 이곳 빅셩으로 셩쥬 명을 엇지 거역ᄒ리오 ᄒ
　　　　고 발

(둑겁46ㄴ:07) 힝헐ᄉ 톳기를 불너 안장 지어 ᄐ고 쳥의 동ᄌ로 경마 들이고
　　　　의관

(둑겁46ㄴ:08) 을 갓초고 길 ᄮᅥ나 슌식간에 득달ᄒ여 장교 등이 드러가 알왼

(둑겁46ㄴ:09) 되 본관이 급히 상탑을 졍졔ᄒ고 마ᄌᆞ드려 되좌ᄒ니 줌 안에

(둑겁47ㄱ:01) 드는 둑겁이라 본관이 일변 고이 너기고 일변 어히 업셔 묵〃불

(둑겁47ㄱ:02) 언ᄒ니 둑겁이 진즁이 말ᄒ여 굴오되 셩쥐 무슴 일노 쳥ᄒ시니

(둑겁47ㄱ:03) 잇고 민은 궁박ᄒᆫ 곳에 잇ᄉ와 츌입도 못ᄒ고 셔칙으로 쇼일ᄒ

(둑겁47ㄱ:04) 여 지닉옵더니 의외에 셩쥬가 존문ᄒ여 쳥ᄒ시니 아모리 츌입

(둑겁47ㄱ:05) 을 폐ᄒ여스나 토민 되여 셩쥬의 명을 거역지 못ᄒ여 왓ᄉ오
　　　　니 무

(둑겁47ㄱ:06) 슴 일이온지 아라지이다 본관이 쳐음은 망지불ᄉᄒ다가 말허
　　　　는 거

(둑겁47ㄱ:07) 슬 드르니 ᄉ람은 아니로되 ᄉ람의 말을 ᄒ고 ᄯᅩ 말이 지식이
　　　　잇거

(둑겁47ㄱ:08) 늘 혜오딕 이 필경 젼싱의 무슴 되로 츅혼 허물을 뼈 츌

(둑겁47ㄱ:09) 셰ᄒᆞ민가 시부다 ᄒᆞ고 되답ᄒᆞ여 굴오딕 다름 아니라 그딕가 학

(둑겁47ㄴ:01) 식이 유여헐 쌘더러 텬지도슈와 의약복셔를 다 안다 ᄒᆞ기로

(둑겁47ㄴ:02) 혼번 보기를 원ᄒᆞ여 쳥ᄒᆞ엿ᄂᆞ이다 둑겁이 숀사ᄒᆞ여 굴오딕

(둑겁47ㄴ:03) 민 갓흔 불ᄉᆞ헌 인ᄉᆞ가 무어슬 아오릿가마는 무어슬 뭇ᄌᆞ올
　　　　　　　말슴이 잇

(둑겁47ㄴ:04) 슴ᄂᆞ잇가 듯기를 원ᄒᆞᄂᆞ이다 본관이 굴오딕 일젼에 도젹의게
　　　　　　　의복

(둑겁47ㄴ:05) 습물을 일헌는딕 병부를 갓치 일허스니 막즁헌 거시라 엇지 ᄒᆞ

(둑겁47ㄴ:06) 여 츠질는지 묘방을 바라ᄂᆞ이다 둑겁이 쳥파의 공경ᄒᆞ여 굴오딕

(둑겁47ㄴ:07) 관장은 그 고을에 위민부모라 ᄒᆞ엿스니 부모가 위디를 당ᄒᆞ엿
　　　　　　　스니 엇

(둑겁47ㄴ:08) 지 놀납지 아니ᄒᆞ리오 ᄒᆞ고 눈을 씀작이며 턱을 벌쩍이며 쥬필

(둑겁47ㄴ:09) 을 늬여 글ᄌᆞ 칠〃을 쎠 진언을 념ᄒᆞ며 북쳔을 향ᄒᆞ여 더지니
　　　　　　　그 조

(둑겁48ㄱ:01) 희 공즁에 나라 간 딕 업더니 식경은 ᄒᆞ여 호련 난딕업는 신
　　　　　　　장이

(둑겁48ㄱ:02) 드러와 복지쳥녕ᄒᆞ는지라 둑겁이 분부ᄒᆞ되 셩쥬계오셔 병

(둑겁48ㄱ:03) 부를 일젼에 봉젹ᄒᆞ엿스니 나라의 큰 죄를 지은지라 뇩졍은 급

(둑겁48ㄱ:04) 히 가 츠져와 셩쥬의 죄를 면케 ᄒᆞ라 오시 젼에 츳ᄌᆞ 드리되
　　　　　　　만일 시

(둑겁48ㄱ:05) 를 어긔면 힝형ᄒᆞ리라 ᄒᆞ니 뇩뎡이 분부를 듯고 황겁ᄒᆞ여 즉

(둑겁48ㄱ:06) 시 하직ᄒᆞ고 공즁에 나라 가더니 오릿지 아니ᄒᆞ여 병부와 의
　　　　　　　복이며

(둑겁48ㄱ:07) 그 도젹ᄒᆞ여 갓던 놈을 다 결박ᄒᆞ여 ᄌᆞ바드리거늘 무르니 그
　　　　　　　도젹

(둑겁48ㄱ:08) 은 민간쥬슐이라 ㅎ는 놈인듸 흉년에 긔한를 견듸지 못ㅎ여

(둑겁48ㄱ:09) 냥민이 도적이 되여 의복을 가져간는듸 병부는 뾰이여 간 거
시라

(둑겁48ㄴ:01) 본관이 그 졍지를 도로혀 측은이 역겨 미곽을 만히 쥬고 둑겁의

(둑겁48ㄴ:02) 게 샤례ㅎ며 그 신통을 칭찬ㅎ여 굴오듸 션싱 도슐이 잇셔 이러

(둑겁48ㄴ:03) ㅎ니 변신ㅎ여 인형이 되여 님군을 튱셩으로 셤기면 텬하 다
스리

(둑겁48ㄴ:04) 기를 무슴 근심ㅎ이잇고 둑겁이 손ㅅㅎ여 굴오듸 인형 되기
어렵지

(둑겁48ㄴ:05) 아니ㅎ오나 변신ㅎ면 텬의를 긔망ㅎ미오 세상이 요괴흔 거스
로 알

(둑겁48ㄴ:06) 거시니 이러모로 변신을 아니허ᄂ이다 본관이 쏘 일오듸 그러
면 변신

(둑겁48ㄴ:07) 은 아니ㅎ여도 됴졍에 나아가 벼슬ㅎ여 님군을 셤겨 치국안민
ㅎ미

(둑겁48ㄴ:08) 맛당헐가 ㅎᄂ이다 둑겁이 굴오듸 민이 본듸 환로의 ᄯᅳ이 업
고 산

(둑겁48ㄴ:09) 슈의 낙를 취ㅎ여 좌와 긔거를 임의로 ㅎ다가 죵년ㅎ려 ㅎ오니

(둑겁49ㄱ:01) 엇지 국가의 미인 몸이 되여 번요즁의 몸이 한가치 못허리오
민이

(둑겁49ㄱ:02) 여려 날 힝역에 비치여 작긱이 어렵기로 물너가오니 쳥컨듸
불감

(둑겁49ㄱ:03) ㅎ오나 흔번 누지에 회ㅅㅎ시물 바라ᄂ이다 ㅎ고 즉시 하직ㅎ
니 본

(둑겁49ㄱ:04) 관이 말뉴치 못ㅎ여 후일 다시 만나믈 긔약ㅎ고 도라보늬니라
ᄎ시

(둑겁49ㄱ:05) 는 딕명 황뎨 등극 초이라 도적이 히도에 웅거ㅎ여 잇다가 군민를

(둑겁49ㄱ:06) 둔취ㅎ여 셧녁흘 건너 동졍호에 진을 치고 민간에 노략ㅎ여 먹

(둑겁49ㄱ:07) 으며 인ㅎ여 왕도를 침범ㅎ니 젹셰 딕진헌지라 변보가 눈 날니

(둑겁49ㄱ:08) 듯ㅎ니 텬지 드르시고 딕경ㅎ샤 즉시 문무를 모화 파젹헐 계

(둑겁49ㄱ:09) 교을 무르신딕 좌장군 니졍이 츌반 쥬왈 신이 비록 지죄 업ㅅ

(둑겁49ㄴ:01) 오나 일지병를 빌니시면 흔 북에 도적를 파ㅎ여 셩은 만분

(둑겁49ㄴ:02) 지일이나 갑ㅅ올가 ㅎ ㄴ이다 텬지 딕희ㅎ샤 굴ㅇ샤딕 딤이

(둑겁49ㄴ:03) 본딕 경의 지략을 아난 비라 파젹ㅎ기를 엇지 근심ㅎ리오 ㅎ시고

(둑겁49ㄴ:04) 즉시 니졍으로 딕원슈를 삼고 삼십만 딕병을 발ㅎ여 주시며 인견

(둑겁49ㄴ:05) ㅎ시고 상방검를 쥬ㅅ 소과녈읍에 녕을 둇지 아니ㅎ는 지 잇거든

(둑겁49ㄴ:06) 션참후계ㅎ고 츙셩을 다ㅎ여 도적를 파ㅎ고 도탄에 든 빅셩을

(둑겁49ㄴ:07) 구ㅎ여 딤의 마음를 편케 ㅎ라 ㅎ시고 친히 슐의을 미시니 니졍

(둑겁49ㄴ:08) 이 황은를 슉ㅅㅎ고 딕원슈 인신을 ㅊ고 상방검을 씌여 교장에

(둑겁49ㄴ:09) 나와 군ㅅ를 졈고헐ㅅ 긔치는 히빗즐 가리오고 검극은 셔리빗 갓

(둑겁50ㄱ:01) 트며 긔고 소릭는 텬지딘동ㅎ여 늬외졍졔ㅎ고 군위엄슉흔 즁

(둑겁50ㄱ:02) 니졍은 지용이 겸젼헌 텬하명장이라 뉘 능히 딕젹헐 지 잇ㅅ

(둑겁50ㄱ:03) 리오 방포삼셩에 딕군을 휘동ㅎ여 발힝헐ㅅ 힝군헌 지 여려

(둑겁50ㄱ:04) 날 만의 동졍호의 니르러 걸진ㅎ고 원슈 장딕에 올나 젹셰을 슬

(둑겁50ㄱ:05) 피니 항외착난ㅎ고 오합지졸이라 졔장을 불너 분부ㅎ딕 젹

(둑겁50ㄱ:06) 셰를 보니 가위 셔졀구투라 족히 근심헐 빅 아니〃 명일 졉젼ㅎ

(둑겁50ㄱ:07) 여 흔 북에 도적을 파ㅎ리라 그딕 등은 안심ㅎ라 ㅎ니 졔장

이 쳥

(듁겁50ㄱ:08) 녕ᄒ고 믈너나니라 명일 평명에 명진즁의셔 방포일셩에 진문

(듁겁50ㄱ:09) 이 열니며 부쟝 합슈풍이 챵을 비기고 말을 닉모라 진문 밧긔
나와

(듁겁50ㄴ:01) 녀셩딕미 왈 도젹은 드르라 네 텬시를 모로고 무단이 셩군ᄒ
여 빅

(듁겁50ㄴ:02) 셩를 노략ᄒ고 군현을 요란게 ᄒ니 그 죄 불츙ᄒ지라 네 회심ᄒ

(듁겁50ㄴ:03) 여 손을 뭇거 항복ᄒ면 잔명를 살오러니와 그러치 아니면 일진

(듁겁50ㄴ:04) 에 젹진을 함몰ᄒ리라 무죄ᄒ 싱민을 살히치 말고 샐니 항복ᄒ

(듁겁50ㄴ:05) 라 ᄒ니 젹진의셔 진문를 구지 닷고 요동치 아니ᄒ는지라 합
슈풍

(듁겁50ㄴ:06) 이 군ᄉ로 ᄒ여금 무슈히 질욕ᄒ딕 죵시 나지 아니ᄒ더니 호
련 방포

(듁겁50ㄴ:07) 일셩에 젹쟝은 나오지 아니ᄒ고 난딕업는 화젼이 하날을 덥허

(듁겁50ㄴ:08) 진즁에 불이 터져 군졸이 다 불의 타 함몰ᄒ고 남은 군졸은 손

(듁겁50ㄴ:09) 를 놀니지 못ᄒ여 목슘을 도망ᄒ여 가는지라 니졍이 쟝딕에
올나

(듁겁51ㄱ:01) 보다가 삼십만 딕병이 잠시에 언마 남지 아니ᄒ고 진즁의 불
이 챵

(듁겁51ㄱ:02) 텬ᄒ물 보고 딕경ᄒ여 황망이 나려와 말게 올르며 활을 달히

(듁겁51ㄱ:03) 여 쓰니 원슈는 텬하명궁이라 빅발빅즁ᄒ기로 각지를 셰며 살

(듁겁51ㄱ:04) 이 젹진에 가기 젼의 살아져 지가 되는지라 원쉬 딕경ᄒ여 필
마로

(듁겁51ㄱ:05) 쟝챵를 빗기고 풍우갓치 닉다르며 발로 젹진을 츙돌ᄒ려 ᄒ니

(듁겁51ㄱ:06) 난딕업는 쟝강이 압흘 막은지라 아모리 명쟝인들 엇지 ᄒ리
오 젹

(둑겁51ㄱ:07) 진 군졸은 하나토 상ᄒᆞ미 업고 본진 군졸은 불과 언마 남지 아

　　　　　　　닌지

(둑겁51ㄱ:08) 라 원쉬 뎌당치 못ᄒᆞᆯ 쥴 알고 잔군를 거ᄂᆞ려 광능현의 드러가

(둑겁51ㄱ:09) 다시 도젹 파ᄒᆞᆯ 모칙을 의논헐ᄉᆡ 본관이 굴오ᄃᆡ 드르니 그 도젹

(둑겁51ㄴ:01) 은 말갈이라 ᄒᆞ는 도젹인ᄃᆡ 황뎨 헌원씨 신슐비결을 어더 호

(둑겁51ㄴ:02) 풍환우ᄒᆞ며 뇨뎡뇨갑을 부리고 화젼을 나리와 군졸을 살

(둑겁51ㄴ:03) 희ᄒᆞ며 남의 살은 지가 되게 ᄒᆞ고 쫏는 장슈가 이시면 난 ᄃᆡ

　　　　　　　업는 장강

(둑겁51ㄴ:04) 으로 막는다 ᄒᆞ니 이 도젹을 뉘 능히 당ᄒᆞ리오 아모리 억만

　　　　　　　군졸과

(둑겁51ㄴ:05) 억만 무빵헌 명장이 니스나 무가ᄂᆡ하로소이다 원쉬 굴오ᄃᆡ ᄂᆡ

　　　　　　　과연

(둑겁51ㄴ:06) 텬하의 무셔운 장쉬 업셔 텬하를 쓰러 바리고 ᄃᆡ명을 응ᄒᆞ엿더

(둑겁51ㄴ:07) 니 이졔 조고만 도젹 말갈 등을 당치 못ᄒᆞ여 불상헌 만민을

　　　　　　　다 죽

(둑겁51ㄴ:08) 기고 다시 졉젼치 못ᄒᆞ니 무삼 ᄂᆞᆺᄎᆞ로 황상을 다시 뵈오며 도

　　　　　　　젹이 만

(둑겁51ㄴ:09) 일 황도를 범ᄒᆞ면 엇지 허리오 찰하리 ᄂᆡ 이곳의셔 죽어 츄명

　　　　　　　을 둣

(둑겁52ㄱ:01) 지 아니미 올타 ᄒᆞ거늘 본관이 굴오ᄃᆡ 흔 묘계 잇ᄂᆞ이다 원쉬

　　　　　　　왈 무슴

(둑겁52ㄱ:02) 묘칙이요 본관이 갈오ᄃᆡ 동졍호에 둑겁 션싱이라 ᄒᆞ는 물형이

(둑겁52ㄱ:03) 잇는ᄃᆡ 뇨졍뇨갑과 텬디조화를 무불통지ᄒᆞ니 밧비 쳥ᄒᆞ

(둑겁52ㄱ:04) 여 의논ᄒᆞᄉᆞ이다 원쉬 ᄃᆡ희ᄒᆞ여 엇더케 쳥ᄒᆞᆯ물 무른ᄃᆡ 본관이

(둑겁52ㄱ:05) 몸소 가리이다 ᄒᆞ고 즉시 동졍호에 가 둑겁션싱을 쳥ᄒᆞ여 다리

(둑겁52ㄱ:06) 고 본읍의 도라와 원슈를 뵈니 원쉬 마져 ᄃᆡ좌흔 후 말을 펴

(둑겁52ㄱ:07) 갈오디 늬 황명을 밧즈와 도적을 치라 왓다가 도적의 요술

(둑겁52ㄱ:08) 에 삼십만 디병를 다 죽이고 당헐 길이 업는 중 황성을 침

(둑겁52ㄱ:09) 범ᄒ면 말 못 되리니 션셩은 모칙을 ᄀ르치라 둑겁이 디소

(둑겁52ㄴ:01) 왈 엇지 요만 도적을 근심ᄒ리잇고 즉시 진언을 염ᄒ여 뉵정

(둑겁52ㄴ:02) 을 불너 닐오디 너희 등도 명국귀신이라 국가의 이런 근심이 잇

(둑겁52ㄴ:03) 스니 밧비 말갈을 잡아오라 ᄒ니 신장이 엿즈오디 말갈 등도 헌

(둑겁52ㄴ:04) 원씨 비결을 어더 뉵정을 부리고 풍운조화를 통달ᄒ니 졸

(둑겁52ㄴ:05) 련이 잡지 못헐 거시로디 져 놈은 오랑키오 디명은 하늘이 명
　　　　　　ᄒ신

(둑겁52ㄴ:06) 비라 공문비즈를 타 가지고 잡오러 가오면 뉵뎡이 용슈를 못헐

(둑겁52ㄴ:07) 거시오니 잡아 디령ᄒ리이다 둑겁이 그 말이 올타 ᄒ고 쥬필로

(둑겁52ㄴ:08) 공문비즈을 써 쥬어 보닉더니 시킥이 못ᄒ여 말갈을 황금쳘

(둑겁52ㄴ:09) 스로 동혀 잡아 디하의 ᄭ니거늘 둑겁이 슈죄ᄒ여 왈 무지헌 오

(둑겁53ㄱ:01) 량키 텬시를 모로고 황상을 근심케 ᄒ며 무죄흔 인민을 살히

(둑겁53ㄱ:02) ᄒ니 그 죄 만스무셕이라 ᄒ고 노랑을 분부ᄒ여 말갈을 잡아
　　　　　　압녕

(둑겁53ㄱ:03) ᄒ여 지옥의 가두와 억만셰를 나지 못ᄒ게 ᄒ라 ᄒ고 동졍호
　　　　　　를 기

(둑겁53ㄱ:04) 우려 말갈의 진터도 업시 ᄒ고 둑겁이 원슈의게 승첩 올니물 니

(둑겁53ㄱ:05) 르거늘 원쉬 이를 보믹 모양은 즘승이나 스람의 말을 헐 ᄲ던러

(둑겁53ㄱ:06) 신츌을 복〃 칭찬ᄒ고 즉시 승첩을 올일식 둑겁의 신슐노

(둑겁53ㄱ:07) 도적 잡은 연뉴를 녁〃히 쥬달ᄒ니 텬직 드르시고 딕경딕희
　　　　　　ᄒ샤

(둑겁53ㄱ:08) 즉시 픽초ᄒ시니 스관이 ᄲ니 빅도ᄒ여 니르럿는지라 둑겁이 향

(둑겁53ㄱ:09) 안을 비셜ᄒ고 북향ᄉ비흔 후 황명을 지류치 못ᄒ여 즛슬 닉

(둑겁53ㄴ:01) 여 즉시 발힝헐식 톳기를 타고 운간의 나라 시킥에 황도의 득

(둑겁53ㄴ:02) 달ᄒ여 텬ᄌ게 슉비ᄒ온디 텬지 갈ᄋ샤디 네 미물 즘싱으로

(둑겁53ㄴ:03) 텬지조화를 품어 딤의 근심을 덜고 만민을 안돈케 ᄒ니 만셰불

(둑겁53ㄴ:04) 망지공이라 무어ᄉ로 갑흐리오 네 소원을 니르라 둑겁이 엿ᄌ
　　　　　　　　오디

(둑겁53ㄴ:05) 소신이 본디 환됴에 쓰지 업기로 몸을 산슈간의 붓쳐 동졍호 경

(둑겁53ㄴ:06) 치로 낙를 삼아 셰상의 츌입을 폐헌 지 오리옵더니 조고만 도젹

(둑겁53ㄴ:07) 이 져근 요슐노 인민을 살히ᄒ고 황셩을 침범ᄒ련다 말을 듯

(둑겁53ㄴ:08) ᄌ오미 소신이 비록 미물즘싱이나 명나라 지방에 잇셔 나라
　　　　　　　　의 근

(둑겁53ㄴ:09) 심을 더지 아니리잇고 그러무로 나아와 도젹을 소탕ᄒ오미
　　　　　　　　ᄯ한

(둑겁54ㄱ:01) 신ᄌ의 도리온디 셩은이 여ᄎ허시니 황감무지오나 동졍호는 본

(둑겁54ㄱ:02) 디 소신의 구디구묘지향이옵고 친속도 만ᄉ오니 고향의 도라
　　　　　　　　가 쳐

(둑겁54ㄱ:03) ᄌ을 거ᄂ리고 한가히 지니옵다가 여년을 맛치미 소원이오니
　　　　　　　　복원

(둑겁54ㄱ:04) 셩상은 소신의 지졍을 술피옵시물 ᄇ라나이다 텬지 굴ᄋ샤디

(둑겁54ㄱ:05) 소원이 그러헐진디 동졍호는 본디 경기텬하의 뎨일이라 동졍

(둑겁54ㄱ:06) 호 칠빅니를 버혀 ᄉ파ᄒᄂ니 ᄌ〃손〃이 젼ᄒ여 너의 공을
　　　　　　　　표ᄒ노

(둑겁54ㄱ:07) 라 ᄒ시고 됴졍에 젼지를 나리시고 둑겁이를 호송ᄒ여 보닉게

(둑겁54ㄱ:08) ᄒ시니 둑겁이 황은를 더욱 황공ᄒ나 부득이 샤은ᄒ고 고

(둑겁54ㄱ:09) 향의 도라가니라 ᄎ시 둑겁이 도라와 원근족속을 다리고 쳐

(둑겁54ㄴ:01) ᄌ를 거ᄂ려 텬은을 못닉 일큿고 산슈지냑으로 즐기더니 텬

(둑겁54ㄴ:02) 명이 다드르니 흔ᄭ를 엇지 ᄒ리오 쳐ᄌ와 권속을 니별ᄒ고

(둑겁54ㄴ:03) 톳기를 타고 구름을 멍에 ᄒ여 텬상의 올나가 월궁의 잇셔 항아

(둑겁54ㄴ:04) 와 갓치 잇고 톳기도 월궁의 이셔 옥황의 약 찟는 벼슬을 ᄒ
여 지

(둑겁54ㄴ:05) 금가지 잇스니 셰상스람이 닐으기를 달은 셤월이라 ᄒ고 옥톳기

(둑겁54ㄴ:06) 달 속 단계슈 아릭셔 약를 찟는다 ᄒ니 이 일이 녁〃히 올흔
가 ᄒ

(둑겁54ㄴ:07) 노라

(둑겁54ㄴ:08)　　蛙狐

5 명주옥연기합

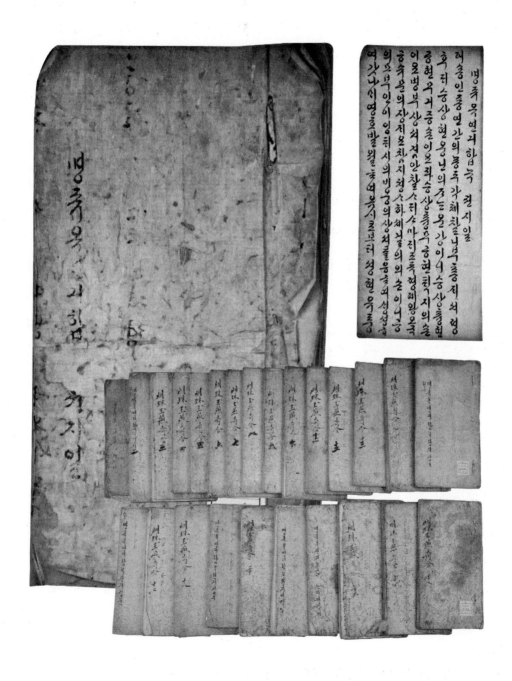

명쥬옥연긔합녹 권지일

(1) 명쥬옥연긔합녹 권지일

디숑 인죵 연간의 농두각 쳬찰 니부총지 셔평후 디승상 현웅닌의 즈는 운강이
니 승상 츙현공 현무긔 증손이요 좌승상 츙무공 현퇴지의 손이요 병부상셔 겸
안찰스 디스마 디도독 평뎨왕 오국공 슈문의 장직요 참지졍스 하셰걸의 외손
이니 공의 모부인이 잉틱 시의 비웅의 상셔를 응ᄒ여 싱셩ᄒ여 갓 나믹 영호
발월ᄒ여 유시로브터 셩현유풍(2)이 잇ᄂᆞᆫ디라 용화의 탁월홈과 풍치의 슈미
ᄒ믹 진션진미ᄒ여 빗ᄂᆞᆫ 얼골은 빅옥을 조탁하여 취미봉안이요 연협단슌이니
의희 의왕이 뵈들희셔 노ᄂᆞᆫ 쩌 아니면 뉵빅언의 머리 지어심과 방블ᄒ지라 쏘
겸ᄒ여 흉듕의 졔셰안민홀 직죠를 감초고 츙션효힝이 흡연이 칠십즈의 즈리를
스양치 아닐지라 츌쳔셩효ᄂᆞᆫ 증즈를 압두홀 거시오 졍츙딕졀은 니윤 곽광과
흡스ᄒ나 공의 빅힝츙효와 관인후덕지힝을 본젼의 (3)희비ᄒ무로 츠젼은 번
거치 아니ᄒ고 즈녀 셩혼의 긔이ᄒᆫ 셜화만 긔록홀식 사듕의 부인 스마시ᄂᆞᆫ 스
마광의 녜니 골육의 변을 인ᄒ여 ᄋᆞ시의 빅우를 경녁ᄒ고 셩상의 뎡료ᄒ시믈
밧즈와 형뎨 일부를 동가ᄒ 허다 셜홰 본젼의 희비ᄒ지라 셔휘 스마부인과 회
합ᄒ니 슬하의 스즈일녀를 두어시니 긔긔히 곤산미옥이요 녀슈겸금이라 계비
스마영쥬ᄂᆞᆫ 스마부인 동틱로 방계 곡경으로 기례를 히ᄒ고 셔후를 셤겨 후릭
의 간뫼 (4)픠루ᄒ여 운남 이역의 십년 풍상을 격거 스마부인 혈심 우의로 삼
권 녈녀젼을 잠심ᄒ믹 되여 바야흐로 회과칙션ᄒ믹 되엿더니 현문 은스를 닙
어 고향의 도라오니 현상부ᄂᆞᆫ 본시 인의젹션지식라 젼젼 악사를 스ᄒ고 셔후
의 계비를 허ᄒ여 부듕의 용납ᄒ고 셔후를 긔유ᄒ니 셔후ᄂᆞᆫ 본딕 관인후덕ᄒᆫ
지라 됸당 부모의 권유ᄒ심과 부인의 혈심지우를 긍념ᄒ여 일삭의 슈일식 고
문ᄒ믹 잇더니 만닉의 겨유 일즈를 싱ᄒ니 ᄋᆞ희 (5)부모 영풍을 품슈ᄒ여 지
극히 쳥슈단ᄋᆞᄒ니 됸당 구고의 깃거ᄒ며 셔후와 스마부인이 역희ᄒ니 영쥐
스스로 신셰 무광ᄒ믈 슬허ᄒ다가 ᄋᆞ즈를 어든 후ᄂᆞᆫ 만념이 푸러져 다시ᄂᆞᆫ 셔

후의 오기를 바라지 아니터라 셔후 칠곤계의 즈녀 가취는 명쥬옥연으로 힝빙
셩혼ᄒᆞ던 셜화 각별 긔이흔 ᄉᆞ젹이 만흔 고로 후인이 긔록ᄒᆞ여 딕략을 초ᄒᆞ니
라 신치장군 녀ᄉᆞ인 뎐뎐틱우 병부상셔 딕ᄉᆞ마 텬하도총 병월셩도위 틱원부마
평졔(6)왕 현텬닌의 즈는 운창이니 좌승상 진국공 경문의 장지라 틱즈 쇼부
쥬명긔의 외손이니 동빅 셔평후로 더브러 히를 연ᄒᆞ여 강셰ᄒᆞ여 밋 장셩ᄒᆞ미
일일의 취실ᄒᆞ고 동방의 조과ᄒᆞ여 도냥이 츌명ᄒᆞ고 보필지신이 된지라 왕의
위인이 건곤의 슈이흔 졍믹과 산쳔의 영슈를 아울나 흉즁의 경졔딕략을 품어
안방졍국지지를 두엇고 츙텬장긔는 틱산을 끼고 북히를 씰 듯ᄒᆞ고 츌쳔딕효
는 증왕긔셕을 볼지라 (7)이군츙녈은 고즈 츙신 열ᄉᆞ로 흡ᄉᆞᄒᆞ고 운쥬유악의
결승쳔니와 손오앙겨의 모략을 겸하여 남졍북벌ᄒᆞ던 허다 ᄉᆞ의와 왕의 쇼시의
광픽지ᄉᆞ 본젼의 히비흔 고로 즈녀 셩혼지ᄉᆞ만 긔록ᄒᆞᄂᆞ니 원비 월셩공쥬 지
셩션혜군졔국비 됴시는 인동의 만금소괴며 졍궁 션인왕후 탄싱이니 농즈봉손
이오 왕희지존이라 엇지 여염 부녀와 비기리오 그 용안 지모의 교슈무비는 니
르지 말고 셩덕광휘 즈고의 업슬지라 연긔 유츙지셰의 명쥬의 (8)인연으로 졔
왕긔 하가ᄒᆞ미 셜시의 교음간악으로 말믜암ᄋᆞ 부마의 광픽지ᄉᆞ 공쥬 쳔금약질
이 손상ᄒᆞ미 만코 셩상 텬뇌 진쳡ᄒᆞ샤 금듕심쳐의 ᄉᆞ오 년 은신ᄒᆞ엿더니 다시
무고ᄉᆞ로 말믜암ᄋᆞ 셜시 관ᄋᆞ의 젼젼악식탈누ᄒᆞ여 ᄉᆞ마영쥬로 더브러 동히 십
년 고초를 격고 겨오 공쥬 셩덕으로 텬의를 두루혀 환쇄ᄒᆞ나 오히려 악심을
바리지 못ᄒᆞ엿더니 특은으로 현부의 도라오미 형셰 능히 공쥬로 더브러 다시
결우지 못ᄒᆞ여 민면 귀슌ᄒᆞ미 되고 졔왕(9)이 셜시의 악ᄉᆞ를 씨ᄃᆞ른 후는 공
쥬를 ᄉᆞ상ᄒᆞ여 허다 긔관을 니르혀고 셩상 구든 셩의를 두루혀 복합이 후위인
신ᄒᆞ여 팔삭 틱ᄋᆞ를 ᄉᆞ틱ᄒᆞ고 ᄯᅩ 슈년 등딕ᄒᆞ여 공쥬긔 냥즈를 싱ᄒᆞ고 군쥬
됴시 늉즈삼녀를 두고 우비 셜시 이녀를 싱ᄒᆞ여 빈실 우시 강앙이 냥즈를 두
니 젹셔 아오로 십즈오녜라 긔긔히 히상명쥬오 화시보벽 ᄀᆞᆺᄒᆞ니 긔여왕의 곤
계 군동 십슈인이 층층ᄒᆞ여 남ᄋᆞ는 옥쳥군션 ᄀᆞᆺ고 녀즈는 요지션ᄋᆞ ᄀᆞᆺᄒᆞ나 능
히 셔후의 즈녀와 왕(10)의 즈녀의 탁셰한 풍화지학을 밋지 못ᄒᆞ니 ᄎᆞ는 무

틱라 현시 셰티 츙녈노뼈 오진 냥국 죵스의 흥늉홀 근본이라 초의 현틱스와 냥부인이 샹션북당ᄒᆞ고 하션형뎨ᄒᆞ며 그림직 외로오니 다만 부부 냥인이 샹경 샹화ᄒᆞ여 일쪽 냥기 긔ᄌᆞ를 두고 싱산의 길히 막히니 ᄌᆞ녀의 슈쇼ᄒᆞᄆᆞᆯ 탄셕ᄒᆞ나 요힝 냥ᄌᆞ의 비범ᄒᆞ미 구쳔의 ᄂᆞᆫ 봉과 챵히의 교룡 굿ᄒᆞ니 농장지경이 극ᄒᆞ고 부인 형남 당시랑이 동닌의 우거ᄒᆞ여 남미 샹득ᄒᆞ미 타인긔 지난지라 됴모의 (11)왕반ᄒᆞ여 남미 샹슈ᄒᆞ미 피ᄎᆞ 질ᄌᆞ ᄉᆞ랑이 친싱의 무감ᄒᆞ니 고로 시죵이 여일ᄒᆞ여 시듕 당셩긔 당셩양 등이 오진 냥공으로 친친지졍이 타인 표층으로 각별ᄒᆞ더라 틱스 부뷔 도금ᄒᆞ여는 냥ᄌᆞ의 지엽이 션션ᄒᆞ여 독히 문왕의 일빅 ᄋᆞ들과 일쳔 손ᄌᆞ로뼈 쥬죵의 영챵ᄒᆞᄆᆞᆯ 블워 아닐 거시오 위극인신ᄒᆞ믄 곽분양의 현달ᄒᆞᄆᆞᆯ 귀타 못홀지라 옥보금인은 샹협의 가득ᄒᆞ고 화기 쥬륜의 곡부의 메여시니 금은필빅과 산진히물이 고(12)듕의 뼉고 미말 노예의 니르히 염어ᄒᆞ니 진짓 셕슝의 부라도 이의 밋지 못홀지라 틱스와 부인이 ᄉᆞᄉᆞ의 셩만ᄒᆞᄆᆞᆯ 듀려 ᄌᆞ손을 경계ᄒᆞ여 츙즉진명ᄒᆞ라 ᄒᆞ더라 노공 부뷔 노모 커의 밋도록 긔력이 강건ᄒᆞ고 졍긔 뼉뼉ᄒᆞ더니 희라 믈셩이 쇠ᄂᆞᆫ 텬니의 덧덧혼 비라 오진 냥공이 북당 한훤의 일일 쇠로ᄒᆞ시믈 초우ᄒᆞ여 졔손의 가취를 의논코ᄌᆞᄒᆞ나 연유ᄒᆞ여 됴흔 쇼빙이 불가혼 고로 쥬져터니 시운이 부졔ᄒᆞ여 당틱부인이 홀연 뉴질ᄒᆞ여 신음 ᄉᆞ오(13)일의 긔셰ᄒᆞ고 셩복ᄒᆞ며 틱시 니어 졸ᄒᆞ시니 시셰 즁츈염간이오 부부의 년셰 팔십뉵 셰라 오진 냥공이 일시의 텬지 어둡ᄂᆞᆫ 지통을 만나 피발곡용ᄒᆞ고 이훼골입ᄒᆞ미 일월 굿혼 풍광이 날노 감ᄒᆞ고 츄쳔 긔샹이 쇠모ᄒᆞ여 겨유 샹장을 의지ᄒᆞ엿시나 셩음이 닛다히지 못ᄒᆞ고 ᄉᆞ시 곡읍의 혈뉘 졈졈ᄒᆞ니 최마의 반쪽을 쳐시미 견지 휘루ᄒᆞ고 문직 감쳬ᄒᆞ여 참블인견이러라 ᄌᆞ부 졔손이 쥬야로 관위ᄒᆞ여 장월이 다다르(14)미 산동 고향의 도라가 션산의 안장ᄒᆞ니 샹이 녜관을 보닉ᄉᆞ 됴위ᄒᆞ시고 시호를 츙무공이라 ᄒᆞ시고 딕승샹 겸 구셕듕셔령을 츄증ᄒᆞ시고 부인으로 문덕슉비 틱군부인이라 ᄒᆞ시니 현시 졔공이 텬은을 황감ᄒᆞ여 감뉘 샹복을 젹시더라 시의 셔평후는 임의 우상을 ᄒᆞ여 삼틱의 거ᄒᆞ엿고 평졔왕은 군국 즁시 몸의 잇ᄂᆞᆫ 고로 능히 틱각의 즁좌룰 뷔오지 못ᄒ여 군죵곤계 십亽 인이 체번ᄒ여 향니의 왕반ᄒ여 부모 슉당을 관위ᄒ더니 하윤(15)쥬쳘 亽위부인이 ᄯᅩᄒᆫ 구고의 즈이룰 밧즈와 혜퇵이 협골ᄒ지라 됴운셕월의 튜모디통이 그음 업거눌 더옥 졔왕 모친 쥬부인은 부군 친상을 맛나 삼긔룰 겨유 맛고 구괴 ᄡᅡᆼ망ᄒ고 ᄯᅩ 즈부인이 기셰ᄒ니 졉졉지통이 층츌ᄒᆷ믄 즈긔 당년 亽화 봉변 듕 브효망극던 바룰 각골익상ᄒ니 ᄎᆞ시룰 당ᄒ여ᄂᆞᆫ 뉴시의 무궁 투미ᄒᆫ 인亽로도 구고의 지공무亽ᄒᆫ 덕화룰 츄모ᄒ여 됴셕 증상을 당ᄒ여 상업시 부르지져 어즈러이 슬허(16)ᄒ여 외구 쥬쇼亽의 각골지통이 무한ᄒ여 ᄒᆞ니 일노 보와도 현공 부부의 익인후덕을 가지요 쥬쇼亽의 즈인ᄒ믈 알니러라 니러구러 일월이 뉴미ᄒ여 현공 부부의 삼긔룰 훌훌이 시니니 오진 냥공이 세월이 오릴亽록 지통이 직심ᄒ여 환노의 亽연ᄒ나 텬지 오진 냥공의 직덕을 닛디 못ᄒ亽 노퇴亽의 삼상이 지ᄂᆞ미 은지룰 ᄂᆞ리와 위문을 두터이 ᄒ시고 밧비 상경ᄒ라 ᄒ시니 냥공이 텬은을 황감ᄒ나 부모 상후로 셰렴이 돈무ᄒ여 표(17)룰 올녀 亽직ᄒ고 희골을 비러 향니의 가 여년을 맛기룰 비러 亽의 쳐졀ᄒ되 상이 동불윤ᄒ시니 냥공이 본의룰 셰우지 못ᄒ여 솔가ᄒ여 경亽로 도라오니 슈십 니 젼도의 하풍익 가안빅 위형부 쇼박亽 니츄밀 등이며 문싱 고구 친쳑이 다 ᄂᆞ와 마즈 셩니의 드러와 부인니힝은 즈질녀셔와 시듕 댱공 형뎨의 즈질 댱싱 등이 호힝ᄒ여 본부의 도라가 안둔ᄒ고 오진 냥공은 즈질을 거ᄂᆞ려 궐하의 슉亽ᄒ니 쳔지 크게 반기(18)亽 셜니 인견 면유ᄒ시고 옥비의 향은을 ᄂᆞ리와 亽쥬ᄒ시며 노퇴亽의 삼상이 훌훌ᄒ믈 치위ᄒ시미 ᄯᅩᄒᆫ 옥쉭이 쳑의ᄒ亽 농음이 비졀ᄒ시니 냥공이 ᄯᅩ 농안을 우러러 반기며 텬은을 감격ᄒ여 고두쥬 왈 신 등이 죄악이 여텬ᄒ와 일됴의 하늘이 문허지ᄂᆞᆫ 변을 만나오니 무익지통이 극ᄒ온지라 싱념이 亽연ᄒ오딕 셩쥬의 관유ᄒ시ᄂᆞᆫ 은퇵을 닙亽와 능히 잔명을 지보ᄒ와 금일 텬안의 뵈오니 셕시라도 무한이로소이다 연이나 신 등(19)이 초토지여의 졍녁이 모황ᄒ옵고 쳔질이 미류ᄒ오니 능히 삼퇴의 큰 즈리룰 웅거ᄒ와 亽시룰 다亽리지 못ᄒ올지라 복원 폐하ᄂᆞᆫ 신 등의 작직을 환슈ᄒ시고 님하의셔 여년을 맛게 ᄒ쇼셔 상이 옥음이 온화ᄒᆞᆺ 은근 위유ᄒᆞ시고 동시 벼슬을 가지 아니시니 오진 냥공이 홀일 업셔 죵일 탑하의 근시ᄒᆞ엿다가 파됴ᄒᆞ여 부듕의 도라오니 녀부 졔손이 셩녈 ᄒᆞ여 구고ᄅᆞᆯ 밧드러 뎡당의 뫼시니 가듕이 화려ᄒᆞ미 녜 ᄀᆞᆺᄒᆞ되 북당이 황(20)연ᄒᆞ여 쳔양의 가렷ᄂᆞᆫ지라 냥공이 문묘의 비알ᄒᆞ고 엄읍뉴쳬ᄒᆞ여 슈히 니지 못ᄒᆞ니 ᄌᆞ손이 관위ᄒᆞ더라 졍당의 좌ᄅᆞᆯ 일우니 ᄉᆞ마부인과 월셩공쥐 졔ᄉᆞ쇼고ᄅᆞᆯ 거ᄂᆞ려 시좌ᄒᆞ니 냥공이 ᄌᆞ여부ᄅᆞᆯ 무이ᄒᆞ고 졔손을 교무ᄒᆞ여 쟝셩슈미ᄒᆞᄆᆞᆯ 두굿기며 승샹의 댱ᄌᆞ 희빅은 십오 셰오 ᄎᆞᄌᆞ 희쳔은 십삼 셰요 ᄎᆞ녀 미혜ᄂᆞᆫ 십이 셰요 왕의 댱ᄌᆞ 희셩은 십일 셰라 승샹의 댱녀 운혜와 졔공의 ᄌᆞ녜 층층이 ᄌᆞ라니 희빅 희쳔은 (21)노챵키의 밋츤지라 오공이 댱탄 왈 삼년 닉의 빅ᄋᆞ의 노셩ᄒᆞ미 여ᄎᆞᄒᆞ되 딕고의 골몰ᄒᆞ여 관녜ᄅᆞᆯ 일우지 못ᄒᆞ여시니 혼취ᄅᆞᆯ 언졔 ᄒᆞ리오 진공이 탄왈 ᄣᅡ친을 여희오미 만시 여몽ᄒᆞ미로쇼이다 댱공 왈 젼일은 그러ᄒᆞ거니와 이졔ᄂᆞᆫ 형뎨 모혓시니 희빅의 관녜ᄅᆞᆯ 몬져 일우고 신부ᄅᆞᆯ 퇵ᄒᆞ라 냥공이 기연ᄒᆞ여 길일을 퇵ᄒᆞ니 수일이 격ᄒᆞ엿더라 어시의 현공ᄌᆞ 등 탁월ᄒᆞᄆᆞᆯ 모로리 업ᄂᆞᆫ 고로 후문 잠영의 유녀ᄌᆞᄂᆞᆫ (22)져마다 갈구ᄒᆞ니 쳔파 만민 낙역부졀ᄒᆞ엿시되 이ᄢᅢᄂᆞᆫ 퇴죤당 상중시라 오진 냥공이 쥬샹ᄒᆞ여 향니의 슈묘ᄒᆞ고 승샹과 졔왕 등 곤계 쳬변ᄒᆞ여 산동의 잇고 가즁의 머무ᄂᆞᆫ ᄢᅢ 업ᄉᆞ니 일가의 흉황이 돈무ᄒᆞ니 능히 결을 ᄒᆞ여 ᄌᆞ녀 혼취의 념이 밋지 못ᄒᆞ미라 화셜 셔평후 우승샹의 댱ᄌᆞ 희빅의 ᄌᆞᄂᆞᆫ 셩중이니 품슈ᄒᆞᆫ 비 슈구금심이오 ᄉᆞ마부인 쇼싱이라 신싱지초의 영긔과인ᄒᆞ고 직뫼 탁츌ᄒᆞ니 경ᄌᆞ옥골이라 (23)옥면션풍은 슈려쇄락ᄒᆞ여 홍일이 셔광을 먹음어 산두의 쳐음으로 늬왓ᄂᆞᆫ 듯 두렷ᄒᆞᆫ 텬졍은 흰츨ᄒᆞ여 등원슈의 쳔원지방을 향ᄒᆞ엿고 효셩 ᄣᅡᆼ안은 졍칙 당당ᄒᆞ여 츄슈 ᄉᆞ일이 됴요ᄒᆞᆫ 듯ᄒᆞ며 호비쥬슌은 도솔의 금단을 연히 넉이니 남ᄌᆞ의 미쉭은 말기여시니 다시 의논치 말고 문쟝이 초월ᄒᆞ여 붓슬 ᄯᅥᆯ치미 지샹의 농시 ᄲᅱ놀고 필하의 쥬옥이 난낙ᄒᆞ며 시ᄅᆞᆯ 을프미 풍운이 변식ᄒᆞ고 봉황이 ᄣᅡᆼᄣᅡᆼ이 (24)츔츄ᄂᆞᆫ 듯ᄒᆞ며 흉듕의 만 권 셔ᄅᆞᆯ 곰초앗고 경뉸딕지ᄅᆞᆯ 품어시니 ᄒᆞᆫᄀᆞᆺ 부공의 온듕단ᄋᆞᆷ만 아니라 걸츌뇌략ᄒᆞ여 시셔ᄅᆞᆯ 잠심ᄒᆞᆫ 여가의 그윽이 뇩도삼약을 의미드려 뇩녜를 졍통ㅎ며 별안간의 지됴를 조랑치 아니나 고인의 싱이지지ㅎ며 신싱초의 조언기명ㅎ시던 춍명이 잇스니 돈당부뫼 과이ㅎ고 션 틱시 싱시의 민양 일크라 왈 희빅은 오가의 쳔니귀라 신명슈달ㅎ여 졔 한아비 소탈홈과 굿디 아니ㅎ고 관후침(25)듕ㅎ여 졔 ᄋᄇᆡ 거름마다 조심ㅎ며 말숨 마다 지졔ㅎ여 ᄂ아가미 셔슴고 물너ᄀᄆᆡ 것칠 듯ㅎ여 너모 약ㅎ기의 갓가옴 과 굿디 아니니 진짓 숀이 승어부뫼라 일노됴츠 오문 듸죵이 챵긔ㅎ리로다 ㅎ 니 공지 블감당이믈 듸ㅎ더라 승상은 왕부의 과쟝ㅎ시믈 민망ㅎ여 쉭이 늣타 ᄂ니 댱공이 쇼왈 슉부 셩괴 맛당ㅎ시거늘 웅닌의 긔쉭이 엇지 다ᄅᄂᆈ 오공이 미소 왈 형의 모로ᄂᆫ 일이 어이 잇시리오 우리 형뎨 쇼시브터 즈즐이 겻거 (26)더니 쇠틋ㅎ니 발춤녜를 그만ㅎ라 어듸 말 못ㅎᄂᆫ 약이나 어더 먹어 벙 어리나 되게 ㅎ리라 시듕이 양노 왈 바른 말ㅎ기로 벙어리 민들녀다 ㅎ니 이 졔ᄂᆫ 쥬려도 네 음식 먹지 아니리라 ㅎ니 모다 웃더라 희빅이 조부모의 편이 즁 싱쟝ㅎ여 일가 즁망을 쳔조ㅎ되 가지록 인효를 힘쁘더니 가즁 상하의 화긔 감흥미 스연ㅎ니 삼긔를 맛츠미 공조 등이 댱셩ㅎ엿더라 공지 비록 셩문 조뎨 나 연긔 쟝셩ㅎ미 호쉭이 병통이라 궁즁 홍(27)쟝 미ᄋ를 지닉보지 아니나 엄위를 두려 미춰지연의 몬져 녀쉭을 굿가이 ㅎ미 블가흔 줄 씨쳐 됴심ㅎ나 가긔 느즈믈 초됴ㅎ더니 틱스동스를 맛고 일긔 환경ㅎ여 인싀 예 굿ㅎ니 비로 소 냥공조를 관녜홀시 날이 다ᄃᄅᄆᆡ 뇌외빈긱이 함췌ㅎ니 빅화원 광실이 좁 고 분잡ㅎ여 셩만화려ㅎ미 비길 듸 업더라 빅운 초일과 금슈병쟝은 일광을 ᄀ 리오고 금반옥긔의 호쥬셩찬은 반마다 가득ㅎ니 긔구의 쟝녀ㅎ미 여츠ㅎ더라 날이 (28)반오의 듸례를 일울시 현상셔 등 모든 슉뵈 냥 신ᄋ를 잇그러 좌의 ᄂ니 빈긱이 처음 보ᄂᆫ지라 듸경 칭도ㅎᇂ고 황홀경찬ㅎ여 일시의 현공을 향 ㅎ여 하경이 분분ㅎ더라 녜뷔 공주의 쳥운 굿흔 녹발을 거두니 원의랑 덕린이 망건을 ᄢ오고 스마슉닌이 녜복을 닙히고 졔왕이 관을 드러 언즈며 쇼왈 빅ᄋ ᄂᆫ 문호의 동손이오 일가 즁망이라 셩관셩취를 범연이 못홀지니 졔뎨 비록 공 명현달ㅎ나 일흠이 놉지 못ㅎ고 규즁 일(29)쳐 만혹ㅎ니 엇디 문왕의 유복ㅎ

미 비흐리오 오슈용지나 조과농방흐여 문무의 괘방흐미 불츠로 셩쥬의 간발흐
시믈 닙수와 미흔 공으로뻐 위거열토봉왕흐니 가히 남우의 입신현달이 쾌흐다
홀 거시오 실즁이 번화흐니 또흔 장부힝낙이라 홀 거시며 슬하의 십즈오녜 이
시니 지엽이 션션흔지라 오늘날 동딜의 관을 뜨여 복녹이 구젼케 흐리라 셜파
의 완이미쇼흐니 츈풍화긔 봄동산 곳흐니 좌위 졔셩흐여 왕의 늉복을 (30)칭
션흐고 말슴이 유리흐믈 일크르니 좌상 졔공이 졔셩 되소 왈 가히 우치로다
남이 기릴시 됴치 운창이 스스로 벼슬 놉흠과 쳐쳡의 번화흐믈 즈랑흐고 즈녀
의 슈만흐믈 즈득흐니 진짓 츈치즈명이로다 운창의 옛 일을 싱각흐여 보라 만
일 월셩옥쥬의 싱각흐여런들 금일 복녹이 눌노 말미암우시리오 좌간의 댱시듕
형뎨 편편광슈로 미염을 어루만지며 눈 쥬어 하풍익 등을 도라보아 우어 왈 노
인이 말흐면 언변 됴(31)흔 지 무어시라 변화홀지 모로거니와 즉금 텬닌의 몸
은 벼슬이 왕공이 되미 턱을 하늘의 걸고 우돌이 만흐미 몸이 큰 체흐여 그
거동을 보니 아니 나는 잔기츰의 긴양스러온 소리와 거여온 양흐는 쏠이 그려
두고 보고 시부되 노인의 졍녁이 예와 달나 볼 만흐여 양양즈득흐여 져의 유
복흐믈 즈랑흐여 그 거동이 가히 우읍도다 만좌 되소흐고 말이 긋디 아니흐니
오진 냥공이 부모의 졔숀 스랑흐시던 바롤 싱각고 경화롤 못 보(32)시믈 슬허
묵연 비상이러니 졔인의 희쇼흠과 댱공 형뎨의 말을 듯고 날호여 닐오되 희롱
은 연쇼비의 홀 비라 냥형은 늙도록 쇼비의 벗이 되어 져리 실업스니 빌건디
진즁흐쇼셔 댱공 왈 비록 노인이나 귀와 눈이 잇스니 말이야 못흐랴 흐거늘
냥공이 묵연 잠쇼흐니 승상 곤계 부슉의 친상 후의 우으시믈 보디 못흐엿더니
희식을 보미 여득쳔금흐여 좌즁의 쇼식이 가득흐고 졔왕이 쇼왈 댱슉은 바른
말슴흐쇼셔 (33)쇼질이 아니 유복흐니잇가 좌즁의 쇼질의 복녹을 밋츠리 잇
느니잇가 도라 하풍익 등을 쑤지져 왈 그되 등은 흔곳 슐즙치 고기잘니라 먹
는 쎠나 입을 열고 이런 좌즁의 바른 말홀 쎠는 벙어리 되엿는다 흐니 좌즁
졔인이 박장되쇼흐더라 희쳔이 관흐기롤 맛츠미 냥공지 힝녜홀시 슈려흔 안
모의 동탕쇄연흔 풍용이 긔이흔디라 황슉 연왕이 연만 팔십여 셰요 셩되 인후

공검ᄒᆞ며 ᄌᆞ손이 번셩ᄒᆞ고 상츙을 닙어 부(34)귀 현혁ᄒᆞ지라 냥공ᄌᆞ의 녜비ᄒᆞ믈 당ᄒᆞ여 그윽이 살피건ᄃᆡ 냥인의 머리의 팔학관을 ᄡᅳ며 치봉냥익의 녜복을 닙고 옥반의 촉금단을 담ᄋᆞ 진헌ᄒᆞ고 연왕긔 ᄉᆞ비ᄒᆞ니 왕이 칭션 왈 긔지며 신지라 ᄃᆡᄃᆡ 젹덕지문이로다 이 ᄀᆞᆺᄒᆞᆫ 긔ᄌᆞ 현손이 ᄃᆡ마다 날 줄 알니오 가히 시의 니른 바 영월길긔의 시가원복이라 ᄒᆞ니 가히 싱복ᄒᆞ리라 냥공ᄌᆡ 퇴이 지ᄇᆡᄒᆞ고 다시 유관유의로 좌의 ᄂᆞᄋᆞ가니 졔긱의 눈을 드러 보ᄆᆡ 이 믄득 명문디가의 화(35)벌 명예라 텬지졍믹과 일월영긔를 씌여 일빵 션인이라 풍신지혜 막상막하ᄒᆞ여 희빅은 미려ᄒᆞᆫ 즁 엄위 ᄲᅵᆨᄲᅵᆨᄒᆞ여 슉침쇄락ᄒᆞ여 하일지위와 동일지이 이시니 월모단슌은 빅면장군 마ᄆᆡᆼ긔 아니면 양쥬 노상의 투귤ᄒᆞ던 두ᄌᆞ미오 잠미봉안은 츄슈명광이오 얼골은 퇴양이 부상의 오ᄅᆞᄂᆞᆫ 듯 흉즁의 졔셰안민지ᄌᆡ를 감초와시니 강셰군ᄌᆡ라 희뎐은 여옥미인이라 단엄군ᄌᆞ지풍이 가즉ᄒᆞ니 셩문지ᄌᆞ로 금셰 아셩이라 (36)젼습부공이오 희빅은 조부 오국공의 쇼시여풍이 완연ᄒᆞᆫ지라 냥공이 두굿기고 손ᄋᆞ 등의 손을 어루만져 쳑연 하루 왈 부모 ᄌᆡ시의 빅ᄋᆞ 등 흉이ᄒᆞ시미 연셩지벽의 지ᄂᆞ시고 댱셩ᄒᆞ믈 굴지계일ᄒᆞ시더니 금일 긔경을 당ᄒᆞ나 션고비의 유명이 즈음쳐 경ᄉᆞ를 고홀 곳이 업스니 엇디 인ᄌᆞ의 견딜 빈리오 언미의 냥항뉘 방타ᄒᆞ니 좌위 긔용위회ᄒᆞ더라 광평왕이 희빅의 손을 잡고 쇼왈 과인이 졔공으로 교집심후ᄒᆞ고 다시 월셩미ᄌᆞ로 인(37)ᄒᆞ여 인친후의를 겸ᄒᆞᆫ지라 둑히 셔의타 홀 거시 아니로ᄃᆡ 형 등의 닉외 심ᄒᆞ여 여ᄎᆞ 긔ᄌᆞ를 두엇시되 일즉 보지 못ᄒᆞ여시니 아지못게라 소탈무졍ᄒᆞ미 여ᄎᆞᄒᆞ뇨 승상이 왈 돈ᄋᆞ의 박면미질을 져러툿 ᄉᆞ랑ᄒᆞ시니 흑싱부지슈불민이나 엇지 감격지 아니리잇고마ᄂᆞᆫ 뎐하의 등빅치 못ᄒᆞᆷ믄 무심ᄒᆞ미라 존언이 이의 밋츠시니 블승황괴ᄒᆞ이다 왕이 흔연 쇼왈 금일 영윤을 보ᄆᆡ 늣게야 보믈 한ᄒᆞᄂᆞ니 목젼 가랑을 질죡ᄌᆞ의게 아이리요 (38)닉 졍비의 ᄌᆞ녜 슈쇼ᄒᆞ여 이ᄌᆞ일녀를 두어 냥ᄌᆞ 유미ᄒᆞ고 녀ᄋᆡ 장셩ᄒᆞ여 금년이 이칠이라 비록 긔특다 니르지 못ᄒᆞ나 부덕이 졍슌ᄒᆞ여 둑히 군ᄌᆞ의 건즐을 쇼임ᄒᆞ염즉ᄒᆞᆫ지라 바라건ᄃᆡ 돈공은 쇼종의 용우홈과 쇼녀의 잔미ᄒᆞ믈 허믈치 마르시고 진진의 묘흐믈 밋게 흐쇼셔 오진 이공이 임의 월셩궁으로됴츠 광평왕의 녀ᄋ 옥화군듀의 초츌비샹흐믈 아랏ᄂ지라 비록 국쳑연혼이 겹겹흐믈 블쾌흐나 수체 가히 믈니치지 못(39)흘지라 오공이 흔연 칭스 왈 됴왕이 손ᄋ의 불미흐믈 아지 못흐시고 금지옥엽의 옥쥬교ᄋ로쎠 ᄂ지 구흐시니 블감쳥이연졍 고쇼원애라 엇지 감히 셩의를 거역흐리잇고 왕이 크게 깃거 지삼 칭스흐기를 마지아니흐고 공즈를 나흐여 스랑흐믈 니긔지 못흐며 쾌셔라 일ᄏ르니 댱공 형뎨 우어 왈 됴왕이 셕일 텬닌의 쇼힝을 엇더타 흐시ᄂ니잇고 왕이 쇼왈 운챵의 셕년 힝스ᄂ 싱각흘스록 놀나온지라 슈연이나 긔과칙션은 (40)셩문의 용납흐신 비니 이졔 일ᄏ라 무엇흐리오 댱공이 우왈 희빅이 졔 아비ᄂ 담지 아니흐고 젼쥬 텬닌을 달마시니 됴왕의 농쥐 월셩공쥬의 셩덕을 젼습흐여시면 희빅을 진압흐려니와 블연즉 귀쥬의 졍상이 블안흘가 흐나이다 왕이 연쇼 왈 아셔ᄂ 인듕긔린이라 운챵이 엇지 아셔의 고풍 됴지를 가져 승흘 니 잇사며 월셩 미즈ᄂ 당금여시라 ᄋ녜 픔지용이 잇시나 엇지 미즈의 텬지 독보흔 쇠광 지모를 당흐리잇고 댱공이 (41)되쇼 왈 됴왕이 밋쳐 잇도 아닌 스회를 져됴도록 과장흐샤 쳔승군왕의 쳬위를 일흐시ᄂ니잇고 텬닌이 오즉 블통흐니잇가 녕녜 월셩옥쥬만 못흐다시니 겸언이시나 딘딧 말슘이 이 곳흐면 텬닌의 셕일 광픽를 당흐실쇼이다 왕이 미급딕의 하풍익 등이 ᄂ와 말슘흐쇠 냥죤은 이런 말슘을 마르소셔 스외로오니이다 됴왕의 군쥬ᄂ 농즈봉손이오 금지옥엽이니 월셩옥쥬로 방불흐실 거시오 스덕이 ᄀ즐지라 또 희이 당시 됴(42)원의 길을 여지 아냣ᄂ지라 옛날 운챵의 니른바 숑홍의 죄인이라 유셰흐미 업스니 무슴 연고로 금타지엽의 요됴슉녀를 ᄂ모라 과게 잇스리오 괴이흔 말슘을 흐시ᄂ니잇가 댱공이 웃고 왈 괴이흔 말이 아니라 희빅이 텬닌과 곳흔 고로 혹 그러흘가 우연이 말흐미러니 실언흐도다 연이나 늙으니 망언을 웃지 말나 오공이 소왈 형의 나히 몃치완딕 미양 늙을와 흐ᄂ뇨 늇슌도 못흐여 망녕이면 팔십의 니르면 오즉지 아니리로다 즁(43)좌 웃고 다시 쥬빅를 통음흐고 진췌러라 냥공지 경근지녜를 다흐여 말셕의 시좌흐니 옥면영풍이 볼스록 괴이흐니 좌긱 즁 평딘왕 구경닌은 구릭공지지오 동진왕 쇼운셩은 쇼현셩의 졔습지요 쇼황후 형남이니 월셩 공쥬의 외귀요 안국공 좌각노 조현긔는 무혜왕 조빈의 손이요 츙졍공 조모의 댱지라 현시 졔공의 ᄌ뎨의 긔이ᄒᆞᆷᆯ 보고 져 소공ᄌ 등 보기를 쳥ᄒᆞᆫ디 승상 과 왕이 졔자를 브르니 면젼의 승명 네 왈(44)ᄒᆞᄆᆡ 만좨 일쳠ᄒᆞ니 의심컨디 화시의 벽이 보빅 아니오 혜왕지쥐 무광이라 표표ᄒᆞ고 교교ᄒᆞ여 단혈의 봉됴 와 창ᄒᆡ의 신농이라 보ᄆᆡ 눈이 어리고 바라ᄆᆡ 졍혼이 아득ᄒᆞ니 만좨 칭도경찬 ᄒᆞ여 암암이 신긔ᄒᆞᆷᆯ 부르고 신신이 복경을 니르더라 시의 졔왕의 댱ᄌ 희셩 은 십일 셰요 ᄎᆞᄌ 희문은 구 셰니 월셩공쥬의 쇼싱이라 이른바 농ᄌ봉손이요 인ᄋᆞ봉ᄎᆔ라 안셔ᄒᆞᆫ 동죽과 졍위ᄒᆞᆫ 쳬용이 젼습모비요 희문은 풍치 양뮈 ᄀᆞᆺ고 거지 슈앙ᄒᆞ여 긔(45)운이 광쳔을 밧들고 지긔 우쥬룰 삼킬 듯 앙앙이 틱손을 ᄊᆡ고 북ᄒᆡ룰 넘뛸 듯ᄒᆞᆫ 긔상이니 견혀 부왕의 품믹이오 긔이ᄒᆞ니 좌즁이 냥공 을 향ᄒᆞ여 긔ᄌ 현손으로 흥긔ᄒᆞ시믈 치하ᄒᆞ니 냥공이 좌슈우응의 블감승당이 라 이윽고 좌즁이 졍혼ᄒᆞᆯᄉᆡ 쇼상셔 ᄋᆞᄌᄂᆞᆫ 슉혜쇼져와 졍혼ᄒᆞ고 조각노 댱ᄌ ᄂᆞᆫ 십삼이라 미혜쇼져와 졍혼ᄒᆞᄆᆡ 남ᄎᆔ졀도ᄉᆞ 고셩익이 희문의 손을 잡고 ᄉᆞ 랑ᄒᆞ여 유의ᄒᆞᄆᆡ ᄀᆞ장 외모의 (46)놋타나더니 호부상셔 연긔화ᄂᆞᆫ 현병부 명 닌의 부인 형남이라 슬하의 쇼교룰 두고 희문을 유의ᄒᆞᆫ 지 오린지라 현부 디 고 이후로 ᄌ녀 혼ᄎᆔ의 념이 업스믈 보ᄆᆡ 그 형뎨 ᄎᆞ례룰 기다려 졍혼치 못ᄒᆞ 엿더니 금일 연상의 분분이 졍혼ᄒᆞ고 고졀되 희문 편이ᄒᆞᆷᆯ 보니 ᄌ긔 유의타 가 질둑ᄌ의 아일가 져허 쇼왈 희아ᄂᆞᆫ ᄂᆞ의 쇼이지라 쇼뎨 유시로 유의ᄒᆞ엿시 되 디고의 슈우풍 잇스무로 ᄯᅳᆺ을 품고 발언치 못ᄒᆞ엿더니 금일 (47)연ᄎᆞ의 열 위 ᄌ녀의 졍혼 뢰약ᄒᆞ시니 ᄂᆡ 어이 홀노 구혼을 더디리오 졔왕이 젼일 연상 셔의 희문 유의ᄒᆞᆷ과 연쇼져의 텬지 슈미ᄒᆞᆷᆯ 아랏ᄂᆞᆫ지라 흔연 졈두ᄒᆞ니 고졀 되 ᄎᆞ언을 듯고 아연ᄒᆞ여 면식면식이 변이ᄒᆞᆷᆯ 금치 못ᄒᆞ더니 도라 졔왕을 향 ᄒᆞ여 희연 쇼왈 만싱이 미문 동댱으로 지덕이 암미ᄒᆞ되 힝혀 조션여음으로 공 명이 극의라 연이나 ᄌ경이 박ᄒᆞ여 다쇼 요쳑ᄒᆞ고 만늬의 ᄌ녀 남미룰 두어 녀이 장셩ᄒᆞ니 (48)시금 일슌의 부덕이 졍슌ᄒᆞ여 군ᄌ 지측의 욕지 아닐 고로

무음의 뼈 틱셔룰 발분 망식ᄒ기의 잇시되 능히 가랑을 맛ᄂ지 못ᄒ엿더니 금
일 영윤을 보니 쇼망의 과흔지라 문호의 한미흠과 약녀의 잔미ᄒ믈 싱각지 못
ᄒ고 젹승의 호연 밋기룰 쳥ᄒ려터니 엇디 남의게 아이리오 연형이 몬져 현낭
으로 호연을 결승ᄒ니 ᄋ녀ᄂ 부빈으로 허ᄒ시믈 바라노라 제왕이 불열 왈 돈
ᄋ의 구상유취로 혼ᄉ룰 의논홀 ᄃᆡ 아니나 연형의 후(49)의룰 미믈치 못ᄒ여
졍약ᄒ나 엇지 십셰 젼 유치의 지취룰 의논ᄒ리오 허믈며 형의 쇼픠 타인의
지난 귀즁ᄒ미라 어ᄃᆡ 옥인 가ᄉᆡ 업셔 돈ᄋ의게 위굴ᄒᄂ 망녕되믈 바라리오
만만 블가ᄒ니 돈공은 익이 싱각ᄒ라 고졀되 아연 간쳥 왈 만싱이 영낭의 지
모룰 심허ᄒ여 약녀룰 의탁고ᄌ ᄒ민 장뷔 엇지 쇼소 혐의룰 구이ᄒ여 초의룰
굿치리오 왕이 지삼 블가ᄒ믈 ᄉ양ᄒ되 고뎔되 간쳥키룰 굿치지 아니코 보쳐
믈 지(50)리히 ᄒᄂ지라 진공이 본ᄃᆡ 고졀도의 고집을 아ᄂᄃᆞ라 그만ᄒ지 아
닐 줄 알미 날호여 굴오ᄃᆡ 소ᄋ의 지취룰 결ᄒ미 만만블가ᄒ나 고장군 간쳥이
여ᄎᄒ니 너모 미미ᄒ미 블ᄉᄒᆫᄃᆞ라 오ᄋᄂ 권도로 허락ᄒ고 문이 장셩커든
연ᄋ룰 취ᄒ고 닙신ᄒᄆᆞᆯ 기ᄃᆞ려 고시룰 취ᄒ미 가ᄒ미라 왕이 만심 미온ᄒ나
엄픠 지ᄎᄒ시니 ᄉ양치 못ᄒ고 ᄉᄉᄒᆯ 분이라 하공이 우어 왈 운창이 엇디
미부룰 ᄉ양ᄒ리오마ᄂ 연형의 잇시믈 구이(51)ᄒ여 타일 연시의 투긔룰 혜
아리지 못ᄒ여 불허ᄒ거늘 합히 돌연이 허ᄒ시니 고장군긔 치ᄉᄂ 바드시려니
와 목금 현형의 불평ᄒ미 잇고 타일 연시 희ᄋ의 지취날 돈당을 고마와 아니
리로쇼이다 호뷔 니르ᄃᆡ 금일은 오가 경ᄉ룰 당ᄒ여 형 등이 진찬미쥬나 포식
ᄒ미 올커놀 무슨 말을 ᄒᄂ뇨 연시ᄂ 당셰 셩녜라 엇지 타일 투심으로 돈당
을 한ᄒᄂ 불초ᄒ미 잇ᄉ리오 가안빅 니츄밀이 연셩 쇼지 왈 너ᄂ 싱심(52)
도 니리 못ᄒ리라 네 아모리 익쳐긱인들 쳐질을 편드러 희히룰 막ᄂᄃᆞ 예빅
형언이 작히 올흐랴 호뷔 쳥파의 댱목시지오 다시 언치 아니니 존젼의 경근지
녜룰 다ᄒ미라 좌즁이 미미함소ᄒ고 댱공 형뎨ᄂ 되취ᄒ여 각각 ᄌ손의게 붓
들녀 취와ᄒ니 간녜치 아니터라 좌즁이 계인의 혼ᄉ룰 뇌약ᄒ믈 보미 유녀ᄌ
ᄂ 현시 졔ᄋ룰 유심치 아니 리 업ᄂ지라 말ᄉᆷ을 니어 쳥혼ᄒ니 상셔 범즁엄

은 녜부의 댱즈 희옥으(53)로 정혼ᄒ고 틱흑ᄉ 오희ᄂᆞᆫ 원의랑 댱즈 희빈으로 정혼ᄒ고 문셩은 ᄉ간의 댱즈 희반으로 정혼ᄒ고 윤공 츄밀은 봉닌의 댱즈 희상으로 정혼ᄒ고 두령장 녀식은 춍ᄌ의 댱즈 희몽으로 뇌졍되ᄉᄒᆞ니 오진 냥공이 졔진 냥공의 어진 ᄌᆞ상이믈 공경ᄒᆞᄂᆞᆫ지라 일언의 괘허ᄒᆞ니 기여 졔이 ᄀᆞ득ᄒᆞ여시나 만됴 ᄌᆞ상이 그 상덕ᄒᆞ니 업ᄉᆞ믈 한ᄒᆞ더라 공즈 등이 십셰 젼 히동이오 뉴의 희문이 더옥 연쇼ᄒᆞ더라 화국공이 이씨 진춰ᄒ(54)엿ᄂᆞᆫ지라 희몽의 약혼ᄒᆞ믈 보니 쥬감의 감회ᄒᆞ여 몽ᄋᆡ 손을 잡아 쳑연 타루 왈 셰월이 여류ᄒᆞ여 당년의 녀ᄋᆡ 비고흔 졍ᄉᆞ를 싱각ᄒᆞ니 신셰를 늣길 씨의 엇디 금일이 잇실 줄 알니오 이 다 인옹의 셩덕이 여산약히ᄆᆞ미라 만싱 화명윤이 구텬지하의 함호결초를 긔약ᄒᆞ리로다 셜파의 누쉬 잔 가온ᄃᆡ 난낙ᄒᆞ니 딘공이 흔연 위로 왈 왕ᄉᆡ이의라 임의 일월이 오릭거ᄂᆞᆯ 엇디 됴흔 씨를 당ᄒᆞ여 근어부인키를 넘치 아(55)니며 쇼뎨 더옥 ᄌᆞ박덕쇼ᄒᆞ여 ᄉᆞ룸의게 은혜 씨치미 업거ᄂᆞᆯ 돈형의 과장을 당ᄒᆞ리오 형은 희흥원쳘ᄒᆞ여 믈우셩녀ᄒᆞ쇼셔 화공이 ᄉᆞ왈 ᄉᆞᄉᆡ의 엇디 형의 명교를 블봉ᄒᆞ리오마ᄂᆞᆫ 쥬감의 셕ᄉᆞ를 상감ᄒᆞ고 목금을 혜아리미 경ᄉᆞ 듕도 셕ᄉᆞ를 상상ᄒᆞᄆᆡ 위퇴ᄒᆞ고 경심ᄒᆞᄆᆞᆯ 니르미러니 형언이 여ᄎᆞᄒᆞ시니 쇼뎨 명심블망ᄒᆞ리라 ᄒᆞ고 희허 탄식ᄒᆞ니 진공이 위로ᄒᆞ고 관억ᄒᆞ라 ᄒᆞ더라 동일 진환의 졔긱이 각귀기가훌ᄉᆡ 졔공이 각각 (56)녀셔를 분슈ᄒᆞᄆᆡ 졔이 하당비별ᄒᆞ고 드러오니 모든 숀이 희롱 왈 빅쳔 냥ᄋᆞᄂᆞᆫ 연장ᄒᆞᄆᆡ 셰ᄉᆞ를 알녀니와 기여ᄂᆞᆫ 무어슬 알관ᄃᆡ ᄯᆞᆯ와 문의 숑별흔다 공즈 등이 함쇼져두ᄒᆞ고 희셩공ᄌᆞᄂᆞᆫ 되왈 ᄌᆞ고 셩인은 싱이지지ᄒᆞ시니 음양호합지니ᄂᆞᆫ 인인상시라 쇼질비 연쇼ᄒᆞ오나 그 니를 모로리잇가 졔슉뷔 연쇼ᄋᆞ를 ᄀᆞᄅᆞ치지 아니시고 도로혀 농ᄒᆞᄉ 우ᄋᆞ시니 블감ᄒᆞ오나 블복ᄒᆞᄂᆞ이다 졔공이 쳥파의 어히업셔 크게 웃고 하공 등 (57)삼인은 완만타 ᄭᅮ지ᄌᆞ며 졔왕긔 니르무로 져히니 쇼박시 범남ᄒᆞᄆᆞᆯ 우으며 미쇼 왈 졈지 아닌 노옹이 ᄋᆞ소 등의게 실쳬타 ᄒᆞ니 좌즁이 되쇼ᄒᆞ더라 위쇼 냥공이 미쇼 왈 어린 아히를 어룬이 무슴 희롱ᄒᆞ리오 그만 긋치라 ᄒᆞ니 졔공이 묵연ᄒᆞ더니 날이 져믈믹 긱이 파ᄒᆞ여 도라가니 지친이 쵹을 니어 한담훌식 이늘 스마부인 제스 금장이 냥공즈의 관녜 경일을 당호여 됸당을 츄모호고 스위부인이 츄파의 믈결이 동호(58)고 옥안의 홍운이 침노호여 잉슌의 호치를 빗최미 업스니 그 셩효를 뭇지 아냐 알 비요 틴스 부부의 셩덕과 즈의호믈 가지러라 좌긱이 모든 부인의 지효를 감탄호고 항복지 아니리 업더라 뉵부인이 쏘흔 좌의 잇더니 쥬식을 탐호미 봉관이 부정호고 의상이 부제호며 운동하미 픠옥이 어즈럽고 황잡호여 휘드르며 쥬력을 니기지 못호더니 하운쥬쳘 스위 부인의 츄원영모홈과 스마부인 등의 감회호믈 보와 역유인(59)심이라 망연즈실호여 구고를 싱각는 쯧이 텬셩쇼발이라 눈믈을 어즈러이 쑤리고 아닛쇼온 셩음으로 일오디 셕년 구고를 뫼셔 즐기던 일과 댱슉부의 일퇵상슈호던 셩덕을 넘컨디 흉즁의 일만 칼이 결니는 듯호지라 쳡이 입승돈문호미 쇼텬의 미야호미 여시휭노호고 미말 노예의 니르히 쳡을 쳔디호디 구고의 여산 약희지즈와 댱슉부의 홍은을 밧즈와 박명신셰를 회복호믄 구고와 댱슉부(60)의 은덕이라 호고 우는 거동이 가쇼로오니 비록 포스의 닝담호미라도 졀도홀지라 좌즁 졔부인이 뉵시의 허다 가당치 아닌 말의 다만 탄식부답이오 좌긱이 눈을 기우려 졀도호믈 씌둣지 못호니 가안빅 부인이 모친의 늙도록 히게 져 굿호믈 이듧고 붓그려 스스로 면홍이 즈져호믈 면치 못호니 뉵시 미양 아모 말이라도 모히 당치 아닌 말호다가 녀우의 간유호믈 여러 슌 드럿는 고로 이 말을 호면셔도 겻눈으로 녀우의 긔식(61)을 탐관호더니 녀이 즈기의 언논으로됴츠 면광이 홍예호고 츄픠 미미호여 스싴이 만히 블평흔지라 혹즈 됴인광 좌즁의 괴로온 간언이 잇실가 듸겁호여 황망이 일오디 늬 말이 엇더타 호고 녀이 미온 눈쌀노 어미를 그릇 넉이느뇨 늬 말이 즈즈 졍논이라 다른 말 져쳐고 네 몸이 셰상의 나 가량 굿흔 군즈를 맛나 일싱 호화호며 오복이 겸견호미 뎐혀 댱슉부 듸덕이라 이러무로 여뫼 그 듸은을 간폐의 삭여 미스지젼의(62)닛디 못홀 무움이 잇는 고로 여뫼 미양 구고를 츄모흔 쯧히 언논이 난즉 댱슉부긔 밋느니 여우는 어믜 진졍 쇼발을 괴이히 넉이지 말나 진실노 댱슉이 아니시면 네 몸이 어듸로됴츠 삼겨시며 여뫼 능히 딘공의 쳐실 쇼임을 호여실

가 시브냐 셜파의 가부인이 스스로 모친을 위ᄒ여 히연 참슈ᄒ미 장ᄎ 문경ᄒ
기의 밋출 듯시븐지라 뇩시 곳득ᄒᆫ 우픠지인이 더옥 쥬흥을 씌엿ᄂᆞᆫ 고로 쥬졍
을 겸ᄒ여 당년 히거를 들츄(63)믈 긔탄치 아니ᄒ니 좌긱이 곡졀을 아ᄂᆞᆫ 즈
ᄂᆞᆫ 귀신이 쇠막뒤 곳ᄒ믈 졀도ᄒ나 가부인 안면을 구이ᄒ여 가마니 지쇼ᄒ믈
마지 아니ᄒ고 모로ᄂᆞᆫ 이ᄂᆞᆫ 그 언논을 의괴ᄒ더라 쥬부인이 녀ᄋ의 심ᄉ를 어
엿비 넉이고 뇩시의 힝ᄉ를 가참ᄒ여 안식을 뻑뻑이 ᄒ고 졍식 왈 오늘이 ᄉ
실지회의 옥화 ᄉ담을 베푸ᄂᆞᆫ 날이 아니라 빅아 등의 관녜를 인ᄒ여 돈빈귀긱
이 닉외 함집ᄒ니 다만 슐을 마시고 안쥬를 맛보와 경사를 치하ᄒᆯ (64)거시오
그러치 아니면 구고를 영모ᄒ고 셕ᄉ를 회감ᄒᆯ ᄯᄅᆞᆷ이니 아름답지 아닌 ᄉ단
을 들츄어 시인의 지쇼를 휘치 아니시ᄂᆞ뇨 현데 발셔 슐이 취ᄒ여 쥬담이라
ᄒ니 모로미 ᄉ실의 도라가 쉬쇼셔 셜파의 긔운이 뻑뻑ᄒ고 말ᄉᆷ이 쥰졀ᄒ니
뇩시 심하의 분노ᄒ나 형셰 감히 거우지 못ᄒᆯ지라 취ᄉᆷ을 썰치고 금군을 거두
들고 쥬리를 어즈러이 씌어 침쇼로 도라가니 가부인이 ᄯᅩᄒᆫ 블평ᄒ여 모친을
ᄯᅡ라 실즁의 니르니 뇩시 (65)녀ᄋ의 괴로이 간언을 드를가 겁ᄒ여 취긔를
층고 녜복도 벗지 아니코 침상의 쓰러져 누으니 취몽이 혼혼ᄒᆫ지라 가부인이
모친의 잠드러시믈 보고 ᄒᆯ 일 업셔 믈너나 다시 졍당의 가지 아니코 협실의
드러 역시 잠와ᄒ엿더라 ᄎ시 날이 져믈고 빈긱이 훗터지민 오진 냥공이 ᄌ질
계셔와 제숀을 거ᄂ려 닉당의 니르니 남좌 녀위 가족ᄒ여 항녈이 졔졔ᄒ되 홀
노 뇩부인의 모녜 업ᄂᆞᆫ지라 제인이 고이히 넉어 하(66)부인긔 뭇ᄌ오딕 뇩슉
모와 가미 엇지 업ᄂᆞ니잇고 하부인이 빈미 왈 뇩뎨 신긔 블평ᄒ니 질네 구호
ᄒ라 가미로다 이ᄯᅵ 셜시의 녀ᄋ 교혜 ᄂᆞ히 ᄉ셰라 이용이 졀셰뇨라ᄒ나 셩되
젼도 묘협ᄒᆫ 삭시 잇고 말ᄉᆷ이 ᄲᆞᄅᆞ고 영니ᄒ니 돈당 부뫼 춍ᄋᄒ믈 ᄉ랑ᄒ나
젼도ᄒ믈 경계ᄒ여 ᄆᆞᄋᆷ을 곳치라 니르더니 오늘날 믄득 닉다라 뇩부인의 쥬
후 광셜을 낫낫치 고ᄒ고 돈당의 칙언을 드르시미 얼골이 쥬흥 칠ᄒᆫ 듯 (67)
눈믈이 비오듯ᄒ여 침쇼로 믈너곳시믈 고ᄒ니 말ᄉᆷ이 분명ᄒ여 뉴지의 쇠쇼리
우ᄂᆞᆫ 듯ᄒ여 뇩시의 쥬후광계 안젼의 버럿나ᄂᆞ지라 진공은 듯ᄂᆞᆫ 듯 마ᄂᆞᆫ 듯

믁언블어ᄒ고 하풍익 등은 그윽이 실쇼ᄒ여 셔로 눈쥬어 우스니 졔왕이 광미
를 ᄢ긔고 쇼ᄅᆡ를 놉혀 교ᄋᆞ를 즐퇴 왈 어리ᄂᆞ ᄌᆞ라나 남녀의 쳐신이 별이ᄒ
거늘 너 ᄉ 세 유녜 무슨 아ᄂᆞ 거시 잇관ᄃᆡ 어룬이 너다려 뭇지 아닛ᄂᆞ 바의
몬져 닉다라 말ᄒᄂᆞᆫ다 네 만일 (68)ᄌᆞ라도록 젼도ᄒᄆᆞᆯ 긋치지 아닐진ᄃᆡ 엇지
인뉴의 츙슈ᄒ리오 ᄎᆞ후 다시 그르미 잇슨ᄌᆞᆨ 결단코 용ᄉᆞ치 아니리라 교이 블
승젼뉼ᄒ여 별 ᄀᆞᆺᄒᆞᆫ ᄲᅡᆼ셩의 이뤄 교쥬ᄒ니 졀묘ᄒᆞᆫ 거동이 눈이 ᄉᆡ고 졍신이
어려지ᄂᆞᆫ지라 텰부인이 나ᄒ여 옥슈를 잡고 슬상의 언져 잉슌을 졉ᄒ고 왈 여
ᄇᆡ 본ᄃᆡ ᄉᆡ험ᄒ여 인졍이 업스니 네 ᄎᆞ후ᄂᆞᆫ 조심ᄒ여 브졀업슨 말을 말나 교
이 조모의 가ᄎᆞᄒ시믈 승시ᄒ여 ᄀᆞ마니 ᄃᆡ왈 셕상의 (69)뉵됴모의 쥬졍ᄒ시
미 하 우읍기로 옴겺더니 부왕의 칙픠 이ᄀᆞᆺᄒ시리잇고 부인이 웃고 왈 이졔
ᄂᆞᆫ 그리 말나 ᄒ더라 뉵시 어둡도록 ᄌᆞ고 황혼 ᄯᆡ의 브야흐로 빗ᄲᆞᆯ고 니러안
ᄌᆞ니 쥬부인이 셕상을 ᄀᆞᆺ초와 보ᄂᆡ고 졔왕 곤계 칠인이 혼졍ᄒ고 믈너나니 가
부인이 바야흐로 드러와 졍싴 고 왈 셕상 거동이 여ᄎᆞ여ᄎᆞᄒ시니 동시 이러틋
ᄒ시면 쇼녜 ᄌᆞ문이ᄉᆞᄒ려 ᄒᄂᆞ이다 뉵시 여ᄋᆞ의 쥭으련다 ᄒᄆᆞᆯ ᄃᆡ황ᄒ여 션
우음ᄒ며 왈 오늘(70)은 슐을 취ᄒ고 실언ᄒ여시니 녀ᄋᆞᄂᆞᆫ 허믈치 말나 이후
ᄂᆞᆫ 하늘노셔 ᄂᆞ려온 텬일쥬 만년쥬 옥익 경장이라도 취토록 먹지 아니코 됴심
ᄒᆞᆯ 거시니 너ᄂᆞᆫ 념녀 말나 ᄂᆡ 즁빙ᄒ리라 부인이 한심ᄒ여 굴오ᄃᆡ 퇴퇴 말ᄉᆞᆷ
마다 실언ᄒ시니 복망 퇴퇴ᄂᆞᆫ 다시 희거를 마르쇼셔 뉵시 만구응슌ᄒ나 작심
삼일이라 언마 오리리오마ᄂᆞᆫ 녀ᄋᆞ를 긔탄ᄒ여 아직 슈돌ᄒ더라 화셜 광평왕은
인동황뎨 ᄎᆞ지며 졍궁 쇼낭낭 탄ᄉᆡᆼ이오 월셩(71)공쥬 졔왕비의 동복 형남이
라 본ᄃᆡ 황가 여엽으로 농동닉지의 귀ᄒ미 잇시되 셩되 침졍돈후ᄒ고 풍ᄎᆡ 관
옥 ᄀᆞᆺᄒ니 뎨 어엿비 넉이시고 퇴지 ᄉᆞ랑ᄒ시더니 텰공의 집의 윤시를 취ᄒ니
윤비 싴덕이 쵸츌ᄒ미 왕이 허심ᄒ여 금슬동고의 관관ᄒᆞᆫ 화락이 국풍의 노ᄅᆡ
ᄒ니 옥동화녀를 연ᄉᆡᆼᄒ여 요ᄎᆡᆨ을 ᄌᆞ로 보고 늣게야 이ᄌᆞ일녀를 두니 냥ᄌᆡ 옥
하의 잇고 녀이 몬져 장셩ᄒ엿더라 (72)대한개국 오백ᄉᆞ 년의 쳘종황뎨 후궁
김상궁 쳘영 시가 쓴 글시

명쥬옥연긔합녹 권지이

(1) 명쥬옥연긔합녹 권지이

츠셜 광평왕이 늣게야 이즈일녀를 두니 냥즈 유하의 잇고 녀이 몬져 쟝셩ᄒ니 윤비 잉산 쵸의 신인이 계란만 ᄒ 구슬을 쥬어 왈 이 진쥬ᄂ 범연ᄒ 보비 아니라 위왕의 조쥬지쥐니 현신되ᄒ 구슬이라 열국시의 나졔국이 셔로 닷토미 되고 그 후 이곳의 인연이 잇셔 셰견지물이 되니 즈고로 연심ᄒ미 화ᄒ미 덧덧ᄒ지라 ᄒ말의 졍긔 스라져 십이승 덕화뎐 졍긔 스스로 업더니 긔운이 엉긔여 인형이 되어 텬상의 올나가 상뎨긔 숑원ᄒ여 ᄒ번 인도를 어더 환도인셰를 발원ᄒ(2)니 상뎨 히ᄒ시니 위혜왕이 ᄯᅩᄒ 벽쥬를 ᄉ랑타가 공연이 졔국의 일ᄒ미 되니 쳔년 후 음영이 옥쳥의 됴회ᄒ기의 미쳐시니 벽진쥬를 닛지 못ᄒ여 쥬야 슬허ᄒ더니 벽쥬 인도를 어더 인셰의 ᄂ리믈 보고 쇼원ᄒ여 일일을 몬져 현가의 강셰ᄒ여ᄂ니 이 곳 벽쥬의 텬졍비필이 될 거시오 ᄯᅩ 쎡룰 비러 졔국군이 ᄒ가지로 셰상의 ᄂ왓ᄂ디라 반드시 벽쥬의 젼졍을 작희ᄒ리니 벽쥬의 취혼이 다 험ᄒ려니와 일노쎠 신명계활의 유희ᄒ미 업스리니 현비ᄂ 아름다이 길너 텬연을 어긔오지 말나 ᄒ거날 윤비 바다보니 장광이 계란 ᄀᆺ고 오치(3)현황ᄒ지라 놀나 씌ᄃ르니 침상 일몽이라 이달브터 잉틱ᄒ여 십이삭 만의 싱녀ᄒ니 산실의 향운이 스긔ᄒ고 싱이 크게 긔특ᄒ니 왕의 부뷔 만심환희ᄒ여 명을 벽쥬라 ᄒ고 호를 옥화군쥐라 ᄒ다 즈라미 날노 비상ᄒ여 옥안화틱 찬난쇄락ᄒ믄 니르지 말고 셩되 유한졍졍ᄒ고 단일현검ᄒ니 부뫼 긔이ᄒ홀 분 아니라 황야와 낭낭이 보시고 크게 익듕ᄒ시더라 윤비 연싱 냥즈ᄒ니 긔긔히 긔린옥슈 ᄀᆺ고 비빙이 유즈지 여러히니 셔직 삼인이요 셔녜 오인이니 젹셔의 오즈늌녜라 이 듕 동궁 좌슉빈 황시ᄂ ᄉ죡지녜라 십ᄉ의 왕의 계빈이 되니 (4)용뫼 ᄭᅩᆺ ᄀᆺ고 셩질이 총혜ᄒ나 투현질능ᄒ고 간음요ᄉᄒ더라 윤휘 슬하 요쳑을 즈로 보고 즈긔ᄂ 몬져 싱즈ᄒ여 즈라기의 미쳣고 연싱 즈녀ᄒ여 이즈삼녜라 어린 ᄯᅳᆺ의 긔즈로쎠 쳔승국군을 졍홀가 희상터니 의외의 윤비 쥬화옥슈 ᄀᆺᄒ

주녀를 연싱ᄒ여 아름다오미 져의 주녀의 감히 바라지 못홀지라 황시 싀이ᄒ여 죽이기를 쇠ᄒ나 히홀 긔틀을 엇디 못ᄒ더니 이러구러 셰월이 훌훌ᄒ여 군쥐 십삼 셰 되미 쳬형이 졍슉ᄒ고 ᄉ덕이 ᄀ죽ᄒ고 셩회 츌쳔ᄒ며 문장이 광박ᄒ고 지혜 달민ᄒ니 샹휘 보실 젹마다 칭양ᄒ시니 광평왕이 (5)쥬 왈 신이 미양 월셩 미즈의 너모 인약겸숀ᄒ믈 답답이 너기ᄋ더니 녀이 미즈를 품슈ᄒ온 곳이 만ᄒ니 신은 그 너모 약ᄒ믈 깃거 아닛ᄂ이다 샹휘 쇼왈 ᄋ히 월셩 달마시믈 짐은 깃거ᄒ거늘 ᄋ이 엇디 누의를 하ᄌᄒᄂ뇨 그리면 츅늉부인 ᄀᆺᄒᆫ 똘을 두던들 경심의 암합ᄒᆯᄒᆺ다 왕이 쇼이 디왈 츅늉의 완악ᄒᆷᄇ 블가ᄒᄋ거니와 녀즁호걸이 ᄯᄒ 늣부미 업스리이다 낭낭이 우으시고 왈 옥해 금년 십슘의 계츠지년이라 군즈를 퇵ᄒ미 잇ᄂ가 왕이 쥬왈 딘실노 인지 흔치 아니ᄒ온지라 신이 벽쥬를 위ᄒ여 널니 가셔를 구ᄒ되 맛ᄂ(6)지 못ᄒᄋ니 깁흔 근심이로쇼이다 휘 왈 갑계 후문의 옥인 미남이 엇지 업스리오 ᄒᆯᆷ며 벽쥬ᄂᆫ 텬강셩녜라 엇디 텬졍슉치의 미인 곳이 업스리오 당시 죠졍의 풍신지홰 긔특ᄒᆷᆫ 현가만ᄒ니 업슬가 ᄒ노라 왕이 디왈 비록 아ᄋ나 일면부지라 ᄒᆫ번 보온 후 결ᄒ려 ᄒᄂ이다 샹휘 졈두ᄒ시더라 츠후 왕이 미양 현부 졔공즈를 구경코즈ᄒ더니 공교이 현부 연셕의 승샹의 댱즈 희빅을 보미 의ᄉ 기울고 ᄯᆺ이 결ᄒ여 임의 뎡혼ᄒ지라 샹후긔 이 ᄉ연을 알외니 샹휘 깃거ᄒᄉ 혼슈를 츌히시며 흠쳔관의 퇵일ᄒ라 ᄒ시니 셩만ᄒ(7)미 일구로 이르디 못홀너라 길일을 퇵ᄒ여 현샹부의 통ᄒ니 블과 슈슌이 ᄀ렷더라 현부의셔 ᄯᄒ 깃거 냥신 길일의 션용납치ᄒᆯᄉᆡ 명쥬 일빵과 슌금 팔쇠로 빙ᄒ니 이 명쥬ᄂ 승샹 계부 진국공이 외국의 봉ᄉᄒ여 도라올 젹 국왕이 녜단 드리ᄂᆫ 즁 네 늣 명쥐 잇시되 오치 찬난ᄒ여 위혜의 구슬과 샹칭ᄒ믈 보고 공의 쳥고지심으로도 ᄎ마 바리고 오지 못ᄒ여 무슈 녜단은 다 믈니치고 다만 두 빵 명쥬를 거두어 도라와 ᄒᆫ 빵은 오공긔 드려 승샹의 빙물을 삼고 ᄒᆫ 빵은 평진왕의 빙녜의 쓰려 ᄒ더니 홀연 실됴ᄒ여 셜가힝의 (8)능히 쓰디 못ᄒ고 츠후 금궁지엽의 결연ᄒ여 명쥬긔봉이 셩젼ᄒ니 츠역이시러라 이러무로 드듸여 즈숀의 빙물이 되니 츠일 광평왕

부뷔 현부 츠례의 명쥬의 광염을 보미 크게 긔특이 너여 왈 현가의 두 빵 명월쥬 본딕 텬황지엽의 연분이 잇도다 일 빵 진쥬 몬져 월성의 긔연을 졈복ᄒᆞ엿더니 금츠 일빵 구슐이 이 또 ᄋᆞ녀의 ᄌᆞ장지믈이 되니 엇디 텬도의 미묘ᄒᆞ미 이ᄀᆞ치 긔이ᄒᆞ리오 비 또흔 츠탄ᄒᆞ여 긔이ᄒᆞ믈 일ᄏᆞᆺ고 좌우 비빙이 다 칭션ᄒᆞ되 홀노 슉빙 황시 심하의 ᄉᆞᄉᆞᆷ이 더옥 딕발ᄒᆞ여 싱각ᄒᆞ되 요괴로온 옥화 남미 삼기지 아냣(9)던들 ᄋᆞ지 엇디 국본을 닛디 못ᄒᆞ며 늬 또 ᄉᆞ문 일믹이라 가셰 문벌이 윤시의 하등이 아니어니 ᄋᆞ지 또 엇디 승동치 못ᄒᆞ리오 요동 남미 하풍지츌노 느의 옥동화녜 무용ᄒᆞ니 엇디 익듧지 아니리오 ᄒᆞ고 침쇼의 도라와 ᄋᆞᄌᆞ 형과 문을 블너 심회롤 의논홀시 형은 느히 이십이니 임의 취쳐ᄒᆞ고 황애 봉작을 느리와 문희군이라 ᄒᆞ시고 ᄎᆞᄌᆞ 문은 십칠 셰니 또흔 취실ᄒᆞ고 벼슬이 문양군이오 댱녀 교쥬ᄂᆞᆫ 십ᄉᆞ 셰오 ᄎᆞ녀 삼녀 미쥬 계쥬ᄂᆞᆫ 겨오 십셰 칠 셰러라 문양군 문과 미쥬 계쥬ᄂᆞᆫ 다 슌박흔 인믈이로딕 문희군 형과 교쥬 간험 질투(10)ᄒᆞ여 젼혀 모풍이라 교쥬ᄂᆞᆫ 안싁이 졀셰ᄒᆞ여 삼츈 도리해 웃ᄂᆞᆫ 듯ᄒᆞ고 힝시 민쳡ᄒᆞ고 셩되 공교ᄒᆞ더라 황시 ᄎᆞ녀 잉시 쵸의 흉몽을 어드니 흔 사ᄅᆞᆷ이 몸의 융복을 닙고 일신의 피롤 흘니고 드러오니 황시 딕경ᄒᆞ여 피코ᄌᆞ ᄒᆞ더니 그 남진 셜니 나아가 븟드러 졀ᄒᆞ여 왈 쇼장은 칠국 시의 위국 무음군이러니 반싱을 횡힝텬하ᄒᆞ다가 계교 그릇되여 일됴의 도제의 뼈 흘닌 형체 칠국의 분시ᄒᆞᄂᆞᆫ 욕을 바드니 딕장뷔 죽으믄 셟지 아나 만셰의 미명이 엇디 한흡지 아니리오 부딕 흔번 츌셰ᄒᆞ여 은원을 복고ᄌᆞ ᄒᆞ나 손빈(11)은 임의 귀곡을 됴츠 셩도ᄒᆞ여 ᄌᆞ최 션젹의 잇시니 감히 명부의셔 쳐단치 못홀 분 아니라 늬 져의게 원을 몬져 미ᄌᆞ시시니 다시 복슈치 못ᄒᆞ려니와 느의 무고히 제국의 원을 미ᄌᆞ 참독흉ᄉᆞᄒᆞᆷ믄 다 벽진쥬의 타시라 이졔 인도롤 어더 츌셰ᄒᆞ미 위왕 제왕이 각각 발원ᄒᆞ여 츌셰ᄒᆞ여ᄂᆞᆫ디라 늬 또흔 위왕의 총셔로 부귀타가 참혹히 죽엇스니 위왕이 벽쥬롤 다시 졔의 드리고 만셰의 니르히 벽쥬ᄂᆞᆫ 닛디 못ᄒᆞᄂᆞᆫ 졍이 환셰ᄒᆞ여 만딕 긔연을 일우고ᄌᆞ ᄒᆞ되 나의 죽으믈 슬허 아니코 기녀의 죽으믈 또 관겨치 아니게 너기니 그 무신(12)박힝이 여ᄎᆞᄒᆞ더라

쇼장이 훈번 뉸회의 보복고즈 흐느니 부인은 어엿비 너기쇼셔 셜파의 득득 변
흐여 가려흔 녀직 되어 침즁의 들거늘 황시 딕경실싴흐여 씌드드리 침변 일몽
이라 과연 이달부터 잉틱흐여 십삭 만의 싱여흐니 ㅇ히 얼골이 옥 궃고 눈이
싀별 궃흐니 황시는 깃거흐나 왕과 비는 그 블길지샹이믈 알고 흔열치 아니나
명을 교쥐라 흐고 호를 연환이라 흐니 왕은 무심이 지은 비로딕 연의 환셰흐
믈 붉힌 듯흐더라 셰월이 여류흐여 옥과군쥐 장셩흐여 혼스를 현상국 댱즈와
졍흐여 납폐를 바드미 일빵 (13)명쥬의 찬난흔 보광이 이목이 현난흐니 블인
의 악심을 도도는지라 황시 눈믈을 흘니고 즈녀를 딕흐여 왈 우리 황시 문벌
이 엇디 윤부인만 못흐리오마는 져는 왕의 졍비 되고 느는 후빙이 되니 분앙
흐나 요힝 바라는 빅 즈녜라 스스로 혜오딕 군왕의 위를 니을 즈는 오직 형ㅇ
밧 느디 아닐가 흐여더니 몽미 밧 윤시의 셰 늣 즈녜 비상흐여 우리 모즈로
흐여금 무용지인이 되게 홀 듈 알니오 만일 벽쥐 아니런들 현상국 ㅇ즈로써
교쥐의 비필을 졍치 못흐리오 오늘날 현가 빙녜를 보니 일빵 명쥬의 긔특흐미
텬하 무가뵈라 현가의 이(14)런 보홰 잇스니 그 가산의 호부흠과 문호의 셩만
흐미 텬즈 버금이라 벽쥐 왕궁 교ㅇ로 황가의 춍을 써 현시 춍뷔 된즉 그 부
귀 됸영흐미 만딕의 무젹흐리니 일노죠추 윤시의 우익은 졈졈 셩흐고 느의 형
셰는 날노 쇠흐리니 엇디 이둛지 아니리오 문희군 형이 분연 탄 왈 고즈의 당
외지셩 이시되 위를 슌의게 젼흐시고 슌이 지현흐시되 위를 우의게 젼흐시고
기즈를 셰우지 아니믄 큰 그르슬 가져 경이히 유즈의게 젼치 못흐미라 츠고로
국본이 기리 완젼흐시고 아됴의 니르러 틱황 틱고 휘 유됴를 느리오스 틱죄
위를 틱동긔 젼흐시고 제 불효(15)흐거늘 스살흐시니 이제 스딕의 텬히 졍흐
여는지라 쇼즈는 당당흔 부왕 댱직여늘 윤낭낭이 용간흐여 쇼즈를 폐흐고 그
쇼싱 유즈를 동궁의 칰닙흐여 십여 셰 유ㅇ의 스싱을 하이졍지리오 쇼직 임의
계교를 졍흐연 지 오릭니 미구의 딕스를 도모흐리이다 교쥐 빵안의 눈믈을 흘
녀 왈 쇼녀는 ㅁ옴이 엇더흐여 그런지 셰속 녀직 거짓 단일홀와 즈랑흐여 부
부 화흐믈 위지음욕이라 흐믈 괴이 넉이느이다 속담의 남녀쇼욕은 인지상졍이

라 ᄒᆞ니 녀지 져마다 졍결ᄒᆞ믈 ᄌᆞ랑ᄒᆞ나 ᄆᆞᄎᆞᆷᄂᆡ 믈욕의 ᄲᅱ여ᄂᆞ니 업ᄉᆞ니 쇼녀ᄂᆞᆫ ᄲᅥ ᄒᆞ되 군문이 다졍ᄒᆞᆷ(16)과 가녀의 투향ᄒᆞᆷ믈 그르다 아니 ᄒᆞ나이다 벽쥬ᄂᆞᆫ 쇼녀의 ᄋᆞ이라 형뎨 ᄎᆞ례 명명커ᄂᆞᆯ 부왕이 쇼녀롤 두고 차례롤 걸어 벽쥬롤 몬져 ᄎᆔ가ᄒᆞ니 엇디 이둛지 아니리오 쇼녜 출하리 삭발위승ᄒᆞ오나 이런 노ᄒᆞ오믈 보디 아니려 ᄒᆞ나이다 문양군이 졍쇠 왈 모친과 미뎨의 말 ᄀᆞᆺ흘진ᄃᆡ ᄌᆞ고로 이졔의 슈양산 ᄋᆞᄉᆞᄒᆞ미 어리기 ᄀᆞᆺ갑고 쇼부 허유의 긔산 영슈롤 ᄯᅳᄅᆞ미 극히 가쇼로오니 이졔 엇지 쥬ᄂᆞ라 부귀롤 탐치 아니코 젹막산즁의 아ᄉᆞ롤 감심ᄒᆞ며 쇼부 허유ᄂᆞᆫ 만승을 헌신ᄀᆞᆺ치 너겨시리오 우리 형뎨 임의 나라히 봉ᄒᆞ신 군직이 잇셔 녹봉 쇼산이 둑(17)히 일명을 안과홀 만ᄒᆞ니 굿ᄒᆞ여 쳔승을 모림ᄒᆞ여든 무어시 더 빗ᄂᆞ리오 모친은 여ᄎᆞ 비의지언을 마르쇼셔 ᄒᆞ고 도라 교쥬롤 칙 왈 규녀의 도리 졍졍ᄒᆞ미 읏듬이라 옥화군쥬ᄂᆞᆫ 당당ᄒᆞᆫ 졍궁 탄싱이오 모친은 비록 문미ᄉᆞ둑이시나 졍궁으로 션휘 명빅ᄒᆞ시고 젹쳡의 돈비 명명ᄒᆞ시거ᄂᆞᆯ 모친이 셜ᄉᆞ 실언ᄒᆞ신들 쇼ᄆᆡ ᄉᆞ뢰고 간치 아니코 도로혀 규힝을 니져ᄇᆞ리고 무힝픠덕ᄒᆞ미 여ᄎᆞᄒᆞ뇨 황시 발연작쇠 왈 블쵸지 엇디 이ᄃᆡ도록 무상ᄒᆞ뇨 여뫼 ᄌᆞ쇼로 잉분ᄒᆞ기도 만히 ᄒᆞ여시니 시금은 울홰 셩ᄒᆞ여ᄂᆞᆫ디라 ᄒᆞᆫ 번 쾌히 긔갑을 다ᄉᆞ려 결젼ᄒᆞ여 윤시로 더브러 승픠롤 닷토(18)와 만일 져의 모ᄌᆞ롤 죽이지 못ᄒᆞᆫ즉 우리 모지 죽어 분ᄒᆞ믈 니ᄌᆞ리라 교쥬 ᄯᅩᄒᆞᆫ 몸이 녀지라 젼싱은 남지라 비록 젼셰ᄉᆞ롤 ᄌᆞ시 아지 못ᄒᆞ나 벽쥬의 연고로 졔위 상징ᄒᆞ여 져의 ᄉᆞ망지홰 벽쥬의 타시라 보원ᄒᆞ려 ᄒᆞᆺ시니 엇디 무심ᄒᆞ리오 ᄒᆞ무로 앙앙 분노ᄒᆞ더라 일일은 교쥬 일몽을 어드니 ᄒᆞᆫ 장쉬 만신의 피을 흘니고 울며 왈 나ᄂᆞᆫ 곳 위국 무음군이라 네 날을 아ᄂᆞᆫ다 교쥬 놀나 말을 못ᄒᆞ고 어린 듯ᄒᆞ니 긔인 왈 나ᄂᆞᆫ 곳 녜요 너ᄂᆞᆫ 곳 니라 네 엇지 젼싱 발원을 닛고 위왕과 벽진쥬의 원을 니ᄌᆞ려 ᄒᆞᄂᆞᆫ다 네 젼싱 일을 보고ᄌᆞ ᄒᆞ거든 이리 오라 ᄒᆞ고 교쥬의 손을 닛그러 ᄒᆞᆫ 곳의 니르러ᄂᆞᆫ 빅ᄉᆞ(19)광야의 졔후의 빅월이 표표ᄒᆞ고 검극이 삼나ᄒᆞᆫᄃᆡ 쳔병만믜 구름이 집희며 안기 뭉긔드시 진셰롤 진셰롤 베럿ᄂᆞᆫᄃᆡ 믄득 그 ᄃᆡ장이 쳘상 엄위ᄒᆞ여 시상의 힁힁ᄒᆞ여 시슈롤 ᄶᅵ즈며 헷쳐 경

식이 흉참호거늘 교쥐 추경을 보믹 넉시 느라나 쇼릭 지르며 통곡호니 상하의
유믹 직슉호더니 놀나 급히 씌오거늘 교쥐 보야흐로 쑴을 씌드르믹 일신의 한
한이 쳠의호고 몽시 명명혼지라 일변 슬푸며 일변 놀납고 이달와 돌연이 옥화
를 뮈운 모음이 크게 니러느니 이 엇지 보원호믹 아니리오 이러구러 옥화군쥬
의 길일이 다드르니 왕궁의 딕연을 빅셜호고 황친국독이 모드(20)드니 연셕
의 장여호믹 무비호더라 추시 현부의셔 쏘흔 딕연을 빅셜호고 신낭을 보닉며
신부를 마즐식 쩌 형공즈와 졔왕의 댱녀 슉혜쇼져의 길일이 흔 날이라 희빅
공쥬의 길일은 오뇩 일이 격호여더라 추일 졔긱이 딕회호니 졔후 왕공이며 츈
경지렬의 돈빈 귀긱과 직상 명부 국쳑 졔부인닉 연가 결친으로 셔로 모드니
황황흔 위의와 휘휘흔 복식이 참치호여 부셩흔믈 이로 긔록지 못홀너라 현승
상 평졔왕 등 군동 곤계 십〃 인이 즈포 금댱을 졍히 호고 오진 냥공을 슈셕의
밧드러 좌를 일우고 빈긱이 함취호니 곡부의 화거쥬륜이며 벽졔 쌍(21)곡이
분잡호고 월픽셩관이 졔졔호니 닉연의 셩호믹 일쳬러라 스마부인이 졔스금댱
쇼고로 더브러 하윤쥬쳘뇩 오위부인을 뫼셔 좌셕을 졍돈호고 하윤쥬쳘 스부인
이 연긔 쇠모지년이로딕 풍완호질이 쳥월쇄락호며 스마시 등 졔부인의 빗는
광염과 월셩공쥬의 빅만염틱 셔광이 요일호여 홍옥쵸츈을 하직홀스록 더옥 고
고담담호여 틱허의 맑은 긔운과 산쳔의 영슈흔 긔믹을 일편도이 거두어시니
긔긔히 일딕셔믈이며 만고슉완이라 뇩시 일인이 느히 만흘스록 우람광픽호여
외모동지의 무일가관이라 그 인물 힝스의 갈희여 취홀 (22)곳이 업스나 다만
냥빈하의 잠간 복긔 어릿고 냥협지히 충만호니 이 쏘한 일국 승상의 직실이요
왕후장상의 의뫼요 가부인 굿흔 긔녀를 두어 만닉 영복이 가죡호더라 위상셔
부인 쇼박스 부인 가안빅 부인 니츄밀 부인 하풍익 빈실 등이 즈녀를 거느려
좌즁의 버러시니 흔굴굿치 긔화명월 굿흔지라 충충흔 쇼공쥬와 으소져들은 쥬
옥으로 쑤미며 치화로 장식호여 각하로 버러시믹 금슈돗 우희 아름다온 거동
이 셔어히 의빙컨틱 요지금원의 션직 모닷시며 무릉도원의 도화 일쳔 졈이 다
토아 붉엇는 듯호니 좌긱이 황홀경찬호더라 일식이 느즈믹 희빅 공지 (23)오

모영풍의 길복을 가호고 금안빅마의 만됴요긱이 옹위호여 왕궁의 니르러 옥상의 홍안을 젼호고 신부의 샹교를 기다릴시 이씨 광평왕의 두굿기믄 니르지 말고 허다 황친 국쳑과 졔왕 부미 신낭의 풍치를 복복탄성호더라 이윽고 신뷔 웅쟝셩식으로 쥬거의 오르미 신낭이 슌금쇄약을 가져 봉교호기를 맛고 상마호여 본부의 도라올시 두 줄 분면 화안은 향쵹을 잡아 옹위호고 흔 줄 싱가는 뇨량호여 반공의 어릭는듸 쥬분은 표표호고 셰유는 승교호여 상부의 도라오미 빵빵흔 경근취듸 난향보쵹을 잡아 신부를 뫼셔 쳥즁의 나아가 냥 신인이 교비를 파(24)호고 합환쥬를 난홀시 남풍녀뫼 일월이 병명홈 굿더라 녜파의 공작션을 기우리미 신뷔 됴눌을 밧드러 느으갈시 오진 냥공이 여츠 경수를 당호여 츌쳔듸효로써 궁텬영모의 구회천단호니 엇지 신부의 녜를 몬져 바드리오 몬져 션죠문묘와 션틱스 냥위 스묘의 현빅호고 다시 폐빅을 밧드러 죤당구고긔 헌호고 좌즁의 녜를 일울시 만목이 일쳠의 믄득 듯던 바의 세 번 더으고 일홈 오릭 헛되지 아니니 향남괴 구슬굿치 향긔롭고 금가지의 옥여름이 엇지 범연호리오 먼니 느으오미 부금의 오르고즈 호미 늇동이 시승이 상운이 즁즁호여 광치를 몬져 팔(25)희의 흘니는 듯호더니 졈졈 굿가이 느으오미 두슙 칙화관과 신착 슈라슘의 빅틱요일호니 늇쳑향신이 염염이 옴기는 곳의 염뫼 느즉호여 셤진이 부동호고 늇화 홍금상이 ᄀ즉호고 진퇴호미 참치흔 녜복 스이의 픠옥이 낭낭호여 몬져 아름다온 거름을 보호는 듯 늇운이 츙츙흔 운환을 거두어 무빈의 난봉구란추를 진졍호여시니 칠보관즘 오픠보광이 춍농호고 월익의 일급 줄 진쥐 침노하니 의희이 모운이 희미호여 츄쳔의 안긔 몽몽흔 듯 뉴미셩안과 연협단슌이 긔긔묘묘호여 흔 덩이 빅옥을 조탁호여 진취로 장식호여시니 셩덕이 즈연호고 광휘 (26)아라호여 셰고의 희셰흔 셩녀 명완이라 만일 월셩공쥐 아니면 다시 듸뒤 업슬 거시요 그 돈고 스마부인 아니면 가히 방불호니 업슬지라 돈당구괴 듸희호고 만당빈긱이 연셩치하호는 소릭 요란호기의 굿갑더라 동일 진환호고 일모도원의 졔긱이 각산호미 신부 슉쇼를 칙봉각의 졍호여 시녜 옹위호여 가니 월셩공쥐 니셜 냥 상궁으로 더브러 봉각의 니르러 질녀를 보니 군쥐 단의홍군으로 쵹하의 단좌ᄒ엿다가 니러 마즈니 공쥐 옥슈를 잇글고 운환을 어루만즈 두굿기더니 이윽고 완완이 신 쓰으는 소ᄅᆡ ᄂᆞ며 공쥐 돈명을 니어 침쇼의 니르러 공쥬의 ᄂᆡ림ᄒᆞ시(27)믈 알고 독용을 듕지ᄒᆞ여 난간의 오르니 공쥐 소ᄅᆡ를 화히 ᄒᆞ여 왈 우슉이 왓ᄂᆞ니 현질은 혐의로이 너기지 말고 드러오라 공쥐 연셩비ᄉᆞᄒᆞ고 입실ᄒᆞᄆᆡ 즁즁ᄒᆞᆫ 금병의 댱교쳔숀이 웅장셩식으로 긔신 영지ᄒᆞ니 화미ᄒᆞᆫ 단장 ᄋᆞᄅᆡ 션염아질이 긔묘ᄒᆞ여 일뉸은셤이 동곡의 소스ᄆᆡ 광쳐 실벽의 찬난ᄒᆞᆫ지라 공쥐 져 부부의 상젹ᄒᆞ믈 두굿겨 왈 하쇠 고단ᄒᆞ고 질이 약질이 죵일 구치ᄒᆞ여시니 일즉 쉬게 ᄒᆞ라 공쥐 공경ᄒᆞ여 난두의 ᄂᆞ와 숑지ᄒᆞ고 다시 입실좌졍ᄒᆞᄆᆡ 유ᄋᆞ 보모 등이 임의 야심ᄒᆞ믈 보고 ᄂᆞᄋᆞ가 침금을 포셜ᄒᆞ고 장외로 퇴ᄒᆞ니 공쥐 본셩이 화려ᄒᆞᆫ 가온ᄃᆡ (28)슉완을 상ᄃᆡᄒᆞᄆᆡ 은이 구름 못듯ᄒᆞ되 틴죤당의 비현치 못ᄒᆞ시믈 참연ᄒᆞ여 침음묵식이러니 후챵하의 인젹이 훌훌커ᄂᆞᆯ 규시지 잇ᄂᆞᆫ가 의심ᄒᆞ여 더옥 ᄂᆞ죽ᄒᆞ엿더니 믄득 어셩이 미미ᄒᆞ여 닐오ᄃᆡ 왕비 낭낭이 군마의 풍칙 긔상이 평졔왕 ᄀᆞᆺ다 ᄒᆞ시고 군쥬의 약질을 심히 념녀ᄒᆞ샤 금야의 ᄉᆞ어를 규시ᄒᆞ고 명됴의 밀보ᄒᆞ라 ᄒᆞ시더니 군마의 긔식이 아모란 쥴 아지 못ᄒᆞ니 명일 낭낭긔 무어슬 규시ᄒᆞ엿노라 ᄒᆞ고 회쥬ᄒᆞ리오 이러틋 규규ᄒᆞ거ᄂᆞᆯ 공쥐 심하의 혜오ᄃᆡ 광평왕은 황지나 덕긔 셩인ᄒᆞ여 교만ᄒᆞ미 업거ᄂᆞᆯ 엇지 가졔어하ᄂᆞᆫ 이ᄃᆡ도록 블명ᄒᆞ여 후(29)비의 불효ᄒᆞ미 여ᄎᆞᄒᆞ뇨 반ᄃᆞ시 투협ᄒᆞᆫ 부인이 기녜 익이 구질가 념녜ᄒᆞᆫ가 엇디 비비를 쳐결ᄒᆞ여 이런 괴ᄉᆡ 잇시리오 가히 ᄒᆞᆫ번 그 ᄠᅳᆺ을 시험ᄒᆞ리라 의ᄉᆡ 이의 밋쳐는 장ᄎᆞ 큰 고집이 발작ᄒᆞᄂᆞᆫ지라 가연이 이러나 신부를 아른 쳬 아니코 상상의 ᄡᅳ러져 ᄒᆞᆫ 줌을 쾌히 ᄌᆞ고 ᄭᆡ여보니 옥쵹이 명미ᄒᆞᆫᄃᆡ 신뷔 그린 드시 단좌ᄒᆞ여시니 뇨뇨졍졍ᄒᆞ여 그림 ᄀᆞ온ᄃᆡ 션ᄌᆞ ᄀᆞᆺᄒᆞᆫ지라 싱이 규시ᄌᆞ의 언근을 혜ᄋᆞ려 왕비를 통한ᄒᆞ나 옥인의 뇨라ᄒᆞᆫ 쟈미를 보ᄆᆡ 심ᄉᆡ 흔연ᄒᆞ고 약질이 병이 놀가 우려홈도 업지 아냐 금금을 밀치고 번신ᄒᆞ여 밧그로 ᄂᆞ가니 장외의 경숀 냥인이 동(30)야 ᄃᆡ후ᄒᆞ여 ᄉᆞ어를 탐지ᄒᆞ고 공쥬의 닝낙ᄒᆞ믈 의괴터니 공쥐 나가ᄆᆡ 즉시 장ᄂᆡ의 드러와 군쥬를 붓더러 장쇼를 다스려 정당의 ᄂ아가 신성ᄒ고 도라와 녜복을 그르고 침셕의 쉬게 ᄒ더라 시야의 샹부 시녀 셜완이 댱공 형뎨와 하풍익 등의 명을 바다 신방을 규시ᄒ되 동졍이 업스니 무류히 도라와 고ᄒᄆᆡ 졔공이 경의ᄒᄆᆞᆯ 마디 아니터라 슬푸다 엇지 이 ᄀᆞ온ᄃᆡ 블인의 간계 블측ᄒ여 심복을 노화 군즈 슉녀의 금슬을 희지으믈 뉘 알니오 이놀 ᄂ됴의 신ᄇᆡ 낫단장을 다스려 돈당의 문안ᄒ니 일가 졔인이 ᄉᆡ로이 ᄉᆞ랑ᄒ고 하윤 이부인이 쇼왈 슉ᄋᆞᄂᆞᆫ 쇼부로 쳑의 잇ᄂᆞᆫ디(31)라 일퇴의 상슈ᄒᄆᆡ 졍의 즈별ᄒ리니 여 등은 화긔ᄅᆞᆯ 여러 친친지의ᄅᆞᆯ 둣터이 ᄒ라 슉혜 쇼져와 군쥐 지비 슈명ᄒ더니 뉵부인이 믄득 가안빅 유즈ᄅᆞᆯ 안고 희롱ᄒ다가 왈 슉슉과 져져ᄂᆞᆫ 손부의 아름다오믈 너모 깃거 마르쇼셔 예붓터 홍안박명ᄒ니 옛놀도 우리 쥬미와 ᄉᆞ마질과 월셩옥쥬와 쇼화 등이 다 용식의 화ᄅᆞᆯ 면치 못ᄒ여ᄂᆞ니 이졔 신ᄇᆡ 져리 쵸월ᄒ니 ᄯᅩ 무슨 지잉이 잇실 쥴 알니잇고 좌위 그 언참이 괴이ᄒ믈 경ᄋᆞᄒ고 진공과 쥬부인이 의ᄋᆞᄒ여 눈을 드러 즈연 군쥬 신상을 술피니 과연 익간의 푸른 긔운이 ᄶᅵ이여 미우의 지앙이 어릭여시니 ᄉᆞ룸이 비록 아(32)지 못ᄒ나 지익이 목젼의 급ᄒ여ᄂᆞᆫ디라 진공과 쥬부인이 ᄃᆡ경ᄒ여 안식이 즈로 변ᄒ고 오공은 ᄃᆡ쳬ᄒᆞᆫ 군지라 모든 긔식을 각별 유의ᄒᄆᆡ 업스되 윤부인은 영오ᄒᆞᆫ지라 모든 긔식을 술피고 념녀 방하치 못ᄒ더라 이윽고 좌ᄅᆞᆯ 파ᄒ니 군쥐 퇴ᄒ여 봉각의 도라오ᄆᆡ 경손 냥상궁이 갈오ᄃᆡ 작야 군마의 긔식이 심히 닝낙ᄒ신 즁의 금일 뉵부인 언논이 극히 괴히ᄒ니 아지 못게라 군ᄆᆡ 약관지년이라 하쥐 긔약이 ᄂᆞ즈무로 가듕 홍장분ᄃᆡ ᄀᆞ온ᄃᆡ 유졍ᄒᆞᆫ 지 잇셔 옥쥬 신상의 유희홀가 ᄒᄂᆞ이다 군쥐 쳥미의 뉴미ᄅᆞᆯ ᄲᅥᆼ긔고 칙 왈 늬 신인이라 구문의 입승 슈일의 좌셕이 미란커(33)늘 그ᄃᆡ 등이 어린 쥬인을 부도로 규졍치 아니코 믄득 구가 ᄉᆞ덕을 아는 양ᄒ여 머리ᄅᆞᆯ 맛쵸와 규규히 셔로 의논ᄒᄆᆡ 가ᄒ리오 이ᄂᆞᆫ 부왕과 모비의 날노ᄡᅥ 그ᄃᆡ 등을 맛지신 ᄇᆡ 아니로다 여ᄎᆞ 괴이ᄒᆞᆫ 말을 두 번 니르지 말나 다시 이런 말이 잇실진ᄃᆡ 허물을 요ᄃᆡ치 아니리라 셜파의 옥안이 ᄲᅥᆨᄲᅥᆨᄒ니 경손 냥상궁이 구연ᄉᆞ퇴ᄒ더라 초야의 현공지 신방의 드러오나 신부ᄅᆞᆯ 본 쳬 아니ᄒ고 스스로 편히 즈고 나갈 ᄯᆞ름

이니 삼일 동방의 부부 회실이 약슈 삼쳔 니 즈음친 듯ᄒ니 군쥐 약질이 연ᄒ
여 침쉬 블안ᄒ니 유ᄋ 등이 가장 근심ᄒ나 감히 말을 못ᄒ더라 현공지 악모
윤(34)비의 투협ᄒᄆ를 미온ᄒ나 엄명을 죠초 삼일 견빙악지녜를 힝ᄒ니 왕의
부뷔 닉뎐의 쳥입ᄒ여 쥬과로 딕졉ᄒ며 옥안 영풍을 볼스록 ᄉ랑ᄒᄂᆫ지라 싱
이 ᄀ마니 츄파를 흘녀 악모를 보니 연긔 슘슌이 지ᄂ시되 방용이 쇄연ᄒ고
틱되 졀셰ᄒ며 덕긔 뎡셩ᄒ고 언논이 졍듸ᄒ니 싱이 두 번 거듭 ᄶ 슬피고 의
ᄋᄒ여 싱각ᄒ되 이 부인의 외뫼 져러틋 현쳘ᄒ거늘 닉지 엇디 투한ᄒ기의 ᄀᆺ
가온고 닉 듯기를 잘못ᄒ여던가 혹ᄌ 왕궁 비빙 ᄀ온딕 질투블현ᄌ 잇셔 우리
부부의 금슬을 희짓고ᄌ ᄒᄂᆫ가 홀연 신긔로온 춍명이 쇼연명각ᄒ여 ᄉ일을
흘녀 좌우를 (35)슬피니 이쎠 왕의 졔ᄌ와 비빙이 좌우의 잇ᄂ디라 졍궁의 냥
ᄌᄂ 다 어려시니 셰ᄌ 영은 십 셰요 왕ᄌ 문신군 계ᄂ 칠 셰로딕 풍신직뫼
쵸츌탁ᄋᄒ여 옥인군지요 셰ᄌ 영은 텬일지픠 완젼ᄒ여 쳔승귀격이 가족ᄒ고
버거 왕ᄌ 등이 다 슌후ᄒ여 몸을 보젼홀 만ᄒ되 홀노 문희군 형이 면뫼 단아
ᄒᆫ 듯ᄒ나 불길영동지상이요 슉빙 황시 틱되 졀셰ᄒ나 흘니ᄂᆫ 눈삐 독긔 여릐
엿고 야른 닙시울의 번득이ᄂᆫ 혀 긋치 흘난ᄒ여 결비현인이라 심듕의 혜ᄋ려
신혼 쵸야의 긔괴지언이 벅벅이 ᄎᆫ인 등의 댱뉘용ᄉ하여 군쥬의 비비(36) 듕
블영ᄌ의 교통ᄒ엿던 줄 ᄭ듯라 공연이 의심이 빅옥무하ᄒᆫ 악모긔 밋쳐 동방
화촉의 쳔고긔완을 딕ᄒ여 금슬의 낙이 스스로 ᄉ연ᄒᄆ를 뉘웃고 실쇼ᄒ여 미
흡든 은심을 푸러 빅안 셩모의 동황 됴흔 빗츨 여러 단슌옥치의 현하지변이
도도ᄒ여 응딕슈답이 창희를 거후르ᄂᆫ 듯ᄒ니 왕의 부부의 귀이ᄒᆫ든 비홀 딕
업고 좌우 관광지인이 졍신을 일헛더라 이쎠 합장 ᄉ이의셔 규슈ᄒᄂᆫ 음녀의
간장이 ᄆ르고 ᄋᆯ 씯허질 듯ᄒ고 황시ᄂᆫ 공연흔 싀심이 이러나 것줍지 못ᄒ더
라 일모 셕양의 현싱이 하직고 본부의 도라와 죤(37)댱의 비알ᄒᄆᆡ ᄶ 황혼이
라 셕식을 올니니 약간 햐져ᄒ고 초야의 현싱이 비로쇼 신방의 ᄂᄋ가 군쥬를
딕ᄒ여 그 싁모광염을 이듕ᄒ여 바야흐로 상요의 나아가 만복의 원과 니셩의
합을 일우니 금이 고르고 슬이 화ᄒ여 국풍시를 노릭ᄒ염 즉ᄒ더라 군쥐 인ᄒ

여 상부의 머믈미 효봉툔당구고ᄒᆞ고 승슌군ᄌᆞᄒᆞ여 화우슉미ᄒᆞ니 예셩이 진동
ᄒᆞ더라 일일은 데휘 현상국 부ᄌᆞ의게 하됴ᄒᆞᄉᆞ 옥화군쥐 군마로 더브러 입됴
ᄒᆞ라 ᄒᆞ시니 승상 부지 텬은의 호셩ᄒᆞ시믈 불안ᄒᆞ고 월셩공쥐 질녀로 더브러
입됴ᄒᆞ니 데 광 (38)녹시의 셜연ᄒᆞ샤 현시 졔공을 딕졉ᄒᆞ라 ᄒᆞ시고 데휘 틱
ᄌᆞ 졔왕비와 삼쳔 비빙을 다 브르ᄉᆞ 옥화 군마 현싱과 군쥬룰 틱쳥뎐의셔 불
너 보실ᄉᆡ 군쥬의 쳔염이질은 임의 아시ᄂᆞᆫ 비여니와 현싱의 표치풍광과 츄쳔
ᄀᆞᆺᄒᆞᆫ 긔상이 호호이 틱허의 맑은 긔상과 엄웅ᄒᆞᆫ 영풍이 당당ᄒᆞ여 벅벅이 명만
텬하ᄒᆞ고 위진히디홀 비범ᄒᆞᆫ 긔질이라 데휘 일견의 딕경긔이ᄒᆞ샤 슈륙진미와
상방향은을 ᄉᆞ급ᄒᆞ시고 광평왕을 도라보ᄉᆞ 왈 경이 옥화의 비필을 근심ᄒᆞ더니
원ᄂᆞᆨ 머지 아닌 곳의 잇닷다 현ᄌᆞ의 인물풍치 만히 기슉 텬닌과 흡ᄉᆞᄒᆞ고 ᄯᅩ
ᄒᆞᆫ 긔됴룰 젼습ᄒᆞ(39)여시니 가히 삼틱의 ᄂᆞ리미 업ᄂᆞᆫ지라 짐이 오ᄋᆞ의 틱셔
잘ᄒᆞ믈 깃거ᄒᆞ고 국가의 인지 잇시믈 다힝ᄒᆞ여 ᄒᆞ노라 왕이 함쇼 쥬왈 셩괘
맛당ᄒᆞ시니 다시 쥬홀 말ᄉᆞᆷ이 업ᄉᆞ오나 연이나 월셩 미ᄌᆞ 신의게 장셩ᄒᆞᆫ 녀지
잇시믈 모로지 아니ᄒᆞ오디 구가지친의 일즉 아름다온 냥지 잇ᄉᆞ오나 신의 부
부룰 딕ᄒᆞ와 ᄒᆞᆫ번 현ᄌᆞ의 현부룰 일ᄏᆞᆺ디 아니ᄒᆞ오니 만일 발이 ᄲᅢ르지 아니턴
들 이 ᄀᆞᆺᄒᆞᆫ 긔셔룰 하마 질독ᄌᆞ의게 아일 번 ᄒᆞ괘이다 신이 미ᄌᆞ룰 유감ᄒᆞ미
깁ᄉᆞ오니 복원 황상과 모후ᄂᆞᆫ 금ᄎᆞ의 ᄒᆞᆫ 잔 독쥬로ᄡᅥ 월셩 미ᄌᆞ의게 별비룰
ᄂᆞ리오쇼셔 쇼낭낭이 ᄎᆞ언을 드르시고 공쥬룰 도라보ᄉᆞ 미(40)쇼 왈 월셩은
금셰의 ᄒᆞᆫ낫 셩시라 셩인의 덕이 호호ᄒᆞ고 양양ᄒᆞ여 무위이화ᄒᆞᄂᆞ니 엇디 사
름의 션악을 호불호간 구두의 올녀 어즈러이 칭냥ᄒᆞ여 방인의 부박히 너기믈
스스로 바드리오 ᄒᆞ믈며 혼인은 인뉸딕관이라 그 쳔연인족 이 역텬이라도 면
치 못ᄒᆞᄂᆞ니 월셩이 비록 니르지 아나 엇지 쳔연을 거슬니요 경이 누의룰
ᄯᅥ리미 심ᄒᆞ도다 왕이 딕왈 모휘 신의 지공무ᄉᆞᄒᆞᆫ 긍심으로ᄡᅥ 누의룰 ᄯᅥ리다
ᄒᆞ시나 미ᄌᆞᄂᆞᆫ 너모 기리시고 신은 기리지 아니시니 너모 원민토쇼이다 휘 쇼
왈 너ᄂᆞᆫ 옥화룰 위ᄒᆞ여 누의룰 논폄ᄒᆞ니 짐이 ᄯᅩᄒᆞᆫ 녀ᄋᆞ룰 위ᄒᆞ여 신빅지 아
니리오 상(41)이 쇼왈 후의 모지 ᄯᆞᆯ을 위ᄒᆞ여 ᄋᆞ들을 나모라 ᄒᆞ고 ᄯᅩᄒᆞᆫ 누의

를 그르다 ᄒ니 오됴의 즈웅을 엇디 분간ᄒ리오 오ᄋ의 원민ᄒ 졍ᄉᄅ 술펴
ᄒ 잔 벌비로써 월셩을 쥬리라 ᄒ시고 좌우ᄅ 명ᄒ샤 상방 일등 홍노쥬ᄅ 만
죽ᄒ여 공쥬ᄅ 쥬시니 공쥐 블감역명ᄒ여 다만 ᄉ러 밧ᄌ와 잉슌의 졉ᄒ고 믈
녀 궁인을 쥬고ᄌ ᄒ거늘 왕이 됴당ᄒ여 핍박ᄒ여 먹기ᄅ 직쵹ᄒ니 공쥐 마지
못ᄒ여 마시기ᄅ 다ᄒ고 믈너 단좌ᄒ니 본ᄃ 일죽 불음이라 이윽고 옥면의 홍
광이 염염ᄒ여 셜사의 홍되 졍히 퓐 듯ᄒ고 쥬력을 니긔지 못ᄒ여 아황이 빈
져의 ᄂ죽ᄒ고 화관이 부졔(42)ᄒ여 광염이 아라ᄒ니 볼ᄉ록 긔이ᄒ지라 낭
낭이 앗기고 ᄉ랑ᄒ여 손을 잡고 무르ᄉᄃ 광평왕 슈의 말이 본ᄃ 근ᄉ치 아
니커늘 녀이 엇디 한 말 변빅이 업셔 벌쥬ᄅ 맛보뇨 공쥐 쌍환을 슉이고 냥슈
로 ᄯ흘 집허 디쥬 왈 신이 본ᄃ 너모 혼약쇼둘ᄒ와 평싱의 남과 결우고ᄌ 아
니무로써 형왕의 희롱ᄒ오믈 아오ᄃ 능히 변빅지 못ᄒ미로쇼이다 뎨휘 ᄒ가지
로 우으시고 틱ᄌᄂ 너모 약ᄒ믈 칙ᄒ시더라 동일 한담ᄒ여 장ᄎ 금의몰셔ᄒ
고 딕하의 파연곡을 듀ᄒᄆ 모다 퇴됴홀ᄉ 뎨휘 현공ᄌ 부부게 각별 긔진이보
ᄅ 상ᄉᄒ시다 윤비와 월셩공쥬ᄂ 딕니의 슈일을 머무르고 오직 군(43)쥐 농
젼의 빗ᄉᄒ고 부부 냥인이 치거금뉸을 갈와 상부의 도라와 됴당의 뵈오니 됴
당 샹히 연셜을 무러 텬춍의 관유하시믈 블승감탄ᄒ더라 니러구러 희텬 공ᄌ
와 평졔왕 댱녀 슉혜 쇼져의 길일이 님박ᄒ니 쇼진 냥 부듕의셔 길월을 현상
부의 보ᄒ니 희텬은 승상 원비 ᄉ마부인 ᄎ지니 품슈ᄒ 비 경ᄌ옥골이요 슈구
금심이라 풍치 츈원의 웃ᄂ 쏫 ᄀᆺ고 긔상이 돈후ᄒ며 직긔 츌뉴ᄒ고 문댱이
쵸월ᄒ여 ᄉ마쳔 왕희지의 일뉘라 금년 십ᄉ의 군ᄌ지힝이 브죡ᄒᄆ 업셔 임
의 쇼부의 가연을 졈복ᄒ 비라 시의 틱흑ᄉ 니부상셔로 계현은 승상 쇼현셩의
진손이요 진왕 쇼운(44)셩의 댱ᄌ라 일죽 실듕의 취부현필ᄒ여 ᄌ녜 ᄀᆺ죽ᄒ
니 댱녀 혜교의 방년이 십ᄉ의 도지요요ᄒ며 작작긔홰라 이 ᄯᅩᄒ 고문 벌열의
즘영 슉녜라 쏫 ᄀᆺᄒ 용안과 츌인ᄒ ᄉ덕이 ᄀᆺ죽ᄒ 고로 조부 진왕의 만금교
이 졔손의 우히러니 우연이 현상부 냥공ᄌ 관녜 시의 희텬을 보ᄆ 풍뉴직덕이
진짓 손녀의 비필이라 왕이 일안의 딕긔디 못ᄒ여 셕지간의 면쳥ᄒ믈 간졀이

ᄒ니 현공 부지 쇼왕의 관후장지를 공경ᄒ고 ᄯᅩ 됴항간의 면분이 두터오며 월성공쥬의 외귀라 능히 구ᄒᄂᆫ 바의 미연치 못혀 쾌허ᄒ니 드듸여 길셕을 뇌정ᄒ고 냥기 혼슈를 셩비ᄒᆯ시 희빅 공ᄌᆞ의 (45)듸례를 지니며 오륙 일이 얼프시 다ᄃᆞ르니 추시 현상부의셔 영화와 길셩이 방다첩의라 ᄒᆞᆯ며 쇼진왕의 손녀와 질ᄌᆞ로ᄡᅥ 긔연을 일시의 겸복혀 ᄒᆞᆫ날 신낭을 보니며 셔로 신부를 맛ᄂᆞᆫ 위의 범연ᄒ리오 쇼상셔 부즁의셔 ᄯᅩᄒᆞᆫ 혼슈를 풍비히 출혀 현훈을 션ᄒᆞᆼᄒ고 왕궁의셔 길긔 보호무로됴ᄎ 듸례를 ᄀᆞᆺ쵸와 길신을 등듸ᄒ니 쇼진왕 부듕의 부귀 셩만ᄒᆞ미 ᄯᅩᄒᆞᆫ 현상부로 ᄎ등이 업더라 추시 평제왕의 댱녀 슉혜쇼져ᄂᆞᆫ 제왕 좌부인 의빈군쥬 됴시의 쇼싱이라 ᄌᆞᄂᆞᆫ 셩강이니 아름다온 용안은 츄틱의 부용이요 ᄭᅩᆺ다온 셩ᄒᆞᆼ은 임강 마등으로 병ᄒᆞᆼᄒ며 춍명다(46)지ᄒ고 온화ᄌᆞ인혀 말ᄒᄂᆞᆫ ᄭᅩᆺ치라 제왕의 ᄌᆞ녀 즁 쵸산이니 왕이 쇼년의 몬져 의빈의게 냥녀를 연ᄉᆡᆼᄒ니 ᄀᆞᆯ온 슉혜 미혜라 왕이 연쇼지심의 그 녀ᄋᆡ를 불쾌ᄒ나 졈졈 ᄌᆞ라기의 미쳐ᄂᆞᆫ 지용의 한ᄋ홈과 인품의 낭연ᄒᆞᆷ을 과이혀 연ᄋᆡᄒᄂᆞᆫ 졍이 제ᄌᆞ의 ᄂᆞ리지 아니ᄒ며 됸당이 ᄯᅩᄒᆞᆫ 어엿비 너겨 슬샹 농쥬로 귀즁ᄒᆞ미 범연치 아니터라 슉혜 졈졈 ᄌᆞ라ᄆᆡ 평ᄉᆡᆼ 특용이 날노 긔의혀 그 싱모의 박면을 됴금도 담지 아냐시니 젼혀 부됴여풍이라 뉴미 셩안은 틱진의 살ᄶᅴ를 념히 너기고 ᄌᆞ약뇨ᄅᆞ혼 쳬용은 비연의 경신ᄒᆞᆷ을 ᄂᆞᆺ비 너기니 셩졍이 ᄌᆞ인온화혀 시에 다골ᄒ고 감(47)귤이 ᄶᅢ 업손 듯ᄒ니 응듸 민쳡ᄒ고 슈답이 혜일ᄒ며 ᄯᅩᄒᆞᆫ 슬긔 과인혀 사름을 한번 본즉 그 현우를 거울ᄀᆞᆺ치 비최듯 알오되 ᄯᅩᄒᆞᆫ 박히 아니ᄒ며 춍명예지혀 블과 오륙 셰의 스스로 가르치지 아닌 문ᄌᆞ를 히득혀 십 셰 젼의 학문이 쵸셰ᄒ고 셩회 출인ᄒ니 공쥬의 무ᄋᆡᄒᆞ미 긔츌이나 다름업고 셜시의 블인ᄒᆞᆷ무로도 긔특이 너기를 마지 아니ᄒ고 지어 강양 등 듸졉ᄒᆞᆷ을 셜시긔 만히 강등치 아니ᄒ니 강양이 불승황감혀 칭찬 귀즁ᄒ더라 광음이 훌훌혀 슉혜쇼져의 ᄭᅩᆺ다온 년긔 십슘의 니르ᄆᆡ 금봉이 ᄇ야흐로 함담을 버리고ᄌᆞ ᄒ고 신원이 보름이 ᄎᆞ고져 ᄒ니 빅틱(48)제미ᄒ고 덕긔 졍셩혀 쳬형이 진슉ᄒ니 도요방ᄆᆡ의 당체지화를 노릐ᄒᆞ미 그 ᄯᆡ를 어

더 뇨지라 왕이 녀ᄋ의 댱셩슈미ᄒᆞᄆᆞᆯ 보ᄆᆡ 틱셔의 ᄆᆞᆷ이 갈망ᄒᆞ기의 미쳐더니 텬졍 슉취ᄂᆞᆫ 하늘이 졍ᄒᆞ신 비라 임의 쇼진왕 형뎨로 더브러 연셕의 언약을 뇌졍ᄒᆞ니 비록 녀ᄋ이나 쵸혼이라 혼구의 풍비ᄒᆞ믄 니르지 말고 월셩공쥬 범ᄉᆞ의 ᄌᆞ상신밀ᄒᆞ여 ᄌᆞ장 즙물의 가죽ᄒᆞ미 그 친모 의빈군쥬의 슬거오미라도 이ᄀᆞᆺ치 ᄌᆞ상치 못ᄒᆞᆯ지라 졔왕이 공쥬의 셩덕을 이졔야 알오미 아니로ᄃᆡ 싁로이 항복ᄒᆞ며 공경ᄒᆞᄆᆞᆯ 마지아니ᄒᆞ고 진공과 쥬텰 냥부인이 더옥 익경ᄒᆞ고 모든 슉미 금(49)쟝이 항복지 아니리 업스되 홀노 뉵부인이 일오ᄃᆡ 이ᄂᆞᆫ 공쥬 어질미 아니라 쇼시젹브터 텬닌의 싀험ᄒᆞᆫ 호령의 훈아여 빅ᄉᆞ의 다 긔운을 펴지 못ᄒᆞ고 슬흐나 됴흐나 가여불가의 다 귀슌ᄒᆞ미라 ᄒᆞ니 이ᄂᆞᆫ 우람ᄒᆞᆫ 녀지 늙기의 니르도록 혬이 업셔 인인의 칭숑ᄒᆞᄂᆞᆫ 비 젼혀 쥬부인 고식의 신샹의 완젼ᄒᆞᄆᆞᆯ 깃거 아니ᄒᆞ미러라 시시의 현공쥬의 슉혜쇼져의 길긔 다ᄃᆞ르니 쇼진왕부의셔 셜연 쳥긱ᄒᆞᆯ시 상셔 쇼셰현은 진왕의 댱지오 양혹ᄉᆞ의 녀셰라 쇼상셰 가졍지ᄌᆞ로 풍모지홰 고금의 독보ᄒᆞᆫ 옥인군직요 양시ᄂᆞᆫ 딕가여싱이라 뇨됴 현슉ᄒᆞ여 금슬우지ᄒᆞ여 오ᄌᆞ이녀ᄅᆞᆯ 두어 우흐로 (50)냥지 셩인ᄒᆞ고 녀ᄋ 혜교쇼졔 ᄇᆞ야흐로 쟝셩ᄒᆞ고 진왕 필뎨 호부상셔 쇼운필의 슘지니 필ᄌᆞ 셰문의 ᄌᆞᄂᆞᆫ ᄌᆞ쉬라 ᄯᅩᄒᆞᆫ 미산남은 졍긱으로 옥안화뫼 슈려쇄락ᄒᆞ여 고산의 츈숑이 화무ᄒᆞ고 양뉘 휘듯ᄂᆞᆫ 듯 문쟝이 쵸셰ᄒᆞ고 영긔발월ᄒᆞ며 효위츌쳔ᄒᆞ니 당셰 옥인군지라 부뫼 과이ᄒᆞ여 미부ᄅᆞᆯ 광구터니 현쇼져의 방향을 ᄉᆞ모ᄒᆞ여 임의 냥긔 상의 졍약ᄒᆞ여 혼긔ᄅᆞᆯ 딕후러니 광음이 신속ᄒᆞ여 가긔 님박ᄒᆞ여 오동 일엽이 솟다온 긔약을 보ᄒᆞᄂᆞᆫ지라 쇼낭낭이 드르시고 크게 깃그ᄉᆞ 금화치단과 옥빅을 만히 도으시고 진찬과 어원 풍뉴로ᄡᅥ 길셕을 빗닉시니 호호ᄒᆞᆫ 영광(51)이 금슈익화러라 어시의 현공쥬 희쳔이 옥면영풍의 길복을 가ᄒᆞ고 금안빅마의 만됴 요긱이 ᄂᆞ렬ᄒᆞ여 ᄌᆞ운산 쇼부의 니르러 옥샹의 젼안ᄒᆞ고 쇼쇼져ᄅᆞᆯ 빅냥우귀ᄒᆞᆯ시 쇼공진 ᄯᅩᄒᆞᆫ 허다 위의ᄅᆞᆯ 거ᄂᆞ려 졔왕궁의 니르러 현쇼져ᄅᆞᆯ 우귀ᄒᆞ여 쇼부로 도라가니 냥가 위의 도로의 분힝ᄒᆞ여 난향이 십니의 ᄡᅩ이고 그 어악이 딘텬ᄒᆞ며 영광이 금고의 업스니 사롬의 엇기가 야이고 견직 칭찬

블니러라 현공지 쇼쇼져를 마ᄌ 본부의 도라오니 홍장장시이 슈풀을 일윗고 신부를 닛그러 청즁의 ᄂ오가 합환교ᄇᆡ를 맛ᄎᄆᆡ 됴놀을 밧드러 구고긔 헌홀ᄉᆡ 만목이 관쳠ᄒᆞ니 일은(52)바 고문셰ᄃᆞᆨ은 영지 방향이오 명가긔믹은 형옥녀졍이라 쇼시의 여ᄃᆞᆨ이 ᄯᅩ 어이 범연ᄒᆞ리오 칠보쥬ᄎᆔ 가온ᄃᆡ 농농ᄒᆞᆫ 장염과 묘묘ᄒᆞᆫ 옥ᄐᆡ 빙졍쇄락ᄒᆞ여 계궁쇼월이 비로쇼 두렷고ᄌ ᄒᆞ며 션원 ᄋᆡ해 함담을 버을고ᄌ ᄒᆞ니 화안옥질이 윤염쇼쇄ᄒᆞ여 ᄐᆡ진의 완혜ᄒᆞᆷ을 우으며 비연의 경신ᄒᆞᆷ을 늣게 너기니 덕긔유한ᄒᆞ고 진퇴 녜졀이 진션합도ᄒᆞ여 규구의 응목ᄒᆞ니 가히 뇨됴슉완이요 무빵셩염이라 녜파의 좌의 ᄂ오가 옥화군쥬로 안항을 일우ᄆᆡ 아름다온 ᄌ질이 일목지화 ᄀᆞᆺ고 일슈싱금 ᄀᆞᆺᄒᆞ여 옥질방용이 의희이 ᄀᆞᆺᄒᆞᆫ 듯ᄒᆞ되 묘질이 작작ᄒᆞ여 (53)염ᄐᆡ요일ᄒᆞ며 셔광이 ᄋᆡᄋᆡᄒᆞᆷ은 쇼쇼졔 군쥬긔 밋지 못ᄒᆞ고 덕긔 완젼ᄒᆞ고 유화상냥ᄒᆞᆷ은 쇼쇼졔 군쥬의 더은 듯ᄒᆞᆫ지라 만당 빈긱이 눈이 어리고 하셩이 니음ᄎᆞ니 돈당 구고의 환열ᄒᆞᆷ은 블문가지라 진공이 손녀의 우귀ᄒᆞᄂᆞᆫ 위의 문을 ᄂ의 신부의 녜를 밧고 ᄌ용을 과이ᄒᆞ여 형댱긔 하례 왈 금일 신부를 보니 셩덕광휘 진션진미ᄒᆞᆷ은 동손부를 바리디 못ᄒᆞ나 긔질이 유화다복ᄒᆞ고 평싱이 무흠ᄒᆞ올 며ᄂ리오니 진짓 형댱 쇼원의 합ᄒᆞ도쇼이다 공이 흔연 졈두 왈 졍합오의라 원간 녀ᄌ의 ᄉᆡᆨ이 불관ᄒᆞ니 며ᄂ리마다 그만 못ᄒᆞ여도 ᄌᆡ앙이 업ᄉᆞ면 만ᄒᆡᆼ이(54)라 밍광 ᄀᆞᆺᄒᆞᆫ 녀ᄌ가 원이로ᄃᆡ 냥손뷔 니러틋 비범ᄒᆞ니 영ᄒᆡᆼ듕 불ᄒᆡᆼᄒᆞ도다 댱공 형뎨 쇼왈 오릭 ᄉᆞ니 귀ᄒᆞᆫ 일도 보아도다 ᄌ여야 녀ᄉᆡᆨ이 진실노 블관터냐 그러커든 하슈의 용안과 표ᄆᆡ의 ᄌᆞᄆᆡ를 염고ᄒᆞ여 보ᄃᆡ 갈구ᄒᆞ여 아모 ᄌᆡ앙도 업시 동낙고ᄌ 교염의 ᄌᄆᆞ ᄀᆞᆺᄒᆞᆫ 츄용을 어덧든가 시브다마ᄂᆞᆫ 흥상도 단명ᄒᆞ니 홀일업셔 이십도 못 ᄎᆡ와 죽더고나 져런 말을 드르면 우슴이 졀노 나고 아모리 남 실흔 말 마ᄌ다가도 졀노 입이 움죽이니 이졋던 일도 겻희 신명이 일ᄭᆡ오니 싱각이 졀노 나ᄂᆞᆫᄯᅩ다 우리 (55)죽거든 코를 츄혀들고 그런 말 ᄒᆞ라 닉 싱견은 싱심도 못ᄒᆞ리라 허리 알파 말ᄒᆞ기 실토다 진공은 미쇼ᄒᆞ고 오공은 어히업셔 말을 닉고ᄌ ᄒᆞ더라 개국 오백사 년의 쓴 철종황뎨 후궁 김상궁 쳘영 시 글시

명쥬옥연긔합녹 권지삼

(1) 명쥬옥연긔합녹 권지삼

츳셜 오공이 어히업셔 잠쇼 왈 뉘셔 딕스로 이와 코허리 쇠고 머리 알푼 쏠을
보라 ᄒᆞᄂᆞ다 표형 ᄀᆞᆺ흐니ᄂᆞᆫ 빅 년 아니 보아도 싱각 업고 형 등 업다 우리 ᄌᆞ
숀들 셩치 못ᄒᆞᆯ 것 아니니 다스이 구지 말고 오지 말나 진공 왈 믹양 니겨 싱
각지 못ᄒᆞ더니 싱각흔 김의 동ᄌᆞ로 댱ᄋᆞ 왕닉ᄒᆞᄂᆞᆫ 협문을 막스이다 냥댱이 션
ᄌᆞ로 등을 치며 댱목시지ᄒᆞ며 즐왈 올흔 말ᄒᆞ니 둣기 실흘 만도 ᄒᆞ리라 협문
을 막으라마ᄂᆞᆫ 그리 못 ᄒᆞ리라 딕인과 슉모 싱시의 이 문을 닉여 아 등을 경계
ᄒᆞ스 고인의 구셰 동거를 효측ᄒᆞ라 ᄒᆞ신딕 이졔 삼딕도 못 ᄒᆞ여 스이를 막ᄂᆞᆫ
단 말가 우리ᄂᆞᆫ (2)막든 아니니 아모리나 ᄒᆞ라 셜파의 딕쇼ᄒᆞ고 밧그로 나가
니 오진 냥공이 다만 졀도ᄒᆞ더라 이윽고 졔공이 외헌으로 나가민 닉외 빈긱이
낙극달난ᄒᆞ여 일모셔령ᄒᆞ고 옥퇴동승ᄒᆞ니 남녀 빈긱이 각귀기가ᄒᆞ니 신부 슉
쇼를 치경당의 졍ᄒᆞ고 신뷔 혼졍 후 침쇼의 도라가니 포진이 졍졔ᄒᆞ며 긔완이
화려ᄒᆞᆯ지연졍 스치ᄒᆞ미 업더라 양낭 시이 쇼져를 잇그러 녜복을 벗기고 단의
홍근으로 쵹하의 단좨러니 야심ᄒᆞ미 신낭이 부명을 니어 향방의 니르러 신인
을 상딕ᄒᆞ니 남풍녀뫼 실즁의 됴요ᄒᆞ니 일딕 냥필이라 유랑이 우러러 깃브믈
니긔디 못ᄒᆞ더라 유뫼 비취 원앙을 쌍셜ᄒᆞ고 장외로 퇴ᄒᆞ니 공ᄌᆞ 밤이 깁고
인젹(3)이 업스믈 보고 바야흐로 눈을 드러 신부의 졀셰흔 용광을 보미 군ᄌᆞ
의 졍딕흔 뜻이 그 식을 깃거ᄒᆞ미 아니오 안모의 덕셩이 현츌ᄒᆞᆯ믈 깃거ᄒᆞ며
의딕를 그르고 신부를 녜로 쳥ᄒᆞ여 ᄂᆞ위의 ᄂᆞᄋᆞ가니 은졍의 견권ᄒᆞ미 여교여
칠ᄒᆞ되 신즁 졍딕ᄒᆞ여 됴금도 연쇼빅의 부박ᄒᆞ미 업더라 명됴의 부뷔 돈당의
신셩ᄒᆞ니 돈당 구괴 볼스록 연이ᄒᆞ더라 츳시의 쇼공ᄌᆞ 셰문이 허다 위의로 현
쇼져를 친영ᄒᆞ여 운산 쇼부의 도라가니 쌍쌍흔 녹의홍상이 난향보촉을 잡ᄋᆞ
냥 신인을 인도ᄒᆞ여 비셕의 ᄂᆞᄋᆞ가 합환 교빅를 맛고 칠보션을 기우리미 됴률
을 밧드러 구고긔 헌ᄒᆞ니 구고 슉당과 졔빈 상희 신부의 방향을 (4)우레ᄀᆞᆺ치

드른 지 오린 지라 일시의 바라보니 이 또흔 황가 여엽이오 화벌 명예로 천승의 쇼괴라 두삽치화관과 신착 홍금직취오 운삼은 보광이 상수호고 오치영농흔 뒤 녜모 동작의 진퇴호미 졀치 잇고 굽으며 펴며 슈단이 합도호여 일디 셩녜요 쳔츄가인이라 구괴 일견의 딕셩긔이호고 슉당 졔빈이 연셩 치하호더라 둉일 진환호고 일낙함지호니 빈긱이 각산호고 신뷔 침쇼의 도라오니 단청쳐각의 슈달난창이 졍쇄호며 광활호여 누딕 공후 졔틱인 둘 알너라 야심호미 신낭이 쳥스 흑건으로 완완이 드러와 부뷔 상딕홀시 념젼의 시오 복쳡이 구름의상을 졍히 호고 난향을 잡으 금병(5)을 여희고 느유롤 반권호여 션낭이 여영호는 졀도롤 드리여 방등 슉인이 긔이 영지호니 홍군이 날난호고 향풍이 진울호는 곳의 픠옥이 징징호니 월혼화영의 빗난 경식이 몬져 연쇼 풍뉴랑의 넉술 놀니는지라 신낭이 졍혼이 흔열호여 일빵 봉목이 기리 빗최물 씌듯지 못호니 의심컨딕 항이 슈졍창의 빗겻는 듯 텬손이 은하의 비회호여 션낭을 지영호는 듯 션연아질이 교연 쇄락호여 명쵹지하의 더옥 가려 쇼담흔디라 쇼싱이 또흔 딕 가싱츌노 눈 놉흐미 무산과 요지롤 보아는지라 쇼시 셩당흔 겨레 て온딕 졀염가인이 하나둘히 아니어니 현쇼져의 아명을 놉히 드르나 스스로 의려호미 업지 (6)아냐 혜오딕 현시 엇던 우믈인지 아지 못호거니와 엇지 감히 우리 졔슈 졔미의 옥모염틱롤 밋츠리오 호엿더니 이의 보미는 오히려 쇼시 졔쇼져 부인의 비겨 두어 층 느으미 잇스니 스스로 경동호는 무음이 느는지라 옥안셩모의 화긔 이연호여 동셔 분좨러니 유믜 침금을 빅셜호고 댱외로 퇴호미 싱이 븟야흐로 옥안봉목의 쇼용이 환연호여 나아가 근이좌호고 소믜롤 드러 왈 쇼싱은 님하의 셔싱으로 직학이 노둔호거늘 외람이 악쟝의 지우호시믈 닙스와 규즁 옥화로써 허호시니 셩틱을 깁히 감스호여 악댱의 스랑호시는 흔혜롤 져비리지 아니호리라 쇼졔 블승슈괴호여 셩안이 느죽호고 강셕의 훈향이 염(7)염호여 져슈부답호니 시쳥이 업순 듯흔지라 싱이 냥구 쳠시의 쇼왈 부부호합은 인지상졍이라 곤츙 초슈의 니르히 빵이 가죽호니 쇼져의 총명혜식으로 엇디 텬디의 쇼연흔 니와 냥인의 돈듕호믈 엇지 아지 못호리오 모르고 여츳흔즉 미거

흐기의 갓갑고 알며 여츳흐즉 여즌의 경부지되 아니로다 쇼졔 쳥파의 신혼 쵸
봉의 그 말슘이 이 곳흐믈 십분 블열흐여 썅셩이 더옥 ᄂᆞ즉흐고 옥뫼 닝담흐
여 셜상의 한믜 곳흐니 공지 웃고 드듸여 야심흐믈 일ᄏᆞ라 탈관 희의흐고 옥
쵹을 멸흐믜 쇼져를 녜로 쳥흐여 비춰 상상의 원앙쟝을 흔 가지로 흐니 유뫼
챵하의셔 규시흐고 깃브믈 니긔지 못흐더라 (8)효명을 응흐여 부뷔 흔가지로
니러 관쇼흐고 됸당의 신셩흐니 구고 슉당이 익지연지흐더라 현쇼졔 인뉴구가
흐여 효봉구고흐고 승슌군ᄌᆞ흐니 예셩이 인니의 진동흐더라 삼일이 지ᄂᆞ믜 현
공지 쇼왕부의 나ᄋᆞ가 견빙악지녜를 힝홀시 쇼부 상히 흔 당의 모다 공ᄌᆞ를
마ᄌᆞ 반기며 진왕비와 악모 양부인이 말슘이 ᄌᆞ별흐여 쇼녀의 평싱을 부탁흐
니 언단이 유화흐여 셩녀의 풍이 가죽흐니 현공지 슌슌화답 옥치단슌 ᄀᆞ온듸
옥셩이 도도흐여 말슘이 졍듸흐니 졔쇠 블승이경흐더라 현공지 좌우를 고면
흐니 고듸광실의 남좌녀위 졍졍졔졔흐여 ᄎᆞᄎᆞ치 슈미쇄락흐여 남ᄌᆞᄂᆞᆫ 옥경 션
군 곳고 녀ᄌᆞᄂᆞᆫ 무릉 (9)션ᄋᆞ 곳흐니 현공지 그윽이 암탄흐더라 쇼공ᄌᆞ 셰문
이 ᄯᅩ흔 현부로 향코ᄌᆞ 흐다가 현공ᄌᆞ를 맛나 흔 가지로 말슘흐더니 현공지
왈 ᄌᆞ슈는 엇디 금일 우리 당슉긔 비현치 아닛ᄂᆞ뇨 쇼공지 우어 왈 뇌 졍히 가
려흐다가 현듕을 맛나 밋쳐 가디 못흐여거니와 현듕이 싱심코 ᄂᆞ의 ᄌᆞ호를 브
르지 못흐리라 현공지 몰나 듯는 쳬흐고 미쇼 왈 ᄌᆞ쉬 늬게 아릭 미뷔라 엇지
ᄌᆞ호를 부르지 못흐리란 말고 쇼공지 쇼쇼 왈 영믜로 니르지 말고 그듸 ᄂᆞ의
질녀셰니 감히 쳐슉을 경만치 못흐리라 현싱이 디쇼 왈 쳐슉이 원간 무어시
됸듕흐여 경만치 못흐며 ᄌᆞ쉬 ᄂᆞ의 슈하 미뷔라 무어시 놉흘와 흐고 됸듸흔
쳬흐리오 진왕이 딜ᄋᆞ의 현싱(10)과 희롱흐믈 보고 늘호여 우어 왈 현셔의 말
이 올흐니 질이 아모리 긔승흐나 말이 막히리로다 쇼싱이 함소 듸왈 현듕의
말 곳ᄉᆞ올진듸 쇼질이 ᄯᅩ흔 ᄉᆞ촌 쳐남으로 그리 듸ᄉᆞ로이 넉이리잇가 현싱이
목숑지쇼 왈 나는 ᄉᆞ쳬 그러무로 당쵸의 몬져 가여블가의 논폄흐믜 업ᄉᆞ되 ᄌᆞ
쉬 스스로 ᄌᆞ됸코ᄌᆞ 흐다가 픽루흐믜 도로혀 이런 말을 흐니 이는 진짓 아창
지가를 군이 화흐ᄂᆞᆫ도다 쇼싱이 답홀 말이 업셔 믁연 듸쇼흐고 좌즁이 긔쇼러

라 이윽고 금반옥긔의 진슈미찬을 ᄂ와 철음ᄒ기를 맛고 상을 믈니미 믄득 현상부로됴츠 월셩궁 궁환이 쇼공주 니림ᄒ믈 쳥ᄒᄂ지라 현공지 드듸여 좌즁의 하직ᄒ고 쇼공주로 더(11)브러 쳥녀를 모라 졔왕부 월셩궁의 니르니 졔왕부부 삼인이 졔주를 거ᄂ려 상부의 나ᄋ가 즁쳥의 포진을 비셜ᄒ고 쇼공주를 쳥ᄒ여 상부 졔부인과 혼가지로 볼시 하윤쥬쳘뉵 오부인이 녜복을 ᄀ초와 슈좌의 거ᄒ고 오진 냥공이 병익ᄒ여 안줏ᄂ듸 쇼년 졔인과 모든 부인닉 남좌녀우를 분ᄒ여 돈젼의 시립ᄒ여 경근지녜를 다ᄒ니 녜의 졍졔ᄒ고 멸치 슉슉ᄒ지라 현공지 쇼싱의 ᄉ믹를 잇그러 드러와 좌즁의 ᄎ례로 비알ᄒ기를 맛고 좌의 ᄂᄋ가니 졔부인이 각각 쳥ᄋ를 드리워 흔연 치관ᄒ믈 마지 아니ᄒ고 쥬부인이 흔연이 위유 왈 돈문은 셰듸 덕문화벌이여늘 미문 약녀로ᄡᅥ 외람이 셩문의 의(12)탁ᄒ니 평싱 바라미 넘은지라 원컨듸 현셔ᄂ 기리 유신 유의 유덕ᄒᄉ 약녀의 평싱이 쾌락ᄒ믈 ᄇ라ᄂ이다 월셩공쥬와 의빈군쥐 말숨을 온화이 ᄒ여 녀ᄋ의 평싱을 부탁ᄒ니 의문이 슈어의 넘지 아니나 언시 관곡ᄒ고 ᄉ의 은근ᄒ니 공지 슌슌비ᄉᄒ고 투목으로 슬피건듸 하윤쥬텰 ᄉ부인이 쇠모지년의 니르러시나 쇼안이 결빅ᄒ고 셜뷔 윤틱ᄒ여 쇼년 홍옥의 연분 취식을 더이 넉이며 안모의 셩덕 광휘 어릐여 당시의 슉인셩시요 버거 ᄉ마부인 졔ᄉ 금댱의 니르러 긔긔히 쵸셰탁ᄋᄒ여 오히려 쇼년 츈식이 머므럿고 더옥 악모 월셩공쥬와 의빈군쥬로 보건듸 공쥬ᄂ 이곳 슉모 낭낭 쇼싱이(13)니 주긔 어려실 졔 친잠연회의 모부인을 ᄯ라 딕닉의 드러가 보왓ᄂ지라 그 셩모 월틱를 쳐음 보미 아니로듸 싀로이 긔이ᄒ믈 니긔디 못ᄒ고 악모 의빈군쥐 용안이 슈미치 못ᄒ나 쳬용이 유한ᄒ고 긔위 신즁ᄒ여 당시 계ᄎᆞ군직요 결군댱뷔라 싱이 그윽이 암칭ᄒ믈 마지 아니ᄒ고 ᄯ오 셜시의 교용묘질이 쇼쇄표연ᄒ믈 보고 심하의 유의ᄒ여 슬피며 암탄 왈 ᄎ부인이 진짓 미달의 졍녕이라 만일 졔왕의 관인홈과 공쥬의 셩인지풍으로 감화ᄒ미 아니런들 션도의 나아가미 어려올넛다 그윽이 탄식ᄒ믈 마지 아니ᄒ고 ᄯ오 강양의 화틱 상낭혼 긔질을 보고 ᄎ탄 왈 진짓 젼국의 왕앙을 승긔니 녀즁호걸이라 졔왕의 농호지(14)상이 아니런들

츠인을 진압기 어려올눗다 ㅎ더라 쥬부인이 좌우롤 명ㅎ여 팔진미찬을 가져
압압히 버리고 신낭을 은근이 권ㅎ여 말숨ㅎ미 좌상의 춘풍이 니러느고 화담
미에 징징ㅎ여 금슈 돗 우희 빗는 말숨이 봄빗츨 즈아시니 홀노 뉵부인이 즙
볏ㅎ여 안즈 이리 두렷 져리 두렷 헤식은 우음쑨이러니 쥬철 냥부인이 신낭을
화졉ㅎ여 셜해 도도ㅎ믈 보미 믄득 싱각ㅎ되 텰시도 한미 쇼임을 찰히노라 쇼
싱을 디ㅎ여 말ㅎ니 딘들 그리 못 홀 거시 아니라 ㅎ고 두용을 그(15)덕이며
목용을 지긋거려 이윽이 쥬스타가 이의 두세 번 잔기춤 ㅎ고 ㄱ장 지예ㅎ여
쇼싱을 향ㅎ여 왈 낭군은 싀 사룸이라 어룬이 가르치지 아니면 츠례롤 엇지
알니오 노쳡은 진공의 계비요 그디 악부 졔왕의 의뫼라 텰부인과 일쳬로디 그
러나 노쳡은 졔왕의게 각별 친이 범연치 아니느니 쥬부인으로 표동 즈미지간
이라 일틱의 싱장ㅎ여 일부롤 동ㅎ미 쇼위 황영의 즈미 ㄱ흔 졍이 잇는지라
쥬미 쇼시의 형으군쥬 년의 작용으로 만상비고롤 겪고 스싱이 미분홀 씨의 엇
지 오늘날 일국 디상(16)의 부인으로 다시 쳔승국군의 퇴비 되여 어느 스이
손즈 스회롤 어더 경스롤 보리라 ㅎ여시리오 노쳡이 낭군의 아름다온 지모롤
익모홀 분 아니라 우리 쥬미의 복되믈 깃거ㅎ느니 이제 쥬철 냥부인의 쇼녀롤
니르는 말은 다 눗 ㄱ리와 시쇽의 말이라 쳡이 실노 괴히이 너기노라 손녀는
가히 니른바 계궁의 맑은 달이요 션원의 봉홰라 셩인이 젼젼반칙ㅎ시고 오미
구지ㅎ여도 맛나기 어려온 졀염슉녜니 무사 일 낭군의 풍신직화롤 쓰로지 못
ㅎ리오 노쳡의 이 말은 직언이니 현셔는 괴이히 너기지 말나 셜(17)파의 흔흔
이 우으니 쇼공지 심니의 그 우람흔 언단을 실쇼ㅎ나 스식지 아니코 다만 공
경ㅎ여 드를 쓰름이라 좌위 면면이 도라보와 우음을 춤디 못ㅎ고 댱공이 흔연
위즈ㅎ여 뉵슈의 셩언이 지극 유리ㅎ시니 쇼랑이 가히 쳐즈롤 놉흔 스싱으로
디졉ㅎ라 졔왕이 뉵부인 실언ㅎ심을 민망ㅎ여 봉안을 드러 부공의 긔식을 술
피니 진공이 단연 위좌ㅎ여 시쳥이 업슨 듯ㅎ니 이는 스스의 독가치 아니미러
라 좌간의 하풍익이 쇼왈 쇼랑이 엇지 돈언을 디치 아닛느뇨 쇼싱이 쏘 부답
이라 졔왕이 졍식 왈 형이 어리지 (18)아니ㅎ고 밋치지 아냣거늘 쇼빅룰 디

ㅎ여 무익흔 희담을 ㅎ느뇨 댱시등이 텬닌이 요지션으 ス흔 두 쫄을 두고 왕
즈안 ス흔 맛ㅅ회룰 어더시니 또 오릭지 아냐 니젹션 ス흔 ㅅ회룰 어들지라
그딕 실업시 희어룰 창슈ㅎ여 힝혀 ㅅ회 노ㅎ여 도라갈가 겁ㅎ느니 실업시 구
지 말나 느도 져머셔붓터 아모 말을 ㅎ여도 장늬가지 그 말이 마즈 가니 일싱
그딕 등쳐로 실업시 말ㅎ여 본 닐 업노라 하풍익 가안빅이 일시의 굴오딕 몰
나숩더니 원늬 댱돈공이 원쳔강 니슌풍과 곽곽션싱 ス도쇼이다 슈연이나 젼브
터 영(19)험홀와 즈랑ㅎ시되 우리 등의 댱늬 길흉은 아이의 니르지 아니시니
실노 고맙지 아냐이다 시듕 왈 나는 맛치 현부 남녀 졔인의 길흉만 덤복ㅎ디
다른 사름의 화복은 아지 못ㅎ노라 닉 져머셔 쑴을 쑤니 신인이 몽즁의 와 흔
권 칙을 フ르치니 다 웅텬 등 십ㅅ 곤계의 길흉만 일넛고 다른 말은 업더라 좌
위 딕쇼ㅎ니 뉵부인이 믄득 셩닉여 왈 이 좌즁의 뭇드락이 쇼랑을 딕ㅎ여 온
ス 고담의 말을 다ㅎ되 아모도 이러타 말이 업더니 늬 흔 말을 니르미 좌즁의
웃는 비치 니러느니 늬 눗가족의 광딕룰 쓰지 아냣고 각별 우슬 닐 업것(20)
마는 사름이 다 웃는 빗치요 녀으의 우션 믹온 눈쏠과 찬 눗비츠로 노모룰 미
안이 너기니 엇지 사름을 딕졉ㅎ는 도리리오 셜파의 금군을 셜쳐 니러나 분분
이 침쇼로 도라가니 좌위 그 거동을 히연ㅎ여 믁연이 말뉴치 아니니 가부인이
모친의 히거룰 붓그려 머리룰 슉이고 옥면이 홍예ㅎ여 말이 업더라 이윽고 쇼
싱이 하직고 도라가니 모다 결연ㅎ여 즈로 보기룰 일콧더라 쇼공지 본부의 도
라가 부모긔 뵈옵고 추야의 신방의 드러가 쇼져룰 딕ㅎ여 셕상 현부 슈말을
니르고 뉵부인 거동을 젼ㅎ며 실쇼ㅎ믈 마지 아니니 쇼졔 묘모의 힝(21)ㅅ룰
참괴ㅎ니 졔 당당흔 장뷔 되여 지닉여 보는 일이 업셔 셰쇄지언을 다 옴기믈
미안ㅎ여 믄득 싱을 거두어 옥뫼 빅빅ㅎ고 ㅅ쉭이 십분 블열ㅎ니 공지 지긔ㅎ
고 져의 답언을 부딕 듯고즈 ㅎ여 다시 굴오딕 원간 젼언이 밋브지 아닌지라
셕즈의 뉵부인이 진공 딕인을 죠츨 졔 듀부인인 쳬ㅎ고 진합하룰 속이려다가
ㅅ긔 패루ㅎ미 궐하의 격고등문ㅎ여 진합흐룰 됴촛더라 ㅎ거늘 싱이 젼언을
듯고 현마 그러ㅎ랴 ㅎ여더니 셕싱 경식을 보니 젼언이 과실흔가 ㅎ노라 쇼졔

청파의 졍식 염용 왈 셩인이 운ᄒ되 사ᄅᆷ의 허믈을 듯거든 부모의 이름ᄀᆞᆺ치 ᄒ라 ᄒ시니 다못 군여쳡은 후ᄉᆡᆼ이라 보도 아닌 옛 말을 젼(22)언을 엇디 알며 됴뫼 셜ᄉ 허믈이 진덕ᄒ다ᄒᆫᄃᆞᆯ 후ᄉᆡᆼ 쇼비 감히 시비ᄒᆞ믄 댱유뉴셔의 도리 아니요 셩인의 경계를 져ᄇᆞ리미니 그르미 ᄯᅩᄒᆫ 군ᄌᆞ의 잇ᄂᆞᆫ지라 쳡이 진실노 ᄉᆞ졍의 거릿겨 됴모를 두호ᄒᆞ미 아니라 군ᄌᆞ 빅ᄒᆡᆼ의 흠이 되실가 져허ᄒᆞᄂᆞᆫ이다 언파의 옥셩이 졍슉ᄒ고 낭낭ᄒᆞᆫ지라 ᄉᆡᆼ이 번연 긔용 왈 션지라 현됴의 통달ᄒᆞᆫ 지식이 여ᄎᆞᄒᆞ니 ᄎᆞ후로 ᄉᆡᆼ의 그른 곳을 규졍ᄒᆞ여 ᄂᆡ됴의 공덕이 호ᄃᆡᄒᆞᆯ지라 금ᄌᆞ 댱ᄃᆡ인이 희언이시나 놉흔 스ᄉᆡᆼ으로 ᄃᆡ졉ᄒ라 ᄒ신 말ᄉᆞᆷ이 유리토다 쇼졔 슈용 졍식 ᄃᆡ왈 군지 엇디 의외지언으로 쳡을 됴롱ᄒ시믈 어린 ᄋᆞ히 ᄀᆞᆺ치 ᄒ시니 쳡이 붓그려 죽으리로쇼이다 ᄉᆡᆼ이 미쇼 왈 일시 (23)희언이라 그ᄃᆡᄂᆞᆫ 용셔ᄒ라 쇼졔 묵연 부ᄃᆡ러라 후ᄅᆡ의 쇼공지 등과ᄒᆞ여 작위 삼ᄐᆡ의 니르고 한낫 희쳡이 업시 현쇼져로 화락ᄒᆞ여 슬하의 오ᄌᆞ 이녀를 두어 긔이ᄒᆞᆫ 셜ᄒᆡ 쇼현셩녹의 잇스므로 이의 ᄲᅢ히다 ᄎᆞ셜 광평왕의 쇼녀 교쥐 간악ᄒᆞᆫ 모와 형으로 동심합모ᄒᆞ여 아득ᄒᆞᆫ ᄀᆞ온ᄃᆡ 평ᄉᆡᆼ 스원을 갑흘 ᄯᅳᆺ이 급ᄒᆞᆫ지라 현공ᄌᆞ의 빙부모를 현알홀 ᄯᆡ의 뎐당 합문 ᄉᆞ이의 숨어 져의 화풍경운을 ᄌᆞ시 보미 반가온 듯 슬푼 듯 한ᄒᆞᄂᆞ 듯 연고 업순 비원이 츙ᄉᆡᆼᄒᆞ여 히음업순 눈믈이 만면ᄒᆞ여 ᄀᆞ만ᄀᆞ만 입 속의 브르지져 원ᄒᆞ여 왈 벽쥐 날노 더브러 삼ᄉᆡᆼ의 무ᄉᆞᆫ 원긔로 일텬지하의 강ᄉᆡᆼᄒᆞ여 몬져 부군의 ᄌᆞ익를 쳔ᄌᆞᄒᆞ며 ᄯᅩ 쳔고옥인 긔ᄌᆞ로 (24)취혼ᄒᆞ여 날노 무용이되게 ᄒᆞᄂᆞ뇨 ᄂᆡ 당당이 긔모로 부ᄃᆡ 벽쥐를 업시ᄒᆞ고 현ᄉᆡᆼ의 가인이 되여 원을 풀니라 ᄒᆞ고 침쇼의 도라와 모친을 보니 황시 ᄯᅩᄒᆞᆫ 현ᄉᆡᆼ을 ᄀᆞᆺ 보고 도라와 져 ᄀᆞᆺᄒᆞᆫ 옥낭으로 졔 ᄯᆞᆯ의 가랑을 졍치 못ᄒᆞ믈 통히 분한ᄒᆞ여 모녜 ᄃᆡᄒᆞ여 원언이 쳘골ᄒᆞ더니 믄득 문희군 형이 일긔 미남ᄌᆞ를 잇그러 드러와 닐오ᄃᆡ 표뎨 고향의셔 니르러 모친긔 빅현ᄒᆞ려 ᄒᆞᄂᆞ이다 황시 쳥파의 크게 반겨ᄒᆞ니 원ᄂᆡ 이 쇼년은 다르니 아니라 황시 부뫼 다 죽고 다만 ᄒᆞᆫ 오라비 잇더니 일ᄌᆞ를 두고 죽으미 긔ᄋᆞ의 일홈은 졔라 졔 아비 죽은 후 어미를 ᄯᆞ라 고향의셔 ᄉᆞ더니 이제 연이 십팔이라 가셰 빈한ᄒᆞ니 뫼 닐오딕 오이 이(25)계 장성ᄒᆞ여시니 비필을 마ᄌᆞ미 맛당ᄒᆞ되 가세 영졍ᄒᆞ고 ᄯᅩ 궁향 하읍의 아름다온 녀지 쉽지 아닌지라 맛당이 경ᄉᆞ의 가 슉모ᄅᆞᆯ 비견ᄒᆞ고 서로 ᄌᆞ뢰ᄒᆞ기ᄅᆞᆯ 쳥ᄒᆞ여 슉모의 형세ᄅᆞᆯ 비러 경셩 번화지지의 가 어진 안ᄒᆡᄅᆞᆯ 어더 도라오미 엇더ᄒᆞᆫ뇨 제 모명을 듯고 셔간을 구ᄒᆞ여 픔고 발ᄒᆡᆼᄒᆞ여 경ᄉᆞ의 니르러 왕궁의 ᄂᆞ옥가 명쳡을 드리고 현알을 쳥ᄒᆞ니 왕이 외뎐의셔 쳥ᄒᆞ여 보니 황싱이 쇼년 표치쥰ᄋᆞᄒᆞ나 힝지 경도ᄒᆞ고 어셩이 졍졍ᄒᆞ여 무일가관이라 블예ᄒᆞ나 흔연 딕졉ᄒᆞ며 원노 발셥을 위로ᄒᆞ니 황싱이 비ᄉᆞᄒᆞ고 믈너나 형과 문으로 더브러 슉모ᄅᆞᆯ 보니 황시 반기고 슬허 셜회 탐탐ᄒᆞ더니 제 모친 셔간을 젼ᄒᆞ니 황시 바다(26)보미 딕기 일너시되 ᄯᅥ난 지 십여 년이라 도뢰 요원ᄒᆞ니 다시 반기미 어려오믈 일ᄏᆞᆺ고 일직 장성ᄒᆞ여시되 능히 셩인홀 길이 업ᄉᆞ니 ᄇᆞ라건딕 져져ᄂᆞᆫ 경셩 번화지지의 상덕ᄒᆞᆫ 가문을 어더 ᄋᆞ즈ᄅᆞᆯ 셩인ᄒᆞ여 듀기ᄅᆞᆯ 쳥ᄒᆞ엿ᄂᆞᆫ지라 황시 간필의 눈믈을 흘니고 왈 여뫼 비록 니르지 아니나 아질은 ᄂᆞ의 됴션과 부모의 혈ᄉᆞᄅᆞᆯ 니을 ᄋᆞ히라 ᄉᆞ심이 엇디 범연ᄒᆞ리오 슈연이나 경ᄉᆞ 지상가의 규쉬 아모리 잇신들 뉘 우리 쇠문의 결혼ᄒᆞ여 ᄯᆞᆯ을 먼니 ᄯᅥ나고ᄌᆞ 하리오 너비 믹작으로 인연ᄒᆞ여 농가 쵼장이라도 규쉬 미려ᄒᆞᆫ 곳을 구ᄒᆞ리라 제 비ᄉᆞ 왈 삼가 슉모(27)의 어엿비 너기시믈 ᄇᆞ라ᄂᆞ이다 황시 화미진찬을 닉여 딕졉ᄒᆞ며 말ᄉᆞᆷ홀ᄉᆡ 황싱이 교쥬의 ᄌᆞ미 운치ᄅᆞᆯ 보고 딕경 황홀ᄒᆞ여 ᄌᆞ로 도라보믈 면치 못ᄒᆞ니 교쥬ᄂᆞᆫ 안고틱악ᄒᆞᆫ지라 심니의 닝쇼ᄒᆞ더라 놀이 느ᄌᆞ미 황싱이 후당으로 ᄂᆞ가니 황시 질ᄋᆞ의 비필을 근심ᄒᆞ믈 마지 아니니 교쥐 웃고 모친이 목젼의 긔화ᄅᆞᆯ 두고 엇디 근심ᄒᆞ시ᄂᆞᆫ니잇고 황시 왈 어ᄂᆞ 곳의 긔홰 잇ᄂᆞᆫ뇨 교쥬 귀의 다혀 두어 말을 헌칙ᄒᆞ니 황시 츄경츄희 왈 츠계 멸묘ᄒᆞ나 엇디 일위리오 교쥐 우어 왈 아됴 쉬오니 무어시 어려우리잇고 옥화 구가의 간 지 여러 날이 되면 반ᄃᆞ시 귀령홀 거시니 가히 여ᄎᆞ여ᄎᆞ 하여 황형이 향니로 도라가노라 ᄒᆞ고 부왕긔 하(28)직고 그윽ᄒᆞᆫ 곳의 슘엇다가 금옥을 훗터 무뢰비ᄅᆞᆯ 쳐결ᄒᆞ여 길히셔 옥화ᄅᆞᆯ 아ᄉᆞ다가 고향으로 도라가 부뷔 되면 옥홰 아모리 졍결ᄒᆞ나 광졉의 슈듕을 엇디 버셔나리오 황시 요두 왈

블가하다 옥화는 타녀와 달나 쳔승 교으로 금지옥엽이오 현상부 춍부로 긔셰
거룩ᄒ거늘 엇던 담 큰 덕뷔 이런 악ᄉ룰 작두ᄒ리오 교쥐 아연 냥구의 웃고
왈 그리면 ᄯᅩ 일계 잇ᄂ니 시쇽의 변용단이 잇ᄂ디라 다만 이룰 어드면 셩계
홀가 ᄒᄂ이다 황시 듸희 왈 츠계 심묘ᄒ니 질으와 의논ᄒ리라 ᄒ고 명묘의
황셩을 블너 ᄀ마니 심듕 쇼회룰 니르고 옥화군쥬의 (29)쵸출비상ᄒᄆᆯ ᄀᆺ쵸
기리며 계교룰 의논ᄒ듸 황셩이 듸경듸희ᄒ여 연망이 칭ᄉᄒ고 쳔만 번이나
은혜룰 일ᄏ른 후 다시 굴오듸 일즉 아지 못ᄒ여 임의 덕인ᄒ미 흠식로쇼이다
황시 쇼왈 가쇠로다 진승상의 부인이 다ᄉᆺ 번 기과ᄒ되 진승상의 쥼듸ᄒᄂ는 부
인이 되엿고 한쇼렬은 만승텬ᄌ로듸 오시룰 드려 황후룰 ᄉᆞᆷ앗ᄂ니 옥화는 금
지옥엽으로 지용이 겸젼ᄒ니 네 비록 황금으로 횡듸ᄒ고 구름으로 의상을 일
우나 이 ᄀᆺ흔 졀염가인은 구경도 못 ᄒ여스리니 요힝 계교룰 일우나 옥ᄒᆡ 하
열열 쵸강ᄒ니 즐겨 슌둉홀 쥴 밋디 못ᄒ거늘 이 일으란 념녀치 아니ᄒ고 이
런 가쇼지언을 ᄒᄂ다 황셩이 웃고 왈 슉모의 말슴이 너(30)모 과실혼가 ᄒ
ᄂ이다 혈육지신이 그듸도록 홀 니 잇ᄉ며 셰간의 표민의 더은 식광이 잇ᄉ리
잇가 황시 머리룰 흔들며 손등을 두다려 왈 네야 진짓 진토우밍이오 우믈 밋
기고리로다 옥화의 식이 교쥬 ᄀᆺᄒ면 무어시 긔특다 ᄒ리오 네 계교룰 닐우는
날 ᄂ의 말을 싱각ᄒ라 황셩이 듸희ᄒ여 연즉 쇼질의게 심양 근쳐의 가 연단
ᄒᄂ는 도ᄉ의게 어든 신긔혼 약이 잇ᄂ디라 미양 신변의 진이고 단니더니 실노
고비의 인슘이요 츠역 연분인가 ᄒ나이다 황시 모녜 듸희ᄒ여 연망이 보기룰
쳥ᄒ니 황츅이 낭즁을 열고 한 ᄲᅡᆷ 약봉을 ᄂ니 푸러본즉 봉리의 (31)각각 ᄲᅧ
시되 기용단과 외면회단과 도봉이라 황츅이 의미룰 ᄀᆞ르쳐 왈 기용단을 먹은
즉 되고ᄌ ᄒᄂ는 얼골이 되고 외면회단은 본형이 도라오ᄂ는 약이요 도봉잠은 후
흔 ᄌ의 쇼ᄒ고 쇼흔 ᄌ의게 후ᄒ고 일명은 미혼단이라 ᄒ더이다 황시 모녜
크게 깃거 이슈가익 왈 이ᄂ는 하늘이 도으시미로다 ᄒ더라 인ᄒ여 밀밀 상의ᄒ
여 틈을 여흐니 하회 엇지 된고 시시의 군쥐 구가의 도라간 지 슈월이라 왕부
의셔 귀령을 쳥코ᄌ ᄒ더니 ᄆᆞᄎᆷ 텬지 셜과ᄒ시니 희빅 희쳔 형뎨 톤당 명을

밧주와 장옥 졔구를 궃쵸와 과장의 느으가니 쳔만과시 구름 못듯 ᄒ여더라 시
긱이 다다르미 텬지 구룡 금상의 슉위를 베푸시고 좌반우렬(32)의 쳥농과 빅
회 항렬을 가죽이 ᄒ여시니 삼십 층 옥계하의 위의 졍졔ᄒ고 옥장명ᄒ여 문무
지렬의 셩관월픽 분분ᄒ고 딘하의 어양북이 즈로 우러 시긱을 보ᄒᄂ디라 냥
공지 시지를 펼치고 싱각ᄂ 빈 업시 일필휘지ᄒ여 시동을 명ᄒ여 밧치라ᄒ고
일공지 홀노 훗거러 졔ᄉ의 글 짓ᄂ 냥을 보더니 믄득 눈을 드러 연무쳥을 보
미 웅웅ᄒ며 장슉흔 무반과 무시 슈빅 보 밧긔 관혁을 셰우고 너른 ᄉ미를 놉
히 것고 용긔를 비양ᄒ며 궁시를 가져 지됴를 즈랑ᄒ거늘 현공지 바라보고 느
으가 보니 모다 쥬량늑디요 하나토 능히 맛(33)치지 못ᄒ거늘 블승희연ᄒ여
듕인을 헷치고 듕모ᄉ다려 왈 졔형의 놉흔 지됴를 보니 스스로 님하의 셕은
글귀만 읍듀어리던 둘 붓그려ᄒᄂ니 열위ᄂ 흑싱의 용우ᄒᄆ믈 웃지 말고 궁시
를 잠간 빌니면 한 번 시험ᄒ여 열위 우음을 도으리라 듕무반이 도라보니 일
위 션인이 훤츨흔 신장의 버들 허리요 옥안영풍이 찬난쇄락ᄒ니 오즉 쥼 봉황
이요 우마 쥼 긔린이라 모든 무반이 디경 황(34)홀ᄒ여 공슈 디왈 쳔싱 등은
진토우밍이라 일즉 됸ᄉ로 더브러 일면지분이 업ᄉ니 됸셩 디명을 듯고즈 ᄒ
ᄂ이다 공지 졍식 왈 ᄉ희지니 다 형뎨라 열위 졔공과 흑싱이 일국 신뇌라 엇
지 쳐음 만나 이러틋 과장ᄒ리오 셩명은 즈연 알 ᄯ 잇스리니 다만 궁시를 잠
간 빌니라 모든 무반이 면면 상고ᄒ며 신션이 하계ᄒ여 희롱ᄒ민가 셔로 지져
긔며 쥬지 아니ᄒ더니 일이 무반 쇼년이 궁시를 듀며 닐오디 쇼싱은 경ᄉ인
졍위요 나흔 이십 셰라 됸ᄉᄂ 셩명을 가르쳐 길이 교도를 미즈미 원이로쇼이
다 공지 졍위예 츌범ᄒ믈 암탄ᄒ고 다만 후의를 (35)ᄉᄉᄒ고 궁시를 바다
됴궁의 흔 살을 만작ᄒ여 놉히 다리미 구름이 힝ᄒ며 별이 흐르ᄂ 드시 세 살
이 연ᄒ여 관관을 낫낫치 맛치니 디상의셔 습독관이 블근 긔를 두루고 북을
울녀 장원을 쳥ᄒ니 슈플 궃튼 무시 일시의 쇼리 질너 칭찬ᄒ니 쇼셩이 훤화
ᄒ여 구쳔을 들네ᄂ 듯흔지라 공지 ᄡᆞ기를 다ᄒ미 활을 더지고 표연이 만인
춍듕을 헷치고 ᄂᄂ 드시 나아가니 농힝호뵈 편편ᄒ여 슌식간의 간 바를 아지

못홀너라 공직 몸을 썬혀 잇던 곳의 도라오니 희텬과 쇼싱 등 모든 동졉이 굿
던 곳을 뭇거늘 공직 답왈 브졀업시 두루 완경ᄒ여노라 ᄒ고 형뎨 (36)ᄒᆞ가지
로 잇그러 비회홀시 만방 다시 구름이 집희며 벌이 뭉괴듯 기얌이 뿌시듯 너
른 뜰의 쎄지어 모다시니 그 쉬 쳔만으로 산둘너라 혹 의지ᄒ여 셩편ᄒᄂ 니
도 잇고 유건을 그덕이며 입을 모호고 눈빨을 괴로이 집흐려 어즈러이 음영ᄒ
ᄂ ᄌ도 잇고 혹 의시 삭막ᄒ여 됴희ᄅᆞᆯ 어루만져 귀밋츨 글으며 싱각이 막연
ᄒ여 거의 눈물이 쎠러질 듯ᄒᆫ ᄌ도 잇고 착급ᄒ여 날치ᄂ ᄌ도 잇ᄉ니 일장
가관이라 공ᄌ 형뎨 인지 업ᄉᆞᆯ 탄식ᄒ더니 이윽고 탁방ᄒᄆᆡ 젼두관이 옥계
하의셔 쇼ᄅᆞᆯ 놉혀 문무 (37)ᄎ례로 호명홀시 장원은 산동인 현희빅의 년이
십오니 부ᄂ 승상 웅닌이라 부르기ᄅᆞᆯ 셰 번 ᄒᄆᆡ 현공ᄌ 만인 춍듕을 헷치고
편편이 거러 텬졍의 츄진 비무ᄒ니 뎐상뎐ᄒ 바라보ᄆᆡ 머니셔 ᄂ올 젹은 희희
ᄒ여 홍일이 부상의 늬왓ᄂ 듯ᄒ고 편편ᄒ여 기러기 ᄂᄂ 듯ᄒ며 완완ᄒ여 운
듸의 비듕ᄒᄂ 듯ᄒ더니 갓가이 ᄂᆞ오ᄆᆡ 신장이 휜연ᄒ고 원비 과슬ᄒ며 텬
졍이 두렷ᄒ고 줌미봉안의 옥빈연함이요 넉ᄉ듀슌이라 풍완이 졀인ᄒ고 신위
동탕ᄒ여 구쳔의 날기ᄅᆞᆯ 쥼지ᄒᄂ 듸봉이요 발ᄒᆡ 창낭의 긔셰ᄅᆞᆯ 발코ᄌᆞᄒᄂ
비룡이라 냥미의 문명이 혁연ᄒ여 쇼호의 ᄌᆡ략이 신괴홈과 헌(38)원의 신무
ᄅᆞᆯ 감쵸와시며 흉듕의 경뉸듸ᄌᆡᄅᆞᆯ 품어시니 일은바 삼듸지상이며 금쳔하졔일
인 듯 시븐지라 우흐로 텬안이 쳐음 보시ᄆᆡ 아니로듸 싀로이 경동역싴ᄒ시고
아릭로 문무쳔관이 졔셩갈칙ᄒ여 일시의 산호만셰ᄒ여 셩쥬의 득인ᄒ시ᄆᆞᆯ 하
례ᄒ더라 텬지 장원을 계의 올녀 어화쳥숨을 쥬시고 ᄎᄎ 신늬ᄅᆞᆯ 부르시니 희
원은 현희텬이니 연이 십숨이요 현승상 ᄎᄌᆡ요 탐화ᄂ 쇼셰문이라 냥인의 옥
모ᄌᆡ풍과 풍신덕용이 츌뉴탁셰ᄒ여 일셰 옥인 긔남이라 텬안이 듸열ᄒᆞᄉ 모든
신늬ᄅᆞᆯ ᄎ례로 어화쳥숨을 쥬시며 옥빈의 향은을 ᄂᆞ리와 현승상 부ᄌᆞᄅᆞᆯ ᄉ쥬
ᄒ시고 돈유 (39)왈 경의 셰듸춍렬노뻐 다시 희빅 희텬 등 굿흔 긔ᄌᆞ 현손을
두어 국가의 쥬셕듸보ᄅᆞᆯ 삼으니 엇디 아름답디 아니리오 오공 부지 텬은을 블
승황공ᄒ여 머리ᄅᆞᆯ 두다려 슉ᄉᆞᄒ더라 문관 신늬 브르기ᄅᆞᆯ 다ᄒᄆᆡ 다시 무과

신은 탁방은 무과 장원은 회람인 뎡위니 연 이십이라 ᄒ고 ᄎ례로 부르ᄆ 탐 홰 ᄯᅩ 회람인 뎡위니 연이 이십이라 뎐상뎐히 막블의괴ᄒ고 텬안이 경동ᄒᄉ 뎡위ᄅᆯ 탑하의 블너 무르시되 너의 셩명이 엇디 방목의 두 번 머므럿ᄂ뇨 뎡 위 황공복지 왈 쇼신의 쳔ᄒᆫ 무지로 엇지 감히 방두의 참녜ᄒ리잇고 다만 그 사ᄅᆷ이 잇시되 셩명을 아지 못ᄒ옵고 다만 여ᄎ여ᄎᄒ와 신의 궁시ᄅᆯ 비러 무 과(40)의 방두ᄅᆯ 응ᄒ고 셩명을 니르지 아니ᄒ여 동덕을 감쵸니 신이 시러곰 방목을 응ᄒ오미러니 뎐폐의셔 보옵건디 문과 장원 현희빅이 신의 궁시ᄅᆯ 비 러 희롱ᄒ 지됴의 사ᄅᆷ인가 ᄒ나이다 탐화ᄂᆫ 진짓 신의 일홈이로소이다 상이 쳥파의 현장원의 츌인웅장ᄒᆫ 문무신지ᄅᆯ 크게 긔특이 너기ᄉ 텬안의 희식을 ᄯᅴ여 뎡위의 공심을 표장ᄒ시고 현장원으로 다시 문무 장원을 ᄒ이시니 장원 이 황공 고ᄉ 왈 쇼신이 일시 연쇼지심으로 연무쳥의 나아가 ᄉ지ᄅᆯ 관광ᄒ옵 다가 우연이 두어 살을 시험ᄒ미 잇ᄉ오나 본디 창하의 독셔ᄒ던 무리라 궁예 의 졍슉ᄒ미 업ᄉ오니 엇디 감히 문무의 괘방ᄒ리(41)잇고 현승상이 ᄯᅩᄒᆫ 돈 슈 쥬왈 신ᄌ 희빅이 블과 연치 약관이라 오히려 만인 다ᄉᄅᆯ 압두ᄒ옵도 복 분의 과ᄒ옵거늘 엇디 ᄯᅩ 감히 문무 괘방ᄒᆞᆯ 당ᄒ리잇가 상이 우으ᄉ 왈 사ᄅᆷ이 엇디 지됴ᄅᆯ 품고 업ᄂᆫ 체ᄒ리오 셕년의 텬닌은 십슴의 문무 두 길을 드 디여시니 이제 희빅은 약관지년을 당ᄒ여 장부의 긔상과 호걸의 풍ᄎ 브됵ᄒ 미 업ᄉ니 독히 문무 댱원을 니르리오 경 등은 고집지 말나 ᄒ시고 동 불윤ᄒ 시니 현상국 부ᄌ 감히 다시 ᄉ양치 못ᄒ더라 광평왕이 반부즁의 잇셔 녀셔의 등과ᄒᆞᆯ 블승듸희ᄒ여 희식이 만안ᄒ니 퇴지 그 손을 잡으시고 우어 ᄀᆯᄋᄉ 디 현데의 녀셔 이ᄀᆞᆺ치 쵸츌ᄒ여 농방 (42)쳔인을 압두ᄒᄂᆫ 지ᄌᆑ 잇ᄉ니 과 인이 특별이 아의 긔셔 어드믈 치하ᄒ노라 왕이 우음을 머금고 빅ᄉᄒ온디 상 이 ᄯᅩᄒᆫ 향온을 ᄂ리와 왕을 ᄉ쥬ᄒ시고 퇴셔의 아름다오믈 치하ᄒ시니 왕이 복지ᄒ여 ᄤᅲ로 어쥬ᄅᆯ 밧줍고 ᄉ비ᄉ은ᄒ더라 군신이 동일 진환ᄒ여 일식 이 셔평의 ᄂ리고 명월이 동곡의 나오니 디하의 파연곡을 쥬ᄒᄆ 파됴ᄒ여 댱 원이 문무방하ᄅᆯ 거ᄂ려 궐문을 나니 쵹농과 횃블이 됴요ᄒ여 빅쥬ᄅᆯ 묘시ᄒ

고 삼현오악이 훤텬ᄒ며 희ᄌ의 파람 쇼리 십 니의 들니더라 이ᄶᅥᄂᆞᆫ 졀당즁츄
요 일당망휘라 월명지하의 만됴뎨공이 화기쥬륜과 거마빵곡이 분분ᄒ고 마졔
닌닌ᄒᆞᆫ듸 알픠 (43)지젼ᄒ고 집ᄉᆞ아역이며 댱관 비리와 하리 츄동이 부지기
쉬라 현시 졔공의 곤계 군동 십ᄉᆞ 인이 오진 냥공을 뫼셔 장원 형뎨ᄅᆞᆯ 압셰워
부즁으로 도라오니 기여만됴 졔공의 동후ᄒᆞᄂᆞᆫ 지 무슈ᄒᆞᆫ지라 위의 도로의 덥
혓고 싱쇼고악이 훤쳔ᄒ여 악음이 슈 십 니의 밋ᄎ니 일만가호의 집마다 문젼
의 불을 ᄇᆰ히고 녀민부뢰 거리의 메여시며 녀항ᄉᆞ녜 집즙ᄋᆞ 귀경ᄒ며 어즈러
이 칭찬ᄒᆞᄂᆞᆫ 쇼리 만목이 싁고 빅귀 갈셩키의 미쳐더라 빗ᄂᆡ 힝ᄒ여 본부의
니르니 이ᄶᅥ 냥공ᄌᆞ의 등뇽ᄒᆞᆫ 쇼식이 몬져 상부의 보ᄒᆞ엿ᄂᆞᆫ디라 하운 냥부인
이 가듕의 연셕을 비셜ᄒ고 졔손을 거ᄂᆞ려 냥손의 도라오기ᄅᆞᆯ 기다릴ᄉᆡ 쥬텰
냥부(44)인과 월셩공쥬의 깃거ᄒᆞ미 하운의 ᄂᆞ리지 아니터라 댱원 형뎨 발셔
니르러 문모의 빅알ᄒ고 ᄎᆞ례로 진작ᄒᆞᆯᄉᆡ 빅년 용화의 감회ᄒᆞᄂᆞᆫ 쳐식이 은영
ᄒᆞ니 오진 냥공과 승상 졔왕 등이 츄파셩안의 물결이 요동ᄒᆞᄂᆞᆫ디라 이ᄶᅥ 뉵부
인이 만흔 음식을 과히 ᄌᆞ시고 슐을 크게 취ᄒᆞ엿ᄂᆞᆫ지라 취안을 빗기 ᄯᅳ고 흔
가의 셔셔 관광ᄒᆞ더니 졔공의 쳐완ᄒᆞᆫ 비식을 보고 힝혀 하쥬 등 부인이 보면
구고ᄅᆞᆯ 츄모ᄒ여 몬져 슬혀ᄒᆞᆯ가 겁ᄒ여 셧던 ᄌᆞ리의 왈학 쥬져안ᄌᆞ며 숀으로
난함을 두다려 에에 쳐우러 왈 어지르실사 우리 구고여 인심도 갸륵ᄒᆞ시고 ᄌᆞ
의도 고로로 은혜롭더니 엇디 빅셰ᄅᆞᆯ 못 ᄉᆞ오시고 쥭으(45)신고 져 손ᄌᆞ들을
쳔금ᄀᆞᆺ치 길너뇌여 오늘날 져 ᄌᆞ미ᄅᆞᆯ 다 못 보신고 블명ᄒᆞ실ᄉᆞ 하ᄂᆞᆯ이요 무지
ᄒᆞᆯᄉᆞ 귀신이라 어진 ᄉᆞ름이 복ᄒᆞ단 말이 거즛말이로다 우리 구고의 관인후덕
ᄒᆞ시므로 엇디 퓡됴만치 못 ᄉᆞ오신고 이러틋 어즈러이 부르지져 우는 쇼리 골
안히 터질 듯ᄒᆞ니 가즁 상히 무망 즁 곡셩을 듯고 크게 놀나니 하쥬 냥부인이
웃고 닐오듸 반ᄃᆞ시 뉵뎨의 호읍셩이로다 셜시의 녀ᄋᆞ 교혜 니다라 닐오듸 뉵
됴뫼 오늘 슐을 만히 ᄌᆞ시고 취긔ᄅᆞᆯ 겨워 연졍의 가 발 벗고 누어 계시더니 이
졔야 ᄶᆡ여 냥 거거의 ᄉᆞ묘의 오르시ᄂᆞᆫ 냥을 보시고 져리 슬허ᄒᆞ시ᄂᆞ이다 이ᄂᆞᆫ
틱됸당을 츄모ᄒᆞ옵ᄂᆞᆫ 졍셩이 아니라 반ᄃᆞ시 쥬(46)졍ᄒᆞ미로쇼이다 쥬부인이

청파의 블열 왈 엇디 어린 ᄋᆞ히 경도히 난언을 ᄒᆞᄂᆈ 여뵈 드르면 칙언이 잇
ᄉᆞ리니 됴심ᄒᆞ라 교이 낫빗츨 붉히고 ᄉᆞ죄ᄒᆞ더라 졔왕이 뉴부인 곡셩을 듯고
경ᄋᆞᄒᆞ여 즉긔 아니면 그 쥬광을 두루혀지 못홀 쥴 알고 몸을 샌혀 ᄂᆞᄋᆞ가 뉵
부인을 붓드러 기유ᄒᆞ여 침소로 도라보ᄂᆡ니 뉵시 원ᄂᆡ 졔왕은 ᄌᆞ못 슬히 넉이
ᄂᆞᆫ지라 그 효슌ᄒᆞᆫ ᄂᆞᆺ빗ᄎ로 과도ᄒᆞ시믈 간ᄒᆞ여 ᄉᆞ침의 가 쉬시믈 쳥ᄒᆞ고 가부
의 가 믜ᄌᆞ를 쳥ᄒᆞ여 ᄌᆞ부인을 뫼시라 ᄒᆞ니 뉵시 힝혀 ᄂᆡ이 알가 놀나 ᄀᆞᆯ오ᄃᆡ
ᄂᆡ 가마니 드러가 편히 잘 거시니 ᄂᆡ ᄋᆞ히(47)ᄂᆞᆫ 녀ᄋᆞ를 부르지 말나 요망ᄒᆞᆫ
ᄋᆞ히의 진 말 듯기 슬타 ᄒᆞ고 시녀의게 붓들녀 침당으로 가더라 시시의 댱원
형뎨 문모의 비알을 맛고 됸당의 뵈올ᄉᆡ 냥인의 옥안셩모의 휘듯ᄂᆞᆫ ᄉᆞ화ᄂᆞᆫ 구
름 빈상의 어른기고 치봉냥닉의 금슈쳥삼이 졍셰ᄒᆞ며 일요의 보ᄃᆡ 둥그리시니
슈앙ᄒᆞᆫ 골격과 쇄락ᄒᆞᆫ 긔질이 이날 더옥 긔이ᄒᆞ니 냥됴모와 모부인의 이즁ᄒᆞ
믈 니로 긔록지 못홀너라 ᄉᆞ마부인이 평싱 처음으로 아험의 쇼용이 환연ᄒᆞ니
하윤 냥 됸긔 우어 왈 현부의 담연ᄒᆞ미 쇼시로부터 만ᄉᆞ의 무염ᄒᆞ여 일즉 운
ᄂᆞᆫ 빗츨 보지 못ᄒᆞ더니 금일 현부의 희식을 보니 ᄇᆞ야흐로 텬뉸 샹졍이 범연
치 아니믈 알니(48)로다 부인이 복슈미쇼러라 광실의 은쵹이 휘황ᄒᆞ고 셕상
을 미쳐 파치 못ᄒᆞ여셔 외헌의 하긱이 브졀ᄒᆞ여 신ᄂᆡ 브르ᄂᆞᆫ 쇼릐 요란ᄒᆞ니
승샹이 모든 곤계로 더브러 냥ᄌᆞ를 다리고 외당의 ᄂᆞ오니 열후 공경이며 뉵경
직샹이 구름거치 모히미 ᄃᆡ셔헌 광실이 터질 듯ᄒᆞ고 각 집ᄉᆞ 하관 비리 문의
메여시니 닷토ᄋᆞ 굿보ᄂᆞᆫ 지 엇기가 야이더라 모든 진신 명식 두 신ᄂᆡ를 ᄂᆞ리
와 빅단 유희ᄒᆞ니 냥인의 옥안셩모의 미인으로 더브러 우음을 먹음고 진퇴 유
희ᄒᆞ니 월명지하의 냥인의 금슈광삼과 챵녀의 홍슈 치졔 셔로 셧도라 삼츈화
림의 광풍(49)이 만화를 츔 츄ᄂᆞᆫ 듯 묘뮈 아아ᄒᆞ고 가관이 뇨량ᄒᆞ여 만니 댱
텬의 힝운이 즁지ᄒᆞ고 션악이 곡됴를 화ᄒᆞᄂᆞᆫ 듯ᄒᆞ니 냥 신ᄂᆡ의 옥안영풍은 니
르지 말고 연쇼 교ᄋᆞ의 ᄃᆡ무ᄒᆞᄂᆞᆫ 졀셰 미뫼 ᄀᆞᆺ즉ᄒᆞ니 챵녀 즁 옥난 최홍은 낙
양의 옥명ᄒᆞᆫ 챵기로 나히 삼오 이칠이오 히원을 ᄃᆡ무ᄒᆞᄂᆞᆫ 냥챵은 금난 최월이
니 ᄯᅩᄒᆞᆫ 십삼ᄉᆞ 연쇼미이라 졔녜 다 동남의 일홈난 챵ᄋᆞ로 상부 교방의 쇽ᄒᆞ

여ᄂ는 고로 금일 연셕의 가무를 밧드러 장원 형뎨로 듸무훌시 졔챵이 분면홍안을 빗니 다ᄉ리고 녹의홍상을 치례ᄒ고 셤셤옥슈의 진졍을 안으 옥슈금관의 아름다오믈 다ᄒ니 연쇼 호신이 엇디 참션ᄒᄂ 뉘 아니어니 무심ᄒ기 쉬오리고 장원이 (50)그윽이 옥난 치홍을 유졍ᄒ여 빅단 유희ᄒᄆᆡ 방탕ᄒ기의 ᄀᆾ가와 좌즁 우음을 도으니 좌긱이 졔셩 칭도ᄒ여 연쇼 호긔를 우으나 그 야야 승샹은 십분 미온ᄒ여 졍쇠 묵도ᄒ여 냥안 뎡치 장원 신상의 어ᄅᆡ여시니 장원이 눈결의 야야의 긔식을 아라보고 블승황공ᄒ여 머리를 슉이고 호홍이 져상ᄒ니 댱시즁이 져 부ᄌ의 긔식을 보고 우어 왈 희빅으 겁ᄂ지마라 네 아비 긔상이 원ᄂ 인품 업셔 ᄲᆞᆯᄲᆞᆯᄒᄆᆡ 본품이라 만일 너를 아모리나 ᄒ면 네 됴뷔 잇ᄉ니 어련이 구ᄒ랴 노됴도 너를 편드러 흔말 힘을 도을 거시니 근심 말고 유희ᄒ여 좌상 (51)흥을 도으라 장원이 날호여 계슈 왈 쇼직 죵일 분쥬ᄒ여 신식 블평ᄒ오니 열위 듸인은 찬됴를 봉ᄒᆡᆼ치 못ᄒᄂ 죄를 ᄉᄒ쇼셔 졔공이 블열 왈 독히 약관 장년이 바야히라 츈식이 의구ᄒ니 너모 츄탁지 말나 ᄒ고 연ᄒ여 핍박고자 ᄒ거늘 광평왕이 지좌러니 웃고 왈 열위ᄂ 아셔를 너모 보치지 말나 과인의 ᄂᆞᆾ츨 보와 ᄉᄒ라 졔공이 일시의 웃고 왈 만싱 등이 장원을 보치고ᄌ ᄒ더니 듸왕 돈픠 여ᄎᄒ시니 영셔ᄂ 임의로 보치디 못ᄒ려니와 희원은 가히 ᄉ치 못ᄒ리로쇼이다 좌상의 쇼진왕이 웃고 왈 열위 용심이 가히 부졍ᄒ도다 엇디 광평왕 녀셔ᄂ 안면을 고ᄌᄒ고 홀노 ᄂ의 숀셔ᄂ 괴롭도록 보(52)치ᄌᄒᄂ뇨 좌우를 명ᄒ여 희원의 유희ᄒ기를 긋치라 ᄒ니 졔공이 웃고 흔가지로 허ᄒ여 당의 오르라 ᄒ니 희원은 금듸 화월 냥녀의 졀염미모를 겻지어 유희ᄒ나 다만 졔션싱의 시긔ᄂ 바를 시힝홀 ᄯᄅᆞᆷ이오 눈을 ᄂᆞ쵸고 시쳠이 ᄶᅬ를 넘지 아니니 좌즁이 장원의 풍뉴호긔를 칭찬ᄒ고 희원의 온즁졍듸ᄒᄆᆯ 탄복이경ᄒ고 쥬빅를 날녀 진취ᄒ고 각각 허여지니라 이러구러 삼일 유가흔 후 모든 신은 이 궐하의 슉ᄉᄒ니 상이 쇠로이 인견돈유ᄒ시고 장원으로 집현뎐 흑ᄉ 호가장군을 ᄒ이시고 희원으로 한님흑ᄉ 동(53)궁ᄉ인을 ᄒ이시고 기여 신은을 ᄎ례로 봉작ᄒ시니 졔싱이 텬은을 황감ᄒ고 빅뇌 현흑ᄉ의 즁망을 츄앙ᄒ

고 현부 상히 텬은을 황츅ᄒ고 옥화군쥬와 쇼쇼졔 연광 쵸츈의 봉관화리ᄅᆞᆯ ᄀᆞᆺ쵸와 명뷔 되니 옥안ᄌᆞ질이 더옥 빙졍쇄락ᄒ더라 현흑ᄉ 형뎨 영광을 씌여 각각 빙가의 ᄂᆞᅌᆞ가 알현ᄒ더라 텰종황뎨 후궁 김상궁 쳘영 글시

명쥬옥연긔합녹 권지ᄉ

(1) 명쥬옥연긔합녹 권지ᄉ

ᄎᆞ셜 현흑ᄉ 형뎨 각각 빙부모긔 알현ᄒ니 광평 부뷔 녀셔의 득의ᄒᄆᆞᆯ 만심환희ᄒ여 녀셔ᄅᆞᆯ 쳥ᄒ여 동방의 ᄡᅡᆼ유ᄒᄂᆞᆫ ᄌᆞ미ᄅᆞᆯ 보고ᄌᆞ ᄒᄂᆞᆫ지라 왕이 친히 상부의 ᄂᆞᅌᆞ가 녀ᄋᆡ 귀령을 쳥ᄒ니 승상부지 쾌허ᄒ고 즉시 금거옥뉸을 ᄀᆞᆺ초와 식부ᄅᆞᆯ 도라보ᄂᆞ니 군쥐 됸당의 빗ᄉᆞᄒ고 본궁의 도라가니 ᄎᆞ시 슉혜쇼졔 ᄯᅩᄒᆞᆫ 귀령ᄒ여 월셩궁의 머무ᄂᆞᆫ지라 쇼싱이 임의 옥당금마의 쥬인이 되여 부뷔 ᄡᅡᆼᄡᅡᆼ이 왕ᄂᆡ(2)ᄒ여 문난의 광치와 작쇼의 ᄌᆞ미 극진ᄒ니 승상과 졔왕이 각각 ᄌᆞ부녀셔의 경ᄉᆞᄅᆞᆯ 두긋겨 셔로 한담ᄒ며 졔왕이 굴오ᄃᆡ 녀셰 비록 아름다오나 마ᄎᆞᆷᄂᆡ ᄌᆞ부의 경ᄉᆞ와 ᄀᆞᆺ지 못ᄒ리니 형장은 일연ᄂᆡ의 냥ᄌᆞᄅᆞᆯ 입장현달ᄒ고 ᄯᅩ 냥뷔 긔화명월 ᄀᆞᆺᄒ니 쇼뎨 실노 블워ᄒᄂᆞ니 희셩이 언제 ᄌᆞ라 며ᄂᆞ리ᄅᆞᆯ 볼고 일죽이 삼츄 ᄀᆞᆺ도쇼이다 승상이 쇼왈 현뎨ᄂᆞᆫ 우은 말 말나 쇽담의 일오ᄃᆡ 며ᄂᆞ리 긔특ᄒ나 동요롭고 사랑홈은 ᄯᆞᆯ만 못ᄒ다 ᄒᄂᆞ니 현뎨 몬져 쥬화옥슈 ᄀᆞᆺᄒᆫ 긔녀(3)ᄅᆞᆯ ᄡᅡᆼᄡᅡᆼ이 두어 쇼싱 ᄀᆞᆺᄒᆫ 긔셔ᄅᆞᆯ 어더 쇼년입신ᄒ여 문난의 광치 혁혁ᄒ고 ᄯᅩ 희셩의 비상 초츌ᄒᆷᄂᆞᆫ 오등의 비길 빅 아니라 언마ᄒ여 입신췌쳐ᄒᄂᆞᆫ 경ᄉᆞᄅᆞᆯ 볼 거시라 져리 밧바ᄒᄂᆞᆫ다 당시즁이 쇼왈 진실노 셰상이 늣겁도다 너의 형뎨 일즉 입신췌쳐ᄒ여 ᄉᆞ마질과 월셩공쥐 만상긔화ᄅᆞᆯ 경녁홀 제 여등이 각각 안히ᄅᆞᆯ 구슈ᄒ여 하ᄂᆞᆫ 죽지 아니믈 한ᄒ며 하나흔 온가지로 쥭이려 (4)셔도던 일이 어졔로 온 듯ᄒ더니 어ᄂᆞ ᄉᆞ이 ᄌᆞ식들 나하 며ᄂᆞ리 엇고 ᄉᆞ회 보앗노라 ᄒ고 텬닌은 거의 다 ᄌᆞ란 ᄋᆞ들 두고 며ᄂᆞ리 엇기

져리 밧바 ᄒ니 우리 엇지 늙지 아니리오 초의 쳐ᄌᆞ를 엇지 구슈ᄀᆞᆺ치 ᄒ던다 오진 냥공이 잠쇼 왈 누고셔 사름이 늙으면 후고 업다 ᄒ더뇨 표형뎨ᄂᆞᆫ 늙어 굴ᄉᆞ록 총명이 식록식록 이상ᄒ여 온갓 싱각을 다ᄒ니 아등이 아모 말이나 ᄒ 려도 무셥든 아니ᄒ나 표형 둥 잡담 망셜 듯기 괴로와 (5)ᄆᆡ양 몬져 말홀 ᄊᆡ 표형의 긔식을 슬피ᄂᆞ니 웅텬 냥직 셕년의 부부 냥익이 괴이ᄒ여 셜스 견과ᄒ 미 잇신들 져딕도록 됴흔 일 구진 일의 딕ᄉᆞ로이 들츌 거시 무어시리오 진짓 형 등으로 더브러 도젹질ᄒ염 즉ᄒ도다 도젹질이란 거시 다ᄀᆞᆺ치 흔 후ᄂᆞᆫ 아모 광지라도 말이 업거니와 아셔라 하 졈즉ᄒ도다 시즁 왈 당년 현뎨 등 부ᄌᆞ 슉 질의 우은 거조ᄂᆞᆫ 싱각홀ᄉᆞ록 죠시라도 딕쇼홀 닐 만흐니 늙다 ᄒ고 니ᄌᆞ(6) 랴 이 몸이 쥭은 후ᄂᆞᆫ 닛지 아냐 부딕 그딕 등 ᄭᅮᆷ의라도 와셔 이런 말을 다ᄒ 리라 오공이 쇼왈 그리면 됴흔 방법이 잇ᄉᆞ니 표형 등이 쥭거든 분상의 무쇠 말둑을 크게 믿드라다가 나리 쐬즈면 썩 쇼릭도 못ᄒ리라 시즁이 딕로 왈 너 희 날과 무슨 원이 잇관딕 쥭거든 ᄎᆞ마 못홀 노ᄅᆞᆺ슬 ᄒᆞᄌᆞ ᄒᄂᆞᆫ다 너희 이런 블측흔 말을 ᄒ니 ᄎᆞ후ᄂᆞᆫ 아됴 친의를 졀ᄒ고 협문을 막고 도라가리라 댱쥬시 웃고 희위 왈 형장은 식노ᄒ쇼(7)셔 말이나 그러흔들 져희 싱심이나 그리 ᄒ 리잇가 상담의 분항을 무셔워 최오미 아니라 더러워 최온다 ᄒ니 말이 궁진ᄒ 여 우리를 관속고ᄌᆞ ᄒ미니 노치 마르쇼셔 시즁이 탄왈 현뎨지언이 통달ᄒ니 흔 무리 인ᄉᆞ블셩을 죡가치 아니리라 오진 냥공이 어히업셔 도로혀 한가히 우 을 ᄯᅳ름이오 승상과 졔왕은 부슉이 되고 이후ᄂᆞᆫ 시시로 우슈 울억ᄒ시다가 댱 공 형뎨와 화담희어로 찬됴ᄒ여 그 심회를 푸러 셰월을 보닉(8)더라 ᄎᆞ야의 흑ᄉᆞ 희빅이 광평궁의 니르니 이ᄯᅢ 광평왕과 윤휘 천금지란으로뼈 현싱 ᄀᆞᆺ흔 군ᄌᆞ를 마즈미 일월이 오릭지 아냐셔 농갑을 마쳐 농방쳔인을 압두ᄒ고 문무 두 길을 드딕여 우흐로 텬춍이 혁연ᄒ고 아릭로 만됴 긔경ᄒ여 쳥현아망이 일 셰를 기우리니 녀익 이칠 쳥츈의 봉관화리로 명부직쳡이 고명ᄒ니 왕의 부뷔 깃거ᄒ며 현흑시 유과시의 기뎨 한님으로 더브로 의뎐의 니르니 왕의 부뷔 팔 진경(9)찬으로 관딕ᄒ고 금은필빅으로 그 좌우를 ᄉᆞ급ᄒ미 집ᄉᆞ아역이며 창

부지인이 되열ᄒ더라 윤휘 녀셔를 니당의 쳥ᄒ여 볼ᄉᆡ 현ᄉᆡᆼ의 풍광옥골이 단계쳥숨 가온딕 더옥 빗ᄂᆞ니 왕비 두굿기며 쳥으를 드리워 농문지경을 치하ᄒ니 혹시 ᄯᅩᄒᆞᆫ ᄉᆞ랑ᄒᆞᄂᆞᆫ 졍을 감ᄉᆞᄒ여 간간이 문견을 젼ᄒ여 츈풍화긔 우희 듯ᄒᄆᆡ 셰ᄌᆞ와 모든 왕ᄌᆡ며 후빈 궁으의 무리 탄복긔경ᄒᆞ더라 이윽고 학ᄉᆡ 하직고 도라가니 왕과 비 ᄉᆡ(10)로이 일흔 거시 잇ᄂᆞᆫ 듯 창연ᄒ여 슈히 녀셔를 한가지로 쳥ᄒ여 동방의 봉황이 깃드리ᄂᆞᆫ 주미를 보고ᄌᆞ ᄒᆞ거늘 뉘 이 ᄉᆞ이의 됴믈이 다 ᄉᆡᄒᆞ여 현혹ᄉᆞ 부부의 ᄇᆡᆨ년 금슬의 마희ᄒᆞᄂᆞᆫ 지앙이 니러놀 줄 알니오 이늘 황시 모녜 합문 안희셔 현혹ᄉᆞ의 옥면신치와 입신현달ᄒ여 계지쳥숨을 거록흔 위의를 ᄀᆞᆺ초와 니르ᄆᆡ 왕의 부뷔 ᄀᆞ득흔 ᄉᆞ랑이 타인의 지ᄂᆞ믈 보ᄆᆡ 황녀의 만복 ᄉᆞ심은 칼을 겨를 듯ᄒᆞ며 벽쥬의 무ᄉᆞ(11)이 장셩ᄒ여 져 ᄀᆞᆺ흔 옥인군ᄌᆞ의 빈필이 되믈 한ᄒ고 교쥬 요녜ᄂᆞᆫ 되음되악을 것줍기 어려오니 공연이 교아졀치ᄒ여 슈히 벽쥬를 업시ᄒ고 현혹ᄉᆞ 거문고 줄을 닛지 못ᄒ믈 한ᄒ여 분분이 침쇼의 도라와 모녀 냥인이 ᄀᆞ장 분분ᄒ며 졀치분이ᄒᆞ믈 마지아니ᄒᆞ고 공교로온 계괴 장ᄎᆞ 궁극ᄒᄆᆡ 밋ᄎᆞ니 임의 황츅으로 모계ᄒ여 쳔금을 흣터 요약을 구ᄒᄆᆡ 잇시나 밋쳐 계괴 ᄲᆞ르지 못홀가 ᄒᆞ더니 황츅이 믄득 헌칙(12)왈 쇼질이 슈일 젼의 흔 ᄭᅮᆷ을 어드니 일위 되장이 와 니르되 나ᄂᆞᆫ 위국 무음군 방연이러니 평ᄉᆡᆼ 지죠를 다 못 펴고 죽엇ᄂᆞᆫ 고로 원혼이 흣터지지 아냐 부디 지셰의 보원보슈ᄒᆞ렷노라 ᄒᆞ고 ᄯᅩ 닐오되 오히려 숀빈을 희ᄒᆞ던 칠젼졍후셔를 두엇더니 너를 쥬ᄂᆞ니 됴시 교쥬로 ᄒᆞ여금 ᄯᅳᆺ을 일우게 ᄒᆞ라 ᄒᆞ거늘 그 쥬ᄂᆞᆫ 칙을 밧고 ᄭᆡ드르니 흔 ᄭᅮᆷ이라 몽ᄂᆡ 신인의 가르치던 말이 명명ᄒ고 과연 침변의 젹은 칙이 잇ᄉᆞ니 셔즁의 거록흔 (13)묘방이 잇셔 ᄒᆞ엿시되 초인을 믄드러 연월일시와 셩명을 ᄡᅥ 흉복즁의 너코 향탁을 버리며 칠등을 불히고 상 우희 칠젼졍후셔란 글을 노코 복셩화로 활과 살을 만드러 삼칠일을 지계ᄒ고 분향흔 후의 그 궁시로 초인을 날마다 칠등을 하나식 ᄡᅥ바리면 칠일 만의 쥬등이 마ᄌᆞ ᄭᅥ지면 그 사름이 반다시 죽ᄂᆞᆫ다 ᄒᆞ니 이 계교를 ᄡᅳ면 가히 계괴 ᄉᆈ니 닐녀니와 쇼딜은 가인을 일흘가 ᄒᆞᄂᆞ이다 황녜 깃거 왈 몬져 힝계

호(14)여 현딜의 쇼원을 일우지 못호면 후의 이 계교롤 쓰리라 황휵이 깃거
스례호니 교쥐 심하의 군쥬롤 아도 죽여 복원보슈롤 못호고 황휵이 탈휘코즈
호믈 앙앙호나 믄득 계교 가온디 쇠롤 쓰고즈 호여 굴오디 쇼민는 미양 옛글
을 보미 은 시졀의 칠젼졍후셔란 글이 잇고 후의 다시 칠국젹의 귀곡지 칠젼
졍후셔롤 가져 방연을 フ르쳐단 말을 옛말노 드럿더니 형의 몽스롤 드르니 본
디 이 쇼민의게 뎐호라 호미니 (15)거거는 텬의롤 됴츠 닉게 젼호미 엇더호
뇨 황휵이 혼굿 탐욕이 무량홀 분이오 잔쇠는 아지 못호는지라 교쥬의 말을
듯고 그러히 넉여 스미로됴츠 일편 명후셔롤 닉여 쥬거놀 교쥐 바다보니 기리
오촌은 되고 너븨 스촌은 호니 장쉬 구십 장이라 블과 스오 촌 너븨 덕은 칙
이로디 젼즈로 메워 글시 졍묘호고 비단으로 갑을 믿드러 가장 긔묘히 꾸며
그 스의롤 술피미 묘혼 쇠와 공교혼 방슐 잡기 낫낫치 쓰여시니 황휵은 (16)
본디 노둔혼 고로 디강을 알고 깁흔 의리롤 아지 못호디 교쥬는 춍명이 과인
혼디라 혼번 보미 묘혼 쇠와 궁국혼 긔미롤 능히 씨다르니 혼 번 보미 디경디
희호고 두 번 술피미 즈득양양호미 지상 쵸츙이 날기롤 부쳐 승피상운홀 듯호
니 심하의 만분 득의호믈 마지아니나 힝혀 제 다시 추즐가 겁호여 쏘 져의 탐
욕이 무빵호믈 아는 고로 가연이 샹협을 여러 빅은 슈빅 냥과 명쥬 혼 쎄음과
슌금 팔쇠 열 빵을 쥬어 (17)왈 추세 본디 닉게 속혼 거술 갑 업시 취호리오
빅은이 독히 싱계롤 보틸 거시오 명쥬와 팔쇠는 취실홀 쩌 빙녜의 보틔여 쓰
쇼셔 황휵이 블과 슈촌 칙이 쓸디업는 쥴노 아랏더니 만흔 은즈와 보믈을 어
드니 디열하되 미련호다 이 칙을 무어시 쓰고즈 만흔 지믈을 쥬는고 닉 빈한
호여 슉모의 덕으로 구싱호거놀 이졔 어든 슈지로 갑술 과히 바드미 블안타
호여 슉모롤 도라보며 미지 엇더케 넉일가 스렴호미 업지 아냐 (18)손으로 은
즈롤 어루만지며 왈 현미의게는 가홀 거시 무어시리오 졍후셰 본디 나는 쓸디
업셔 현미롤 그져 쥬느니 현미 쏘 우형을 갑 쥬노라 말고 다만 빈한흔 싱계롤
돕노라 호라 교쥬는 간악영물이라 황휵의 흉의롤 짐죽고 미쇼 뎜두호니 황녜
흔연 왈 질이지친을 스랑호는 졍이 고마오니 녀이 엇디 표형의 후의롤 감스치

아니리오 졍히 말홀 스이의 문양군 문이 드러오니 황녀 모녀 슉질이 문양의 어질믈 슬히 넉이는 (19)고로 말을 긋치고 황츅은 연망이 은즈롤 거두며 교쥬는 졍후셔롤 거게 볼가 뎌허 황망이 ᄂ상으로 덥고 물너 안즈니 문양군이 괴싁을 괴히 넉어 문왈 미즈와 표뎨 무어슬 감초ᄂ뇨 교쥬는 묵연ᄒ며 황츅은 귀밋츨 긁져기며 디답이 즈못 군쇽ᄒ여 닐오디 슉뫼 우리 모즈의 간초흔 싱으로 빈한ᄒ믈 긍측ᄒ샤 은냥인지 쥬시기의 거두어 아스미라 도적흔 거시 아니니 무엇ᄒ라 형장을 보고 감초리잇가 문양군이 괴히 넉여 (20)침음묵연ᄒ거늘 황녜 믄득 니로디 지친지간의 부지 빈즈롤 구급ᄒ미 예시라 ᄋ지 엇지 고이히 구러 질ᄋ로 블안케 ᄒᄂ뇨 문양군이 심니의 모시와 미즈의 힝스롤 괴이ᄒ나 그 괴로이 넉이는 바의 알녀 ᄒ기 브졀업셔 다시 뭇지 아니ᄒ더라 과연 오릭지 아냐 옥화군쥐 귀근왕궁ᄒ니 왕의 부뷔 즈녀와 비빙을 거느려 흔가지로 녀ᄋ롤 보니 군쥐 니슬 슈월의 슈미 쇄락ᄒ니 싀로온 듯ᄒ여 봉관옥픽 ᄀ온디 졀셰방용이 더옥 (21)묘묘신신ᄒ여 홍년 일지 츄슈의 닉왓는 듯 동졍 쇼월이 일년 십이월 졍긔롤 먹음어 칠월 즁원을 싀로이 닷가는 듯 반가온 안목이 상연 현난흔지라 모휘 옥슈롤 잡고 왈 슈월지니의 ᄋ히 변ᄒ여 어룬이 되고 용광싁뫼 더옥 풍염ᄒ니 가히 구문 상하의 의인관혜홈과 셔랑의 유신ᄒ믈 알니로다 군쥐 옥협의 우음을 먹음고 모후의 빵슈롤 밧드러 돈후홀 뭇줍고 모든 스모와 형뎨롤 디ᄒ여 그 스이 스모턴 회포롤 (22)펴니 모다 깃거ᄒ디 홀노 황시 모녜 만복 싀슴은 져의 부귀은총을 드롤스록 한입골슈ᄒ여 시긱의 너흐지 못ᄒ믈 한ᄒ니 엇지 삼싱의 깁흔 원 곳 아니면 이러ᄒ리오 교쥬의 가슴 가온디 일쳔 쇼원이 넘노라 옥안이 봄슐의 취흔 듯ᄒ더니 왕이 냥구 후 녀ᄋ롤 교무타가 외뎐의 빈긱이 와시믈 인ᄒ여 나가니 교쥐 믄득 참지 못ᄒ여 웃고 닐오디 옥쥬의 화모월틱 규슈로 계신 적 보다가 빅히 윤틱ᄒ시고 쇼쇄ᄒ시니 구가 인심이 (23)흡연ᄒ시고 군마의 은이 후ᄒ시믈 뭇지 아냐 알니로쇼이다 쳔승군왕의 귀ᄒ신 교ᄋ로 다시 신진 명스의 부인이 되여 봉관화리 팔좌의 돈ᄒ믈 겸득ᄒ시니 다졍 냥인의 빅년 금슬이 지련원작비익됴요 지지원위연니

지를 효측ᄒ니 ᄯ 언마ᄒ여 비웅의 상셔를 꿈꾸지 못ᄒ리오 ᄒ고 호호이 디쇼
ᄒ니 군쥬 그 방일음탕ᄒ 말을 어히업셔 옥안이 닝담ᄒ여 믁연졍식ᄒ고 윤비
교쥬의 방ᄌᄒᄆ를 블쾌ᄒ여 졍셩 칙(24)왈 비록 ᄌᄆ간이나 너ᄂ 규리의 쳐ᄌ
라 엇디 남의 부부간 ᄉᄉ 은밀을 구두의 올녀 경박ᄒᄆ를 취ᄒᄂ뇨 알괘라 이
ᄂ ᄂ의 덕의 엷고 교홰 밟지 못ᄒ여 녜의치화로ᄡ 여 등의 귀의 들니지 못ᄒ
고로 너의 방일ᄒᄆ 이의 밋츠니 가탄가셕이라 여년이 임의 도요방ᄆ시를 외
올 ᄶ라 그 사람의게 가ᄒᄆ 허믈을 일위ᄆ 반둣ᄒ리니 일노됴츠 빅년 젼졍이
빗ᄂ기를 긔필치 못ᄒ리로다 교쥬 발연이 셩닉여 왈 쇼녜 무슴 잘못ᄒᄆ 잇관
ᄃ (25)이딕도록 핀잔 쥬실 묘리 잇ᄂ니잇가 쇼녀ᄂ 아모 죄도 업스니 부왕
뎐히 아르시나 쥭일 밧 더ᄒ시리잇가 셜파의 노긔 발연ᄒ며 냥미의 살긔 등등
ᄒ여 홍군을 썰쳐 졔 방으로 도라가니 황녀의 딕간딕음이나 깁히 무안ᄒ고 ᄯ
앙앙ᄒ여 말을 못 ᄒ고 윤비 모녜 어히업셔 말을 긋치더라 이윽고 황녜 물너
ᄂ고 모든 후궁 궁쳡이 다 물너나ᄆ 윤휘 탄왈 교ᄋ의 거동이 타일을 블문가
지라 엇디 황가 여엽으로 이 ᄋ히 츄탁홀 쥴 알니(26)오 군쥬의 보모 경상궁
이 문득 좌우를 도라보아 사람 업스믈 보고 ᄭᄀ이 ᄂᄋ와 ᄭ러 ᄂ죽이 고왈
비지 황슉비 모녀의 근본을 ᄌ시 아옵되 일이 즁난ᄒ여 알외지 못ᄒ엿ᄂ이다
낭낭이 비ᄌ의 허망을 칙지 아니실진되 문견의 진젹ᄒ 바를 알외리이다 윤비
경문긔고ᄒ되 경시 고왈 황슉빈이 본되 황궁의 뎡실녜 아니라 창쳡 되션이 슉
빈을 ᄂᄒ며 즉시 쥭으니 그 젹뫼 비록 ᄋ들이 이시나 ᄯᆯ이 업ᄂ 고로 무모
유녜 교연ᄒᄆ를 어엿(27)비 넉여 졍당의 두고 스스로 나흔 체ᄒ니 친쳑과 닌인
이라도 다 아지 못ᄒ고 황효렴의 젹미로 아랏더니 슉빈이 ᄌ라 싴뫼 탁월ᄒ여
경국홀 비치 잇ᄂ디라 그 부뫼 셰상을 다 쇽이고 되왕의 후비 ᄲᆮ시ᄂ 간션의
드럿더니 과연 텬의를 어더 뎐하의 후궁이 되여 그 부귀영춍이 분의 과ᄒ되
근본이 연분의 힝창ᄒ던 틱흄이라 영귀ᄒ나 간험ᄒᄆ를 ᄇ리지 못ᄒ여 우흐로
졍궁이 계시고 여러 후궁과 시쳡이 잇셔 군왕의 은춍(28)이 젼일치 못ᄒᄆ를 한
ᄒ여 외간의 음일ᄒ ᄉ졍이 잇더라 ᄒ니 연환 쇼졔 비록 교염ᄒ 빗치 잇다 ᄒ

나 진실노 옥엽의 됴흔 골격이 업스니 혹즈 간부의 골육이런동 엇지 알니잇고 윤후와 군쥐 쳥미파의 딕경실식 왈 이 진짓 말가 어드로됴츠 분명 알미 잇느냐 경시 고두복지 왈 비즈의 아즈비 젼일 황효렴 부인 심복 비즈 틴란의 가뷔라 황가 닉외 일동일졍을 틴란이 분명이 알고 틴란의 아오 틴셤이 슉빈의 유뫼니 (29)엇지 이런 즁딕지스룰 허언으로 알외리잇가 쏘 틴란은 어지오딕 틴셤은 음악혼지라 쥬인을 도으미 불의로 인도ᄒ여 틴셤의 지아비ᄂ 쏘흔 냥민이라 그 족하 젼슈직라 ᄒ리 잇셔 얼골이 아름다오니 틴셤의 부뷔 젼슈직룰 여복을 닙혀 드려 슉빈의 협실의 숨기고 음악ᄒ더니 졈졈 쇼문이 스오ᄂ와 젼슈직의 아비 듯고 일이 발각혼즉 변이 이러 딕해 연누홀가 두려 아들을 잡으다가 ᄀ마니 쥭이렷노라 ᄒ고 젼긔 아죠 경스룰 쩌나 머니 하방으로 (30)가다 ᄒ고 아즈비 스라실 졔 니르고 틴셤의 무상ᄒ믈 쑤짓고 틴란이 그 아올 아됴 의졀ᄒ고 츳즈오지 아니터니 틴란은 슈년 젼의 죽고 아즈비 죽은 후ᄂ 쇼문을 모로ᄂ이다 아모 졔라도 됴각을 응ᄒ여 틴셤을 져쥬면 근본이 즈셔ᄒ리이다 윤휘 그 진뎍ᄒ믈 알믹 면싁이 여토ᄒ여 말을 못ᄒ더니 냥구 후 비로쇼 입을 여러 닐오딕 츠싁 진실노 즁딕ᄒ니 장츳 엇디 쳐치ᄒ리오 군쥐 늘호여 탄식고 쥬왈 황시ᄂ 부왕의 춍이지라 즈녀로ᄡᅥ 위셰 모후의 오릭흔 사름이라 이런 블측흔 말노ᄡᅥ 몬져 발구흔즉 증참이 분명치 아닌 바의 일(31)이 아모라 홀 줄 아지 못ᄒᄂ 즁 경시의 스싱이 가례니 비록 여츠 음악지녜로ᄡᅥ 일궁의 거ᄂ려 부즈간의 용식게 ᄒ미 실노 통한ᄒ오나 모후와 쇼녜 스스로 젹발ᄒ믄 가치 아니ᄒ오니 복원 모후ᄂ 그 쩍룰 기다리쇼셔 셕즈의 양옥진의 부용여면 뉴여미로도 텬운이 도라지믹 마외역의 뉵군이 쓰으ᄂ 머리 다리 ᄋ릭 바리이믈 면치 못ᄒ엿ᄂ니 부왕의 비록 황시의 지용을 춍익ᄒ시나 ᄆ ᄎ ᄎ 명황의 불명ᄒ미 업스니 언마 ᄒ여 귀역의 졍젹이 판단ᄒ여 요음흔 즈최 왕법 ᄋ릭 ᄂ 아가리잇고 윤휘 묵연 냥구의 뎜두탄식(32)홀 분이러라 황혼 후 현혹식 니르니 왕이 크게 반겨 친히 스미룰 닛그러 닉뎐의 드러가니 휘 녀ᄋ로 더브러 졍히 말숨ᄒ더니 왕이 셔랑을 잇그러 승함줘스ᄒ니 윤휘 날호여 마즈 혹식 녜필

좌정의 수일 돈후를 뭇즈오니 신신흔 풍치와 쇄락흔 긔상이 볼스록 긔이흐니 왕이 좌우로 고면흐여 녀셔 부부의 상젹흐믈 두긋겨 농미봉안의 희고 무루녹 ᄋ 비를 도라보니 봉관을 슉이고 강잉흐여 언쇼를 일우나 화긔 믹믹흐니 왕이 경ᄋ흐여 슉(33)시 냥구의 문왈 현셰 어듸 블안흐시냐 엇지 화긔 업ᄂ니잇고 휘 쳥파의 슈렴흐여 왈 화복이 문이 업다 흐니 블평흐미 괴이흐리잇가 슈연이나 신환이 듸단치 아니니 뎐하ᄂ 믈념흐쇼셔 왕 왈 신상이 만일 블평흐면 조호흐미 가흐니이다 비 강잉 화식흐여 관겨치 아니믈 듸흐더라 좌위 금반옥긔의 팔진셩찬을 나오니 왕의 부뷔 흔가지로 권흐여 즈이 간간흐니 혹시 지우를 감스흐여 스양치 아니코 호상을 즈작흐며 셩찬을 맛보아 화려흔 말슴과 (34) 풍늉흔 담쇠 이이흐여 화란츈셩의 만해 방창흐믄 그 용광이요 셜만궁학의 고숑이 특납은 그 지식이요 틱산이 최호흐고 듸히 양양흐믄 그 도량이라 슐이 수오 빈의 취긔 은연흐여 빅셜이 무루녹은 빈하의 홍광이 염염흐니 옥계 화분의 홍빅 모란이 셧겨 핀 듯 양뉴 노상의 투굴지풍은 방일흐미 늣부고 침향뎐상의 일일 슈경 슴빅 비 흐고 작시 삼빅 슈 흐든 용광은 허랑흐미 부죡흐거늘 슐이 취흐미 힝혀 실녜흐미 잇슬가 뎌허 빅나(35)광슴 스이로됴츠 쵸옥셤슈를 닉여 의관을 슈렴흐니 동탕쇄락흔 풍용이 볼스록 아름다온지라 군쥐 월익무빈의 치봉관을 슉이고 비봉냥닉의 직금오운삼을 가흐고 셤셤쵸요의 뉵복 홍금슈라삭을 착흐고 모비를 시립흐여시니 쳔교빅미와 만틱억치를 블가형언이라 다만 오치 녕녕흐고 셔광이 아라흐여 금외 냥목의 오르고 옥치 부상의 걸니이믹 만국의 명광을 몬져 흘니ᄂ 듯 용안의 슈츌흐믄 텬지의 별(36)긔라 슈이흔 졍믹을 거두엇고 현쳘흔 셩덕은 임스의 단일흠과 마등의 현검흐믈 아오라시니 가히 쳔츄의 긔뵈요 만딕의 셔물이요 고금의 독보 셩녜라 부부 냥인의 풍광덕치 상하치 아니흐니 이 진짓 텬뵈며 지뵈요 믈호ᄋ산녕이라 그림으로 모스키 어렵고 입으로 형언치 못흘지라 왕이 좌시우면의 만면 우음이 영즈흐엿고 윤휘 역시 두긋겨 어엿브믈 니긔지 못흐더라 이윽고 셕식을 올니믹 빈쥐 동식흐고 상을 믈(37)니믹 쵹을 붉히고 군쥬의 침쇼 션향누를 쇄쇼흐여 인도흐니 혹시

향실의 나아가미 광활훈 치루의 단정이 휘황ᄒ며 산호 갈고리와 슈렴념이 졍
결ᄒ여 왕궁 귀퇴인 줄 알 거시요 방즁 믈식이 졍쇄ᄒ여 ᄉ치ᄒ미 업더라 췌
긔룰 니긔지 못ᄒ여 긴옷슬 벗고 단의침건으로 셔안을 지혓더니 믄득 후창하
의 인젹이 은은ᄒ며 혼ᄌ말노 닐오디 옥인의 긔약이 오늘노 잇더니 엇지 졍부
황싱으로뼈 님하의 외로이 기ᄃ리게 ᄒᄂ고 블언둥시의 훈 사롬이 니ᄃ라 ᄀ
마니 (38)블너 왈 황공ᄌ야 이돕고 위퇴ᄒ다 현혹시 왓ᄂ니라 기인이 디경ᄒ
여 급히 닷ᄂ 쇼릭 ᄀ장 요란ᄒ니 좌우 낭하의 궁비 등 기르ᄂ 황견빅귀 인덕
의 됴용치 아니믈 놀나 일시의 지즈니 혹시 심하의 왕궁의 간인이 은복ᄒ여
ᄌ긔 부부 금슬을 마희ᄒ려 ᄒᄂ 줄 알고 십분 통히ᄒ나 창돌의 요덕을 ᄎ줄
길 업ᄉ미 기리 탄식 블열이러니 이윽고 향풍이 진진ᄒ며 픽옥이 낭낭ᄒ더니
경손 냥상궁이 두 빵 쇼궁ᄋ로 쵹을 줍히고 군쥬룰 뫼셔 ᄂᄋ오니 월명지하의
(39)셰셰훈 연보룰 옴겨 ᄂᄋ오ᄂ 경상이 졍졍요요ᄒ여 무릉션이 낙죠의 ᄂ
리고 직녀 은하슈변의 비회ᄒ여 션낭을 지영하ᄂ 듯 먼니셔 ᄂᄋ올 젹은 금가
마귀 냥목의 오르ᄂ 듯ᄒ고 ᄌᄌ이 나ᄋ오미 왕뫼 요지의 부회ᄒᄂ 듯ᄒ니 몸
이 스스로 ᄂ라 목왕의 요지회룰 님훈가 의심ᄒ고 의희이 쥬모의 호호ᄒ신 셩
덕이 아니로디 남교룰 건너 하쥬의 셩녀 ᄉ시룰 디훈 듯ᄒ니 힝음업시 팔쳑
쟝신을 낙낙히 움즉여 쇽인을 영디ᄒ여 동셔분좌의 군쥬의 좌위 군마의 취ᄒ
여시믈 인ᄒ여 비(40)취금 원앙침을 연셜ᄒ고 쟝외의 퇴ᄒ니 일빵 츄슈 ᄉ일
이 다졍ᄒ여 부인을 보니 군쥐 홍슈룰 졍히 ᄉᆽ고 염슬단좌ᄒ여 시쳠이 씌 우
히 오르지 아니ᄒ니 졍졍유한훈 긔질이 볼ᄉ록 긔이훈지라 흔연이 근이좌ᄒ여
집기슈ᄒ고 문왈 우리 부뷔 우봉 슈월의 일죽 은졍의 싱쇼ᄒ미 업ᄉ디 부인이
일양 닝낙ᄒ여 싱의 뭇ᄂ 바룰 훈번도 디ᄒ미 업ᄉ니 이ᄂ 슉녀의 경부ᄒᄂ
도리 아니라 금아ᄂ 이 집 쥬인이 되엿고 싱은 손이라 쥬인이 손의 뭇ᄂ 바룰
너모 집미훈즉 벅벅이 쇼쳔(41)을 경모ᄒ미 과연ᄒ니 비록 밤이 깁흐나 즉직
의 도라가리라 군쥐 만분 괴롭고 슈괴ᄒ나 늘호여 옥슈룰 쌘혀 좌룰 물니며
안셔이 디왈 미쳡은 본디 심규 미물이라 품질이 쇼됴ᄒ여 감히 하문ᄒ시ᄂ 바

의 답언이 쉽지 못ᄒ오나 엇지 감히 군ᄌ를 견모ᄒᄂ 방ᄌᄒ미 잇스리잇고 셜
파의 옥성이 노료ᄒ여 경기 뇩뇰을 화ᄒᄂ 듯 말숨으로됴ᄎ 슈란흔 비치 옥셜
의 무루녹으니 승졀흔 방용이 더옥 염염쇼쇄ᄒ여 눈 옴기기 앗가온지라 흑시
흔연 쇼지ᄒ고 우문 왈 고어의 닐너시되 (42)부부는 일신 ᄀᆺ다 ᄒ니 일일지간
의도 셔로 ᄯᆺ을 안다 ᄒᄂ니 싱이 비록 군지라 니르지 못ᄒ나 현묘의 빙쳥옥
결지심을 붉히 아ᄂ니 부인은 ᄎ후의 운익이 긔구ᄒ여 괴이흔 변난이 이실지
라도 ᄯ흔 명쳘보신ᄒ믈 계교ᄒ고 틱산의 무거오무로ᄡᅥ 홍모의 더지지 마르쇼
셔 군쥐 쳥파의 언근을 의ᄋ ᄒ나 아ᄌ 일은 젼연 부지라 다만 명모를 ᄂᆺ초아
드를 ᄯ룸이오 말이 업더라 야심ᄒ미 부뷔 흔가지로 ᄂ위의 ᄂᄋ가니 은졍이
여교여칠ᄒ더라 ᄎ시 군쥬의 시녀 미교는 ᄂ히 어리고 인물(43)이 영민ᄒ나
ᄆᄋᆷ이 실치 못ᄒ여 황시의 심복 틱셤의 다릐오믈 듯고 은금 쥬는 김의 반ᄒ
여 흑ᄉ의 신혼 쵸야의 간ᄉ흔 말노 창외의셔 격동ᄒ엿더니 흑시 진가를 ᄢᅵ듯
고 구외불츌ᄒ미 틱셤의게 젼홀 말이 업셔 쵸민ᄒ더니 군쥐 본궁의 귀근ᄒ미
뫼셔와 틈을 타 틱셤을 보고 실계흔 ᄉ연을 니르니 틱셤이 흔연 왈 딕계를 운
동ᄒ미 시긱의 일울 거시 아니라 셰월을 쳔연ᄒ여 누에 ᄲᆼ 삭이듯 셔셔이 힝
계홀지라 너는 다만 됴각을 응ᄒ여 쳐변을 잘ᄒ여 블셰딕공을 셰우(44)라 황
낭낭과 연환쇼졔 반ᄃ시 쳔금으로 공을 갑고 어진 장부를 맛져 일싱을 부귀케
ᄒ리라 미괴 흔흔슈명ᄒ니 틱셤은 흉휼흔 인믈이라 은근이 ᄉ랑ᄒ며 닐오딕
한 번 픠ᄒ믄 병가의 상ᄉ라 네 금야의 여ᄎ여ᄎᄒ여 군마를 격동ᄒ고 ᄀ마니
ᄉ어를 탐문ᄒ라 미괴 응낙고 황혼의 난함 ᄉ이의 슘엇더니 ᄀ댱 어둡게 틱셤
이 남의를 긔착ᄒ고 션항누 후창하의 어른기며 ᄀ만ᄀ만 말ᄒ여 짐줏 현싱을
격동ᄒ고 미괴 밧비 닉ᄃ라 은은이 말ᄒ여 일오딕 황공ᄌ(45)야 현흑시 왓다
ᄒ미 틱셤이 급급히 도라간 후 미괴 타연이 드러와 ᄉ후ᄒ더니 야심 후 군쥐
ᄂ오미 경숀 냥상궁과 졔시녜 다 믈너 낭하 쇼당의 머무는지라 미괴 한가지로
믈너나 ᄌ는 쳬ᄒ다가 ᄀ마니 나와 창외의셔 규시ᄒ여 호읍을 ᄂᆺ초와 귀를 기
우리고 곡속히 업딕여시니 가히 이른바 여호 밉시 쥐 장식이라 ᄒ미 미교를

일넘 즉ᄒ더라 미교 시도록 참쳥ᄒ니 혹시 군쥬를 겨권 진즁ᄒ믈 알 거시요 홍안지ᄒ를 일ᄏ라 부뷔 지긔읫 슈작을 ᄐ강 알지라 ᄀ마니 도라와 ᄌ고 (46) 붉는 날 ᄐ셤을 보려 ᄒ더라 명묘의 군쥐 먼져 니러 쇼셰ᄒ고 아미를 다스리더니 혹시 ᄯᅩᄒ 니러 관쇼ᄒ고 의관을 졍졔ᄒᆯ시 믄득 궁인이 안흐로셔 ᄂᆞ와 됴션을 알외고 상을 드리니 금옥긔완의 셩찬이 ᄌᆞ못 화미ᄒᆫ지라 혹시 군쥬를 머므러 왈 손이 엇디 홀노 하져ᄒ리오 군쥐 마지못ᄒᆞ여 염슬단좌ᄒ니 학시 흔연이 하져ᄒᆞ여 위력으로 부인을 권ᄒ며 먹기를 다ᄒᆞ미 상을 물니고 부뷔 ᄒᆫ가지로 졍뎐의 니르니 왕과 휘 졔ᄌ를 거ᄂ려 학ᄉ와 군쥬의 ᄡᅡᆼ유ᄒ고 ᄂᆞ오믈 반기고 두긋겨 익즁ᄒ믈 니긔지 못ᄒ(47)더라 혹시 하직고 도라갈ᄉᆡ 왕과 휘 ᄌᆞ됴ᄌᆞ됴 왕ᄂᆡᄒ기를 은근이 쳥ᄒ니 혹시 유유히 ᄃᆡᄒ고 인ᄒᆞ여 본부의 도라와 됸당 부모 슉당의 비알ᄒ고 아릭 문침ᄒᆞ온 후 물너 셔당의 니르니 졔뎨 마ᄌ 쇼왈 형쟝이 빙가의 가 ᄉ랑을 언마나 밧치시니잇고 혹시 쇼왈 아이 범남토다 어ᄃᆡ셔 형을 긔ᄒᆞᄂᆢ ᄒᆞᆫ님이 쇼왈 그 말ᄉᆞᆷ이 긔롱이니잇가 돈슈는 뇽ᄌᆞ봉손이오 왕궁부귀로ᄡ 동상 요긱 ᄃᆡ졉이 범연치 아니실 듯ᄒ오미 뭇ᄌᆞ오미로쇼이다 졔왕의 ᄎᆞᄌ 희문이 쇼왈 쇼(48)뎨 더옥 돈슈와 표동지간이라 뎡니의 ᄌᆞ별ᄒᆞ여 뭇ᄌᆞ오미로쇼이다 혹시 미쇼ᄒ더라 혹시 챵방날 ᄃᆡ무ᄒ엿던 옥난 치홍의 졀ᄃᆡ아미를 ᄉ랑ᄒᆞ여 ᄀ마니 심복 셔동으로 ᄒ여금 냥녀를 분부ᄒᆞ여 맛춤ᄂᆡ 바리지 아니믈 알게 ᄒ니 졔녜 다 상부 교방의 미인 챵녜라 오진 냥공이 졔손의 호방ᄒᆫ 지 잇실가 두려 졔챵을 ᄀᆞᆺ가이 두지 아니ᄒ고 챵월누의 머믈게 ᄒ더니 혹ᄉ의 챵방날 왕궁 연셕의 참연ᄒ니 기즁 옥난 치홍과 금ᄃᆡ 화월이 ᄂᆞ히 어리고 가뮈 긔특ᄒᆫ지라 금ᄃᆡ 화월은 한님으로 ᄃᆡ무ᄒ나 싱의 긔식이 닝낙ᄒ니 냥녜 ᄯᅩᄒ ᄂᆞ히 (49)어린지라 믈욕을 아지 못ᄒᄂᆞᆫ 고로 다만 만흔 상ᄉ를 거두어 도라가고 옥난 치홍은 도라와 울울이 즐기지 아니ᄒ니 동뉘 고히이 넉이더니 수일 후 혹ᄉ의 셔동이 이르러 옥난 치홍을 보고 밀셔를 젼ᄒ니 난홍 등이 ᄃᆡ희ᄒᆞ여 시일노붓터 분면을 다ᄉ려 문의 빗겨 기다리더니 일일은 혹시 승시ᄒᆞ여 왕궁의 가는 체ᄒ고 챵월누의 니르니 난홍 등이 홍군취슘

으로 나으와 비례ᄒ거늘 혹시 냥창의 옥슈룰 닛그러 쇼당의 드러가 말홀식 창
모 영낭이 ᄯᅩ흔 월셩궁 비지라 (50)현혹스룰 보고 고두비알ᄒ며 호쥬셩찬을
듸후ᄒ니 혹시 흔연이 먹은 후 동ᄌ룰 블너 가져온 빅금 오빅 냥과 최단 슈십
필을 가져오라 ᄒ여 영낭을 쥬며 왈 난홍 등 냥녀ᄂᆞᆫ ᄂᆞ의 졍인이라 타일 반ᄃ
시 거두리니 깁히 두어 ᄂᆞ의 츠기룰 등듸ᄒ라 이 금빅최단은 그 의식을 삼게
ᄒ노라 ᄒ니 영낭이 고두슈명ᄒ고 금빅을 거두어 믈너나다 혹시 츠야의 이의
머므러 냥창으로 밤을 지닉고 명됴의 혹시 도라올식 냥창이 눈믈을 ᄲᅮ려 후회
아득ᄒ니 동시 바리(51)지 말기룰 익걸ᄒ니 혹시 흔연 허락ᄒ고 도라오미 냥
예 이후 다시 즁인 공회의 나ᄃ 아니ᄒ고 혹스의 츠기룰 등듸ᄒ더라 어시의
미괴 날이 븕기룰 기ᄃ려 급급히 틱셤을 츠ᄌ보고 작야 시말을 젼ᄒ니 틱셤이
듸경ᄒ여 미교로 더브러 황시 모녀룰 보고 이ᄃ로 고ᄒ니 황녜 아연 왈 아 등
의 계괴 공교ᄒ여 가히 귀신도 측냥치 못ᄒ려든 현가 쇼지 긔식이 여ᄎᄒ니
이 무슨 의신고 교쥐 탄식 왈 니른바 현싱은 스광지총과 니루지명이로쇼이다
범인이야 엇디 이 계교의 쇽지 아니(52)리잇고 현싱이 됴금도 의심치 아니코
그 모함ᄒᄂᆞᆫ 지 잇ᄂᆞᆫ 줄을 명명이 지긔ᄒ며 언근이 여ᄎᄒ니 우리 무리 장ᄎ
무슴 계교로 츠인을 쇽이리잇고 이제 이 ᄀᆞᆺ흔 셔의흔 계교ᄂᆞᆫ 긋치고 맛당이
각별흔 계교룰 힝ᄒ여 벽쥬룰 아됴 죽이지 못ᄒ면 듸계룰 힝ᄒ여 그 몸을 만
장깅참의 함닉ᄒ여 사름이 이미흔 줄을 알오듸 벗기지 못ᄒ고 스스로 입이 잇
시나 발명치 못ᄒ게 ᄒ여 텬히 지시ᄒ며 만셩이 타비ᄒ여 왕법의 죽게 ᄒ고
만일 면스흔다 ᄒ여도 졀역 안치ᄂᆞᆫ 면치 못홀 (53)거시니 여ᄎ 지경의 밋게
흔 후야 그 스싱이 아 등의 숀의 농낙ᄒ리니 이 밧근 계괴 업도쇼이다 황녜 칭
지 왈 닉 으히 지혜 션능ᄒ도다 밧비 힝계ᄒ여 벽쥬로뻐 다시 구가의 가지 못
ᄒ게 ᄒ고 질ᄋ다려 힝계케 ᄒ리라 교쥐 블열 왈 표형이 옥화의 직용을 흠모
ᄒ여 스스로 취코ᄌ ᄒᄂᆞ니 이 일은 굿ᄒ여 알뇌지 말고 가마니 힝스케 ᄒ쇼
셔 황녜 졈두ᄒ고 미교룰 십분 후듸ᄒ여 군쥬의 일동일졍을 ᄂᆞᆺ낫치 술펴 알외
라 ᄒ니 괴 언언슈명ᄒ고 도라가다 교쥐 틱셤을 다리고 원(54)즁셕혈 그윽ᄒ

고 인젹 업순 곳의 나ᄋ가 포진을 비셜ᄒ고 옥화군쥬의 화상을 민드러 ᄂ모 슷히 걸고 ᄀ마니 침방 궁인이게 납뇌ᄒ고 군쥬의 예 닙든 여벌 의상을 구ᄒ니 침방 궁인 손시ᄂ 옥화군쥬 보모 손시의 동뎨라 셩졍이 츙근ᄒ더니 슉빈의 궁인이 무단이 금빅을 쥬고 군쥬의 의상을 구ᄒᄆ를 괴이히 넉여 ᄉ긔ᄅ를 알고ᄌ ᄒ여 금빅을 밧지 아니ᄒ고 다만 일오듸 옥쥐 츌가ᄒ신 후 ᄂ믄 의상을 경상 궁과 손보모 (55)다 거두어 도라가고 늙고 더러워 닙지 못ᄒᄂ 거ᄉ 침방 궁 ᄋ의 무리ᄅ를 다 난화 쥬어시니 임의 업순지라 낭낭이 여벌을 구ᄒ시ᄆ 비록 금빅을 쥬지 아니시나 감히 거역지 못ᄒ려든 ᄒ믈며 ᄌ믈을 쥬시니 옷시 잇시 면 아니 드리이요 금빅을 도로 쥬며 숫쳐 ᄆᄅ되 슉빈 낭낭이 옥쥬의 의상을 어더 무어싀 쓰려 ᄒ시ᄂ뇨 궁인이 진실노 아지 못ᄒᄂ지라 듸왈 다만 부리시 ᄂ 명을 밧ᄌ올 ᄲᆞᆫ이라 그 연고ᄅ를 아지 못ᄒᄂ이다 손시 그 ᄆ로ᄆ를 보고 홀일 업셔 (56)다시 뭇지 아니ᄒ고 궁인이 도라간 후 ᄒᆫ 계교ᄅ를 싱각고 심복 궁녀 은심을 블너 슈말을 니르고 여ᄎ여ᄎᄒ라 ᄒ니 은심이 슈명ᄒ여 동궁의 니르 러 황시ᄅ를 볼시 이ᄯᅥᆨ 궁인이 도라가 복명ᄒ니 황시 모녜 듸로 왈 쳔ᄒᆫ 궁인이 이ᄀᆞᆺ치 방ᄌ‍ᄒ니 아모 모흐로나 죄ᄅ를 얽어 쥭이리라 ᄒ고 졍히 분연ᄒ더니 손 상궁의 심복 궁ᄋ 은셥이 이르러 황시ᄅ를 보고 왈 아ᄌᄋ 낭낭이 시녀ᄅ를 보ᄂ 여 쥬인의게 군쥬의 여벌 의상을 구ᄒ시되 진실노 업ᄉ와 (57)보뇌지 못ᄒ옵 고 쳔인이 입으려 ᄒ고 어든 의복이 잇ᄉ와 고ᄒ오니 장ᄎ 무어슬 닙고ᄌ ᄒ 시ᄂ니잇고 황시 모녜 듯고 깃거 왈 ᄡ 곳은 긴ᄒᆫ 닐이 잇셔 구ᄒᄆ니 빅금으 로ᄡ 밧고리라 은심이 유유타가 왈 가져오믄 어렵지 아니ᄒ오나 쥬인의 ᄯᅳᆺ을 몰나 ᄒ나이다 쳔인이 본듸 가난ᄒᆫ 집 ᄌ식으로 의지 업셔 궁비의 츙슈ᄒ와 겨유 의심 아니토록 ᄉ환ᄒ옵ᄂ 비요 의식을 어더 ᄌ싱ᄒ오나 늙은 어미와 여 러 동싱이 긔한의 간고ᄒ여 아ᄉᄒ미 됴셕의 잇ᄉ(58)되 넉넉이 구치 못ᄒᄂ 디라 헌 옷슬 드리고 금빅을 바다 노모ᄅ를 쥬고ᄌ ᄒ되 임의치 못ᄒᄂ이다 언 파의 샹연뉴쳬ᄒ니 황시 블상이 넉여 너ᄂ 호의 말고 가져가라 그와 ᄀᆞᆺ흔 의 상을 밧고와 쥬리니 굿ᄒ여 손시ᄅ를 알뇌여 무엇ᄒ리오 ᄯᅩ 금빅을 쥬어 노모ᄅ를 구호ᄒ라 ᄒ니 은심이 고두ᄉ례 왈 싱ᄋᄌᄂ 부뫼요 지ᄋᄌᄂ 포슉이라 ᄒ오니 낭낭의 은퇴이 이러틋 후ᄒ시오니 이ᄂ ᄉ골부휵ᄒ오미라 쳡이 각골감은ᄒ나이다 황시 깃거 왈 네 진실노 심담을 (59)쓰다 나ᄅ 셤기고ᄌ 홀진듸 늬 당당이 너의 평싱을 됴히 뎨도ᄒ리라 은심이 빅빅ᄉ례ᄒ고 도라가 슈말을 손시긔 고ᄒ고 군쥬의 여벌 의상을 가져다가 황시ᄅ 쥬니 황시 모녜 듸히ᄒ여 교쥬의 남은 의상을 은심을 쥬니 장단톄되 맛치 ᄀ더라 ᄯ 금빅과 명쥬 슈십 늣츨 상ᄉᄒ니 은심이 고두ᄉ례ᄒ고 간절이 무러 왈 쳔인이 낭낭 후은을 밧ᄌ와 가히 니른바 은혜 퇴산이오 덕여 하히라 ᄉ싱으로써 갑고ᄌ ᄒ옵ᄂ니 원간 이 의상을 무어시 쓰려 ᄒ(60)시ᄂ잇가 황시 모녜 은심의 관곡흔 언어와 지극흔 정셩을 보미 믄득 ᄆ음이 기우러 듸쇼ᄉ의 쓰고ᄌ ᄒ여 벽좌우ᄒ고 심즁 쇼유와 군쥬 히코ᄌ ᄒᄂ 쥬의ᄅ 니르니 은심이 드르미 모골이 숑연ᄒ나 ᄉ쇡지 아니ᄒ고 웃ᄂ 늣빗ᄎ로 닐오듸 ᄎ계 심묘ᄒ이다마ᄂ 군쥬ᄅ 업시ᄒ나 쇼쥬의 인연을 엇지 현흑ᄉ의게 니으리잇가 교쥬 희허탄식 왈 ᄌ고로 위쳔하ᄌᄂ 블고개라 엇지 시쇽 져근 염치와 쇼쇼 곡절노써 일신젼졍과 반싱계활을 그르게 ᄒ리오 고(61)어의 왈 현신이 님군을 그릇 맛ᄂ미 굴원이 장ᄉ의 늬치이고 가의ᄂ 븍됴부ᄅ 지으며 니빅이 장야음의 취광ᄒ니 녀지 엇지 그 임ᄌᄅ 글히여 셤기지 아니리오 현ᄌᄂ 텬하의 긔지엉걸이라 늬 ᄯ이 임의 니위공의 홍블기ᄅ 효측ᄒ며 망부셕이 되기ᄅ 원ᄒᄂ니 엇지 즐겨 타인의게 오릐 ᄉ양ᄒ리오 이번 요힝 득계ᄒ여 벽쥬ᄅ 쇼졔ᄒ여 유와 양을 늬 신탄이 업시ᄒ고 셔셔 이 도모ᄒ여 현ᄌ의 실즁을 거ᄒ리니 부왕이 듯지 아니시고 ᄉ셰 어(62)여올진듸 임시 쳐변이 ᄌ연 잇시리니 뎐두ᄅ 엇지 미리 혜오리이요 네 ᄯ 진졍으로 날을 돕고ᄌ ᄒ니 늬 엇지 너ᄅ 후히 깁지 아니리오 늬 연쇼무지ᄒ나 너ᄅ 보니 지뫼 졀셰ᄒ고 위인이 냥션ᄒ여 심궁 고단을 감심치 아념죽ᄒ니 우리 모녜 너ᄅ 위ᄒ여 일듸 풍뉴랑을 셤겨 평싱을 평안케 ᄒ고 유ᄌ싱녀ᄒ여 영귀케 ᄒ리니 우리 표형 황슈지 유실치 아냣고 풍신이 아름다오니 너ᄅ 쳔거ᄒ여 친의ᄅ 두터이 ᄒ리라 은심이 (63)교쥬의 말마다 가살이라 심한골결ᄒ더니 말단의 다드라 져룰 젹인ᄒ랴 ᄒ믈 놀나 황망이 ᄉ양 왈 쳔인을 ᄉ랑ᄒ샤 손상궁의 앙역을 면ᄒ고 일싱을 장뒤하의 뫼시라 혼즉 원이여니와 젹인ᄒᄆ 원치 아닛ᄂ 빅라 쳔쳡이 어려실 졔 어미 상ᄌ룰 뵈니 상ᄌ 닐오딕 이 ᄋᄒ 팔ᄌ 극히 극히 박ᄒ여 젹인ᄒ면 블길ᄒ고 위슝ᄒ거나 궁녜 되면 됴ᄒ리라 ᄒ니 어미의 말노 인ᄒ여 궁인의 앙역을 ᄌ원ᄒ 빅라 엇지 팔ᄌ룰 도망ᄒ여 그릇 (64)ᄒ리잇고 황시 모녜 쇼왈 슈요장단이 졍ᄒ 잇ᄂ니 엇지 허탄흔 복셜을 미드리오 연이나 젹인ᄒᄆ 원치 아니ᄒ니 다만 부귀로ᄡ 일신을 평안케 ᄒ리라 은심이 ᄂᆺ빗출 지어 ᄉ례ᄒ고 도라가 슈말을 손상궁긔 고ᄒ니 상궁이 딕경ᄒ여 급히 손보모와 경상궁을 보고 이 말을 니르니 경손 낭인이 딕경실식ᄒ여 윤비와 군쥬긔 고ᄒ여 션쳐ᄒ시믈 쳥ᄒ니 윤비 역경 왈 흉인의 간뫼 여ᄎ 블측ᄒ니 장ᄎ 엇지ᄒ리오 군왕긔 알(65)외여 죄악을 붉히미 올토다 군쥬 탄식고 왈 셩인도 오ᄂ 익을 능히 면ᄒ시고 다만 명쳘보신ᄒ여시니 지ᄌ와 텰인의 홀 빅라 고인이 능히 건곤을 두루혀ᄂ 슈단이 잇ᄉ나 익을 면치 못ᄒ여ᄉ오니 히이 무ᄉ 사ᄅ이라 슈익을 잘 면ᄒ리잇고 비록 황시 모녀의 작얼이 아니라도 간인이 흔ᄶ 득시ᄒ미 이도 하날이 졍ᄒ온 바의 인녁으로 엇디 면ᄒ리잇고 ᄯᅩ 흔 텬의 히ᄋ로ᄡ 일즉 간익 ᄀ온딕 부싱지도룰 빌니신 고로 은심의 영오ᄒᆷ과 손시의 션능ᄒ미 셔(66)로 응시ᄒ여ᄂ니 신 여명이 구견ᄒ여 보신ᄒ믈 싱각지 아니시고 ᄌ례 일을 발각고ᄌ ᄒ미 단셔의 근본을 미히ᄒ고 요계 궁극ᄒ니 비컨딕 싀랑이 긔셰룰 발ᄒ고 독시 발독ᄒ미라 복원 모후ᄂ ᄌ례 발구치 마르시고 다만 은심으로ᄡ 여ᄎ여ᄎᄒ여 임시 쳐변의 긔미룰 술피며 딕ᄉ룰 손시의게 맛지ᄉ 악시 극ᄒ미 ᄉᄉ로 발각ᄒ믈 기드리쇼셔 셜파의 ᄉ긔 졍슉ᄒ니 윤휘 셕연돈오 왈 녀ᄋ의 말이 극히 맛당흔지라 여뫼 엇지 너의 계교(67)룰 돗지 아니리오 드듸여 손상궁과 경시룰 명ᄒ여 왈 과인이 경 등의 츙의룰 깁히 알무로 딕ᄉ룰 부탁ᄒᄂ니 모로미 쇼루치 말나 타일 공뇌룰 갑흐리라 낭인이 고두빅ᄉᄒ고 ᄯᅩ 고왈 근간 간모룰 찬됴ᄒᄂ ᄌ룰 술피건딕 이ᄂ 곳 황츅이라 감히 지엄 궁듕의 엄뉴ᄒ여 흉계 빅츌ᄒ니 맛당이 ᄶᅩᄎ 닉치미 올습고 또 미교의 힝지 공교ᄒ와 됴각을 탄즉 슉빈궁의 ᄂᆞ가미 줏고 예 업든 픽산 지뉴와 금빅이 만흐ᄋᆞ니 이 분명 젹군의 셰(68)작이 된가 ᄒᆞᄂᆞ이다 군쥐 빈미 ᄒᆞ니 츠히 ᄒᆞ여오 하문 분셕ᄒᆞ라 텰종황뎨 후궁 김상궁 철영 글시

명쥬옥연긔합녹 권지오

(1) 명쥬옥연긔합녹 권지오

츠셜 군쥐 빈미 왈 츠녀의 힝지 간악ᄒᆞ나 다만 심복의 두지 아닐 ᄯᆞ롬이라 임의 심임ᄒᆞ던 바로써 이제 돌연이 낫타는 허물이 업시 닉친즉 요인이 더욱 원망ᄒᆞ고 겁ᄒᆞ여 변을 지으미 쌘를 거시오 황긔 져의 아즈미롤 인ᄒᆞ여 머무는 거슬 무단이 박츅ᄒᆞ미 ᄯᅩ혼 블가ᄒᆞ니 아른 쳬ᄒᆞ미 비컨딕 벌의 독을 거우미라 비록 국가 즁슈 모역이라도 죄악이 드러ᄂᆞ지 아닌 젼은 법뉼을 힝치 아니ᄒᆞᄂᆞ니 그딕 (2)등의 의논이 너모 오활치 아니랴 다만 스스로 명쳘보신 ᄒᆞ미 지즈의 홀 빈니라 경시 등이 믁연이 말이 업스니 윤비 역시 믁연ᄒᆞ고 녀ᄋᆞ의 명달ᄒᆞ믈 칭이ᄒᆞ더라 이후는 은심이 황시로 주로 츠즈 지셩으로 셤기며 스긔롤 규찰홀시 교쥐 친이 원즁의 드러가 그윽혼 슈풀 ᄋᆞ릭셔 군쥬의 화상을 민드러 걸고 그 알픽 향탁과 칠등을 버리고 복셩화 궁시로 셜법홀시 좌우의 틱셤 쵸션 등이 뫼셔 스후ᄒᆞ더니 홀연 황시 사룸을 보닉여 졍궁 낭낭(3)이 불의 즁악ᄒᆞ시니 일궁이 진동ᄒᆞ여 문안ᄒᆞᄂᆞ지라 슉빈 황낭낭이 쇼쥬롤 블너 혼가지로 졍궁의 문안ᄒᆞ려 ᄒᆞᄂᆞ이다 발 구르며 지쵹ᄒᆞᄂᆞ디라 교쥐 비록 가지 말고즈 ᄒᆞ나 인스의 엇디 면ᄒᆞ리오 믁연 블열ᄒᆞ여 유유지지 ᄒᆞ거늘 틱셤이 젼왈 쇼쥬는 썔니 힝ᄒᆞ쇼셔 졍궁 낭낭은 일국 국뫼라 그 병이 즁혼 썩의 가지 아니면 뎐희 그룻 넉이실 거시오 셰즈와 군쥐 ᄯᅩ 엇지 미온치 아니리잇고 이 일은 비직 딕 힝ᄒᆞ여도 쇼루ᄒᆞ미 업스리이다 교(4)쥐 마지못ᄒᆞ여 궁시와 졍후셔롤 다 틱셤을 맛져 부딕 상심ᄒᆞ라 부탁ᄒᆞ고 시녀롤 됴츠 졍젼의 ᄂᆞ가니 일궁인이 발셔

다 모닷고 황시 쏘흔 몬져 왓더라 교쥬 심녀의 괴로오믈 먹음고 멀즉이셔 관
망ᄒ니 윤휘 눈을 감고 침셕의 몸을 더져 통셩이 의의ᄒ니 ᄀ당 디단흔 형상
이라 왕이 셰ᄌ 남미와 ᄉ지 궁인의 무리 약동과 진미를 밧드러 갓ᄀ이셔 구
호ᄒ니 모든 궁인과 ᄌ녀들이며 궁인의 무리 다만 쟝 밧긔셔 ᄉ후ᄒ니 병셰
디단흐믈 드를 ᄯᄅᆷ(5)이라 그 진가를 엇지 알니오 동일 난간 밧긔 ᄉ후ᄒ여
날이 져물미 병휘 더옥 침즁타 ᄒ니 염치의 물너ᄂᆞ지 못ᄒ여 쥬야 잇셔 이러
틋 ᄉᆞ오 일이 지ᄂᆞ니 교쥬 모녀의 민망흐믄 비길 디 업더라 오일 만의 윤비의
병휘 가헐ᄒ니 후궁 궁녀의 무리 바야흐로 안심ᄒ여 훗터질ᄉᆡ 이ᄯᅥ 황시 모녀
와 형이 시시로 군쥬의 긔식을 술피나 ᄉᆡ긔 여상ᄒ여 모후 병쇼의 ᄯᅥ나디 아
니ᄒ되 됴곰도 블안흔 식이 업ᄂᆞᆫ디라 황시 모녜 ᄌᆞ못 이상이 넉이고 쵸됴ᄒ여
이날 급급히 침실의 물너와 원즁으로 향코ᄌ (6)ᄒ더니 믄득 틱셤이 신식이
츠악ᄒ고 거지 실됴ᄒ여 드러와 가슴을 두다리며 ᄒᆞᄂᆞᆫ 말이 몬져 황시 모녀의
심담이 ᄡᅥ러지ᄂᆞᆫ지라 이ᄯᅥ 틱셤이 원즁의셔 작법ᄒ더니 졔ᄂᆔ일 일야의 미쳐
즁야의 믄득 화광이 니러나며 금고 쇼리 진동ᄒ며 쳔군만미 즛쳐 오ᄂᆞᆫ 듯ᄒ더
니 홀연 향탁이 것구러지며 화셰 밍널ᄒ여 다못 화상과 포진 등물을 늣늣치
쇼화ᄒ고 뇌위지셩이 디발ᄒ니 모다 졍신이 황홀ᄒ여 업더졋더니 이윽고 졍신
을 출혀보니 츈교ᄂᆞᆫ 반싱반ᄉ흐엿고 쵸션은 칠규로 피를 토ᄒ고 죽엇고 버린
바 향탁 졔구와 (7)졍후셔를 늣늣치 불질넛고 암셕 우희 예 업든 ᄉᆞ운 글이
잇셔 굴와시되 만셰불멸 만셰의 잇지 못홀 원이 할독지슈 발 버린 원쉬로다
숀군유령 숀군의 신령이 잇ᄉ니 젼졍후셔 졍후셔를 젼ᄒ노라 ᄒ엿고 지셜 윤
후와 옥화군쥬 디ᄉᆞ로써 은심의게 부탁ᄒ나 뎐두를 근심ᄒ미 심ᄉᆡ 요요ᄒ고
우려 그윽흔지라 스ᄉᆞ로 신상이 블평ᄒ믈 인ᄒ여 짐즛 상두의 침돈ᄒ여 신(8)
음 ᄉᆞ오 일의 통셰 디단ᄒ니 황시 모녜 비록 디ᄉᆞ를 경영ᄒᄂᆞᆫ 빗 잇ᄉ나 감히
물너ᄂᆞ지 못ᄒ더니 ᄉ이의 숀상궁이 은심으로 더브러 셜계홀ᄉᆡ 군쥬의 지교를
밧드러 그윽흔 심야의 만뇌 구젹흐믈 기다려 경슌 냥상궁과 은심이 후원의 드
러가 교쥬의 셜법ᄒᄂᆞᆫ 곳을 향ᄒ여 바랄 만치 포진을 버리고 향화 등쵹을 ᄀᆺ

초고 지젼을 술오며 경숀 냥상궁이 공즁을 향ᄒ여 암암이 도축ᄒ기를 마지아
니ᄒ고 군쥬의 친히 지은 축ᄉ를 쇼화ᄒ여 일쥬야를 잠심 도축ᄒ기를 맛고 도
라오니 (9)셩인 숙녀의 지공무ᄉᄒᆫ 덕을 신명이 엇디 감응치 아니리오 더옥
문셩진군 숀진인의 신령이 쳔만듸의 민멸치 아냣거늘 벽쥬의 인도를 어더 인
셰의 하강흠과 방연의 보원ᄒ미 능히 문셩의게 갑지 못ᄒ미 원이 벽쥬의게 도
라와 황축의 졍후셔를 어더 간뫼 궁극ᄒᆯ믈 아지 못ᄒ리오 경시 등의 향화를
흠향ᄒ고 축ᄉ를 쇼감ᄒ여 쳔만듸의 ᄲᅥ지 아닌 원분이 격녈ᄒ믈 ᄭᅵ둧지 못ᄒ
여 신긔흔 됴화를 발ᄒ여 요인의 버린 (10)바 향화긔명을 다 블지르고 암셕
우희 신셔를 거둣쳐 도라가니 일노됴ᄎᆞ 윤후의 쇼환이 ᄎᆞ셩ᄒ며 군쥬의 신상
이 반셕 ᄀᆞᆺᄒ니 윤후 모녜 신명의 묵우ᄒᆯ믈 쳔만 긔힝ᄒ여 숀시와 은심의 츙
의를 못ᄂᆡ 포장ᄒ고 이후 지ᄉ를 다 긔탁ᄒ여 은심을 격군의게 셰작을 슴으니
흉인의 ᄉᆞᄉᆞ 밀계 몬져 숀시의 알오미 되엿더라 교쥐 ᄯᅳᆺ밧 졍후셔를 어더 만
금지보ᄀᆞᆺ치 미더드니 신명이 악ᄉ를 돕지 아냐 헛되이 쇼산ᄒ미 되니 (11)흉
담이 분분ᄒ며 구회 영낙ᄒ여 ᄎ싱의 다시 현흑ᄉ의 원앙치를 니어 군쥬를 업
시홀 모쳑이 업슬 듯ᄒ여 능히 슈미를 펴지 못ᄒᄂ지라 황녜 민망ᄒ여 직삼
ᄒ유 왈 벽쥬를 굿ᄒ여 쥭여든 무어시 쾌ᄒ리오 찰하리 질ᄋᆞ의 원을 일워 벽
쥬를 겁탈ᄒ여 먼니 다라나게 ᄒ면 벽쥐 만일 졀을 완젼코ᄌᆞ 흔즉 반다시 쇄
옥낙화ᄒᄂ는 거죄 이실 거시오 명완ᄒ여 쥭지 아닌즉 쇽졀업시 질ᄋᆞ의 긔믈이
되리니 (12)여ᄎ 지조의 ᄉ라신들 어듸 가 싱톤흔 쇼식을 본궁원들 젼ᄒ며
더옥 현가의 니르리오 뎐하와 윤시로 ᄒ여금 쇽졀업시 츙붕의 셔름이 ᄌ하의
상명과 단장지곡의 더ᄒ미 잇스믄 ᄉᆞ싱을 미본ᄒ고 시쳬도 궁진의 장치 못ᄒ
믈 각골통박ᄒ리니 엇지 군왕의 오ᄋᆞ를 ᄉᆞ랑치 아니턴 한과 윤시 모녀의 교ᄋᆞ
방ᄌᆞᄒ던 원을 갑흐미 쾌치 아니리오 교쥐 탄식 왈 임의 쥭이지 못ᄒᆫ 후는 이
계교를 ᄡᅳ고ᄌᆞ ᄒ나이다 황녜 깃거 (13)즉시 후당의 가 황축을 쳥ᄒ여 닐오
듸 ᄉ긔 여ᄎ여ᄎ ᄒ니 너는 모로미 뎐하긔 하직ᄒ고 고향으로 도라가는 쳬ᄒ
고 이 궁즁을 ᄯᅥ나 그윽흔 곳의 머무다가 ᄀᆞ마니 밤을 당ᄒ여 궁비의 복식을

곳치고 드러오라 우리 모녜 님시응변 ᄒᆞ미 잇스리라 황츅이 디희 칭수ᄒᆞ고 이늘 외젼의 ᄂᆞ와 왕긔 뵈옵고 하직ᄒᆞ니 왕이 그 무상훈 인물이 쓸디업스믈 불관이 넉이나 쳔품이 관인훈 고로 다만 ᄎᆞᄌᆞ니 니르러시미 흔흔 의식으로 후휼ᄒᆞ더(14)니 이늘 하직ᄒᆞ믈 보고 다만 후회를 긔약ᄒᆞ며 슈빅 냥 은ᄌᆞ로 힝ᄌᆡ를 도으며 향니의 싱계를 일우라 ᄒᆞ니 황츅이 스례ᄒᆞ고 힝니를 타졈ᄒᆞ여 왕부를 ᄯᅥ나니 간뫼 여ᄎᆞ하더라 황츅이 왕궁을 슈 리ᄂᆞᆫ ᄯᅥ나 쥬졈을 ᄎᆞᄌᆞ 쥬육을 스먹고 날이 어둡기를 기ᄃᆞ려 황시 쥬던 궁비의 의복을 기착ᄒᆞ고 완연이 왕궁의 니르러 원문으로됴ᄎᆞ 드러가 슉모를 보니 황녜 디희 ᄒᆞ여 깁히 협실의 두고 모계ᄒᆞᆯ시 미교와 은심을 깁히 (15)미자 졍궁 일동일졍을 규찰ᄒᆞᄂᆞᆫ지라 현혹ᄉᆞ의 오지 아닛ᄂᆞᆫ 날을 둥디ᄒᆞ더니 일일은 미ᄑᆡ와 닐오디 금됴의 현혹ᄉᆞ 노애 농각의 입직ᄒᆞ시니 아모 ᄯᅥ 츌번ᄒᆞᆯ 줄 아지 못ᄒᆞ니 낭낭은 금야의 힝계ᄒᆞ쇼셔 황시 모녀 슉질이 디희ᄒᆞ여 ᄎᆞ야의 힝계ᄒᆞᆯ시 일이 공교ᄒᆞ여 이늘 ᄆᆞᄎᆞᆷ 은심이 병드러 동궁의 오지 아닌 고로 스긔를 망연부지라 흉인의 간뫼 하여오 ᄎᆞ야의 교쥬 두 아오 미쥬 계쥬로 더브러 유모 시녀를 명ᄒᆞ여 향(16)과 쥬육을 ᄀᆞᆽ초와 션향누의 니르려 군쥬를 보니 군쥐 졍히 졍젼으로셔 ᄀᆞᆽ 도라와 녜복을 벗고 졍히 쉬더니 문득 교쥬 삼형뎨 니르믈 보고 흔연이 마ᄌᆞ 닐ᄋᆞ디 임의 야심ᄒᆞ엿거늘 현미 엇지 ᄌᆞ지 아니ᄒᆞ고 분쥬ᄒᆞ뇨 교쥐 흔연 쇼왈 월빅풍쳥ᄒᆞ미 쳥쇼 냥야의 잠이 업고 금쥰옥노의 슐이 마시 극히 아름다온지라 옥쥐 귀근ᄒᆞ시미 동긔지졍의 일야 니회를 위로코ᄌᆞ ᄒᆞ연 지 오릔 지라 견언으로 드르니 금야ᄂᆞᆫ 군마의 ᄌᆞ최 불님(17)ᄒᆞ신다 ᄒᆞ미 일야 모다 졍회를 논난ᄒᆞ고 시ᄉᆞ를 담논코ᄌᆞ 니르럿ᄂᆞ이다 군쥐 흔연 왈 ᄂᆡ ᄯᅩ훈 이 뜻이 잇션 지 오릔되 시러곰 쳥치 못ᄒᆞ엿더니 삼현뎨 훈가지로 와보니 우인 지극ᄒᆞ믈 다감ᄒᆞ노라 언필의 의상을 다시 슈습ᄒᆞ고 옥쇼 경ᄋᆞ 등을 명ᄒᆞ여 은디 옥쵹을 상두의 ᄀᆞᆺ죽이 노코 빅옥 향노의 월난향을 더으며 방셕을 연ᄒᆞ여 말슴ᄒᆞᆯ시 교쥐 시녜를 명ᄒᆞ여 압마다 향다를 버리고 옥동의 산호디를 바쳐 감향쥬를 부어 권하며 만도 (18)안쥬를 ᄂᆡ오니 군쥐 졍식 왈 음쥬 ᄌᆞ락은 남ᄌᆞ의 노리요 녀ᄌᆞ의 못고

지 아니라 향과미찬이 둑ᄒ니 슐이 엇디 브졀업디 아니리오 교쥐 쇼왈 오쥐
쥬랑이 업순 줄 아랏ᄂᆫ 고로 브러 감향쥬를 작쥬ᄒ여 왓ᄂ니 쇼미는 본디 슐
을 즐기는 고로 일등 운향쥬를 가져 왓ᄂ니 쳥컨디 미셩을 물니치지 마르쇼셔
셜파의 그릇슬 나와 운향쥬를 슈삼 비를 타연이 거후르니 취긔 긔괴ᄒ더라 취
ᄒ믈 인ᄒ여 잔을 붓드러 지리히 권ᄒ니 군쥐 그 (19)단졍치 아니믈 가지록
미온ᄒ여 ᄒ더니 마지못ᄒ여 ᄒᆫ 잔을 마시미 감열ᄒ고 쳥상ᄒ나 향긔 긔이ᄒ
여 예수 마시 아니라 경ᄋᄒ여 잔을 물니고 왈 감향이 긔특ᄒ나 ᄂᆡ 본디 슐을
먹지 못ᄒ여 그런가 일빅의 졍신이 혼미ᄒ니 다시 먹지 못ᄒ리로다 교쥐 아연
ᄒ여 지솜 권ᄒ되 군쥐 다시 졉구치 아니ᄒ고 스스로 취긔를 니긔지 못ᄒᄂᆫ
거동이니 교쥐 심하의 싱각ᄒ되 암약이 이굿치 신긔ᄒ여 ᄒᆫ잔 슐의 져리 취ᄒ
니 엇디 쇽이지 못ᄒ리오 다만 져만 먹여셔(20)ᄂᆫ 거즛 거시니 좌우 시인을
ᄂᆞᆺᄂᆞᆺ치 먹여 취케 ᄒ리라 ᄒ고 낭낭이 우으며 쥬량이 바히 업스믈 아는 고로
웃고 남은 거슬 다시 기우려 군쥬의 좌우를 다 먹으라 ᄒ니 경상궁이 흔연 칭
ᄉ 왈 쇼쥬의 은퇵으로 호쥬미찬을 먹이시니 엇지 감격지 아니리잇고마는 노
쥬의 경근ᄒ는 도리의 엇디 감히 음쥬 시식ᄒ기를 타연이 ᄒ리잇가 물너 장밧
긔 가 먹고자 ᄒ나이다 교쥐 낭쇼 왈 고어의 닐너시되 장쉬 츙ᄒᄆᆡ 군시 열ᄒ
다 ᄒ니 그디 등의 녜 알오미 여츳ᄒ니 (21)ᄂᆡ 엇디 말니리오 경시 등이 교쥬
의 어진 인심을 칭션ᄒ고 쥬찬을 거두어 장 밧긔 ᄂᆞ와 동뉘 셔로 모다 권ᄒᄂᆫ
쳬ᄒ며 넌즈시 그릇시 업쳐 감쵸고 빈 그르슬 ᄂᆡ여 교쥬의 시비를 쥬고 거즛
졍신을 모로ᄂᆫ 쳬ᄒ고 노쇼 슈십 인이 일시의 혼혼ᄒ 쳬ᄒ니 이 즁의 미교는
경상궁이 독쥬를 만히 먹여 지웟ᄂᆫ지라 교쥐 져 노쥬의 취ᄒ믈 보고 암희ᄒ며
군쥬를 향ᄒ여 왈 귀쳬 블안ᄒ신가 시브오니 일즉 안휴ᄒ쇼셔 아등이 후일 다
시 오리(22)이다 군쥐 과연 취긔를 니긔지 못ᄒ여 졈두 부답ᄒ니 교쥐 크게
깃거 냥뎨와 시녀 등을 거ᄂᆞ려 도라가니 경상궁이 바야흐로 니러나 미교를 보
니 슐과 만도를 만히 먹고 암약의 취ᄒ여 것구러져 인ᄉ를 모로니 아모리 흔
드러도 ᄭᆡ기 아니ᄒ거늘 ᄯᅩ 군쥬를 보니 군쥐 긔운이 아득ᄒ 듯ᄒ나 오히려

만히 먹지 아냣고 졍명지긔 범인과 다른 고로 미교쳐로 취ᄒᆞ든 아냣ᄂᆞᆫ지라 경상궁과 숀보모다려 왈 슐의 반ᄃᆞ시 독이 잇던가 시부(23)고 쏘 져의 긔식이 슈상ᄒᆞ니 헤건ᄃᆡ 무ᄉᆞᆫ 변이 금야의 잇슬 듯 시브되 그ᄃᆡ 등은 엇지코ᄌᆞ ᄒᆞᄂᆞ뇨 냥인이 ᄃᆡ왈 비ᄌᆞ 등이 임의 지긔ᄒᆞ미 잇ᄉᆞᆸᄂᆞᆫ지라 미교를 만히 먹여 취ᄒᆞ여시니 졍히 계교 우희 계교를 쓰미 이ᄀᆞ온ᄃᆡ 잇ᄂᆞᆫ가 ᄒᆞᄂᆞ이다 군쥐 역연 왈 ᄎᆞ계 신묘ᄒᆞ니 졍합아심이라 연이나 나의 졍혼이 아득ᄒᆞ니 이 심야의 긔거ᄒᆞ미 심히 번거ᄒᆞᆫ지라 그ᄃᆡ 등이 날을 붓드러 협실노 옴기고 미교를 두어 변을 방비ᄒᆞ라 경시 등이 슈명ᄒᆞ여 즉시 군쥬(24)를 뫼셔 협실의 옴기고 옥쇼 경ᄋᆞ와 심복 궁ᄋᆞ 뉵칠 인이 시침ᄒᆞ게 ᄒᆞ고 미교를 붓드러 그 의상을 벗겨 군쥬의 여벌 금침 쇽의 너허 군쥬의 와상 우희 두고 쵹을 장후의 ᄂᆡ치고 경숀 냥인이 ᄉᆞᄉᆞ로 상하의 먼니 시침ᄒᆞ고 모든 궁녀ᄂᆞᆫ 장 밧긔 슉직ᄒᆞ엿더라 졔인이 짐즛 취몽이 혼혼ᄒᆞ여 변을 기ᄃᆞ리더니 아이오 밤이 삼경을 지ᄂᆞ더니 홀연 창외의 인젹이 미미ᄒᆞ며 문을 여ᄂᆞᆫ 곳의 일기 효용ᄒᆞᆫ 남ᄌᆡ 쒸여드니 경시 등이 (25) 거즛 ᄌᆞᄂᆞᆫ 쳬ᄒᆞ고 코 고은 모양으로 혼침ᄒᆞ니 황쵹이 크게 깃거 완연이 돌입ᄒᆞ여 와상 우희 미교를 취ᄒᆞ여 금니의 휘모라 엽희 ᄭᅵ고 쒸여 ᄂᆡᄃᆞ르니 경숀 냥인이 그졔야 쇼ᄅᆡ 질너 ᄂᆡ각의 도젹이 드러다 웨지지니 이곳이 ᄂᆡ뎐이 ᄉᆞ이 ᄯᅳᆫ 고로 밤쇼ᄅᆡ ᄌᆞ못 요란ᄒᆞ나 녀ᄌᆞ의 음셩이 먼니 ᄉᆞ못지 못ᄒᆞ고 좌우의 무슈 힝각의 머무ᄂᆞᆫ 궁녀와 문외의셔 ᄌᆞᄂᆞᆫ 궁환 궁노의 무리 다 쳣잠이 곤ᄒᆞᆫ ᄯᅵ라 아모리 웨지져도 아라 드르 리 업ᄉᆞ니 이러구 젹이 미교를 ᄭᅵ고 다라나 황시의 후당의 숨은지라 식경이 지ᄂᆞᆫ 후 ᄇᆡ야흐로 궁비의 무리 놀나 ᄯᅥᆯ며 니러나 셔로 웨지져 슉직 궁노와 슌쵸 군둉을 모화 블을 붉히고 홰를 ᄌᆞᆸᄋᆞ 궁즁 장외 장원을 다 돌나 뎍을 츄심ᄒᆞᆫ들 깁히 황시 후당의 감쵸인 도젹을 엇지 ᄎᆞᄌᆞ리오 경시 등이 모다 도젹을 웨지지나 사름을 실됴ᄒᆞ믄 니르지 아니ᄒᆞ니 ᄂᆡ외 다만 진경홀 ᄯᆞ름이라 ᄎᆞ야의 왕이 ᄂᆡ궁의 슉침ᄒᆞ엿더니 변을 듯(27)고 ᄃᆡ경ᄒᆞ여 즁헌의 블을 붉히고 경숀 냥상궁을 불너 슈말을 무르니 냥인이 ᄌᆞ못 지식이 잇ᄂᆞᆫ지라 다만 쥬왈 비ᄌᆞ 등이 야심토록 옥쥬를 뫼왓ᄉᆞᆸ더니 연환쇼졔

여츠여츠 니르러 한화타가 도라가오니 옥쥐 신긔 블안타 ᄒᆞᆺ 고요이 춰침코
ᄌᆞ ᄒᆞ여 협실의 머무르시니 비ᄌᆞ 등은 다만 동뉴를 거느려 잠드러ᄉᆞᆸ더니 쳣줌
의 도젹이 돌입ᄒᆞ여 궁비 미교를 잡ᄋᆞ 갓ᄂᆞ이다 왕과 휘 쳥파의 디경 왈 궁듕
이 심슈ᄒᆞ거늘 엇던 도(28)젹이 감히 닉각의 드러와 사름을 잡아가리오 이 범
연ᄒᆞᆫ 도젹이 아니로다 경시 쥬왈 젹이 반ᄃᆞ시 먼니 ᄀᆞᆺᄉᆞᆸᄂᆞᆫ디라 직믈을 취치
아니ᄒᆞ고 사름을 잡아가미 범상ᄒᆞᆫ 무리 아니라 급히 츄심ᄒᆞ오나 ᄎᆞᆺ기 어렵ᄉᆞ
오리니 붉는 날 셔셔이 슈포ᄒᆞ시미 가ᄒᆞᆯ가 ᄒᆞ나이다 윤휘 거의 짐족ᄒᆞᆫ 비라
졈두 왈 비ᄌᆞ의 말이 올ᄒᆞ니 디왕은 찰납ᄒᆞ쇼셔 왕이 ᄯᅩ흔 올히 넉어 궁듕의
하령ᄒᆞ여 요란ᄒᆞᆷ믈 금지ᄒᆞ고 명일의 쳐치ᄒᆞ여 츄부와 금포쳥의 공ᄉᆞᄒᆞ여 젹
(29)괴를 츄포ᄒᆞ여 미교의 종젹을 ᄎᆞ즈려 ᄒᆞ더라 황시의 쳐쇼는 ᄉᆞ이 쵸간ᄒᆞᆫ
고로 ᄉᆞ긔는 ᄉᆞ못 아지 못ᄒᆞ니 미쳐 군쥬의 미교를 디신ᄒᆞᆷ믈 아지 못ᄒᆞ니라
황츅이 미교를 엽히 ᄭᅥ 후당의 도라와 불을 붉히지 아니ᄒᆞ고 어두온 구셕을
향ᄒᆞ여 ᄂᆞ리와 노ᄒᆞ니 비단 니블이 보도랍고 미인의 춰몽이 아득ᄒᆞ여 혼혼이
인ᄉᆞ를 ᄇᆞ렷는 지라 더듬어 만져보니 연연ᄒᆞᆫ 살ᄀᆞᆺ과 경영ᄒᆞᆫ 쳬지 ᄀᆞ족ᄒᆞ니 엇
지 진가를 분변치 못ᄒᆞ리오마는 음탕뭉치 황츅(30)이 혜오디 이 분명 균쥐라
이러틋 혼혼ᄒᆞᆫ 가온디 몬져 친ᄒᆞ여 부뷔 되면 졔 졍신을 출혀도 홀일업셔 날
을 됴츠리니 다뤼여 다리고 먼니 가 됴히 술 거시라 ᄒᆞ고 흔연이 옷슬 벗고 미
인으로 동슉ᄒᆞ여 운우의 낙이 흡연ᄒᆞ되 미인이 혼혼 아득ᄒᆞ여 아지 못ᄒᆞ더라
황츅이 흔흔 쾌열ᄒᆞ여 능히 줌을 니루지 못ᄒᆞ더니 이쩌 교쥐 도라와 황츅을
보ᄂᆞ여 미교를 아ᄉᆞ오미 진짓 군쥬를 잡아 왓ᄂᆞ니라 ᄒᆞ여 호의치 아니ᄒᆞ고 계
셩을 기다려 (31)황츅의 잇는 곳의 ᄂᆞ아가 황녜 티셤으로 더브러 혼동 왈 날
이 붉ᄋᆞ오니 질ᄋᆞ는 셜니 힝ᄒᆞ고 더디지 말나 힝혀 픠루흘가 져허 ᄒᆞ노라 황
츅이 응셩 왈 근슈교의리니 넘녀 마르쇼셔 언파의 큰 농을 가져 미인을 금니의
ᄡᆞᆫ 치 농듕의 너흐되 희미ᄒᆞᆫ 식벽빗츨 ᄯᅴ여 힝ᄉᆞᄒᆞ되 그 얼골을 술피미 업고
오히려 암약이 춰ᄒᆞᆫ 거시 ᄭᅢ디 못ᄒᆞ여 혼혼이 인ᄉᆞ를 바려시믈 암희ᄒᆞ더라 황
츅이 그계야 슉모와 표미를 ᄉᆞ례ᄒᆞ여 하직ᄒᆞ고 스스로 궁비(32)의 의복을 닙

고 농을 머리의 니고 동궁 후문으로됴ᄎ ᄂ가니 알 니 업더라 임의 슈십 니를
격ᄒ여 황녀의 심복 궁노의 무리 하쳐를 그윽ᄒ 곳의 졍ᄒ고 즁노의 방황ᄒ여
기다리다가 황셩을 만나 협녁ᄒ여 농을 운젼ᄒ여 하쳐의 도라가니 동말이 여
하오 시시의 왕궁의셔 날이 밝ᄋ오믹 가즁 상히 일시의 졍궁의 문안ᄒᆯ식 황시
스긔를 관찰코ᄌ ᄒ여 졍궁의 드러가니 쳔만 몽믹의도 긔약지 아니ᄒᆫ바 옥화
군쥐 셩(33)장아티로 낭낭ᄒ 옥결을 울녀 좌즁의 시립ᄒ여시니 황시 모녜 딕
경ᄒ여 말을 못 ᄒ더니 왕이 군쥬다려 왈 작야의 흉젹이 오ᄋ의 장각의 드러
요ᄒᆼ 인명은 상치 아니코 다만 미교를 잡ᄋ가거늘 비록 궁비 하ᄂ히 쳔ᄒ나
지엄 궁즁의 흉젹이 돌입ᄒ니 극ᄒ 딕변이라 당당이 금포쳥과 츄부의 고ᄒ여
텬하 구쥐의 방식ᄒ리라 군쥐 화관을 슉이고 옥안이 ᄌ약ᄒ여 딕왈 초식 극히
흉완ᄒ오나 미교 요비 본딕 (34)음스 간특ᄒ여 궁녀의 쳥졍ᄒ 마음이 없고
봄을 늣기며 가을을 슬허 반ᄃ시 외간의 규슈ᄒ 스졍이 잇던 양ᄒ여 근늬의
방외 츌입이 빈빈ᄒ더니 벅벅이 외인을 누통ᄒ여 다라ᄂ민가 ᄒ옵ᄂ니 굿ᄒ여
구식ᄒ시미 무익ᄒᆯ가 ᄒᄂ이다 왕이 블열 왈 ᄂ의 거ᄒ 바 궁즁이 또 엇지 범
범ᄒ 스틱우의 부즁이 아니라 궁비 비록 쳔ᄒ나 법의 궁인이 외간을 스통ᄒ면
스죄라 흉젹과 미교 엇지 스죄인이 아니리오 군쥐 우쥬 왈 돈피 당연(35)ᄒ
시나 당금 텬히 스방의 일이 만코 법식 다스ᄒ여 ᄒᆫ관 말둘의 니르히 한가치
못ᄒ거늘 역쉬 아닌 후야 이 무슨 딕식라 요란ᄒ리잇고 법스의 위엄을 비지
아냐도 부왕의 위엄이 일궁 가졍과 궁뇌 젹지 아니니 각쳐의 츄포ᄒ여 엇지
일기 쇼젹과 요비를 잡지 못ᄒ리잇고 윤휘 또ᄒ 황시 모녀의 긔식을 보와 쾌
히 알지라 ᄂ즉이 간ᄒ여 녀ᄋ의 간언이 유리ᄒᆷ을 일ᄏ르니 왕이 이의 본궁
궁노 가졍을 발ᄒ여 스쳐로 흣터 흉젹과 요비(36)를 츄심ᄒ여 만일 초ᄌᆮ리
ᄂᆫ ᄌᄂ 쳔금으로 즁상ᄒ리라 ᄒ니 모든 궁노 가졍이 스쳐로 흣터 츄심ᄒ더라
이쎡 황시 모녜 노쥬의 흉장이 분분ᄒ여 좌셕이 블안ᄒ니 힝혀 긔식을 남이
알가 두려ᄒ며 교쥬ᄂ 블의에 복통이 즁ᄒ타 ᄒ고 못 견듸ᄂ 형용을 ᄒ니 황
녜 양경ᄒ여 녀ᄋ를 붓드러 도라가니 미쥬 계쥬ᄂ 다 ᄯ라가되 다만 문과 형

이 시립ᄒᄋᆢᆮ더라 이윽고 왕이 좌ᄅᆞᆯ 파ᄒᆞ니 모든 비빙 궁희 물너ᄂᆞ고 ᄌᆞ녜 훗터지니 윤(37)휘 군쥬ᄅᆞᆯ 되ᄒᆞ여 탄왈 악인의 흉ᄉᆡ 궁극ᄒᆞ니 금일 화ᄅᆞᆯ 면ᄒᆞ나 명일 무ᄉᆞᆫ 변이 잇실 줄 알니잇고 비록 니졍이 결연ᄒᆞ나 슈히 구가로 도라가 불의지변을 방비ᄒᆞ미 엇더ᄒᆞ뇨 군쥐 되왈 셩인도 오ᄂᆞᆫ 익을 면치 못ᄒᆞᆞᆸᄂᆞᆫ지라 쇼녜 구가로 가나 아니 가오나 능히 화익을 면ᄒᆞ리잇고 복망 모후ᄂᆞᆫ ᄉᆞᄉᆡ 되여감만 보시고 무익지녀ᄅᆞᆯ 허비치 마르쇼셔 모녜 되ᄒᆞ여 ᄎᆞ탄 비읍ᄒᆞᄆᆞᆯ 마지아니ᄒᆞ더라 이러구러 늘이 느ᄌᆞ미 혼졍을 파ᄒᆞ(38)고 션향누의 도라오니 경ᄉᆞᆫ 냥상궁이 좌우의 시립이러니 믄득 침방 상궁 숀시 ᄂᆞᄋᆞ와 빗알ᄒᆞ고 ᄀᆞ마니 고왈 궁닉의 변난이 긔괴ᄒᆞ온 ᄀᆞ온듸 맛초와 은심이 병드러 ᄉᆞ긔ᄅᆞᆯ 탐문치 못ᄒᆞ엿더니 금일 은심이 병이 죠금 나은 듯ᄒᆞᆫ 고로 여ᄎᆞ여ᄎᆞ 동궁의 ᄂᆞᄋᆞ가 일을 탐쳥ᄒᆞ오니 황싱이 발셔 미교ᄅᆞᆯ 착닉ᄒᆞ여 황슉빈 후당의 슘엇다가 계명ᄶᆞ의 ᄂᆞ아갓다 ᄒᆞ고 슉빈 모녜 초됴ᄒᆞ여 쏘 사ᄅᆞᆷ을 보닉여 부르고ᄌᆞ ᄒᆞ나 동젹이 발(39)박ᄒᆞᆯ가 져허 번거이 도로 부르지 못ᄒᆞ고 스스로 계괴 니지 못ᄒᆞᄆᆞᆯ 앙앙ᄒᆞ여 다시 궁모 곡계 여ᄎᆞᄒᆞ다 ᄒᆞ오니 옥쥬ᄂᆞᆫ 몬져 방비ᄒᆞ쇼셔 군쥐 쳥미의 한심 경악ᄒᆞ나 블변안식ᄒᆞ고 안연ᄌᆞ약 왈 슈단이 유슈ᄒᆞ고 화복이 지쳔ᄒᆞ니 엇디ᄒᆞ리오 그듸 등은 과려치 말나 숀시 등이 다시 말 아니ᄒᆞ고 장외의 머무러 요녀의 작용을 보려 ᄒᆞ더라 밤이 슴경 시말의 만뇌구젹ᄒᆞ니 군쥐 쵹영을 장후의 믈니고 상 ᄋᆢ리 올모ᄅᆞᆯ 노화 스스로 ᄒᆞᆫ 깆(40)츨 줍고 타연의 상의 올나 슉침ᄒᆞ니 옥쇼 경ᄋᆞ 등이 쏘ᄒᆞᆫ 예ᄀᆞ치 시침ᄒᆞ엿더니 이윽고 ᄒᆞᆫ낫 표일ᄒᆞᆫ 남ᄌᆡ ᄌᆞ른 오ᄉᆞᆯ 닙고 일쳑 픽도ᄅᆞᆯ 안고 완연이 돌입ᄒᆞ여 군쥬의 와상을 향ᄒᆞ여 치고ᄌᆞ ᄒᆞ더니 믄득 거름을 미쳐 옴기디 못ᄒᆞ여셔 상 ᄋᆢ리로됴ᄎᆞ 흔거리노 흘더져 냥독을 올가 더지니 두 발이 모도 올켜 업더지니 쇼ᄅᆡ ᄌᆞ못 요란ᄒᆞ지라 긔인이 무망의 되경ᄒᆞ여 크게 쇼ᄅᆡ ᄒᆞ며 혼블부쳬러라 장외의 경시 등이 제궁ᄋᆞ(41)ᄅᆞᆯ 분부ᄒᆞ여 당즁 닉외의 쵹을 붉히고 출혀보니 한 쇼년 남ᄌᆡ 임의 올모ᄅᆞᆯ 깆쳐 바리고 보보젼경ᄒᆞ여 다라ᄂᆞᆫ디라 졔녜 임의 아ᄂᆞᆫ 일이로듸 블승분히ᄒᆞ여 쇼ᄅᆡ 질너 도젹을 웨지지려 ᄒᆞ거ᄂᆞᆯ 군쥐 금지 왈 임의 도젹이

다라낫고 큰일이 미쳐 느지 아냐셔 우리 몬져 발각ᄒ리오 좌우 시인이 그 화
홍흔 말ᄉᆷ을 듯고 비복ᄒ례ᄒ더라 어시의 황시 모녜 군쥬의 무소이 면화ᄒ물
알고 황츅이 ᄆ교룰 아소 발셔 먼(42)니 갓시믈 싱각ᄒᄆ 분히ᄒ여 다시 소
룸을 보ᄂ여 부르고ᄌ ᄒ되 소쳐의 심방ᄒᄂ 츄죵이 흣터져시니 능히 다시 일
위지 못ᄒ고 흔곳 이달와ᄒ더니 믄득 문희군 형이 드러와 분연 왈 ᄆ지 진실
노 지식이 쳔단ᄒ더라 옥화ᄂ 요악흔 녀지라 예 업시 현ᄆ 밤의 가 보ᄆ 문득
의심을 발ᄒ여 짐줏 ᄆ교로 되신ᄒ여ᄂ니 표뎨 아모리 용녈흔들 그룻 ᄆ교룰
줍ᄋ왓시리오 아등 모ᄌ 형ᄆ 몃 사룸이 동심 합계ᄒ여 일기 쇼녀ᄌ룰 (43)
쇽이지 못ᄒ니 엇지 통히치 아니리오 ᄂ 금야의 반ᄃ시 일쳑 검을 빗니 ᄀ라
옥화룰 쾌히 질너 쥭여 부왕과 뎍모의 교이ᄒᄂ 예긔룰 썩지르고 셔셔이 도모
ᄒ여 ᄆ혼단으로ᄡ 부왕을 침닉ᄒ고 현혹ᄉ로ᄡ ᄆᄌ의 가셔룰 졍케 ᄒ리라
황시 모녜 왈 만일 실쥭흔ᄌ 일이 졈졈 거츨지라 아직 즘즘흠만 ᄀᆺ디 못홀가
ᄒ노라 형이 분분 되언 왈 실즉허요 허즉실이라 옥홰 아모리 신명ᄒ나 ᄯᅩ 오
ᄂᆯ밤의 변이 잇실 (44)쥴 알니오 ᄆᄌᄂ 오원흔 근심을 말나 ᄒ더니 이윽고
은심이 우음을 먹음고 드러와 닐오ᄃ 쳔비 ᄆ춤 신병이 침곤ᄒ와 여러 날 되
하의 비현치 못ᄒ엿습더니 금일은 져기 쾌ᄒ와 니르러괘이다 ᄒ고 좌우의 소
람 업ᄉ믈 보고 ᄀ마니 굴오ᄃ 낭낭이 되ᄉ룰 도모코ᄌ ᄒ시ᄆ 엇디 쇼비룰
알게 아니시고 쇼리히 실계ᄒ시니잇고 비ᄌ 손상궁의 동형데 모다 셔로 ᄒᄂ
말을 듯ᄉ오니 손보되 닐오ᄃ 옥쥐 본되 춍명ᄒ여 사룸의 ᄂ빗츨 보(45)와
눈치룰 알고 말ᄉᆷ을 드러 심폐룰 ᄉ못츠니 이른바 좌탁쳔니ᄒᄂ 지혜 잇스니
간인이 셔어히 모의타가 도로혀 ᄑ루ᄒ리라 하더이다 교쥐 쳥파의 만복 쇠심
이 더옥 발ᄒ여 왈 벽쥐 비록 신명ᄒ나 십년 ᄆ복을 엇디 버셔ᄂ리오 은심ᄋ
너ᄂ 일비지녁을 도으라 은심이 비복 왈 쳔비 낭낭과 쇼쥬의 후은을 닙어습ᄂ
지라 갈츙보은코ᄌ ᄒ오니 엇지 일호나 나ᄐ ᄒ리잇고 ᄒ고 물너 잇셔 모ᄌ ᄂ
의 작계ᄒ믈 슷쳐 알(46)고 급히 손시긔 고ᄒ여 군쥬로 면화케 ᄒ니라 추야의
문희군이 칼을 둘너 션향누의 돌입ᄒ엿다가 도로혀 올모의 얼켜 업더지ᄆ 크

게 놀나 평싱 힘을 다ᄒ여 칼을 드러 올모롤 싣코 쒸여 닉드라 황황이 침쇼로 도라오니 황시 모녀와 틱셤이 셔셔 기드리다가 놀나 보니 형이 쳔식을 뎡치 못ᄒ고 우싀의 혈흔이 낭ᄌ흔다라 연고롤 무르니 형이 졍신을 출혀 지닌 닐을 셜파ᄒ고 제 손의 든 칼의 쌤이 상ᄒ(47)엿시믈 니르고 분ᄒ여 우니 피와 눈믈이 합ᄒ여 흐르ᄂᆞᆫ다라 모다 놀나 슈건으로 피롤 벗기고 금창약을 부치고 일시의 션향누롤 ᄀᆞ르쳐 교ᄋᆞ멸치ᄒ며 무슈 곤욕ᄒ더니 교쥐 왈 명일의 형이 뎌 모양으로 쥼인 공회의 ᄂᆞ지 못ᄒ리니 가히 여ᄎᆞ여ᄎᆞᄒ여 션발졔인ᄒᄂᆞ 일을 ᄒᆡᆼᄒᆞ쇼셔 황시 크게 씩다라 좌우 심복을 지휘ᄒ여 일시의 도적이 드럿다 웨지지니 이쎅 밤이 거의 오경이라 궁즁 닉외 허다 스롬이 쳣ᄌᆞᆷ이 씨니 만흔(48)지라 졍궁은 스이 머러 들니지 아니나 션향누 근쳐ᄂᆞ 다 듯고 놀나 궁노 궁환 궁비 등이 궁즁 닉외 슌쵸ᄒᄂᆞ 군을 지휘ᄒ여 일시의 블을 붉히고 닉외로 도적을 웨며 젹을 츄심ᄒ나 흔ᄀᆞᆺ 뷔인 쇼릭쑨이요 진짓 거시 업ᄂᆞᆫ지라 아모리 잡으려 흔들 무어슬 줍으리오 효명의 니르도록 분쥬ᄒ다가 도적이 도라가시믈 보ᄒ더라 황시 돈독 실셩ᄒ여 왈 당당흔 쳔승왕궁의 엇던 담 큰 도적이 드러와 감히 칼노 사롬을 치리오 (49)문희군의 쌤이 상ᄒ엿다 ᄒ고 쇼릭 지르니 이러구러 뎜뎜 스롬이 다 모혀 슛두어리며 형의 쳐와 미쥬 계쥬와 문양군의 부뷔 다 모다 괴이ᄒᆞ믈 니긔디 못ᄒ더니 날이 졈졈 붉으믹 황시 ᄌᆞ녀롤 거ᄂᆞ리고 뎡궁의 드러가니 왕과 휘 뎡히 ᄌᆞ녀의 문안을 밧ᄂᆞ 쩍라 황시 울며 작야 ᄌᆞ긱의 변을 고ᄒ며 왈 쳡이 작셕의 관격이 되여 형ᄋᆞ와 교이 ᄆᆞ춤 잇셔 구호ᄒ더니 야심 후 홀연 난딕업ᄂᆞ 도적이 돌입ᄒ여 닐오딕 나ᄂᆞ 텬하호한(50)이라 본딕 지믈 도적이 아니요 향을 탐ᄒ여 드러왓ᄂᆞ니 쾌히 미인을 쥭여 염녀롤 싣츠리라 작야의 텬하롤 품고ᄌᆞ ᄒ다가 그릇 쵸화롤 썩거 도라가니 엇지 분치 아니리오 ᄒ고 다라드니 모다 경겁ᄒ여 피ᄒ되 홀노 형이 분긔롤 니긔지 못ᄒ여 도적을 결우려 ᄒ다가 형이 우싀롤 상ᄒ고 뎍은 다라낫ᄉᆞ오니 이 무슨 변괴니잇고 셜파의 통곡ᄒ니 왕과 휘 미쳐 말을 못ᄒ여셔 경숀 냥상궁이 ᄂᆞ아와 작야 젹변을 고ᄒ니 좌위 경히(51)ᄒ고 왕이 딕경 왈 과인이 ᄌᆞ유로 미말

천인의게라도 위엄을 조뢰ᄒᆞ미 업고 학정을 힝ᄒᆞ미 업거늘 하쳐 흉인이 궁뇌의 발검 도립ᄒᆞ리오 휘 탄왈 간계 블측ᄒᆞ오니 요인이 하쳐 은신ᄒᆞᄆᆞᆯ 엇지 알니잇고 져의 픠운이 도라오ᄂᆞᆫ 날이야 잡으리니 이졔 급히 ᄎᆞᆺ고ᄌᆞ 홀ᄉᆞ록 덕의 방ᄌᆞᄒᆞᄆᆞᆯ 도으미오니 뎐하ᄂᆞᆫ 지슴 명찰ᄒᆞ쇼셔 다만 녀이 근심되고 근친ᄒᆞᆫ 지 오리오니 그만ᄒᆞ여 구가로 도라가게 ᄒᆞ쇼셔 군쥬 ᄯᅩᄒᆞᆫ ᄂᆞ죽이 도라가기ᄅᆞᆯ 쳥ᄒᆞ니 (52)왕이 블열 왈 궁닉 화변이 녀ᄋᆞ의 타시 아니라 엇디 급히 도라 보뇌리오 언파의 덕을 츄심ᄒᆞᄆᆞᆯ 명치 아니ᄒᆞ고 의약을 ᄀᆞ쵸와 좌우로 ᄒᆞ여곰 형을 구호ᄒᆞ라 ᄒᆞ고 문양군으로 더브러 입궐됴회ᄒᆞ고 도라올ᄉᆡ 노샹의셔 현상국을 맛ᄂᆞ니 승샹이 ᄀᆞᆯ오ᄃᆡ 현뷔 귀령ᄒᆞᆫ 지 오릭지 아니ᄒᆞ나 ᄆᆞ춤 진궁 틱부인이 유병ᄒᆞ시고 쇼뷔 직작일의 근친ᄒᆞ미 돈당이 냥쇼부ᄅᆞᆯ ᄯᅥ나시니 안젼 괴해 업슨 듯ᄒᆞ샤 좌와의 블낙ᄒᆞ시ᄂᆞᆫ지라 딕왕(53)은 모로미 그만ᄒᆞ여 쇼부ᄅᆞᆯ 도라 보뇌쇼셔 금일 거교 보뇌리이다 왕이 결연ᄒᆞ나 츄ᄉᆞ치 못ᄒᆞ여 명을 밧들기ᄅᆞᆯ 딕ᄒᆞ고 본궁의 도라와 슉빈궁의 니르러 형의 검흔을 보고 됴리ᄒᆞᄆᆞᆯ 니른 후 졍당의 니르러 후와 군쥬ᄅᆞᆯ 딕ᄒᆞ여 현상국의 말을 젼ᄒᆞ니 군쥬 심즁의 다힝이 너기더니 오릭지 아냐 현상부로됴ᄎᆞ 사지관환 셜환이 봉명ᄒᆞ여 위의ᄅᆞᆯ 거ᄂᆞ려 니르러 빅알ᄒᆞ고 틱부인 말ᄉᆞᆷ으로 군쥬의 오기ᄅᆞᆯ 쳥ᄒᆞᄂᆞᆫ지라 비 (54)흔연 회ᄉᆞᄒᆞ고 쥬육진찬으로 상부 노속을 관딕ᄒᆞ더라 군쥬 인ᄒᆞ여 쥬취ᄅᆞᆯ 다ᄉᆞ리고 부모긔 비ᄉᆞ홀ᄉᆡ 인심이 지령ᄒᆞ여 츄파의 교ᄌᆡ 빈져ᄒᆞ니 왕과 비 옥슈ᄅᆞᆯ 잡고 무이 왈 ᄯᅥ나미 결연ᄒᆞ나 모드미 어렵지 아니ᄒᆞ거늘 엇지 비쳑ᄒᆞᄂᆞ뇨 군쥬 눈믈을 금ᄒᆞ고 딕왈 녀ᄌᆞ 유힝은 원부모형뎨라 쇼녜 엇디 홀노 부도ᄅᆞᆯ 아지 못ᄒᆞ리잇고마ᄂᆞᆫ 근뇌의 심ᄉᆡ 울젹ᄒᆞ고 몽ᄉᆡ 블길ᄒᆞ오니 반ᄃᆞ시 됴치 아닌 근심이 잇실가 (55)위구ᄒᆞ온지라 금일 ᄯᅥ나오미 ᄌᆞ연 비쳑ᄒᆞ여이다 왕의 부뷔 그 언참의 블길ᄒᆞᄆᆞᆯ 크게 놀나 빈미 왈 ᄋᆞ희 말이 엇지 이러ᄒᆞ뇨 너의 식견이 협익ᄒᆞ기의 갓갑도다 군쥬 블효ᄅᆞᆯ 씌ᄃᆞ라 기용화긔ᄒᆞ고 ᄂᆞ죽이 실언ᄒᆞᄆᆞᆯ ᄉᆞ죄ᄒᆞ고 인ᄒᆞ여 비별ᄒᆞᆫ 후 남미 분슈ᄒᆞ고 금거옥뉸의 올나 상부의 도라와 비현구고돈당ᄒᆞ니 가즁 상히 그뎟ᄉᆞ이나 반기고 깃거ᄒᆞ미 비길 ᄃᆡ 업더라 모든 ᄋᆞ쇼

져 등이 옥안연협의 반기는 우음을 먹음고 쇼고 운혜(56)쇼제 군주의 옥슈를
니어 반겨 쇼왈 져져는 친당의 도라가스 영돈뒤왕과 현후의 교이 즁 형뎨주미
의 환낙을 다ᄒ시미 쇼미 등을 아득히 니져 계시거니와 쇼미 등은 됴모의 져
져를 그리워 슉식의 마시 업더이다 군쥐 옥안의 화긔 아연ᄒ여 안셔이 스왈
졉슈 블혜나 엇디 쇼져의 이러틋흔 셩우를 아지 못ᄒ리오 부모형뎨로 연낙ᄒ
는 ᄀ온듸나 됸당 셩은과 슉미의 우이를 닛지 못ᄒ여ᄂ니다 운혜 미쇼 왈 쇼
미 무(57)슴 덕이 잇셔 져져의 이러틋 과장ᄒ시믈 밧즈오리잇고 됴모 윤부인
이 우어 왈 여등이 쎠낫다가 맛ᄂ미 다만 우이홀 ᄯ름이라 이러틋 의문을 치
례ᄒ니 도로혀 동긔 후졍이 셔어홀가 ᄒ노라 쇼제 낭연이 웃고 스죄 왈 쇼녜
블민ᄒ와 실언ᄒ오니 ᄎ후는 왕모 교훈을 봉힝ᄒ리이다 하부인이 좌우로 숀부
숀여의 숀을 잡고 교무ᄒ여 화긔 츈풍ᄀᆺ더라 졔인의 슈작이 이윽ᄒ미 날이 져
무러ᄂ지라 믈너 침쇼의 도라오니 이날(58)이야 혹시 비로쇼 출번ᄒ여 부즁
의 도라오미 부인의 환귀ᄒ믈 알고 혼졍을 맛고 스침의 도라와 부인을 상뒤ᄒ
니 옥안셩모의 화긔 가득ᄒ여 슈작이 탐탐ᄒ니 경시 등이 우러러 깃거ᄒ나 ᄎ
인 등은 지식이 잇ᄂ지라 황시의 작용이 긋치지 아닐 바를 근심ᄒ더라 어시의
황시 모녀 남미 옥화의 도라가믈 깃거ᄒ나 히홀 계교를 명치 못ᄒ더니 일일은
군쥬의 심복 궁ᄋ 홍뒤 군쥬의 명을 바다 왕궁의 니르러 윤후긔 뵈(59)옵고
군쥬의 글월을 올니고 회간을 맛타 도라갈시 홍뒤 홀연 목이 갈ᄒ여 쥬방의
가 ᄎ를 어더먹고자 ᄒ더니 믄득 황시의 유모 틱셥이 궁비로 ᄎ완을 들니고
지나가더니 홍도를 보고 반겨 말ᄒ고ᄌ ᄒ거늘 홍뒤 왈 졍히 번갈ᄒ니 ᄎ를
어더먹고 마마를 됴ᄎ 명을 드리리라 틱셥 왈 목젼의 ᄎ를 두고 엇지 먼니 구
ᄒ리오 언파의 ᄎ완을 기우려 일긔를 먹이고 우왈 슉빈 낭낭이 그듸를 잠간
부르시니 단녀가라 홍뒤 감히 미(60)졀치 못ᄒ여 ᄯ라 동궁의 니르러 슉빈 모
녀를 빈알ᄒ니 황시 흔연이 반겨 군쥬의 죤문을 뭇고 닐오듸 군쥬 훌훌이 귀
거ᄒ니 스모지심이 극ᄒ더니 너를 보니 반겨 ᄒ노라 교쥐 ᄯᅩ 쳥안우뒤ᄒ며 쥬
육을 먹이니 홍뒤 본듸 식냥이 너른지라 됴량토록 먹더니 이윽고 냥안을 직시

ᄒ고 ᄌ리의 것구러지니 황시 노쥐 ᄃ희ᄒ여 급급히 ᄒ닙 쵸셕의 휘모라 큰 농의 너허 봉쇄ᄒ기를 단단이 ᄒ고 급히 틱셤의 필녀 셜미를 단(61)약을 먹여 홍도의 얼골이 되미 홍도의 의상을 기착ᄒ고 허다 흉계를 획칙ᄒ여 도라보ᄂ 니 셜미 언언이 응낙고 의구히 윤비의 답간을 품고 홍도의 얼골이 되여 상부의 도라오니 뉘 능히 알니오 홍도의 시신은 농의 드러 강심의 씌오게 ᄒ니라 ᄎ 일 홍되 상부의 도라와 군쥬긔 복명ᄒ니 군쥬 문왈 엇디 어둡게야 왓ᄂ뇨 딕 왈 낭낭의 회간을 가지고 나오다가 갈ᄒ믈 인ᄒ여 ᄎ를 구ᄒ다가 슉빈궁 유마 를 만나 ᄎ를 먹이고 슉빈(62)이 브르신다 ᄒ거늘 ᄯ라가 한담ᄒ기로 느졋ᄂ 이다 군쥬 귀로 그 말을 드르며 모비 답셔를 밧ᄌ와 보기를 다ᄒ미 심하의 의 ᄋᄒ여 눈을 드러 홍도를 보니 얼골이 비록 ᄀᆺᄒ나 힝동거지는 전일 홍도와 ᄀᆺ디 아닌디라 홍도는 긔질이 슌후ᄒ고 힝지 츙박ᄒ여 일즉 눈 두루기를 아니 ᄒ고 몸가지기를 신즁이 ᄒ니 동뉘 미양 투미ᄒ고 이완ᄒ믈 긔롱ᄒ여 토귀 식 츙이라 ᄒ고 이늘은 홀연 두루ᄂ 눈이 호란ᄒ고 유심이 살피는 거동이 ᄀ장 예(63)스롭지 아니니 타인은 무심ᄒ되 군쥬 딕경실칙ᄒ여 슉시 반향의 물너 가라 ᄒ고 ᄎ야의 경숀 냥인과 옥쇼 경ᄋ를 딕ᄒ여 홍도의 거동이 의심되믈 니르니 졔인이 역경 ᄎ악ᄒ여 딕왈 과연 홍도의 거지 전일과 드르믈 괴히 넉 여오나 이런 변괴 잇실 줄 알니잇고 군쥬 장탄 왈 화근의 삭시 ᄎᄎ 비최니 다 만 쳔의를 바랄 ᄯ름이라 인녁으로 엇지ᄒ리오 연이나 모로면 홀일업거니와 알며 불인의 셰작을 안젼의 두미 블가ᄒ니 여(64)ᄎ여ᄎ 일너 도라보닉고ᄌ ᄒ노라 경시 딕왈 셩의 맛당ᄒ시오나 다만 홍도의 ᄌ최를 찻기 어려오니 목젼 의 간당을 휘각ᄒ오나 이 ᄯ흔 만젼지계 아닌가 ᄒᄂ이다 군쥬 졈두 왈 닉 ᄯ 흔 아ᄂ니 ᄎ녀를 츌쳑ᄒ미 가여불가의 환난의 유뮈 잇지 아니ᄒᄂ니 닉 ᄎ마 간젹을 안젼의 두고져 아닛노라 경숀 냥인이 분기ᄒ여 다시 말을 ᄒ고ᄌ ᄒ더 니 믄득 신 씌으ᄂ 쇼릭 완완ᄒ며 학시 드러오니 노쥐 말을 긋치더라 원닉 학 시 임의 난함(65)의 머므러 노쥬의 ᄉ어를 참쳥ᄒ미 필유묘믹ᄒ믈 씌드라 독 용을 줌지ᄒ여 입실ᄒ니 경시 등은 장외로 퇴ᄒ고 군쥬 안셔히 너러 마ᄌ 동

셔로 분좌ᄒ니 흑시 각별 말이 업셔 다만 셔안의 춘츄좌시젼을 맑게 음영ᄒ여 오릿도록 긋치지 아니터니 야심 후 좌위 고요ᄒᄆᆡ 군쥬다려 왈 아ᄌ 부인과 경시 등의 문답을 드르니 이 가히 등하불명이라 현됴ᄂᆞᆫ 언졔 아랏던지 모로거니와 흑싱은 부인을 우봉 쵸일의 ᄉ긔ᄅᆞᆯ 짐쟉ᄒᆡ 잇ᄂᆞ니 이 (66)엇지 먼니 님하의 취당이리오 반ᄃᆞ시 귀궁의 은복ᄒᆞᆫ 요인이 잇셔 악ᄉᄅᆞᆯ 슈챵ᄒᆞᄆᆡ 임의 ᄂᆞᆫ못치 숑곳 빗최듯ᄒ며 됴희의 물 졋듯 ᄒ여시니 잇ᄯᆞᆯ의 엇디 젹군의 셰죽이 영듕의 돌입ᄒᄆᆞᆯ 놀나리오 임의 악인을 휘각ᄒᆡ 그 시긱이 넘지 못ᄒᆞᆯ 빅어늘 믄득 일일지간이나 가ᄂᆡ의 머무러 명일의 무슴 일이 잇실쥴 알니오 군쥐 쳥ᄆᆡ 필의 졔의 신명ᄒᆞᄆᆞᆯ 크게 놀나고 ᄎᄉᆡ 맛ᄎᆞᆷᄂᆡ ᄌ가로셔 비로ᄉᆞᆫ 화근이라 ᄉᆡᆷ니의 참안ᄒᆡ 업지 아니(67)ᄒ되 졔 발셔 명명지긔ᄒ고 뭇ᄂᆞᆫ 바의 암밀이 쑤며 딕답ᄒᆞᆯ 빅 업ᄂᆞᆫ지라 츄파ᄅᆞᆯ 눗쵸고 옥ᄆᆡ ᄌ약ᄒ여 념임 딕왈 셩인이 일오ᄉᆞᄃᆡ 듯디 아닌 바의 신치 말며 보지 아닌 곳의 신치 말나 ᄒ시니 일시 의심 의심된 바로ᄡᅥ ᄉᆞᄉ 의논이 불가ᄒᆞᆫ 줄 아오ᄃᆡ 동시히 녀ᄌ의 션회ᄒᆞᄆᆞᆯ 면치 못ᄒᆞ미러니 엇지 군ᄌ의 하문ᄒ시ᄆᆡ 될 줄 알니잇고 슈연이나 군ᄌ의 슈신 힝도ᄂᆞᆫ 쳥턴빅일ᄀᆞᆺ다 ᄒᄂᆞ니 셩인이 경계ᄒ시되 군ᄌ 반ᄃᆞ시 승당입실의 눈 두루기ᄅᆞᆯ 경히 아니시(68)며 남의 허믈 니르기ᄅᆞᆯ 즐기지 말나 ᄒᄋᆞ니 쳡이 감히 당돌ᄒᄋᆞ나 ᄀᆞ만ᄒᆞᆫ ᄌ최 녀ᄌ의 옥화 ᄉᆞ담을 참문ᄒ실 쥴은 실시 여외로소이다 쳡의 슈신 슈덕이 그르무로 사ᄅᆞᆷ의 뮈이물 바드미오니 허물을 ᄌ칙ᄒᆞᆯ지연졍 사ᄅᆞᆷ을 칙지 못ᄒᆞ올 거시오 쳡이 ᄒᆞᆫ 됴각 집심이 블셜ᄌᆞᄂᆞᆫ 목젼의 보고ᄌ 아니무로 쳔비 ᄒᆞᆼ되 홀연 무슴 괴질을 어더 힝동거지 뎐일과 다르무로 도라보ᄂᆡ고자 ᄒᄆᆡ요 각별 그 희ᄅᆞᆯ 뎌허ᄒᆡ 아니로ᄃᆡ 모든 비ᄌ의 무리 (69)믄득 의논이 효효ᄒ여 흔ᄀᆞᆯ ᄀᆞᆺ지 못ᄒ니 쳡이 역시 쳐치ᄒᆞᆯ 바ᄅᆞᆯ 뎡치 못ᄒᄋᆞ나 화복이 직쳔ᄒᄋᆞ니 쳡슈 박덕이오나 현마 뎡 아닌 곳의 바리리잇가 ᄒ더라 텰종황뎨 후궁 김상궁 철영 글시

명쥬옥연긔합녹 권지뉵

(1) 명쥬옥연긔합녹 권지뉵

초셜 옥화군쥐 셜파의 안쇠이 여일ㅎ고 말슴이 졍슉ㅎ니 혹시 듯기를 다ㅎ미 기리 칭스 왈 현지라 부인의 셩덕이 호연홈과 부도의 진션ㅎ미 여추ㅎ니 혹싱이 엇디 부인의 뇌됴의 유광ㅎ믈 져ㅂ리이요 부인이 쏘흔 이후의 빅만 고경 ᄀ온듸라도 명텰보신ㅎ고 신여명이 구젼ㅎ여 합호의 구슬이 완젼ㅎ고 빅두 동시의 혼갈ᄀᆺ기를 원ㅎ노라 군쥐 다만 손스ㅎ여 블감당이믈 니르더라 혹시 다시 말을 아니ㅎ고 야심ㅎ믈 일ᄏ라 부인을 권ㅎ여 옥상 나요의 향몽을 혼 가지로 ㅎ니 금이 고르고 슬이 화ㅎ여 국풍의 시를 지엄 (2)쥭ㅎ더라 명효의 부뷔 혼 가지로 됸당의 신셩ㅎ고 믈너와 군쥐 좌우로 홍도를 블너 안젼의 니르미 안쇠을 화평이 ㅎ고 닐오듸 뇌 구가의 쳐ㅎ미 이곳시 하인이라 봉스졉빈의 번스ㅎ미 업스니 뜰듸업슨 시ᄋ의 무리 만하 부졀업슨디라 더옥 너는 쇼임이 한가ㅎ여 부릴 곳이 업고 ㅎ믈며 너의 부뫼 왕부의 잇는지라 금일노됴초 너를 방냥ㅎ여 촛지 아닛느니 거취를 임의로 ㅎ여 됴히 살나 홍되 복지쳥교의 아연 실망ㅎ여 눈믈을 흘니고 왈 비지 어려셔 옥쥬를 뫼셔 십여 지의 혼번도 셩의를 어긔워 노쥬의 화긔를 일치 아냣습더니 작일 슉빈의 부르믈 인ㅎ여 시긱이 느졋스오나 스죄 아니여늘 엇디 죄를 (3)삼으스 가라 ㅎ시느니잇고 뒤하의셔 쥭으믈 원ㅎ옵고 믈너가기를 원치 아닛느이다 군쥐 졍식 왈 뇌 뜻이 결ㅎ여 너를 둘 ᄆᆞᆷ이 업느니 쳔비 엇디 어즈러이 변빅ㅎ느뇨 좌우로 ㅎ여금 홍도를 미라 닉치라 ㅎ니 말슴이 밍녈ㅎ여 뻑뻑엄슉혼디라 좌우 궁이 막블뎐뉼ㅎ여 홍도의 등을 미러 나가라 ㅎ니 홍되 발연작쇠ㅎ고 넓더나 제 방의 가 셰스를 슈습ㅎ며 일오듸 뇌 본듸 공이 잇고 죄 업거늘 옥쥬의 돌연 이러툿 ㅎ시미 엇지 괴이치 아니리오 ㅎ고 왕부로 도라가 바로 황시 모녀를 보고 슈말을 고하니 황시 모녜 졀치교ᄋ 왈 벽쥬 요녜 스스의 신명혼 톄ㅎ거니와 느의 긔묘비계로써 함지 깅참ㅎ여 (4)쳔장 망느의 걸릴 졔도 신명을 즈랑ㅎ는가 보즈 셜

미 진왈 비지 작일 도라가오니 군쥐 무슴 의심으로 긔싀이 슈상커늘 비지 힝
혀 디스룰 일우지 못홀가 뎌허 무고룰 ᄀ져 정당 난함 셕쥬 밋히 뭇고 금묘의
구츅ᄒ믈 닙어 도라와ᄉ오니 밧비 힝계ᄒ쇼셔 교쥐 졈두ᄒ더라 이러구러 달이
밧고이미 황시 모녜 흉계룰 크게 발홀식 몬져 미혼단을 쥬식의 셧거 왕의게
느오니 왕이 비록 총명 인지나 임의 옥화의 험익이 다다랏ᄂ지라 엇지 면ᄒ리
오 광평왕이 홀연 슈일 신음ᄒ더니 병셰 초도의 밋쳐는 믄득 본셩을 일흐미
되어 황시룰 춍이ᄒ미 이상ᄒ고 교쥬룰 편이ᄒ미 셰ᄌ의게 더ᄒ며 졍궁의 춍
이 쇠ᄒ(5)여 닉뎐의 ᄌ최룰 씃츠며 범ᄉ의 가찰ᄒ니 윤비 군왕의 무단이 뎐
일과 다르믈 의혹ᄒ나 사름 되오미 심지 홍원ᄒ고 지혜 명달ᄒ지라 왕의 본심
이 아니믈 씨다라 왕의 무고흔 칙언을 당ᄒ나 온슌이 ᄉ죄ᄒ고 ᄉᄉ의 승슌ᄒ
여 반호블미ᄒ미 업ᄉ니 왕이 본셩을 일흐나 후의 ᄉᄉ 슌화ᄒ믈 보미 능히
허믈을 일우지 못ᄒ더라 왕이 일일은 현부의 니르러 졔공으로 한담ᄒ더니 믄
득 보니 본궁 시녀 홍되 안흐로셔 느와 춍춍이 합장으로 도라ᄂ ᄋ가되 거동이
요악ᄒ거늘 왕이 긔히 넉여 좌우 근시로 홍도룰 부르라 ᄒ니 이윽고 회보 왈
홍되 쇼명을 듯고 닐오디 닉 옥쥬의 명을 바다 (6)가진 거시 이시니 감히 뎐
하긔 뵈옵지 못ᄒ노라 ᄒ고 급급히 도라가더니다 왕이 심하의 비ᄌ의 방ᄌᄒ
믈 통히ᄒ고 쏘 괴이히 너기되 임의 가고 업다 ᄒ니 홀일업셔 다만 한담ᄒ더
니 이윽고 닉각의 드러가 녀ᄋ룰 보고ᄌ ᄒ더니 믄득 졔왕이 일오디 질뷔 우
리 궁즁의 ᄀ시니 되왕은 궁으로 가쇼셔 왕이 됴ᄎ 협문으로 월셩궁의 니르니
월셩공쥐 의빈과 슉혜 등 졔녀와 옥화군쥬와 한님 부인 쇼시로 한담ᄒ더니 광
평왕이 이르미 부녀 남미 한훤필의 왕이 봉안을 흘녀 공쥬룰 보며 현미 가히
복이 둣겁도다 냥ᄌ룰 두미 당셰 셩현군지요 퇴휵ᄒ미 업ᄉ되 긔화옥슈 ᄀᄎ흔
ᄌ녜 빵빵ᄒ니 남의 며(7)느리룰 불워ᄒ리오 비록 밋쳐 보지 아냐시나 구시
연시 당셰 슉녜리니 아녀와 쇼질을 셜치ᄒ려든 구ᄎ히 남의 며느리룰 불워ᄒ
리오 공쥐 미쇼 왈 구시 연시는 아직 엇도 아닌 며느리니 인물 션악을 미리 엇
디 알니잇고 셜ᄉ 약간 지용이 잇신들 질ᄋ와 쇼질의 옥질방용을 밋기 쉬오리

오 연이나 궁듕이 둉용호고 한가홈믈 인호여 낭질을 부르미러니 의외 형왕의 돈긔 니르시니 블승영힝이로쇼이다 말을 맛츠미 셩안을 흘녀 왕을 보니 낭미 의 푸른 긔운이 어리고 봉안의 졍치 감호여거늘 공쥐 의아 왈 형왕이 근니 주 녀의 혼취의 졍긔 쇼삭호시도쇼이다 왕이 쇼왈 현미는 아지 못호느도다 교오 (8)는 당셰 무빵 가인슉녜라 빈필을 구호미 금련하 졔일인지를 구호노라 공 쥐 어히업셔 묵연이러니 이윽고 왕이 하직고 도라가되 우익와 주의호미 젼일 과 니도이 업스니 공쥐 긔탄호며 군쥐 크게 놀느고 슬허호더라 놀이 느즈미 군쥐 쇼쇼져로 더브러 샹부의 도라오니 이날 현혹시 옷 가라닙고즈 호여 취각 의 니르니 각듕이 뷔고 시녀 여라믄이 난간 밧긔셔 혹 됴을며 혹 한유호거늘 혹시 스스로 입실호여 가샹의 신의를 초즈 닙을시 믄득 안샹의 흔 봉 간첩이 느려졋거늘 집어보니 임의 봉리를 써혓거늘 되기 굴와시되 우부 황싱은 근빈 셔라 호고 고향을 써난 지 오리고 편뫼 기다리미 졀호니 마지못호여 도(9)라 가나 옥인을 원별호믈 슬허호느니 맛당이 현싱 필부를 졀졔호고 옥인으로 더 브러 셔셔히 탈신호여 고향의 도라가 화락호기를 원호엿고 긔약이 아득호믈 쵸스호는 셜홰 만지쟝화의 허다 음비지셜이 긔셔의 긔록홀 빅 아니라 혹시 간 필의 흔 번 웃고 즉시 홍노의 쇼화호고 타연이 거릿기지 아니코 느오니 되지 라 현주의 위인이여 능히 만니를 수못는 춍명이 이시미라 초야의 혹시 침쇼의 드러가 군쥬를 되호여 문왈 금일 돈부의셔 뉘 왓더니잇가 되왈 부왕이 니르러 계시더이다 우왈 악장이 오신 줄은 싱이 또 아랏느니 궁녀빈 뉘 왓더니잇가 군쥐 침음 되왈 홍되 왓더니 쳡이 돈당의셔 바로 졔(10)궁으로 가니 홍되 궁 의 와 단녀갓거니와 군직 아라 무엇호려 호시느니잇고 혹시 미쇼 왈 알 닐이 잇셔 무르미라 무슴 연괴 잇스리오 군쥐 괴히이 너기나 감히 뭇지 못호더라 초일 광평왕이 본궁의 도라와 졍궁의 니르러 셕반을 되호고 비를 향호여 왈 금일 홍되 무슴 일노 현부의 갓더니잇고 비 되왈 홍되 무슴 일인지 녀ᄋ의게 득죄호여 니쳐 왓다 호나 쳡이 춧지 아니호엿느이다 왕이 믁연호고 니러 황시 의 침쇼의 니르니 황시 업거늘 여측호라 간가 호여 홀노 안셕의 지혓더니 믄득 후함의 인젹이 잇고 일인이 일오듸 낭낭아 쳔비 오늘 궁문 안히셔 홍도를 맛나니 긔쉭이 당황ᄒᆞ여 밧비 안흐로 드러(11)가며 품쇽으로셔 무슴 셔간을 쌘지오고 드러가거늘 비지 집어보니 ᄀᆞ장 긴히 봉ᄒᆞ엿거늘 써혀보믜 여ᄎᆞ여 ᄎᆞ 스의니 엇디 놀납지 아니리오 황시 듸경 왈 늬 져즈음긔 질ᄋᆞ의 ᄒᆡᆼ지와 홍도 믜교 등의 거동이 슈상커늘 고이히 넉엿더니 무단이 고향으로 도라가니 원간 이런 일이 잇닷다 앗갑다 일노됴ᄎᆞ 금지의 비치 감ᄒᆞ고 옥엽을 츄락ᄒᆞ리니 오질이 연쇼ᄒᆞ나 사룸이 인진ᄒᆞ미 업스면 졔 엇지 통노ᄒᆞ리오 ᄯᅩ 가슴을 두드리며 왈 이 일이 엇디 뒤칠동 알니오 ᄒᆞ며 슬허ᄒᆞ거늘 기녜 우왈 스긔를 드르니 믜푀 황공ᄌᆞ와 스졍이 잇셔 황낭이 믜교를 스통ᄒᆞ엿더니 엇디ᄒᆞ여 인진ᄒᆞ오니 군쥬는 황싱을 알오듸 황(12)싱은 군쥬를 모로던가 ᄒᆞᄂᆞ이다 연이나 옥쥐 현혹ᄉᆞ ᄀᆞᆮ흔 옥인군ᄌᆞ의게 비ᄒᆞ시니 무어시 브ᄶᅩᆨᄒᆞ여 황낭을 유졍ᄒᆞ신고 작일의 황부 가동이 원문 안히셔 안다히를 규규히 엿보거늘 의심ᄒᆞ엿더니 스괴 여ᄎᆞᄒᆞ여이다 황시 ᄯᅩ 말ᄒᆞ고ᄌᆞ 홀 졔 믄득 일인이 ᄀᆞ마니 고왈 뎐히 넘어ᄒᆞ여 계시이다 황시 놀나 급히 난함으로 올나 지게를 열고 닙실ᄒᆞ믜 왕이 안셕의 비겨시믈 보고 냥경 왈 뎐히 어느 ᄶᆡ 오시니잇고 왕이 닐오듸 완 지 슈식 경이로듸 경이 업스니 졍히 기다리노라 언믜의 교쥬 미쥬 계쥐 연ᄒᆞ여 드러오니 옥안화퇴 긔긔 뎔묘흔지라 왕이 이즁ᄒᆞ여 황시다려 왈 교이 니러틋 장셩ᄒᆞ여 빈혀 ᄭᅩᆺ기의 (13)미진ᄒᆞ미 업거늘 뎐이이ᄎᆞ라 ᄒᆞ여 ᄒᆞᆫ놋 가랑을 맛ᄂᆞ디 못ᄒᆞ니 가셕이로다 황시 빈믜 왈 그리 밧브리잇고 고인이 삼십의 가유실ᄒᆞ고 이십의 취부흔다 ᄒᆞ니 아직 이십이 머러시니 오늌 년을 두고 낭지를 유심ᄒᆞ면 현마 아니 옥면가ᄉᆞ를 맛나리잇가 복셜을 미들 거시 아니로듸 복지 교ᄋᆞ를 보고 닐오듸 십오 셰 젼의 취가흔즉 뎐졍이 희롭다 ᄒᆞ고 ᄯᅩ 져의 몽시 괴이ᄒᆞ여 남의 됴강이 못 되고 훗ᄌᆞ최를 니으리라 ᄒᆞ고 신인이 명명이 일오듸 동근지엽이 반다시 일부를 셤기리랴 ᄒᆞ니 가장 괴이ᄒᆞ더이다 왕이 침음 왈 시쇽의 상한 쇼녀도 이십의 동가ᄒᆞ미 업ᄂᆞ니 교ᄋᆞ는 황가 여믹이라 엇디 허망흔 복셜을 미드리오 (14)우왈 아ᄌᆞ의 난간 밧긔 무슴 말을 ᄒᆞ엿ᄂᆞ뇨 황시 만면블안 긔쉭

으로 슈히 디치 못ᄒ거늘 왕이 지슘 지쵹 왈 과인이 임의 드럿ᄂ니 경은 은휘
치 말나 황시 빈미 디왈 진실노 알외고ᄌ ᄒ미 입이 ᄡᅳ고 혜 돕지 아니니 옴기
미 누연ᄒ고 교오 등은 규오의 몸이라 쳥문의 희연ᄒᆫ 바를 휘지ᄒ나이다 언파
의 교쥐 야심ᄒᄆᆯ 일ᄏ고 미쥬 계쥬로 더브러 침쇼로 도라가니 황시 ᄇ야흐로
길게 탄식ᄒ고 ᄂ목의 교쥐 ᄂ즈ᄒ고 셩음이 열열ᄒ여 갈오디 추언을 발코ᄌ
ᄒ나 군쥬를 위ᄒ여 갈오디 ᄆ음이 골돌ᄒ고 황가의 빗출 감ᄒᄆᆯ 붓그리고 ᄯᅩ
쇼쳡의 오라비 독ᄌ를 두어 문호 부귀와 쳡의 부모 혈시 추오 신상의 잇(15)
거늘 질이 우연이 쳡을 추ᄌ 궁듕의 누삭 뉴쳐ᄒ미 엇디 믄득 상여의 봉구황
을 타미 업스되 문군의 다졍ᄒ미 진슈의 니슐 맛기를 염치 아닐 줄 알니잇고
질이 ᄃᆛ초는 진실노 미교의 인진ᄒᄇᆯ 인ᄒ여 궁듕 시녀비만 너겨 블미지식 잇
던가 시브되 쳡이 망연브지러니 딜이 고향의 도라간 후의 션향누의 도적이 드
러 쳐음 미교를 일코 두 번지 여해 형오의 신상의 미쳐 하마면 죽을 번ᄒ니 이
엇던 곡졀이믈 아지 못ᄒ엿더니 ᄯᅩ 여추여추ᄒᆫ 변이 잇더라 ᄒ니 엇디 경희치
아니리잇고 왕이 쳥파의 침음블예터니 ᄂ구의 왈 옥해 현마 여추 쳔힝이 잇스
리오 의심컨디 현낭이 풍뉴호신으로 어(16)곳의 유졍지 잇셔 오녀의 빙옥방
신을 모희ᄒᄂᆫ가 ᄒ노라 황시 악연ᄒ여 왈 쳡도 쳐음은 밋지 아냐더니 유모의
어든 필젹을 보니 군쥬 글시와 방블ᄒ 듯ᄒ더이다 디왕이 명빅히 알고ᄌ ᄒ시
면 홍도를 불너 무르신즉 곡졀을 아르시리이다 왕이 밋ᄂ 듯 마ᄂ 듯 부답ᄒ
니 황시 초초ᄒ여 둉야토록 교언영참으로 참쇼ᄒ더라 명됴의 왕이 궐하의 됴
회ᄒᆯᄉᆡ 마춤 쇼낭낭이 일시 미양으로 옥휘 불녕ᄒ시니 왕이 도라오디 못ᄒ고
ᄯᅩ 윤비 낭낭 환후로 인ᄒ여 역시 입궐ᄒ니 낭낭 환휘 우연이 침돈ᄒᄉ ᄂ로로
미류ᄒ시니 왕의 부뷔 뉴쳐 스오일이러니 낭낭 옥휘 져기 가복ᄒ시미 군쥐 몬
져 (17)농뎐의 빗스ᄒ고 도라올ᄉᆡ 이 스이의 믄득 흉변이 상싱ᄒᆯ 줄 알니오
이ᄶᅥ 황시 모녜 됴각이 묘ᄒᄆᆯ 암희ᄒ여 퇴셤과 가홍도로 더브러 힝계ᄒᆯᄉᆡ 일
일의 현시 졔공이 졍당의 혼졍ᄒ고 셔헌의 모다 한담터니 계왕은 본궁의셔 슉
침ᄒ고 다만 승상이 졔뎨와 졔ᄌ딜노 더브러 말슘ᄒ더니 홀연 일인이 듕문가

지 드러와 기웃거리ᄂᆞᆫ지라 모다 괴이 너겨 ᄌᆞ시 보니 나히 블과 십삼은 ᄒᆞᆫ 동
지로ᄃᆡ 히여진 쵸리와 진흙 무든 나말이 향듕촌ᄋᆞ로 발셥ᄒᆞᆫ 거동이라 현녜뷔
의ᄋᆞᄒᆞ여 가인으로 기ᄋᆞᄅᆞᆯ 부르라 ᄒᆞ니 그 동지 겁ᄒᆞ여 다라ᄂᆞ려 ᄒᆞ거늘 가인
이 급히 쯰으러 안젼의 밋ᄎᆞ니 기이 놀나 쩔며 닐오ᄃᆡ 쇼인은 향촌 스부가
(18)가뇌라 쥬인의 브리믈 바다 돈퇵의 니르와 치봉각 시녀 홍낭 경낭 등을
보고 젼ᄒᆞᆯ 말이 잇셔 왓ᄂᆞ이다 녜뷔 노왈 치봉각 시ᄋᆞᄂᆞᆫ 왕부의 근시여늘 너
하방 쳔뇌 무슴 연고로 ᄎᆞᆺᄂᆞ뇨 기이 연망이 품쇽으로셔 일봉셔를 늬여 드려
왈 이 글을 보시면 쇼인의 죄 아니믈 아르시리이다 녜뷔 그 봉셔를 써혀보니
만만 됴치 아닌 셜홰라 일가의 츄듸ᄒᆞᄂᆞᆫ 바 만금 동부 당금 슉인셩ᄉᆞ 옥화군
쥬의 빙옥 신상을 함지낑참ᄒᆞ믈 남은 ᄯᆞ히 업게 ᄒᆞ여ᄂᆞᆫ디라 녜뷔 간필의 ᄃᆡ경
ᄃᆡ로ᄒᆞ여 줌미를 거스리고 봉안이 둥글믈 쯰ᄃᆞᆺ디 못ᄒᆞ여 셔간을 미러 승상긔
드려 왈 아지 못게이다 하쳐 흉인이 은복ᄒᆞ여 쳔고슉녀로 ᄒᆞ여금 함지(19)낑
참ᄒᆞᄂᆞ니잇고 악인의 여당을 슈고치 아냐 잡아시니 맛당이 엄츄힐문ᄒᆞ여 질부
의 누셜을 신빅ᄒᆞᄉᆞ이다 승상이 츄파를 드러 술피기를 다ᄒᆞᄆᆡ 안싴이 여일ᄒᆞ
여 다만 셔간을 홍노의 드리쳐 쇼화ᄒᆞ기를 맛고 촌ᄋᆞ를 쾌히 방셕ᄒᆞ여 왈 늬
비록 뭇지 아니나 너희 줘무리 ᄌᆞ죄를 붉히 아ᄂᆞ니 너를 다ᄉᆞ려 실젹을 힉실
ᄒᆞᆯ 쥴 모로지 아니ᄒᆞ되 일노뻐 연누ᄒᆞᄆᆡ 사름이 만히 상ᄒᆞᆯ 바를 앗겨 너를 방
셕ᄒᆞ노라 ᄒᆞ고 기ᄋᆞ를 노화 보ᄂᆡ니 촌이 황황이 머리를 벗고 쥐 숨듯 도라가
니 녜부 등 졔녜 분연 왈 ᄎᆞ시 등한치 아니커늘 형쟝이 엇디 물시ᄒᆞ시ᄂᆞ니잇고
승상이 줌쇼 왈 흉당을 방셕ᄒᆞᄆᆡ 쇼루ᄒᆞ나 이계 비록 노하시(20)되 명일 다시
오리니 슈고로이 가도아 무엇ᄒᆞ리오 녜부 등이 이달나 ᄒᆞ되 다만 분분ᄒᆞᆯ ᄯᆞᄅᆞᆷ
이러라 ᄎᆞ야의 승상이 명월각의 슉침ᄒᆞ되 이다히 말을 ᄉᆞ식지 아니니 부인이
역시 아지 못ᄒᆞ니라 명일야의 승상이 ᄯᅩ 늬각의 슉쇼ᄒᆞ고 오진 냥공이 ᄃᆡ셔헌
의 머무더니 흑ᄉᆞ 곤계 군동 슈십 인이 돌여가며 시침ᄒᆞᆯᄉᆡ ᄎᆞ야ᄂᆞᆫ 흑시 희셩
희문 희유 등 졔녜로 시침ᄒᆞᄂᆞᆫ디라 당야 숨경의 만뇌구젹ᄒᆞ고 상하노쇠 침쉬
혼혼이러니 흑ᄉᆞ와 희셩이 홀노 잠이 업셔 침샹의셔 논문담화ᄒᆞ더니 홀연 드

르니 후창 밋히셔 인젹이 은은ᄒ며 ᄀ마니 죠어ᄒ되 현노와 희빅 필뷔 ᄌ는가 씨여느가 닉 금야의 지긔지우의 쇼쳥으로 (21)현가 조ᄌ손 삼인의 명을 솟쳐 지우의 쳥쵹을 져바리지 말고 둘흔 죠군쥬의 아름다온 시녀로뼈 닉게 흔 은혜를 갑하 져희 부뷔 묘히 모다 화락게 ᄒ리라 ᄒ거늘 혹ᄉ와 희셩이 십분 경으ᄒ여 ᄀ마니 이러나 여어보니 일긔 녕훈헌 지 셔리 ᄀᆺ흔 보검을 안고 장ᄎ 지게를 열고 돌입고ᄌ ᄒ더니 홀연 실독ᄒ여 슉직 셔동의게 거쳐 업더질 듯ᄒ며 칼흘 노화바리니 쇠쇼릭 징연ᄒ며 셔동이 줌결의 크게 흔쇼릭 지르고 칼날히 바로 흥복의 질녀 쵹ᄉᄒ니 젹이 황겁ᄒ여 밋쳐 칼을 거두지 못ᄒ고 다라느니 셔동의 놀난 소릭의 방즁 상히 다 씨여 일시의 도젹 웨는 쇼릭 진동ᄒ니 모든 슉직 가인과 (22)갓가온 익낭의 ᄌ던 남녀노복이 다 줌결의 어둔ᄒ여 능히 젹을 ᄯ로디 못ᄒ니 혹ᄉ 분연이 단삼 홋오스로 젹을 ᄯ르민 농힝호보로 나는 듯ᄒ여 거의 잡을 듯ᄒ여 슈보지지를 즈음ᄒ여 원비를 느릭혀 젹의 요딕를 잡아 느호혀니 젹이 분용ᄒ여 흔번 썰치민 요딕와 금낭이 솟쳐져 느려지고 젹은 몸을 느라 십쳑 장원을 넘쒸여 다라느니 경긱의 블견거체라 그졔야 노복이 일시의 모혀 젹을 츄심흔들 어딕 가 ᄎᄌ리오 혹ᄉ 젹을 실됴ᄒ고 다만 냥딕를 아ᄉ 도라오니 명쥬 슈빅 ᄂᆺ과 일봉셔를 너허시니 굴와시딕 황슈ᄌ는 ᄉ싱지우 텬하호한 신검슈의게 붓치느니 쇼졔 우연이 ᄌ최 경궁(23)의 놀미 상여의 거믄고로 탁시를 도도지 아냐시되 옥누의 텬손이 작교의 못고지를 허ᄒ니 임의 가인이 다졍ᄒ미 풍뉴남지 봉황의 노름을 ᄉ양ᄒ리오 ᄀ만흔 가온딕 냥졍이 교밀커늘 슉뫼 ᄉ긔를 알고 칙ᄒ여 머믈기를 용납지 아니니 마지못ᄒ여 귀향ᄒ나 냥졍의 연연ᄒ믈 닛디 못못홀지라 쥬야 탁냥의 빅계무칙ᄒ니 몬져 졀딕미으를 헌ᄒ고 묘로 슈빅 ᄂᆺ 명쥬로뼈 졍을 표ᄒᄂ니 현희빅과 다못 그 부묘로부터 삼딕를 다 쥭이고 날노뼈 미망옥인을 맛게 ᄒ즉 이는 어진 형의 딕은이 되리니 엇지 쳔금으로 갑기를 더딕ᄒ리오 기하의 연월을 긔록ᄒ고 일홈 두어 졍녕이 언약ᄒ엿더라 졔(24)인이 간필의 오진 냥공이 완이히 쇼ᄒ고 혹ᄉ다려 문왈 ᄎ셔를 보니 쇼작직하인야오 너의 쇼견을 듯고ᄌ ᄒ노라 혹ᄉ 복슈문파의 피셕쳥죄 왈 츠시 유명유실이라 슈악주를 부지명각이오딕 어린 쇼견의 싱각ᄒᆞ옵건딕 쇼손의 쳐실노 말믜암아 허실간 망극ᄒᆞ온 변이 돈당의 밋스오니 돈당과 엄위ᄂᆞᆫ 명졍기푀ᄒᆞ시믈 ᄇᆞ라ᄂᆞ이다 오공이 그 어린ᄋᆞ히 능히 간계를 ᄭᆡᄃᆞ르믈 긔특이 너겨 진공을 도라보아 왈 아아손은 가히 승어뷔로다 셕년의 ᄉᆞ마현뷔 쳔고원앙ᄒᆞᆫ 죄명을 시러 혈혈 ᄋᆞ녀지 원노찬뎍을 당ᄒᆞ되 웅이 일분 측은지싴이 업더니 이졔 손ᄋᆞᄂᆞᆫ 기쳐의 원앙ᄒᆞᄆᆞᆯ 짐쟉ᄒᆞ니 엇(25)지 승어뷔 아니리오 진공이 딕왈 형쟝 셩괴 졍합뎨심이로쇼이다 연이나 고인이 십삭 틱교를 일너시니 희ᄋᆞ의 아름다오미 ᄉᆞ마질의 어진 틱훈인가 ᄒᆞᄂᆞ이다 오공이 미쇼 왈 현뎨 다만 ᄉᆞ마부의 어진 줄만 알고 오ᄋᆞ의 긔특ᄒᆞᄆᆞᆯ 아지 못ᄒᆞᄂᆞ도다 ᄌᆞ고로 민명군ᄌᆞ와 투털쟝부라도 녕인부슈지참을 신긔ᄒᆞᄂᆞ니 당년의 오이 혈긔 미졍지년의 셰ᄉᆞ를 경녁지 못ᄒᆞ엿거ᄂᆞᆯ 흉인의 요계 쳔만의외니 연쇼남이 고지 드르미 긔이ᄒᆞ리오 진공이 웃고 지당ᄒᆞ시믈 일ᄏᆞᆺ더라 흑시 덕을 실됴ᄒᆞᄆᆞᆯ 이달나 밤이 맛도록 냥됴부 샹하의 시립ᄒᆞ여시니 오릭지 아냐 쳘긔 늉늉ᄒᆞ니 졔싱이 쇼셰ᄒᆞ기를 맛고 졍당의 신셩코(26)ᄌᆞ ᄒᆞ더니 믄득 닉당 시녜 나ᄋᆞ와 고왈 틱군부인이 홀연 몽압ᄒᆞ사 계오 ᄭᆡ오시미 심졍이 황홀ᄒᆞ시고 병휘 ᄒᆞ 급ᄒᆞ시오니 졔노야와 졔부인이 다 모혀계시이다 졔싱이 놀나 오진 냥공을 뫼셔 졍당의 드러가니 가즁 샹히 다 모혓더라 츠시 틱부인이 신긔 블안ᄒᆞ여 일죽 슉침ᄒᆞ여더니 삼경은 ᄒᆞ여 비봉ᄉᆞ몽간의 침뎐 좌우 벽틈과 난간 ᄋᆞ릭로셔 무슈 귀돌이며 홍상 미인이 도검을 들고 ᄂᆞ와 범코ᄌᆞ ᄒᆞ니 흉악ᄒᆞᆫ지라 부인이 크게 놀나 딕호 왈 엇던 흉귀 날을 죽인다 ᄒᆞ니 승상이 녀ᄋᆞ 운혜 등이 잠결의 놀나 급히 ᄭᆡ오며 긔운을 뭇ᄌᆞ오니 부인이 혼혼ᄒᆞ여 긔운을 출히디 못ᄒᆞ시니 시녀비 총망이 닉외 각당의 (27)알외니 승샹 곤계와 ᄉᆞ마쇼위녀 등 졔부인 졔쇼졔 일시의 졍당의 모드니 하부인이 비로쇼 졍신을 슈습ᄒᆞ여 몽ᄉᆞ를 니르고 왈 혜건딕 가즁의 요변이 잇ᄂᆞᆫ가 ᄒᆞᄂᆞ니 여 등은 다염 말고 요ᄉᆞᄒᆞᆫ 형젹을 업시 ᄒᆞ라 졔인이 딕경ᄒᆞ고 오공이 탄왈 가란의 쟝본이 근본 업시 니러ᄂᆞ 현인이 화의 ᄂᆞᄋᆞ가리니 엇디 가셕지 아니리오 쟉야 외헌의 여ᄎᆞ여ᄎᆞᄒᆞᆫ 변

이 잇고 또 여초지시 잇스니 이는 가변의 삭시라 블힝치 아니랴 승샹 곤계 경
동실식ᄒ여 쥬왈 히ᄋ 등이 성회 쳔박ᄒ와 여초 눕샹 듸변이 잇스오듸 아지
못ᄒ오니 블쵸ᄒ믈 쳥죄ᄒᄂ이다 공이 쇼왈 됴쇼부는 문호의 죵뷔요 슉인 셩
념이라 용안의 너모 슈이ᄒ무로 직앙이 나니 지즈 텰인이 (28)엇지 슉녀를 의
심ᄒ리오 쟉야 숀ᄋ의 말이 여초여초ᄒ더니 너의 말이 엇디 또 이러ᄒ뇨 드듸
여 좌우를 명ᄒ여 졍당 난간 ᄋ릭브터 벽간을 다 헤치고 보니 온굿 괴이ᄒ 미
골과 무슈ᄒ 목인을 민드러 도챵을 들여 긔형 괴샹으로 각식을 민들고 츅식
잇시듸 됴시 벽쥬의 암츅ᄒᄂ 스연이요 오공으로부터 죠즈숀 삼듸와 하부인과
스마부인 모녀의 명 긋기를 츅슈ᄒ엿고 만일 원이 죡ᄒ즉 명승지지의 스우를
셰우고 일월셩신과 황쳔후토졔신을 스시 향화를 밧드러 공덕을 갑흐리라 ᄒ엿
더라 좌우 방관이 다 경희ᄒ며 흑시 츄경을 보고 면관돈슈 쳥죄 왈 숀이 효셩
이 쳔박ᄒ온 연괴오니 복망 왕부는 쇼숀의 (29)죄를 몬져 다스리쇼셔 승샹이
계슈 쳥죄 왈 ᄎ시 오죄의 즈웅 긋스오니 쇼작즈는 아지 못ᄒ오듸 유명무실간
쇼뷔 능히 염치의 안안치 못ᄒ오리니 듸인의 쳐분을 ᄇ라ᄂ이다 오공이 ᄎ경
을 보니 도로혀 탄왈 아지 못게라 어ᄂ 곳의 간인이 은복ᄒ여 하이슈원으로
ᄂ의 쳔금 쇼부를 이긋치 괴롭게 ᄒᄂ뇨 쇼뷔 ᄎ마 농죵닌지로써 셩죄ᄒ미 블
가ᄒ거늘 ᄒ믈며 무죄ᄒ미냐 목젼의 요예지물을 쇼화ᄒ고 외인이 밋쳐 아지
못ᄒ게 ᄒ 후 간인의 눈쳑를 슬피고 힝혀 쇼부를 경동치 말나 승샹이 직비 쥬
왈 셩괴 지극ᄒ시나 요인이 반드시 나죵을 비(미)봉치 아냐 발각ᄒ도록 홀 거
시요 죄 범인즉 강샹의 관계ᄒ오니 황숀을 니(30)르지 마옵고 친황녀나 왕법
을 도망ᄒ리잇가 히ᄋ의 쇼견은 분운ᄒ 시비를 니르혀지 아닌 젼의 권도로 식
부를 왕궁의 도라보닉여 스긔를 보고즈 ᄒᄂ이다 공이 졍식 왈 노뷔 또ᄒ 혜
ᄋ리미 잇ᄂ니 너는 두 번 니르지 말나 승샹 부지 황공ᄒ여 다시 기구치 못ᄒ
고 진공은 미봉치 아닐 줄 아나 형장의 고집을 아는 고로 다만 방관이 되여실
분이요 입을 여러 가부를 니르지 아니ᄒ더라 공이 좌우로 불을 가져오라 ᄒ여
허다 요예지물과 ᄌ긱의 냥듸 아오로 다 쇼화ᄒ고 ᄌ부를 명ᄒ여 부인을 붓드

러 뎐으로 옴기고 의약으로 다스리게 ᄒ고 타연이 거러씨미 업더라 이젹의 군
쥬 금즁의 뉴쳐 ᄉ오일의 쇼낭낭 옥휘 져기 가복ᄒ시니 (31)윤비와 월셩공쥬
ᄂ 아직 머무러시나 군쥬ᄂ 돈당 긔휘 블안ᄒ시믈 듯고 경의ᄒ여 셜니 농뎐의
비ᄉᄒ고 샹부의 도라와 돈당구고긔 비알ᄒ고 졔ᄉ금쟝으로 반길ᄉᆡ 돈당구괴
ᄉᆡ로이 반기ᄂ 듯 하틔부인의 병이 뎌톄ᄂ 듯ᄒᄂ디라 바야흐로 곡졀을 ᄌᆞ시
알고 경희ᄒ여 졔ᄌᆞ를 뒤ᄒ여 탄왈 손부ᄂ 당셰 무젹ᄒ 슉녜라 무단ᄒ 누명이
핍신ᄒ니 엇디 가셕지 아니리오 샹공이 임의 ᄎᆞᄉᆞ를 믈시ᄒ여 나죵을 보고ᄌᆞ
ᄒ시ᄂᆞ니 여등은 슈구여병ᄒ라 졔지 슈명ᄒ더라 ᄎᆞ일 군쥬 돈당의 뵈올ᄉᆡ 옥
안셩모의 승안화긔를 먹음고 삼쵼 금년이 ᄌᆞ약ᄒ여 안셔이 ᄂᆞ오와 ᄎᆞ례로 비
알ᄒ고 틔부인 샹하의 ᄂᆞ죽이 ᄭ두러 돈휘 블안졀이 계시되 ᄋᆞ히 지엄 궁즁의
(32)잇셔 막연부지ᄒ옵고 누일 신혼의 녜와 병측의 시호치 못ᄒ와 블효블민
ᄒ믈 쳥죄ᄒᆞ미 옥셩이 한ᄋᆞᄒ여 임ᄉᆞ의 덕과 마등의 현검ᄒ믈 아오라시니 틔
부인이 연이ᄒ여 옥슈를 ᄂᆞ호여 평신ᄒ믈 니르고 흔연 왈 사름의 화복이 문이
업다 ᄒ니 노모의 유질ᄒᆞ미 괴이ᄒ리오 연이나 낭낭의 옥휘 가복ᄒ시니 국가
의 만힝이라 노뫼 도로혀 쇼환을 닛고 깃거ᄒ더니 ᄋᆞ부를 보니 스스로 즐거워
신질을 닛ᄂᆞ니 무슨 쳥죄ᄒᆞᆯ ᄉᆞ단이 잇스리오 군쥬 운환을 늣쵸고 썅슈로 ᄯᅡ흘
집허 돈교의 지극ᄒ시믈 ᄉᆞ례ᄒ고 믈너 졔쇼져와 쇼고 등으로 더브러 한훤을
파ᄒ고 좌의 ᄂᆞᄋᆞ가니 졍슉ᄒ 녜뫼 슈단이 합듕ᄒ니 오공과 (33)하윤 이부인
이 흔연 익듕ᄒ고 승샹 곤계 졔ᄌᆞ졔질노 더브러 드러오니 군쥬 하셕영지ᄒ여
엄구와 슉당의 녜ᄒ고 슈슉이 녜필의 옥안의 슈ᄉᆡᆨ을 머금고 혹ᄉᆞ를 향ᄒ여 녜
ᄒ니 혹ᄉᆡ 답녜ᄒ고 남좌녀우를 분ᄒᆞ미 혹ᄉᆡ 안ᄉᆡᆨ이 늠연ᄒ여 화긔 믹믹ᄒ되
군쥬ᄂ 본디 ᄉᆞ실의 잇셔도 혹ᄉᆞ를 뒤ᄒ면 슈습ᄒ여 눈드러 슬피미 업던 바의
더옥 돈젼의 시립ᄒ여 시쳠이 ᄶᆡ 우히 넘지 아니니 엇지 져 군ᄌᆞ의 엄쥰ᄒ 긔
ᄉᆡᆨ을 알니오마ᄂ 경샹궁이 쥬군의 ᄉᆡᆨ위를 슬피고 경ᄋᆞᄒ더니 군쥬 동일 시립
ᄒ여다가 혼졍 후 슉쇼의 도라오니 쇼고 운혜쇼졔 동뎨 옥혜 창혜를 거ᄂ려
니르며 졔왕의 ᄎᆞ(34)녀 미혜 교혜 함긔 니르러 쇼에 낭낭ᄒ여 ᄉᆞ오 일 별회

룰 문답ᄒᆞ더니 교혜 믄득 군쥬룰 향ᄒᆞ여 왈 져졔 셕상의 거거의 블예ᄒᆞ신 긔 식을 아르시ᄂᆞᆫ잇가 군쥬 잠쇼 왈 쳡이 불민ᄒᆞ여 사름의 눈츼룰 모로ᄂᆞ니 영형 의 긔식을 엇지 알니요 교혜 왈 져져ᄂᆞᆫ 진짓 등하블명이라 져졔 닙궐ᄒᆞ신 후 수일간 가듕의 디변이 ᄂᆞᆺ더니 츠고로 거게 져져룰 미안ᄒᆞ나이다 언미필의 졔 소졔 교혜의 경셜ᄒᆞᆷ믈 민망ᄒᆞ여 눈으로 ᄯᅳᆺ을 보닉되 교혜 졔형의 긔식을 바히 아지 못ᄒᆞᄂᆞᆫ디라 군쥬 쳥파의 말을 긋치고 졍샹궁이 ᄂᆞ즉이 시립이러니 교혜 의 말ᄭᅳᆺ츨 듯고 흔흔이 우으며 ᄂᆞ아안즈 굴오디 우리 옥쥬 심궁(35)의 싱장 ᄒᆞ사 노쳡의 어즈리 돕지 못ᄒᆞ여 힝혀 군마 노야의 미온ᄒᆞ미 계신가 우구ᄒᆞ옵 더니 쇼져 말ᄉᆞᆷ을 듯ᄉᆞ오니 별단 묘믹이 잇ᄂᆞᆫ가 ᄒᆞ옵ᄂᆞ니 젼두룰 밝히 희셕ᄒᆞ 시면 옥쥬와 노쳡이 쇼져의 션심인의룰 명심블망ᄒᆞ리로쇼이다 교혜 졍시의 유 셰ᄒᆞᆷ믈 듯고 말ᄒᆞ고즈 ᄒᆞ더니 군쥬 쇼고룰 향ᄒᆞ여 ᄌᆞ초지죵을 뭇ᄂᆞᆫ지라 교혜 이의 다다라ᄂᆞᆫ ᄭᅮ미지 못ᄒᆞᆯ지라 늘호여 굴오디 져져ᄂᆞᆫ 금지옥엽이요 셩덕셩념 이라 됸당이 과이ᄒᆞ시고 쇼믹 등이 우러ᄂᆞᆫ 비라 블의 향일의 여ᄎᆞ여ᄎᆞᆫ 일이 잇스믹 됸당 부뫼 츄호도 의심치 아니시고 뎐후 간셔와 요녜지물을 쇼화ᄒᆞ시 고 가듕을 당부ᄒᆞ샤 힝혀 져졔 알고 블안(36)ᄒᆞᆯ가 ᄒᆞᄉᆞ 함구블언ᄒᆞ라 ᄒᆞ시더 니 쇼믹 참지 못ᄒᆞ여 은휘치 아니미로쇼이다 언파의 졔궁인이 실식ᄒᆞ고 숀보 뫼 눈믈을 흘녀 왈 샹궁과 졔시인은 다 옥쥬룰 뫼셔 닙궐ᄒᆞᄆᆞ로 이런 곡졀을 몰나거니와 비즈ᄂᆞᆫ 봉각을 직희여시되 일틱지상의셔도 아지 못ᄒᆞ오니 엇디 블 츙 무상치 아니리잇고 아지못게라 옥쥬의 셩덕이 미말ᄎᆞ두의게도 은틱이 밋디 아닌 곳이 업더니 하처 흉인이 이러틋 옥쥬룰 함지깅참 ᄒᆞᄂᆞ니잇고 군쥬 안식 이 ᄌᆞ약ᄒᆞ여 일영장탄의 츄파셩안의 옥뉘 요동ᄒᆞ여 왈 슈한슈원이리오 유유창 명이 ᄂᆞ의 박덕으로 부귀 완젼ᄒᆞᆷ믈 엇디 허ᄒᆞ시리오 졔쇼져(37)룰 향ᄒᆞ여 ᄉᆞ 례 왈 쳡이 불민ᄒᆞ여 신명의 죄룰 어드되 ᄯᅩ흔 암민ᄒᆞ여 오예흔 취명이 몸 우 희 잇시믈 아지 못ᄒᆞ고 셕상의 붓그러온 ᄂᆞᆺ츨 드러 안연이 듕인공회의 참녜ᄒᆞ 니 됸당구괴 홍은을 드리오시나 군ᄌᆞ의 미온ᄒᆞ시미 엇지 괴이ᄒᆞ리오 졔쇼졔 쳡의 누누ᄒᆞᆷ믈 긔회치 아니시고 허믈을 니르니 셩덕을 감격ᄒᆞᄂᆞ이다 운혜와 미혜 숀스ᄒᆞ고 교혜의 경셜ᄒᆞᆷ을 미온ᄒᆞ며 군쥬의 블안ᄒᆞᆷ을 혜ᄋᆞ려 쥬인의 즐기지 아닌 바의 숀이 오릭 잇ᄉᆞ미 가치 아닌 고로 즉시 니러 하직고 도라갈ᄉᆡ 일빵 관환이 쵹을 잡ᄋᆞ 인도ᄒᆞ고 빵빵ᄒᆞᆫ 쇼ᄋᆡ 뫼셔 도라가니 홍군이 날난ᄒᆞ고 칙숍이 표표ᄒᆞᆫᄃᆡ 졔쇼져의 옥모화틱 참치(38)상하ᄒᆞ여 낙됴 션ᄌᆡ 무릉의 빅회ᄒᆞᄂᆞᆫ 듯ᄒᆞ더라 졔쇼졔 도라가ᄆᆡ 군쥐 셔안의 비겨 명등을 ᄉᆞ못 보며 쵸연ᄌᆞ실ᄒᆞ여 말이 업ᄉᆞ니 경숀 냥상궁이 분ᄒᆞᆫ 눈믈이 빵빵ᄒᆞ여 왈 텬지간의 이런 원민ᄒᆞᆫ 일이 어ᄃᆡ 잇ᄉᆞ리잇가 ᄐᆡ노야로븟터 졔노야 졔부인이 밋지 아니시나 군마 노야ᄂᆞᆫ 연쇼ᄒᆞ시니 엇더케 너기시ᄂᆞᆫ동 알니잇고 긔식이 ᄂᆡ낙ᄒᆞ시미 그리 아르시ᄂᆞᆫ가 시브더이다 군쥐 츄연 탄왈 ᄎᆞᄉᆡ 진실노 슈지오지ᄌᆞ웅이라 다만 텬지신지ᄒᆞ고 아지ᄌᆞ지ᄒᆞ니 하위무지리오 스ᄉᆞ로 명박ᄒᆞᆷ을 슬허ᄒᆞᆯ지언졍 슈원슈한이리오 경시 등이 다만 탄식ᄒᆞᆯ 분이러라 군쥐 ᄎᆞ야의 능히 ᄌᆞ지 못ᄒᆞ고 명됴의 봉관옥픠ᄅᆞᆯ 그르고 (39)신셩을 블참ᄒᆞ니 됸당구괴 ᄃᆡ경ᄒᆞ여 혹ᄉᆞᄅᆞᆯ 도라보아 왈 우리 가듕을 엄칙ᄒᆞ여 변난을 쇼부의게 젼치 말나 ᄒᆞ여더니 뉘 젼ᄒᆞ엿관ᄃᆡ 이런 거죄 이시니 네 무어시라 ᄒᆞ냐 혹ᄉᆡ 염경 쥬왈 ᄋᆞ히 작셕의 져를 됸당의셔 보올 ᄯᆞ름이오 ᄉᆞ실의 ᄃᆡᄒᆞ미 업ᄂᆞ이다 좌의 면면이 도라보와 말ᄒᆞᆫ ᄌᆞᄅᆞᆯ ᄎᆞᆺᄂᆞᆫ지라 ᄉᆞ마의 쇼녀 창혜 교혜와 동년이라 믄득 ᄉᆞ마의게 고왈 작야의 쇼네 졔형을 ᄯᆞ라 치봉각의 ᄀᆞᆺ숩더니 교혜 여ᄎᆞ여ᄎᆞᄒᆞ나이다 좌위 쳥파의 어히업시 너기고 오공이 우어 왈 쇽어의 쥬언ᄂᆞᆫ 문됴ᄒᆞ고 야어ᄂᆞᆫ 문셔라 ᄒᆞ니 슈다 인원의 교ᄋᆞ 아닌들 쇼뷔 엇지 모로리오 졔왕을 도라보와 교ᄋᆞᄅᆞᆯ 칙지 말나 ᄒᆞ니 (40)왕이 화이 웃고 ᄃᆡ왈 유ᄌᆡ 엇지 존교ᄅᆞᆯ 역ᄒᆞ리잇고마ᄂᆞᆫ 교혜ᄂᆞᆫ 쇼쇼 미과라도 엄히 ᄀᆞᄅᆞ치지 못ᄒᆞᆫ즉 반ᄃᆞ시 욕이 문호의 밋고 져의 평싱이 안한치 못ᄒᆞ리이다 공이 쇼왈 교혜 경솔ᄒᆞ나 온슌낭졍ᄒᆞ니 엇지 이런 폐 잇ᄉᆞ리오 ᄒᆞ더라 승상이 오부의 심ᄉᆞᄅᆞᆯ ᄋᆡ련ᄒᆞ여 운혜로 위로케 ᄒᆞ고 하부인이 ᄉᆞ지관환을 보ᄂᆡ여 위로 왈 우리 임의 현부의 빙옥무하ᄒᆞᆷ을 아ᄂᆞ니 일시 누명이 ᄎᆞ악ᄒᆞ나 창승이 엇지 빅옥의 하졈이 되리오 일시 부셜노 듕회의 ᄂᆞ기ᄅᆞᆯ 붓그릴ᄉᆡ 우리 ᄯᅩ 현부 심ᄉᆞᄅᆞᆯ 참작ᄒᆞ여 즁회의 ᄂᆞ기ᄅᆞᆯ 권치 아닛ᄂᆞ니 모

로미 보듕ᄒ여 아등의 념녀를 더으지 말나 ᄒ고 ᄉ마부인이 친히 봉각의 ᄂ
(41) ᄋ가 위로ᄒ고 연이ᄒ믈 마지아니ᄒ니 군쥐 둔당 셩은과 구고 은틱을 감
격ᄒ여 심ᄉ를 널니 ᄒ고 쥬야 셕고의 쳐ᄒ여 셩졍을 폐ᄒ고 문을 닷고 본부
의도 통신치 아니ᄒ니 샹부의의 화긔 ᄉ연ᄒ고 왕부의셔도 이런 둘 모로더라
이쩌 졔왕의 ᄎ녀 미혜쇼져의 ᄌᄂ 션희니 의빈군쥬의 ᄎ녀라 화용이 졀셰ᄒ
고 ᄉ덕이 유한ᄒ여 연이 십삼의 체형이 졍슉ᄒ니 둔당 부뫼 과이ᄒ여 일죽
조부와 약혼ᄒ미 잇던 고로 길일을 퇵ᄒ여 조상부의 보ᄒ고 혼슈를 셩비ᄒ여
냥신가긔 다다르믹 조공ᄌ 창문이 옥안영풍의 길복을 졍히 ᄒ고 빅마금안의
허다 위의를 거ᄂ려 졔궁의 니르러 옥상의 홍(42)안을 뎐ᄒ고 신부의 샹교를
직촉ᄒ믹 신낭의 표치풍광이 뎍션목지의 영풍이라 졔긱이 만구갈치 ᄒ더라 공
쥐 쇼져의 ᄂ믓츨 치오며 슈어로 경계ᄒ여 쥬거의 오르니 조공ᄌ 봉문상마ᄒ
여 도라가니 셰유 능교ᄒ고 쥬분이 표표ᄒ여 향풍이 인온ᄒ고 오식이 현요ᄒ
여 위의 일노의 덥혓더라 힝ᄒ여 조부의 니르니 두 줄 분면이 인도ᄒ여 냥신
인이 쳥즁의 드러가 교빅ᄒ고 ᄌ하상을 난홀신 남풍녀뫼 발월ᄒ여 일월이 ᄲ
으로 붉은 듯ᄒ더라 신뷔 됴뉼을 밧드러 구고긔 진헌ᄒ니 졀셰화용과 동용쥬
션이 셩ᄉ슉녑이라 조각노 부뷔 딕희 과망ᄒ고 빈긱의 치히 분분(43)ᄒ더라
죵일 진환ᄒ고 일모긱산ᄒ믹 신부 슉쇼를 졍ᄒ여 보닉니 혼졍 후 조공ᄌ 부명
으로 신방의 ᄂᄋ가 금장ᄂ유 ᄀ온딕 군ᄌ 슉녀 상딕ᄒ여 야심 후 동취 원앙
금침ᄒ여 니셩지합을 니으니 은졍이 여교여칠ᄒ더라 현쇼졔 인ᄒ여 머므러 효
봉구고ᄒ고 승슌군ᄌᄒ며 화우ᄌ미ᄒ니 구괴 이즁ᄒ고 공ᄌ 즁딕ᄒ며 비복이
츄앙ᄒ니 조각노의 오ᄌ삼녀 남혼녀가ᄒ 긔묘지셜과 조공ᄌ의 미혜쇼져로 금
슬화락ᄒ여 유ᄌ싱녀ᄒ고 부귀 극ᄒ던 ᄉ연이 조시삼딕록의 잇기로 ᄎ젼의 번
다 블긔ᄒ다 어시의 승상 현공의 일녀 옥혜쇼져의 ᄌᄂ 션꾀니 원비 ᄉ마부인
쇼싱이라 찬난ᄒ 싴광은 니르지 말고 유한ᄒ (44)셩힝과 단일ᄒ 덕되 규합의
셩녜니 둔단 부뫼 과이ᄒ여 미낭을 널니 듯보더니 광평왕의 셰ᄌ 영이 쳔일지
표 당당ᄒ고 옥안셩덕이 군왕지상이라 쯧이 기우러 혼인을 쳥코ᄌ ᄒ더니 현

상부 상히 지즈텰인의 명감으로 능히 광평왕 미간의 익긔 잇스믈 보믜 궁닉의
간인이 잇스믈 짐쥭고 옥화의 운익이 긔구ᄒᆞ믜 다 그곳 빌믜믈 알믜 엇지 쳔
금 교으로써 져 집의 드려보닐 의ᄉᆞ 잇스리오마ᄂᆞᆫ 하늘이 별노이 쳔승군왕과
만고셩녑을 닉시믜 비합ᄒᆞ믜 엇지 어긋ᄂᆞ리오 광평왕 셰ᄌᆞ 공쥬를 문후ᄒᆞ라
ᄌᆞ쵸 왕닉ᄒᆞ더니 일이 공교ᄒᆞ여 일일은 공쥬 심긔 불안ᄒᆞ여 졔쇼져를 안젼의
명ᄒᆞ여 산호(45)판의 구슬바둑을 버려 쇼져 등으로 승부를 결ᄒᆞ게 ᄒᆞ여 병심
을 됴회ᄒᆞ더니 광평왕 셰ᄌᆞ 뎐일도 여부 업시 왕닉ᄒᆞ므로 이늘 드러오믜 졔쇼
졔 딕경ᄒᆞ여 급히 피ᄒᆞᆯᄉᆡ 션픠소졔 마춤 발이 져려 슈이 이러ᄂᆞᄃᆡ 못ᄒᆞ무로
셰ᄌᆞ와 마죠쳐 본 빅 된지라 이러무로 이 일을 현상븨 알고 텬연이믈 씌둣고
ᄉᆞ셰 타쳐의 셩혼치 못ᄒᆞᆯ 거시오 바로 광평왕긔 구혼치 못ᄒᆞᆯ지라 ᄉᆞ셰 마지못
ᄒᆞ여 승상이 궐하의 됴회ᄒᆞ고 졔신이 파됴ᄒᆞᆫ 후 됴용ᄒᆞᆫ 씩를 타 상긔 쥬ᄒᆞ여
광평왕 셰ᄌᆞ와 신의 일녀로 셩친ᄒᆞᆷ믈 쳥ᄒᆞ온ᄃᆡ 상이 깃그ᄉᆞ 즉시 왕부와 상부
의 ᄉᆞ혼지를 나리오시니 상부ᄂᆞᆫ 임의 아ᄂᆞᆫ 빅나 광평왕이 감히 역(46)지 못ᄒᆞ
고 ᄌᆞ못 의으ᄒᆞ믈 마지아냐 혜오ᄃᆡ 상부 남녜 다 군ᄌᆞ 으니면 셩녜라 사름의
구치 못ᄒᆞᆯ 빅여늘 스스로 셩혼코ᄌᆞ ᄒᆞ믜 희흔헌 일이라 고고 셰ᄌᆞ 영은 현쇼
져를 우연이 마죠쳐 보고 그 용식광휘를 그윽이 ᄉᆞ모ᄒᆞᆫ ᄎᆞ 슈고 아냐 졍혼
ᄒᆞ믈 딕희ᄒᆞ고 윤휘 쏘흔 깃거ᄒᆞ나 홀노 황시 모녜 딕경ᄒᆞ여 셔로 닐오ᄃᆡ 현
녀로써 셰ᄌᆞ빈을 ᄉᆞᆷ으니 옥화의 형세 틱산 ᄀᆞ흔지라 오으의 가긔ᄂᆞᆫ 어느 씩
일우리오 교쥬 분연졀치ᄒᆞ더니 초야의 왕이 니르러 슉침ᄒᆞᆯᄉᆡ 황시다려 왈 금
일 황애 현상국 일녀로 ᄉᆞ혼ᄒᆞ시니 블구의 셩녜ᄒᆞ려니와 교쥬를 밋쳐 가지 못
ᄒᆞ여시니 엇디ᄒᆞ리오 황시 빈미 딕왈 셰ᄌᆞᄂᆞᆫ ᄉᆞ직지쥬라 타(47)일 뎐하의 죵
묘의 니으실 죵ᄉᆞ지본이니 황애 ᄉᆞ혼ᄒᆞ시믜 범연ᄒᆞ리잇고 교쥬ᄂᆞᆫ 유뫼 블긴ᄒᆞ
오니 이십을 그음ᄒᆞ면 아니 흔ᄉᆞ 인직를 맛ᄂᆞ리잇가 왕이 크게 착히 여겨 흔
연 칭ᄉᆞᄒᆞ니 임의 요약의 잠긴지라 엇지 요녀의 간계를 알니오 황시 모녜 악
심이 발발ᄒᆞ여 틱셤과 모의ᄒᆞᆯᄉᆡ 믄득 딕계를 운동ᄒᆞ여 십여 장 흉셔를 지어닉
니 이곳 왕가지엽을 오예ᄒᆞ여 젼혀 군쥬를 모함ᄒᆞᄂᆞᆫ 글이라 ᄀᆞ마니 심복 궁비

와 궁노롤 쳔금으로 후상ᄒ고 흉셔롤 쥬어 장안 십ᄌ가시상의 두루 붓치니 과
연 날이 오리지 아냐 노상 ᄋ등이 져마다 외오니 듯ᄂ 직 경희치 아니 리 업더
라 교줘도 쳔금을 훗터 탐관을 (48)김히 미즈니 이곳 도어스 홍범과 츄강이라
벼슬과 지믈 앗기믈 셩명ᄀ치 ᄒ더니 왕궁 춍비 만흔 금빅과 빗난 치단이며
진금보픠롤 보니고 쳥쵹ᄒ여 옥화군쥬롤 논힉ᄒ 말을 ᄀ르치니 홍범 츄강이
금빅 지보롤 ᄎ마 스치 못ᄒ여 스스로 일봉 상쇼롤 지어 현상부 승상 부ᄌ롤
논힉ᄒ고 광평왕녀 옥화군쥬의 누힝이 잉잉의 일뷔라 금지롤 오예ᄒ며 옥엽을
휴이ᄒ니 기죄가살이라 왕법은 ᄉ시 업ᄉ니 맛당이 쥭여 풍교롤 맑히고 후세
음비ᄒ 뉴롤 징계ᄒ쇼셔 ᄒ고 만언장화롤 일워 옥탑의 올니니 이ᄶ 졍히 아춤
됴회롤 파치 아냣더니 텬안이 일쳥의 발연변식ᄒ시고 냥반 (49)문믜 상고 실
식이라 광평왕은 어린 듯ᄒ여 말이 업고 오직 현시 졔공이 일호 경동ᄒ미 업
더니 현상국이 늘호여 몸을 샌혀 뎐혜의 부복ᄒ여 상언을 기ᄃ릴시 현흑ᄉ와
광평왕이 일시의 복지ᄒᄃ 상이 냥구의 옥식을 곳치시고 옥음을 ᄂ리와 굴오
ᄉᄃ 금일 ᄉ고ᄂ 쳔고ᄃ변이라 녀염 필부의 쇼쇼 가ᄉ라도 이러치 못ᄒ려든
텬황가 금지옥엽의 이런 일이 잇실 쥴 알니오 아지 못게라 황손 옥화군쥐 누
힝과 음난ᄒ미 잇단 말가 타인은 부지ᄒ나 기부와 현경부지 소견이 업ᄉ리오
언관의 쇼시 진실노 가흔즉 법은 왕ᄌ의 세운 빈니 엇지 귀ᄒ 곳의 법을 굽혀
만세의 시비롤 (50)일위리오 현승상이 응셩 쥬왈 군신은 부ᄌ 일쳬라 폐희 진
졍으로 하문ᄒ시니 신이 ᄯ 엇디 쇼견을 은휘ᄒ리잇고 신이 일즉 황손 옥화군
쥬로 위부ᄒ오니 그 외모지덕은 폐하의 보시ᄂ 빈니 싀로이 일ᄏ롤 빅 아니라
텬싱 녀질이 츌범ᄒ와 반쇼의 어진 덕과 공강의 멸묘와 빅희의 고집이 잇ᄉ오
니 엇디 니럴 니 잇ᄉ리잇고 신은 싱각건ᄃ 머지 아닌 곳의 간인이 직방ᄒ와
슉녀의 신셰롤 마희코ᄌ ᄒ미오니 복원 폐하ᄂ 명찰ᄒ쇼셔 광평왕이 쥬왈 신
이 무상ᄒ와 블초녀의 악힝을 아지 못ᄒ오니이다 신의 죄라 원컨ᄃ 황야ᄂ 음
악지녀롤 쥭이샤 법을 졍히 ᄒ쇼셔 ᄒ니 만(51)됴 희연경ᄋ ᄒ더라 셩상 쳐치
엇지 되며 옥ᄒ 무ᄉ흔가 ᄎ쳥하회ᄒ라 텰종황뎨 후궁 김상궁 쳘영 글시

명쥬옥연긔합녹 권지칠

(1) 명쥬옥연긔합녹 권지칠

추셜 상이 광평왕의 쥬스를 드르시고 어히업셔 변식 탄왈 지즈는 막여뷔라 ᄒ
거늘 운의 즈식 아지 못ᄒ미 여추ᄒ니 옥해 진실노 그 아뷔 말 ᄀᆺᄒ면 당시
가살이라 슈지오지즈웅고 홍범츄강이 닷토와 글오ᄃᆡ 지신은 막여쥬요 지즈는
막여뷔라 셕의 측쳔무후와 틱진 비연이 다 얼골이 고으되 힝실이 파측ᄒ오니
부인의 힝실은 얼골 곱기의 잇지 아니ᄒ온지라 옥화군쥐 용식이 뎔츌ᄒ나 유
박 건상의 셥진지힝이 잇스오니 추는 잉잉의 일뉴라 만일 법을 굽히신즉 후셰
공논을 면치 못ᄒ시리이다 폐히 문견을 밋디 아니신즉 군쥬의 (2)좌우를 져쥬
어 므르시면 스식 명졍언슌ᄒ리이다 말을 니어 일뉴 간당 십여 인이 츌반ᄒ여
흉셔로 빙거ᄒ여 군쥬의 죄를 일우니 광평왕이 듯는 말마다 스식이 분긔ᄒ니
현시 졔공이 왕의 블명ᄒ믈 긔탄ᄒ고 상이 십분 노ᄒ샤 옥식이 엄녀ᄒᆞ스 왈
옥화는 당셰의 슉녜라 아시로브터 덕힝이 졍슉ᄒ니 엇지 니럴 니 잇스리오 아
지 못게라 엇던 요인이 은복ᄒ여 농동긔엽을 갈기고즈 ᄒᆞ뇨 만일 슈악의 단
셔를 어들진ᄃᆡ 쳔참만뉵ᄒ리라 유명무실간 옥화의 의취명이 스셔의 편힝ᄒ니
단셔를 굴히지 못ᄒ 뎐은 법을 굽히지 못ᄒ리니 맛당이 옥화의 좌우를 엄문ᄒ
여 당(3)죄즈를 붉히리라 평졔왕이 츌반복지 왈 왕궁 가변은 진실노 블가스문
어닌국이라 힝혀 일업슨 스관이 쳥스의 긔록ᄒ여 후셰의 알오미 될가 져허ᄒ
ᄂᆡ이다 연이나 현인이 운건ᄒ미 옷밤의 졍녕과 부형의 무리 탁난ᄒ오니 슈악
을 춧기 어렵습고 흉인의 무참ᄒ는 흉셔로 신지ᄒ여 승평셰계의 무단ᄒ 옥스
를 닐으혀리잇고 ᄒᆞ믈며 셜국엄문은 ᄃᆡ역을 다스리는 위엄이라 증참이 업고
분명치 아닌 곳의 국졍을 번거롭게 ᄒ리잇고 신의 우견은 추시 미봉ᄒ오믄 블
가ᄒ오니 아직 흉식 발각 젼의 옥화를 폐위셔인ᄒ고 희빅으로 니이ᄒ여 폐츌
ᄒ시고 심규의 슈쫄ᄒ여 익(4)회 쇼멸ᄒ 후는 즈연지즁의 간졍이 발각ᄒ리이
다 상이 올히 너기스 졈두 칭셩ᄒ시고 광평왕을 ᄃᆡ칙ᄒᆞ스 일년 월봉을 거두어

본궁의 안치ᄒ라 ᄒ시고 옥화군쥬를 위호를 아ᄉ 현부의 니이ᄒ여 쇼쥐 낙읍현의 젹거ᄒ라 ᄒ시고 홍츄 냥어ᄉ를 칙교 왈 셔즁의 쇼시 증참이 ᄌ셔치 아닌지라 국체의 마지못ᄒ여 광평왕 부녜를 츄고ᄒ엿거니와 추후 셰셰히 ᄉ힉ᄒ여 당죄ᄌ를 ᄎᄌᄌ즉 ᄉ셰를 됴ᄎ 경등이 ᄯ흔 죄를 면치 못ᄒ리라 ᄒ시니 홍츄 냥어시 샹픠 쥰졀ᄒ시믈 듯고 구연황공ᄒ고 한츌쳠의ᄒ여 믈너나니 광평왕이 엄됴를 듯ᄉ오믜 황공불승ᄒ여 다만 고두쳥죄ᄒ고 감히 오릭 머무지 (5)못ᄒ여 퇴ᄒ여 궁의 도라갈ᄉᆡ 감히 위의를 ᄀ초지 못ᄒ여 ᄉ마를 물니치고 필마로 궁의 도라오니 궁즁 샹히 진경ᄒ여 면면이 변을 ᄎ악ᄒᄂᆞᆫ디라 왕이 ᄂᆡ뎐의 드러가니 윤비 관픠를 그르고 빈실의 ᄃᆡ죄ᄒ엿더니 왕이 환궁ᄒ믈 듯고 궁인으로 뎐어ᄉᄃᆡ 왈 쳡이 블민ᄒ와 십삭 ᄐᆡ교를 어즈리 못ᄒ와 블초녀의 ᄉ오나온 죄샹이 만셩의 ᄂᆞᆺ타ᄂᆞ니 이 다 쳡의 죄라 황샹이 비록 쳡의 죄를 ᄉᄒ시나 군왕이 블쵸녀의 연고로 칙교를 밧ᄌᆞᆸ고 죄녜 뎐니의 원젹ᄒ니 쳡이 하면목으로 왕을 뵈오리오 샹궁이 이ᄃᆡ로 뎐ᄒ니 왕이 미우를 ᄲᅥᆼ긔고 울울블낙ᄒ여 쇼당의 쳐ᄒ니 셰ᄌ 형뎨와 문양군이 뫼셔 ᄯᅥ나지 아니ᄒ(6)더라 왕이 비록 요약의 잠겨시나 졍츙ᄃᆡ졀은 잇ᄂᆞᆫ디라 셩샹 엄교를 밧ᄌᆞ오믜 울울블낙ᄒ고 군쥬의 덕힝을 바로 졔왕궁의셔 츌혀가라 ᄒ시니 현샹부의셔 군쥬의 옥보방신의 누명을 ᄎ악ᄒ고 덕힝을 놀나ᄂᆞ 샹명이 니이ᄒ고 유죄무죄간 가국의 죄인이라 오릭 뉴쳐ᄒ믜 가치 아냐 쟝ᄎ 왕부로 도라보ᄂᆡ고ᄌ ᄒ더니 졔왕이 샹의를 뎐ᄒ고 군쥬를 불너볼ᄉᆡ ᄎᆞ시 군쥐 쇼당의 ᄌ쳐 죄인ᄒ여 블견텬일ᄒ고 쇼ᄐᆡ 긔구ᄒ믈 탄ᄋ ᄒ더니 이늘 됸명을 인ᄒ여 담쟝쳥의로 시녀를 됴ᄎ 됸당의 니르믜 감히 승당치 못ᄒ고 즁계의 복지쳥죄ᄒ니 됸당구고슉당이 보건ᄃᆡ 췹환이 삽삽ᄒ여 월익셜빈(7)을 덥허시니 묘질이 이원ᄒ고 염뫼 뇨라ᄒ며 근심ᄒᄂᆞᆫ 아미와 붓그리ᄂᆞᆫ ᄐᆡ되 폐흔 단쟝 ᄀᆞ온ᄃᆡ 더욱 표연ᄒ여 약쇼월니운니명이요 ᄉ환빙이일믜라 슈안쳑용이 더욱 긔이ᄒ니 됸당구괴 이 거동을 보믜 앗기고 슬푸믜 골졀이 녹ᄂᆞᆫ 듯ᄒ여 ᄲᆞᆯ니 오르기를 명ᄒ니 한님 부인 쇼시와 운혜 쇼졔 ᄂᆞᄋ와 좌우 옥슈를 닛그러 승당ᄒ니 군쥐 마지 못ᄒ여 당의 올나 돗 알픠

업디여 고두쳥죄 왈 쇼쳡이 블혜블민흔와 시봉 슈년의 구고의 홍은혜퇵을 갑
습지 못흐옵고 무춤니 신상의 취명을 시러 황가의 빗츨 감흐고 녀즈의 몸이
타향의 젹거흐오니 가히 흔번 죽어 쇽죄흐오미 올스오듸 결단이 쾌(8)치 못
흐와 일누를 씃디 못흐옵고 돈하의 뵈오미 욕스무지로쇼이다 옥셩이 이원흐고
긔운이 안셔흐니 돈당구괴 츄연흐여 옥슈를 잡고 왈 오지쇼부는 당금셩녜라
즈고로 봉황이 오듸 농즁의 곤치 아니흐고 환난의 버셔ᄂᆞ지 못흐는 셩현이 업
ᄂᆞ니 오뷔 용안이 너모 빗ᄂᆞ기로 텬도의 혹영지니와 인도의 오영지겸을 면치
못흐엿거니와 하늘이 반드시 길인을 보호흐시ᄂᆞ니 엇지 누셜의 무ᄎᆞ리오 녀즈
젹킹이 희한흐나 이도 명이라 현마 엇지흐리오 승상이 니어 위로 왈 현뷔 운
익이 긔구흐여 츠킹이 잇시나 텬의 지공무스흐시니 풍운의 길시를 만나리니
모로미 방신을 보듕흐여 몸이 스스로 둔 빅 (9)아니믈 싱각흐라 하윤 냥료뫼
희허 왈 아등이 쇼부를 상니흐는 심회 여츠흐니 영당 현후의 인녀지심이 쏘
엇디 견듸시리오 엇던 흉인이 츠마 이런 흉스를 지엇ᄂᆞ뇨 비록 만인이 지시흐
고 텬히 다 시비흐여도 우리 부즈 됴숀 삼듸와 가인이 다 의심치 아닛ᄂᆞ니 쇼
부는 지긔흐는 구고와 지심흐는 가뷔 이시믈 싱각흐여 방신을 보즁흐여 운익
이 진흐는 날 영화로이 못기를 브라노라 스마부인이 다만 츄연즈상흐여 말이
업고 금장쇼괴 면면이 손을 잡고 니별을 앗겨 슈이 못기를 원흐니 군쥐 운환
을 슈이고 셩안의 진쥬 이슬이 어리여 복슈스례흐고 돈당의 만슈무강흐믈 축
슈흐고 모든 듸 (10)니별을 고흘 분이오 츠마 입을 여러 말숨을 일우지 못흐
니 일좌 함누장탄흐믈 마지 아냐 츠마 떠나지 못흐고 혹스와 한님은 입직흐여
도라오지 아니흐연는 고로 모든 쇼공지 드러와 비별흐더라 졔왕이 굴오듸 니
회 무흔흐나 상명이 계시니 지류흐미 가치 아니타 흔듸 졔인이 일시의 믈너나
명일 졔궁으로 분슈흐믈 일콧더라 군쥐 빗스흐고 경숀 냥상궁이 뫼셔 협문으
로 월셩궁의 니르니 공쥐 의빈과 셜시우희를 거ᄂᆞ려 군쥬를 슬하의 안치고 옥
안이 즈상흐여 탄상 왈 ᄋᆞ질의 셩덕즈질노 쇼장지홰 여츠흘 줄 알니오 더옥
왕형의 변셩흐시미 무참을 신긔흐고 언관의 풍문을 의연(11)흐여 천정의셔

너의 원상을 일분 덕발ᄒ미 업스니 엇디 블명ᄒ미 심치 아니리오 황상이 인명
ᄒᄉ 뎐두를 예지ᄒ시나 믈시ᄒ믄 국법이 와희홀가 ᄒᄉ 권도로 덕거ᄒ시나
본의 아니시오 쏘 본궁의 ᄂ으가미 왕형의 블명ᄒ미 별단 거죄 이실가 념ᄒᄉ
우리 부부를 명ᄒᄉ 션쳐ᄒ라 ᄒ시니 현질은 상회치 말나 언마ᄒ여 부ᄌ 모녜
단원ᄒ리오 군쥐 츄파의 쥬뤼 만면ᄒ니 좌위 탄식뉴쳬치 아니 리 업더라 이쩌
상이 광평왕의 블명ᄒ믈 미온ᄒ샤되 왕이 발셔 요약의 심졍이 상ᄒᆫ 바롤 일시
의 희셕ᄒ리오 즁외 공논을 괴로이 너기ᄉ 쇼쥐 졍졍비ᄒ라 ᄒ시고 본궁의 가
지 말고 졔왕부의셔 발힝케 ᄒ(12)시니 왕과 공쥐 상의를 씌드라 군쥬를 다
려오미라 날이 져믈미 군쥬를 협실의 머무르고 초야의 범ᄉ를 준비ᄒ여 명됴
의 니발홀시 상부 합문 상히 졔궁의 니르러 니별ᄒ니 오진 냥공이 졔왕의 고
ᄒ무로 ᄉ긔를 아랏는 고로 부인과 졔부를 명ᄒ여 총총이 작별ᄒ고 본부로 도
라오게 ᄒ니라 초일 광평왕이 비실의 고요이 잇더니 황시 모녜 ᄂ으와 문안ᄒ
고 글오되 옥쥐 블의 원덕ᄒ시니 금슈옥질이 도로 간난의 엇지 위티치 아니리
잇고 엇던 사름으로써 비힝ᄒ시ᄂ니잇가 왕이 빈미 왈 블쵸녀를 죽이지 못ᄒ
미 한이라 셩상이 관젼을 드리오시니 과인이 ᄉᄉ로이 쳐치치 못ᄒ거니와 되
강 블쵸녀의 ᄉ싱(13)이 블관ᄒ니 됴츤 궁비 초환 군관의 무리 독ᄒ니 뉘 비
힝ᄒ리오 황시 쳥파의 뉴쳬 왈 군쥬는 만고셩녜라 만만코 음누쳔힝을 감심치
아니리니 되왕이 엇지 이런 곳의 의심ᄒ시ᄂ니잇고 형이 연긔 장셩ᄒ고 궁즁
의 뎌의 유뮈 블긴ᄒ오니 맛당이 군쥬를 비힝ᄒ미 올흘가 ᄒᄂ이다 왕이 십분
블열ᄒ여 비힝을 보ᄂ디 말고ᄌ ᄒ나 황시 어질믈 감동ᄒ니 미미히 허락ᄒ니
황시 크게 깃거 이의 문희군을 불너 졔왕부의 가 군쥬의 덕힝을 비힝ᄒ라 ᄒ
니 형이 흔연 슈명ᄒ고 윤비긔 하직ᄒ니 윤비 다만 졈두홀 ᄯ룬이요 흔말 부탁
ᄒ미 업스니 이는 졔왕과 월셩공쥬의 신명예지ᄒ미 녀으를 ᄉ화(14)의 더지
지 아닐 줄 짐작고 무익지셜을 허비치 아니려 ᄒ미러라 문희군이 졔궁의 ᄂ으
가 졔왕 부부긔 비알ᄒ고 젹미를 비힝ᄒ라 온 ᄯ을 알외니 왕과 공쥐 졈두ᄒ
고 힝거를 출히미 군쥐 승교ᄒ니 교즁의 경상궁이 흔가지로 들고 손상궁은 옥

쇼 경으 난항 비취 등 십여 기 궁비로 더브러 쵸쵸흔 죽교의 몸을 시러 궁문을 느니 상하 니정이 슬푸미 가이업더라 형이 스스로 계피 암합흐믈 디희흐여 힝 마를 직쵹흐여 남문을 느니 현시 졔공의 거미 느렬흐고 윤시 졔친이 니어 보 닉는 거미 교외의 니엇더라 쵹힝흐여 남녁흐로 향흐니 비록 쳔승 왕희의 돈흠 과 한원 명부의 귀흐미나 누얼을 시(15)러 무광흔 신셰와 피폐흔 힝식이 일호 나 옥엽황손의 부귀번화흐미 잇스리오 셕양모쳔의 창망흔 셔식을 쯰여 닌닌흔 슐위 박회 한데와 연을 흔 가지로 아니흐고 장신궁의 도라가는 반비의 힝거 즛흐나 쳡여는 일홈이 됴코 죄 업거니와 다만 비연의 투괴를 맛나 심궁의 장 신흐미여니와 추인은 비연 즛흔 강덕이 주리를 웅거흐미 아니로디 일홈 업슨 싀긔를 맛나 금옥방신이 쇽졀업시 느망의 걸닌 금외 되여 쳔니의 표령흐니 가 히 싁주의 강기흘 비라 죵일 힝흐여 녀졈의 쥬인흐니 경숀 냥상궁이 군쥬를 붓드러 닉실의 드리고 형은 외실의 머믈싀 면강흐여 안히 드러와 군쥬를 문후 (16)흐고 보고주 흐거늘 군쥐 금니로 낫츨 쯧고 향벽좀와 흐여더니 경시로 겨어 왈 죄미는 셰상 죄인이라 님힝의 부모 형데로 셔로 니별치 못흐니 임의 인뉸을 바린 인싱이라 엇디 디인흘 쯧이 잇스리오 이러무로 셔로 보기를 원치 아닛느이다 형이 심니의 닝쇼흐고 혜오디 옥해 젼일 부왕의 주이를 쯰여 우리 남미를 셕은 풀즛치 너기더니 오늘날 만고 죄인이 되니 텬되 슬피미 쇼쇼흐도 다 흔연이 답왈 군쥐 일시 유익흐여 익회 공참흐나 본디 부왕의 쇼즁교와요 현상국 귀흔 주부로 만셰녜후의 은권이 즁흐시니 익운이 쇼멸흔즉 당당이 화 교옥뉸으로 지방관이 호숑흐여 평안이 도라와 부귀영(17)해 무량흐시리니 이 디도록 주겸흐여 동긔를 보지 아니리오 셜파의 은은 함소흐니 졔궁인이 심니 의 통희흐나 말을 아니터라 명일 문희군이 주다가 쯰여 보니 일식이 늣고 동 지 됴션을 디령흐여 쯰기를 기다린 지 오릭고 군쥬는 발셔 상교흐엿더라 형이 심니의 괴로오믈 니긔디 못흐여 싱각흐되 느는 왕궁 귀공주로 고당난실의 쥬 육이 빅부르고 비단주리의 좀이 편흐거늘 옥화의 연고로 공연이 힝노의 괴로 오믈 감심흐고 졈방쵸소의 고로히 잠드니 엇지 우읍지 아니리오 어셔 두어 늘

곳 지나면 남강의 힝션홀 거시니 옥화 노쥬를 쾌히 희심의 드리치면 됴흐련마는 모친과 누의는 황셩을 맛져 (18)보닉즈 ᄒ니 아모리면 옥해 우리 모즈 남미를 고마워홀가 부인 녀즈는 가히 혬이 져르도다 이러틋 혜ᄋ려 눈셥을 괴로이 ᄲᅥᆼ기고 게얼니 이러나 쇼셰를 맛고 식반을 파ᄒᄆᆡ 말고 올나 힝거를 죠츠니 경시 군쥬 말ᄉᆞᆷ으로 뎐어ᄒ되 길이 멀고 힝쉭이 비편ᄒ니 일즉 인가를 춧지 말고 일즉이 힝ᄒ고 늣게 드러 쇽히 힝ᄒᄉ이다 형이 블열 왈 군쥬는 귀골 약질이라 도로 발셥의 니러틋 근노ᄒ여 방신이 블안케 ᄒ리오 궁희는 이디로 젼ᄒ라 ᄒ고 완완이 힝ᄒ여 일반의 길 ᄂ고 일낙의 졈ᄉ를 춧즈니 즈연 도로의 지쳬ᄒ여 여러 놀 만의 남강 슈변의 니르러 힝션홀식 졍히 즁뉴ᄒ여더니 믄득 셧녁 슈(19)상으로됴ᄎ 어즈러온 어션이 힝뉴ᄒ여 군쥬의 탄 비 뒤히 됴츠니 션즁의 다만 흔 늣 노고와 일기 병든 남지라 모구로 몸을 ᄀ리오고 모건으로 머리를 덥허시니 사름이 그 면목을 알기 어렵더라 형이 반ᄃ시 황츅이 군쥬의 힝도를 엄습고즈 ᄒ는 쥴 알고 암희ᄒ여 츠야의 듕뉴ᄒ여 비를 강심의 ᄲᅴ오고 달츨 지우니 뒤히 됴츤 비 ᄯᅩ 흔가지로 머무더라 ᄀ장 밤든 후 ᄯᅩ 난디업슨 힝션이 뒷비의 모드니 슈십여 명 호한이라 군쥬의 탄 비의셔 션쥼 보고 괴히 녁여 무르되 우리 션즁의 뫼신 힝거는 범연ᄒ신 힝ᄎ 아니라 경궁귀틱의 금옥귀듀의 뎍힝이시니 비록 피폐ᄒ나 긱션이 방즈히 들네지 못ᄒ리니 열위는 요란(20)이 구지 말고 비를 먼니 미라 비사름들이 일시의 응셩ᄒ여 닐오디 산츈우밍이 무지ᄒ여 눈이 잇셔도 틱산을 아라보지 못ᄒ여더니 원닉 돈귀ᄒ신 힝ᄎ랏다 우리 엇지 요란ᄒ리오마는 우리 무리 셔쵹 ᄯᅢ히 물화 시르라 ᄀᆺ다가 동반이 풍병을 어더 노즁의 쥭어가니 그 노뫼 친히 와 다려가는 고로 우리 모다 보닉는 길이러니 이런 귀흔 힝ᄎ를 맛날 쥴 엇지 알이오 문희군 노애 비힝ᄒ신다 ᄒ니 더옥 쵼한의 무리 방즈치 못ᄒ리라 ᄒ고 겻비를 지휘ᄒ여 슈삼니를 물너가더라 ᄎ쳑는 초츄회간이라 밤이 어두어 지쳑을 분변치 못ᄒᄂ는 즈음이러니 야반삼경의 홀연 물 우희셔 고함이 진동ᄒ며 ᄉ오십 명 뎍되셔리 (21)ᄀᆺ흔 창도와 긴 막디를 두루며 군쥬의 힝션을 에우고 션즁의 돌입ᄒ

며 일시의 딕호 왈 선즁의 사룸은 히치 말고 다만 비 ᄀ온ᄃ 부인을 편히 뫼
시라 블언동시의 션창 안히 다라드니 형은 발셔 아는 일이라 거즛 놀나 크게
쇼릭 지르고 호읍이 씬쳐져 죽어가는 체ᄒ니 둥인이 딕경ᄒ여 일시의 붓들고
쎨며 닐오딕 열위 호한은 우리 공ᄌ를 히치 말나 군쥬 부인은 장안히 계시니
뫼셔 가나 말니지 아니라 슈두젼한이 여셩 왈 다만 미인을 취홀 ᄯᄛᆷ이요
인명을 히치 말나 제젹이 응셩ᄒ여 일시의 션창 안히 드러가니 과연 일위 부
인이 금금으로 늣출 ᄣᆞᆺ고 익원이 통곡ᄒ니 좌우의 노궁인이 붓드러 호곡ᄒ고
십(22)여 ᄀ 궁비 져마다 오읍ᄒ여 셩명을 익걸ᄒ여 제젹이 보건딕 부인은
늣출 ᄣᆞᆺ시니 얼골을 아지 못ᄒ나 ᄂᄂ 듯ᄒ 엇기 표연이 싹가 일운 듯ᄒ고 셰
요는 셤셤ᄒ여 ᄌ궁 부인으로 흡ᄉᄒ니 비록 보지 아니나 미싀의 삭시 늣타ᄂ
니 황츅이 미쳐 보도 아냐셔 졍혼이 비월ᄒ니 밧비 좌우를 지휘ᄒ여 미인을
ᄀ비야이 활착ᄒ여 션창 밧긔 ᄂ다르니 여젹이 일힝 지보를 슈탐ᄒ여 도라갈
ᄉ 옥쇼 난향 등이 금야의 변이 잇실 줄 알고 더러온 진토와 지를 ᄀ져 늣치
칠ᄒ니 완연ᄒ 봉두귀면이라 젹이 보고 다만 부인과 지믈만 아ᄉ 도라가니라
ᄎ야의 션즁이 쇼요ᄒ여 능히 ᄌ지 못ᄒ고 경숀 냥인과 옥쇼 등(23)이 거즛
가슴만 두다리고 군쥬를 부르지져 통곡ᄒ며 밤을 싀오니 궁관 궁노드리 역시
황황망됴ᄒ여 문희군을 구호ᄒ니 반향의 형이 긔운을 츌히는 체ᄒ여 군쥬의
봉변ᄒᄆᆯ 듯고 거즛 통곡 왈 ᄂ 현ᄆᆯ 일코 하면목으로 도라가 부왕과 젹모
긔 무어시라 고ᄒ리오 ᄒ더니 션창 안의셔 홀연 ᄒ 봉 셔간을 어드니 형이 괴
이 넉이는 체ᄒ고 ᄣᅥ혀 보니 ᄒ여시되 평싱 미망 가인을 히즁의셔 상봉ᄒ니
엇지 헛도이 바리고 도라가리오 그딕 등은 일흔가 놀나지 말나 산님녹슈의 유
졍낭을 됴ᄎ 화락이 무흠ᄒ리라 ᄒ여더라 형이 우던 눈을 빗ᄯᅳᄩᅳ고 혀 ᄎ 닐
오딕 현마 엇지리오 이 ᄒ 장 글이 표물이 되여시(24)니 가져 도라가 부왕긔
알외리라 ᄒ고 힝션을 두루혀니 경숀 냥인과 졔궁이 통한ᄒ며 ᄯᅩ 져를 ᄯ라
경ᄉ의 가 왕궁의 잠기이면 쥬인을 뫼시기 어려온지라 비록 힝낭을 일허시나
신변의 경보는 슈습ᄒᄆᆡ 잇ᄂ지라 비의 ᄂ리ᄆᆡ 형의게 하직 왈 아등이 군쥬를

일코 ᄎ마 도라가 뎐하와 낭낭긔 뵈옵지 못홀 거시니 이의 ᄡ러져 텬하의 쥬류ᄒ여도 옥쥬의 ᄉ싱을 알고야 결단ᄒ려 ᄒᄂ이다 ᄒ고 하직ᄒ니 형이 ᄀ장 괴로와ᄒ더니 쇠훤이 너겨 허락ᄒ니 냥상궁이 정식 왈 요인이 흉모ᄅᆯ 비포ᄒ여 빙옥방신을 함ᄒ여 원지의 젹ᄒᆡᆼ을 짓고 즁노의 강덕을 보니여 탈춰ᄒ나 엇지 환난의 맛ᄎ리(25)오 아쥬ᄂᆫ 반ᄃᆞ시 풍운의 길시ᄅᆯ 맛나시려니와 악인은 풍진의 낙쳑ᄒ여 쇼죄ᄂᆫ 만니의 뉴찬ᄒ고 듸죄ᄂᆫ 동종시의 요참ᄒ리니 공쥬ᄂᆫ 타일을 보쇼셔 ᄒ고 셜파의 긔식이 뻑뻑ᄒ고 셩음이 강기ᄒ니 형이 무참 분노ᄒ나 무어시라 ᄒ리오 눌출 붉히고 무언이러니 냥구의 강잉ᄒ여 왈 궁희 등의 거춰ᄂᆫ 나의 알 비 아니라 임의로 ᄒ라 냥인이 면강하직ᄒ고 그윽헌 츈졈의 드러가 신변의 장ᄒ엿든 경보ᄅᆯ ᄂᆡ여 거ᄂᆞ린 궁노로 ᄒ여금 시상의 가 파라 반젼을 숨고 츈가의 가 일월을 지류ᄒ여 형의 일ᄒᆡᆼ이 쾌히 환경홀 만ᄒᆫ 후의 경ᄉ의 도라와 각각 제 집의 훗터져 머믈다가 승야ᄒ여 졔왕궁의 모다 (26)공쥬긔 비알ᄒ고 벽원심쳐의 쥬인을 복ᄉᄒ여 텬도의 슌환ᄒᆷᄇᆯ 기다리니 아지 못게라 옥화군쥐 덕ᄒᆡᆼ시 졔왕과 공쥐 능히 도듕 덕변을 혜ᄋᆞ려 군쥬ᄂᆫ 깁히 감쵸고 누고로ᄡᅥ 듸신ᄒ여 니블노 늣츨 ᄡᆞ고 짐줏 가변을 당ᄒ고 옥화ᄂᆫ 무ᄉᆞ이 잇ᄂᆫ고 하회ᄅᆯ ᄎᄎ보면 알니로다 ᄎ시 현상부의셔 몽ᄆᆡ의 풍픠 상싱ᄒ여 군쥐 누얼을 무릅ᄡᅥ 텬니 덕ᄌᆞ이 되니 돈당구괴 그 지용을 앗기고 흑ᄉ의 환부싱이 고쵸ᄒᆷᄇᆯ 탄셕ᄒ니 ᄉ마부인이 울울블낙ᄒ여 슉침좌와의 여실지보ᄒ니 졔ᄉ 금장쇼괴 위로ᄒ여 왈 셕년의 져져의 쇼쥐 덕ᄒᆡᆼ도 희한커늘 군쥬의 ᄎ힝이 괴이ᄒ니 (27)ᄯᅩ 엇던 ᄌ의 작용인고 계뷔 일오시되 ᄉ마질 고식의 만난 비 방불타 ᄒ시니 반ᄃᆞ시 광평왕 부즁의 요ᄉᆡ 잇다 ᄒ샤 블구의 졍젹이 탈누ᄒ리라 ᄒ시니 져져의 춍명을 혜ᄋᆞ리미 잇ᄂᆞ니잇가 ᄉ마부인이 사ᄅᆷ이 미양 셕ᄉᆞᄅᆯ 니른즉 후싱이 ᄒᆡᆼ혀 알 니 잇실가 깃거 아닛ᄂᆫ 고로 강잉 잠쇼 왈 쳡이 니루지명과 ᄉ광지총이 아니니 ᄌ부의 화란을 엇지 알니잇고 슈연이나 사ᄅᆷ의 길흉화복은 텬졍이니 다만 쳡의 고식의 팔지 슌치 못ᄒ리라 스스로 명각ᄒᆷᄇᆯ 붓그릴지연졍 사ᄅᆷ을 탓홀 거시 업도쇼이다 좌간의 큰 ᄉ마시 잇더니 졔

부인 말솜을 듯고 아미를 슉여 면홍이 ᄌ져ᄒ니 ᄉ마부인(28)이 긔형의 긔식을 보고 졔부인이 볼가 져허 비회를 물니치고 화담미에 도도ᄒ니 졔부인이 ᄉ마시 ᄌ민의 긔식을 모로리오 심니의 실쇼ᄒ더라 ᄎ시 광평왕이 본궁의 폐치ᄒ고 옥화군쥐 덕거ᄒ니 왕부와 상부의 화긔 ᄉ연ᄒ지라 돈당 상회 흥미 쇼삭ᄒ여 근심이 덕지 아니ᄒ더니 믄득 오릭지 아냐 군쥐 즁노의셔 실산흔 쇼식이 니르니 왕ᄌ 형이 치관으로 더브러 도라와 됴졍의 쥬문ᄒ니 뎨휘 딕경ᄒ여 쇼쥐의 됴셔를 ᄂ리오ᄉ 힝도를 상심치 아니믈 칙ᄒ시니 형이 앙앙ᄒ여 도라와 부왕과 윤후를 뵈옵고 슈말을 고ᄒ니 왕은 상성흔 가온딕나 경희ᄒ믈 마지아니ᄒ고 윤비는 희허 탄왈 옥(29)ᄒ 쇼졔 긔험ᄒ미니 슈원슈한이리오 슈연이나 텬되 맛춤닉 오ᄋ의게 미믈치 아니리니 닉 ᄋ희 직모셩덕으로 엇지 힘힘이 간인의 득슈의 ᄆᄎ리오 ᄒ니 황시 모녜 ᄎ언을 듯고 닝쇼 왈 벽쥐 츈츄딕셩이 아니리니 엇지 진치의 난을 면ᄒ며 텬ᄂ지망을 버셔나리오 우람흔 녀지 긔 녀로써 감히 츈츄셩인의게 비ᄒᄂ뇨 셕ᄌ의 한광뮈 일딕 명쥐로딕 곽후를 고렴치 아니ᄒ고 동회 쇼방의 츌숑ᄒ엿ᄂ니 음녀화의 큰 위를 엿보는 긔틀이 홀노 이 황슉빈의게 잇는 쥴 모로는도다 하늘이 우리 모녀로 ᄒ여금 윤시 모녀를 쇼졔ᄒ고 각각 그 ᄌ리를 아슬진딕 견일 윤시 모녜 군왕의 은총을 쳔ᄌᄒ여 안(30)하무인ᄒ던 분을 갑흔즉 쾌ᄒ미 항우를 오강의 가도고 통일텬하ᄒ던 한고됴의 셰업으로 다르미 잇시리오 교쥐 역쇼역탄 왈 모비는 니리 이르지 마르쇼셔 쇽담의 닐너시되 구슬이 열 셤이 잇셔도 ᄢ지 못ᄒ면 보빈 아니라 ᄒ니 벽쥐 진짓 벽쥐 되면 교쥐 무슨 빗ᄂ미 잇스리잇고 우리 모녜 쳔신만고 ᄒ고 쳔방빅계로 벽쥬를 겨오 졀졔ᄒ여시니 윤비의 모ᄌ를 쇼졔ᄒ노라면 심녁이 언마나 허비홀동 알니오 이 일은 관긔형셰ᄒ여 션쳐ᄒ려니와 쇼녀의 홍안이 졈졈 느져가ᄂ지라 이러틋 셰월을 쳔연치 못홀 거시니 모친은 셜니 도모ᄒ시고 옥모가랑을 질둑ᄌ의게 아이지 마르쇼셔 황시 왈 오역유(31)심이로딕 아직 옥ᄒ ᄀᆺ 젹거ᄒ고 군왕이 죄루의 쳐ᄒ여시니 궁즁이 우황즁 잇는디라 밧비 혼ᄉ를 의논ᄒ미 즁논이 잇실가 ᄒ노라 셰도를 보와가며 션쳐ᄒ리니 ᄋ희는 밧바 말나 ᄒ더라 현상부와 졔왕부의셔 군쥬의 도듕 뎍변을 듯고 간인의 모계 블측ᄒ믈 불승통히ᄒ여 본뎍을 모로ᄂ 즈ᄂ 군쥬의 옥보방신이 엇지 된고 위ᄒ여 슬허ᄒ고 돈당 오국공 부뷔 월셩공쥬의 션견지명이 ᄉ광의 지ᄂ믈 칭복ᄒ더라 승상 부즈와 졔왕이 광평궁의 ᄂᄋ가 왕을 보고 군쥬의 도듕 봉변을 치위ᄒ고 ᄉ셩돈망을 근심ᄒ니 왕이 황녀의 참쇼룰 혹히 드러ᄂ디라 녀이 벅(32)벅이 쥭지 아니코 간부룰 묘츠간 쥴 알미 승상과 졔왕의 닉도히 아ᄂ 긔싴을 묵연무어ᄒ여 침음냥구의 흑ᄉ의 숀을 잡고 우어 왈 블쵸네 원간 뉴뷔 긴치 아니나 다만 닉 복이 업고 녀이 즈작지얼노 졔 몸이 파쳔ᄒ고 현낭 ᄀᄌᄒᆫ 딕현군즈룰 타인의게 ᄉ양ᄒ니 엇지 익돏지 아니리오 쇼동이 당당ᄒᆫ 덕동 황즈로 쳔승국군이여ᄂᆯ 블쵸음악지녀룰 싱휵ᄒᆫ 연고로 만됴의 허다ᄒᆫ 븟그리믈 바다 궁즁의 폐치ᄒ니 엇디 참괴치 아니리오 고어의 왈 ᄒᆫ번 목 메기로ᄡᅥ 밥을 폐치 못ᄒ다 ᄒ니 진실노 말 닉오미 참괴커니와 이 도시 셩즁의 풍신지뫼 과즁ᄒ여 타문의 보닉기룰 앗기(33)미니 상국과 운챵은 힝혀 용납ᄒ라 쇼동의 셔궁 황시 ᄯᅩᄒᆫ ᄉ문녀지라 가히 문셰 혁혁ᄒ고 ᄯᅩ 쇼녜 잇셔 당시 계츄의 니르러시니 용싴과 셩덕이 유한ᄒ여 죄녀와 ᄀᆺ지 아니ᄒ니 쇼동의 이녀로ᄡᅥ 다시 셩즁의 원앙치룰 닛고즈 ᄒᄂ니 돈의 하여오 승상이 쳥파의 왕의 총명ᄒ던 바로 혼암ᄒ미 이러틋 불쵸ᄒ믈 딕경ᄎ악ᄒ여 ᄋ즈룰 도라보니 혹시 봉안이 시슬ᄒ고 시쳥이 고요ᄒᆫ 즁 옥면셩모의 ᄎᆫ 우음이 은은ᄒ니 졔왕이 광평왕의 실셩ᄒᆫ 말을 드르미 일언의 거졀ᄒ여 왕의 말ᄶᆞᆮ츨 무쥬리고즈 ᄒ다가 혜오리미 잇셔 믄득 미쇼 왈 뎐히 희빅을 이ᄀᆺ치 ᄉ랑ᄒᄉ 다시 슬하의 두고즈 ᄒ시(34)니 후의 다감ᄒᆫ지라 엇디 ᄉ양ᄒ리오마ᄂ 싱각건딕 희질은 현시 직죵이오 문호의 즁ᄒ미 잇거ᄂᆯ 녕녜 비록 귀ᄒ나 이 곳 뎐하의 쳡예오 황슉빈이 비록 ᄉ족이나 뎐하의 쇼실이니 뎐히 기녀로ᄡᅥ 군쥬의 즈리룰 닛즈 ᄒᆞᆫ 만만 가치 아니아니ᄒ니 즈고로 법뎐은 왕즈의 셰운 빅라 아등이 슈미쇼ᄒ나 딕됴 즁신으로 작위 열후왕궁의 니르럿고 딕왕이 슈돈ᄒ시나 귀국ᄒᆫ신즉 일긔 번신이라 딕됴훈신으로 엇지ᄒᆫ 번신의 쳡녀로ᄡᅥ 실즁의 거ᄒ리오 뎐하는 식니명달

호신지라 복의 광망흔 말솜을 허믈치 마르시고 진실노 희질을 스랑호실진되
녕녀로 빈실의 마즈라 호신죽 복이 극녁 쥬(35)션호오리니 녕녀 옥해 옥안이
너모 슈츌흔 고로 조물이 다 싀호여 풍상 간익을 경녁호나 본되 복녹이 완젼
지상이니 모로미 환의 맛츨 비 아니라 호므호나 덕환을 맛낫다 호나 스싱툰망
을 판단호미 업스니 길인은 반드시 신명이 보됴호느니 군쥐 엇지 죽어시리오
간인의 농슐이 픠루호는 날이면 벅벅이 싱환호리니 질이 맛당이 원위롤 뷔워
군쥬의 도라오믈 등되홀 거시오 슈삼년을 그음호여 동시툰망이 돈졀흔죽 고문
되가의 뇨됴슉녀롤 굴희여 원위롤 졍히 호리니 뎐하는 복의 말을 엇더타 호시
느뇨 왕이 쳥파의 유구무언이라 침음부답호니 승상 부지 심니의 실쇼호여
(36)다른 말호다가 도라올식 광평왕이 황시의 뜻을 몰나 다만 굴오되 쇼녀의
혼스는 그리 밧브지 아니니 별단의 논호려니와 돈ㅇ의 입장호믄 날을 어긔오
지 못호리니 비록 우슈 즁인들 되스롤 어긔여 지류호리잇가 승상이 졈두 왈
고인은 삼십의 가유실이요 녀주는 이십의 가취호느니 그리 밧부리잇가 제왕이
우문 왈 공지 어되 굿느뇨 왕 왈 폐합이 블쵸녀의 일노 용녀호미 과도호여 상
요의 쎠느지 못호는 고로 미돈이 시약의 분쥬호여 늬각의 잇느이다 합희보고
즈 호시니 브르스이다 승상이 말뉴 왈 영윤이 브야흐로 시탕의 결을치 못호거
늘 번거이 블너 무엇호리오 (37)후일 보스이다 호고 흑스롤 명호여 늬뎐의
가 단녀오라 호니 흑시 슈명호고 늬뎐의 드러가니 이쎄 윤휘 군왕이 상셩호무
로 즈녀의 젼두 화란이 아모리 될 쥴 몰나 즈연 병이 되여 상셕의 쎠느지 못호
더니 믄득 현흑스의 늬림호믈 듯고 쳥호여 볼식 흑시 드러와 문후호고 이윽이
말솜호다가 하직고 도라오니라 광평왕이 현공 부즈롤 관되호여 말솜호다가 도
라가니 광평왕이 현공 부즈롤 보늬고 초야의 황시롤 보고 제왕과 문답스롤 니
르고 우왈 원늬 현가의 가법이 즁호여 하느흘 돈흔죽 기여는 빈실노 호느니
현경이 부되 교쥬로써 현싱을 맛지고즈 홀진되 쇼셩으로 구호면 혹 허홀 듯호
거(38)니와 블연죽 허치 아니리니 미파로 옥인을 듯보와 졍혼호리라 황시 믄
연냥구의 교쥐 초언을 듯고 아미롤 슉이고 스식이 블호호거늘 황시 아라보고

기리 탄왈 추이 원간 팔지 슌치 못ᄒ민지 당시계추의 가합ᄒ 혼체 쉽지 못ᄒ
니 엇지ᄒ리오 너를 잉튀쵸의 몽시 괴이ᄒ여 반ᄃ시 남의 하풍의 굴ᄒ리라 ᄒ
고 근간 무녀의게 무른즉 사름의 지실 삼취나 될 팔지라 ᄒ니 아모커나 현혹
ᄉ의 가인이 되면 범부쇽ᄌ의 비필 되니의셔 아니 ᄂ으랴 군쥐 믁연ᄒ니 황시
왕을 ᄃᄒ여 왈 졔왕의 니른바 옥화군쥐 요힝 싱환치 못ᄒ면 타쳐의 지취를
구ᄒ리라 ᄒ니 쇼녀로 그 지실을 일웟다가 (39)군쥐 싱환ᄒ거든 쇼녀ᄂ 지실
노 쇼임을 당ᄒ리니 쳡은 일노뻐 구이치 아니ᄒᄂ이다 왕이 쳥파의 흔연 칭지
왈 현지라 경의 어진 덕이 여추ᄒ니 가히 현부의 통혼ᄒ리로다 황시 교언영식
으로 함쇼ᄒ고 슐을 ᄂ와 위로ᄒ실ᄉ 미혼ᄒ 약회 신이혼지라 두어슌의 왕이 ᄃ
취ᄒ여 좌우를 믈니치고 황시로 시로온 은이 ᄂ은 왕의 딕셩ᄂ힝낙이 아니로
ᄃ 공연이 쥬침화각의 쇼희를 춍ᄒ고 실의 쇠ᄒ미 아니로ᄃ 죠졍의 계집을 ᄉ
랑ᄒ여 가란이 상싱ᄒ니 무죄ᄒ 쳐ᄋ의 평싱 마장이 되니 엇지 간악음ᄉ를 장
뷔 삼가지 아니리오 추후 왕이 황시를 춍ᄒ미 날노 더ᄒ여 져의 말인즉 언쳥
(40)계용ᄒ니 심복 궁감으로 즁미를 삼ᄋ 현상부의 구혼ᄒ니 어시의 현승상
부ᄌ와 뎨왕이 본부의 도라와 튼당의 비현ᄒ고 군동 곤계 한담ᄒ실ᄉ 언단의 광
평왕의 셔녀로뻐 구혼ᄒᄆ을 고ᄒ니 오공이 놀나 왈 불가ᄒ다 텬하의 엇지 공교
로온 녀지 업셔 구추ᄒ 인연을 도모ᄒ리오 진공이 지좌러니 미우를 뼁긔고 왈
추혼이 별단 묘믹이 잇ᄂ니 형장이 아모리 말고ᄌ ᄒ셔도 ᄂ못치 숑곳 ᄀᄒ니
졔 만일 구혼ᄒ거든 쾌허ᄒ고 기녀를 취ᄒ여 가즁의 두어 시동을 솔피고 후환
을 졔방ᄒᄆ 올흐니 형장과 현질은 닉이 싱각ᄒ여 션쳐ᄒ쇼셔 왕이 ᄃ인의 신
명ᄒ시믈 탄복ᄒ여 이의 빅부긔 고왈 엄(41)괴 셩명ᄒ시니 복원 빅부ᄂ 상찰
ᄒ쇼셔 광평왕의 셔녀로뻐 졍실노 구혼즉 블허ᄒ려니와 쇼셩으로 구혼즉 블관
ᄒ 거시오니 짐즛 허ᄒ여 가ᄂ의 일원즉 유익ᄒ미 만흐리이다 좌간의 댱시 즁
형뎨 ᄃ쇼 왈 너희 하 신긔ᄒ 체 마라 너희 만ᄒ 춍명은 니게도 잇다 원간 희
빅이 아비를 달문 곳이 만터니 위션 팔ᄌ붓터 달맛다 광평왕의 냥녀를 취ᄒ여
ᄂ동의 쏘 무슨 ᄉ단이 이시믈 알니오 예부터 하나히 궂기면 하ᄂ히 길ᄒ다

ᄒᆞᄂᆞ니 너희 부지 진짓 난부난지로다 급금의 황영의 셩시 희귀ᄒᆞ니 됴시 형뎨다 현슉ᄒᆞ기를 엇지 미드리오 하나히 덕거ᄒᆞ다가 브지거쳐ᄒᆞ고 ᄯᅩ 하ᄂᆞ(42)흘 어드미 셕일 운남 젹횡을 닙닉닐 거시니 굿보기ᄂᆞ 죠커니와 닉외 쳥단ᄒᆞ여 상하의 분분ᄒᆞᆫ 경ᄉᆡᆨ과 쟝ᄎᆞᆺ 니부의 츌거ᄒᆞᄂᆞ 거동을 ᄯᅩ 엇지 보리오 희빅ᄋᆞ여됴의 용널ᄒᆞᆫ 긔질과 여부의 잔망ᄒᆞᆫ 의논과 여슉의 슬거온 쳬ᄒᆞᄂᆞ 말 고지 듯지 마라 쟝안 갑뎨의 벌 버듯ᄒᆞᆫ 쥬문의 옥녀가인이 어듸 업셔 굿ᄒᆞ여 남의 쳡녀를 취ᄒᆞ리오 오진 냥공이 쇼왈 아모리 슬거온 쳬ᄒᆞ여도 우리 보기의ᄂᆞ 쵸목ᄀᆞᆺ치 미옥ᄒᆞ니 모로미 빕블니 먹고 잠이나 잘 ᄌᆞ쇼셔 이런 일은 군ᄌᆞ와 현인이 혜아릴 거시오 형 ᄀᆞᆺᄒᆞᆫ 토셕지인은 아랑곳업ᄉᆞ니 ᄀᆞ마니 안ᄌᆞ 구시나 보고 썩이나 먹으미 올치 아니리오 (43)냥인이 쇼왈 아노라 너희 날을 흙과 나무 사름으로 알고 욕ᄒᆞ거니와 슬거온 너희 다 보앗노라 너희 ᄆᆞᄋᆞᆷ의도 됴히 됴시 형뎨로ᄡᅥ 셕일 ᄉᆞ마질 형뎨ᄀᆞᆺ치 아니 드러오면 형을 신원홀 근본을 삼아 닉려 ᄒᆞᄂᆞ 눈츼를 모로리오 우리도 다 알것마ᄂᆞ 닉셜치 아니믄 ᄉᆞ마질 형뎨 엇디 넉일가 셜파치 아니터니 너희야 아조 마옥ᄒᆞ여 말치를 모로니 실노 답답ᄒᆞ다라 이러무로 이 폐 져 폐 업시 아이의 거졀ᄒᆞ미 올ᄒᆞ니라 오진 냥공이 미급답의 뎨왕이 쇼왈 냥슉뷔 아모리 명텰ᄒᆞ셔도 근닉ᄂᆞ 노망을 겸ᄒᆞ셔 싱각이 통텰치 못ᄒᆞ시니 쇼질이 잠간 ᄉᆞ긔를 베풀니이다 ᄌᆞ고로 셩품의 공교ᄒᆞᆫ 니 녀ᄌᆞ (44)ᄀᆞᆺᄒᆞᆫ 니 업ᄉᆞ니 군지 보지 아닌 바의 의심홀 ᄇᆡ 아니로듸 희질이 아직 취쳐작쳡의 변화ᄒᆞ미 업ᄉᆞ니 군쥬를 무단이 히ᄒᆞ 리 뉘 잇ᄉᆞ며 허다 죄명이 눈상듸변이니 됴군쥬의 현쳘ᄒᆞ미 범상치 아닌 바로ᄡᅥ 가히 이 죄의 지목지 못ᄒᆞ리니 그러나 아직 오됴의 ᄌᆞ웅을 분셕지 못ᄒᆞᆫ 씩 됴긍의셔 구혼ᄒᆞ니 이 ᄯᅩ흔 의심이 업지 아닌지라 이를 츄이ᄒᆞ여 싱각ᄒᆞ온죽 혜ᄋᆞ림의 ᄂᆞ지 아닐 거시오 아이의 거졀코ᄌᆞ ᄒᆞᆫ죽 ᄯᅩ 반듯시 별단묘계 궁극ᄒᆞ리니 모로미 다시 허혼ᄒᆞ고 관긔ᄉᆞ셰ᄒᆞ여 계교 우희 계교를 일우미 당연ᄒᆞ니 여ᄎᆞ죽 악인(45)이 스ᄉᆞ로 풍진의 ᄽᅥ러지고 현인이 참누를 신셜ᄒᆞ기 쉬오리니 엇지 유유도일ᄒᆞ여 현인으로 ᄒᆞ여금 오릭 망나의 괴롭게 ᄒᆞ리오 댱공 등이 셕연듸오 왈 네 빅만ᄉᆞ

의 다 녕흔 체ᄒ니 그리면 옥화군쥬 봉변ᄒ여시니 진실노 ᄉ랏ᄂ냐 쥭어ᄂ냐 왕이 미쇼 왈 쇼질이 원쳔강이 아니니 엇지 사름의 화복을 알니잇고 연이나 군쥬ᄂ 신셩ᄒ미 하ᄂᆯ이 엇지 셩녀ᄅᆞᆯ 나리오시고 동시 명박ᄒ게 ᄒ시리잇고 반ᄃ시 빅익을 쇼멸ᄒ고 풍운의 길시ᄅᆞᆯ 맛나 부뷔 상봉ᄒ며 금슬이 화락ᄒ여 유ᄌ싱녀ᄒ리이다 냥공이 십분 밋지 아냐 흑ᄉᄅᆞᆯ 도라보와 왈 희빅으 늬 말이 엇더ᄒ니 여숙의 말이 아니 오원ᄒ냐 참난(46)을 맛나 영웅장부도 싱툐ᄒ미 극난커든 삼촌 약녜 능히 보젼치 못ᄒᆯ 줄 아ᄂ냐 흑시 셩안이 ᄂ즉ᄒ여 ᄃᆡ왈 사름이 화복길흉은 운슈의 달닌 비요 슈요장단은 텬졍지쉬라 져 묘시 텬졍의 타난 비 달슈하원ᄒᆯ진ᄃᆡ 비록 슈화의 밀쳐도 쥭지 아니려니와 본ᄃᆡ 박복단슈ᄒ면 아모리 편흔 곳의 머무러도 ᄌ연 위란ᄒ오리니 쇼년 우몽이 다만 ᄉᆞᄉ의 툐명을 승슌ᄒᆯ ᄯᆞ름이니이다 언파의 ᄉᆞ긔 온화ᄒ니 툐당이 크게 두굿기더라 우명일의 광평왕이 군관 니흡을 보ᄂᆡ여 쇼녀로써 흑ᄉᄉ의 빈실노 구혼ᄒ니 승상이 흔연 허락 왈 ᄃᆡ왕이 돈ᄋᄋ의 용우ᄒᆷ을 허물치 아니시고 쳔금교ᄋ로 짘(47)실을 넘치 아니시니 싱의 부ᄌ 엇지 감격지 아니리오 삼가 명을 밧ᄃᆞᆯ니이다 니흡이 도라가 복명ᄒ온ᄃᆡ 왕이 크게 깃거 황시 모녀다려 니르니 냥뷔 ᄃᆡ열ᄒ더라 황시 즉시 ᄐᆡ일ᄒ여 상부의 보ᄒ니 길긔 슈슌이 가렷더라 상부의셔 불힝ᄒᆷ을 니긔디 못ᄒ고 흑시 심히 깃거 아냐 부젼의 고왈 희이 취쳡 일시 무어시 밧바 그리 급ᄒ리잇가 미ᄌ의 혼ᄉᄅᆞᆯ 일운 후 희이 쇼녀ᄅᆞᆯ 취코ᄌ ᄒᄂ이다 승상 왈 만시 유슈ᄒ니 둉말을 볼 ᄯᆞ름이라 왕궁의셔 기녜 ᄋᄃᆞᆯ의 우히라 ᄒ여 ᄎᆞ례로 ᄒ고ᄌ ᄒ민가 ᄒᄂ니 금월의 ᄎᆞ혼을 지ᄂᆡ고 후월의 녀ᄋᄅᆞᆯ 셩취ᄒ미 무어시 밧부리오 슈연이나 젼두의 혜ᄋ(48)리미 이 밧긔 지나지 아니리니 녀혼이 결단코 졍삭의 되지 못ᄒ리니 엇지 ᄯᅩ 인녁의 밋츨 비리오 믈이 가득ᄒ면 ᄶᅵ이ᄂᆫ 환이 잇다 ᄒ니 간적이 언마ᄒ여 ᄑᆡ루ᄒ리오 오ᄋᄂ 젼두의 되여가ᄂ 거ᄉᆞᆯ 보고 일시 분난효효ᄒᆷ을 거리ᄭᅵ지 말나 흑시 복슈쳥교의 셕연돈오ᄒ여 ᄇᆡ이슈명ᄒ더라 이러구러 길긔 님박ᄒ니 상부의셔 툐툐히 위의ᄅᆞᆯ 다ᄉ려 길일의 흑시 광평궁의 ᄂᄋ가 젼안힝녜ᄒ고 교ᄇᆡᄒᆯ시 흔 ᄲᅢ 홍군취의

시녜 일위 신인을 붓드러 비셕의 님ᄒ니 단장이 찬난ᄒ고 틱되 묘묘ᄒ여 일디
요물이라 무슈 궁이 교쥬를 붓드러 혹ᄉ를 향ᄒ여 ᄉ비ᄒ니 혹시 (49)한 번
읍ᄒ고 즉시 밧긔 ᄂ오니 약간 빈긱이 모다시ᄂ 혹ᄉ의 긔운이 쎡쎡ᄒ여 감히
희롱을 발치 못ᄒ더라 텰종황뎨 후궁 김상궁 쳘영 글시

명쥬옥연긔합녹 권지팔

(1) 명쥬옥연긔합녹 권지팔
츠셜 혹시 즉시 하직고 도라오려 ᄒ니 왕의 부ᄌ 졔인이 지삼 쳥뉴ᄒ여 츠야
를 머믈ᄉ 셕반을 올니미 그 ᄉ려ᄒᆫ 진찬이 옥반금긔의 ᄀ득ᄒᆫ지라 혹시 심하
의 왕의 평일 돈후 침졍ᄒᄆ로써 치가의 여츠 혼암ᄒᆷ믈 긔탄ᄒ더라 야심ᄒᄆᆡ
신방의 나아가 신인이란 거슬 딕ᄒ여 잠간 솔피니 교줘 칠보 웅장으로 일신을
ᄭ려시니 보비의 빗치 찬난ᄒ고 옥모화틱 염교ᄒ여 범안으로 볼진딕 아름답다
ᄒᆯ 거시로딕 엇지 현혹ᄉ의 됴심졍안광을 도망ᄒ리오 쵸월 ᄀᆺᄒᆫ 눈썹 ᄉ이의
살긔 등등ᄒ고 낭셩 셰안의 블냥이 은은ᄒ니 (2)혹시 임의 짐쟉ᄒᄆᆡ 잇시나
일견의 심흔골경ᄒ여 옥화군쥬의 신상 참뉘 다 츠인의 작얼이믈 ᄭᅵ둣라 유유
단좌러니 야심ᄒᄆᆡ 침구의 ᄂ ᄋ가되 블탈의관ᄒ고 교쥬를 도라보지 아니코 괴
로이 계명을 응ᄒ여 니러나 쇼셰ᄒ고 외당의 나오니 왕이 놀ᄂ 왈 아직 날이
일너시니 도라가기 어려오리로다 혹시 왈 오늘이 쇼싱의 입번 츠례라 됴회 ᄂ
줄가 ᄒᄆᆡ로쇼이다 셜파의 ᄉᄆᆡ를 썰쳐 비ᄉᄒ고 표연이 도라가니 왕이 말니
지 못ᄒ더라 어시의 혹시 본부의 도라와 됸당의 뵈오니 부뫼 각별 말이 업ᄂ
지라 드듸여 부슉을 뫼셔 옥궐의 됴회ᄒ고 인ᄒ여 입번ᄒ니 이러구러 슈일이
지ᄂᄆᆡ 상부의셔 쇼쟉(3)을 열고 일가친독을 약간 모흐고 거교를 ᄀᆺ쵸와 교쥬
를 다려올ᄉ 시녜 열빵이 츠지 못ᄒ고 위의 쵸쵸ᄒᆫ지라 황시 앙앙틱로ᄒ고 교
쥬ᄂ 신혼 쵸례로 옥인군ᄌ를 동방화쵹의 상틱ᄒᄆᆡ 쇼원이 둑의라 원앙장니의

비취금이 다졍ᄒ고 운우디의 운지락이 무흠홀가 ᄒ더니 싱각밧 ᄯᄯ밧 일분 유
의ᄒ미 업시 ᄂ가믈 보미 분이ᄒ 심장이 ᄯᆽ쳐질 듯ᄒ여 눈믈이 방방ᄒ니 장후
의 티셤 등 심복 시이 역시 이달오믈 니긔지 못ᄒ여 교쥬ᄅ 만단 위로ᄒ며 황
시 ᄯᅩᄒ 쟉야ᄉᄅ 규시ᄒ고 분완ᄒ여 녀ᄋᄅ 안고 교ᄋ졀치 왈 현가 쇼츅이
무슴 사름이완디 감히 나의 쳔금 교ᄋᄅ 쇼가로 지졈ᄒ여 뇩녜ᄅ 감(4)등 하
등흠도 분이ᄒ거든 더옥 신혼 쵸야의 이디도록 쳔디ᄒ여 어름ᄀ치 맑그며 슈
졍ᄀ치 어린 약질을 공연이 졔 상직ᄒ고 비쳡을 삼으니 엇지 이닯지 아니리오
ᄒ더니 졔숨일이 되도록 현흑ᄉ의 동덕이 니르지 아니코 믄득 하관 송슉을 보
ᄂ여 권쇼ᄒᄂ 위의 이러듯 쵸쇼ᄒ니 악인의 심담이 더옥 분울ᄒ여 터질 듯ᄒ
지라 황시 교쥬ᄅ 어루만지며 왈 현싱 필뷔 진실노 여츠즉 ᄎ마 엇지 분ᄒ믈
견디리오 교쥐 역시 한ᄒ여 모녜 그윽이 밀계ᄅ 의논ᄒ고 연연 니별ᄒ고 교녜
ᄂᄋ와 부왕과 윤후긔 빗ᄉ 하직ᄒ고 이의 교ᄌ의 올나 현부의 니르러 빈현돈
당구고 ᄒ오니 모다 일시의 눈을 드니 (5)신인의 옥모화안이 교염쇼쇄ᄒ여 희
당화 일지 아춤 니슬을 ᄯᅴ여ᄂ 듯ᄒ니 좌긱이 다 아름다오믈 일ᄏ르니 돈당구
고와 진공과 쥬틸 냥부인이며 뎨왕 등 곤계 졔인의 됴심경안광을 엇지 도망ᄒ
리오 ᄒ번 보미 임의 의심틴 빈나 시로이 한심 경희ᄒ더라 이윽고 일낙함지ᄒ
고 졔긱이 각산ᄒ미 교쥬의 슉쇼ᄅ 졍ᄒ여 보니니 당시 너르지 못ᄒ고 버린
거시 졍졔ᄒ나 심히 간냑ᄒ니 교쥬와 시인이 다 깃거 아니터라 혹시 초일이야
츌번ᄒ여 도라오미 돈당의 뵈옵고 인ᄒ여 혼졍을 맛고 모든 군동 형뎨ᄅ 거ᄂ
려 셔지로 ᄂ가더니 ᄎ시 교혜 모든 쇼ᄋ로 더브러 졍당 협실의셔 말ᄒ더니
혹ᄉᄅ 보고 쇼왈 (6)오늘 신형을 보니 비록 옥화 져져만 못ᄒ나 ᄯᅩᄒ 아름답
거늘 엇디 깃븐 빗치 업ᄂ니잇고 혹시 쇼왈 너희ᄂ 어린 아희라 무슨 아른 쳬
ᄒᄂ다 창혜 쇼왈 어린 ᄋ희ᄂ 귀눈이 업셔 보고 듯지 못ᄒ리잇가 거게 ᄀ장
쇼민ᄅ 미거이 너기도쇼이다 교혜 낭쇼 왈 신형이 외모ᄂ 아름답거니와 무슨
흉이 잇ᄂ지 돈당 긔식이 흔연치 아니시고 ᄯᅩ ᄉ마 슉모ᄂ 더옥 불안ᄒ여 ᄒ
시니 닌 유모다려 무른즉 어미 닐오디 이 쇼졔 옥화군쥬만 못ᄒ시니 져리 구

노라 말이 올흐니잇가 거거는 바른 말 호쇼셔 혹시 미급언의 희셩 공지 칙왈
녀즈는 침묵 단졍호미 웃듬이라 미지 비록 느히 어리나 빙혼 거시 브히 어리
지 아니커늘 엇지 말(7)을 만히 호여 일즉 엄젼의 칙교룰 밧즈오미 흔두 슌이
아니여늘 무익지스룰 알거냐호여 방인의 이목을 휘치 아닛느뇨 교혜 쳥파의
만면 슈참호여 츄파의 물결이 어리여 말을 긋치니 혹시 웃고 공즈의 과도호믈
니르더라 츄야의 혹시 제녜룰 거느려 셔헌의셔 오진 냥공을 시침호고 신방의
가지 아니니 툰당부뫼 또혼 권치 아니호더라 츠시 교쥐 현셩의 옥안영풍을 신
혼 쵸야의 얼픗 보고 비록 냥졍이 니도호믈 흔호나 입번 삼일이 지느면 다시
츠즐가 호엿더니 츄야의 밤이 깁도록 옥면낭군의 즈최룰 희망호여 장초 발광
호기의 니르러 희망호는 눈물이 연낙호여 화쇠룰 줌으고 원호는 쇼리 (8)오
오호여 굴오딘 닌 무어시 현즈의 눈의 미흡호리오마는 쳐음부터 요괴로온 벽
쥐 젹모의 쇼싱으로 데후와 부왕의 자이룰 독당호여 몬져 현셩의 원위룰 웅거
혼 연고로 이제 그 즈최 풍진의 뉴락호여 스싱을 졍치 못호는 즈음의도 현상
부 부지 괴이혼 의스룰 발호여 날노써 위굴호여 업순 즈리를 등딘호라 호니
엇지 우읍지 아니리오마는 닌 스스로 긔회치 아니믄 벽쥐 표형의게 잡혀가미
분명호니 훼졀호미 반듯홀 거시오 그러치 아닌즉 죽어 동덕이 업스리니 결연
이 싱환치 못홀 거시요 또 벽쥐 도라오지 못혼즉 타인을 비록 취호나 용싁이
날과 곳기 어렵고 셜스 아름다올지라도 느 교쥬의 긔모(9)신산이 져룰 엇지
두리리오 진실노 여츠즉 텬하 별음 딘악으로 부월의 죽으믈 밧을지언뎡 너 축
싱을 위호여 닌 곳다온 홍안을 심규의 마출지연뎡 또 엇지 축싱의 셩명을 요
딘호리오 이러틋 부르지지더니 동방이 긔빅호여 계셩이 즈즈니 교쥐 분앙돌돌
호나 마지못호여 신장을 다스리고 툰당의 신셩호니 밤식도록 번뇌호고 우러시
니 냥목이 부어 쓰지 못호게 되엿느디라 툰당구괴 임의 지긔호여 시이블견호
고 모든 쇼년들은 투목지쇼호더라 교쥐 엇지 눈최룰 모로리오 긔운이 분분호
나 스싁지 못호고 십분 슈렴호더니 이윽고 혹시 제녜로 더브러 와 시좌호니
여옥지모와 여화지풍이 볼스(10)록 비상호여 음녀의 눈을 놀닌는지라 한 쌍

눈이 흑스의 신상의 온젼ᄒ니 좌즁 남녜 불승경히ᄒ더니 흑시 우연이 몸을 니러 동ᄒᄆᆡ 됴녀의 눈이 마됴치니 심하의 통히 듸로ᄒ여 안식이 경긱의 변ᄒ여 상풍열일 ᄀᆞᆺᄒ여 눌호호여 니러 밧그로 나가니 교쥬 악연ᄒ여 여실듕보ᄒ여 안식이 흑홍흑쳥ᄒ니 희연이 경망ᄒᆫ ᄆᆞ음의 춤지 못ᄒ여 크게 웃고 왈 우리 형쟝이 평일 관후ᄒᆞᄉ 하비의도 미믈치 아니시더니 금일 됴슈긔 만히 미야ᄒ신지라 슈시 이달와 아니리요 교혜 좌의 잇더니 교쥬의 우은 거동을 보고 쏘 희연이 말을 드르ᄆᆡ 부왕이 좌의 업스믈 방심ᄒ여 낭쇼 (11)왈 거거의 말이 올타 동빅시 젼의 군쥬 져져긔ᄂᆞᆫ 져러치 아니시더니 즉금은 너모 닝낙ᄒ시니 괴이ᄒ지라 아니 시 부인이 광평 뎐하 후궁 쇼싱이라 ᄒ샤 그러ᄒᆫ가 용식이 군쥬만 못ᄒ여 그런가 아지 못ᄒᆯ 일이로다 교쥬 문파의 듸로듸분ᄒ여 옥안을 븕히고 雙雙ᄒᆫ 눈물이 홍군을 젹시ᄂᆞᆫ지라 셩음이 쏘 블열ᄒ여 왈 쳡이 비록 부왕의 셔녜나 모비 쏘ᄒᆫ ᄉ문 일믹이니 엇지 윤낭낭만 못ᄒ며 쳡이 쏘 엇지 옥화만 못ᄒ리오 군지 무고히 닝박ᄒ니 쳡이 입문 삼일의 그 박ᄃᆡ 여ᄎᆞᄒ니 노홉지 아니리오 공쥬와 쇼졔 군ᄌᆞ의 박멸ᄒᆫ 긔싴으로뻐 쳡을 지쇼 능답ᄒ니 됸부 졔인이 (12)관후인ᄌᆞ타 ᄒ더니 열 번 듯ᄂᆞᆫ 거시 ᄒᆞᆫ 번 봄만 ᄀᆞᆺ디 못ᄒ다 ᄒᄆᆡ 올토다 ᄌᆞ고로 일뷔 함원의 오월 비상이라ᄒ니 영형의 힝시 셩덕지문의 관후ᄒᆫ 덕이 아니로다 셜파의 표연이 니러 침쇼로 도라가니 됸당구긔 하 어히업셔 묵연이요 ᄉ마시와 셜시 그 ᄌᆞ녀의 말 만흐믈 칙ᄒ더라 교쥬 침쇼의 도라오니 군ᄋᆡ 등이 분앙ᄒ여 왈 우리 쇼져ᄂᆞᆫ 당당ᄒᆫ 쳔승 교ᄋᆞ라 엇지 져의 염박ᄒᄆᆡ 이의 밋쳐ᄂᆞ뇨 교쥬 옥뉘 방방ᄒ여 왈 현ᄌᆞ의 박졍이 동시 여ᄎᆞᄒᆯ진ᄃᆡ 잠잠ᄒ기 어렵도다 희연은 ᄉ마 음녀의 ᄌᆞ식이요 교혜ᄂᆞᆫ 셜시 요녀의 ᄌᆞ식이라 아모리 어린 거신들 졔 어믜 당년과악을 (13)아지 못ᄒ고 감히 날을 지쇼 ᄒ리오 슈긔 왈 비지 일즉 드르니 군마의 은춍이 옥화군쥬긔 권권ᄒ시믄 ᄌᆞ셔히 모로ᄃᆡ 월셩공쥬 지친의 뎡과 동부의 의룰 아오라 군쥬의게 지극히 구신다 ᄒ더니 작셕 연ᄎᆞ의 졔왕비 무심무려ᄒ여 됴금도 친쳑의 후의 업스니 엇디 괴이치 아니리오 됸당 상히 다 싴위 블평ᄒ시고 윤퇴부인은 더옥 깃거 아니시니 아쥬의 주최 진실노 셔의ᄒᆞ시믈 골돌ᄒᆞᄂᆞ이다 교쥬 분연 왈 윤틱부인은 윤낭낭 지친이라 ᄉᆞ정의 괴이치 아니커니와 졔왕비의 심용이 엇지 부직지 아니리오 옥화나 닉나 일쳬라 옥화를 위ᄒᆞ여 날을 ᄶᅥ리미 ᄯᅩ흔 괴이치 아니리오 틱셤이 고왈 졔왕비는 (14)지극 돈즁ᄒᆞ시니 비록 불여의ᄒᆞ시나 슈하 ᄌᆞ질이 엇디 항거ᄒᆞ리잇고 아쥬 맛당이 졔궁의 ᄂᆞᄋᆞ가 왕비긔 뵈옵고 긔식을 ᄉᆞᆯ피쇼셔 교쥬 즉시 단장을 곳치고 시녀로 몬져 월셩궁의 ᄂᆞᄋᆞ가ᄂᆞᆫ 쥴을 고ᄒᆞ고 협문으로됴ᄎᆞ 쇼교를 타고 궁의 니르니 졔왕비 실노 보고ᄌᆞ 아니나 브득이 면젼의 불너 볼ᄉᆡ 의빈군쥬와 셜시와 우시 강양이 다 좌의 잇더니 교쥬 졔왕과 공쥬긔 졀ᄒᆞ고 졔부인긔 ᄎᆞ례로 빅알ᄒᆞ고 좌졍ᄒᆞᆯᄉᆡ 슉혜 미혜 이쇼졔 다 이의 잇더라 교쥬 왕비긔 고왈 쇼질이 구문의 입승ᄒᆞ오미 ᄉᆞ면의 친ᄒᆞ니 업고 다만 우러는 빅 슉모 낭낭이라 복원 낭낭은 지친의 졍을 고렴ᄒᆞ쇼셔 공쥬 화평흔 말(15)노 닐오디 녀ᄌᆞ의 둉신 가취의 평싱이 쾌ᄒᆞ믄 스ᄉᆞ로 부덕이 졍슉ᄒᆞ기의 잇ᄂᆞ니 아모리 지친지졍인들 너의 힝실이 부도의 버셔난즉 엇지 ᄒᆞ리오 말ᄉᆞᆷ이 만치 아니되 졍틱ᄒᆞ며 의문이 간냑ᄒᆞ되 언ᄉᆞ 슉연ᄒᆞ여 닉외 일쳥ᄒᆞ니 가히 ᄉᆞ졍을 구이ᄒᆞ며 친의를 고ᄌᆞ홀 빅 아니라 교쥬 간심 오장이 스ᄉᆞ로 우구 츅쳑ᄒᆞ여 심닉의 분분ᄒᆞ나 쳔만 강잉ᄒᆞ여 ᄉᆞ례ᄒᆞ고 뭇지 아닌 말노 면면이 말ᄉᆞᆷ 붓쳐 의빈군쥬와 냥쇼져를 향ᄒᆞ여 쳑의에 둣터오믈 베퍼 쥬슌호치 ᄀᆞ온디 현하를 드리온 듯ᄒᆞ니 좌즁이 다 져의 신인으로 말 만흐믈 괴이히 너기고 공쥬는 안식이 졀엄ᄒᆞ여 말ᄉᆞᆷ이 업ᄉᆞ니 우시 교쥬 무류홀가 (16)흔연 위ᄌᆞ 왈 우리 흑ᄉᆞ 노애 쳐궁이 됴ᄒᆞ시닷다 옥화군쥬는 아황 ᄀᆞᆺ흔 슉녀러니 이졔 ᄯᅩ 취ᄒᆞ시미 여영 ᄀᆞᆺ흔 가인을 어드시니 타일 쳔힝으로 옥쥬 싱환ᄒᆞ신죽 아등이 다시 황영의 고ᄉᆞ를 보리로쇼이다 공쥬 침음묵연ᄒᆞ고 교쥬 심니의 옥희 인심 어드미 여ᄎᆞᄒᆞ믈 아쳐ᄒᆞ여 변식ᄒᆞ더라 이의 침쇼의 도라와 앙앙흔 분을 니기지 못ᄒᆞ여 셔찰을 닷가 심복으로 ᄒᆞ여금 황시긔 보닉니 황시 셔간을 보고 시녀의 말노죠ᄎᆞ 현싱의 박졍ᄒᆞ믈 분연ᄒᆞ여 왕을 딕ᄒᆞ여 슬허ᄒᆞ며 셰ᄌᆞ와 현쇼져의 혼인을 희짓고ᄌᆞ ᄒᆞ여 간ᄉᆞ이 쥬작부언ᄒᆞ여 현쇼져의 픿힝 부덕이 버셔

느다 호니 왕이 비록 요약의 변성(17)호여시나 현시 데인은 군즈며 슉녠 줄 알무로 파혼치 못호고 유예호여 혼인을 지쵹지 아니니 상부의셔 또혼 다힝이 너기믄 화란이 멸혼 후 쇼져를 셩친호려 호미러라 이젹의 상이 왕부와 상부의 스혼지를 느리오신 지 여러 달이로되 셩친 아니믈 괴히 녁이스 냥부의 뭇고즈 호시더니 맛쵸와 월셩공쥐 입궐호엿더니 이의 쇼유를 다 알외고 쥬왈 왕형이 근간 요약의 심졍이 상호엿스오니 복원 황야는 본궁의 안치를 그만두시고 그 거쳐를 궐즁의 머무러 본셩을 회복게 호쇼셔 데휘 올히 너이스 즉시 하됴호스 왈 광평왕이 가간 스고로 본궁의 폐치호여더니 황휘 스렴호샤 슉식이 불평호시니 이러므로 스호여 (18)금뇌의 두고즈 호노라 호시니 스신이 스셔를 왕부의 뎐호니 초시 왕이 황시의 요약의 즐겨 참쇼를 신지호고 윤후를 박되호며 셰즈를 준칙호니 윤휘 본되 침졍슉묵혼 고로 약불동염호니 황시 더옥 뮈이 녁여 허다 방슐노 요예지물을 무슈이 민드라 왕의 침실의 감쵸니 왕이 슈일 되 통호고 비몽스몽간의 좌우 벽간으로 흉괴지물이 집검 츙돌호니 왕이 놀나 씨여 황시다려 몽스를 니르니 황시 거즛 놀나고 가장 영민혼 체호여 좌우로 벽간을 헷치고 요예지물과 츅스를 뒤여닉니 글의 왈 왕비 윤시는 삼가 (19)황천후토의 고호느니 군왕이 근뇌 무고이 현비를 박되호고 요첩을 춍이호니 이 엇지 망국지본이 아니리오 쌜니 왕과 황시를 잡아다가 풍도지옥의 가도쇼셔 첩이 당당이 명산 승쳐의 스우를 셰워 스시 향화를 밧들니이다 호엿거늘 왕이 되로호여 윤후 모즈 삼인을 본궁 누실의 가도니 윤휘 초경을 당호믹 어히업셔 봉관 옥결을 그르고 냥즈를 다리고 비실의 드니 문이 슬허 눈믈을 흘닌되 황시 보고 꾸지져 왈 네 어미 죽지 아냣거늘 당치 아닌 눈믈이 무슴 닐고 문이 탄식 무언이러니 슈일 후 부왕이 업슨 씨 동궁의 드러가니 황시 업거늘 괴히 녀겨 난간 스이로됴초 후졍 곡난 스이의 안즈 (20)드르니 후함의 사름의 쇼릭 탐탐호니 엇지 삼혼 칠빅이 흣터지고 일시나 슐고즈 홀 말이리오 숀으로 가슴을 치며 망망 홀홀이 도라올시 딘실노 모즈 간이라도 츠마 니르지 못홀 말이니 이 무슴 곡졀인고 초셜 황시 졍히 되계를 운동호고즈 호더니 문득 심복이

밀셔를 올니거늘 써혀보니 질ᄌ 황츅의 셔찰이라 되기 쇼질이 슉모와 표민의
ᄉ랑ᄒᄆᆯ 밋어 쳐음의 그릇 민교를 다려오미 임의 홀일업셔 두엇더니 다시 표
민의 신근ᄒᄆᆯ 밋고 무뢰비를 쳐결ᄒ여 죠군쥬를 다려오니 믄득 사름이 아니
요 흔ᄂᆺ 쵸인이라 이런 인닯고 낭픽로온 일이 잇ᄉ리오 ᄎ후 신을 영결ᄒ려
ᄒ더니 요ᄉ이 젼슈직 원방(21)으로셔 도라와시되 직물이 누거만이라 일쵼
되가를 닐워 부ᄒ미 셕슝 ᄀᆺ흔지라 슉모의 옛 인연을 싱각ᄒ고 신을 통코ᄌ
ᄒᄂᆫ 고로 쇼유를 고ᄒᄂ이다 ᄒ엿고 ᄯᅩ 젼슈직 셔간의 왈 일즉 싱이 귀인의
ᄉ랑ᄒᄆᆯ 닙어 츈몽 ᄀᆺ흔 연분의 일녀를 씻쳐시나 미쳔흔 필뷔 감히 쳔승 국
군의 부귀를 ᄯ로디 못ᄒ고 궁쳔흔 ᄌ최 풍진의 낙쳑ᄒ여 ᄉ방의 오유터니 힝
혀 텬되 어엿비 녀기시믈 닙어 만흔 직물을 어드니 독히 만승을 불워 아닐지
라 쇼싱이 여츠 부귀 즁 부인을 닛지 못ᄒ여 괴별ᄒᄂ니 부인은 녀ᄋ를 다리
고 탈신ᄒ여 부귀를 흠긔 누리리라 ᄒ엿더라 황시 간파의 발 굴너 왈 이 필뷔
흔번 ᄀᄆᆯ 쇼식(22)이 업ᄉ니 죽은가 ᄒ엿더니 어딘로됴ᄎ 도라와 되ᄉ를 희
짓고ᄌ ᄒᄂᆫ고 셜민 왈 져 무뢰 도박지인이 돌연 부귀ᄒ여 부인을 졍으로 쳥
ᄒ거늘 박졀이 물니치면 별되 거죄 잇슬가 ᄒᄂ이다 황시 침음 왈 한젹 고황
후ᄂᆫ 심의긔를 ᄉ통ᄒ되 후인이 그르다 아냣고 쥬희ᄂᆫ 녀옹의 일쳡으로 진틱
휘 되엿ᄂᆫ니 닉 당당이 옛 일을 효측ᄒ여 젼긔를 달닉여 별단 거죄 업게 ᄒ리
라 ᄒ고 문답ᄒ더니 문의 드른 빅 된지라 문이 흔번 드르믹 심경 낙담ᄒ여 쳥
쳔빅일의 뇌졍이 일신을 분쇄ᄒᄂᆫ 듯ᄒ여 싱각ᄒ되 옥화를 희ᄒ며 뎡궁을 도
모ᄒᄆᆫ 오히려 쇼ᄉ이여니와 간부 두직 엇지 놀납지 아니리오 ᄒ고 ᄀ슴을 (23)
두드리며 도라오더니 난간의 다ᄃ라 형을 맛나니 형이 황츅의 가인이 왓시믈
듯고 기모를 보라 오더니 문을 맛ᄂ미 누쉬 만면ᄒ고 신식이 남빗 ᄀᆺ흐여 거
지실됴ᄒ거늘 형이 경문 왈 네 엇지 경쉭이 이ᄀᆺ치 괴이ᄒ뇨 문이 형의 ᄉ미
를 줍고 뉴쳬 왈 우리 형뎨 하면목으로 셰상의 셔리오 형이 곡졀을 아지 못ᄒ
고 모ᄌ 남민의 악ᄉ 드러난가 되경ᄒ여 ᄋ의 손을 잡고 곡졀을 무르니 문이
울며 아ᄌ 져의 드른 바를 니르고 우왈 ᄌ모의 죄 이 ᄀᆺ흐니 아둥이 하면목으

로 닙어셰 ᄒ리오 형이 역경ᄒ여 냥구의 왈 일인즉 불힝ᄒ나 ᄉ이이의라 엇지
리오 맛당이 모친과 상의ᄒ여 젼가 필부를 업시ᄒ고 ᄉ긔를 미봉ᄒ미 (24)올
ᄒ니라 문이 형의 픠악ᄒ믈 ᄎ악ᄒ여 울고 왈 형언이 블가ᄒ다 인명을 살히ᄒ
미 엇지 동용ᄒ믈 바라리오 쇼뎨ᄂᆫ 금일노 다시 ᄌ모를 보지 아니ᄒ고 죽기를
ᄌ분ᄒ노라 형이 변식 부답ᄒ고 니러나거늘 문이 슬푸믈 니긔지 못ᄒ여 셔헌
의 가 부왕긔 고왈 쳔지 근뇌 ᄆ음이 ᄌ연 슬푸고 몽시 듸흉ᄒ오니 반듯시 셰
상 인연이 진흔가 ᄒᄂ이다 왕이 빈미 왈 네 비록 유치나 장뷔 되여 몽ᄉ를 닐
너 죽을가 겁ᄒ리오 문이 황공ᄒ나 실ᄉ를 ᄎ마 고치 못ᄒ고 유유이 퇴ᄒ여
ᄉ침의 도라와 쳐 호시를 보고 왈 근뇌 몽시 흉터니 돌연 신긔 불평ᄒ니 그듸
로 니별ᄒᄂᆫ 날이 오릭지 아니니 슬푸고 ᄯᅩ 그듸 ᄌ식이 (25)업셔 신셰 쳐량
토다 언파의 몸을 금니의 더져 다시 말이 업ᄉ니 호시 가장 괴히 넉여 연고를
ᄌ셤 힐문ᄒ되 입을 열미 업고 쟉슈를 불음ᄒ고 호읍을 통치 못ᄒ니 호시 쵸
됴ᄒ여 황시를 보고 문의 폐식잠와ᄒ믈 고ᄒᆫ되 ᄎ시 황시 젼긔의 셔간을 보고
심회 불호ᄒ여 쳔ᄉ 만상의 간계를 궁구ᄒ더니 형이 만면 경희흔 빗ᄎ로 드러
와 ᄀᆯ오되 모친 긔식이 불호ᄒ시니 무ᄉᆷ 연괴니잇고 황시 비록 ᄌ식이나 ᄎ마
실ᄉ를 니르디 못ᄒ고 ᄂᆺ출 븕혀 유유ᄒ거늘 형이 ᄂᆞ죽이 ᄀᆯ오되 쇼ᄌᄂᆫ 아모
일이라도 아라 관겨치 아니되 아ᄌᆞ의 문이 여ᄎᆞ여ᄎᆞ ᄒ여 모친의 문답ᄒ던 바
를 다 아랏시니 불구의 듸식 ᄂᆞ리이다 황(26)시 쳥파의 듸경 왈 닉 과연 여ᄎᆞ
지시 잇거니와 문이 언졔 드럿던고 형 왈 문이 쇼ᄌᄃᆞ려 여ᄎᆞ여ᄎᆞ ᄒ고 ᄌ진
ᄒ렷노라 ᄒ고 부왕긔 고ᄒ려 ᄒ거늘 쇼ᄌ 닐오되 스스로 죽으믄 올커니와 ᄌ
모의 죄과를 엇지 ᄎ마 젹발ᄒ리오 ᄒ니 긔식이 분분ᄒ여 가더이다 기뫼 더옥
놀나 왈 문이 셩졍이 괴벽ᄒ나 인효ᄒ니 고ᄐᆫ 아니려니와 죽기ᄂᆫ 괴이치 아니
니 엇지리오 형 왈 문이 죽지 아닐가 겁ᄒ올지언졍 엇지 죽을가 넘ᄒ리오 ᄒ고
ᄀᆞ마니 헌계ᄒ니 기뫼 듸희ᄒ더니 ᄎᆞ셕의 호시 드러와 문의 폐식 아ᄉᆞ흘 ᄯᅳᆺ이
잇시믈 고ᄒ니 황시 빈미 침음 왈 화복이 유슈ᄒ니 사ᄅᆷ의 병들미 괴이ᄒ며
신긔 불평ᄒ미 (27)일시 폐식흔들 죽으리오 호시 무안ᄒ고 괴이히 넉여 도라

와 이 말노써 젼ᄒ니 문이 임의 지긔ᄒ고 왈 비록 쥭기의 니르러도 모친긔 고
치 말나 ᄒ니 호시ᄂ 슬거온 녀지라 반ᄃ시 큰 ᄉ단이 잇ᄂ 쥴 알고 싱각ᄒ되
니 본ᄃ 무무혈혈ᄒ더니 다만 ᄒ낫 의지ᄒ 가뷔 쥭으미 엇지 슬니오 ᄒ더니
과연 슈일 만의 문이 이분쵸됴ᄒ여 ᄌ진ᄒ니 호시 ᄯ흔 ᄌ항치사ᄒ지라 슈환
시비 ᄃ경ᄒ여 문양군 부부의 흉음을 궁의 뎐ᄒ니 황시 더옥 긔탄ᄒ 거시 업
셔 암희ᄒ나 ᄒ일업셔 상ᄉ를 다ᄉ릴ᄉ 이ᄯ 문양군과 호시 연보 십칠이라 어
진 힝실과 아름다온 긔질노써 긔모의 죄악을 말미암ᄋ 요믈ᄒ니 (28)엇지 앗
갑지 아니ᄒ리오 이ᄯ 윤비 모지 옥즁의셔 흉음을 듯고 ᄎ셕ᄒ믈 마지아니ᄒ
더라 이늘 졍히 상ᄉ를 발코ᄌ ᄒ더니 믄득 텬시 ᄉ명을 밧드러 왕부의 젼ᄒ
고 금일브터 입궐ᄒ믈 명ᄒ시니 왕이 향안을 빈셜ᄒ고 됴지를 밧ᄌ와 ᄉ은ᄒ
고 문양군의 쥭으므로써 즉시 입됴치 못ᄒ믈 ᄉ죄ᄒ니 상이 문의 부뷔 일시의
병 업시 쥭으믈 괴히 너기시고 ᄯ흔 츄연ᄒᄉ 공부의 젼지ᄒ여 후례로 장ᄒ라
ᄒ시니 왕이 그윽이 윤비의 멸뉸강상지죄를 알외고ᄌ ᄒ나 뎨휘 비를 과이ᄒ
시니 힝혀 칙괴 계실가 ᄒ여 ᄌ긔 입됴ᄒᄂ 날 쥬ᄒ려 ᄒ더라 황시 ᄌ식의 쥭
으미 졔 퇴를 모로디 아니되 (29)도로혀 간언을 업슬 바를 다힝ᄒ더라 이ᄯ
교쥐 오라비 흉음을 듯고 구고긔 귀령을 쳥ᄒ여 도라오니 모녀 형뎨 셔로 됴
상ᄒᄂ 녜를 맛고 부왕긔 비알ᄒ고 모녀 형뎨 담화ᄒᆯᄉ 지난 ᄉ연과 문의 이
분치ᄉᄒ 쇼유를 닐으니 교쥬ᄂ ᄎᄉ를 임의 아ᄂ 닐이라 셔간을 구ᄒ여 보고
ᄃ경 왈 표형의 셔즁ᄉ를 보니 옥화 ᄯ 면ᄉᄒᆯᄉ 분명ᄒ고 임힝의 ᄯ 왕궁으
로셔 발힝ᄒ엿시니 월셩공쥐 용ᄉᄒ미 잇ᄂ가 ᄒ되 ᄌ못 은밀ᄒ여 알기 어렵
고 츄심코ᄌ ᄒᆫ들 졔왕비긔 간ᄒ여신즉 뎨휘 아르실 듯ᄒ고 현가 졔인이 모로
미 알 듯ᄒ되 현낭이 쇼녀 간 슈월의 동방의 모드미 업고 혹ᄌ 즁인 즁 상ᄃᄒ
나 (30)긔식이 미믈ᄒ여 여시 힝노ᄒ고 현부 상히 쇼녀의 힝동 쳐ᄉ를 유의
ᄒ여 슬피ᄂ 긔식이 현져ᄒ니 이 벅벅이 옥화의 누명으로써 아희를 의심ᄒ미
분명커늘 이제 옥화의 간 곳이 업스니 이 젹지 아닌 환이라 모친은 범연이 아
지 마르쇼셔 긔뫼 듯고 비상 일미 의구ᄒ믈 보미 역경 왈 연즉 뎌화 박두ᄒ리

니 장ᄎᆞ 엇지리오 교ᄋᆈ 분연 왈 삼십뉵계의 닷는 거시 음듬이라 ᄒᆞ니 황시 아
연 왈 네 아니 싱부를 좃고ᄌᆞ ᄒᆞᄂᆞ냐 연즉 현낭의 인연을 ᄎᆞ싱의 ᄉᆞᆺᄎᆞ리로다
교ᄋᆈ 읍탄 왈 쇼네 처음 현가 쇼ᄎᆞ육의 풍신을 과혹ᄒᆞ여 궁모곡계로 죠ᄎᆞᆺ더니
필뷔 무샹ᄒᆞ여 가인의 다졍ᄒᆞ믈 가랍지 아니 이제(셰) 난쳐ᄒᆞᆫ 경계를 (31)
당ᄒᆞ여 가지 아니코 엇디리잇고 연이나 ᄌᆞ최를 무단이 숨기지 못ᄒᆞ리니 여ᄎᆞ
여ᄎᆞ ᄒᆞ쇼셔 황시 졈두ᄒᆞ더라 황ᄎᆞ육의 ᄉᆞ지 도라가믈 고ᄒᆞ거늘 교뒤 모녜 각각
답간을 일워 젼황 냥젹의게 보ᄂᆡ여 후회를 긔약ᄒᆞ더라 교ᄋᆈ 일계를 싱각고 문
의 부부의 죽으미 윤비의 힝ᄉᆞᄒᆞ미라 ᄒᆞ여 의논을 졍ᄒᆞ고 황시 울며 왕긔 참
쇼ᄒᆞ되 문의 부뷔 돌연이 죽으니 이 분명 사름의 히를 닙으민 줄 아나 ᄎᆞ마
질졍치 못ᄒᆞ엿더니 드르니 쥬방 시녀 난이 낭낭 명을 바다 독약으로쎠 문의
부부를 죽이다 ᄒᆞ니 ᄯᅩ 무슴 변이 날동 알니잇고 히 당ᄒᆞ지 아냐셔 쳡이 스스
로 믈너나 향곡의 도라가 동신홀가 ᄒᆞᄂᆞ이다 왕이 발연 딕(32)로 왈 흉인의
무상ᄒᆞ미 닉 죽지 아닌 젼 여ᄎᆞ 창궐ᄒᆞ리오 즉시 외뎐의 ᄂᆞᄋᆞ와 형위를 빅셜
ᄒᆞ고 난ᄋᆞ를 잡ᄋᆞ 엄문ᄒᆞ니 난이 황시의 후ᄒᆞᆫ 회뢰를 바닷ᄂᆞᆫ지라 블급 ᄉᆞ오
장의 복쵸 왈 쳔비ᄂᆞᆫ 쥬방 쇼비라 문양군 부부와 원쉬 업ᄉᆞ오니 엇지 감히 우
흘 범ᄒᆞ리잇고마ᄂᆞᆫ 윤후 낭낭이 군왕의 박졍홈과 비실의 곤ᄒᆞᆷ믈 원한ᄒᆞᄉᆞ 닐
ᄋᆞᄉᆞ딕 반드시 우리 모ᄌᆞ를 죽이고 황시 모ᄌᆞ를 위를 쥬고ᄌᆞ ᄒᆞ니 엇지 통한
치 아니리오 ᄒᆞᆫ 봄 독약을 너를 듀ᄂᆞ니 황시 모ᄌᆞ 삼인을 죽여 셜한ᄒᆞ면 쳔금
상분 아니라 식방의 쳔ᄒᆞᆫ 쇼임을 옴겨 안젼의 신임ᄒᆞ리라 ᄒᆞ시니 쳔비 엇디
거역ᄒᆞ리잇고 이의 독을 몬져 시험ᄒᆞ미 (33)문양군 냥위 히를 닙으니이다 왕이
왈 약ᄉᆞ를 슈창ᄒᆞ미 눌과 동심ᄒᆞ뇨 난이 왈 낭낭의 명으로 홀노 힝ᄒᆞ옵고 슉
직 시녀 셜미다려 쇼유를 니르고 슉빈 모ᄌᆞ를 마ᄌᆞ 업시 ᄒᆞ라 ᄒᆞ엿더니 엇지
경셜홀 줄 알니잇고 왕이 닉노ᄒᆞ여 난을 장하의 맛고ᄌᆞ ᄒᆞ거늘 황시 읍간 왈
난이ᄂᆞᆫ 쳔견이라 지믈을 탐ᄒᆞ여 힝ᄉᆞᄒᆞ나 본딕 슈악이 아니요 죽이미 블가ᄒᆞ
니이다 교ᄋᆈ ᄯᅩ ᄂᆞ와 살셩이 부졀업ᄉᆞ믈 간ᄒᆞ니 모녀의 교언영식이 여오 ᄀᆞᆺᄒᆞᆫ
지라 왕이 빅쳬 녹는 듯ᄒᆞ여 난을 옥의 가도고 니의 윤후의 허다 죄를 그려 ᄒᆞᆫ

장 표를 통졍ᄉ의 올니니 이쩌 뎨휘 ᄒ가지로 표를 보시니 ᄀᆞᆯ와시ᄃᆡ 블쵸신ᄌ
광평왕 슈ᄂᆞᆫ 셩황셩공 (34)돈슈빅비 ᄒᆞ옵고 삼가 표를 올니ᄂᆞ이다 신비 윤시
ᄂᆞᆫ 뎨후의 친이요 됴강 졍실이라 녀ᄌᆞ의 돈ᄒᆞ미 무비ᄒᆞ거ᄂᆞᆯ 왕망의 겸공과 니
림보의 구밀 복검을 효측ᄒᆞ와 여ᄎᆞ여ᄎᆞ 신을 무고로 히ᄒᆞ옵기로 신이 통히ᄒᆞ
와 원즁의 슈계ᄒᆞ엿더니 ᄯᅩ 문ᄋᆞ 부부를 일시의 치독ᄒᆞ오니 오회라 법은 왕ᄌᆞ
의 셰운 비라 고후의 챵궐ᄒᆞ미라도 한뎨 듁은 후 쳑시를 인쳬ᄒᆞ며 녀의를 짐
살ᄒᆞ엿거니와 이졔 윤녀ᄂᆞᆫ 신이 쥭지 아냐시ᄃᆡ 방ᄌᆞ한 악ᄒᆞ미 여ᄎᆞᄒᆞ오니 복
원 폐하ᄂᆞᆫ 명찰ᄒᆞ쇼셔 ᄒᆞ엿더라 뎨휘 간필의 ᄃᆡ경ᄒᆞᄉ 왈 윤시ᄂᆞᆫ 싁덕이 겸비
ᄒᆞᆫ 슉녜라 엇디 이럴 니 잇스리오 ᄋᆞ히 현명ᄒᆞ무로 엇지 현쳐를 (35)의심ᄒᆞ
미 여ᄎᆞᄒᆞ뇨 휘 봉미를 ᄲᅥᆼ긔ᄉ 탄식 왈 ᄌᆞ고로 교연영싁은 장부의 춍명을 현
혹ᄒᆞᄂᆞᆫ 마디라 셩인이 아닌 후ᄂᆞᆫ 영참을 고지드르미 괴이ᄒᆞ리잇고 쉬 비록 춍
명ᄒᆞ오나 쇼활ᄒᆞᆫ지라 요쳡 간비의 셩당ᄒᆞ여 현인을 히ᄒᆞ미 ᄌᆞ못 공교ᄒᆞ니 쇼
탈ᄒᆞᆫ 쉬 엇지 신쳥치 아니리잇고 신의 혜ᄋᆞ리믄 윤시를 본궁의 두지 못ᄒᆞ리니
폐하ᄂᆞᆫ 엄지를 ᄂᆞ리와 슈를 칙ᄒᆞ고 다못 슈슈이 일ᄏᆞᆯ를 비 아니오니 슈의 부
부 모ᄌᆞ를 입궐ᄒᆞ이ᄉ 냥익이 진키를 기다리고 문ᄋᆞ 부부의 상녜ᄂᆞᆫ 황친 듕
근신ᄌᆞ를 보ᄂᆡ여 장ᄒᆞ라 ᄒᆞ쇼셔 상이 침음 왈 쳔비 난이 쵸사 즁 윤시를 지쵹
ᄒᆞ다 ᄒᆞ니 이 곳 ᄌᆞ식의 가시라 짐이 맛당이 (36)난이를 친문ᄒᆞ여 현부를 신
원코ᄌᆞ ᄒᆞ나이다 휘 묵연ᄒᆞ시니 상이 외뎐의 나가ᄉ 금의부로 형벌 긔구를 베
퍼 광평궁 쥬방 시ᄋᆞ 난ᄋᆞ를 잡ᄋᆞ 올나라 ᄒᆞ시니 ᄎᆞ시 교쥬 모녜 왕이 비의 죄
악을 뎐졍의 쥬달ᄒᆞ미 반ᄃᆞ시 난ᄋᆞ를 친문ᄒᆞ실 쥴 혜ᄋᆞ리고 난이 엄문지하의
힝혀 변ᄉᆞᄒᆞ미 잇실가 두려 급히 셜미로 ᄒᆞ여곰 약을 삼켜 비의 시녀 영낭이
되어 보다라온 찬품과 맛됴흔 슐의 독을 두고 옥니를 회뢰ᄒᆞ고 드러가 난이를
보고 위로 왈 낭낭이 그ᄃᆡ의 신근ᄒᆞᆷ믈 어엿비 너기ᄉ 호쥬셩찬으로 위로ᄒᆞᄂᆞ
니 비록 유확과 부월의 니르러도 ᄆᆞᄋᆞᆷ을 변치 말나 아모 어려온 일이 잇셔도
낭낭이 쥬션ᄒᆞ여 (37)ᄉᆞ지의 넛치 아니실 거시오 ᄃᆡᄉᆞ를 일운 후 그ᄃᆡ를 방
냥ᄒᆞ여 어진 장부를 어더 쳔금으로 부가의 쥬뫼 되여 살게 ᄒᆞ리라 난이 감ᄉ

호여 쥬육을 바다먹고 허락호더라 셜미 지슴 은근 위즈호고 도라와 교쥬 모녀를 보고 셔로 깃거호더라 원니 졔일 독졔 아니라 슈일 신고호여 진호는 약이러니 초일 난이를 줍ᄋ 텬졍의 니르니 농누봉각의 위엄이 셔리 굿호나 난이 발셔 독약이 장부의 편만호여 심혼이 아득호니 무어슬 알니오 다만 형벌을 임호여 혼 미를 더으지 아냐 헛도이 닐오ᄃᆡ 셜낭이 날과 무슴 원쉬뇨 언파의 슈승젹혈을 토호고 ᄉ지를 뒤틀면셔 신싴이 찬 지 굿호여 쥭으니 상과 군신이 ᄃᆡ경(38)호더니 냥구의 상이 난ᄋ의 시신을 니치시고 뉼부로 금시호라 호시니 회쥬 왈 죄인이 반ᄃᆞ시 독을 먹어 쥭도쇼이다 상이 간인의 계괴 궁흉호믈 통히호시나 죄범지 쥭어시니 어ᄃᆡ로됴ᄎ 옥셕을 굴히리오 홀일업셔 파됴호시고 왕의게 엄지를 ᄂᆞ리와 블명호믈 칙호시고 셜니 입궐호라 호시고 쏘 비와 셰ᄌ 형뎨를 다 입궐호여 뎨후긔 뵈옵고 윤시의 허다 죄상이 잇ᄉ오니 심원의 가도와 두시믈 쳥혼ᄃᆡ 졔휘 블열호ᄉ 왈 셕의 한무뎨도 영참을 고지 드러 위후와 ᄐᆡ자를 쥭이미 한이 망ᄉᄃᆡ의 밋쳐ᄂᆞ니 고금의 일이 다르나 너의 가싀흡ᄉ혼지라 짐이 임의 비의 원앙호믈 알오ᄃᆡ 슈악의 단셔(39)를 ᄎᆞ즈미 어려워 ᄃᆡ옥을 미봉호ᄂᆞ니 다시 블통혼 의논을 말나 이의 하됴호샤 윤비 모ᄌ를 입궐호라 호시니 이윽고 윤비 모직 ᄃᆡ너의 드러와 고두비알 호온ᄃᆡ 뎨휘 그 참담호믈 가이호ᄉ 옥슈를 잡고 츄연 탄왈 고인은 ᄐᆡ교의 어질믈 일넛거늘 짐은 ᄐᆡ교호미 고인을 ᄇᆞ라지 못혼 고로 왕의 광망호미 현부로 호여곰 원앙혼 죄루의 쳐호게 호도다 비 피셕복지 ᄉ왈 신쳡이 블민 혼암호와 어하호오미 갈담 규목의 덕이 업고 신녜 용우호와 ᄉ름을 감화치 못호오니 텬지신명이 외오 넉이ᄉ 옥홰 만고 찰녀로 악명을 시러 원지 뎍킥이 되옵고 신이 강상ᄃᆡ죄의 간셥호오나 만셰 부모(40)의 신명호시무로 일월이 빗췸굿호ᄉ 복분의 원을 붉히시나 신쳡이 엇지 염치 안연호리잇고 맛당이 심원의 업ᄃᆡ여 군왕의 쳐치를 기다리고ᄌ 호옵더니 감히 은명을 위월치 못호와 안연이 붓그러온 ᄂᆞᆺ츨 드러 지존긔 뵈오니 엇디 황공 뉵니치 아니리잇고 뎨휘 탄식 위로 왈 짐이 훈괴 블엄호미 참괴호니 엇디 경이 붓그러오미 잇ᄉ리오 쉬 요ᄉᆞ이 실셩호여시니

금일붓터 츈궁의 머므러 됴호케ᄒ고 경과 영ᄋ 형뎨 ᄯ흔 궐즁의 머무러 쇼익

홀 ᄢᆡ롤 기다리라 비뎨후의 셩명ᄒ시믈 열복ᄒ더라 ᄐᆡᄌᆞ비와 뎨왕비며 뉵궁

비빙이 모다 젼두 화변을 치위ᄒ며 동일 탑하의 근시ᄒ엿더니 (41)날이 져믈

ᄆᆡ 후원 별젼의 윤비 삼모ᄌᆞ롤 머무르시고 갈오ᄉᆞ디 녀염가도 가ᄉᆞᄂᆞ 임장이

라 경의 목금 쳐신이 죄루의 이시니 쇼텬의 ᄉᆞ명이 업ᄉᆞ 젼은 거체 평상치 못

홀지라 후원 별당의 쳐ᄒ엿다가 익운이 진흔 후 쇼명을 기다리라 윤비 모지

빗ᄉᆞᄒ고 별젼의 니르니 십여간 누각이 심슈ᄒ고 분벽 사창이 영농 쇼담ᄒ더

라 궁인 슈십 인이 좌우의 뫼셔 직희엿더니 졍당을 슈쇼ᄒ고 왕비 모ᄌᆞ롤 뫼

셔 안둔ᄒ니 삼모지 이곳의 머물믹 쳐시 그윽이 편ᄒ더라 뎨휘 왕의 부부 모

ᄌᆞ롤 다 궁의 두시고 황친의 노셩ᄌᆞ롤 굴히여 문양군 부부 상동을 술피라 ᄒ

시고 왕의 녹봉을 나리오지 아니시고 쇼낭낭(42)이 황문을 보닉여 왕궁 지고

롤 다 봉ᄒ시고 비의 거쳐ᄒ던 졍뎐을 ᄉᆞ지 상궁으로 직희게 ᄒ시고 모든 후

궁 빈희의 녹은 쥬시나 ᄉᆞᄉᆞ지물이 업게 ᄒ시니 졔희ᄂᆞ 다 무심 무려ᄒ되 황

시 모ᄌᆞ녜 딕경ᄒ여 다시 모히홀 됴각이 업ᄉᆞ믈 익들와 호곡ᄒ더라 황실 계림

군이 황명을 밧ᄌᆞ와 문의군 부부의 상ᄉᆞ롤 극진이 다ᄉᆞ려 장일이 다다르믹

명승지지롤 굴히여 안장홀시 황시와 교쥬 남믹 각별 슬픈 ᄉᆞ식을 지어 셜졔ᄒ

니 문의군 졍녕이 잇실진딕 즐겨 흠양ᄒ리오 ᄎᆞ시 현상부의셔 졔공이 왕의 잇

지 아니므로 핑계ᄒ여 문상치 아니ᄒ고 현혹시 ᄯ흔 뭇지 아니니 황시 분연

왈 뉘셔 현가 인심이 관(43)후타 ᄒ더뇨 진짓 의 업슨 무리로다 교쥬 ᄯ흔 혹

ᄉᆞ의 박졍ᄒᆞ믈 한ᄒ더니 믄득 시비 젼ᄒ되 혹ᄉᆞ 노애 요ᄉᆞ이 금션 치월 옥난

치홍 등을 춍이ᄒ시나 승상 엄훈을 두려 안젼의ᄂᆞ 감히 방ᄌᆞ치 못ᄒ시나 아니

계신즉 창월누의 즐기신다 ᄒ더이다 교쥬 쳥파의 딕로 왈 필뷔 엇지 이리 무

상ᄒ리오 거거의 상장이 지난 후 즉시 도라가 ᄉᆞ긔롤 발각고 ᄌᆞ죠 기부의게

즁칙을 엇게 ᄒ고 ᄉᆞ창을 잡ᄋᆞ 쳑시의 인체롤 밉들니라 이러구러 문의 장ᄉᆞ롤

지닉고 도라오니 황시 ᄯ흔 인심이라 슬허ᄒᆞ믈 마지아니터라 교쥬 이의 온 지

슈삼월이로딕 현부의셔 무르미 업고 ᄯ 쳥ᄒᆞ미 업ᄉᆞ니 교쥬 스스로 도라갈시

기모다려 (44)왈 뎐일 옥화를 혼인ᄒᆞ여실 젹 황상이 틱스로이 현싱과 옥화를 불너 보시고 졔왕비 됴츠 입궐ᄒᆞ여 거리의 유광ᄒᆞ미 극ᄒᆞ더니 쇼녀는 겨유 혼인ᄒᆞ미 가뷔 쇼딕홀 분 아니라 뎨휘 블관이 너기시며 뎨왕 공쥬 닝안 멸시ᄒᆞ여 죽일 듯ᄒᆞ고 구괴 더옥 업슈이 너기는지라 엇지 분치 아니리오 기뫼 분연 왈 임군이 신하를 ᄉᆞ랑치 아니면 신히 엇지 임군긔 진츙ᄒᆞ리오 현가 쇼휵이 너를 여츠 쳔딕ᄒᆞ니 엇지 욕을 참으리오 교쥐 왈 쇼녜 ᄯᅩᄒᆞᆫ 이런 쥴 아오딕 ᄎᆞ마 ᄉᆞ치 못ᄒᆞᆫ 현쥬의 풍신이라 삼싱의 원기런지 보지 아닐 젹은 죽이고ᄌᆞ 시부딕 딕ᄒᆞᆫ즉 ᄯᅥ나기 실흔지라 스스로 임(45)의치 못ᄒᆞ니 ᄎᆞ셰의 져의 은의를 엇지 못ᄒᆞᆫ즉 지하의 원귀 되리로쇼이다 셜파의 상연하루ᄒᆞ니 기뫼 감회ᄒᆞ여 왈 연즉 미혼단을 시험ᄒᆞ라 교쥐 이 ᄯᅳ시 잇스나 졔 일쪽 사실의 오미 업고 가듕 ᄎᆞ환이 다 졍직ᄒᆞ여 늬논ᄒᆞ리 업스니 뉘 능히 힝계ᄒᆞ리오 원간 우리 비밀 ᄉᆞᆨᄒᆞ는 닐도 되는 일이 업스니 아마도 누셜ᄒᆞᄂᆞ니 잇는가 시브더이다 드디여 니별홀ᄉᆡ 교쥐 ᄒᆞ직고 틱셤 등으로 더브러 현부의 니르러 돈당의 뵈오니 상히 교쥬의 거릭를 아른 체ᄒᆞ미 업는지라 금일 도라가미 돈당 구괴 흔연이 면강 화답ᄒᆞ고 슉당 졔부인과 슉미 면면이 쳥ᄋᆞ로 관졉홀 이니 교쥐 심니의 무류ᄒᆞ여 (46)믈너날ᄉᆡ 듕당의셔 혹스를 마됴치니 황홀이 반겨 녜ᄒᆞ고ᄌᆞ ᄒᆞ더니 혹시 안쉭이 ᄲᅥᆨᄲᅥᆨᄒᆞ고 긔 위 엄슉ᄒᆞ여 난간 ᄉᆞ이로 도라 가는지라 교쥐 늬ᄃᆞ라 혹스의 ᄉᆞ미를 트러줍고 왈 쳡슈블민이나 ᄯᅩᄒᆞᆫ 금지여믹이라 필뷔 무뢰이 박딕는 니르지 말고 부모를 긔이고 창누 화림의 요녀를 가휵ᄒᆞ여 부뫼 맛지신 쳐ᄌᆞ를 박딕ᄒᆞ니 엇지 션비의 도리리요 쳡이 동긔의 참상을 맛나 귀근 슈삭의 일무고문ᄒᆞ니 부왕이 깁히 미온ᄒᆞ고 ᄌᆞ뫼 노ᄒᆞ여 쳡을 보닉지 말고ᄌᆞ ᄒᆞ딕 쳡이 스스로 잉분ᄒᆞ여 도라오믄 부도를 다ᄒᆞ고져 ᄒᆞ미여늘 그딕 엇지 각박ᄒᆞ미 여ᄎᆞᄒᆞ뇨 젼ᄌᆞ 옥홰 누힝이 훼ᄌᆞᄒᆞ여 한심터(47)니 원닉 필뷔 무상ᄒᆞ미랏다 ᄎᆞ시 혹시 무망의 음녀의게 붓들녀 어즈러이 분믹ᄒᆞᄆᆞᆯ 드르니 딕로ᄒᆞ여 급히 ᄲᅥᆯ치미 빅나광슈이 두 조각의 ᄂᆞ고 교쥐 구러져 난간의 다하 하관이 ᄇᆞᄋᆞ지고 칠뵈 산산ᄒᆞ며 머리 ᄢᅵ여져 혈흔이 빗최고 옥안이 곳곳이 상ᄒᆞ엿는

지라 틱경ᄒᆞ여 크게 발악고져 ᄒᆞ나 알푸믈 니긔지 못ᄒᆞ여 밋쳐 니러ᄂᆞ지 못ᄒᆞ
고 틱셤 등 여러 시녜 일시의 붓드니 이러틋 가니 쇼요ᄒᆞᆫ지라 혹시 심니의 닝
쇼ᄒᆞ고 밧그로 나가니 ᄎᆞ환의 무리 놀라 졍당의 보ᄒᆞ니 됴당 샹히 간인의 포
악ᄒᆞ믈 어히업셔 믁연ᄒᆞ더라 틱셤 등이 교쥬를 붓드러 칙교졍의 도라와 침상
의 누이고 구호ᄒᆞᆯ시 교쥐 거즛 간간(48)이 아ᄂᆞᆫ 쳬ᄒᆞ고 틱셤으로 ᄒᆞ여곰 됸
당의 가 읍고 왈 우리 쇼제 귀령 슈슈 삭의 환귀ᄒᆞ시니 노애 아모리 박졍ᄒᆞ시
나 난간 밧긔 ᄎᆞ 것구르치시니 옥 ᄀᆞᆺᄒᆞᆫ 셜뷔 즁상ᄒᆞ여시니 우리 뎐히 아르시
면 반ᄃᆞ시 냥부의 화긔를 샹ᄒᆞᆯ가 ᄒᆞ옵ᄂᆞ니 복원 군부인 흑ᄉ 노야를 계칙ᄒᆞ여
의약으로 치료케 ᄒᆞ쇼셔 졔부인이 쳥파의 어히업셔 믁믁ᄒᆞ더니 냥구의 하틱부
인이 닐오디 부녀의 도ᄂᆞᆫ 쳥한ᄒᆞ미 읏듬이라 됴시 인사로뻐 가부를 틱ᄒᆞ여 유
한ᄒᆞᆫ즉 무슨 ᄉᆞ단이 잇스리오 반ᄃᆞ시 묘믹이 잇도다 연이나 샹쳬 틱단커든 약
치나 ᄒᆞ라 믄(49)득 뉵부인이 ᄀᆞᆯ오디 닉 ᄋᆞ즈 희연의 젼어로 드르니 희ᄋᆞ와
됴시 여ᄎᆞ여ᄎᆞ타ᄒᆞ니 틱기 빅ᄋᆞ도 믜믈커니와 됴시 만히 잘못ᄒᆞᆫ가 시브더이다
셜ᄉᆞ 녀직 착ᄒᆞ고 장뷔 ᄉᆞ오나와 밀쳐신들 글노 죽을 거시라 틱ᄉᆞ로이 됸당의
하리ᄒᆞ리오 셕일 월셩공쥬ᄂᆞᆫ 화외인 ᄀᆞᆺᄒᆞ여 츄호도 가부의긔 승ᄒᆞᆫ 일 업스되
믜도 만히 맛고 하마면 검하졍혼이 될 번ᄒᆞ되 이런 ᄉᆞ단이 업고 당당ᄒᆞᆫ 만승
왕희로디 젹국의 히를 맛나 ᄉᆞ익을 여러 번 당ᄒᆞ되 불호ᄒᆞᆫ 식이 업던 거시니
샹품 착ᄒᆞ고 어질기 가이업던가 시부다 도라 틱셤드려 왈 여쥐 아모리 황가지
엽이나 싱심도 졔왕비만 못ᄒᆞᆯ 거시오 혹시 비록 잘못(50)ᄒᆞᆫ 일이 잇셔도 젼일
졔왕쳐로 죽이려 셔도든 아냐시니 너희 노쥐 너모 어려이 구지 말나 이 현상
부ᄂᆞᆫ 틱틱 공후요 황녀 공쥬도 졔어ᄒᆞ여시니 광평왕의 쳡쓸을 그리 어려이 넉
이랴 졔부인이 실쇼ᄒᆞ고 면면상고ᄒᆞ니 틱셤이 분노 참괴ᄒᆞ여 도라가 ᄎᆞ언을
교쥐의게 뎐ᄒᆞ더라 텰종황뎨 후궁 김샹궁 쳘영 글시

명쥬옥연긔합녹 권지구

(1) 명쥬옥연긔합녹 권지구

츠셜 교쥬 틱셤의 말을 듯고 분미 왈 다르 니는 니르지 말고 우웁다 뉵시 노흉이 무어시 그리 착ᄒ건듸 남의 시비를 ᄒ리오 나 듯기는 어리고 우은 쥴 아느니 광평왕의 비쳡녜라도 유싱의 쑬도곤 아니 나흐랴 ᄒ고 짐줏 상쳬 즁ᄒ 쳬ᄒ여 오릭 심음ᄒ여 니지 아니ᄒ니 튠당구괴 다만 밧그로 의약을 보용ᄒ나 제스긔 문후ᄒ미 업고 혹시 동시 뭇디 아니ᄒ니 간녀의 분흔 심장이 터질 둣ᄒ되 무가닉ᄒ라 교쥬 믄득 일계를 싱각고 틱셤을 노화 쥬방 근쳐의 돌며 (2)츠환빅라 스괴라 ᄒ니 틱셤이 명을 바다 왕닉ᄒ여 심복을 스괴고즈 ᄒ더니 최후의 쥬방 시녀 셤난과 됴두의 물 깃는 츠환 경녈을 스괴니 교쥬 노쥐 듸희ᄒ여 금은지보를 믈굿치 훗터 기심을 깃기고 듸스로ᄡ 츄탁ᄒ니 냥인이 가연 허락고 미혼단을 구ᄒ여 가져가더니 수일 후 나르러 힝스ᄒ엿노라 ᄒ되 튠당구괴 진식ᄒ시고 혹스 만히 ᄌ셔시니 셩스되엿다 ᄒ거늘 교쥬 크게 깃거 왈 만일 튠당 ᄌ이와 혹스의 은춍을 어든즉 쳔금을 갑흐리라 냥녜 쳔만 스례ᄒ고 거즛 헌계 왈 부인의 상흔이 완합ᄒ여시니 미양 병와ᄒ(3)신즉 튠당과 혹시 더옥 미흡ᄒ시리니 그만ᄒ여 긔거를 평상이 ᄒ샤 옥안을 가담듬아 튠당의 뵈옵고 온슌흔 말숨으로 지는 바를 스죄ᄒ신즉 졔노야와 졔부인이 다 관인후덕ᄒ신디라 쇼쇼지과를 긔회치 아니실 거시오 겸ᄒ여 신약의 효험이 쌘른즉 부인의 온슌비약ᄒ시믈 가이ᄒ시리이다 틱셤과 교쥬 올타 ᄒ더라 명됴의 교쥬 쇼셰ᄒ고 졍당의 드러가 신셩ᄒ실시 혹시 쏘흔 졔뎨 군둉을 거느려 좌의 잇는지라 교쥬 유의ᄒ여 긔식을 술피니 안식을 십분 화평이 ᄒ여 튠면의 화긔 ᄀ득ᄒ니 빗는 풍신이 동탕ᄒ여 삼츈 (4)양일이 다스흔 둣ᄒ니 음녜 신약의 가망이 잇는가 ᄒ여 교용함틱ᄒ고 튠당의 나아가 그릇ᄒ믈 스죄ᄒ고 부부의 쇼쇼 상힐지스를 누누히 튠젼의 알외미 아니라 시녀비 ᄒ민 쥴 고ᄒ니 언시 ᄌ못 교힐흔지라 튠당구괴 블열ᄒ나 면강 무익ᄒ미 지극ᄒ니 교쥬 알연이 믈너 침실의 도라

오니 문득 졍당 시녀 돈고 스마부인 명으로 흑스의 신의 일습을 말나 보니며
왈 임박 신셰ᄒ니 가즁의 일이 만흘 분 아니라 졔왕부 희셩 공ᄌ 구셔져롤 취
ᄒᄂᆫ 길셕이 블원ᄒ니 그ᄃᆡ 비록 흠질이 쇼셩치 못ᄒ나 진심ᄒ여 쓰의 밋게
ᄒ라 교쥬 심니(5)의 괴로으믈 니긔디 못ᄒ나 마지 못ᄒ여 밧고 시녀 도라 간
후 히음업시 원망 왈 엇던 요괴년이 드러와 뎨왕 부부의 ᄌ공ᄒᄂᆫ 교긔롤 도
도ᄂᆞ뇨 닉 흔ᄀᆞᆺ 젹인분 아니라 아모라도 승긔ᄌ롤 업시코져 ᄒᄂ니 구시 만일
아름다올진ᄃᆡ ᄂᆞ의 독슈롤 면치 못ᄒ리라 셜미 왈 부인이 엇디 목젼의 강젹이
취쇼ᄒ여 녹님의 당을 일워시믈 싱각지 아니시고 오원흔 근심을 ᄒ시ᄂᆞ뇨 교
쥬 탄왈 너희 비록 니르지 아니나 쵸젹의 무리 스방의 머무러시니 엇디 아디
못ᄒ리오마는 실노 계괴 궁ᄒ도다 이네 쇼왈 금난 등 스인이 요스이 노야롤
(6)뫼셔 젼튱 아닐 날이 업다 ᄒ니 부인은 여ᄎ여ᄎᄒ여 ᄎ녀 등을 불너 보시
고 은근 우ᄃᆡᄒ여 좌우에 두시고 노야 긔식을 탐관ᄒ미 올흐니이다 교쥬 아연
왈 여언이 올커니와 쳔금지보롤 허비ᄒ고 겨유 어든 신약을 셤난 등을 맛졋더
니 용스ᄒ여노라 ᄒ되 동졍이 업스니 아니 괴이ᄒ냐 ᄯ흔 셤난 등이 져의 셰
즉인가 연즉 나의 젹년 간뫼 패루ᄒ리로다 퇴셤 등이 악연ᄒ여 셤낭을 보고
힐문흔ᄃᆡ 냥녜 ᄃᆡ경ᄒ여 엄졀이 발명ᄒ여 궁즁 졔노야 졔부인이 졍명지긔 뉴
다르고 흑스 노야는 더옥 긔이흔 일이 만흐시니 심산 단(7)약의 뉘 졍인 군ᄌ
의 졍긔롤 앗지 못ᄒᄂᆫ가 시브거니와 요스이 긔식은 젼과 다르신 듯ᄒ니 나믄
약을 마ᄌ 쓰면 됴흐리라 ᄒ고 긔식이 쥰졀ᄒ니 냥녜 반신반의ᄒ더라 셤난 등
이 져 요인 노쥬 의혹ᄒ믈 보고 놀나 가마니 퇴부인과 스마부인긔 고ᄒ니 하
윤 냥퇴부인과 스마부인이 ᄃᆡ경ᄒ여 이의 흑스롤 ᄃᆡᄒ여 슈말을 니르고 왈 셕
에 아란은 불문고뎨로ᄃᆡ 길가 창녀롤 품어시나 스문의 도힝이 샹치 아냣ᄂ니
네 됴히 침쇼의 왕ᄂᆡᄒ라 군ᄌ 힝신의 휴손ᄒ미 잇스리오 흑시 돈당과 모부인
말ᄊᆞᆷ을 듯고 잠쇼 왈 히이 (8)일셰의 당당흔 장부로 일녀ᄌ롤 졔어치 못ᄒ여
ᄋ녀ᄌ의 졔스흔 계교롤 ᄌ힝ᄒ미 엇디 참괴치 아니리잇고 스마부인이 역쇼
왈 ᄎ역명운이라 현마 엇지리오 난쳐흔 ᄶᆡ롤 만난즉 셩인군ᄌ로 계교롤 힝ᄒ

엿ᄂᆞ니 조금도 너의 힝신의 휴손ᄒᆞ미 업스리라 윤틱부인이 쇼왈 이러ᄒᆞ여야 만고풍상이라 ᄒᆞᄂᆞ니 숀이 ᄌᆞ유로 싱어교이ᄒᆞ고 댱어호치ᄒᆞ여 당당ᄒᆞᆫ 상문 공ᄌᆞ로 쇼년 등과ᄒᆞ여 ᄌᆞ각단누의 오ᄉᆞᄌᆞ포로 영춍을 계승ᄒᆞ고 취실ᄒᆞ미 텬 황옥엽 뇨됴슉녀를 취ᄒᆞ여 만시 무슬ᄒᆞ니 됴믈이 니극ᄒᆞ여 금슬의 마쟝이 니 러(9)ᄂᆞ니 사ᄅᆞᆷ이 다 오복이 구젼키 쉬오리고 깃븐 일과 괴로온 일도 잇ᄂᆞ니 엇디 일도만 직희리오 졍언간의 승상이 졔뎨롤 거ᄂᆞ려 부공을 뫼셔 드러오고 진왕이 졔왕 등 졔ᄌᆞ를 거ᄂᆞ려 드러오더니 부인 고식 모지 ᄉᆞ담이 그윽ᄒᆞ믈 듯고 연고를 무러 알고 졔공이 됴녀 노쥬의 슈악을 아니 놀나 리 업고 상셔 등 졔슉뷔 우어 왈 됴달영귀홈도 곡경이로다 혹시 쇼이딕왈 조달ᄒᆞ다 져마다 쇼 질 ᄀᆞᆺᄒᆞ리잇가 처음 광평의 ᄉᆞ회 되지 아냣던들 이런 폐 업스리로다 ᄒᆞ옵ᄂᆞ이 다 졔좨 웃더라 이ᄂᆞᆯ 현시 졔공이 희셩 공ᄌᆞ의 길긔 ᄀᆞᆺ ᄀᆞ오미 셩관(10)지녜 님박ᄒᆞᆫ 고로 의논ᄒᆞ려 모드니 댱시둥 형뎨도 왓ᄂᆞᆫ지라 쇼왈 셕년의 여뷔 ᄉᆞ마 쳐사의 ᄉᆞ회 되믈 뉘웃지 아니터라 그러므로 유덕ᄒᆞ여 ᄉᆞ마질 형뎨 ᄆᆞ츰ᄂᆡ 황 영의 고ᄉᆞ를 본밧ᄂᆞ니 너ᄂᆞᆫ 져리 덕 되지 아닌 말노 원탄ᄒᆞ니 됴시 형뎨를 다 진익지 못ᄒᆞ여 필연 하나흔 업시 ᄒᆞ리라 혹시 쇼이부답ᄒᆞ고 오공이 미쇼 왈 노인이 망녕 들면 ᄂᆞ최 업시 남 실흔 말 ᄒᆞᆫ다 ᄒᆞ거니와 표형이 이제도 아직 월 계지년이 아오라 ᄒᆞ여시니 노망홀 ᄣᅢ 아니연마ᄂᆞᆫ 셰구 연심ᄒᆞᆫ 남의 말을 실업 시 들츄니 허기ᄂᆞᆫ 됴컷마ᄂᆞᆫ 듯ᄂᆞ 니ᄂᆞᆫ 고마(11)와 아닐가 ᄒᆞ노라 댱공이 쇼왈 날을 기리ᄂᆞ 니ᄂᆞᆫ 슈인이요 날을 ᄭᅮ짓ᄂᆞ 니ᄂᆞᆫ 은인이라 ᄒᆞ니 ᄉᆞ마시 ᄌᆞ미 슬 거오량이면 독슈치 아니리라 오진 냥공이 역쇼 무언이요 졔인은 댱공의 ᄒᆞ담 긔변을 멸도ᄒᆞ나 오직 ᄉᆞ마부인 형뎨 묵묵ᄒᆞ더라 오공과 승상이 ᄯᅩᄒᆞᆫ 흑ᄉᆞ를 경계ᄒᆞ여 됴시의 간악이 무비ᄒᆞ니 아직 드러난 과실이 딕단치 아니ᄒᆞ니 미리 박졍ᄒᆞ미 군ᄌᆞ의 관인지덕이 아니라 ᄒᆞᆫ딕 혹시 슌슌 슈명ᄒᆞ더라 화셜 평계왕 현텬닌의 장ᄌᆞ 희셩의 ᄌᆞᄂᆞᆫ 명즁이니 뎨왕의 원비 지셩 명현비 월셩공쥬 쇼싱 이라 (12)뎨왕 부뷔 니구 탄싱이 아니로딕 비웅의 길ᄒᆞᄆᆞ를 겸ᄒᆞ여 십삭 조희의 일쳑 형옥을 싱ᄒᆞ니 이 믄득 텬지의 졍긔를 오르지ᄒᆞ고 산쳔의 혈믹을 거두엇는지라 주라미 긔이ᄒᆞ니 만믈이 영슈ᄒᆞᆫ 긔믹을 아오라시니 영형슈발ᄒᆞ여 셩문의 바른 줄믹을 니어시니 복된 긔상과 덕된 풍치를 아오라시며 문장은 니두를 압두ᄒᆞ고 필법은 동왕을 묘시ᄒᆞ니 현퇴시 싱시의 미양 일크르되 츠이 가히 텬닌지지요 월셩지휵이니 반ᄃᆞ시 문호를 챵ᄒᆞ리라 ᄒᆞ더라 퇴ᄉᆞ와 냥퇴부인이 연관ᄒᆞ미 기시 공지 연미일슌의 부됴의 셜워(13)ᄒᆞ실 젹마다 츄원영모ᄒᆞ여 쳬류 아닐 젹이 업스니 그 효셩의 지극ᄒᆞ미 여ᄎᆞ하더라 일즉 동빅 곤계가 관시의 만됴귀쳑이 다 모혓더니 현시 졔공ᄌᆞ의 츌셰ᄒᆞᆫ 풍신을 탐이ᄒᆞ여 지ᄎᆞ 주라기를 기ᄃᆞ릴ᄉᆡ 혹ᄉᆞ 희빅과 한님 희텬과 쇼실 슉혜 조실 미혜를 각각 남혼녀가 ᄒᆞ니 ᄎᆞ례 승상의 일녀 운혜의게 미쳐ᄂᆞᆫ지라 광평 셰ᄌᆞ 됴영과 졍혼ᄒᆞ여더니 일당 마얼이 니러나 혼시 즁지ᄒᆞ니 희셩 공ᄌᆞᄂᆞᆫ 당금 십이 셰니 운혜의 일년 우리라 신장 쳬지 늠연 호상ᄒᆞ여 관 쓰기의 합ᄒᆞ미 뎨왕이 비록 지죵지간(14)이나 형미 ᄎᆞ례 어긔믈 미안ᄒᆞ여 길긔를 즁지코ᄌᆞ ᄒᆞ더니 구가의셔 돈당이 연노ᄒᆞ여 ᄌᆞ손의 혼ᄉᆞ를 보고ᄌᆞ ᄒᆞ다 ᄒᆞ니 오진 냥공이 왕을 권ᄒᆞ여 허락ᄒᆞ니 구부의셔 딕희ᄒᆞ여 퇴일을 보ᄒᆞ니 이쩍 신원이라 길긔 슈슌이 격ᄒᆞ여시니 즁츈 망간이라 냥기 혼슈를 셩비ᄒᆞ여 길일을 등딕홀ᄉᆡ 몬져 공ᄌᆞ의 셩관지일이 다ᄃᆞ르미 츠시 이월 초슌이라 월셩궁의 딕연을 긔장ᄒᆞ고 황친국쳑과 만됴공경이 닷토와 모드니 시긱이 다다르미 희셩 공ᄌᆞ를 불너 좌의 니르니 젼님 좌승상 강능후 뉴공이 연노ᄒᆞ고 ᄌᆞ녜 만하 (15)오복이 겸ᄒᆞ무로 텬지 명ᄒᆞᄉᆞ 녹발을 계츙케 하시고 황족 능연군으로 관을 더으게 ᄒᆞ시니 임의 봉명ᄒᆞᆫ 빈라 뉴공이 희셩의 녹발을 거두어 츙ᄒᆞ니 녜부상셔 셩닌이 관줌 신의를 구슬함의 담ᄋᆞ 좌의 노ᄒᆞ니 능연군이 건줌을 머리의 쇼즈며 작미관을 가ᄒᆞ고 현상셰 신의를 ᄀᆞ져 긔착ᄒᆞ니 경긱의 일 쇼이 변ᄒᆞ여 완연이 미장뷔라 모든 딕 비례ᄒᆞ니 즁목이 일시의 공ᄌᆞ 신상의 온젼ᄒᆞᆫ지라 진국공이 공ᄌᆞ의 숀을 잡고 함쇼 왈 이 신낭이 오가의 기러기 젼홀 날이 머지 아냐시되 딕ᄒᆞ미 믄득 쩌놀 ᄯᅳᆺ이 업스니 진실노 아셔의 쳔고슈(16)츌ᄒᆞᆫ 풍광지홰 굿초 긔이ᄒᆞᆷ믈 니긔지`못ᄒᆞᆯ소이다 졔공이 연셩ᄒᆞ여 긔셔 두믈 치하ᄒᆞ니 좌간의 댱시즁이 우어 왈 빙

공의 ᄆᆞ음이 져러ᄒᆞᆯ 적 우리 동ᄃᆡ와 질이 져 ᄀᆞᆺᄒᆞᆫ ᄌᆞ손을 두고 며느리 쇼망이 엇더ᄒᆞ리오 아지 못게라 녕녀 능히 졔왕비의 뒤흘 니으며 희셩의 상덕ᄒᆞᆫ 비위 되랴 블연즉 동ᄃᆡ는 지이부지 ᄒᆞ려니와 딜ᄋᆞᆫ 용심이 곱디 아니ᄒᆞ고 희셩의 용뫼 긔특ᄒᆞ나 기부지풍이 바히 업든 아닐 거시니 셕일 ᄋᆞ질의 광망ᄒᆞᆷ믈 모로지 아니려니와 만승 텬ᄌᆞ의 안젼의도 여ᄎᆞ여ᄎᆞ 휘치 (17)아닛ᄂᆞ니 명공은 가장 됴심ᄒᆞ쇼셔 구공이 ᄃᆡ쇼 왈 노션싱 말슴이 기연ᄒᆞ거니와 혹ᄉᆡᆼ이 녀ᄋᆞ ᄉᆞ랑이 과도ᄒᆞ니 셜ᄉᆞ 셔랑의게 만모ᄒᆞᆷ믈 바드나 엇디ᄒᆞ리잇고 좌위 구공의 말이 뉴리타 일ᄏᆞ라 우으며 셔로 희담ᄒᆞ여 비단 곳 우희 츈풍이 일웟더라 이윽고 공지 ᄂᆡ당의 드러갈ᄉᆡ 뎨왕이 손을 닛그러 드러가 돈당과 부인긔 ᄎᆞ례로 뵈오니 돈당 부모와 졔슉당의 탐혹과이ᄒᆞᄆᆡ 측냥 업더라 낙극 진환ᄒᆞᄆᆡ 셕양의 파연ᄒᆞ고 졔ᄀᆡᆨ이 도라가니 쵹을 니어 동용이 담화ᄒᆞᆯᄉᆡ 희셩 공ᄌᆞ의 편편ᄒᆞᆫ 풍모를 두긋(18)기믈 마지아니ᄒᆞ더라 화셜 구상셔 경닌은 녀국공 구쥰의 지라 튱현여ᄆᆡᆨ이요 고문화벌이니 ᄌᆡ덕이 과인ᄒᆞ고 튱의 관일ᄒᆞ여 국가의 ᄃᆡ공을 셰워 작위 평진왕의 니르고 상튱의 늉셩ᄒᆞᄆᆡ 현상부 일반이라 평진왕이 부인 녀시로 금슬이 샹득ᄒᆞ여 칠ᄌᆞ삼녀를 두어시니 남풍녀뫼 긔기 츌뉴ᄒᆞ여 옥슈인변 ᄀᆞᆺ더라 ᄎᆞᄎᆞ 셩인ᄒᆞ고 녀이 비야흐로 장셩ᄒᆞ니 구쇼져의 방년이 이뉵의 빅ᄐᆡ 가려ᄒᆞ고 톄형이 졍슉ᄒᆞ니 돈당 부모의 만금쇼듕은 여러 ᄌᆞ녜 바랄 ᄇᆡ 아니라 구쇼졔 강싱지쵸로브터 별긔니질(19)이 츌어긔류ᄒᆞ며 텬지의 ᄀᆞ업슨 졍믹과 건곤의 무궁ᄒᆞᆫ 됴화를 거두어 옥이 기름지며 향이 다ᄉᆞᄒᆞ니 슈졍 ᄀᆞᆺᄒᆞᆫ 긔부와 곳ᄎᆡ 향긔로온 ᄌᆞ품이 ᄌᆞ싱민이릭 됴ᄒᆞᆫ 사름이라 됴부 녀공과 부친 진왕이 ᄋᆞ녜의 쵸 연미ᄒᆞᆫ 싟광 셩덕으로 셰간의 상덕ᄒᆞᆫ 사름이 업슬가 근심ᄒᆞ더니 당일의 현상부 연셕의 참녜ᄒᆞ엿다가 평뎨왕 댱ᄌᆞ 희셩을 보ᄆᆡ 쳔고옥인이요 만고긔ᄌᆡ라 이 진짓 녀ᄋᆞ의 상덕ᄒᆞᆫ 비필이ᄆᆡ 뎨왕 부ᄌᆞ의게 면쳥ᄒᆞ여 쾌락ᄒᆞᆷ믈 어드니 환희ᄒᆞ여 도라왓더니 셰월이 믈 흐르듯ᄒᆞ여 냥이 장셩(20)ᄒᆞᄆᆡ 이의 혼슈를 셩비ᄒᆞ여 혼긔 다다르ᄆᆡ 어시의 현상부 월셩궁의셔 희셩공ᄌᆞ로 구쇼져와 셩친ᄒᆞᆯᄉᆡ 돈당 부모와 일가 졔친이 두긋기며 깃거ᄒᆞᄆᆡ 혹ᄉᆞ 희빅의 가례시로

다르미 업더라 당일의 월셩궁의 디연을 기장하고 튠빈귀긱이 디희하니 외뎐 틱화뎐 디셔헌을 널니 쓰러 뎨왕 군동 곤계 십ᄉ인이 뎍의보블노 금관픽옥을 곳쵸와 오진 냥공을 쥬셕의 밧드러 졉빈디긕하니 슉슉혼 녜졀이 즁니 좌셕의 안밍이 뫼심곳더라 이늘 뎨휘 희셩의 길셕을 두굿기ᄉ 상방 진찬과 어원 풍 (21)악을 ᄂ리오ᄉ 잔치를 도으시니 뎨왕 부마와 황친 국쳑이며 만됴빅관이 구현 냥부의 모드나 광평왕 일인이 블참하니 ᄎ일 교쥐 어미 계교로뻐 광평왕 이 만일 뎨궁 연ᄎ의 님하거든 승간하여 요약을 나오고ᄌ 하더니 뎨후의 신명 하시미 일월의 명감이 계신디라 광평왕의 실셩하미 아됴 미치기의 이를가 하 ᄉ 외간 츌입을 막으시민 고로 교녜 실계하니라 닉당의 도졍뎐 명광뎐과 화쳑 각을 통기하고 포진을 널니하여 금병이 즁즁하고 슈막이 겹겹혼디 봉관화리의 홍장ᄋ틱와 금군취슘이 날난(22)하니 졔부인 졔소졔의 월모화안이 분벽의 징 광하여 위쥐 황황혼 듯 하니 만고무비 독등혼 ᄌ질이 막상막하하여 양비의 풍 완하믄 음비하미 늣부고 한비의 경신하믄 쳔누하기의 곳ᄀ오니 엇지 쇼쇼 쥬 옥의 비기리오 만됴 명부와 황친 국쳑 졔부인닉 휘황혼 품복과 화려혼 셩장으 로 화미를 다ᄉ려 일식을 ᄌ부하던 뉘 뎨왕궁 모든 부인 졔쇼져의 셰고무썅혼 식광지모를 보미 스ᄉ로 탈긔하여 몸을 도라보와 져를 밋기 어려오믈 씨닷고 우미혼 녀ᄌ와 투투협혼 부인닉ᄂ 힝혀 미혼혼 쇼져네가 우리 금장(23)지친 간의 드러와 투식홀가 겁하더라 일영이 장반의 희셩 공ᄌ 옥모영풍의 길복을 졍히 하고 닉당의 하직하고 위의를 휘동하여 빅마 금안의 싱쇼고악이 휜뎐하 고 만됴요긱이 휘렬하여 혼가로 향하니 졔후의 빅월이 듕듕하고 긔경지렬과 장혼 츄종이 탄탄광야의 덥혀시니 거록하며 부셩하미 슈슘니의 이어시니 이 가히 농동닉지여빅으로 텬승국군과 왕희의 귀공ᄌ믈 알니러라 빗닉 힝하여 진 왕부의 다드르니 ᄎ시 구부의셔 디연을 기장하고 만당 빈긱이 취회하니 연셕 의 장녀하미 뎨궁(24)으로 다르미 업더라 일식이 반오의 신낭의 위의 도문하 니 썅썅혼 복쳡이 홍군취슈로 향쵹을 잡아 신낭을 인도하여 화쵹의 녜를 뎐하 고 신부의 상교를 지쵹하니 구릭공이 언근혼 풍위의 고관 디디로 오ᄌ이셔와 슈다 주손을 거느려 쥬셕의 좌ᄒᆞ여 손셔ᄅᆞᆯ 볼ᄉᆡ 냥미상의 묘흔 우음이 영ᄌᆞᄒᆞ여 신낭의 손을 잡고 좌듕의 닐너 왈 오이 ᄉᆞ회ᄅᆞᆯ 어드ᄆᆡ 비록 셰속의 범범미랑이라도 어엿부고 ᄉᆞ랑ᄒᆞ려든 더옥 오긔손셔ᄂᆞᆫ 당당흔 옥엽여ᄆᆡᆨ으로 작인의 비상홈과 지질의 탁츌ᄒᆞᄆᆡ 이 ᄀᆞᆺᄒᆞ니 흔ᄀᆞᆺ 오가 문난지경이라 홀 (25)분 아니라 진실노 국가의 지뵈요 ᄉᆞ직의 간셩이라 셩텬ᄌᆞ의 흥복이 졔텬ᄒᆞ시믈 깃거ᄒᆞ나이다 좌상 졔빈이 현공ᄌᆞ의 지모ᄅᆞᆯ 불승이모ᄐᆞ니 구승상 말ᄉᆞᆷ을 니어 연셩 하례ᄒᆞ여 명논이 유리ᄒᆞ시믈 일ᄏᆞᄅᆞ니 승상 부ᄌᆞ 만심 환희ᄒᆞ여 승당 치하ᄒᆞ더라 이윽고 쇼졔 웅장으로 상교홀ᄉᆡ 조모와 모친이 ᄂᆞᆫ믓츨 치오며 녀ᄒᆡᆼᄉᆞ덕을 경계ᄒᆞ더라 신븨 상교ᄒᆞᄆᆡ 신낭이 금쇄ᄅᆞᆯ ᄀᆞ저 봉교상마ᄒᆞ여 도라올ᄉᆡ 긔특흔 위의 십니의 니어시니 향풍이 옹비ᄒᆞ고 금슈단장이 셧도라 ᄭᅩᆺ빗치 일워시니 화녀의 하가ᄒᆞᄂᆞᆫ 위의라도 이의 더으지 (26)못홀지라 관광ᄌᆡ 칭찬 왈 가히 쳔고 장관이라 져 화교 즁의 신븨 능히 텬신 ᄀᆞᆺ흔 신낭을 뒤후홀가 혹 아ᄂᆞ니 잇셔 닐오ᄃᆡ 이 신븨 ᄯᅩ흔 구진왕의 쳔금 농쥬요 텬하의 유명흔 열현부인 녀비 쇼싱이라 녀부인 ᄉᆡᆨ모ᄌᆡ덕이 고금의 독보ᄒᆞ니 기녜 엇디 범연ᄒᆞ리오 듯ᄂᆞᆫ 지 혀ᄅᆞᆯ 두루혀 칭찬 불이ᄒᆞ더라 왕궁의 도라오니 상부 궁녀 ᄎᆔ딕 향노션과 공작션을 잡아 홍상이 ᄂᆞ렬ᄒᆞ고 화연이 진진흔ᄃᆡ 신낭 신부ᄅᆞᆯ 인도ᄒᆞ여 졍뎐의 드러가 교빈ᄅᆞᆯ 파ᄒᆞ고 묘뉼을 밧드러 됸당 구고긔 헌홀ᄉᆡ 만좌즁목이 일시의 (27)관광ᄒᆞ니 일은바 규문셰덕은 영형슈벌이요 현가 긔믹은 형옥녀졍이라 틱허의 맑은 졍믹은 곤륜산 ᄌᆞ믹이니 이 신븨 법문뒤가의 군ᄌᆞ지싱이며 슉녀지산이라 싱어상문ᄒᆞ여 댱어명효지가ᄒᆞ니 하늘이 유의ᄒᆞ여 현ᄌᆞ 희셩의 금슬 가화ᄅᆞᆯ 빗ᄂᆡ고ᄌᆞ ᄂᆞ릿오신 빈니 엇디 범연ᄒᆞ리오 두렷흔 면모화안은 닌벽과 치화로 장식ᄒᆞ고 낭낭흔 틱도ᄂᆞᆫ 옥으로 ᄭᅮ며시니 긔해 암암ᄒᆞ고 오칙 녕농ᄒᆞ여 면모 홍금치장복은 비봉냥익의 거러시니 화려흔 장신과 직금홍포 월나군은 쵸궁 버들이 교약ᄒᆞᄂᆞᆫ 듯흔 셤셤(28)쥬옥을 둘너시니 빗ᄂᆞᆫ 물ᄉᆡᆨ이 졍셩 식빗츨 썰쳐ᄂᆞᆫ 듯 요상의 금옥칠보ᄃᆡᄅᆞᆯ 둘너시니 품복의 신신ᄒᆞᆷ 부귀의 비로슨 비여니와 텬싱의 특츌홈과 긔질의 탁ᄋᆞᄒᆞᆷ 식지동이요 덕지원이라 빅틱

천광이 교슈무비ᄒ여 말노 됴ᄎ 모스키 어렵고 니로 형언치 못ᄒ지라 고으무
로 의논컨디 그림 쇽 션직요 보비로 비ᄒᆫ즉 변하의 옥이 무담ᄒ고 위혜의 명
쥬 무미ᄒ니 뉵궁분디 무안싴의 비기지 못ᄒ지라 장강 반비의 범범 미용은 비
기지 못ᄒ리니 고은 ᄀ온디 빗ᄂ고 ᄲ혀ᄂ며 아름다와 팔치의 셩덕이 형영ᄒ
고 운빈(29)의 귀복이 당당ᄒ니 가히 니른바 금고의 희셰가인이요 쳔츄의 슉
인셩싴니 만일 ᄌᆞ흔 ᄌᆞ롤 밀위어 싱각ᄒᆫ즉 옥화군쥬 곳 아니면 그 우히 업슬
거시요 구쇼졔 아니면 옥화군쥬롤 디두ᄒ 리 업슬지니 현상부 졔부인이 낫ᄂ
치 미싴 아니미 업ᄉ되 이 신부의 빅싴 겸비ᄒᆞ믈 밋기 어려온디라 경영흔 셰
신의 무거온 장염과 긴 단장을 ᄯᅴ어 진퇴의 멸치 잇고 좌쥰승ᄒ며 우규구ᄒ여
동작이 슈단의 합도ᄒ니 만목이 어린 ᄃᆞᆺᄒ여 쥬싴을 니졋더라 녜파의 좌의 ᄂ
ᄋᆞ가니 둔당 진공의 온즁홈과 쥬부인의 단듕ᄒ무로(30)도 화풍셩모의 두굿거
온 우음이 ᄀ죽ᄒ여ᄂᆞ지라 진공이 쇼슈로 됴뉼을 어루만져 좌즁의 닐너 닐오
디 인가 흥쇠ᄂᆞ 명ᄂᆞ리 현슉ᄒ게 잇ᄂᆞ디라 부직 박덕으로 월셩옥듀 ᄀᆞᆺ흔 셩녀
롤 위부ᄒ고 ᄯᅩ 공쥬의 어진 퇴교로ᄡᅥ 희셩 ᄀᆞᆺ흔 긔손을 두어 구시 ᄀᆞᆺ흔 슉녜
고모의 뒤흘 니으니 녀ᄌᆞ의 싴광은 닐을 빅 아니나 신뷔 화월의 빗ᄂ미 잇고
덕문명가의 녜힝과 마등의 덕힝이 ᄀᆞ죽ᄒᆞ믈 깃거ᄒ나이다 좌긱이 연셩ᄒ례 왈
셩문 복경이 무량ᄒ샤 남녀 ᄌᆞ손의 비상홈도 희흔커늘 입문ᄒᄂ 타문 규쉬 이
러틋 츌뉴ᄒ오니 군부인 후롤 닛ᄌᆞ(31)올 슉인셩싴요 셕ᄌᆞ의 쥬실삼뷔 계시
더니 금셰의 현문 삼비 계시미라 아등의 일싱이 헛되지 아냐 계궁의 쇼ᄋ롤
귀경ᄒ거니와 무된 눈을 너모 놀닉여 광치롤 일헛ᄂᆞ이다 진공 부뷔 만면쇼용
으로 치하롤 승당ᄒ고 뎨왕의 언즁홈과 공쥬의 단슉ᄒᄆ로도 만면화긔 우희염
즉 ᄒ니 오국공이 깃븐 우음을 먹음고 진공을 향ᄒ여 치하 왈 금일 신부의 특
이ᄒ미 여ᄎᄒ니 우형이 깃거ᄒ노라 진공이 흔연 빅ᄉ 역감 희허 왈 션인과
ᄌᆞ위 평일 희셩을 듕이ᄒ시더니 금일 경ᄉ롤 당ᄒ와 고홀 곳이 업ᄉ니 엇디
슬푸지 아니리오 (32)셜파의 희허 탄식ᄒ니 오공이 뉴쳬 왈 오여뎨심이 다르
미 잇ᄉ리오 아등이 명박ᄒ여 북당훤쵸의 낙이 단ᄒᆞᆯ믈 엇지 슬허 아니리오마

는 추역명애라 현뎨는 관심ᄒ라 좌간의 댱시등이 위로 왈 아등지심이 금일 희
셩을 입쟝ᄒ여 비항이 ᄀ즉ᄒ믈 보니 슉부모 츄모ᄒᄂ 무음이 나거든 허믈며
듕예지심이리오 고어의 왈 일인이 블평이면 만쵀 블안이라ᄒ니 경ᄉᄅ 당ᄒ여
이러ᄐᆺ 쳑감ᄒ여 화긔ᄅ 감ᄒ리오 냥공이 탄식 부답ᄒ고 하윤쥬텰 ᄉ부인이
역시 슈루 감톄ᄒ더라 신븨 좌의 누아가 뎨ᄉ 금장쇼고로 안항을 비기미 졔쇼
졔 ᄒ(33)갈ᄌᆺ치 화월지싁이로ᄃᆡ 구쇼졔 좌의 잇ᄉ미 일늇은셤이 부상의 쇼
ᄉ미 만공의 명광이 휘휘ᄒ니 즁셩이 빗출 아임 ᄀᆺᄒᆫ지라 교쥐 칠보셩장을 어
리여 운남쵸염과 월분 연지로 옥모화용을 빗니 다듬아 좌의 잇더니 구쇼져의
그음 업슨 싁틱셩광을 바라보미 ᄌ부 교심이 져상ᄒ니 뮈온 닐 업시 눈을 흘
긔고 이ᄅ ᄀ라 일텬지하의 냥입지 아닐 ᄯᅳᆺ이 잇더라 하틱부인이 신부의 옥슈
ᄅ 잡고 탄식ᄒ며 쥬부인을 향ᄒ여 왈 아등의 모든 녀부ᄂ 임의 쇠년의 밋쳐
시니 비록 아름다오나 엇디 쇠잔ᄒᆫ 모란이 싀로 픠ᄂ 부용(34)화의 흐억ᄒ미
잇시리오 금일 신븨 좌의 잇시미 슉이 미이 긔특지 아니미 아니로ᄃᆡ 능히 신
인의 빅틱 완젼ᄒ믈 밋기 어렵고 쇼쇼븨 아름다오나 졔 능히 신부의 무궁ᄒᆫ
염치ᄅ 밋지 못ᄒ니 만일 좌즁의 옥화 쇼븨 잇던들 신부로 더브러 병구징젼ᄒ
지라 쳡이 독히 현미의 손부ᄅ 블워 아닛ᄂ이다 아지 못게라 당금 츠시의 옥
보방신이 어ᄂ 곳의 도싱ᄒ고 념념블망이로쇼이다 셜파의 기리 탄식ᄒ니 쥬부
인이 위로 왈 져져ᄂ 물녀ᄒ쇼셔 죠군쥬ᄂ 복녹화길지상이라 홍안이 너모 슈
이ᄒᆫ 고로 됴물이 다 싀ᄒ여 평지의 풍픠 니(35)러나 방신이 고쵸ᄒ나 텬되
쇼쇼ᄒᆫ신즉 길인을 보호ᄒᆯ 도리 잇슬 거시오 간당이 복쥬ᄒᆯ 시졀이 오리지 아
닐지라 져져ᄂ 과려치 마르쇼셔 말ᄉᆷ을 니어 윤텰 냥부인과 좌긱이 다 호언
관위ᄒᆯ시 졔공은 다 밧그로 나가고 빈긱 부인ᄂᆡ 열좌ᄒ여 화담으로 찬됴ᄒ며
희어ᄅ 논난ᄒ여 금슈 돗 우희 산협쉬 구으ᄂ 듯ᄒ니 뉵부인은 머리ᄅ 슉이고
움쳐 안ᄌ 만반진슈와 쥬육을 포장ᄒ더니 믄득 쥬광이 발ᄒ여 무슨 말긋시나
달고 시브되 녀의 무어시라 ᄒᆯ가 져허 말을 못ᄒ고 남의 입만 바라보고 안ᄌᆺ
더니 가부인이 믄득 여측ᄒ라 후졍으로 가거늘 잠간 무움을 펴 웃고 닐오ᄃᆡ

온ㄱ 일이 다 지닉니 션싱이라 ㅎ(36)미랴 쥬미의 의논이 과연 명달ㅎ도다 당
년의 형으 음녀의 공연흔 음히를 맛나 험쥰녕의 쩌러져 하마 죽을 거슬 일광
딕스의 덕의 스라 도라오고 상공이 남다른 총명으로 간덕을 발각ㅎ엿거니와
금셰의 또 어딕 형으녜 ㄱ흔 요악찰녜 잇시며 죠군쥬를 히흔동 알니요 ㄱ만흔
악스는 부딕 발각ㅎᄂ니 젼즉 군쥬를 히흔 요인이 이 좌즁의 잇ᄂ동 알니잇고
뉵부인 말숨이 맛츠미 졔인은 무심이 듯고 쥬광이믈 우으되 교쥐 홀노 츠언을
드르미 스스로 힝악이 무비흔지라 힝혀 제 일을 의심ㅎᄂ 니 잇셔 ㄱ만흔 공
논이 잇시미 뉵부인이 드럿다가 취즁(37)의 발ㅎᄂ니라 ㅎ고 스식이 히음업
시 변ㅎ여 운두를 슉이고 신식이 져상ㅎ니 좌즁이 다 괴히이 너기더라 죵일
진환ㅎ미 일낙함지ㅎ고 월싱동곡ㅎ니 졔인이 각산기가ㅎ고 신부 슉쇼를 침뎐
좌녁 응휘각의 졍ㅎ니 신뷔 혼졍지녜를 맛고 스실의 도라가니 뎨왕이 부젼의
으즈의 동방을 품쳐ㅎ온디 공이 글오디 셩이 즈쇼로 온즁졍딕ㅎ여 군즈유풍
이 잇스니 비록 동방을 허ㅎ나 반드시 됴심ㅎ믈 밋쳐 어룬의 경계를 기다리지
아니리니 엇지 삼일 신방의 님지 업게 ᄒ리오 왕이 승명ㅎ여 야심ㅎ미 공즈를
명ㅎ여 옥슈의 홍(38)심을 취ㅎ여 향실의 나으가니 옥난쥬함의 쥬렴을 고권
ㅎ고 금병슈막의 향연이 안기 ㄱ흔 곳의 **雙雙**흔 궁으복쳡이 향쵹을 잡으 신낭
을 녜영ㅎᄂ 졀됴를 드디여 승당입실의 분벽화쵹의 슉인을 상딕ㅎ니 현공지
즈유로 셩문의 바른 쥴믹을 드디여 도를 공안의 학ㅎ고 덕을 유문의 더으시나
빈필의 관관ㅎ믄 모시 관져의 베푼 빈니 문왕의 딕셩으로도 젼젼반칙ㅎ시고
오미구지ㅎ스 셩녀 스시를 빈ㅎ시니 남직 아모리 단졍ㅎ나 블문고뎨 아니여니
일방의 쳔고멸염 슉녀를 딕ㅎ여 바히 무심ㅎ리오 동셔 분좌의 스일 명광을 흔
번 (39)흘녀 신부를 보니 옥모화티와 작뇨션염이 즉기진ㅎ고 즁긔셩ㅎ니 빅
틱 겸비ㅎ고 덕치 현요ㅎ니 공직 심닉의 깃거 묵묵단좌러니 야심ㅎ미 신부를
권ㅎ여 침상의 편히 쉬게 ㅎ고 즈긔 또 상의 올나 편히 즈더니 계명을 응ㅎ여
니러나 관즐ㅎ기를 맛고 외당의 ᄂ으가니 미지라 동치셔싱의 힝식 온즁ㅎ미
여츠ㅎ더라 신뷔 또흔 신장을 다스려 존당과 각 당의 문안ㅎ니 월모화염이 어

제도곤 시로오니 돈당 구괴 볼스록 이경호고 슉미 스랑호더라 오진 냥공이 능
나 치단과 금빅을 신부의 좌우로 즁상호니 모든 시녜 츠(40)환이 딕열호더라
츠일 공즈 부부로 호여곰 션틱스 사묘의 현비호니 남풍녀뫼 츌뉴발췌호여 일
월이 쌍명혼 듯호니 돈당이 이경호여 텬지묘화의 무궁호믈 일콧더라 오진 냥
공과 하윤쥬쳘 등 제부인은 제손부의 슈츌탁이호미 여츠홀스록 션틱구고의 보
지 못호시믈 슬허 누쉬 여우호니 좌긱이 블승감탄호고 희성 공지 츌뉴혼 셩효
로써 틱왕부모의 교이호시던 지즈를 츄모호여 이 굿혼 슉녀 미쳐를 취호여시
나 유명이 망미호시믈 감오호여 츄파셩안의 츄쉬 징동호니 신뷔 인심의 감동
호여 늣빗츨 (41)곳치더라 문묘의 비알호기를 맛고 졍당의 함취호여 둉일 즐
겨 파호다 데휘 평뎨왕 부부의게 하됴호샤 구쇼져를 드려 입궐 묘현호라 호시
니 공쥐 수일 후 위의를 굿쵸와 신부로 입궐 묘현홀시 데왕이 공즈를 다리고
쏘혼 입궐호니 위의 가장 부셩호더라 츠시 교쥐 무음의 앙앙호믈 니긔디 못호
니 셜부인이 지긔호고 심닉의 구댱 미온호여 말이 업더니 우희 참지 못호여
교쥬다려 닐오딕 귀쥐 쏘혼 황손이라 아직 영돈딕왕이 금즁의 죄쳐호시니 샹
의 셩덕으로 우로지틱이 헐호시미 아니로딕 귀궁 닉외 화평(42)치 못호신 고
로 셩녜 결치 못호샤 아직 니러호나 쇼쳔들 언마 호여 져 굿혼 영광을 씌여
입됴호시리잇가 교쥐 져의 긔식 아라보믈 황괴호여 변식 탄 왈 슉즈의 말숨이
오원호시도다 구쇼져의 영춍부귀를 쳡이 엇지 앙망호리오 슈연이나 부왕의 영
춍부귀로써 심폐의 죄쳐호시믄 옥화 굿혼 불쵸녀를 두신 연긔라 연츠로 쳡이
쏘혼 스오나온 연고로 황됴의 춍이 쇠호시고 구가의 딕졉이 셔의호며 샹공의
박딕 틱심호여 여시힝노호니 옥화와 쳡은 명회 동긔나 실은 구젹이니이다 강
양이 쳥파의 크게 웃고 왈 쳡은 본딕 (43)하토누실노 지식이 쳔박호고 문견이
고루호여 그런가 젼즈의 옥화군쥐 샹부의 입승호시니 샹부 닉외와 이 궁즁 닉
외 쳔만 인원이 다 닐오딕 싁광 셩덕이 우리 옥쥬 낭낭과 흡스호시다 일크르
니 쳡도 쏘 그런가 너겨더니 의외의 괴이혼 누명이 훼즈호여 쳔니의 원덕호시
니 샹부와 왕부 샹히 다 앗기고 슬허호니 쳡도 역시 셩녀슉완이 무죄히 죄젹

ㅎ시믈 가셕ㅎ더니 이 말슴을 듯건디 죄범인즉 둥한치 아니ㅎ닷다 원간 황슈
지라 ㅎ나 니 황슉빈 질지라 ㅎ더니 진젹히 드르미 잇도다 교쥬 강양의 빅빅
혼 눗빗과 닝쇼ㅎ며 (44)찰시ㅎ믈 보미 스스로 뎌의 심혜롤 스뭇는 둣 간심
이 늇니ㅎ여 믁연ㅎ니 교혜 쇼졔 참지 못ㅎ여 닐오디 상부 둔당 슉당이시며
왕궁 노위 다 옥화 져져롤 츌뉴 비범ㅎ시믈 모로 리 업스니 죄명을 가셕지 아
니 리 업거늘 군쥬 비록 실언혼들 셔뫼 엇지 부졀업시 찬됴ㅎ여 슉녀의 신상
이 욕되게 히시ᄂ니잇고 언필의 셜부인이 빵안을 믜이 쎠 교혜롤 즐퇴ㅎ니 쇼
졔 무숨이 바른 말을 ㅎ여더니 모친의 즐칙을 듯고 황공ㅎ여 옥안을 붉혀 말
을 못ㅎ니 교쥬 발연 변식 왈 녀ㅈ의 장니 길흉을 미리 졍치 못혼다 ㅎᄂ니
쇼졔 비록 (45)뎨왕궁 교ㅇ로 당시 부귀 극진ㅎ나 타일 젼졍 화복이 엇더ㅎ오
며 또 사룸 비쇼ㅎ기롤 니러틋 ㅎ시ᄂ뇨 쳡이 쳔연이 긔구ㅎ여 사룸의 빈측을
감심ㅎ나 ㅈ뫼 스독이요 옥엽여믹이니 이러틋 업슈이 너기지 마르쇼셔 언파의
분분이 니러 도라가니 부인이 혀 ᄎ 탄복ㅎ더라 교쥬 상부의 도라와 스침의
드러가 졀치교ㅇ 왈 요괴로온 셜시의 져근 ᄯ이 이러틋 긔승혼 체ㅎ거니와 니
당당이 붓그러오믈 씨스리라 퇴셤 셜믹 왈 쇼졔 이제 큰 뜻을 품어신즉 오릭
머무지 마르쇼셔 교쥬 졈두 왈 엇지 무단이 가리오 반ᄃ시 현ㅈ의 박(46)듸ㅎ
던 원을 갑고 가리라 ㅎ더라 이쎠 뎨왕 부부 삼인이 신부와 냥녜롤 거ᄂ려 댱
싱뎐의 됴현ㅎ니 뎨휘 궁듕의 셜연ㅎᄉ 퇴자 뎨왕 비빙 공쥬롤 다 명쵸ㅎ시고
구쇼져로 보실식 찬녜관이 월셩궁 스지상궁 니셜 냥인과 위보모 등으로 더브
러 쇼져롤 뫼셔 막ᄎ의 쉬여 단댱을 곳치고 뎨후와 동궁의 비알홀식 늇쳑 항
신의 농금치화삼과 홍쵸월나군을 가ㅎ고 픠옥 쇼릭 졍졍ㅎ며 연보롤 움죽일
젹마다 옥결이 낭낭ㅎ고 향뮈 뇨뇨ㅎ여 옥뎐의 팔빅ㅎ고 찬녜관이 광몌롤 드
러 녜슈롤 호창ㅎ고 산호만셰롤 맛ᄎ미 구쇼져의 빅(47)퇴만염이 교슈무비ㅎ
여 싀모지예롤 비겨 의논홀 곳이 업ᄂ지라 황친 국죡 졔부인닉와 뎨왕 비빙
공쥬의 미식을 ㅈ부ㅎ던 뉘 낫낫치 탈식ㅎ여 구쇼져긔 비기미 위혜의 벽진쥬
금반의 올눗는 둣 스셕이 ᄲ혀는 듯ㅎ거늘 뎨휘 일견경희 이즁ㅎᄉ 옥탑 ㅇ릭

갓가이 슈돈을 쥬시고 그 옥슈를 잡으시고 우음을 여러 뎨왕과 공쥬를 면유ᄒᆞ샤 왈 짐이 월셩 녀ᄋᆞ의 쳥슈미질노 희셩 ᄀᆞᆺ흔 긔ᄌᆞ를 ᄉᆡᆼᄒᆞ여 이 ᄀᆞᆺ흔 현부를 어들 쥴 알니오 금일 신부를 보니 월셩의 복이믈 알고 경의 ᄐᆡᆨ부 잘ᄒᆞ믈 하례ᄒᆞ노라 ᄒᆞ시고 좌우로 하(48)쥬를 ᄉᆞᄒᆞ시니 뎨왕이 고두복지ᄒᆞ여 잔을 밧ᄌᆞᆸ고 계슈ᄉᆞ은ᄒᆞᄆᆡ 츈풍화긔 우힐 듯ᄒᆞ니 ᄐᆡᄌᆡ 우어 ᄀᆞᆯ오ᄉᆞᄃᆡ 현부ᄆᆡ 셕일 아ᄆᆡ를 취ᄒᆞᆫ 삼일의 이 장낙뎐 ᄀᆞ온ᄃᆡ 삼뎐의 ᄉᆞ쥬를 밧ᄌᆞ올 젹 쇼년 호신이로ᄃᆡ 화긔 ᄉᆞ연ᄒᆞ여 거의 울 듯ᄒᆞ더니 금일은 하셕이완ᄃᆡ 며ᄂᆞ리 어든 ᄉᆞ쥬를 밧ᄌᆞ오ᄆᆡ 깃븐 ᄉᆡᆨ이 말ᄉᆞᆷ 밧긔 넘지고 웃ᄂᆞᆫ 입이 귀ᄀᆞ디 열니믄 엇지뇨 왕이 옥면셩안의 쇼안이 미미ᄒᆞ여 ᄃᆡ쥬 왈 셕일은 연쇼우몽ᄒᆞ옵거ᄂᆞᆯ 표연이 쵸방지신이 되여 됴의의 당치 아닌 부귀 셩만ᄒᆞ믈 당ᄒᆞ오니 일심이 공구ᄒᆞ와 ᄉᆡᆨ우의 나타나오미오 (49)금ᄌᆞᄂᆞᆫ 신의 ᄂᆞ히 만ᄉᆞᆸ고 작위 뎐승이라 부귀 극ᄒᆞ고 명ᄌᆔ 이리 현슉ᄒᆞ시오니 인심의 즐겁지 아니리잇고 ᄐᆡᄌᆡ 왕의 답언이 능녀ᄒᆞ믈 우으시고 쇼낭낭이 우어 왈 아름답지 아닌 셕ᄉᆞ를 니르지 말나 ᄒᆞ시더라 뎨휘 희셩 부부의 상뎍ᄒᆞ믈 십븐 깃그ᄉᆞ 쥬옥진보와 ᄎᆡ단을 상ᄉᆞᄒᆞ시고 졔인을 ᄉᆞ숑ᄒᆞ시니 구부 유랑 복쳡이 환열ᄒᆞ더라 뎨휘 또 의빈의 복덕이 ᄀᆞᄌᆞᆨᄒᆞ믈 칭찬ᄒᆞ시고 냥 현시의 졀세미질을 어엿비 넉이ᄉᆞ 사랑ᄒᆞ시며 쥬옥ᄎᆡ단으로 ᄉᆞᄒᆞ시니 의빈 삼모녜 뎐은을 황감ᄒᆞ더라 동일 진환ᄒᆞ고 뎨왕 부부 모ᄌᆡ ᄐᆡ됴ᄒᆞᆯᄉᆡ 녀부를 (50)거ᄂᆞ려 본궁의 도라오니 일ᄀᆡ 모다 연즁 셜화를 뭇고 뎐춍의 관유ᄒᆞ시믈 ᄉᆞᄉᆞ의 황감ᄒᆞ더라 뎐ᄌᆡ 또 구부의 상ᄉᆞᄒᆞ시고 상방 진찬을 ᄉᆞ숑ᄒᆞ샤 평진왕 부부의 긔녀를 나하 공쥬의 셩덕을 계승ᄒᆞ믈 포장ᄒᆞ시니 구부의셔 뎐은을 슉ᄉᆞᄒᆞ고 어숑ᄒᆞ신 진찬을 ᄂᆞ와 일가 친쳑의게 난화 보ᄂᆡ고 진왕이 녀ᄋᆞ의게 글을 씨쳐 가지록 익익ᄒᆞ여 ᄉᆡᆼᄋᆞ 구로지은을 욕 먹이지 말나 ᄒᆞ니 구쇼졔 부훈을 더옥 두리며 근심ᄒᆞ여 슉흥야ᄆᆡᄒᆞ고 동동쵹쵹ᄒᆞ여 근신겸퇴ᄒᆞ여 녜되 ᄀᆞᄌᆞᆨᄒᆞ니 됸당 부모와 가즁 상ᄒᆡ 탄복ᄒᆞ더(51)라 희셩 공ᄌᆡ 삼일 견빙악지녜를 ᄒᆡᆼᄒᆞ니 녀공 부부와 진왕과 녀비의 ᄋᆡ즁ᄒᆞ미 측냥 업고 구부 셩만ᄒᆞ미 현부와 ᄎᆞ등치 아니니 인인이 구쇼져의 복되믈 칭찬ᄒᆞ더라 이ᄯᆡ 교쥐 ᄉᆞᄉᆞ의

분통앙앙ᄒᆞ여 원한이 무고흔 딕 도라가고 각골 뮈오미 옥난 등 ᄉᆞ창의게 도라
가니 음난 경쳔흔 헤ᄋᆞ림의 져 무리 교언녕싁으로 학ᄉᆞ를 미혹게 흔다 독흔
흉계를 싱각ᄒᆞ여 텬금을 회뢰ᄒᆞ여 인심을 깁히 ᄉᆞ괴고 학ᄉᆞ의 입번흔 ᄯᅵ를 타
틱셤으로 ᄒᆞ여곰 단약을 먹여 혹ᄉᆞ의 심복 동ᄌᆞ의 얼골이 되여 흔 병 슐과 흔
반 만두를 (52)가지고 졔창의 머무는 곳의 가 젼어 왈 학ᄉᆞ 노애 금일 입직ᄒᆞ
샤 외국 교유셔를 잘 짓다 ᄒᆞ시고 텬직 상방 어션을 ᄉᆞᄒᆞ시니 됸당이 난화 칙
교졍 부인긔 ᄂᆞ리오시니 부인이 군ᄉᆞ지믈이라 흔ᄌᆞ 먹지 못ᄒᆞ리라 ᄒᆞ시고 데
왕 낭ᄌᆞ긔 보ᄂᆡ더이다 ᄒᆞ니 치홍 등이 부인 셩덕을 ᄉᆞ례ᄒᆞ고 ᄉᆞ인이 셔로 권
ᄒᆞ여 먹을시 암약이 장부를 녹일 줄 알니요 ᄯᆡ 졍히 황혼시라 졔창이 겨오 그
르슬 믈니며 것구러지니 틱셤이 급급히 그르슬 거두어 도라와 교듀다려 니르
니 교쥬 딕희ᄒᆞ여 밤이 깁고 만뇌구젹ᄒᆞ믈 기ᄃᆞ려 단장을 ᄀᆞ비야이 ᄒᆞ고 단검
을 들고 틱셤만 다리(53)고 쇼당의 니르니 ᄉᆞ창이 인ᄉᆞ를 모르고 ᄌᆞ거늘 교
쥬 용약ᄒᆞ여 칼을 드러 몬져 졔녀의 운발을 무쥬리고 혼혼ᄒᆞ여시나 오히려 ᄭᆡᆯ
가 두려 슈건으로 입을 막고 호흡을 통치 못ᄒᆞ게 ᄒᆞ고 칼을 드러 코와 귀를 버
히니 익지라 ᄎᆞ녀 등이 쳑시의 녀의를 ᄀᆞ져 동궁의 큰 위를 거우는 긔틀이 아
니로딕 인쳬의 변을 맛나 션연미질노 흰 날 ᄋᆞ릭ᄲᅥ 흘닌 시쳬 되니 악녀의 흉
픽ᄒᆞ미 이 ᄀᆞᆺ더라 교쥬 졔녀를 잔형ᄒᆞ니 슘을 두루지 못ᄒᆞ고 독히 알푸무로됴
ᄎᆞ 희미히 늣기는 쇼릭의 명이 진ᄒᆞ니 교쥬 연갑을 열고 부슬 드러 벽상의 ᄲᅥ
(54)굴오딕 여등이 일시의 빅반 훼졀ᄒᆞ여 상부 권셰로ᄡᅥ 녜를 바리고 의를
니ᄌᆞ니 닉 이의 와 귀와 코흘 버혀 명졍기됴 ᄒᆞ노라 ᄒᆞ고 급급히 도라가니 알
니 업더라 침쇼의 도라와 쳔식을 졍ᄒᆞ고 보니 졍혈이 졔 의상의 난만ᄒᆞ여는지
라 급히 버셔 궤즁의 너혀 협실의 감쵸고 믈을 ᄀᆞᆺ다가 ᄲᅵᆺ기를 다ᄒᆞ고 타연이
상 우히 올나 한 잠을 쾌히 ᄌᆞ고 명묘의 됸당의 문안ᄒᆞᆯ시 사룸이 비록 아지 못
ᄒᆞ나 신긔 직방ᄒᆞ고 음식 ᄉᆞ긱ᄒᆞ여 귀록의 치부ᄒᆞ니 무인 심야의 샴쳑 쇼녀직
살인ᄒᆞ믈 심상이 ᄒᆞ니 엇지 거동이 안연ᄒᆞ리오 ᄲᅡᆼ안(55)의 독긔 미만ᄒᆞ고 살
긔 등등ᄒᆞ니 모다 괴이히 넉이더니 이윽고 교쥬 믈너난 후 후졍의 상목을 ᄀᆞ

음아는 양낭의 무리 젼도히 드러와 만면 경악흔 스식으로 고왈 옥난 치홍 등
스창이 후뎡의 머무옵더니 작야의 다 죽스오니 여츠여츠 흐여 반드시 사룸의
힝스흐미오 스스로 죽으미 아니러이다 좌위 쳥파의 디경츠악흐며 상고실식흐
여 묵묵무언흐니 오공이 경노 분연 왈 간흉이 쳔흉만악을 비로 흐나 오히려
인명이 상치 아냐시무로 됴히 바려 두엇거늘 악식 여츠홀 쥴 알니오 인명이
지즁흐니 옥난 등이 슈비텬이나 흉음 발부(56)의 흉흔 작난이 여츠흐니 엇디
일양 함묵흐리오 금일의 쾌히 다스려 간졍을 발각흐고 슉녀를 신빅흐리라 승
상이 피셕 슈명흐니 오공이 이의 스지 시녀 셜완과 스오기 건녀를 명흐여 칙
교졍의 가 교쥬의 협스를 뒤라 흐고 의심된 거슬 잡으니라 흐며 외헌의 나와
금녕을 흔드러 스졸을 모흐고 형벌 긔구를 궃쵸며 흔 쇼리 호령의 칙교졍 유
ᄋ 복쳡을 일졔히 잡으오라 흐니 교쥬 디경실식흐여 고셩 발악 왈 닉 무슴 죄
잇관디 아모리 틱노야 위엄인들 무죄흔 시비를 잡히ᄂᆞ뇨 셜완 등이 닝쇼 왈
유죄(57)무죄 간 틱노야 명이시니 비복이 엇디 알니요 언파의 틱셤 등을 미러
니여 브리며 일변 협스를 슈험흐ᄂᆞ지라 교쥬 더옥 황망흐여 쇼리질너 왈 도젹
이 아니니 무슴 장물이 잇슬 거시라 동을 다 줍으니고 ᄯᅩ 셰스를 뒤려 흐ᄂᆞ다
흐고 협실의 드리다라 젹은 제를 봉쇄흐며 일오디 이거슨 수일 젼 우리 소비
즈장슈식지뉴를 너허 보니시며 만금진보라 흐되 닉 다스흐여 미쳐 보지 아냐
시니 그 몃몃 가지슈를 모로거늘 엇지 너희로뼈 몬져 여러보아셔 실흐게 흐리
오 흐고 아니 쥬니 필경 이 엇지 된고 츠간 하문분히흐라 (58)텰종황뎨 후궁
김상궁 쳘영 글시

명쥬옥연긔합녹 권지십

(1) 명쥬옥연긔합녹 권지십
츠셜 시시의 셜완이 쇼왈 요스이 명문 부인닉도 스욕이 비린 탐남흐거니와 쳔

인 등은 주유로 현상부 녜의지문의 종수ᄒ여 촌분도 비례부힝치 아니ᄂ니 더
옥 지보의 욕심이 잇스리오 긔명으로 살인의 정젹을 알고ᄌ ᄒ미오 도젹ᄒ미
아니로쇼이다 교쥐 분미 왈 옥난 등은 연화 본두의 숑구영신ᄒ던 무리라 반ᄃ
시 본뷔 잇셔 실졀무신ᄒ믈 노ᄒ여 죽일시 분명커늘 그 살인ᄌ를 ᄎᄌ려 ᄒ면
당시의 현상뷔 임의 협텬ᄌ평뎨후ᄒᄂ 셰력이 잇스니 구쥐의 힝이ᄒ면 독히
잡을 거시여늘 이 손바(2)닥만 방안의 무어시 잇스리라 ᄒᄂ다 스창을 늬 죽
엿다 닐너도 ᄌ긱을 먼니 보늬엿지 방쇽의 너허 두랴 셜완이 부답ᄒ고 졔녜를
지휘ᄒ여 협스를 낫ᄂ치 뒤니 교쥐 심담이 분분ᄒ여 왈 장믈이 어듸 잇ᄂ냐
셜완 왈 부인의 가진 궤즁의 잇스니 궤를 마ᄌ 보고ᄌ ᄒᄂ이다 교쥐 노왈 여
등이 빅쥐의 됴명을 탁ᄒ고 ᄂ와 지보를 탈취코ᄌ ᄒᄂ냐 날을 죽이고 아사
가라 불연즉 늬여쥬지 아니리라 셜완이 닝쇼 왈 궤 쇽의 진실노 긔관이 업거
든 노쳡의 늙은 머리를 버혀 거즛말ᄒ 죄를 당ᄒ리이다 언필의 동뉴를 지쵹ᄒ
여 위력으로 교쥬의 가진 궤를 아스 금쇄를 (3)쎠히고 여러보니 과연 녹나슴
과 홍쵸상의 무든 셩혈이 오히려 마르지 아냣고 스오 촌 비검이 피 무든 ᄌ최
완연ᄒ니 셜완 등 졔녜 경심ᄎ악ᄒ여 거두어 도라올시 교쥐 만신을 부듸이즈
며 발악 왈 ᄂ의 ᄌ장지물이 갑시 만금의 지나거늘 욕심을 늬여 여러 년이 결
당ᄒ여 감초고 흉ᄒ 장믈을 변스ᄒ여 날을 모함ᄒ려 ᄒᄂ다 셜완이 닝쇼ᄒ고
셜치고 나가니 아모리 발악ᄒ나 홀일업고 셜믜ᄂ ᄆᄎ 황시의게 간 스이라 면
화ᄒ미 되니라 오국공이 ᄌ질을 거ᄂ려 교쥬의 좌우를 츄문홀시 뒤하의 형벌
긔귀 졔졔ᄒ뒤 오공이 광미의 참엄ᄒ 노(4)긔 어릐여 셜텬의 한뇌 ᄲ리ᄂ 듯
ᄒ니 틔셤이 텬하 별악 찰녀를 응시ᄒ여 눗시미 긔운이 엄엄ᄒ고 쇼릐 앙앙ᄒ
여 부르지지며 왈 노쳡이 죄 업거늘 노애 무슴 연고로 뇌졍이 진쳡ᄒ시니잇고
ᄒ믈며 쳡은 왕궁 비빈 아니라 냥민지녀로 셕년의 황시랑 직시의 쳡의 집이
격닌ᄒ니 황시랑 부인과 스괴여 슉빈의 유뫼 되여 왕궁의 됴춫더니 군쥐 취가
ᄒ미 슉빈이 쳡을 노셩타 ᄒ여 군쥬를 동가ᄒ라 ᄒ시니 마지못ᄒ여 문하의 왓
스오나 일즉 작죄ᄒ미 업ᄂ이다 공이 노미 왈 죄를 니르디 아니나 네 엇지 아

지 못ᄒ리오 네 냥민을 니르지 말나 ᄉ독이라도 죄에 당ᄒ(5)죽 용ᄉᄒ리오 너희 노쥬의 악ᄉ 호ᄃᄒ나 ᄀ만ᄒ 힝악이 텬지신기의 아는 빗라 닉 임의 짐작ᄒᄂ니 은익지 말나 좌우를 ᄯᄌᄎ져 형벌의 올니미 셤이 비록 져의 노쥬의 힝악을 귀신 밧 뉘 알니오 ᄒ여 긔운이 가지록 앙앙ᄒ여 ᄺ셔 씨여지고 셩혈이 님니ᄒ여 ᄉ오 장의 미쳤더니 믄득 안흐로셔 져근 궤쥼의 피 무든 의상과 단검을 담ᄋ 드리고 슈말을 알외니 좌위 더옥 악착히 너기고 오공이 ᄃ로 왈 흉녜 이졔도 발명ᄒ다 셤이 앙연 즐왈 셜파라야 아ᄌ 너와 무ᄉᆷ 원슈 잇관ᄃ 은적을 ᄎᄌ 근각을 실ᄒᄋᄂ다 진실노 텬지일월을 한가지로 못ᄒᆯ 원슈로다 (6) 언파의 앙텬비호 왈 신명이 우리 노쥬를 돕지 아니시미 여ᄎᄒ시뇨 출하리 독형을 치 밧지 아냐셔 실상을 고ᄒ리라 ᄒ고 쇼릭 질너 왈 노야는 잔형을 거두시면 토셜ᄒ리이다 공이 명ᄒ여 복쵸를 바드니 셤이 울며 복쵸 왈 노쳡은 본ᄃ 황부 노쇽이라 본ᄃ 비지 아니나 ᄃᄃ로 황부 슈은이 만하 비복의 무리 되여더니 황부인이 만닉의 ᄉᆼ녀ᄒ여 강보시 요ᄉᄒ오니 슬허ᄒ옵더니 시랑의 긔쳡 ᄃ션이 위부인과 ᄒ 달의 ᄉᆼ녀ᄒ고 죽으니 부인이 쳡녀를 몸쇼 양휵ᄒ미 만닉의 유되 부죡ᄒ니 쳡으로ᄡ 유모를 삼ᄋ 쇼랑을 기르니 졈졈 ᄌ라미 ᄌ미 졀졔(7)ᄒ고 지룽이 민쳡ᄒ니 시랑과 부인이 과익ᄒ여 쳡녀라 아니ᄒ고 젹녀 ᄀ치 기르더니 쇼랑이 셩질이 춍혜ᄒ나 텬품이 음ᄉᄒ여 규힝이 파쳔ᄒ지라 동닉의 견긔라 ᄒᄂ 쇼년남ᄌ 이시니 이 곳 쳡의 형 틱란의 싀독ᄒ라 호협방탕ᄒ더니 견긔 쳔형을 ᄎᄌ ᄌ로 황가의 왕닉ᄒ니 엇지 인진ᄒ여ᄂᄂ지 쇼랑으로 ᄉ졍이 잇ᄉ니 쳡이 알고 ᄀ이업시 넉이나 홀일업셔 ᄒ가지로 상의ᄒ여 쥬인을 긔이더니 황시랑이 쇼랑으로ᄡ 광평ᄃ왕의 후빈을 삼으시고 오릭지 아냐 시랑 부뷔 죽으니 그 일지 슈상ᄒ여 항닉의 도라가고 슉빈이 ᄯ 군왕의 춍희되여 ᄌ녀를 (8)ᄉᆼ산ᄒ오ᄃ 오히려 간부를 ᄇ리디 못ᄒᄂ지라 큰일이 발각ᄒᆯ가 져허 가마니 젼가로 쇼식을 누셜ᄒ니 젼뇌 알고 크게 놀나 기ᄌ를 다리고 먼니 외방의 다라ᄂᄂ니 기후는 쇼식이 ᄲᆫ코 쇼문의 젼뇌 환을 두려 기ᄌ를 죽이다 ᄒ더니 ᄯ 틱란 부체 죽으니 더옥 젼가놈도 아지 못ᄒᄂ이다 두 왕ᄌ와

두 쇼쥬는 광평듸왕 골육이로듸 아쥬는 젼가 혈믹이니 고금이 셰원하나 마치
진황이 녕시 녀시를 분변치 못홈 굿하니이다 뎐하 비록 슉빈을 춍이하시나 형
셰 윤낭낭 바라지 못하니 앙앙하나 몬져 냥지 이시니 왕실 동시 도라올가 하
더니 의외의 졍궁 낭낭이 인옥 굿(9)흔 즈녀를 연싱하샤 위를 젼하시고 슉빈
즈녀는 무용이니 앙분하여 히코즈 하던 츠 옥화군쥬 혼닌을 존부의 졍하시고
군마 노애 초셰함믈 알고 더옥 질오하던 츠 슉빈의 질즈 황슈지 단나라 오니
모녀 슉질이 여츠여츠 괴몽이 잇다 하고 무슨 방셔를 가지고 졍궁 모녀를 업
시 하려 하다가 신인이 블의무망의 하강하여 향탁을 분쇄하고 작법하든 무리
다 쥭스하니 슉빈 모녀 슉질이 다 텬의를 원망하고 이리이리 황슈지를 구르쳐
군쥬를 아스 가라 하니 그릇 미교를 아스 고향으로 도라가니 또 실계하고 앙
앙하여 부듸 군쥬를 히하고 아쥬는 스스로 됸문의 도라오려 (10)하나 문희군
이 모미의 계교를 드러 군쥬를 바로 지르려 하다가 여츠여츠 픽루하고 스스로
업더져 즈가의 칼늘히 쌤이 중상하니 슉빈이 도로혀 발작하여 타젹의 쇼슐노
지르다 하며 군쥬의 신혼 초일노브터 음악지언을 창셜하여 군마를 드르시게
하고 군쥬의 좌우를 쳐결하고 홍도를 잡아다가 죽인 후 셜미 홍되 되여 허다
의심된 거동을 도쳐의 힝하고 군쥬긔 스후하려 하더니 군쥐 믄득 홍도를 방츌
하고 군미 동시 군쥬를 의심치 아니하시거늘 이의 황슈즈로 인연하여 쳔금으
로 여러 가지 요약을 미득하여 미혼단으로 광평 뎐하의 춍명(11)을 병들게 하
며 졍궁을 니간하고 군쥬의 음힝을 낫토와 왕의 목젼의 현혹하고 외간의 공교
흔 동요를 닉여 시상의 젼파하여 홍츄 냥어스를 쳥쵹하여 듸론을 니르혀 군쥐
쇼쥐 젹힝을 일우게 하고 즁노의 젹당을 보닉여 탈취하미 다 슉빈 모녀의 작
용이라 군듀를 쇼졔흔 후 방계곡경으로 군마의 실즁의 도라오니 노애 박졍미
믈하스 힝노굿치 보시미 아쥐 통원하여 옥난 등 스창을 불너 후듸하는 쳬하여
투긔 업스믈 낫토나 군마의 스싁이 흔가지라 스스로 진퇴난쳐흔 구온듸 슉빈
의 츠즈 문양군은 어진 남지라 미양 모녀의 과실을 규간하는 (12)고로 빅스
의 다 긔이더니 모일의 황즈의 셔간과 젼긔 셔찰이 니르러 스의 여츠여츠하더

라 문답홀 졔 문양군이 여어듯고 모과를 골돌ᄒ고 은젹이 발각ᄒ면 모미 ᄉ지 못홀 쥴 알고 졀곡아ᄉᄒ니 군비 호시 ᄯᅩ 됴ᄎᆞ 죽으니 슉빈이 일노뻐 암암이 윤낭낭 죄를 일우며 셰ᄌᆞ와 현쇼져의 혼ᄉᆞ를 작희ᄒ며 쵸의 모계홀 졔 군쥬의 의상을 어드려 ᄒ여 침방 궁인 숀시를 ᄉ괴며 인심을 결납ᄒ여 윤후 모ᄌᆞ를 몰슈이 졀졔ᄒ려 ᄒ다가 뎨휘 윤후의 죄를 믈시ᄒ시고 왕의 부부 모ᄌᆞ를 다 궁금의 감초시고 왕의 외간 츌입을 막으시니 슉빈 모녜 계궁녁진ᄒ여 쥬(13)인이 셩블셩간의 득실을 결단코ᄌᆞ ᄒ여 군마 노야 입직혼 ᄉᆞ이의 쳔비 여ᄎᆞ여 ᄎᆞᄒ여 ᄉᆞ녜를 암약을 먹여 쥬인이 힝ᄉᆞ홀ᄉᆡ 올ᄒ니이다 젼ᄌᆞ의 왕궁 쥬방 시녀 난이 텬위지하의 쪽ᄉᆞᄒ기도 셜미 여ᄎᆞ여ᄎᆞ 힝ᄉᆞᄒ미요 상부 쥬방 시녀 셤난 경열이 ᄯᅩᄒᆞᆫ 납뇌ᄒ여 동당의 드러ᄉᆞ오니 ᄎᆞ뉴를 다 잡혀 무르시면 간졍을 아르시리이다 ᄒ엿더라 공이 간필의 요악찰녀의 젼젼 죄상을 통히ᄒ여 녀셩딜즐ᄒ고 졔시녀를 다 져쥬어 무르니 졔녀는 다 아지 못ᄒ고 다만 슌교와 미쾨니 미교의 초ᄉᆞ의는 퇴셤과 동모혼 ᄉᆞ연이 한가지요 슌교의 쵸ᄉᆞ는 다만 텬(14)셩이 슌직ᄒᆞ무로 죽을지언졍 쥬인의 시기는 딕로 홀 분이요 동ᄉᆞ혼 닐은 업더라 오공이 모든 쵸ᄉᆞ를 거두고 퇴셤 등을 ᄉᆞ옥의 ᄂᆞ리오고 일변 나졸을 명ᄒ여 셜미를 잡ᄋᆞ오라 ᄒ고 친히 요녀를 슈금ᄒ려 ᄒ더니 믄득 ᄂᆡ간 슉질 셜완이 ᄂᆞᄋᆞ와 고왈 졍당부인 명으로 요인이 다라날가 ᄒᆞᄉᆞ 노야의 엄녕 젼의 ᄎᆞ환을 쵹교졍의 보닉여 불의를 방비ᄒ라 ᄒ시나이다 공이 졈두ᄒ고 좌를 파ᄒᆞᄆᆡ 임의 황혼이라 쵹을 붉히고 졔숀으로 필연을 ᄂᆞ오라 ᄒ여 친히 붓슬 드러 혼 장 쇼표를 일워 셔안의 노코 셕식을 믈니고 밤을 시와 계명을 응ᄒ여 현시 졔공이 일(15)시의 쇼셰ᄒ고 ᄉᆞ마를 지쵹ᄒ여 궐하의 ᄂᆞ아가니라 닉각 부인닉 ᄯᅩᄒᆞᆫ 간인의 블측혼 작변이 잇셔 쵸시 임의 ᄂᆞᆯ 보고 일변 놀나고 옥화의 신원이 두렷ᄒᆞᆫ 바를 깃거ᄒ더라 현시 졔공이 궐하의 ᄂᆞᄋᆞ가 오공의 쇼퓌 텬졍의 오르니 상이 보시고 황시 모녀의 극악간흉을 통히ᄒᆞᄉᆞ 광평왕을 부르ᄉᆞ 슈말을 니르시고 장ᄎᆞ 간당을 쳐결ᄒ려 ᄒ시더니 이ᄯᅥ 황시 모녜 ᄎᆞ경의 밋ᄎᆞ미 각각 요약을 숨겨 변형ᄒ고 심복 시녀 셜미를 다리고 후문으로 닉다라

도쥬ㅎ여시니 어디 가 츄심ㅎ리오 이 일을 ㅼ또 진달ㅎ니 샹이 더옥 분히ㅎ샤 각쳐의 츄심ㅎ라 ㅎ시고 (16)광평왕의 우몽ㅎ믈 듸칙ㅎ시니 왕이 황공뉵니ㅎ 여 젼ㅅ를 싱각ㅎ미 분원통히ㅎ믈 니긔디 못ㅎ니 ㅂ야흐로 옛 춍명이 도라왓 ㄴ지라 ㄱ장 뉘웃고 한심ㅎ여 즉긱의 간녀를 쥭여 셜한코ㄷ ㅎ나 엇지 밋ㅊ리 오 다만 텬졍의 복지쳥죄ㅎ여 혈읍통도ㅎ니 샹이 후일을 경계ㅎ시고 현공의게 비답ㅎㅅ 왈 경의 쇼표를 보니 흉모 간녀의 극악이 여ㅊㅎ되 즉긱의 쳐살ㅎ여 쇽죄ㅎ지 못ㅎ니 엇디 분한치 아니리오 옥화군쥬는 당셰 슉녀로 됴믈이 다 시 ㅎ믈 인ㅎ여 만상긔변을 지닉게 ㅎ니 엇디 이듧지 아니리오 당당이 그 ㅈ최를 ㅊㄷ 다시 복합게 (17)ㅎ라 ㅎ시니 현부의셔 황공감은 ㅎ더라 션시의 월셩공 쥐 옥화의 만상긔변으로 참화를 당ㅎ여 젹힝의 곡경을 짐죽ㅎ고 ㄱ마니 시비 궁환을 지휘ㅎ여 일승 교ㄷ를 ㄳ쵸와 군쥬의 가는 듕노의 듸후ㅎ엿다가 여ㅊ 여ㅊ ㅎ여 뫼셔 도라오라 ㅎ고 계교를 닐으혀무로 옥화군쥬 월셩궁의 머무던 지라 공쥐 이의 입궐ㅎ여 뎨후긔 뵈옵고 옥화군쥬의 일을 ㅈ시 쥬달ㅎ고 지금 궁즁의 여ㅊ여ㅊ 머믈게 ㅎ며 기간 분만시산ㅎ여 싱남ㅎ오믈 쥬달ㅎ온듸 샹휘 드르시고 크게 깃ㄱㅅ 월셩의 션견지명을 일ㅋ르시고 이의 옥화군쥬를 광평궁 으로 보닉라 ㅎ시고 (18)왕으로 ㅎ여금 궁의 ㄴㅇ가 부녜 반기라 ㅎ시니 왕이 승명ㅎ여 궁의 니르니 옥화군쥐 ㅼ또흔 샹명으로 젼죄를 신원ㅎ여 도라보닉시미 부녜 단원ㅎ미 되니 군쥐 부젼의 비알ㅎ고 ㅅ죄흔듸 왕이 녀ㅇ의 손을 줍고 희허탄식 왈 여뷔 블명ㅎ여 간녀의 흉독을 닙어 어진 ㅈ녀를 ㅅ지의 너허 쇄 옥낙화ㅎ는 변을 당홀 번ㅎ니 ㅊ는 도시 어여부의 혼암ㅎ미라 블힝듕 쳔우신 됴ㅎ여 네 ㅅ라 부지 다시 단원ㅎ니 이만 깃브미 업는지라 엇디 후회흔들 밋 ㅊ리오 군쥐 ㅼ또 모비 안젼의 비알ㅎ고 슬푸믈 강잉ㅎ여 이셩화안으로 돈후를 뭇줍고 기간 ㅅ괴 다쳡ㅎ믈 일ㅋ(19)라 셔로 반기는 졍이 무궁ㅎ더라 어시의 월셩공쥐 텬졍의 하직ㅎ고 물너 궁의 도라와 의복을 곳치고 샹부의 ㄴㅇ가 돈 당의 문안ㅎ고 이의 복지쳥죄 왈 기간 옥화의 익회 다쳡ㅎ므로 만상긔변을 지 닉고 젹니 고쵸를 격게 ㅎ옵거늘 쳡이 여ㅊ여ㅊ 셜계ㅎ와 옥화를 다려와 두엇

다가 지금 광평궁의 보닉여 부녀 모네 단원호게 호엿스오나 첩의 당돌이 주전
흔 죄를 청호나이다 호니 돈당 상히 옥화군쥬의 일을 듯고 모다 깃브믈 측냥
치 못호고 공쥬의 신명혼 덕을 시로이 충찬호니 공쥐 숀수호더라 명일의 오공
이 궐하의 됴회호고 쥬호되 황녀 (20)등은 임의 도쥬호엿스오나 틱셤 등을 엇
디 쳐치호리잇고 상이 글오스딕 츠시 비록 국가의 간셥지 아니나 광평왕의 가
시 곳 짐의 가시라 엇디 믈시호며 황녀 등은 문쵸치 아냐 죄상을 임의 아는 빅
라 비록 잡지 못호나 간당을 엇디 일시나 머믈니요 잡는 독독 뭇지 말고 죽이
라 홍츄 냥어스를 느릭호샤 크게 꾸지지시고 일반 간당 슈십 인을 병호여 각
각 만니 히외의 안치호라 호고 틱셤 등 삼인은 형문삼치의 원지졍비호고 문희
군 등 부부와 황시 모녀는 잡는 길노 뭇지 말고 션참후계호라 호시니 공이 퇴
됴호여 틱셤 등을 형부의 보닉여 엄(21)형 삼치호믹 삼녜 혹형을 마니 바다는
지라 원지 졍비홀 것 업시 일졔이 죽으니 이 엇지 하늘이 급히 죽이시미 아니
리오 황시 모녀와 셜믹 문희군 부부를 더리고 급히 도망호여 가더니 형의 부
뷔 즁노의셔 병드러 죽고 삼뷔 숀을 잇그러 황츅을 츠즈가니 필경 이 엇지 된
고 스연이 츠례 잇스니 하회를 보라 시시의 간당이 멸호믹 텬긔 화창호고 현
상부 일문의 화긔 영즈혼지라 수일 후 옥홰군쥐 도라오믹 화장셩식을 믈니치
고 담쇼아믹로 경슌 냥상궁과 은심이 뫼셔 계하의셔 쳥죄호니 돈당구고 슉당
과 뎨스금장 졔쇼졔 (22)화흔 우음과 반기는 눗치 무루녹아 밧비 오르라 호니
군쥐 감히 역지 못호여 승당호여 졔좌의 네필호믹 돈당구괴 좌슈로 그 숀을
잡고 우슈로 운빈을 무마호여 깃거호는 우음과 반기는 츄픽 도로혀 누쉬 연낙
호니 이 듕 학스의 반기고 깃브믄 뭇지 아냐 알지라 옥면영풍의 화긔영즈호더
라 일문 상하노쇠 화흔 우음과 깃거온 말숨이 이윽호믹 비로쇼 옥홰군쥐 구쇼
져로 처음 보는 녜를 피츠 다호믹 좌의 각각 드니 좌즁이 보건딕 군쥬의 휘황
흔 용식과 구쇼져의 찬난흔 안뫼 일빵 명월이 듕텬의 붉아는 듯호니 졔안이
첨시 블(23)니호고 진공이 오공긔 고호여 왈 이졔 냥숀부의 흔빵 특이흔 지
모를 시로이 슬피오니 흔곳 우리 곤계의 복경뿐 아니라 션고비의 젹션여음이

로쇼이다 공이 뎜두 흔연 왈 낙다 추언이 졍합오의로다 연이나 선고비의 빅ᄋ
셩ᄋ 등 쟝셩가ᄎᆔᄒᆞ믈 못 보시고 슉완미부로 동ᄉᆞ를 빗ᄂᆞᆷ믈 아지 못ᄒᆞ시니 엇
디 슬푸지 아니리오 인ᄒᆞ여 쟝탄희허ᄒᆞ민 빅슈의 누쉬 상연ᄒᆞ니 진공이 역감
뉴쳬라 좌즁이 막블쳑연ᄒᆞ여 구고를 츄모ᄒᆞ민 뉵부인이 되지 아닌 말을 ᄒᆞ여
남이 웃ᄂᆞᆫ디 괴이 너기ᄂᆞᆫ지 모로고 굴오되 가ᄋᆞᆫ 언졔ᄂᆞᆫ 입쟝ᄒᆞ며 뇌 ᄯᆞᆯ도
언졔나 (24)져런 며ᄂᆞ리를 어들고 ᄒᆞ더니 좌즁 비쇠을 보미 즈긔 홀노 타연
ᄒᆞᆫ즉 진공이 괴히 넉일가 겁ᄒᆞ여 웃ᄂᆞᆫ 긔운을 쥬리혀 겨오 참고 누른 눈셥을
괴로이 집푸리고 아모리 슬픈 긔식을 짓고즈 ᄒᆞ나 눈믈이 ᄂᆞ지 아닛ᄂᆞᆫ지라 좌
우를 도라 슬피며 넌즈시 춤을 마니 비앗타 두 눈의 황홀이 칠ᄒᆞ고 머리를 쓰
러이며 두 손으로 ᄲᅡᆼ협을 우희고 입을 비젹여 우는 쇼릭로 일오되 옛말의 일
너시되 텽쳔빅일은 노예하쳔도 역지기명이라 ᄒᆞ니 우리 구고의 셩덕은 ᄂᆞ도
지금것 잇디 못ᄒᆞ거늘 졔부인과 슉슉형뎨의 지효로 고인의 빅년 무감을 독히
니르리(25)오 연이나 셩현도 부모를 닛지 아니믈 귀타 홀 분이요 부모 유쳬를
삼년 집상의도 과상치 말나 ᄒᆞ여시니 슉슉과 군즈ᄂᆞᆫ 믹양 비쳑ᄒᆞ여 귀쳬를 상
히오지 마르쇼셔 셜파의 좌우로 고면ᄒᆞᄂᆞᆫ 냥이 쵸상상인도 졀도ᄒᆞ믈 면치 못
홀지라 좌위 미쇼ᄒᆞ고 진공이 졍쇠믁도ᄒᆞ니 쇠위 늠연 ᄲᅥᆨᄲᅥᆨᄒᆞᆫ지라 뉵부인이
눈츼를 숫치고 ᄂᆞᆾ출 븕혀 몸을 니러 다라ᄂᆞ며 닐오되 응당 쥬텰 냥인의 말 ᄀᆞᆺ
ᄒᆞ면 져리 아니련마ᄂᆞᆫ 뇌가 말을 ᄒᆞᆫ즉 본딘 상공이 셩뇌여 웃ᄂᆞᆫ 낫출 집흐리
고 눈ᄭᅩᆯ이 그르게 ᄯᅥ보니 어마 무셥도다 부부궁의 무슨 희살이 잇던고 어즈러
이 ᄭᅮ짓고 도라가니 즈딜 (26)등은 한심ᄒᆞ믈 니긔디 못ᄒᆞ고 ᄋᆞ오쇼 등은 우읍
고 시브나 감히 웃디 못ᄒᆞ더니 댱시즁이 호호이 우어 왈 뉵슈의 말ᄉᆞᆷ이 지공
무ᄉᆞᄒᆞ시니 즁여ᄂᆞᆫ 듯ᄂᆞᆫ다 뎨왕다려 왈 현질이 남면일부ᄒᆞ여 가지 누거만이니
지믈이 아모리 귀ᄒᆞ나 위친ᄒᆞ민 간딕로 앗가오랴 신긔ᄒᆞᆫ 복즈와 영검ᄒᆞᆫ 무녀
를 구ᄒᆞ여 뉵슈와 여부의 부부궁 희살을 업시 ᄒᆞ라 좌위 미쇼믁연이오 진공이
졍쇠 왈 뉵시의 히거ᄒᆞ믄 노인의 슉환이여니와 형의 긔쇼홈이 비례의 ᄀᆞᆺᄀᆞ온
지라 희담 부담을 다 듯기 실희여이다 댱공이 무류이 말을 긋치더라 동일 한

담의 일낙황혼 되니 제인이 (27)혼명ᄒᆞ고 퇴ᄒᆞᄆᆡ 군쥐 ᄯᅩᄒᆞᆫ 믈너 ᄎᆡ봉각의
도라오니 직희엿든 시ᄋᆞ ᄎᆞ환이 반겨 쒸놀고 믈식이 의구ᄒᆞ더라 밋 좌졍ᄒᆞᄆᆡ
이늘 혹ᄉᆡ 돈당 명으로 니르러 입실ᄒᆞ니 부뷔 ᄃᆡ좌ᄒᆞᄆᆡ 반기믄 돈당의셔 먼뎌
여러거니와 ᄀᆞᆺᄀᆞ이 ᄃᆡᄒᆞ니 그 엇더ᄒᆞ리오 혹ᄉᆡ 말을 펴 왈 아등의 운익이 긔
구ᄒᆞ여 요얼의 작희로 인ᄒᆞ여 부인 신상의 누명을 시러 쳔니 젹긱이 되며 다
시 괴이ᄒᆞᆫ 일이 층싱ᄒᆞ니 엇디 부부의 복합ᄒᆞᄂᆞᆫ 경식 잇스리오마ᄂᆞᆫ 츠ᄂᆞᆫ 옥쥬
슉모의 신명예쳘노 허다 화란 가온ᄃᆡ 요힝 보젼ᄒᆞᆯ 어더 셔로 보ᄆᆡ 잇시니
엇지 슉모 셩덕이 아니리오 군쥐 염용(28)ᄉᆞᄉᆞ홀 ᄯᆞ름이요 각별 말이 업스니
총ᄌᆡ 미쇼 왈 옥난 등 ᄉᆞ창은 연화의 무리라 위지ᄉᆞ족 힝셰ᄒᆞᄂᆞᆫ 요녀의 뉴ᄂᆞᆫ
아니러니 블긘ᄒᆞ 싱의 일시 유희로 인ᄒᆞ여 모야의 흉인의 독슈ᄅᆞᆯ 맛나 검하
경혼이 되니 인명이 지즁ᄒᆞᆫ지라 참졀ᄒᆞᆯ믈 니긔여 니르리오 날노 말미암아 죽
어시니 빅인이 유아이ᄉᆞ라 부부의 평싱 덕악이 될가 ᄒᆞ노라 군쥐 쳥필의 옥식
이 참연ᄒᆞ여 염임 ᄃᆡ왈 쳡이 ᄯᅩᄒᆞᆫ 이 ᄯᅳᆺ이 업지 아니ᄒᆞ도쇼이다 슈원슈구ᄒᆞ리
잇고 도시 쳡의 연괴니이다 총ᄌᆡ 근이좌ᄒᆞ고 집기슈ᄒᆞ여 왈 ᄉᆞ이이의라 닐너
무슴ᄒᆞ리오 연이나 우리 (29)부뷔 결발 숨지의 ᄌᆞ졍이 이완ᄒᆞ니 역 요녀의 연
괴라 엇지 통한치 아니리요 부인은 어셔 옥동을 싱ᄒᆞ여 부모긔 효도ᄒᆞ고 농장
지경을 보라 군쥐 쳥미의 ᄌᆞ황뉵니ᄒᆞ여 옥식을 졍돈ᄒᆞ고 부답ᄒᆞ니 싱이 엇지
그 ᄯᅳᆺ을 알니요 슈습ᄒᆞᄆᆡ 과도ᄒᆞᆫ 가온ᄃᆡ 붓그리ᄂᆞᆫ가 ᄒᆞ여 야심ᄒᆞᄆᆡ 잇그러 침
상의 ᄂᆞᄋᆞ가니 ᄉᆡ로온 은이 산비ᄒᆡ박ᄒᆞ더라 부뷔 침상 일몽을 득ᄒᆞ니 창외의
쇼ᄅᆡ 잇셔 졀미교ᄋᆞ ᄉᆞ인이 홍상ᄎᆡ의로 고두빅복 왈 노야와 부인이 쳡을 아르
시ᄂᆞ니잇가 혹ᄉᆡ 경동ᄒᆞ여 ᄌᆞ시 보니 옥난 등 ᄉᆞ창이라 혹ᄉᆡ 경혹ᄒᆞ여 글오ᄃᆡ
여등은 흉인의 독슈ᄅᆞᆯ (30)맛나 유음의 숀이여늘 엇디 감히 군ᄌᆞ 안젼의 니르
러ᄂᆞ뇨 ᄉᆞ녜 고두 왈 쳔쳡 등은 젼신이 녀지 아니라 노애 젼싱의 션궁의 계실
졔 안젼 궁환이 되여 님군의 은혜ᄅᆞᆯ 만히 바든 고로 후싱의 시쳡으로 발원ᄒᆞ
여 창녀의 몸이 되여 노야ᄅᆞᆯ 빅년 시측기ᄅᆞᆯ 긔약ᄒᆞ더니 죠믈이 다 싀ᄒᆞ여 혼
몽즁 슈인의 독슈ᄅᆞᆯ 바다 쳥년원ᄉᆞᄒᆞ니 혼빅이 유유ᄒᆞ여 훗터지지 아냣ᄉᆞᆸ더니

셔악 화산 일광되시 북희도스를 보고 오는 길히 황도를 지나다가 스녀의 할면 훼이호여 만면 혈체로 운쇼간 표탕호여 부르지지믈 보고 즈비지덕을 드리워 션관으로써 훼(31)상흔 혈체를 다시 완젼케 호시고 인간의 지셰호여 보원호라 호시니 이졔 첩 등이 발원호여 노야의 ᄋ들이 되여 빅년 동효호여 추싱의 늣거온 인연을 닛고 일후 십오년의 젼녀 흉인의 살신희명흔 원슈를 갑하 금셰의 연화의 쳔신이 되여 원슈를 갑흐려 호ᄂ이다 언파의 일위 노션이 운니건을 쓰고 학창의를 닙어시니 창안학발의 션풍이 표연흔지라 좌슈의 옥쥬미를 쥐고 우슈의 빅옥경즈를 두다리며 스녀를 향호여 셜법호니 슈유의 네 늣 미이 변호여 옥골션풍의 슈츌쇠락흔 두 쌍 동지 되여 흑스를 향호여 비왈 (32)젼싱 연분이 미히호여 다시 슬하의 의탁호옵ᄂ니 원부모는 어엿비 너기시믈 바라ᄂ이다 셜파의 금화 냥녀는 군쥬 침듕으로 드러가고 치옥 냥인은 하직 왈 ᄋ히 등은 슈년 후 싱셰호리이다 흑시 깃븐 듯 슬푼 듯 심시 훌훌호더니 홀연 경긱호니 침상일몽이라 ᄀ장 괴이히 너겨 침스 냥구의 부인다려 니르니 군쥐 역시 쑴이 ᄀ흐믈 되흐는지라 심하의 의ᄋ호여 날이 느즈미 부뷔 니러 관셰호고 신셩 후 흑스는 궐닉 됴참으로 ᄂᄋ가고 군쥬는 동일 돈당의 시쵀러라 흑시 궐하의 됴회호니 상이 스랑호스 특별이 흑스로 벼슬을 (33)도도아 문연각 틱흑스 니부춍즈를 호이시니 춍지 고스 브득호여 스은호고 퇴됴호여 도라오미 합문상하의 영광이 비무호더라 이늘 비로쇼 경상궁이 군쥬의 싱ᄋ를 ᄂᄋ오니 부풍모습호여 옥골션풍이요 쥬슈경지라 돈당 상히 막블칭이호고 춍지 깃브믈 니긔지 못호고 좌즁이 기간 스고를 무르니 경상궁이 젼후슈말을 고호여 왈 옥화군쥐 쇼쥐 덕힝시의 월셩공쥐 쵸인을 민드러 니블노 머리를 빤 군쥬 되신으로 보닉여 덕화를 보게 호시고 공쥐 친히 군쥬로 흔 교즈의 타고 닙궐호샤 대후긔 뵈옵고 아직 간댱이 멸키 젼 (34)옥화의 즈최를 금쵸스이다 뎨휘 공주의 신명쥬션을 칭예호시고 윤비와 함긔 거흐게 호시무로 금듕의 잇숩더니 믄득 희만호샤 이 공즈를 싱호시니 뎨후와 윤비 깃거호시고 티직 쏘흔 보시고 극이 흐스 아직 현부의 알뇌지 말고 춍즈 노야와 희롱코즈 호샤 흑스 군쥬와 윤비

본퇴의 나오시나 공주는 금즁의 두엇더니 예휘 드르시고 퇴주를 말뉴ᄒᆞᄉᆞ 왈 현희빅은 명셩군지라 희담을 즐기지 아니ᄒᆞ고 ᄯᅩ흔 옥화의게 박졍ᄒᆞ미 업ᄂᆞ니 부졀업슨 희롱을 늘회고 썰니 너여 보너라 ᄒᆞ시니 퇴지 우으시고 슬상의 언져 교무ᄒᆞ시다가 너여 (35)보너시니 군쥐 쳐음 돈당과 충주 노야를 긔망ᄒᆞᆫ 듯ᄒᆞ샤 ᄌᆞ못 블녜ᄒᆞ시ᄂᆞ이다 좌듕이 일쳥의 호호박쇼 왈 원너 ᄉᆞ괴 이러ᄒᆞ닷다 옥화ᄂᆞᆫ 텬셩 슉녜라 우리 능히 하ᄌᆞ흘 곳이 업고 ᄯᅩ흔 이ᄂᆞᆫ 퇴주의 지괴라 무슴 닐 블안ᄒᆞ리오 ᄎᆞ후ᄂᆞᆫ 쇼쇼 블안을 두지 말나 ᄒᆞ고 화흔 우음이 당듕의 가득ᄒᆞ더라 ᄎᆞ셜 광평왕이 젼일을 크게 뉘웃쳐 현상부의 니르러 젼과를 일ᄏᆞᆺ고 아ᄌᆞ의 가긔를 직쵹ᄒᆞ니 오공이 칭ᄉᆞ 왈 왕ᄉᆞᄂᆞᆫ 니의라 다시 구두의 일ᄏᆞ를 비 아니요 혼인은 임의 졍흔 비라 퇴의를 밧들 ᄯᆞ름이로쇼이다 왕이 깃거 ᄉᆞ례ᄒᆞ고 이의 돗 우(36)희셔 퇴일ᄒᆞ니 길긔 블과 ᄉᆞ오 일이 가렷더라 빈쥐 통음ᄒᆞ고 왕이 도라가미 현부의셔 운혜쇼져의 혼구를 셩비ᄒᆞ여 길신을 디후ᄒᆞ더라 광평왕이 도라와 윤후를 보고 길긔 ᄀᆞᆺᄀᆞ오믈 니르고 혼구를 츌힐ᄉᆡ 길일이 님ᄒᆞ미 디연을 비셜ᄒᆞ고 모든 빈긱을 쳥ᄒᆞ니 니외 뎐각의 금슈포진이 휘황ᄒᆞ고 금반옥긔의 팔진경장이 ᄀᆞᆺ지 아니미 업ᄉᆞ니 금옥관면과 덕의보불은 엇기가 야 이고 쥬옥화장의 진금보픽ᄂᆞᆫ 일광이 ᄇᆡ이니 금지옥엽이며 농ᄌᆞ봉숀의 가췌길 셕이 범연ᄒᆞ리오 이늘 황애 상방 어션을 ᄂᆞ리오ᄉᆞ 잔쳐를 도으시고 낭낭(37)이 금빅치단을 ᄉᆞᄒᆞᄉᆞ 텬총을 빗너시고 신례 삼일의 디너의 명을 ᄂᆞ리와 셰주 빈을 보려 ᄒᆞ시더라 일식이 장반의 셰지 길복을 ᄀᆞᆺ쵸고 머리의 ᄌᆞ금익션관을 쓰고 금안빅마의 위의를 휘동ᄒᆞ니 본국빅신이 호위ᄒᆞ고 만됴빅관이 요긱이 되여 혼가로 향ᄒᆞᆯᄉᆡ 싱쇼고악이 훤텬ᄒᆞ여 ᄂᆞᅀᅡ가니 현부 연셕의 장녀ᄒᆞ미 왕궁과 ᄀᆞᆺ더라 신낭이 부문의 밋츠니 빵빵흔 양낭 복쳡이 쥬리를 쓰으며 분면 아환이 ᄂᆞ 마ᄌᆞ니 난향보쵹으로 신낭을 영졉ᄒᆞᆯᄉᆡ 한님혹ᄉᆞ 희텬이 광의디디로 신낭을 팔 미러 ᄂᆞᅀᅡ가 텬지긔 녜비ᄒᆞ기를 맛고 녜지를 젼ᄒᆞ미 물너(38)나 신부의 상교를 기다릴ᄉᆡ 하윤 냥부인과 ᄉᆞ마부인이 녑너로됴ᄎᆞ 셰주의 옥면영 풍과 잠미봉안이 진즛 쇼져의 상젹흔 비위라 깃브며 두굿기믈 니긔지 못ᄒᆞ고

쇼위 등 제부인과 모든 친쳑이 훌훌경찬ᄒ여 스마부인긔 치히 분분ᄒ더라 이
윽고 신븨 칠보웅장으로 금교의 오룰시 톤당부모긔 하직ᄒ니 모부인이 나못출
최오며 귀밑출 쓰러 스덕을 경계ᄒ니 쇼졔 슈명빈스ᄒ고 금교의 오르미 셰지
금쇄로 봉교ᄒ여 위의룰 두루혀니 옥화군쥐 ᄯ혼 톤명을 밧ᄌ와 쇼고의 후거
룰 됴출시 일노의 휘황흔 위의 일식이 무광ᄒ더라 져근덧 (39)궁의 다다르미
냥 신인을 인도ᄒ여 쳥즁의셔 교비룰 파ᄒ고 ᄌ하상을 분ᄒ미 됴뉼을 밧드러
구고긔 헌훌시 군쥬ᄂᆫ 몬져 좌의 니르럿더라 만목이 일시의 신부룰 관상ᄒ니
엇디 일홈 아릭 헛되미 잇스리오 덕문계츌노 싱어명가ᄒ고 댱어녜학ᄒ니 쳔고
의 희한흔 슉녀요 금셰의 드믄 현완이라 광염이 아아ᄒ고 묘질이 쟉쟉ᄒ여 먼
니 바라미 졍신이 황홀ᄒ고 갓ᄀ이 보미 이목이 현난ᄒ여 명월이 계슈의 비회
ᄒ고 틱양이 됴하의 오르ᄂᆫ 듯 능히 비우홀 ᄃᆡ 업더라 이의 구고긔 물너 팔비
훌시 동용 녜뫼 진션합도ᄒ여 치(40)봉냥익과 뉴지셰요ᄂᆫ 흐르ᄂᆫ 깁을 뭇거
ᄂᆫ 듯 난봉구옥ᄎᄂᆫ 무빈을 진졍ᄒ여시니 쳔염미식이 득기진ᄒ고 즁기션ᄒ여
진무빵이 졀셰상이니 비우컨ᄃᆡ 니마ᄂᆫ 반월 ᄀᆺ고 냥협은 도화 ᄀᆺ고 눈셥은 원
산 ᄀᆺᄒ며 잉슌호치ᄂᆫ 단스의 빅옥을 머무러ᄂᆫ 듯 뇩쳑 향신이 진션답도ᄒ니
무거온 쟝염 ᄀᆞ온ᄃᆡ 진퇴녜졀이 ᄂᆞ즉흔지라 구고의 희츌망의ᄒᄆ 니르지 말고
일가족당이 흠션칭하ᄒ믈 결을치 못ᄒ니 톤구의 만심환열ᄒ미 비길 ᄃᆡ 업더라
죵일 진환의 일모셔령ᄒ니 신부룰 슉쇼로 보늬고 졔긱이 각귀기가ᄒ니라 유모
(41)츄상이 쇼져룰 뫼셔 왕궁의 니르러 후상을 만히 타고 졔긱의 쇼져 기리믈
듸락ᄒ여 졔녜룰 지휘ᄒ여 쇼져룰 뫼셔 침쇼의 도라오미 군쥐 ᄯ라와 긴단쟝
을 벗고 신부룰 보호홀시 쇼졔 구가의 니르나 유모의 츙근홈과 져져의 보호ᄒ
무로 셔로 담화ᄒ더니 야심 후 셰지 니르니 그림 쳠하의 쥬렴이 영농ᄒ고 아
로삭인 난간의 명쵹이 휘황흔ᄃᆡ 홍쟝치의 ᄂᆞ렬ᄒ여 신낭을 녜영ᄒᄂᆫ 졀도로됴
ᄎᆞ 날ᄒ여 입십ᄒᄆ 슈호난창의 슈막이 듕듕ᄒ고 금벽스창의 흔 쎄 홍분이 명
월을 쎠 마ᄌ니 욱욱흔 향풍은 코을 거스리고 (42)댱댱흔 옥결은 시쳥이 상
연흔디라 부븨 동셔로 분좌ᄒ고 신낭이 눈을 드러 살피건ᄃᆡ 져졔 이의 잇ᄂᆫᄃᆡ

라 희연이 웃고 졍슬위좌ᄒᆞ여시니 군쥐 웃고 왈 신뷔 신긔 곤뇌ᄒᆞ리니 어셔 편히 쉬게 ᄒᆞ라 셰지 쇼이티왈 져졔 니의 니르러 현시로 담쇼ᄒᆞ시다가 쇼뎨 입실ᄒᆞ민 져졔 피코즈 ᄒᆞ시니 현시ᄂᆞᆫ 쇼괴라 ᄉᆞ랑ᄒᆞ시고 소뎨ᄂᆞᆫ 쇼틱ᄒᆞ시미 로쇼이다 군쥐 낭쇼 왈 무슨 그러ᄒᆞ미 이시리오 닉 안즛고 시브되 신낭신뷔 다 곤뇌ᄒᆞᆯ 거시니 야심ᄒᆞ미 가리로다 셜파의 니러 녀동으로 쵹을 잡혀 도라가 니 부뷔 니러 보닉고 다시 좌를 졍ᄒᆞ민 이곳 텬지의 (43)별이혼 슈긔며 만고 긔엄슉완이니 그 져져의 지난 쉭이라 닉심의 희힝ᄒᆞ여 쵹을 믈니고 부뷔 취침 ᄒᆞᆯ시 은졍의 둣터오미 여산약히러라 계명의 닉외 니러 신셩ᄒᆞ기를 맛고 궐하 의 ᄂᆞ아가 됴현ᄒᆞ민 뎨후의 이지ᄒᆞ시미 친ᄌᆞ녀로 다르미 업ᄉᆞ시더라 동일 시 위ᄒᆞ여 달난일모ᄒᆞ미 뎨휘 일홈난 금옥쥬취와 치단으로 현쇼져를 상ᄉᆞᄒᆞ시고 금은필빅으로 좌우를 상ᄉᆞᄒᆞ시니 졔녜 틱희과람ᄒᆞ더라 물너 본부로 도라와 됸 당의 뵈오니 쉭록쉭록 귀ᄋᆡᄒᆞ더라 명일 셰지 상부의 니르니 춍ᄌᆞᄂᆞᆫ 됴당의 가 고 한님과 졔공지 마즈 (44)쇼왈 이 신낭이 마이 완만ᄒᆞ여 견빙악지녜 ᄂᆞᆺ지 니 경만치 아니랴 셰지 잠쇼 왈 감슈기칙이나 작일은 금즁의 잇셔 썩 ᄂᆞᆺ지미라 엇지 경만ᄒᆞ리오 졔공지 약슈연비ᄒᆞ여 닉헌의 드러가니 하윤듀텰뉵 오부인이 졍당의 포진을 빅셜ᄒᆞ고 녀부를 거ᄂᆞ려 셰ᄌᆞ를 볼시 셰지 ᄎᆞ례로 빅현ᄒᆞ고 좌 졍ᄒᆞ니 모든 부인이 셰ᄌᆞ를 보니 연긔 약관의 밋지 못ᄒᆞ나 언연혼 틱장부의 체격이니 츄파미안이오 팔치진산이니 직셰반악이오 쳔고긔남이라 얼골은 관옥 ᄀᆞᆺ고 졍신은 츄슈 ᄀᆞᆺᄒᆞ니 복긔 완젼ᄒᆞ며 덕긔 셩인ᄒᆞ니 가히 남면일부(45)의 쳔승지위를 안향ᄒᆞᆯ 거시오 다복과남ᄒᆞᆯ 상격이라 좌위 블승경찬ᄒᆞ여 쇼져의 복 을 칭찬ᄒᆞ고 졔부인이 블승이경ᄒᆞ여 쳥ᄋᆞ를 드리워 관틱ᄒᆞᆯ시 셩찬을 권ᄒᆞ며 하부인과 ᄉᆞ마부인은 쇼져의 평상을 부탁ᄒᆞ여 말숨이 간졀ᄒᆞ고 윤부인은 몬져 친쳑의 후의를 일쿳고 버거 쇼져의 평싱을 부탁ᄒᆞ민 의문이 간냑ᄒᆞ되 말숨이 간측ᄒᆞ니 셰지 공경문파의 면면ᄉᆞᄉᆞᄒᆞ고 봉안을 드러 졔부인을 술피니 윤부인 은 모후의 친슉으로 상면이 ᄌᆞᄌᆞ시되 하틱부인의 완즁혼 체모와 유한혼 덕셩 이 왕비의 가ᄒᆞ고 (46)상국의 ᄌᆞ모를 뭇디 아냐 알 빅요 악모 ᄉᆞ마부인의 옥

모염티와 빙즈광염이 쇼년 홍옥을 묘시ᄒ니 즈긔 부인의 젼탁즈모ᄒᆞᆯ 암희ᄒ
고 기여 졔부인을 보니 긔긔히 화월이 슈티ᄒᆞᆯ 식광이요 침어낙안지용이니 금
셰의 요묘가인이오 일디셔물이라 심하의 암암칭찬ᄒᆞᆯ 마지아니ᄒᆞ더라 이윽고
하직ᄒ니 모든 부인이 결연ᄒᆞᆯ 일큿고 즈로 오기를 니르더라 셰지 도라간 후
왕궁의셔 궁환을 보ᄂᆡ 여ᄋ 공즈를 다려가고 귀ᄒ히ᄒᄂᆞᆫ 즈미 측냥치 못ᄒ여 왕
부와 상부의 화긔 ᄀᆞ득ᄒ더라 현쇼졔 인뉴왕부ᄒ여 효당갈녁ᄒ고 (47)승ᄉ셰
즈ᄒ며 화우상하ᄒ니 예셩이 즈즈ᄒ더라 추셜 오공의 손ᄋ 희옥은 녜부의 장
지라 연긍 십삼의 인형명달ᄒ흠과 용화긔질이 탈쇽ᄒ여 셰디의 쵸츌ᄒ니 됸당부
뫼 과ᄋ이ᄒ여 너비 구혼ᄒ더니 좌상국 범휴ᄂᆞᆫ 일디 현인군지라 그 ᄯᆞᆯ노 구혼ᄒ
니 현공이 쾌허ᄒ고 퇵일셩녜ᄒᆞᆯ시 현공즈 희옥이 길복을 졍졔ᄒ고 금안빅마의
위의를 휘동ᄒ여 범쇼져를 친영ᄒ여 도라오니 범쇼져의 식용덕질이 일셰 슉녜
가인이라 됸당상히 깃거ᄒ고 공지 만심환희ᄒ여 됴고지낙이 흡연ᄒ더라 범부
의셔 현공지 도문 쵸려시의 (48)일녀지 ᄂᆡ당의셔 규시ᄒ고 신낭의 용화긔질
이 현황ᄒᆞᆯ 흔번 쳠망ᄒ고 일심의 황홀난측ᄒ여 ᄀᆞ마니 싱각ᄒ되 ᄂᆡ 평싱의
아름다온 비필을 맛나 일싱을 헛되게 아니려 ᄒ더니 오늘날 져 현싱의 풍모긔
질을 보미 쇼망의 죡의라 비록 져의 비쳡의 츙슈ᄒ나 다른 ᄃᆡᄂᆞᆫ 유의치 아니
리라 ᄒ고 유모 형난으로 더브러 침쇼의 도라와 심즁 쇼회를 니르고 읍읍탄돌
ᄒ니 이 녀즈ᄂᆞᆫ 본ᄃᆡ 범상국의 표뎨 니시랑의 일녜니 조실부모ᄒ고 ᄉ고무친
ᄒ며 범공이 잔잉이 녀겨 가듕의 다려다 휵향ᄒ여 연긍십의라 가장 슌후(49)
ᄒ되 녜도범졀이 쇼여ᄒ여 투미ᄒ기의 갓가온디라 범공 부뷔 다만 그 고혈ᄒ
ᄆᆞᆯ 측은이 녀겨 후휼ᄒ더니 즈긔 녀ᄋ를 셩취ᄒ미 이 ᄋ희를 ᄯᅩᄒᆫ 셩인코즈
ᄒ여 동닌의 잇ᄂᆞᆫ 우가의 집과 졍혼ᄒ고 날을 기다리던 비라 이날 니시 영괴
형난다려 왈 ᄂᆡ 이제 타문의ᄂᆞᆫ 가지 못ᄒ리니 다만 죽을 ᄯᆞ름이라 ᄒ고 읍읍
비도ᄒᆞᆯ 마지아니ᄒ더니 일이일 지나도록 영괴 침금을 ᄂᆞ와 잠연이 누어 니
지 아니ᄒ고 다만 돌탄ᄒᆞᆯ ᄲᅮ니니 형난이 만단 위로ᄒ다가 잠드럿더니 이튼날
ᄭᆡ여보니 홀연 니시 간 ᄃᆡ 업ᄂᆞᆫ디라 두루 ᄎᆞ즈미 맛츰ᄂᆡ 형(50)젹이 업스니

형난이 크게 놀나믈 마지 아냐 정당의 드러가 쇼유를 다 고ᄒᆞ고 왈 만일 현가의 도라가지 못ᄒᆞ면 다만 죽으믈 니르더니 야간의 동젹이 업스오니 ᄎᆞ악ᄒᆞ믈 니긔디 못ᄒᆞ리로쇼이다 범공이 부뷔 쳥파의 ᄃᆡ경 왈 경도ᄒᆞᆫ 녀ᄌᆡ ᄉᆞ쳬를 모로고 ᄉᆞ싱으로ᄡᅥ 져히나 ᄉᆞ싱이 명이니 엇디 임의로 ᄒᆞ며 혈혈단신이 규리금이라 돌연이 어ᄃᆡ로 향ᄒᆞ여 가리오 맛당이 가듕의 유벽심당을 다 뒤여 ᄎᆞᆽ 보아 어ᄂᆞ 곳의 ᄌᆞ항ᄒᆞᄂᆞᆫ 거죄 잇ᄂᆞᆫ가 술피고 닌니 외간의 비록 잇슬지라도 ᄉᆞ싱을 안 후 현상국과 의논ᄒᆞ리니 ᄲᆞᆯ니 ᄎᆞᄌᆞ라 형난이 (51)쳬읍슈명ᄒᆞ다 범공이 ᄯᅩ ᄒᆞᆫ 노복을 훗터 니시의 동젹을 ᄉᆞ쳐로 두로 ᄎᆞᆾ고 일변으로 우가의 퇴혼ᄒᆞ되 규쉬 홀연 득병ᄒᆞ여 ᄉᆞ싱의 ᄀᆞᆺ갓다 ᄒᆞ니 우가의셔 역경ᄎᆞ악ᄒᆞ여 회답ᄒᆞ되 아직 길신을 물니고 ᄎᆞ경 후 긔퇵ᄒᆞ리라 ᄒᆞ니 범공이 탄식돌ᄎᆞᄒᆞ믈 마지아니ᄒᆞ고 부인이 탄왈 쇽어의 나 기른 긔 발 뒤츅을 문다 ᄒᆞ니 우리 ᄋᆞ히를 위ᄒᆞ여 곱도록 길너 녀ᄋᆡ 덕국을 삼아 평싱 심우를 미ᄌᆞᆯ 줄 알니오 범시 졔싱이 역시 탄식ᄒᆞ여 당쵸의 부졀업시 거두어 가듕의 오릭 두믈 ᄎᆞ탄ᄒᆞ나 다만 말이 업고 형난이 심니의 영교를 위ᄒᆞ여 (52)붓그리고 무안ᄒᆞ며 ᄯᅩ ᄉᆞ싱을 몰나 쵸죠ᄒᆞ믈 마지 아니ᄒᆞ나 가뇌 깁히 숨으믄 모로고 닌니로 헤다혀 ᄎᆞᆽ다가 죵일ᄒᆞ여 도라와 식반의 경이 업셔 일긔 쳥슈로 긔갈을 위로ᄒᆞ고 젼젼불미ᄒᆞ여 능히 ᄌᆞ지 못ᄒᆞ고 일ᄌᆞᆨ 니러나 오고ᄌᆞ ᄒᆞ더니 믄득 졍당 ᄎᆞ환 익경이 닐오ᄃᆡ 형 뫼야 닉 앗가 닉원의 드러가 졍듕의 믈을 기러가지고 도라올 졔 보니 이 쇼졔의 슈혜 버슨 거시 후루 쳥셕 밋히 바리엿고 누각의 ᄲᆞᆺᄒᆞᆫ 셰간이 훗터져시니 이 쇼졔 혹ᄌᆞ 후루의 숨어ᄂᆞᆫ가 의혹ᄒᆞ노라 형난이 쳥파의 반신반의ᄒᆞ여 총망이 몸을 니러 후루의 가보니 과연 영교의 (53)신어던 슈혜 쳥하의 바리엿고 ᄎᆞ례로 ᄲᆞᆺᄒᆞᆫ 긔명이 어즈럽거ᄂᆞᆯ 난이 의ᄉᆞ 황망ᄒᆞ여 큰 장과 두쥬와 궤를 다 여러볼ᄉᆡ 셋ᄌᆡ 줄의 노힌 큰 궤를 열고 보니 과연 영괴 눈을 감고 호읍을 늣쵸와 업디엿ᄂᆞᆫ디라 유뫼 힝혀 ᄌᆞ결ᄒᆞ미 잇ᄂᆞᆫ가 놀나 무릅써 셔며 ᄃᆡ호 왈 과연 예 잇다 ᄒᆞ니 영괴 유모의 급ᄒᆞᆫ 쇼릭의 역시 놀나 넓더나 안ᄌᆞ며 닐오ᄃᆡ 이 궤ᄂᆞᆫ ᄂᆡ의 몸을 감쵤 곳이라 닉 이 쇽의셔 죽어 이 궤로 관곽을 삼아 셰렴을 꼿고즈 ᄒᆞᄂᆞ니 어미는 다ᄉᆞ이 셔도지 말나 어미 ᄂᆞ의 이곳의셔 죠용 췌ᄉᆞᄒᆞ믈 아쳐ᄒᆞ여 상국과 부인의게 고ᄒᆞ여 ᄉᆞ싱을 임의(54)치 못ᄒᆞ게 홀진ᄃᆡ 닉 당당이 노히 꼿츠며 칼히 결ᄒᆞ리라 ᄒᆞ거눌 유ᄆᆡ 발 구르며 우러 굴오ᄃᆡ 쇼졔 엇디 이러틋 죠급ᄒᆞ시뇨 노야와 부인은 우리 노쥬의 블셰은인이시라 사름을 구활ᄒᆞ시미 엇지 나죵이 업ᄉᆞ리오 여ᄎᆞ여ᄎᆞ 말슴ᄒᆞ시니 쇼져ᄂᆞᆫ 죽을 ᄠᅳᆺ을 긋치시고 나죵을 보쇼셔 영ᄑᆡ 폐목요슈 왈 나ᄂᆞᆫ 무신블의ᄒᆞᆫ 빅은망덕지인이라 져져와 범형 등이 엇지 블인의 ᄉᆞ싱을 고렴ᄒᆞ미 잇실 거시라 이런 오원ᄒᆞᆫ 말을 ᄒᆞᄂᆞ뇨 ᄒᆞ고 쳥이블문ᄒᆞ니 유ᄆᆡ 착급ᄒᆞ믈 니긔디 못ᄒᆞ여 울며 만단기유ᄒᆞ더니 이러구러 가듕이 분분ᄒᆞ여 상국(55)과 부인이 듯고 어히업셔 마지 못ᄒᆞ여 부인이 친히 후루의 드러가 영교ᄅᆞᆯ 기유ᄒᆞ여 위로ᄒᆞ니 영ᄑᆡ 마지 못ᄒᆞ여 몸을 니러 궤 밧그로 나오미 부인이 친히 그 손을 닛그러 졍당의 도라오니 상국이 영교의 슈용이 참참ᄒᆞ며 아미의 슈식이 쳑쳑ᄒᆞ믈 보고 슉시냥구의 ᄀᆞᆺᄀᆞᆺ이 안즈믈 명ᄒᆞ고 졍식 칙왈 쵸목 금슈도 ᄌᆞ웅이 잇고 만믈이 다 ᄲᅭ이 슘겨ᄂᆞ니 네 비록 혈혈무의ᄒᆞ나 닉 임의 너ᄅᆞᆯ 거두어 무양ᄒᆞ믈 긔츌ᄀᆞᆺ치 ᄒᆞᄂᆞ니 ᄯᅩ 엇디 평싱을 졔도치 아니리오 규녀의 몸이 되여 스ᄉᆞ로 부셔ᄅᆞᆯ 굴ᄒᆞᄂᆞᆫ 남ᄉᆡᆨ 이시니 이 엇디 ᄉᆞ문규ᄋᆞ의 졍졍ᄒᆞᆫ 부(56)덕이리오 만일 ᄂᆞ의 슬하 녀질비 ᄀᆞᆺ흘진ᄃᆡ 당당이 홀ᄌᆞ인졍ᄒᆞ여 네 스ᄉᆞ로 죽고즈 아니ᄒᆞ나 닉 맛당이 죽으믈 쥴 거시로ᄃᆡ 힝혀 독의 쇼원ᄒᆞ고 ᄯᅩᄒᆞᆫ ᄂᆞ의 표문독친의 혈혈일긔믈 가련ᄒᆞ여 ᄎᆞ마 죄ᄅᆞᆯ 일우지 못ᄒᆞ고 닉 비록 안면이 듯거오나 현승상 부ᄌᆞ로 상의ᄒᆞ여 영합여의ᄒᆞ리니 즉금 이후로ᄂᆞᆫ 회진기셩ᄒᆞ여 군ᄌᆞ지문의 득죄치 말고 평싱을 안과ᄒᆞ믈 브라노라 영ᄑᆡ 쳔만힝심ᄒᆞ여 머리 죠ᄋᆞ 스레 왈 쳐음의 그릇 외간을 슬펴 현싱의 풍신직화ᄅᆞᆯ 본 쥴을 뉘웃ᄉᆞᆸᄂᆞ니 엇디 다시 그르미 잇ᄉᆞ리잇고 형장의 관인후덕으로 현가의 도라(57)가 다만 셩명을 의지ᄒᆞ고 원비의 셩덕으로 의식이 후ᄒᆞ믈 브라올 ᄯᆞ름이라 엇디 감히 쇼련의 은춍을 브라며 원비ᄅᆞᆯ 예 아던 사름이라 ᄒᆞ여 감히 업슈히 너기미 잇ᄉᆞ리잇고 상국 부뷔 도로혀 웃고 은ᄌᆞ이 다릭여 후일을 경계ᄒᆞ니 영ᄑᆡ 슌슌 슈명ᄒᆞ고 믈너나니 형난이 깃브믈 니긔지 못ᄒ여 침쇼의 도라와 상국 부부 딕덕을 못닉 일ᄏ고 영교를 당부ᄒ여 현부의 입승ᄒ나 범쇼져의게 됴금도 득죄치 말나 ᄒ더라 시시의 범공이 니시의 힝ᄉ를 십분 미온ᄒ나 형셰 홀일업손 바의 졔 ᄉ싱을 결ᄒ니 비록 ᄌ작지되나 사름 (58)의ᄉ를 멸ᄒᄂ 마듸요 빅인이 유ᄋ이시니 쳔금교ᄋ의 젼졍이 마장이 될가 우려ᄒ민 이의 마지못ᄒ여 가를 미러 현상부의 나아가 현시 졔공을 보고 한훤녜파의 한담이 이윽ᄒ민 범공이 믄득 염슬위좌ᄒ고 눗빗출 곳쳐 침음쥬져ᄒ기를 오릭ᄒ니 아지 못게라 ᄎ혼이 셩젼혼가 하문 분희ᄒ라 텰종황뎨 후궁 김상궁 쳘영 글시

명쥬옥연긔합녹 권지십일

(1) 명쥬옥연긔합녹 권지십일

ᄎ셜 현승상이 범공의 긔식을 보고 ᄀ장 의ᄋᄒᄆᆯ 마지 아냐 이의 무러 골오딕 인형이 무슴 ᄉ괴 잇셔 긔식이 ᄌ못 블안ᄒ시뇨 범공이 눌호여 답왈 합하의 붉은 안광이 능히 만싱의 심폐를 ᄉ못ᄎ시니 실노 그 신명ᄒᄆᆯ 항복ᄒᄂ이다 연이나 만싱이 오공딕인과 열위계형의 관인후덕을 우러러 간졀혼 쇼회를 고코ᄌ ᄒᄂ니 아지 못게라 발언ᄒ민 능히 안면의 무류치 아니랴 졔공이 괴이희 넉여 일시의 일오딕 합하ᄂ 거셰명상이라 말숨이 입의 ᄂ민 가치 아닌 비 업ᄉ리니 볽히 니르쇼셔 범공이 블감ᄉᄉᄒ고 왈 만싱이 본딕 명박ᄒ여 (2) 됴실북당ᄒ고 동션형뎨ᄒ며 닉무강근지친ᄒ여 ᄌ최 영졍ᄒ거늘 요힝 닙신냥명ᄒ여 일신의 부귀 극ᄒ고 슬히 ᄀ족ᄒ나 일야의 쳥영의 그림직 고고ᄒᄆᆯ 슬허ᄒ더니 여ᄎ여ᄎᄒ여 표문슉친의 무의혼 녀ᄌ를 거두어 휵양ᄒ니 그 녀직 지용이 슈미ᄒ고 긔질이 춍명혼지라 하ᄂᄒᆫ 표문지친이믈 가이ᄒ고 이ᄌᄂ 고혈무탁ᄒᄆᆯ 긍념ᄒ여 아름다이 셩인코ᄌ ᄒ더니 어린 녀직 ᄉ리를 불통ᄒ고 ᄉ의 여ᄎ여ᄎᄒ여 아셔의 풍신지모를 흠모ᄒ여 거줘 여ᄎ여ᄎᄒ니 다못 싱

과 폐체 만단기유ㅎ나 능히 홀 일 업ᄂ지라 ᄎ이 비록 규힝이 미흡ᄒ나 지용
인즉 아름답고 긔질인즉 스오납디 아니ㅎ니 깁히 (3)화근은 되지 아니리니 원
컨디 오공디인과 녀부인형은 관인디덕을 드리워 니ᄋ의 방ᄌ무힝ᄒ믈 깁히 허
믈치 말고 문하의 거두어 희즁의 빈위를 허ᄒ실가 그으기 ᄇ라ᄂ이다 오공이
미급답의 녜뷔 블열ᄒ여 몬져 굴오디 돈ᄋᄂ 빅면셔싱이라 일쳐로 집을 직희
오미 맛당ᄒ니 엇지 포의셔싱의 동치지년의 지실을 ᄀᆺ쵸와 가즁졔ᄋ를 경계치
아니ᄒ며 ᄯᅩ 무힝ᄒᆫ 녀ᄌ 가즁의 드러와 져희 부부 금슬의 마장을 일우며 가
란을 비져 니리오 불쵸ᄒᆫ 녀ᄌᄂ 스싱이 블관ᄒ니 아등이 고ᄌ홀 ᄇ 아니라
다시 의논치 마르쇼셔 범공이 탄식 디왈 형은 니리 이르지 말나 닉 엇지 ᄌ식
의 젹국 어더 쥬기를 달게 넉이(4)리오마ᄂ ᄎ이의 고집이 여ᄎ여ᄎᄒ여 영
낭을 위ᄒᆫ 일편단심이 고인의 망부셕 되기를 효측고ᄌ ᄒ나 졔와 폐체 능히
기유치 못ᄒ고 우가의 졍혼코ᄌ ᄒᆫ즉 ᄎ녜 작용이 여ᄎ여ᄎᄒ여 파혼ᄒ여시
니 형세 진실노 난쳐ᄒ지라 원컨디 형은 ᄇ리지 말고 허ᄒ라 녜뷔 범공의 이
러틋 간졀이 구혼ᄒ믈 ᄎ마 박히 못ᄒ여 유유침음이라 오공이 흔연이 닐너 왈
스세 여ᄎᄒ니 현마 엇지리오 요힝 니시 간악지 아니ᄒᆫ즉 만힝이요 블연즉 ᄒᆫ
ᄀᆺ 가닉의 요란홀 분 아니라 녕녀의 평싱이 블안홀가 ᄒ노라 범공이 연망이
ᄉᆞᄉ 왈 노션싱이 이러틋 니르지 아니시나 흑싱이 ᄯᅩ 혜ᄋ리미 업ᄉ리잇고 니
시 됸문의 드러(5)와 만일 블미ᄒ거든 당당이 눈을 감ᄋ 지감 업ᄉ믈 스례ᄒ
리이다 오공이 잠쇼ᄒ고 쾌허ᄒ며 승상 등이 녜부를 녁권ᄒ니 녜뷔 심시 블안
ᄒ나 마지 못ᄒ여 믹믹히 허ᄒ여 왈 니가 녀지 임의 규힝이 파쳔ᄒ미 션남ᄒ
기의 잇시니 엇지 요음치 아니키를 미드리요 좌상의 장시즁이 쇼왈 텬하의 어
늬 어린 남지 다만 일쳐를 직희리오 너는 다만 쇼질부만 위ᄒᆫ 졍남이라 오직
쇼시 잇ᄂ 줄만 알고 굿ᄒ여 ᄌ식가지 네 버르슬 비호란 말가 녜뷔 미쇼부답
ᄒᆫ디 범공이 다시 히유 왈 명공은 실노 호의치 말나 니시 결단코 됸문을 분난
치 아니리라 진공이 웃고 굴오디 만식 다 쳔슈의 졍혼 ᄇ니 니시 만일 냥션
(6)ᄒᆫ즉 명공의 녀셰 평안홀 거시요 만일 ᄉ오ᄂᄋᆫ즉 녕녀의 계활이 괴로오리

니 션싱이 스스로 션쳐ᄒ라 좌위 기쇼ᄒ고 범공이 빗스 왈 진공 합하의 명논
이 기연ᄒ시이다 ᄒ더라 범공이 하직고 본부의 도라가 퇵일ᄒ여 보ᄒ니 길긔
슈월이 가렷더라 현부 ᄂᆡ외 깃거 아니나 마지 못ᄒ여 혼슈를 출히고 쇼부인은
ᄋᆞ부를 위ᄒ여 이련ᄒ며 니시 ᄒᆡᆼ시 음픠ᄒ니 쇼실이 ᄯᅩ 엇더ᄒ고 깁히 우려ᄒ
며 희옥 공지 니시의 혼시 졍ᄒᆞ믈 듸경분연ᄒ여 혜오ᄃᆡ 범공은 가히 다ᄉᆞᄒᆞᆫ
남지라 어ᄃᆡ 가 괴이ᄒᆞᆫ 찰녀를 어더 길너 기녀의 젹국을 삼고 ᄂᆡ의 심우를 ᄭᅵ
치ᄂᆞᆫ고 ᄒ여 블승통한ᄒ되 왕부의 고집과 야야의 츄(7)탁으로도 능히 믈니치
지 못ᄒ여시니 이졔 ᄉᆞ양ᄒ나 엇지 밋ᄎ리오 울울번뇌ᄒᆞᆷ믈 니긔지 못ᄒ여 ᄎᆞ
야의 범쇼져를 ᄃᆡᄒ여 졍식 왈 ᄌᆞ고로 남지 호방ᄒ여도 경박탕지라 ᄒᆞ느니 ᄒᆞ
믈며 녀ᄌᆞᄯᆞ녀 싱이 ᄌᆞ쇼로 질악을 여슈ᄒ거늘 니시ᄂᆞᆫ 하등 우물이완ᄃᆡ 남ᄌᆞ
의 외모를 흠모ᄒ여 비례로 둇고ᄌᆞ ᄒ니 가히 규녀의 ᄒᆡᆼ실이 잇다 ᄒ랴 싱이
실노 악장의 다ᄉᆞᄒᆞ시믈 괴이히 넉이노라 쇼졔 염용 ᄃᆡ왈 부뫼 굿ᄒ여 니시의
ᄒᆡᆼᄉᆞ를 올히 넉이시미 아니로ᄃᆡ 제 졍심이 쳘셕 ᄀᆞᆺᄒ여 니졔 쥭기로ᄡᅥ 결단ᄒ
다 ᄒᆞᄆᆡ 가친이 마지못ᄒ여 톤당의 면쳥구혼ᄒ신 빈라 셰도인심이 엇지 ᄌᆞ식
의 젹국을 (8)됴화ᄒ리잇가 실노 괴로오미 쳡의게 잇고 군ᄌᆞ긔 업ᄉᆞ리니 너모
번뇌치 마르쇼셔 쳡은 드르니 촌부도 일쳐일쳡은 잇다 ᄒᆞ느니 군지 덕문여예
로 문댱이 츌셰ᄒ시니 불구의 농인을 밧드러 옥당금마의 쥬인이 되리니 실즁
의 냥쳐를 엇지 거ᄂᆞ리지 못ᄒ시리잇고 언파의 안식이 ᄌᆞ약ᄒ고 언시 화평ᄒᆞ
니 공지 어히업셔 슈미를 두루혀 쇼왈 싱은 그ᄃᆡ를 위ᄒ여 강젹이 니르러 평
싱을 어즈러일가 념녀ᄒ더니 그ᄃᆡ 이러틋 타연ᄒ여 옥모 낭군으로ᄡᅥ 타인의게
보ᄂᆡ믈 근심치 아니ᄒ니 진짓 토목심장이로다 쇼졔 오직 유유무예러라 ᄎᆞ시
우가의셔 니시 규ᄒᆡᆼ이 쳔누ᄒ여 스스로 퇴혼ᄒ고 현ᄌᆞ의 빈실(9)노 졍ᄒᆞ믈 알
고 무상이 넉이고 파혼ᄒᆞ믈 깃거 다른 곳의 구혼ᄒ여 미부를 어드니라 이ᄯᅢᄂᆞᆫ
즁츄가졀이라 나라히셔 셜장ᄒ여 ᄉᆞ방 현ᄉᆞ를 구ᄒᆞᆯᄉᆡ 졔왕의 댱ᄌᆞ 희셩 공지
십오셰의 미쳐시니 외모풍광이 졀인ᄒᆞᆷ믄 쳔고후 만ᄃᆡ의 역상ᄒ나 무빵ᄒᆞᆫ 긔ᄌᆞ
옥인이요 문댱ᄌᆡ화ᄂᆞᆫ ᄉᆞ마쳔 왕희지라도 불급ᄒᆞᆯ 거시요 셩흑ᄃᆡ교ᄂᆞᆫ 공안의 후

셕을 니어시니 부즈는 오히려 텰환천하ᄒᆞᆺ 진치 곤욕ᄒᆞ시니 복이 박다홀 거시요 안즈는 안빈낙도의 불염됴강ᄒᆞ시되 슈를 향치 못ᄒᆞ시니 엇지 현공즈 희셩의 싱어농동지엽으로 쟝어호치교이ᄒᆞ여 만복무흠 화길지격을 바라리오 임의 십셰 젼브터 문쟝이 (10)니러 만복 금쉬 되엿시니 연보 칠팔셰의 모비 월셩공쥐 다리고 입궐ᄒᆞ여 데후긔 뵈오미 데휘 그 츌뉴흔 지흑을 디챤ᄒᆞᆺ 십셰붓터 과거 뵈기를 니르시되 진공과 데왕이 조달ᄒᆞᆯ 깃거 아냐 일즉 과쟝의 드리미 업더니 ᄎᆞ년의 비로쇼 참방홀ᄉᆡ 희옥이 ᄯᅩ흔 참방ᄒᆞ니 희셩의 강하디지로 엇지 텬하다ᄉᆞ의 하풍이 되리오 의의히 쟝원이 되니 우흐로 텬즈와 아리로 문무 졔신이 문쟝지화를 아니 이경ᄒᆞ 리 업더라 둘지는 희옥이니 상이 문무 신닉를 ᄎᆞ례로 불너 어화쳥삼을 쥬시며 상방 어온을 반ᄉᆞᄒᆞ실ᄉᆡ 쟝원을 뎐의 올니ᄉᆞ 친히 ᄉᆞ화를 머리의 쏘즈시고 농슈로써 쟝원의 옥슈를 무마ᄒᆞᆺ (11)농안의 화긔 츈풍 ᄀᆞᆺᄒᆞᆺ 문무셰신을 도라보ᄉᆞ 왈 현희셩은 외됴와 달나 공쥬의 쇼싱이요 짐의 외손이라 위인이 예ᄉᆞ라와도 ᄉᆞ졍의 ᄉᆞ랑ᄒᆞ오미 범연치 아니려든 ᄒᆞᆯ며 작인의 비상ᄒᆞ미냐 경 등은 짐의 구구ᄒᆞᆯ 괴이히 너기지 말나 만됴빅관이 연셩비무ᄒᆞ고 만셰를 블너 득인ᄒᆞ시믈 하례ᄒᆞ고 쳠녕ᄒᆞᆫ 즈는 더옥 츄쥬ᄒᆞ여 셩심을 아당ᄒᆞ더라 상이 별녜로 위유ᄒᆞ시고 진공 부즈와 녜부를 ᄉᆞ쥬ᄒᆞ시고 긔즈 두믈 표쟝ᄒᆞ시니 현시 졔공이 황공감은이러라 일싁이 져믈미 ᄉᆞ은퇴됴ᄒᆞ여 궐문 밧글 나니 문무 신닉의 쳔만 가지 ᄉᆞ화는 셔양 느즌 빗출 희롱ᄒᆞ고 무슈흔 챵부 지인의 휴파람 쇼릭와 (12)풍악이 요요ᄒᆞ고 팔음이 뇨료ᄒᆞ여 반공의 어릭엿고 쳥홍일산이며 긔치졀월이 도로의 니어시니 아아ᄒᆞ여 팅산ᄀᆞᆺ치 거룩ᄒᆞ고 휘휘ᄒᆞ여 챵파ᄀᆞᆺ치 그음 업슨 쟝관이라 도로 관지 발을 멈츄어 굿보며 칙칙칭챤ᄒᆞ여 쟝원형뎨의 옥모영풍과 쟝관을 일ㅋ라 왈 옥쳥진군이 학가운참ᄒᆞ여 영쇼보젼의 됴회ᄒᆞ미라도 이러치 못ᄒᆞ리라 ᄒᆞ더라 힁ᄒᆞ여 상부의 도라오니 부슉졔친이 함취디희ᄒᆞ여 쟝원형뎨로써 ᄉᆞ묘의 비알ᄒᆞ고 돈당 왕부모와 부모 슉당의 ᄎᆞ례로 빅현홀ᄉᆡ 오공 곤계와 졔즈 졔부인 졔손과 닉외 친쳑들이 남좌녀우로 슈풀ᄀᆞᆺ치 버러 안즈 중인 만목이 (13)냥 쟝원의 신상을 쩌나지 아니ᄒᆞ여 그 빗난 쳐복의 오ᄉᆞ홍푀 쌍쌍흔 가온ᄃᆡ 동텬하일 ᄀᆞ흔 관옥 면모의 쌍셩명안이 츄슈진쳥ᄒᆞ믈 씌엿고 연협단슌의 옥치현영ᄒᆞ여 츈풍의 휘듯ᄂᆞᆫ 듯 화픠 요요작작ᄒᆞ여 편여경홍이오 표표히 학우션 ᄀᆞ흔 쳬격의 의됴복의 찬난홈과 ᄉᆞ화의 넘노ᄂᆞᆫ 모양이 퇴을션군이 옥경의 비복ᄒᆞᄂᆞᆫ 듯 인봉난학이 하풍을 응ᄒᆞ여 츔츄ᄂᆞᆫ 거동이라 방관즈의 흠션ᄒᆞᄆᆞᆫ 니ᄅᆞ도 말고 부모슉당의 ᄆᆞ음이야 엇지 일너야 알니오 하윤쥬쳘 졔부인이 연친독당과 졔부졔녀 허다 손ᄋᆞ를 거ᄂᆞ려 냥장원의 졀ᄒᆞ기를 기ᄃᆞ려 손을 잡ᄋᆞ 두굿기ᄂᆞᆫ (14)ᄆᆞ음이 넘ᄭᅵ니 희극싱비흔지라 셕일 댱틱부인을 뫼셔 졔즈질 등의 등과시의 그 희열ᄒᆞ시던 바를 츄모감읍ᄒᆞ여 쵸창흔 빗츨 씌엿더라 텬지 그 월셩의 직믈 ᄉᆞ랑ᄒᆞᄉᆞ 니원풍뉴를 ᄉᆞ급ᄒᆞ시고 장원각을 쥬오시니 왕이 ᄃᆡ경ᄒᆞ여 상표 왈 신의 부지 셩됴의 슈은ᄒᆞ와 쵼공이 업ᄉᆞ오되 위국인신ᄒᆞ옵거늘 다시 장원각을 쥬오시니 후셰의 신의 외람ᄒᆞ오믈 ᄭᅮ짓지 아니리잇고 상이 간파의 졔왕의 고집을 아ᄅᆞ시ᄂᆞᆫ 고로 이의 장원각을 거두시니라 현부의 ᄃᆡ연을 비셜ᄒᆞᄆᆡ 만됴긔경이 쩌러지니 업시 모혀 신ᄂᆡ를 빅단유희ᄒᆞ며 졀ᄃᆡ미창으로 ᄃᆡ무ᄒᆞ여 희롱ᄒᆞ나 냥인이 흔ᄀᆞᆯᄀᆞ치 (15)셩문도통을 니어 다만 머리를 슉여 ᄉᆞ관의 명을 승슌ᄒᆞ나 일쌍셩안이 ᄂᆞ족ᄒᆞ여 시쳠이 씌 우희 오르지 아니ᄒᆞ고 연쇼교이 치슈를 썰치고 홍상을 ᄯᅴ어 금슈 돗 우희 진퇴ᄒᆞᄆᆡ 묽은 노ᄅᆡᄂᆞᆫ 냥진을 늘니고 묘흔 츔은 비연이 길 우희 올놋ᄂᆞᆫ 듯 옥쇼금관의 아름다오미 극ᄒᆞ나 일호 유의ᄒᆞᄆᆡ 업ᄉᆞ니 좌긱이 불승칭익ᄒᆞ고 쇼년명뉴ᄂᆞᆫ 협긔로 슐을 미란이 취ᄒᆞ고 미녀를 엽엽히 ᄭᅧ 유희방탕ᄒᆞᄃᆞᆫ 무리 현싱 등의 온듕졍ᄃᆡᄒᆞ믈 보ᄆᆡ ᄉᆞᄉᆞ로 슈괴ᄒᆞ여 드럿든 잔을 바리고 미창을 물니쳐 염슬슈용ᄒᆞ여 힝신의 미련ᄒᆞᄆᆡ 져 약관 미셩동의 밋기 어려오믈 붓그리더라 니러틋 연낙ᄒᆞ여 삼일유(16)과를 맛고 궐하의 ᄉᆞ은ᄒᆞ니 상이 연이ᄒᆞᄉᆞ 장원으로 즁셔ᄉᆞ인을 ᄒᆞ이ᄉᆞ 시강흑ᄉᆞ를 겸ᄒᆞ게 ᄒᆞ시고 희원으로 한님셔길ᄉᆞ를 ᄒᆞ이사 각각 그 쳐즈로 봉관화리와 옥픿를 ᄉᆞ송ᄒᆞ시고 명부직쳡을 ᄂᆞ리오시니 냥인이 텬은을 슉ᄉᆞᄒᆞ고 직임의 ᄂᆞᄋᆞ가ᄆᆡ 쳥현아망이 빅뇨의 진동ᄒᆞ더라 구범 냥쇼졔 봉관하리의 명뷔 되니 상부 구부 범부

의셔 다 이중ㅎ더라 이러구러 니시의 길일이 다다르미 길싱 존명을 봉승ㅎ여
쵸쵸흔 위의로 범부의 ᄂᆞ의가 니시를 마즈 도라오니 현부 상히 신부를 슬피미
싀용묘질이 아름다와 군쥬긔는 밋지 못ㅎ나 멸딕가인이요 동용쥬션이 뉴법ㅎ
여 성녀라 니르지 못(17)ㅎ나 요음찰녜는 아니라 튼당 구괴 쳐음 불쾌이 아든
ᄆᆞ음이 푸러져 흔연이 두굿겨 이중ㅎ여 신부 슉쇼를 슈션당의 뎡ㅎ여 보ᄂᆞ니
니시는 ᄆᆞ음이 쾌ㅎ나 길싱 불예ㅎ여 신방을 춧지 아니ㅎ니 튼당 부뫼 스리로
경계ㅎ여 녀ᄌ의 하상지원을 씨치지 말나 누누이 이르시니 길싱 마지못ㅎ여
슈션당의 니르니 니시 긔이영지ㅎ여 동셔분좌ㅎ미 싱이 눈을 드러 슬피니 싀
용덕질이 하등은 아니라 냥구침음이러니 슉연이 일너 ᄀᆞ로ᄃᆡ 져젹 현경이 싱
의 박용을 과히 아라 유의ㅎ되 싱이 본ᄃᆡ 상여의 풍치 업셔 가인의 지우를 갑
지 못홀 비나 쳔연이 긔구ㅎ여 화쵹의 모드미 이시나 동시 장부의 풍치 (18)
미믈ㅎ여 봉황의 노름이 업스니 지일졍싱의 용우ㅎ믈 우으리로다 설파의 스일
을 흘녀 슉시ㅎ니 영괴 셩졍이 쇼통흔지라 져의 비쇼ㅎ믈 엇지 모로리오마는
ᄌ긔 허믈이라 엇지 군쥬의 쳔담ㅎ믈 한ㅎ리오 담을 크게 ㅎ고 피셕염용ㅎ여
ᄂᆞ죽이 말을 펴 왈 쇼쳡은 텬하의 슬픈 인싱이라 됴상부모ㅎ고 동션형뎨ㅎ여
스고무친ㅎ온 몸을 힁혀 원독의 거두믈 닙어 ᄌ라기의 밋츠나 만니 젼졍을 장
ᄎ 엇지ㅎ리오 ᄌ보ᄌ신지칙을 슬허ㅎ옵더니 우연이 군ᄌ의 옥면뉴풍을 흔 번
보미 당돌흔 의시 니위공의 홍불기를 효측고ᄌ ㅎ여 (19)긔구이 인연을 미ᄌ
니 쳡슈불민이오나 엇지 놉흔 군쥬의 놋가로이 넉이는 쥴 아지 못ㅎ리오마는
쳡이 다만 셩덕지문의 동신ㅎ기만 ᄇᆞ라ᄂᆞ니 엇지 감히 딕군쥬의 은의를 바리
리잇고 군지 쳡으로써 문군 가녀의게 비기시나 쳡은 도장 가온ᄃᆡ 옥 ᄀᆞᆺ흔 규
쉬요 문군은 과뷔니 셔로 ᄀᆞᆺ틀 비 아니요 가시는 상님의 분쥬ㅎ여 남ᄌ의 은
총을 영구ㅎ엿거니와 쳡은 이와 ᄀᆞᆺ지는 졍녕코 아니ㅎ오니 비록 녀ᄌ 부셔를
ᄀᆞᆯ희믄 그르거니와 이 무리의 비기믄 원통ㅎ고 멸통ㅎ여이다 설파의 안싴이
ᄌ약ㅎ고 말솜이 흐르는 듯ㅎ니 싱이 어히업셔 묵연이 혜오ᄃᆡ ᄎ녀의 쯧이 녹
녹지 아니ㅎ니 가히 바리지 아니홀 (20)거시로ᄃᆡ 금야의 급히 친압ㅎ믄 ᄂᆞ의

뎡되ᄒ미 아니라 ᄒ고 흔연이 쉬기를 권ᄒ고 스스로 쓰러져 ᄌ더라 이쩌 평뎨
왕의 ᄎᄌ 희문의 ᄌᄂ 운즁이니 원비 월셩공쥬의 ᄎ지요 삼ᄌ 희명의 ᄌᄂ
인즁이니 좌부인 의빈군쥬 묘시의 양지라 흔글 ᄀᆺ치 옥안미풍이 쎈혀나 쳐가의
교유이요 밍시의 방닌이라 아름답기 피츠 겸연치 아니ᄒ고 문장지홰 상하치
아나나 다만 단쳬 각각이라 냥공지 동년싱이로되 희문이 달노 형이 되더라 연
방 십이의 쳬형이 쟝슉ᄒ니 쟉쇼의 긔약이 당흔지라 너비 신부를 퇵흘시 왕의
셔ᄌ 희영은 빈실 강양의 쟝지라 연방 십삼의 옥안영풍이 뎨왕의 풍도를 습
(21)ᄒ엿더라 형뎨 ᄎ례를 건너지 못ᄒ여 황독 슉흥군의 셔녀와 뎡혼납빙ᄒ
니 슉흥군은 이곳 뎨왕비 의빈군쥬의 형남이라 묘모의 왕님ᄒᄂ 고로 희영의
쟝셩ᄒ믈 보고 혼인을 직쵹ᄒᄂ지라 계왕이 블관이 넉이나 혼슈를 셩비ᄒ여
길일의 희영이 빅냥으로 묘시를 마ᄌ오니 옥안미질이 삼츈의 웃ᄂ 꼿 ᄀᆺ고 지
졍이 민쳡ᄒ니 돈당 상히 깃거ᄒ고 공쥐 무휼ᄒ기를 구쇼져긔 ᄂ리지 아니ᄒ
며 계부인이 웃고 닐오되 묘시 위인이 냥션ᄒ고 인물이 단ᄋᄒ니 고모의셔 늣
도다 강양이 우쇼 왈 아모리 녀쥔들 잔약흔 거시 무어시 묘흐리잇고 쇼뷔 빅
시 아름다오되 너모 쇼퓰ᄒ여 이쟌ᄒ기의 ᄀᆺ(22)ᄀ오니 쳡은 일노쎠 늣비 넉
이ᄂ이다 계부인이 되쇼 왈 그되 규즁의 깁히 드러 슈퓰ᄒ노라 ᄒ여도 오히려
옛놀 남장으로 집검상마ᄒ여 치빙군즁ᄒ던 왕양흔 협긔 감치 아냣도다 아등은
보건되 묘시 극히 아름답고 단아ᄒ여 진짓 규합의 합도흔 가인이니 혜오되 왕
양흔 싀어미도곤 늣다 ᄒ엿더니 그되ᄂ 브둑히 넉이닷다 이 ᄯ 어렵지 아니ᄒ
니 그되 묘시를 부되 ᄀᆺ과ᄌ ᄒ거든 밤마다 ᄃ리고 원듕의 드러가 활뾰기와
말달니ᄂ 습긔를 ᄀᄅ치라 의빈군쥐 한가이 웃고 왈 묘ᄋ의 돌약흔 셩품 곳치
기ᄂ 그 싀어믜 왕양흔 협긔 쥬리혀기도곤 어려오니 묘ᄋᄂ 임의 싀어미 눈밧
긔 난 며느리로 알고 희양이 ᄯ 잇ᄉ(23)니 그 혼쳐를 광구ᄒ여 밍확의 츅늉
ᄀᆺ흔 며느리를 엇게 ᄒᄉ이다 ᄒ니 좌즁 계쥬부인이 낭낭되쇼ᄒ더라 뎨왕이
셕일 연츠의 제공ᄌ의 혼닌을 졍ᄒ엿ᄂ 고로 싀로이 혼쳐를 근심ᄒ미 아니로
되 오직 희문의 사름되오미 것치 연연ᄒ여 옥이 윤쎠고 슈졍이 몱은 듯ᄒ나

심지 훤츨ᄒ고 의긔 호방ᄒ며 총명예쳘ᄒ여 육예를 능통ᄒ고 텬문지리와 복셔
붓치를 능히 ᄭᄭ둣고 나지면 ᄉ셔삼경을 외오고 밤이면 무경칠셔를 슉독ᄒ며
ᄆᆡ양 궁마지ᄌᆡ를 니기되 힝ᄉᆡ 신능ᄒ여 그 부왕의 총명ᄒ무로도 이런 붓치를
아지 못ᄒ더라 공ᄌᆡ 연이 구셰의 일일은 의모 의빈군쥬 모비의 긔신의 귀령
(24)ᄒ여 슉흥군 부즁의 가 머믈ᄆᆡ 공ᄌᆞ 형뎨 의모를 뵈오라 ᄀᆞᆺ다가 희셩은
몬져 도라오고 희문은 슉흥군의 쳥뉴ᄒ믈 인ᄒ여 ᄂᆞᆼ죵의 도라올ᄉᆡ 다만 일필
쳥녀의 한 ᄲᅡᆼ 동ᄌᆡ 됴ᄎᆞ실 ᄲᅮᆫ이라 졍히 반노의 니르러 길히 협곡을 지ᄂᆞ더니
믄득 져근 집 알ᄑᆡ 다ᄃᆞ라ᄂᆞᆫ 한 져믄 남ᄌᆡ 의복이 션명ᄒ고 ᄂᆞᆼ히 이십은 ᄒᆞᆫ뒤
미목이 쳥슈ᄒ 놈이 ᄒᆞᆫ ᄂᆞᆺ 교ᄋᆞ를 업고 다름쥬어 ᄂᆡ다르니 안흐로셔 즁년 녀랑
이 울며 ᄯᅡ라 ᄂᆞ오니 쇼년의 뒤히 두어 장졍이 잇셔 큰 ᄆᆡ로 휘각ᄒ니 기녜 능
히 ᄯᅡ로지 못ᄒ고 통흉돈독 왈 셩딘지치의 무뢰악쇼비 권문의 셰를 빙ᄌᆞᄒ여
빅일지하의 사름의 쳐ᄌᆞ를 아ᄉᆞ가니 엇디 텬앙이 업스리오 당(25)금의 현상
국이 국권을 잡ᄋᆞ 위덕이 ᄉᆞ림의 츄앙ᄒᄂᆞᆫ 빈니 ᄂᆡ 당당이 승상부의 고변ᄒ여
셜한ᄒ리라 젹되 닝쇼 왈 우리도 현상부 위엄만 ᄒ니 몬져 너희를 다 쥭이리
라 셜파의 큰 바흐로 녀랑을 결박ᄒ니 녀지 능히 면치 못ᄒ고 힘힘이 ᄆᆡ이믈
바드ᄆᆡ 발악홀 ᄯᆞᆫ이라 희문 공ᄌᆡ 이 광경을 보고 ᄃᆡ로ᄒ여 나귀의 ᄂᆞ려 분용
ᄒ여 봉안을 크게 ᄯᅳ고 일셩 음ᄋᆞ의 원비를 ᄂᆡ뤼혀 ᄒᆞᆫ 놈을 잡ᄋᆞ 두어 번 둘
너 ᄆᆡ니 더지니 긔한이 무심 즁이 변을 맛ᄂᆞᆫ지라 됴슈불급ᄒ여 헛되이 ᄆᆡ니
바리이ᄆᆡ 두골이 터져 피 흐르고 졍신이 어즐ᄒ여 슈히 니러ᄂᆞ지 못ᄒ니 공ᄌᆡ
그 ᄆᆡ를 아ᄉᆞ 들고 ᄆᆡ인 업고 가ᄂᆞᆫ 젹도를 ᄯᅡ로니 녀랑(26)을 결박ᄒ던 ᄒᆞᆫ 놈
이 눈을 드러 보ᄆᆡ 십여 셰ᄂᆞᆫ ᄒᆞᆫ 쇼년이 쳥숨 혁ᄃᆡ로 편발동몽이로ᄃᆡ 옥안뉴
풍이 슈려쇄락ᄒ여 풍젼의 옥슈 ᄀᆞᆺ고 일ᄲᅡᆼ 봉안의 노긔 가득ᄒ여 ᄉᆞ일을 흘니
ᄆᆡ 졍긔 호호ᄒ여 ᄐᆡ양이 만니 은하를 빗쵠 듯 텬지됴화 그음이 업고 산쳔 졍
믹이 오롯ᄒ니 벅벅이 옥쳥상션이 진셰의 ᄂᆞ린 듯 블의 악ᄉᆞ를 힝ᄒᄆᆡ 텬신이
노ᄒ샤 져희를 다ᄉᆞ리ᄂᆞᆫ가 딘경ᄒ니 밋쳐 맛지 아냐셔 ᄉᆞ지 무긔ᄒ고 일셩 즐
타의 웅건ᄒᆞᆫ 셩음이 바로 금셕으로 나ᄂᆞᆫ 듯ᄒ니 그 귀신이며 사름이믈 분간치

못ᄒ고 히음업시 그 동뉴를 구치 못ᄒ고 젼닙을 버셔 바리고 젼지도지ᄒ여 다라ᄂ니 공ᄌ 각별 ᄲ로지 아니ᄒ고 (27)동ᄌ를 지휘ᄒ여 녀랑의 믠 거슬 글너 노ᄒ라 ᄒ고 업고 가ᄂ 미인을 아ᄉ려 ᄒ니 원ᄂ 츠젹은 극히 담디ᄒᄂ지라 크게 쇼ᄅ 질너 왈 져 녀랑이 어지지 못ᄒ여 ᄲᆯ노뻐 몬져 니게 허락ᄒ고 후의 파젹ᄒ니 디장뷔 되여 엇지 혈긔지분이 업ᄉ리오 ᄯᅩ 슈지를 보니 됴흔 남지로 쇼니 엇지 비심무의흔 쳔녀를 위ᄒ여 사름과 결원ᄒ려 ᄒᄂ뇨 원간 슈지 사름인가 귀신인가 요물인가 급기유명ᄒ니 괴이ᄒ다 아등이 텬하호한이라 만인무젹지용이 잇ᄉ니 치고ᄌ ᄒ나 버들ᄀᆺ치 약흔 ᄋᆞ히 죽을가 앗겨 못 치ᄂ니 ᄲᆯ니 도라가고 사름을 희치 말나 녀랑이 믄득 쇼ᄅ 질너 왈 져 도젹놈이 조국구의 쳡ᄌ 조츅이라 (28)집을 반ᄒ고 부모를 역ᄒ여 ᄉ쳐의 무뢰 도박ᄒ여 금슈 ᄀᆺ흔 놈이라 니 엇지 ᄯᆞᆯ을 ᄀ져 허ᄒ미 잇시리오 구혼ᄒ미 불허ᄒ고 임의 맛당흔 부셔를 어더시니 바라건디 공ᄌᄂ 져 무거흔 말을 고지 듯지 마르쇼셔 공ᄌ 쳥파의 디로 왈 츠젹이 비록 어미ᄂ 쳔ᄒ나 아비ᄂ 훈쳑디신이라 조국귀흔 ᄂ츤 쳔ᄋᆞ를 졔 어치 못ᄒ고 노화 주어 풍조를 어즈러이니 엇디 한심치 아니리오 니 비록 미약ᄒ나 너쳐엿 쵸츙은 두려 아닛노라 ᄒ고 ᄯᆞ로기를 긴히 ᄒ니 조츅이 디로ᄒ여 업어던 미인을 니여 더지고 길ᄀ의 큰 돌을 드러 공ᄌ를 치려 ᄒ니 두 동지 녀랑을 글너 놋코 ᄯᆞ라오다가 돌노 치려 ᄒ믈 보고 공ᄌ 힝혀 상홀가 두려 (29)쇼동연복이 가장 경망흔지라 호급히 쇼ᄅ 질너 왈 이츅싱ᄋ 우리 공ᄌ 뉜 줄 알고 돌노 상히오려 ᄒᄂ다 조국구의 위엄이 아모리 어려워도 우리 공ᄌᄂ 졔국젼군이요 황야의 숀이라 네 감히 치지 못ᄒ리라 도젹이 츠언을 듯고 디경ᄒ여 돌을 더지고 급히 돌쳐 닷거늘 공ᄌ 디로ᄒ여 농힝호뷔 날 듯ᄒ며 진납이 팔을 늘희여 젹의 운고를 쓰어 평원 광야의 두루기를 십여 츠를 ᄒ니 젹이 졍신이 어즐ᄒ여 ᄯᅡ히 얻더지거늘 공ᄌ 긔연이 고름의 ᄎᆺ던 단도를 ᄲᅢ혀 젹의 ᄂᆞᆺ치 ᄌᆞ지ᄒ되 반부비가역ᄌ 조츅이라 ᄒ니 젹이 긔졀ᄒ여 인ᄉ를 모로고 피를 흘니고 것구러졋다가 협곡의 사름(30)이 왕ᄂᄒᄂ니 업ᄉ믜 구ᄒ 리 업더라 녀랑이 ᄯᆞᆯ을 다리고 ᄂᆞ으와 구활흔 은혜를 고두빅

비ᄒᆞ여 디은을 스레ᄒᆞ거늘 공지 근본을 무른즉 본디 냥민으로 쓸의 능히 이팔
이요 전월의 ᄀᆞᆺ 혼인ᄒᆞ여 스회 ᄯᅩᄒᆞᆫ 아름답고 근실ᄒᆞ니 졔왕궁 궁감 숑긔라
셕일 승상부 막하쥬부 숑신의 손지니이다 공지 반겨 왈 연즉 노픠 날을 맛ᄂᆞ
기를 잘ᄒᆞ도다 져 츅싱이 아죠 죽든 아니리니 니게 욕 본 원을 갑흐려 ᄒᆞᆫ즉
그ᄃᆡ 모녜 예셔 스지 못ᄒᆞᆯ 거시니 즉일 가ᄌᆡ을 슈습ᄒᆞ여 숑가로 도라가라 노
픠 스레 왈 명ᄃᆡ로 ᄒᆞ리이다 ᄒᆞ고 ᄒᆞ직고 도라가 집을 ᄶᅥ나 스회를 됴ᄎᆞ 가니
라 공지 ᄯᅩᄒᆞᆫ 부즁의 도라와 셔동(31)을 당부ᄒᆞ여 슈말을 구외의 닉지 말나
ᄒᆞ니 힝싀 능여ᄒᆞ여 알 니 업스나 조젹이 이 엇지 맛춥ᄂᆡ 함구ᄒᆞ고 잇시리오
어시의 국구 조원은 황야 후궁 조귀인의 아비라 조공이 비록 현명ᄒᆞᆫ 통탈 장부
ᄂᆞᆫ 아니나 극히 어진 ᄌᆡ상이라 졍실의 일ᄌᆞ삼녀를 두어시니 ᄎᆞ녜 귀인이 되엿
더라 긔쳡 희셥의 ᄋᆞ들 츅이 일즉 무뢰도박ᄒᆞ여 어려셔붓터 집을 반ᄒᆞ고 단니
니 그 어미 ᄀᆞ장 슬허 혹 ᄎᆔ실이나 ᄒᆞ면 나을가 ᄒᆞ여 국구의게 고ᄒᆞ여 츅을 입
장ᄒᆞ여 냥가지녜를 ᄎᆔᄒᆞ니 긔녜 안싁이 박ᄒᆞ고 스오납기 무ᄡᅡᆼᄒᆞ여 부뷔 놀마
다 젼장이 일워시니 가듕상히 다 웃고 조공이 ᄆᆡ양 경계ᄒᆞ되 츅이 듯지 아니
ᄒᆞ고 드듸여 집(32)을 반ᄒᆞ여 무뢰비를 ᄯᅡ라 도박ᄒᆞ더니 숑긔의 쳬 아름다오
믈 보고 빅쥬의 동뉴 슈인을 다리고 다라드러 아ᄉᆞ 오다가 의외의 현공ᄌᆞ를
맛나 미인을 앗길 분 아니라 동뉴 두 사름이 마ᄌᆞ 상ᄒᆞ고 졔 ᄯᅩ 낫치 ᄌᆞ지ᄒᆞ
기를 당ᄒᆞ니 독히 알푸믈 니긔지 못ᄒᆞ여 쇼릭 지르고 긔졀ᄒᆞ엿더니 ᄀᆞ장 오릭
후 겨오 ᄭᅢ여 동뉴 삼인이 피를 흘니며 셔로 붓들고 엉긔여 졔 집으로 가지 못
ᄒᆞ고 동뉴의 집의 가 현공ᄌᆞ를 모지리 욕미ᄒᆞ고 원을 갑고ᄌᆞ ᄒᆞ나 능히 ᄒᆞᆯ일
업ᄂᆞᆫ지라 셔로 의논ᄒᆞ되 졔 미셰ᄒᆞᆫ 사름과 달나 왕궁 귀공ᄌᆞ요 텬ᄌᆞ의 손이니
원슈 갑흘 길이 업ᄂᆞᆫ디라 장ᄎᆞᆺ 엇지ᄒᆞ리오 ᄒᆞᆫ 놈이 일오(33)ᄃᆡ 상담의 유전이
면 귀신도 스귄다 ᄒᆞ니 금빅이 만흐면 ᄀᆞ만이 ᄌᆞ긱을 쳥ᄒᆞ여 오리니 쇼ᄋᆞ의
ᄒᆞᆫ 목슘 죽이기 그리 어려우랴 조츅이 희왈 그리면 닉 맛당이 쳐ᄌᆞ를 속이고
ᄌᆞ장을 다 도젹ᄒᆞ여 오리라 의논을 졍ᄒᆞ고 두어 늘 조리ᄒᆞ여 졔 집으로 가려
ᄒᆞᆯ싀 ᄲᅡᆷ의 고약을 붓쳐 동히고 황혼을 타 졔 집의 드러가 감히 조공긔 뵈지 못

ᄒ고 바로 어미를 보고 울며 왈 공연이 박셕의 업더져 늣늣치 씨여졋노라 ᄒ
니 어미 고지 듯고 닐오ᄃᆡ 집의셔 됴리ᄒ고 이후는 나가지 말나 ᄒ니 츅이 되
답ᄒ고 제 방의 드러가 누으니 기체 작식노미 왈 어ᄃᆡ 가 강도질ᄒ다가 마ᄌ
상ᄒ고 드러왓는다 슈이 도로 나가라 ᄒ니 츅이 심니의 분노ᄒ여 싱각ᄒ되 ᄂᆡ
쳐음은 ᄀ마니 ᄌ장만 아ᄉ 가려 ᄒ엿더니 (34)이리 공슌치 아니ᄒ니 가히
쥭이고 아ᄉ 가리라 ᄒ고 쥭어가는 체ᄒ고 누어시니 기체 악악흔 즐언이 밤
드도록 긋지 아니ᄒ다가 믄득 잠드러 인ᄉ를 모로거늘 츅이 암희ᄒ여 ᄀ마니
이러 픠도를 ᄲᅢ혀 질너 쥭이고 협ᄉ를 분탕ᄒ여 가지고 ᄂᆡᄃᆞ라 바로 동뉴를
보고 가져온 거슬 뵈니 금빅의 뉴는 업고 다만 비단 의상붓치와 픠산지뷰니
불과 오빅금이 넘지 못흔지라 젹뉴 블쾌ᄒ여 왈 이는 다른 살인과 달나 심슈
왕궁의 드러가 왕공 귀공ᄌ를 쥭이려 ᄒ니 ᄀ장 듕딕흔 일이라 황금 쳔냥을
쥬어도 ᄌ킥이 낙동홀 줄 밋지 못ᄒ거든 이런 잡쇡으로 오빅금을 겨유 쥬면
뉘 위틱(35)로온 노르슬 ᄒ리오 슈이 가 더 가져오라 츅이 아연 왈 이것도 여
ᄎᆞ여ᄎᆞᄒ여 겨유 어더 왓거든 ᄯᅩ 어ᄃᆡ 가 어드리오 원간 사ᄅᆞᆷ ᄒ나 쥭이기 무
어시 어려오리오 쾌히 졔궁의 드러가 현가 쇼ᄋᆞ를 쥭이리라 ᄒ고 밧긔 ᄂᆞ와
녀인의 오슬 어더 닙고 ᄂᆞ치 더러온 거슬 칠ᄒ며 머리 풀고 셕양의 졔궁을 ᄎᆞ
ᄌᆞ 문젼의 ᄂᆞᄋᆞ가 울며 걸냥ᄒ더니 황혼이 되거늘 문의 ᄂᆞ오지 아니ᄒ고 ᄀ마
니 난간 ᄋᆞ릐 슘엇더니 어둡도록 인셩이 휜화ᄒᄆᆡ 곡쇽히 업ᄃᆡ여 밤들기를 기
다리며 사ᄅᆞᆷ의 ᄌᆞ최를 눈 닉여 슬피더니 믄득 쇼동 연복이 알플 지나ᄃᆡ 셔헌
마ᄌᆫ 편 쇼당으로 드러가며 셔로 닐오ᄃᆡ 공ᄌᆡ 미양 밤 드도록 독셔ᄒ시니 됴
으름겨(36)워 어렵더라 ᄒ고 드러가니 이 쇼릭 귀의 닉은지라 츅이 현공ᄌᆞ를
됴ᄎᆞᆺ던 셔동인 줄 알고 공ᄌᆞ의 잇는 곳의 ᄂᆞᄋᆞ가고ᄌᆞ ᄒ여 밤 들기를 기ᄃᆞ리
더니 시애 회간이라 어둡기 칠야 ᄀᆞᆺᄒᄆᆡ 방심ᄒ여 가마니 어로긔여 셔당으로
향ᄒ더니 날은 침침ᄒ고 발이 닉지 못ᄒᄆᆡ ᄌᆞ연 셔슴어 긔노라 ᄒ니 허리 ᄋᆞ
릐 픠도를 단단이 ᄭᅩᆺ디 못ᄒ엿던지라 믄득 셤 ᄋᆞ릐 박셕의다 질녀 쇼릭 징연
ᄒ며 홀연 딕쳥 큰문을 열치고 일인이 여셩딕호 왈 궁ᄂᆡ의 도젹이 드럿거늘

슉직 노즈는 어딘 잇느뇨 불언동시의 좌우 익낭으로 됴츠 범 굿흔 장확이 횃
불을 볿히고 늬다르니 조츅이 혼비빅산ᄒ여 몸을 두루혀 박셕 밋히 (37)쥭은
드시 업듸엿더라 추일 졔왕이 샹부의 혼졍ᄒ고 도라오더니 별안간의 믄득 보
니 외헌 월앙 ᄋ릭 흗 곳 걸녜 냥식 비는 모양이로듸 거동이 흉흉ᄒ여 걸미ᄒ
는 딘 ᄆ음을 두지 아니ᄒ고 좌고우면ᄒ여 슬피는 눈망울의 살셩이 등등ᄒ여
ᄀ중 흉악ᄒ고 쏘 걸비녀인이라 왕이 견파의 모라 늬치려 ᄒ다가 혜ᄋ리미 잇
셔 아른 체 아니코 경원뎐의 머믈시 ᄉ미 ᄀ온듸로 됴츠 흔 괘를 어드니 반다
시 흉젹이 돌입홀 졈시라 심하의 의려ᄒ여 ᄌ못 상심ᄒ미 잇셔 비밀이 시노를
분부ᄒ여 호령을 기두리라 ᄒ고 장안의셔 그윽이 젹의 동졍을 슬피더니 쇠 쇼
릭 홀연 징연ᄒ며 은은이 언셩이 잇셔 (38)닐오듸 쳡이 죄 업시 악인의 칼 꽂
히 쥭어 놀나온 혼빅이 오히려 칼날을 써나지 못ᄒ엿는지라 여독이 귀궁의 니
르러시니 셩인은 쳥컨듸 악인을 쥭여 원슈를 갑하 쥬쇼셔 ᄒ니 분명흔 인셩이
라 말을 맛츠며 귀곡이 은은ᄒ니 타인은 듯지 못ᄒ나 왕이 엇지 몰나 드르리
오 일셩 음호의 장노 가졍이 불을 들고 늬ᄃ라 두루 어더 셥 ᄋ릭셔 젹인을 싱
금ᄒ니 이곳 아즈 걸녜라 썰고 울며 왈 걸미ᄒ다가 날이 어둡고 큰문을 다드
니 나가지 못ᄒ고 박셕 밋히 업듸여 볿기를 기다려 나가려 ᄒ더니라 ᄒ거늘
왕이 듸로ᄒ여 시노를 명ᄒ여 그 몸을 뒤여 칼을 어드미 익노ᄒ여 오슬 벗기
고 보라 ᄒ니 젹이 아모리 (39)발작흔들 면ᄒ리오 건장 노즈 일시의 구박ᄒ여
오슬 벗기니 완연흔 남지라 왕이 듸로ᄒ여 좌우로 ᄒ여곰 험히 쳐 실샹을 무
르니 조츅이 홀일업셔 울고 왈 쳔싱이 비록 가졍지훈을 듯지 아니ᄒ고 무뢰의
참녜ᄒ여시나 쏘흔 ᄉ문일믹이니 국구의 ᄋ들이요 조귀인의 동긔라 본듸 돈부
의 변복픽검ᄒ고 드러올 닐이 업스듸 모일의 여츠여츠ᄒ여 귀국 공즈 무고히
쇼싱의 ᄂ 곳치 ᄌ지흔 원슈 이시니 쇼싱이 쏘 칼흘 가져와 슈인의 ᄂ가득을
싹그려 ᄒ미라 원슈를 갑고즈 ᄒ오믄 인지상애오니 듸왕은 슬피쇼셔 왕이 쳥
파의 ᄋᄌ의 작용을 어히업시 넉여 침음냥구의 왈 오ᄋ의 힝ᄉ는 과도(40)ᄒ
거니와 네 쏘 상문여믹으로 물외방낭ᄒ여 비록 쳔ᄒ나 유부녀를 강탈ᄒ니 무

륜흔 죄 젹지 아닌지라 엇지 국법을 면흐리오 연이나 네 조공지지라 흐니 닉
엇지 다스리리오 당당이 네 집의 보닉리라 셜파의 좌우를 분부흐여 츠젹을 실
로치 말고 직희엿다가 명효의 조아의 이거흐되 젼어 왈 작야의 여츠여츠흐여
궁듕의 돌입흔 도젹을 잡으니 젹의 쇼답이 여츠여츠흔지라 명공지ᄌ를 복이
ᄉᄉ로이 다스리지 못흐여 잡아 보닉고 가ᄋᄂ 오가의셔 다시리리니 됸공은
ᄯᅩ흔 션쳐흐쇼셔 흐라 흐고 침와흐니라 왕이 명됴의 공ᄌ를 불너 슈말노뻐 무
르니 공지 감히 은익지 못흐여 젼후 (41)ᄉ연을 올흔 딕로 고흐니 왕이 심하
의 아즈의 어린 ᄋ히 의긔 과인흐믈 두굿기나 너모 과격흐믈 미온흐여 틴 슈
십을 빙타흐고 온즁졍딕흐믈 경계흐니 공지 평싱 쳐음으로 엄노를 맛나 옥골
셜뷔 즁상흐여 연흔 ᄭᅩᆺ치 쎠러지고 셩혈이 ᄀ득흐되 일셩을 부동흐고 옥안이
ᄌ약흐여 고요히 미를 바다 졈누를 허비치 아니흐니 왕이 심니의 견고흐믈 익
즁흐더라 최후의 됸당샹히 다 알고 어히업시 넉이더라 왕궁 가인이 조츅을 미
여 조공긔 젼흐고 왕의 말솜을 젼흐니 조가의셔 블의에 왕녜 겁하 경혼이 되
고 의복 ᄌ장을 다 일허시니 ᄇ야흐로 조츅의 쇼힝인 줄 알고 홀 일업셔 왕녀
(42)를 입관셩복흐고 사름을 식여 츅의 ᄌ최를 심방흐더니 일일 미명의 졔왕
부 가인이 납명흐고 흔 걸녀를 미여 드리고 ᄉ연을 고흐니 조공이 ᄯᅩ 셩이 급
흔지라 딕경딕로흐여 ᄉ죄 젼어흐여 왕부 가인을 도라 보닉고 츅을 미이 쳐
죄를 뭇고 도로혀 어히업셔 장탄 왈 츅의 죄 ᄉᄉ의 가살이라 가히 두지 못흐
리라 흐고 짐쥬를 먹여 죽으니 기뫼 심하의 슬허흐나 감히 말을 못흐더라 졔
왕이 츠후 ᄋᄌ의 일동일졍을 가찰엄칙흐니 당시즁이 쇼왈 아비ᄂ 열셰 살의
쇼옥을 버혀 살인흐엿더니 ᄋᄃᆯ은 구셰 쇼ᄋ 사름의 낫갓츨 삭이니 딕강 모질
고 ᄉ오납쇼ᄂ니 진짓 난부난(43)지로다 이후의 ᄂ히 츠면 눌을 버힐 동 알니
요 음아음아 무셔웨라 바로 보기 무셔온 것들이로다 즁여ᄂ 졈어셔붓터 온즁
단묵흐기다 흐여 남ᄌ 즁 둘식오 쥬슈ᄂ 온슌흔 부인이여늘 져런 모진 ᄌ식과
숀ᄌ를 두어시니 이졔 희문의 ᄉ오나오믄 아비를 만히 달맛거니와 텬닌은 달
무ᄂ니 업시 ᄉ오ᄂᄋ오니 됴홰 아니 괴히흐냐 하풍익과 가안빅이 딕쇼 왈 예붓

터 요슌지지 불쵸ᄒ고 쥬문의 관치 잇스니 됴홰 괴이ᄒ리잇가 연이나 운창이
스스로 제 일을 싱각지 아니ᄒ고 ᄋ들을 그르다 ᄒ니 형상이 우읍도쇼이다 댱
시즁이 무릅흘 쳐 올타 올타 ᄒ니 현시 제공이 그 거동을 졀도ᄒ고 오진 냥공
은 미쇼 왈 댱(44)형의 광증은 예붓터 ᄉ풍이 되단ᄒ여 늙으니 노망묘쵸 겸ᄒ
엿거니와 냥셔ᄂ 무ᄉ 일 광인을 비호고ᄌ ᄒᄂ뇨 댱시즁이 노왈 나ᄂ 바른
말 ᄒ면 너희 부ᄌ 슉질이 결당ᄒ여 모욕ᄒ고 능만ᄒ니 마ᄌ 마ᄌ ᄒ다가도
ᄌ연 친친지졍의 입바른 말 ᄒ다가도 미양 견픠ᄒ니 엇지 분치 아니리오 이후
ᄂ 아모리나 ᄒ라 아른 쳬 아니리라 냥공이 함쇼 왈 아모리 마ᄌ ᄒ들 입이 줌
곳ᄒ고 혀가 들먹들먹ᄒᄂ 거슬 엇지 춤고 견디리오 춤으면 닝동 될 거시니
져를 엇지ᄒ리오 댱공이 노를 도로혀 우어 왈 ᄌ여 등의 그 말은 올흔 말이로
다 져머셔붓터 남 실흔 말을 마ᄌ ᄒ되 입이 졀노 들먹이니 홀일업드라 현뎨
등이 하 별명ᄒ니 이(45)졔ᄂ 밍셰코 너희 집 되쇼ᄉ의 간녜치 아니리라 ᄒ더
라 이러구러 셰월이 여측ᄒ여 희문 희명 냥공ᄌ 십이셰의 밋ᄎ니 연양 냥공이
날마다 니르러 가긔를 직쵹ᄒᄂ지라 졔왕이 엄뎐의 품ᄒ고 냥가의 통혼ᄒ여
퇵일ᄒ니 길긔 슈슌이 격ᄒ엿시되 공ᄌ의 길일이 흔날이라 졔궁 뇌외 진동ᄒ
여 혼슈를 출혀 흔날 두 신부를 마ᄌ려 ᄒ더라 화셜 니부상셔 연괴화ᄂ 호부
현명닌의 부인 연시의 형남이라 연니뷔 긔질이 단ᄋᄒ고 셩되 온즁ᄒ여 금옥
군ᄌ라 실즁의 부인 셕시ᄂ 쏘흔 잠영슉녀로 직용이 겸젼ᄒ니 부뷔 결발 슈십
ᄌ의 샹경샹화ᄒ여 희로를 요동ᄒ미 (46)업고 화락ᄎ담ᄒ여 국풍의 시를 지
엄즉 ᄒ더라 죵고지치 션션ᄒ여 슬하의 삼ᄌᄉ녀를 두니 긔긔히 옥슈닌벽 ᄀ
더라 우흐로 이ᄌ 일녀를 셩혼ᄒ고 ᄎ녀 화옥이 바햐흐로 장셩ᄒ여 연방 이뉵
의 운빈화안이 졀셰ᄒ고 셩힝이 유한요됴ᄒ여 당셰의 옥 ᄀ흔 슉완이라 어름
ᄀ치 맑으며 슈졍ᄀ치 빗ᄂ 긔질이며 셩효덕힝이 겸비ᄒ니 부뫼 슈즁 긔보ᄀ
치 ᄉ랑ᄒ여 ᄋ시의 슈향을 현공ᄌ 희문의게 졍약ᄒ고 괴로이 셰월을 등되ᄒ
여 냥가 남녜 ᄌ라기를 기다리더니 광음이 빅구의 틈 지남 ᄀᄒ여 냥이 장셩
ᄒ미 드되여 냥긔 통혼퇵일ᄒ고 혼슈를 셩비ᄒ여 길일(47)이 ᄃ다르미 왕궁

과 연부의 되연을 기장ᄒᆞ고 신인을 마즐ᄉᆡ 연상셰 ᄎᆞ환을 믿ᄌᆞ 현상셔 부인긔 보ᄂᆡ여 젼어ᄒᆞ되 졔왕부ᄂᆞᆫ 친쳑이 셩당ᄒᆞ고 군죵이 번화ᄒᆞ니 믿ᄌᆞ 일인이 불참ᄒᆞ여도 관겨치 아니ᄒᆞᆯ 거시오 오가ᄂᆞᆫ 쇠미ᄒᆞ여 친쳑이 희쇼ᄒᆞ니 모친이 믿ᄌᆞ의 아니 오려 ᄒᆞᆷ을 드르시고 블낙ᄒᆞ시ᄂᆞᆫ디라 현믜 맛당이 몬져 우리집의 와 신낭의 젼앙힝녜ᄒᆞᆷ믈 보고 녀ᄋᆞ를 거ᄂᆞ려 ᄒᆞᆫ가지로 오미 ᄯᅩᄒᆞᆫ 늦지 아니리라 ᄒᆞᆫ디 연부인이 미쇼ᄒᆞ고 이의 현상셔긔 이 ᄯᅳᆺ을 품ᄒᆞᆫ디 호뷔 쇼왈 우리 부뷔 일즉 잣ᄉᆞ리ᄒᆞ기로 부모 형뎨 남과 ᄀᆞ치 즐기지 못ᄒᆞ니 졔질의 가취시의나 안항의 ᄌᆞ리를 븨오(48)지 아닐가 ᄒᆞ엿더니 ᄉᆞ단이 엇디 이리 만ᄒᆞᆫ뇨 연이나 악모의 졍니와 영형의 셥셥ᄒᆞᆫ 심ᄉᆞ를 위ᄒᆞ여 부인의 근친을 허ᄒᆞᄂᆞᆫ이다 부인이 잠쇼 왈 이 ᄯᅩ 사ᄅᆞᆷ의 팔ᄌᆡ라 군ᄌᆞ 유ᄋᆞ시로부터 니친니가ᄒᆞ시믜 집이 비록 연장되문ᄒᆞ고 협문이 잇셔 조모의 왕ᄂᆡᄒᆞ나 ᄌᆞ연 시측이 젼일치 못ᄒᆞᆷ믄 형셰 ᄌᆞ연 그러ᄒᆞ시미니 금일 쳡의 ᄒᆞᆫ번 근친의 연괴리잇고 호뷔 우쇼 왈 그 연ᄒᆞ거니와 셕년의 악뫼 부인을 위ᄒᆞ여 믹양 복의 힝ᄉᆞ를 미온ᄒᆞ시고 일녀의 신셰를 과도이 슬허ᄒᆞ시더니 이졔 희문의 호일방탕ᄒᆞᆷ믄 오히려 싱의 무리 아니니 두리건디 녕질의 평싱이 슌치 못ᄒᆞᆯ가 ᄒᆞ노라 부인이 쳥(49)파의 ᄲᅡᆼᄋᆞ를 영빈ᄒᆞ여 왈 만ᄉᆡ 다명이라 엇지 당치 아닌 바의 미리 일ᄏᆞ라 장부의 말ᄉᆞᆷ이 셰쇄ᄒᆞ기의 갓갑고 ᄯᅩ 언참을 삼가지 아니시ᄂᆞᆫ잇가 상셰 미쇼묵연이러라 부인이 가기를 닐너 회보ᄒᆞ고 명일 금교를 ᄀᆞ쵸와 연부의 ᄂᆞᄋᆞ가 모부인과 거거긔 뵈온디 틱부인이 녀ᄋᆞ의 봉관화리와 당당ᄒᆞᆫ 옥결이 아름다온 용모를 돕고 팔좌의 됸ᄒᆞ믜 혁혁ᄒᆞᆷ믈 보니 ᄉᆡ로이 두굿기고 ᄉᆞ랑ᄒᆞ오믈 니긔지 못ᄒᆞ여 옥슈를 잡고 운환을 어루만져 역쇼역탄 왈 미망여싱이 션군을 여희옵고 홀노 ᄉᆞ라 ᄌᆞ녀의 효를 바드니 엇지 희감치 아니리오 더옥 녀ᄋᆞᄂᆞᆫ 무부지이라 ᄒᆞ여 각별 ᄉᆞ랑ᄒᆞ여 부ᄃᆡ 아름다온 (50)낭ᄌᆡ를 구ᄒᆞ다가 의외의 현낭의 풍뉴호신을 맛나고 강시의 되투를 맛나 일싱이 엇더ᄒᆞᆯ고 념녀ᄒᆞ믜 일쵼간장이 하마 쵸삭ᄒᆞᆯ 번ᄒᆞ더니 엇지 오늘날 영화복녹을 몽믜의나 싱각ᄒᆞ여시리오 이졔 손녀의 졀셰ᄒᆞᆫ 직용이 만히 너와 방블ᄒᆞ니 ᄯᅩᄒᆞᆫ 복덕이 너 ᄀᆞᆺ기를 바라노라 좌우 졔빈이

다 맛당ᄒᆞ믈 일ᄏᆞᆺ고 연상셰 쇼왈 누의 비록 당시의 보복을 쳔ᄌᆞᄒᆞ오나 셕일은 만히 ᄌᆞ위의 이우ᄅᆞᆯ ᄭᅵ쳐ᅀᅳᆸ더니 엇지 오복이 ᄒᆞᆫ 흠도 업다 ᄒᆞ리잇가 이졔 화옥은 지용이 만히 쇼미긔 밋지 못ᄒᆞᆯ 듯ᄒᆞ오나 현ᄌᆞ의 츌발ᄒᆞᆫ 긔상인즉 긔슉의 (51)십비승이니 ᄌᆞ고로 녀ᄌᆞ 삼동은 지타인이라 쇼미ᄂᆞᆫ 덕인ᄒᆞ미 현운빈이 능히 미ᄌᆞᄅᆞᆯ 밋지 못ᄒᆞᆯ 곳이 만하 그릇 강시의 투악을 맛나ᅀᅳᆸ거니와 이졔 현ᄌᆞᄂᆞᆫ 긔슉의 뉴 아니라 지식이 원디ᄒᆞ고 춍명이 슈츌ᄒᆞ니 쇼녜 어진 군ᄌᆞ의 비위 되여 빅두동시의 오복이 ᄒᆞᆫ 흠도 업기ᄅᆞᆯ ᄇᆞ라ᄂᆞ이다 틱부인이 미급답의 현부인이 낭연 디쇼ᄒᆞ더라 텰종황뎨 후궁 김상궁 쳘영 글시

명쥬옥연긔합녹 권지십이

(1) 명쥬옥연긔합녹 권지십이
ᄎᆞ셜 현부인이 낭연디쇼 왈 틱틱 쇼미ᄅᆞᆯ 과장ᄒᆞ시고 딜녀로ᄡᅥ 비겨 니르시미 각별 무희ᄒᆞ거늘 거거ᄂᆞᆫ 믄득 슈회로와 ᄒᆞ시니 엇디 괴이치 아니리잇고 거거ᄂᆞᆫ 현군을 호방타 니르시나 강시ᄂᆞᆫ 본디 고인이요 셩되 투한ᄒᆞ나 임의 쥭은 후ᄂᆞᆫ 상셔의 단졍ᄒᆞ미 가즁의 ᄒᆞᆫ낫 희쳡이 업ᄉᆞ니 거거의 나모라 ᄒᆞ시미 엇지 원민치 아니리잇고 형댱이 희문을 긔슉의셔 낫다 ᄒᆞ시나 쇼미ᄂᆞᆫ ᄡᅥ ᄒᆞ되 못ᄒᆞ다 ᄒᆞᄂᆞ이다 ᄎᆞ의 긔운이 호일ᄒᆞ고 ᄯᅳᆺ이 너르고 쇼졀의 거리기지 아니며 디ᄉᆞ의 강밍ᄒᆞ니 입신현달ᄒᆞ미 고관후록은 사ᄅᆞᆷ의 우희 되려니와 반(2)드시 실즁의 칠부인과 십이 금ᄎᆞ로 집을 메오리니 타일 질녜 공후디상의 원위ᄅᆞᆯ 모쳡ᄒᆞ여 존귀ᄒᆞ믄 극ᄒᆞ려니와 젹국 춍즁의 칙임이 듕ᄒᆞᆫ즉 쇼미의 동요로움과 ᄀᆞᆺ지 못ᄒᆞᆯ 거시요 이졔 질ᄋᆞᄅᆞᆯ 취ᄒᆞ미 불구의 신인을 빙ᄒᆞ리니 거거와 셕형의 협냥으로 이ᄅᆞᆯ 언마나 살을 줄 알니잇고 틱부인이 쇼왈 녀ᄋᆞ의 의논이 금옥 ᄀᆞᆺ도다 긔 홰셩이 쇼듈ᄒᆞ여 오직 일쳐만 직희여 늙으니 스ᄉᆞ로 사ᄅᆞᆷ마다 져ᄅᆞᆯ 본바다 졍남이 될가 넉이니 엇지 우읍지 아니리오 연상셰 쇼이디왈 운빈이 단졍

ㅎ미 아니라 미ᄌ의 호령의 훈아여 탑하의 언식이 업스미니 이러나 져러나 용
녈ᄒᆫ 필뵈라 녀셰 그 독ᄒ니 (3)힝혀 달믈가 겁이 ᄂ오니 남ᄌ의 법다온 쳐쳡
을 흠ᄒ리잇가 미ᄌ는 협냥이라 ᄒ고 티티는 셕시의 졍남이라 ᄒ시거니와 진
실노 히ᄋᄂ 션친을 여희옵고 영빈ᄒᆫ 가즁의 안항이 번화치 못ᄒ오니 빅스의
흥힝이 업스오미 화려ᄒᆫ 의식 업스미러니 미지 일노써 희롱의 말을 삼으니 지
극원통ᄒᆫ지라 현미는 상문 가음연 구가의 드러가 관경이 고산 ᄀᆺᄒ리니 일딕
교ᄋ를 쳔거ᄒ라 우형이 믈니치지 아니리라 티부인이 믄득 쳑연함 쳬ᄒ니 이
는 말ᄉᆞᆷ이 션공긔 밋ᄎ미라 현부인이 역시 감회ᄒ여 ᄒ나 ᄌ위 블낙ᄒ시믈 우
민ᄒ여 단슌옥치를 빗최여 ᄆᆞᄋᆷ의 업시 웃고 왈 댱뷔 번화의 (4)ᄯᅳᆺ이 잇스면
텬하의 미인이 어딕 업셔 굿ᄒ여 쇼미의게 쳥ᄒ시리오 쇼미 셜영 이 ᄯᅳᆺ이 잇
신들 셕형의 원망이 무셔워 엇지 미인을 쳔거ᄒ리잇고 셕부인이 낭연 쇼왈 쳡
이 본딕 노둔ᄒᆫ 지질이라 연쇼지시의도 영민치 못ᄒ여 가스의 불찰ᄒᆫ 젹이 만
ᄒ니 이제 쇠ᄒ기의 밋ᄎ미 더옥 가관지식 부지기쉬라 만일 아름다온 가인을
어더 가스의 보졍ᄒ면 엇지 깃브지 아니리오 츄호도 현미를 원치 아니리라 현
부인이 딕쇼 왈 져져는 우리 형낭을 너모 밋지 마르쇼셔 장부호신은 미들 거
시 업ᄂ니 쇼미 진실노 쳔거ᄒᆯ 미인이 업스미 아니라 져져의 쇠모지년의 외로
잔등을 니웃ᄒ여 ᄌ류호박침과 혹(5)유몽닉시를 외오실 바를 가지ᄒ미로쇼이
다 져져는 쇼미의 덕을 스례ᄒ쇼셔 언파의 낭낭이 우으니 좌위 기쇼ᄒ고 티부
인이 근심을 두루혀 웃더라 이윽고 만반진슈를 압마다 버리고 구슬 ᄃᆞᆺ 우히
희담미에 징징ᄒ더니 일영이 반오의 싱황이 요요ᄒ고 우긔 붓치이는 곳의 신
낭의 위의 부문의 니르니 빵빵ᄒᆫ 복쳡이 경군취딕로 난향과 보촉을 잡아 마ᄌ
뎐안쳥의 인도ᄒ고 녜지를 젼ᄒ미 신부 상교를 기ᄃ려 봉교ᄒ여 도라올식 금
안빅마의 만됴요긱이 젼ᄎ후옹ᄒ니 열후공경이며 공후거록의 화긔쥬륜과 스
마빵극이 분잡ᄒ고 긔치 듕듕ᄒ딕 고악이 휜텬ᄒᆫ 둥 두ᄂᆺ 구슬뎡이 지젼지후
ᄒ며 슈(6)빅 명 슈의 아들과 두 셰 홍분이 곳슈풀이 되엿고 현군 황상의 스
지관환이 규리를 ᄯ을고 향연보촉을 잡아 길을 인도ᄒ니 진진ᄒᆫ 향풍은 십니

의 뵈이고 뇨량흔 악음은 반공의 어리니 도로 관지 거름을 멈츄어 측측흠찬ᄒ
고 녀항 스녀는 거리거리 집 줍ᄋ 관광ᄒ며 아동 쥬줄이 ᄯ라오며 완경ᄒ니
인성이 훤화ᄒ고 엇기ᄀ 야이며 칭성이 요요ᄒ여 만목이 싀고 빅귀 갈ᄒ더라
슌식의 힝ᄒ여 졔궁의 다ᄃ르니 이날 뎨왕부 연셕의 장ᄒ미 비길 ᄃᆡ 업스니
쳔고승연이라 원근친독과 인친은 니르도 말고 오진 냥공의 ᄌ질 녀부 졔손이
ᄂᆡ외 합ᄒ여 오빅여 인이라 쥬셕의 오진 냥공이 슈좌를 일(7)우니 현승상 뎨
왕 등 곤계 군동 십ᄉ 인이 품복을 졍졔ᄒ고 졔ᄌ질노 더브러 졔긱을 마ᄌ니
졉빈츄양의 녜뫼 빈빈ᄒ니 비컨ᄃᆡ 공안의 좌셕의 증빙 뫼시듯 ᄒ고 문왕의 어
탑의 무왕이 뫼신 듯ᄒ더라 ᄂᆡ연의 방셩ᄒ미 외연의 더은 듯ᄒ니 광명뎐 빅쳑
고루를 널니 ᄲᆞᆯ고 뉴쇼흔 팔창을 통기ᄒ고 화동 쥬란과 난창 슈달이 날빗쳐
됴요ᄒ여 분벽의 징휘ᄒ고 구슬발이 영농ᄒ여 구름거리의 걸녓ᄂᆞᄃᆡ 뎨왕비 월
셩공쥬 두삽칠보치봉관은 오치쥐현난ᄒ고 신착슌금젹의ᄒ고 ᄌ하금군을 싀어
됸고 쥬털뉵 삼부인과 빅모 하윤 냥 부인을 뫼셔 쥬벽의 좌를 일우고 졔ᄉ 슉
미 금장이 동녈노 (8)더브러 녀부졔질을 거ᄂᆞ려 졔빈귀긱을 마ᄌ 농문셕치화
담을 ᄎ례로 노화 좌ᄎ를 일우니 하윤쥬털 ᄉ위 부인이 박빅이 넘어시되 슈발
이 윤퇴ᄒ여 일발이 불빅ᄒ고 광염이 쇄락ᄒ여 완쥰흔 쳬도와 유법흔 동지 ᄂ
흐로됴ᄎ 진즁ᄒ고 위ᄎ로됴ᄎ 됸귀ᄒ니 존흔 격과 귀흔 뫼 당당ᄒ여 가히 일
국 ᄃᆡ상의 ᄂᆡ상으로 각노 왕공의 ᄌ부인 되미 븟그럽지 아니ᄒ고 하부인의 완
윤흔 복덕으로 승상 ᄀᆞᆺ흔 긔ᄌ를 싱치 아니며 쥬부인의 셩덕지예로 평뎨왕을
두지 못ᄒ리오 버거 ᄉ마부인 월셩공쥬 등 졔ᄉ금장이며 가안빅 위상셔니 각
노 쇼참졍 부인 하풍의의 빈실과 강양 우슉(9)희 등이 즁즁쳡쳡ᄒ여 화려흔
의복과 찬난흔 픠옥이 이목이 황황ᄒ고 연화잉슌과 ᄲᅡᆼ셩안광이 교교영농ᄒ고
명명셔이ᄒ여 품직의 복식과 봉관상셰좌의 울울층층ᄒ엿고 치각고루의 구름
ᄎ일은 반공의 걸녀시며 슈달난창을 통기ᄒ고 운무병이 상셔를 돕ᄂᆞ 가온ᄃᆡ
셔왕모의 요지연을 일워 금화치셕이 층층화계를 무엇고 금은쥬옥의 슈식이 화
림츈셩이 되여시니 그 찬난흔 위의와 화려흔 연셕이 고왕금ᄂᆡ의 쳐음인 듯 옥

경션직 빵빵이 시립ᄒ고 홍군취슴이 쳡쳡히 셧도니 만화방창의 무릉도원이 의연이 일윗더라 슈졍념 산호발이 곳곳(10)이 걸녀시니 광휘 죠요ᄒ여 일싴의 ᄇ이고 울금향 비췬션이 쳥풍의 한가ᄒ니 이 진실노 티평셩디 큰 잔치요 군ᄌ 슉녀의 합승ᄒᄂ 씌러라 하ᄂᆯ이 현시의 츙효졀힝이 특츌홈과 슉덕공검의 위본을 표ᄒᄉ 셰셰로 무량복녹을 ᄂ리오시니 텬지슈츌ᄒ 긔믹이요 겸금녀슈ᄒ 됴화로 그 싱츌ᄒᄂ ᄌ녜 긔긔히 금옥이오 졔졔히 긔린이라 텬강복녹ᄒ시고 됴화를 ᄂ리오시니 일긔화창ᄒ고 감뇌시강ᄒ니 화ᄒᆫ 바름은 사름의 신긔를 돕고 길ᄒᆫ 긔운은 졍신을 양싱ᄒᄆ 맑고 됴ᄒᄆ 금일 현가의 연셕의 모혓더라 신낭신뷔 쳥즁의 ᄂᄋ가 합환교빈를 파ᄒ고 막ᄎ의 쉬여 단장(11)을 곳치고 됴눌을 밧드러 됸당구고긔 뵈올시 연부인이 질녀를 거ᄂ려 몬져 왓ᄂ지라 이의 드러와 구고긔 뵈옵고 반일 됸후 뭇ᄌ오ᄆ 월익의 봉관이 ᄂ족ᄒ고 옥면의 희긔 ᄀ득ᄒ니 오공이 쇼왈 질부의 희싴을 보니 밋쳐 희문의 안히를 보지 아냐 아름다오믈 알니로다 부인이 복슈유유ᄒ여 됸명을 공경ᄒ여 드를 ᄯ름이요 말슴이 업더라 아이오 향풍이 진울ᄒ고 옥픽 징징ᄒᆫ 곳의 ᄒᆫ 쎄 홍장이 일눈은셤을 쎠 ᄂᄋ오니 셩장이 찬난ᄒ고 염싴이 휘휘ᄒ여 그 어딕 뮈오며 고으믈 분간치 못ᄒᆯ지라 의의히 냥목의 금가믜괴 써러진 듯 녹파의 향연이 함담을 버리지 못ᄒᆫ 듯 형형(12)싴싴ᄒ고 찬찬슈이ᄒ여 ᄒᆫ 덩이 진옥을 진치로 ᄭ민 듯 연연약질이 무거온 쥬취와 긴 단장을 쓰어 진퇴ᄒᄆ 녜졀이 규구의 맛ᄀ고 슈단이 합즁ᄒ니 됸당 구고와 만좌 관경이 미쳐 눈을 졍치 못ᄒ여셔 다시 일진 향풍이 옥가를 젼ᄒᄂ 곳의 일딕 홍군이 일위 션ᄋ를 쎠 좌상의 힝녜홀시 신뷔 ᄯ오ᄒᆫ 계츌명가ᄒ여 향규지란이라 쳔교만염의 겸승ᄒᄆ 옥화군쥬와 구쇼져긔 일분강등ᄒᆫ 듯ᄒ나 이용이 관졀ᄒ여 익여반월이요 미여츈산이요 협여도홰요 슌여단시라 진슈아미의 뇨됴ᄒᆫ 덕셩이 낫타나고 진퇴멸치 가죽ᄒ니 진짓 일셰의 뇨됴가인이라 녜파의 안(13)항의 츠례를 ᄀ죽이 ᄒ여 좌를 일우니 군쥬와 쇼쇼져와 셰ᄌ빈 운혜 쇼져와 슉혜 미혜 냥 쇼져와 구쇼져 등 십여 쇼년녀지 열좌ᄒᄆ 셔광이 아라ᄒ고 광염이 찬연ᄒ여 금벽이 휘휘ᄒ고 금반의 위

쥐 황황ᄒ여 염광싁틔 참치상하ᄒ니 좌우 관경지인이 치히 분분ᄒ니 돈당 구
괴 희싁이 만면ᄒ여 연쇼져와 양쇼져의 옥슈를 ᄂ호여 귀이ᄒᄆᆯ 측냥치 못ᄒ
더라 일모도원의 제긱이 각산ᄒ고 데왕이 연쇼져 침쇼를 명휘각의 졍ᄒ고 양
쇼져 침쇼는 명셜각의 졍ᄒ니 냥 신인이 혼졍지녜를 맛고 유랑 시녀로 더브러
각퇴기실ᄒ니 졔공이 촉을 (14)니어 한담ᄒᆯ시 냥 공쥬를 명ᄒ여 신방의 물너
가 쉬라 ᄒ니 졔왕이 쥬왈 냥ᄋ와 냥뷔 연유ᄒ와 고인의 가취지년이 아니오니
원컨듸 슈년을 각쳐ᄒ여 ᄂ히 ᄎ기를 기다리고쟈 ᄒᄂ이다 진공이 침음 왈 오
ᄋ의 의견이 졍합ᄒ되 신혼 쵸야의 허송ᄒᄆᆷ 블가ᄒ니 금야는 동방의 깃드리
게 ᄒ고 명일붓터 각쳐ᄒ게 ᄒ라 희명은 쳔연슌박ᄒᆫ 녜의 군지라 돈명을 올히
넉여 흔연 슈명ᄒ되 희문은 연쇼호일ᄒᆫ지라 심하의 그윽이 연쇼져의 쳔향국싁
을 익모ᄒ여 향방의 모다 즐길가 ᄒ엿더니 부교를 듯쟈오ᄆᆯ 아연변싁ᄒ나 힝
혀 부군의 붉은 안광이 쟈긔 심폐를 (15)ᄉ못ᄎ실가 두려 십분 슈렴ᄒ여 명을
바다 신방으로 향ᄒᆯ시 형뎨 셔로 닛그러 즁헌의 ᄂᄋ오ᄆᆡ ᄎ공지 웃고 왈 현
뎨와 아등이 후문 공쥬로 싱어부귀ᄒ고 댱어교익ᄒ여 싱셰이뉵의 쇼원과 ᄀᆺ치
미녀를 취ᄒ니 쟈고로 뇨됴슉녀는 셩인도 하쥬의 구ᄒ신 빈니 빅우의 현슉ᄒ
ᄆᆡ 엇지 깃부지 아니리오 남녀 가취는 연치 다쇼의 닛지 아니ᄒ고 음양호합은
텬도의 상싀여늘 듸인이 아등을 어리다 ᄒᄉ 슈년을 각거ᄒ라 ᄒ시니 비록 돈
명이나 엇지 민울치 아니리오 삼공지 함쇼 듸왈 형언이 의외로쇼이다 부군이
우ᄒ로 돈당을 열의ᄒ옵고 버거 연양 냥공의 촉혼ᄒᄆᆞ로써 아등 형뎨를 (16)
일시의 입장ᄒ시나 우리 아직 구상유취를 면치 못ᄒ고 연슈와 양시 쏘ᄒᆫ 유년
약질이라 고인의 가취지년이 아니요 엄괴 예의 지극 맛당ᄒ시거늘 형이 엇지
이런 말ᄉᆷ을 ᄒ시ᄂᆢ 만일 드르 리 잇ᄉᆞᆫ즉 젼젼ᄒ여 듸인이 아르시면 그릇
넉이실가 ᄒᄂ이다 ᄎ공지 쇼왈 혼야무인의 됴용ᄒᆫ ᄉ어를 뉘 드러 듸인긔 고
ᄒ리오 다만 우리 형뎨 알 분이라 ᄒ고 각각 길흘 난화 신방의 니를시 희문 공
지 명휘각의 드러가니 신뷔 단의홍군으로 니러 마쟈 동셔분좌ᄒᄆᆡ 싱이 봉안
을 흘녀 신부를 보니 졀염미모와 셩덕광휘 쇼망의 지난지라 희긔 영영ᄒ여 미

우의 온즈ᄒ여 ᄂᄋ가 옥슈롤 잡고 왈 싱과 (17)쇼졔 츙년미질노 상봉 쵸일이
라 비록 부부의 회합과 슈죡이 밧부나 시쇽녜와 다를 ᄲᆞᆫ 아니라 부모의 명ᄒ
신 바 뇩녜 빅냥으로 친영우긔ᄒ즉 쇽티롤 됴ᄎᆞ 슈작의 번거ᄒ고 혐의로 아르
실 빅 아니요 그딕 녜문싱댱인즉 경부지도롤 알 거시니 복의 뭇ᄂᆞᆫ 말을 딕답
ᄒ여 댱부의 풍졍을 무류치 아니케 홀지여다 연쇼졔 즈셩녜질이 총즈인ᄒ고
온슌비약ᄒᆞᆫ 즁 덕문싱츌노 여측규범이 미진ᄒᆞ미 업ᄂᆞᆫ지라 금일 현싱을 일방의
딕ᄒᆞ미 만심이 슈괴ᄒ고 극히 숑연ᄒ거늘 졔 핍근이좌ᄒ여 집기슈연긔슬ᄒ고
언시 호일무륜ᄒ고 경쳔부박ᄒ미 군즈슈신의 크게 유흠ᄒᆞᆫ지라 (18)심뇌의 희
연슈참ᄒ여 믹믹무연ᄒ니 공지 무류졈측ᄒ여 도로혀 분심이 ᄂᆞ미 다시 그 딕
답을 뭇지 아니ᄒ고 핍박ᄒ여 금니의 나아가려 ᄒ니 쇼졔 구지 밀막고 민쳡히
몸을 ᄲᅢ혀 물너 먼니 좌ᄒ니 공지 그 밍녈강직ᄒᆞᆯ믈 분노ᄒ여 쇼져롤 밀쳐 상
하의 ᄂᆞ리치고 여셩 왈 그딕 슈돈ᄒ나 ᄂᆞ의 쳐실이요 닉 슈미ᄒ나 그딕의 쇼
텬이여늘 블경불공ᄒᆞ미 여ᄎᆞᄒ뇨 쇼졔 희연ᄒ나 안셔히 니러 장외로 ᄂᆞ와 그
훗트러진 슈식과 의상을 졍돈ᄒ고 ᄀᆞ만ᄒᆞᆫ 쇼릭로 유랑 시ᄋᆞ롤 ᄶᅵ와 쵹을 붉히
고 안졋더라 ᄶᅵ의 명셜각의셔ᄂᆞᆫ 희명 공지 본셩이 침묵언희ᄒᆞᆫ지라 오직 셔안
의 녜긔롤 슈련ᄒ여 한셜(19)이 업더니 ᄀᆞ장 야심ᄒᆞ미 눌호여 의딕롤 그르고
금션을 드러 쵹을 멸ᄒᆞ미 쇼져롤 권ᄒ여 편히 쉬게 ᄒ고 스스로 즈긔 침즁의
ᄂᆞᄋᆞ가 잠드니 동졍이 고요ᄂᆞ즉ᄒ여 슘쇼릭도 업ᄂᆞᆫ지라 창외의 하쇽인 교염이
돈명을 밧즈와 규시ᄒ다가 무미ᄒ여 도라오더니 즁당의셔 우슉희롤 맛나니 슉
희 임의 희문의 거동을 규시ᄒ고 우읍기롤 니긔지 못ᄒ여 도라오더니 슉인을
맛ᄂᆞ니 슉인이 쇼왈 삼공즈의 거동이 여ᄎᆞ여ᄎᆞᄒ니 부졀업시 규시ᄒ여 다리
알푸고 조으름이 올 ᄯᆞ름이라 졈측이 도라오거니와 슉희ᄂᆞᆫ 무슴 긔관을 보왓
ᄂᆞ뇨 슉희 간간이 웃고 왈 츠공즈의 언담이 여ᄎᆞ여ᄎᆞ ᄒ니 엇지 우읍지 아니
리오 (20)슉인이 박쇼 왈 냥 쇼랑이 동년이로딕 삼낭은 온듕졍딕ᄒ고 츠랑은
호일방탕ᄒ여 이뇩 츙년 동지 어느 ᄉᆞ이 싴염이 교동ᄒ여 약ᄒ고 어엿분 쇼져
롤 곤히 보치닷다 이 밤이 어셔 싴거든 긔관긔셜을 창죠ᄒ여 ᄒᆞᆫ바탕 보치리라

냥인이 셔로 웃고 도라올식 슉희 왈 미직 야심흔듸 상부의 가시리오 쳡의 슉
쇄 머지 아니흐니 쳡의 침실의 가셔 주고 명일 정당의 가셔 초공주의 거동을
젼흐고 일장 긔관을을 삼으 정당부인과 노야며 댱노공 하풍익 등의게 됴화 희
롱흐시게 흐사이다 슉인이 역시 웃고 슉희 침당의 와셔 쥬과룰 먹으며 슉인
왈 일것 긔관을 어더 볼가 반야(21)룰 후창 밧긔셔 규시흐노라 오릭 셔시니
다리 알푸고 무미흐니 조을녀 못 견딜 쑨 아니라 야심흐미 비 심히 골푸더니
과육을 먹으니 혀기 쥬린 창주룰 눅일노다 슉희 쏘흔 웃고 왈 그듸ᄂᆞᆫ 반밤을
슈고흐엿노라 흐여도 아모 구경스러온 일도 못 어더 왓시니 무어스로 상비룰
바드려 흐ᄂᆞ뇨 쳡은 초랑의 거동을 하 주미잇게 보아시니 독히 정당의 가셔
그 구경의 말숨을 즁의흐여 젼흐고 일장 긔관을 돈당의 우으시게 흐면 상비
삼 잔이야 아니 바다 먹으랴 상비 먹을 제 부인도 한잔 줄 거시니 주미잇ᄂᆞᆫ 슐
을 바드쇼셔 언파의 셔로 듸쇼흐고 주다가 계명의 니러 관쇼흐고 정당으로 가
ᄂᆞᆫ 길희 댱노공을 (22)맛나 슈말을 고흐고 흔가지로 ᄂᆞ으가니 제인이 함취흐
여 신셩후 한담의 밋쳣고 냥 신인도 쏘흔 참좨러니 슉희 초공주룰 향흐여 왈
쳡은 달야토록 흔잠을 못 줏더니 곤흐여라 슉인 왈 무슨 일노 밤을 식오뇨 슉
희 왈 꿈의 뉘 집 신낭 신뷔 동방의 징힐흐ᄂᆞᆫ 쇼릭의 귀 압하 못 줏노라 댱시
즁 왈 나ᄂᆞᆫ 꿈의 뉘 집 신낭이 신부룰 쪼추 방 밧긔 닉치니 그는 호방흐고 흔
신낭은 결염미쳐룰 듸흐여 댱부의 풍치 너모 업스니 가히 용녈키 심흐더라 냥
싱이 왕부와 부왕이 지좌치 아니시믈 방심흐여 희문이 함쇼 듸왈 주고로 건곤
이 판츌 이릭로 음양이 됴판흐니 비금쥬슈도 능히 빵을 일(23)우면 비필의 졍
을 아옵ᄂᆞ니 쇼딜이 연쇼흐오나 일셰의 듸장뷔라 부뫼 맛지신 쳐주로 더브러
말숨흐미 무슨 죄의 가흐관듸 쳑동됴와 열위 제뷔 흔변으로 아르시ᄂᆞ니잇고
명데의 쇼돌흐믄 실노 남주의 긔상이 아니오니 가히 다스렴즉흐도쇼이다 제공
이 미급답의 희명이 옥면이 정슉흐고 말숨이 졍듸흐여 왈 쇼딜은 본듸 연쇼미
거흔지라 오직 엄부의 경계룰 밧주오며 엄스의 훈교룰 밧주와 고인의 삼십의
가유실흐믈 올히 넉이거늘 이제 삼오약관도 못흐여셔 취실흐오니 부모의 은덕

으로 현쳐를 엇스오나 부부 회실이 그리 밧부리잇가 스스의 다만 됸명을 승슌
홀 분이라 연이나 쇼딜 (24)등이 연쇼 익싁지심으로 일시 희롱된 거죄 잇스오
나 종죠와 열위슉부는 됸즁ᄒᆞ신지라 의리로써 경계ᄒᆞᄉᆞ 쇼년의 그른 거슬 ᄀᆞ
ᄅ치미 올ᄉᆞᆸ거늘 도로혀 ᄋᆞ비의 허믈을 유심ᄒᆞ여 들츄시고 긴 날의 보치여 희
롱의 말을 슴고즈 ᄒᆞ시니 이는 유즈 등의 평일 ᄇᆞ라던 ᄇᆡ 아니로쇼이다 셜파
의 긔운이 ᄂᆞ죽ᄒᆞ고 말ᄉᆞᆷ이 화평ᄒᆞ니 댱공의 희희와 하풍익의 긔변호담으로도
홀 말이 업셔 다만 크게 웃고 왈 이 ᄋᆞ희 가장 간ᄉᆞᄒᆞ여 군즈의 능언을 비겨
도로혀 우리를 관쇽ᄒᆞ니 임시쳐변이 긔특ᄒᆞᆫ지라 니른바 온즁단ᄋᆞᄒᆞᆷ믄 승어뷔
로다 댱시즁이 쇼왈 졔 아비는 져만 ᄂᆞ희 발호능활(25)ᄒᆞ던 거시니 엇디 이
ᄋᆞ희쳐로 침듕ᄒᆞ리오 고인이 틱교를 일너시니 희명의 돈후ᄒᆞ미 져의 모풍이로
다 하슉인이 니ᄃᆞ라 왈 월셩옥쥬는 됴부인만 못ᄒᆞ여 ᄎᆞ랑이 능활ᄒᆞ니잇가 댱
공이 요두 왈 이 놈은 착ᄒᆞᆫ 모친은 담지 아니ᄒᆞ고 능활ᄒᆞᆫ 아비를 만히 달맛는
지라 말을 치 못ᄒᆞ여 승상과 뎨왕이 오진 냥공을 뫼셔 안히 드러오더니 즁헌
의 졔인이 모다 환쇼ᄒᆞᄆᆞᆯ 보고 곡졀을 무러 알고 오진 냥공은 미쇼ᄒᆞ고 졔왕
은 희문의 방일ᄒᆞᄆᆞᆯ 미온ᄒᆞ여 졍싁목도ᄒᆞ니 긔위 쎡쎡ᄒᆞ여 셜텬한월 ᄀᆞᆺᄒᆞ니
냥공지 황공츅쳑ᄒᆞ여 감히 머리를 드지 못ᄒᆞ더라 왕이 이늘붓터 냥즈를 불너
녜ᄀᆞᆺ치 셔당의 머믈(26)게 ᄒᆞ고 졔왕비 부모긔 고ᄒᆞ고 보모 위시를 명ᄒᆞ여 명
휘각의 쳐ᄒᆞ여 연쇼져를 보호ᄒᆞ며 공즈의 즈최를 엄칙게 ᄒᆞ니 삼공즈는 다만
됸명을 승슌ᄒᆞ여 ᄉᆞ긔 고요ᄒᆞ되 ᄎᆞ공즈는 우슉희의 말 만흐믈 한ᄒᆞ여 ᄀᆞ마니
칙왈 져 일즉 셔모긔 득죄ᄒᆞ미 업거늘 하고로 잠을 폐ᄒᆞ고 혼야의 분쥬ᄒᆞ여
남의 부부간 ᄉᆞ어를 푼푸ᄒᆞ여 엄노를 만나게 ᄒᆞ시ᄂᆞ뇨 슉희 쇼왈 공즈는 너모
밧바 말고 ᄯᅩ 쳡을 한치 말나 이 ᄯᅩᄒᆞᆫ 졔노야와 틱부인 명이요 ᄂᆞ의 ᄉᆞᄉᆞ 의
견이 아니라 ᄒᆞ더라 ᄎᆞ시 현시 졔공의 즈녜 층층이 댱셩ᄒᆞ여 향남긔 구슬 ᄭᅩᆺ
ᄀᆞᆺᄒᆞ니 희를 니으며 달을 연ᄒᆞ여 남혼녀가ᄒᆞ니 호부상셔 현명(27)닌의 댱즈
희지의 즈는 연즁이니 부풍모습ᄒᆞ여 옥골셜뷔요 즘미봉안이며 호비쥬슌이라
영긔과인ᄒᆞ고 문학이 쵸셰ᄒᆞ며 효위츌인ᄒᆞ니 부뫼 이즁ᄒᆞ여 졔형의 슉뇨미부

룰 년년이 어더 졔질부의 졀셰ᄒᆞᆯ 본 젹마다 ᄋᆞᄌᆞ의 ᄌᆞ라기를 굴지계일ᄒᆞ니 졔 형뎨 희롱ᄒᆞ여 ᄌᆞᄋᆡ 구구ᄒᆞᄆᆞᆯ 웃고 하풍익과 가안빅이 쇼왈 운빈ᄋᆞ 너모 잇쓰지 마라 운강 운창은 져리 잇쓰지 아냐도 며ᄂᆞ리 엇는 죡죡 긔특ᄒᆞ더고나 당년의 쥬쇼ᄉᆞ 션공이 운빈을 기르실 졔 남달니 혼쳐를 굴히더니마는 죠화옹 이 훔셩구져 남의 업슨 츄용누질을 어더 곡경도 만히 격거시니 운빈(28)의 며 ᄂᆞ리 못 어들가 걱졍ᄒᆞ는 양이 우리 ᄆᆞ음은 심히 ᄉᆞ외로오니 이후는 념녜 말 고 바려 두라 반ᄃᆞ시 졀싁미부를 어드리라 호뷔 무언참연ᄒᆞ여 깁히 념녀ᄒᆞ더 니 일일은 부인이 닐오ᄃᆡ 쳡이 모일의 셕상셔 집 연셕의 가니 어ᄉᆞ 경흠의 부 인 셕시는 우리 셕져의 친뎨라 경부인이 직뫼 쵸셰ᄒᆞ여 ᄉᆡᆨ덕이 겸비ᄒᆞ고 ᄉᆞ셰 녀ᄋᆞ를 다려왓시니 가ᄋᆡ 일년희라 작인 품쉬 ᄀᆞ장 긔특ᄒᆞ던 거시니 쳡은 ᄎᆞ ᄋᆞ를 구코ᄌᆞ ᄒᆞᄂᆞ이다 상셰 왈 경ᄋᆡ 진실노 아름다올진ᄃᆡ 구혼ᄒᆞ미 방히롭지 아니ᄒᆞ되 다만 됸명을 어든 후의 논ᄒᆞ리라 ᄒᆞ고 둉용이 부친긔 고ᄒᆞ니 진공 왈 경흠이 현(29)명장뷔요 기녜 식부의 친히 본 빈니 엇지 호의ᄒᆞ리오 가히 미죡의 신을 통ᄒᆞ게 ᄒᆞ라 상셰 슈명ᄒᆞ고 즉시 미파를 경어ᄉᆞ 집의 보닉여 구 혼ᄒᆞ니 경공 부뷔 ᄯᅩᄒᆞᆫ 현가 셰딕 문풍가벌과 낭직 아름다오믈 닉이 아는 고 로 호의치 아니ᄒᆞ고 쾌허ᄒᆞ나 아직 냥가 ᄌᆞ녜 연유ᄒᆞᄆᆞ로써 슈년을 지쳬코ᄌᆞ ᄒᆞ딕 호뷔 굼거워 부모긔 고왈 쇼직 고ᄋᆞ를 늣게야 어더 며ᄂᆞ리 죄이는 ᄆᆞ음 이 장ᄎᆞᆺ 갈망ᄒᆞ온지라 직ᄋᆡ 십셰요 경ᄋᆡ 구셰니 조혼이라 ᄒᆞ오려니와 쇼ᄌᆞ의 의견은 셩녜ᄒᆞ고 져희 부부 동실은 ᄂᆞ히 ᄎᆞ기를 기ᄃᆞ리고ᄌᆞ ᄒᆞ나이다 진공 부 뷔 블열ᄒᆞ여 허치 아닌ᄃᆡ 오공이 질ᄋᆞ의 심ᄉᆞ를 익련ᄒᆞ여 진(30)공을 권ᄒᆞ여 비로쇼 허ᄒᆞ니 호뷔 딕희ᄒᆞ여 경부의 쵹혼퇴일ᄒᆞ니 길긔 슈삭이 ᄀᆞ린지라 혼 슈를 셩비ᄒᆞ니 이ᄯᅢ 뎨왕비 월셩공쥬와 의빈군쥐 연양 냥 신부를 다리고 뎨후 긔 됴현ᄒᆞ니 뎨휘 연시 등의 직용을 보시고 친찬익즁ᄒᆞᄉᆞ 상ᄉᆞ 은영이 구쇼져 긔 ᄂᆞ리지 아니ᄒᆞ더라 이ᄯᅢ 현부의 경ᄉᆡ 다쳡ᄒᆞ여 남취녀가ᄒᆞ고 졔쇼졔 싱산 이 ᄌᆞᄌᆞ니 군쥬는 먼져 일남을 싱ᄒᆞ고 ᄯᅩ다시 긔몽을 인ᄒᆞ여 빵남을 싱ᄒᆞ고 구쇼져는 ᄯᅩᄒᆞᆫ 비웅의 상셔를 응ᄒᆞ여 싱남ᄒᆞ니 왕과 상부의 깃거ᄒᆞᆷ믄 니르지 말고 뎨휘 드르시고 깃거ᄒᆞ시며 탄왈 (31)월셩 알오믈 이계ᄭᅵ디 유ᄋᆞ로 알앗더니 어느 ᄉᆞ이의 사름의 한아멈 될 쥴 엇지 알니오 낭낭이 쳑연 왈 틱낭낭의 지ᄌᆞ로ᄡᅥ 월셩의 다복ᄒᆞ믈 다 못 보시고 텬동ᄒᆞ시니 평싱 한이로쇼이다 ᄉᆞᄉᆞ 이러틋 쉬오니 쳡이 ᄯᅩᆫ 진연이 머지 아닐가 ᄒᆞ나이다 셜파의 농미 쳑쳑ᄒᆞ시니 상이 지숨 위로ᄒᆞ시고 언참의 불길ᄒᆞ믈 깃거 아니시더니 과연 오릭지 아냐 낭낭 옥휘 미령ᄒᆞ시니 죠애 황황ᄒᆞ며 궐ᄂᆡ 진동ᄒᆞᄂᆞᆫ지라 현부의셔 황후 낭낭 병보를 듯고 상히 딕경ᄒᆞ여 급급히 희직 공ᄌᆞ를 셩관입장ᄒᆞᆯᄉᆡ 길일의 뉵녜 (32)를 구ᄒᆡᆼᄒᆞ여 신낭이 금안빅마의 허다 요긱을 거ᄂᆞ려 혼가의 다ᄃᆞ라 뎐안ᄒᆡᆼ녜ᄒᆞ고 신부를 마ᄌᆞ 부즁으로 도라올ᄉᆡ 상부 졔인과 왕부 상히 다 호부 가즁의 모드니 원ᄂᆡ 명닌은 외됴부모 동ᄉᆞ를 영ᄒᆞᄂᆞᆫ 고로 상부의 잇지 아니ᄒᆞ고 쥬시 고틱의 각거ᄒᆞ미러라 신낭 신뷔 금슈취장을 셩히 ᄒᆞ고 **쌍쌍**ᄒᆞᆫ 복쳡이 홍상취슈로 향을 잡ᄋᆞ 인도ᄒᆞ여 쳥즁의 드러가 교빅를 파ᄒᆞ고 동방의 ᄂᆞᆼ아가 합즁쥬를 난호미 남풍녀뫼 발월ᄒᆞ여 쥬옥이 ᄇᆡ이ᄂᆞᆫ 듯ᄒᆞ니 좌긱이 칭찬블이러라 칠보션을 기우리미 됴뉼을 밧드러 됸당구고긔 진헌ᄒᆞ니 연방 구셰라 쳥하부용이 (33)함담을 버리지 못ᄒᆞ고 향난의 움이 밋쳐 ᄌᆞ라지 못ᄒᆞᆫ 듯ᄒᆞ니 부용의 고은 빗치 진쳐를 먹음은 듯 연연작약ᄒᆞ여 버들이 힘이 업고 쵸월이 동졍의 ᄂᆡ왓ᄂᆞᆫ 듯 염염히 요됴ᄒᆞ고 이이히 졀셰ᄒᆞ니 졔긱이 졔셩하례ᄒᆞ고 됸당은 긔특이 너이나 너모 유미ᄒᆞ믈 블쾌ᄒᆞ되 호부는 두긋기미 과도ᄒᆞ여 됴뉼을 어루만져 냥쇼가월의 희긔 녕농ᄒᆞ니 졔형뎨 희롱ᄒᆞ기를 마지아니ᄒᆞ더라 동일 연파의 졔긱이 훗터지니 호뷔 깃븐 ᄀᆞ온ᄃᆡ나 ᄌᆞ부의 너모 유미ᄒᆞ믈 근심ᄒᆞ여 ᄋᆞᄌᆞᄂᆞᆫ 예ᄀᆞᆺ치 셔지의 두고 경쇼져ᄂᆞᆫ 부인 협실의 머믈게 ᄒᆞ니 쇼졔 비록 연유ᄒᆞ나 총명영오ᄒᆞ여 됸고의 명훈을 봉승ᄒᆞ며 쇼(34)고금혜로 더브러 동쳐ᄒᆞ여 연부인 좌하의 ᄠᅥ나지 아니ᄒᆞ니 부인이 어엿비 너기믈 친녀ᄀᆞᆺ치 ᄒᆞ고 상셰 익듕ᄒᆞ미 ᄌᆞ녀의 우희 잇스니 군죵 형뎨와 뎨미 등이 긔롱 왈 속담의 며ᄂᆞ리 ᄉᆞ랑은 싀어비라 ᄒᆞ거니와 너모 변졋다 ᄒᆞ니 상셰 화긔이연ᄒᆞ여 왈 ᄉᆞ랑이 북밧치여 남의 치쇼도 모로노라 ᄒᆞ더라 상셔령 봉닌의 댱ᄌᆞ 희랑의 ᄌᆞᄂᆞᆫ ᄌᆞ즁이니

쥬부인 쇼싱이야라 품쉬 단으ᄒ고 풍치 비범ᄒ니 연급 십이의 틱흑ᄉ 윤슉의
일녀와 졍혼ᄒ엿든 고로 구약을 셩젼홀ᄉᆡ 이 윤학ᄉᄂᆞᆫ 오국공 계비 윤틱부인
딜ᄌᆡ라 셰틱명문으로 가셰혁혁ᄒ고 윤시 남녜 다 인물이 쥰슈ᄒ며 ᄌᆡ덕이
(35)쵸셰ᄒ니 현상셰 윤쇼져의 ᄌᆡ용덕셩이 완젼ᄒᄆᆞᆯ 닉이 알고 졍혼ᄒ엿더니
냥가 남녜 쟝셩ᄒᄆᆡ 드ᄃᆡ여 틱일셩녜ᄒ여 신부ᄅᆞᆯ 마ᄌ 도라오니 신낭의 표치
풍광과 신부의 옥모화틱 진짓 샹젹ᄒᆫ 비위라 됸당구괴 크게 깃거ᄒ더라 희랑
이 ᄯᅩᄒᆫ 윤쇼져의 션풍미모ᄅᆞᆯ 과이ᄒ여 금슬이 진즁ᄒ여 빅년화락이 무흠ᄒ더
라 어시의 션인 황휘 옥휘 날노 미령ᄒ시니 궁듕 샹히 진경ᄒ고 틱의 분황ᄒ
여 삼보쳔ᄌᆡ로 빅방 치료ᄒ시나 진연이 다ᄒ시니 인간악녁이 엇지 텬의ᄅᆞᆯ 두
루혀리오 월셩공쥬 모후의 텬명이 다ᄒ시ᄆᆞᆯ 알ᄆᆡ 창황이 입궐ᄒ여 틱ᄌ 뎨왕
공쥬 비빙 등으로 더브러 완후(36)ᄒ여 쥬야 ᄭᅴᄅᆞᆯ 그르지 아니ᄒ고 약음시탕
의 궁녀ᄅᆞᆯ 믈니치고 스스로 친집ᄒ여 졍셩을 가족이 ᄒ나 무가닉히라 낭낭이
침병 슈슌의 스스로 니지 못ᄒ실 줄 아르시고 틱ᄌ 뎨왕 공주ᄅᆞᆯ 다 면면이 유
교ᄒ시고 뎨ᄅᆞᆯ 쳥ᄒ여 하직을 고홀ᄉᆡ 옥싀이 ᄌᆞ약ᄒᄉ 월셩공쥬의 옥슈ᄅᆞᆯ 어
루만져 ᄌᆞ슘 보즁ᄒᄆᆞᆯ 니르시고 엄연이 붕ᄒ시니 곤위의 즉ᄒ션 지 삼십팔 년
이요 쉬 오십뉵 셰라 틱ᄌ 졔왕 비빙 공쥬 다 발샹거이ᄒ고 삼쳔칙녜 평일 은
틱을 츄모ᄒ여 호텬통곡ᄒ더라 샹이 크게 슬허 통곡ᄒ시고 의됴ᄅᆞᆯ 텬하의 ᄂᆞ
리오시니 인민이 져ᄌᆞᄅᆞᆯ 파ᄒ고 산쳔은ᄉᆡ 다 통곡ᄒ더라 틱ᄌ와 광평왕과
(37)공쥬의 호텬뉵아지통이 망망홀홀ᄒ여 구원의 뫼실 듯ᄒ나 황애 지극 위
로ᄒ시ᄆᆡ 감히 슬푸믈 나ᄂᆞᆫ ᄃᆡ로 못ᄒ더라 샹녜ᄅᆞᆯ 다스려 입관셩복ᄒᄆᆡ 틱ᄌ
와 공쥬 남ᄆᆡ의 각골지통이 샹신ᄒ기의 ᄀᆞ가오며 현부와 졔왕부의 화긔 ᄉᆞ연
ᄒ고 옥화군쥬와 구쇼져의 심ᄉᆡ 측냥 업더라 일월이 뉴슈 ᄀᆞᆺᄒ여 뉵칠 삭이
얼푸시 다ᄃᆞ르니 명능복지의 ᄌᆡ궁을 뫼셔 안쟝ᄒ고 시호ᄅᆞᆯ 션인왕휘라 ᄒ다
궁즁샹하의 슬푸미 더ᄒ며 황샹이 ᄯᅩᄒᆫ 션후의 몬져 빈쳔ᄒ시믈 각골통박ᄒ시
ᄂᆞ 왕법의 덧덧ᄒᆫ 녜ᄅᆞᆯ 폐치 못홀지라 만됴졔신이 탑젼의 역쥬ᄒ여 일일도 졍
궁 곤위ᄅᆞᆯ 븨오미 불가ᄒ오믈 간ᄒ니 샹이 마(38)지못ᄒ여 허ᄒ신ᄃᆡ 졔신이

이의 간션ᄒᆞᆷ믈 고ᄒᆞ니 샹이 탄왈 딤이 년급 뇩슌이라 녀염필부로 니르면 다시
ᄎᆔ실ᄒᆞ여 무엇ᄒᆞ리오마ᄂᆞᆫ 당당ᄒᆞᆫ 국쳬ᄅᆞᆯ 어긔오지 못ᄒᆞ여 곤위ᄅᆞᆯ 졍ᄒᆞ려 ᄒᆞ
ᄂᆞ니 싀로이 간션ᄒᆞ여 됴졍을 쇼요ᄒᆞ리오 귀인 조시 ᄯᅩᄒᆞᆫ 딤의 쵸의 귀비의
튱슈ᄒᆞ여 ᄉᆞ십여 년의 각별 허물이 업ᄉᆞ니 조귀비ᄅᆞᆯ 칙봉ᄒᆞ여 졍궁을 삼으리
라 졔신이 빅하 왈 귀빈이 본ᄃᆡ ᄉᆞ독으로 덕ᄒᆡᆼ이 현슉ᄒᆞ시오니 곤위ᄅᆞᆯ 니으신
즉 만민이 덕화ᄅᆞᆯ 닙으리이다 샹이 의의히 깃그ᄉᆞ 됴셔ᄅᆞᆯ ᄂᆞ리와 반포ᄒᆞ시고
귀인을 마즈 졍궁의 ᄂᆞ오갈ᄉᆡ 딕닉의 셜연ᄒᆞ여 경하ᄒᆞᆯᄉᆡ 황친국쳑이 ᄶᅥ지 니
업시 궐듕의 모드니 월셩(39)공쥬와 의빈군쥐 ᄯᅩᄒᆞᆫ 녀부ᄅᆞᆯ 거ᄂᆞ려 진하의 참
녜ᄒᆞ니 이ᄶᅥ를 당ᄒᆞ여 공쥬의 튤텬딕효로 심ᄉᆞ 장ᄎᆞ 엇더ᄒᆞ리오마ᄂᆞᆫ 부왕이
의심ᄒᆞ실가 ᄒᆞ여 쳔만비회ᄅᆞᆯ 관억ᄒᆞ여 모든 황친과 ᄒᆞᆫ가지로 궐즁의 모드미
광평왕후 윤시 ᄌᆞ녀ᄅᆞᆯ 거ᄂᆞ려 니의 잇ᄂᆞᆫ디라 공쥬의 슈쳑ᄒᆞᆫ 용모와 슬픈 거동
을 보미 쳑연하루ᄒᆞ믈 ᄭᅴᄃᆞᆺ지 못ᄒᆞ여 공쥬의 옥슈ᄅᆞᆯ 연ᄒᆞ여 비읍 왈 우리 ᄌᆞ
궁 낭낭이 엇지 안가ᄒᆞᄉᆞ 오늘날 우리 남미로 ᄒᆞ여금 뇩ᄋᆞ지통이 호텬극지의
미출 쥴 알니오 옥쥬의 텬셩딕효로 엇지 니러치 아니리오마ᄂᆞᆫ ᄉᆞ이이의라 아
등이 ᄒᆞᆫ가지로 명박ᄒᆞ여 셩모 낭낭을 여희연 지 팔구 삭의 구연시식(40)ᄒᆞ고
지우보명ᄒᆞ여 오늘 국가 딕경의 참녜ᄒᆞ니 엇지 슬푸지 아니리오 슈연이나 만
셰황얘 만슈무강ᄒᆞ시미 셩뫼 다시 지샹ᄒᆞ시미라 옥쥬ᄂᆞᆫ 관심ᄒᆞᄉᆞ 셩톄ᄅᆞᆯ 샹히
오지 마르쇼셔 고어의 왈 늬 몸이 스스로 쥬미 아니라 ᄒᆞ니 옥쥐 엇지 셩모의
주신 옥쳬ᄅᆞᆯ ᄀᆞ빅야이 너기리잇고 공쥐 문파의 진진이 늣겨 말을 못ᄒᆞ더니 믄
득 긔운이 엄식ᄒᆞ여 구혈ᄒᆞ기ᄅᆞᆯ 마지아니니 윤후와 의빈과 구연 냥 쇼져 옥화
군쥬 녀부졔질이 딕경ᄎᆞ악ᄒᆞ여 눈믈을 흘니고 구호ᄒᆞ여 반향의 겨유 인ᄉᆞᄅᆞᆯ
찰히미 임의 진하ᄒᆞᆯᄉᆡ 시긱이 다ᄃᆞ랏ᄂᆞᆫ지라 농누봉각의 싱황을 진쥬ᄒᆞ고 녀직
노련ᄒᆞ거늘 공쥐 더옥 슬허 능히 (41)슈이 니지 못ᄒᆞ니 윤휘며 황친 졔인이
공쥬의 이러ᄒᆞ믈 보고 진하의 참녜치 말고 유병블참ᄒᆞ믈 쥬ᄒᆞ라 공쥐 뉴쳬 왈
ᄂᆞ의 이 거됴ᄂᆞᆫ ᄉᆞ졍의 참지 못ᄒᆞ미나 금일 국가딕ᄉᆞᄅᆞᆯ 인ᄒᆞ여 당쵸의 아니
드러왓시면 모로거니와 니의 드러 무단이 칭병블참ᄒᆞ리오 셜파의 긔운을 강잉

ᄒ여 녜복을 졍졔ᄒ고 졔인을 거ᄂ려 퇴졍궁의 ᄂᄋ가 산호비무ᄒ기를 맛고
좌하의 시위ᄒᆯ식 우러러 보건ᄃᆡ 빅쳑고루의 보옥이 영농ᄒ고 오쳐휘황ᄒᄃᆡ
빅옥교위를 갈와 어탑을 비셜ᄒ고 샹이 구룡통텬관의 옥규를 ᄀᆺ쵸와 단좌ᄒ신
ᄃᆡ 조귀인이 구장면복을 ᄀᆺ쵸와 텬ᄌ와 병좌ᄒ여시니 황황ᄒᆫ 품복과 슉슉ᄒᆫ
의결 ᄀ(42)온ᄃᆡ 일광명휘 의의ᄒ여 퇴평국뫼신 줄 알니러라 슈풀 ᄀᆺᄒᆫ 황친
국독과 졔왕 비빙 공쥬 등과 외됴 명뷔 텬안을 우러러 감회치 아니 리 업스니
팔진미찬이 압히 가득ᄒ나 진식ᄒᆯ 의ᄉᆡ 업더라 뎨와 휘 졔인의 슈안쳑용을 보
시고 ᄯᅩᄒᆫ 감오ᄒᆞᄉ 각별 은비를 ᄂ리와 위로ᄒ시고 더옥 졔왕비 월셩을 가이
ᄒᆞᄉ 슈돈을 ᄀᆺ가이 쥬시고 샹이 쳑연이 눙누를 ᄂ리와 위로ᄒ고 황휘 측연이
옥누를 흘녀 왈 이졔 션후의 셩심인ᄌᄒ신 셩덕으로 국운이 불니ᄒ여 안가ᄒ
시고 짐이 박덕으로 곤위의 모림ᄒ니 엇지 블안황긔치 아니리오마ᄂ 츠역텬의
라 인녁의 밋츨 비 아니니 원컨ᄃᆡ (43)공쥬ᄂ 비회를 관억ᄒ고 방신을 보호
ᄒ라 짐슈불민이나 션후의 ᄌ리를 니ᄋᆞ미 목강의 죄인이 되지 아니리라 공쥬
쳥미의 관곡ᄒ시믈 듯고 황감불승ᄒ여 쳬읍 쥬왈 신이 불효ᄒ오나 엇지 낭낭
의 셩덕을 모로리잇고 오직 션후의 음용이 망미ᄒ시믈 슬허ᄒᄂ이다 셜파의
진진쳬하ᄒ샤 혈뉘 졍의 쇼군의 졈졈ᄒ니 뎨휘 이련잔잉ᄒᆞᄉ 지극 위로ᄒᆞᄉ
일즉이 믈너가 됴리ᄒ라 ᄒ시니 견졍 참블인견이러라 공쥬 비록 방츤이 식로
이 츤졀ᄒ고 슬푸미 각골ᄒ나 쳔만강잉ᄒ여 셩모 낭낭 은퇴을 고두비ᄉ하고
몬져 믈너 별젼의 ᄂᄋ가니 샹이 블승연셕ᄒᆞᄉ 구연 냥쇼져와 윤후와 옥화군
쥬를 명ᄒᆞᄉ (44)ᄒ가지로 믈너가 졔왕비를 위로ᄒ라 ᄒ시니 졔부인이 슈명
ᄉ은ᄒ고 일시의 공쥬를 됴ᄎ 별뎐의 마ᄌ 일변 위로ᄒ며 일변 샹감ᄒ믈 마지
아니ᄒ니 면면쳬읍이라 공쥬 희허 탄왈 션후 낭낭이 엇지 이쳐의 빈쳔ᄒᆞᄉ 날
노뻐 눅ᄋ의 통이 미치게 ᄒ실 줄 알니오 낭낭이 식로 곤위의 거ᄒ시니 셩덕
의 호연ᄒ시믄 임의 아란 지 오릭니 만만이 엇지 목욕감지 아니ᄒ리오 나의
지통은 능히 참기 어렵도다 윤후와 ᄌ부졔질이 지삼 관위ᄒ여 진졍ᄒ더라 셕
양의 뎨후긔 비ᄉ하고 도라올식 황휘 쥬옥진보와 픽믈노 상ᄉᄒ시니라 니젹의

국장을 겨요 지닉고 당시듕 형뎨 집의 도라와 슬허ᄒ(45)미 젹지 고비를 상
ᄒ 듯ᄒ니 보ᄂᆞᆫ 지 그 츙의를 칭찬ᄒ더니 믄득 오릭지 아냐 당공이 날을 니어
병와ᄒ니 그 부인과 ᄌᆞ녜 망극ᄒ여 쳔방빅쵸로 치약ᄒ고 현시 데공이 나련ᄒ
여 문후ᄒ며 오진 냥공이 골육동긔ᄀᆞᆺ치 구병ᄒ나 임의 되운이 유텬ᄒ니 무가
닉히라 당공 형뎨 날을 니어 망ᄒ니 님망의 오진 냥공과 승상 데왕 등을 쳥ᄒ
여 니별 왈 아등이 명위 표죵이나 여러 셰월을 연장되문ᄒ고 동쳐동슉ᄒ여 졍
의 ᄌᆞ별ᄒ미 친싱 동긔 ᄀᆞᆺ더니 즁도의 슉당과 부뫼 동년ᄒ시니 슬픈 ᄀᆞ온듸
상회ᄒ여 보젼ᄒ고 되쇼ᄉᆞ의 상논ᄒ여 친의 각별ᄒ여 일일만 못 보와도 피ᄎᆞ
ᄉᆞ모지심이 졀ᄒ더(46)니 블힝ᄒ여 아등이 쟝ᄎᆞ 황쳔길이 급ᄒᆫ 고로 이졔 니
별ᄒᄂᆞ니 현뎨 등은 기리 무양ᄒ고 평일 졍의로ᄡᅥ 아등의 ᄌᆞ손을 무휼ᄒ라 ᄒ
고 언필의 망ᄒ니 오진 냥공이 크게 셜워 통곡ᄒ고 ᄌᆞ질을 명ᄒ여 부의를 후
히 ᄒ고 그 부인과 ᄌᆞ녀를 위로ᄒ여 ᄒᆞᆫ가지로 표상을 다ᄉᆞ려 셩복을 지닉고
장일이 다드르미 모든 당싱이 숄긔ᄌᆞ손과 닉외근친을 다 거ᄂᆞ려 영구를 뫼셔
고향으로 도라ᄀᆞ미 오진 냥공이 졔 ᄌᆞ질을 거ᄂᆞ려 슈십 니 외의 ᄂᆞ와 졔문 지
어 곡별ᄒ고 고구친쳑이 그윽이 당공 싱시의 인후ᄒ믈 칭도ᄒ더라 현시졔공이
당공의 영구를 빅별ᄒ고 부즁의 도라오미 크게 상감ᄒ(47)여 탄왈 표형 등이
셩졍이 호상허랑ᄒ여 졍인군ᄌᆞ 아니나 휴휴되쳬ᄒᆫ 쟝뷔러니 이졔 일시의 도라
가니 화됴월셕의 엇게를 비겨 환쇼의 일이 어졔로 온 듯ᄒ되 음용이 구원의
머러시니 슬푸지 아니리오 언동의 상연쳬하ᄒ니 승상과 데왕 등이 ᄯᅩᄒᆞᆫ 당공
등의 ᄉᆞ랑ᄒ던 졍의를 싱각고 감회ᄒ여 눈물을 흘니고 가안빅 하풍익 등이 ᄯᅩ
ᄒ 탄식ᄒ더라 어시의 월셩공쥐 날이 골ᄉᆞ록 비챵감쳑ᄒ믈 니긔지 못ᄒ여 식
음이 돈감ᄒ여 늘노 슈쳑ᄒ니 일일은 졔왕이 식상을 되ᄒ여 진식홀ᄉᆡ 공쥬를
향ᄒ여 굴오되 옥쥐 미양 비이통졀ᄒ여 형뫼 만분슈쳑ᄒ여시되 스스로 몸을
도라보지 (48)아니ᄒ고 ᄌᆞ진 치ᄉᆞᄒ려 ᄒᄂᆞᆫ 의식 만ᄒ니 진실노 효의ᄂᆞᆫ 간졀
ᄒ거니와 엇지 ᄆᆞ음을 ᄌᆞ진ᄒ여 ᄯᅳᆺ을 셰우고ᄌᆞ ᄒ니 그 쥬의를 알고ᄌᆞ ᄒᄂᆞ이
다 공쥐 되왈 쳡이 일즉 싱각지 못ᄒ미라 일ᄏᆞ르시나 엇지 ᄌᆞ진홀 니 잇스리

잇고 본딩 다병약질노 퇴낭낭 남긔의 슬푸미 간절ᄒ니 인ᄌ지통을 견듸기 어
려워 슈픠ᄒ미 잇ᄉ오나 임의 뉵션화미를 느오믹 긔운이 언마ᄒ여 쇼복ᄒ리잇
가 왕이 좌우로 됴션을 올니믹 왕이 스스로 식상을 느오고 비를 권훌시 구쇼
제 상 압히 느ᄋ가 긔기를 열고 몬져 온미와 깅긔를 느와 진음ᄒᄆᆞᆯ 고ᄒ미 효
부의 온유ᄒᆫ 셩회 흡흡히 진느부와 흡ᄉ흔지라 공쥐 (49)마지못ᄒ여 햐져ᄒ
니 왕의 고집을 아ᄂᆞᆫ 고로 괴로이 권유ᄒᄆᆞᆯ 듯지 아니려 진식ᄒᄆᆞᆯ 평셕ᄀᆞᆺ치
ᄒ니 왕이 온슌ᄒᄆᆞᆯ 탄복ᄒ더라 됴ᄉᆞ 여가의ᄂᆞᆫ 졍면을 쩌나지 아냐 위로기유
ᄒ고 됴셕 진반과 약뉴 보미를 쩍의 어긔오지 못ᄒ게 ᄒ니 공쥐 괴롭고 슬ᄒ
나 마지못ᄒ여 즈연 쇼복ᄒ미 되니라 ᄎᆞ시 희문 희명 등이 십ᄉᆞ 셰라 왕이 바
야흐로 작쇼를 여러 부뷔 ᄲᅡᆼ뉴케 ᄒ니 희명은 단ᄋᆞᆫ 군지라 ᄉᆞᄉᆞ의 다만 부
명을 승슌ᄒ여 동요로이 화락ᄒ되 희문은 풍뉘 발양ᄒ고 지긔호상ᄒ나 우흐로
엄훈을 두리고 버거 삼상 국휼노 인ᄒ여 감히 미녀셩식을 유의치 못ᄒ고 비로
쇼 국상이 지ᄂᆞ믹 부명이 (50)동방의 못게 ᄒ시니 연쇼져의 쳔향미뫼 ᄇᆞ야흐
로 ᄭᅩᆺ치 버을고자 ᄒ고 달이 둥글고즈 ᄒ니 공직 황황침침ᄒ여 슈유불니ᄒᄂᆞᆫ
지라 연쇼제 옥이 다ᄉᆞᄒ며 ᄭᅩᆺ치 향긔로온 듯ᄒ나 셩되 열직ᄒ고 빅희의 고집
과 공강의 녈뫼 잇ᄂᆞᆫ지라 그윽이 가부의 호방ᄒᄆᆞᆯ 불쾌ᄒ여 듸ᄒ면 공슈열슉
ᄒ미 그 무이를 가랍지 아니ᄒ니 싱이 그윽이 미온ᄒ여 가칙이 줏고 묵묵침엄
ᄒᆫ 부됴여풍이라 쳐음은 약ᄒᆫ 녀ᄌᆡ 슈습ᄒᆞ민가 너기믹 만안츈풍으로 다리여
힝혀 일즉 졔어치 못ᄒᆞᆫ즉 반드시 춍이를 미더 위즁쳐의 창궐ᄒ미 잇시리라 ᄒ
여여 텬지무궁흔 즁졍을 졀ᄎᆞᄒ고 범ᄉᆞ의 가찰ᄒ미 심ᄒ(51)며 죵풍ᄎᆞ류의
호령이 싱풍ᄒ니 쇼제 심하의 괴로오믈 니긔지 못ᄒ나 셩졍 강녈ᄒ고 침즁흔
지라 시이블견ᄒ고 쳥이블문ᄒ여 다만 명을 슌슈ᄒ여 공경ᄒᄆᆞᆯ 지극히 ᄒ나
싱쇼ᄒ미 심ᄒ고 희명은 양쇼져로 공경화락ᄒ여 명셜각 즁의 츈풍이 니러시니
왕궁 상히 아름다이 넉여 칭찬ᄒ더라 희문 공직 연쇼져의 담쳥무욕ᄒ미 부부
호합을 쑴ᄀᆞᆺ치 넉이믈 괴이히 넉여 ᄎᆞ인의 이용이 졀셰ᄒ나 셩되 너모 졀빅ᄒ
여 고승 ᄀᆞᆺᄒ니 싱이 블복ᄒ여 남ᄋᆞ의 풍뉴졔목을 ᄌᆞ시 알게 ᄒ리라 쥬의를

정히미 조심호는 비 다만 조부모와 부모 면견이라 기여(52)는 방약무인호 체 호여 명휘각의 드러가는 날은 슐을 취호고 드러가더라 털종황뎨 후궁 김상궁 쳘영 글시

명쥬옥연긔합녹 권지십삼

(1) 명쥬옥연긔합녹 권지십삼
추셜 희문 공지 슐을 취호고 명휘각의 드러가 상상의 언와호여 쇼져로 호여곰 머리를 집흐며 망건을 벗기고 슈독을 쥐무르라 호여 만일 듯지 아니호면 발노 박추며 쳘여의로 난타호여 혹 친압호며 혹 희롱호여 못 견듸도록 호니 쇼졔 불승앙통호여 지수위한호고 광픽흔 거됴를 가랍지아니호니 싱이 지기를 항복 호나 용식을 이듕호여 부듸 니긔려호는 고로 방탕홀 젹이 만터니 일일은 슐을 취호고 거름이 젼도호여 침쇼로 가더니 길히 구쇼져 침쇼 응휘각을 지느는지 라 믄득 보니 구쇼 시녀 주란이 봄단(2)장을 구비야이 호고 져근 광듀리를 들 고 가거늘 보니 홍안이 가려호고 튀되 쇼담흔지라 심하의 연쇼져를 믹바들 의 시 동호여 손 쳐 부르니 주란이 그 연고를 아지 못호고 갓구이 느우와 응명흔 듸 싱이 말을 아니호고 광듀리를 아스 먼니 더지고 숀으로 잇그러 명휘각으로 가니 주란이 듸경 황망 왈 쇼비 부인 명으로 치상호여 가거늘 공지 이 엇진 거 되니잇고 싱이 흔연 쇼왈 너는 구구히 니르지 말나 너는 구부 쳥의요 됸슈의 시이니 형장의 추환이요 나는 네 듀군의 동긔니 쏘흔 너의 듀인이라 닉 너의 졀세지용을 스랑호여 금추지녈의 두고즈 호미요 다른 닐이 아니라 너는 스양 치 말나 난(3)이 쳥파의 실식 듸경호여 울며 왈 공주는 됸귀호신지라 미희를 두고즈 호실진듸 교방의 쇼요월안이 구득호거늘 엇디 쳔비의 봉두귀면을 유의 호여 쳔비로 둑어 뭇칠 쑤히 업게 호시느니잇고 공지 부답호고 다만 숀을 닛 그러 침쇼로 가니 난이 황황망극호여 아모리 울며 가지 아니려호나 엇지 면호

리오 히음 업시 잇글녀 명휘각의 니르니 난이 더옥 망극ᄒ여 크게 울며 왈 ᄌ
란이 반드시 듁으리로다 ᄒ거늘 연쇼져 유랑이 쇼져긔 고흔딘 쇼졔 반드시 ᄌ
가를 곤이 보쳐려ᄒ믈 씨드라 즉시 몸을 니러 옥슈의 홍쵹을 취ᄒ여 후창으로
ᄂ가니 시비 부용도화와 유뫼 묘츳 나귤식 굿ᄀ온 곳(4)이 우슉희 침당이라
쇼졔 슉희 침당의 니르니 슉희 놀나 마ᄌ 왈 쇼졔 무ᄉ 일 황혼의 분듀ᄒ시ᄂ
뇨 쇼졔 옥안을 븕히고 답지 아니니 유뫼 공ᄌ의 연일 가찰흔 호령과 목금지
ᄉ를 젼ᄒ니 슉희 측악 왈 공지 뎐하와 낭낭의 경계를 져바리고 딕공ᄌ의 도
학옥풍을 본밧지 아냐 이런 광픽흔 힝식 잇ᄉ니 엇디 뮙지 아니리오 맛당이
낭낭긔 알외여 듕치ᄒ염 즉 ᄒ도다 쇼졔 ᄂ죽이 닐오딕 쳡이 연쇼 비박ᄒ여
경부지도를 모로고 장부의게 지신ᄒ믈 잘못ᄒ여 견과ᄒ리오 금야지ᄉᄂ 남ᄌ
호신이 예식라 셔모ᄂ 함구블언ᄒᄉ 요란ᄒ믈 취치 마르쇼셔 존구의 칙픠 가
부 신상의 밋츤 즉 이(5)ᄂ 쳡의 힝식 구고의 엄위를 비러 가부를 졀졔ᄒ미니
규문의 부덕이 아니라 구괴 엇지 그릇 넉이지 아니시며 사름이 엇지 가르쳐 웃
지 아니리잇고 슉희 쳥파의 그 슉진흔 덕을 아름다이 너겨 졈두 칭션 왈 션지
라 쇼져의 부되 진션진미ᄒ미여 엇지 우리 옥듀 낭낭의 ᄌ뷔 아니며 아름다온
덕힝이 엇디 광부를 진압지 못홀가 근심ᄒ리오 쇼졔 나죽이 블감ᄒ믈 칭ᄉᄒ
더라 슉희 편히 쉬기를 쳥흔딕 쇼졔 유유 듀져ᄒ더니 이윽고 시녜 고 왈 상공
이 ᄌ란을 다리고 외당으로 가시니다 ᄒ거늘 쇼졔 ᄇ야흐로 침쇼로 도라오니
이쩌 현공지 ᄌ란을 위력으로 닛그러 당듕의 드러가니 쇼졔 업거늘 연(6)고를
무른딕 난향이 딕 왈 쇼졔 상부의 문안가시니 퇴부인이 안젼의 두시더이다 공
지 의괴ᄒ나 명일 알고ᄌ하여 이의 잇스미 졈즉ᄒ여 ᄌ란을 노화 보니며 왈
ᄎ줄 쩨 잇스리니 타젹지 말나 니 미구의 계화를 썩글 거시요 고쇼져를 지취
ᄒ고 벼술이 졈졈 놉흐면 위의 묘츤 희쳡이 멧칠 동 알니요 널노써 돈슈긔 고
ᄒ고 금츳 졔일을 삼으리라 ᄌ란이 져 말이 귀의 바람지ᄂ듯 뮈 넉이나 노
화보니믈 다힝ᄒ여 그물의 버슨 고기ᄀ치 총망이 도라가니라 공지 ᄌ란을 보
니고 심회 무류ᄒ여 즉시 셔직의 ᄂ와 졔계로 더브러 밤을 지닉고 명됴의 상

부의 문안홀식 연쇼제 몬져 니르럿고 슉희 발셔 듀부인긔 곡절(7)을 알외엿눈
지라 부인이 숀♡의 힝스롤 어히 업시 녁이나 연시의 심스롤 가이ㅎ여 쇼져롤
안젼의 두어 희문을 쇽이고즈 ㅎ여 추일 졔즈 졔숀이 문안ㅎ미 부인이 졔즈다
려 닐오디 노뫼 근닉의 심회 울울ㅎ지라 연쇼부롤 압히 두고즈 ㅎ느니 희문이
가히 노모의 명을 조츠랴 왕이 공경 디왈 범스롤 즈의 디로 ㅎ오리니 돈이 감
히 돈언을 거역ㅎ리잇가 부인이 우어 왈 쇼년 부뷔 상니롤 ㅎ기 괴로와혼즉
노뫼 동녁 협실을 셔르져 져의 부뷔 깃드리라 왕이 슌슌 슈명ㅎ니 희문이 심
하의 쇼져롤 임의로 보치지 못홀 바롤 아연ㅎ고 연시 즈긔 허물을 조모긔 하
리ㅎ여 이 거죄 비로슨가 심한ㅎ여 관을 (8) 슉이고 긔식이 불열ㅎ니 부인이
슉시 냥구의 정식 문왈 너의 부부의 쳐쇼롤 느의 협실의 졍ㅎ고 신셕의 노모
롤 시측ㅎ미 무어시 혐의로와 긔식이 불쾌ㅎ뇨 공지 황공ㅎ여 연망이 복지 왈
쇼숀이 비록 블쵸ㅎ오나 엇지 감히 이런 쯧이 잇스리잇고 쇼숀과 연시 존하의
일싱 시측ㅎ온 고로 감히 돈명을 역ㅎ리잇가 안식이 십분 화열ㅎ니 부인이 다
시 홀 말이 업셔 믁연ㅎ더라 연쇼제 존명을 밧드러 추일붓터 쳐쇼롤 옴겨 지
셩각 협실의 쳐ㅎ고 명휘각은 시녀로 직희게 ㅎ니 쇼제 이의 온 후로 공듀와
의빈과 셜시 우슉희 등이 조모의 존고긔 문안ㅎ니 연쇼제 스스로이 궁듕의 느
♡가지 아냐 (9)삼 일의 혼 번식 궁의 단녀오눈지라 공지 심하의 연시롤 미온
ㅎ미 깁흐나 조뫼 알가 두려 젼쳐로 보치지 못ㅎ되 스스로 심상을 닉여 쇼져
의 일졀 니르지 아니ㅎ고 쩌쩌 명휘각의 드러가 긔완을 두다려 발광도 ㅎ며
유랑 시♡롤 즐칙ㅎ고 쇼져긔 젼어ㅎ되 싱은 혼굿 광뷔라 감히 놉흔 슉녀의
비힝이 블스ㅎ거놀 영돈이 싱의 위인을 그릇 알고 혼굿 농동지엽으로 부디 번
화 흠모ㅎ여 즈구ㅎ여 동상의 마즈니 블민ㅎ나 이 곳 쇼져의 빅년 냥인이여놀
쇼년 부뷔 쇼쇼상힐ㅎ미 긔 무숨디식라 져믄 녀지 슈괴ㅎ믈 모로고 부부의 상
힐ㅎ믈 도쳐의 푼푸ㅎ여 돈당의 하리ㅎ여 몸을 감쵸니 이 엇지 경부(10)지되
리오 진실노 이럴진디 가히 친당의 도라가미 올흐니 엇디 오가의 뉴ㅎ리오 그
디 도라오나 닉 또혼 졍밍혼디 잇스니 불구의 취홀지라 아직 연쇼 유싱으로

입신 젼 지취ᄒ미 불가타ᄒ여 부뫼 허치 아니시나 그듸 곳 업슨즉 부뫼 날노
ᄡ 고시의 언약을 일우리니 모로미 거취를 뎡ᄒ고 방ᄌ치 말나 시비 이듸로
젼ᄒ니 쇼졔 쳥파의 괴로이 넉여 봉미를 영합ᄒ여 묵연 부답ᄒ니 시비 ᄯ 고
왈 듀군이 회답을 아라 오라 ᄒ시더이다 쇼졔 침음 냥구의 젼어 왈 쳡이 불민
ᄒ여 ᄉ체를 아지 못ᄒ고 돈교를 승명홀 ᄯ름이러니 의외의 칙언이 여ᄎᄒ시
니 불민ᄒ믈 붓그리ᄂ(11)이다 지어 돈당의 하리ᄒ다 ᄒ시믄 쳔만 원억ᄒ니
당당ᄒ 듸장뷔 엇지 ᄋ녀ᄌ를 칙ᄒ시며 듯지 아닌 바의 억탁을 니르시ᄂ니잇
고 ᄒ니 ᄎ환이 회쥬ᄒ듸 공지 쳥미의 어히업셔 칙홀 말이 업스니 면당졀칙고
자 ᄒ나 스스로 싱각ᄒ되 져를 스스로이 맛늘 길이 업스니 뇌 이졔 져곳의 ᄂ
ᄋ가 칙고ᄌ ᄒ나 조모의 협실이라 사름의 어음이 상통ᄒ리니 ᄂᄋ가지 못ᄒ
고 ᄯ흔 ᄉ모지심이 극ᄒ여 믄득 칭병ᄒ고 명휘각의 언와ᄒ여 통셩이 의희ᄒ
니 본듸 쳔품이 능녀ᄒ여 부왕의 명쳘홈과 모비의 신명ᄒ무로도 능히 기의를
아지 못ᄒᄂ지라 부뫼 다만 풍환의 신음ᄒ무로 알고 모든 형뎨 문(12)병ᄒ죽
답왈 풍한의 쵹상ᄒ미요 구미 업셔 먹지 못ᄒ니 만일 좌우의 사름이 잇셔 온
닝과 구미를 맛쵸와 구호ᄒ면 슈이 ᄂ을가 ᄒᄂ이다 왕이 듯고 그러히 넉여
상부의 나ᄋ가 모부인긔 문안ᄒ고 듀왈 문이 슈일지 풍한으로 신음ᄒ오니 연
쇼부로 구호ᄒ라 ᄒᄉ이다 부인이 경녀ᄒ여 졉두 왈 우시 여ᄎ여ᄎᄒ믜 노뫼
문ᄋ의 넘ᄂ믈 통히ᄒ여 연ᄋ를 불너 슬하의 두엇더니 일이 여ᄎᄒ니 가뷔 유
질ᄒ뫼 쳐지 엇지 믈너 잇스리오 ᄒ고 연쇼져를 명ᄒ여 침쇼로 도라가라 ᄒ니
쇼졔 엇지 모로리오마ᄂ 돈명이 가기를 명ᄒ시니 비록 실ᄒ나 다만 슈명ᄒ여
유랑 등을 거ᄂ려 침(13)쇼로 도라오니 ᄯ 셕양이라 공지 홀노 샹두의 언와ᄒ
여 옥슈의 고셔를 들고 쇼뤼 업시 슬피더니 믄득 향풍이 진울ᄒ며 연쇼졔 홍
군취ᄉ으로 ᄂᄋ오니 작퇴 션빈이 쳥월쇼담ᄒ지라 싱이 식로이 반기고 긔이
ᄒ믈 결을치 못ᄒ여 근본 업슨 위엄을 부리려 ᄒᄂ 고로 함노 작식ᄒ고 상상
의 긴긴히 누어 요동치 아니ᄒ니 쇼졔 심하의 분한ᄒ나 마지못ᄒ여 입실ᄒ믜
몬져 말ᄂ오미 슈괴ᄒ여 홍슈를 졍히 꼿고 장 밋틱 비슥이 셧더니 싱이 의구

이 칙을 놋코 번신호여 도라누어 쇼져롤 보고 양경문 왈 그듸 무단이 스실을
바리고 가부의 즈최롤 피호여 돈젼의 시측호여 문안호는 쎠의도 모로는 쳬호
고 쳥(14)호여도 오지 아니코 방즈 즈돈호여 답스호미 업더니 하풍이 쵹신호
여 쳥치 아니호되 왓느뇨 그듸 싱을 틱면키롤 괴로와호더니 싱이 졸연혼 병을
어더 장ᄎᆞ 듁으미 쉬오니 쾌호고 깃브리로다 쇼제 부답호고 먼니 좌호니 싱이
노식 왈 닉 말을 답지 아니호니 올흐미 부답호미냐 그르니 부답호미냐 듀의롤
듯고즈 호노라 쇼제 져의 험상되이 무르믈 보고 뉴미롤 씽긔여 묵연호니 싱이
익노호여 몸을 니러 겻히 누ᄋ 좌롤 연호고 지리히 뭇는지라 쇼제 강잉디 왈
군즈와 현인은 각박혼 힝식 업다호니 쳡슈 블민이나 군즈의 언호시는 빅 스쳬
당연혼 즉 엇지 부듸호리잇고 마는 무르시는 빅 스쳬 부(15)당호시니 장ᄎᆞ
무어시라 딕호리잇고 언파의 옥안이 졍엄호고 봉음이 쳥ᄋ호여 닉외 징쳥호고
표리일낭호여 쳔연혼 슉녜라 싱이 말이 막혀 냥구의 다시 굴오되 그리면 싱은
군지 아니란 말가 그듸는 고셔롤 보니 녀지 가부의 질고한셔의 아른 쳬 아니
호고 지아비 허믈을 도쳐의 푼포호는 힝실이 어느 녜긔의 잇더뇨 쇼제 딕 왈
쳡이 불쵸호오나 즈유로 부모의 명훈을 밧즈와 칠거의 되롤 면홀가 호엿더니
군즈의 칙언이 여ᄎᆞ호시니 즈당 감슈로쇼이다 싱이 쇼져의 답언이 궁치 아니
믈 어히업셔 닐오되 언변의 감동호미 업스리니 모로미 온슌비약호여 평싱을
안과호라 (16)쇼제 듯고 말마다 슬 뮙고 괴로와 홀 일 업셔 식상을 누와 진식
호고 상을 물니고즈 호니 싱이 더 먹기롤 권호여 위력으로 호령이 싱풍호니
그릇 시뷔 믹 브야흐로 상을 닉니 쇼제 극혼 약질의 식냥이 포복호니 도로혀
비위 거스려 즘긔롤 누와 구토호니 싱이 앗기미 심호나 공연혼 호령을 닉여
왈 이는 짐즛 누롤 격동호무로 음식을 토호는도다 호고 시녜롤 호령호여 즘긔
롤 최우라 호니 쇼제 실노 괴로온 쎠롤 당호엿는지라 이윽고 야심호미 싱이
션우음호고 한 숀으로 쇼져롤 닛글고 한 숀으로 쵹을 멸호고 협와 친근호여
즈못 진듕호니 쇼제 져의 경멸호믈 블(17)승 통히호나 홀일업셔 장부의 졍을
용납호더라 싱이 본듸 병이 업슨 바의 누엇기 답답혼지라 쇼셩흐믈 일콧고 웃

고 니러느가니 쇼졔 그 심용을 블복ᄒ더라 슈 일 후 싱이 후졍의 잇셔 츠환으
로 ᄒ여곰 ᄌ란을 부르니 츠환이 명을 바다 응휘각의 가 구쇼져긔 싱의 말슴
으로 젼어 왈 ᄌ란을 우연이 유졍ᄒ미 잇더니 이의 ᄇ리기 워려워 타일 입신
ᄒ 후 금츠의 치오고ᄌ ᄒ오니 돈슈는 ᄒ비ᄌ를 앗기지 마르쇼셔 ᄒᄃ 구쇼졔
경희ᄒ나 ᄒᆯ 일 업셔 ᄌ란을 공ᄌ긔 허ᄒ여 보닉니 ᄌ란이 울고 듁기로ᄡ 가
지 아니ᄒᄃ 츠환이 이ᄃ로 회보ᄒ니 싱이 ᄃ로ᄒ여 잡아(18)오라 ᄒ니 난이
동시 면치 못ᄒᆯ 줄 알고 후당의 ᄂᆞ가니 싱이 역명ᄒᄆᆯ 노ᄒ여 셔동으로 ᄒ
여곰 안젼의셔 ᄐ슈십을 치니 뉴혈이 낭ᄌᄒ지라 싱이 바야흐로 ᄉᄒ여 상직
ᄒ라ᄒ니 난이 안쉭이 강기ᄒ고 셩음이 믱녈ᄒ여 듁기로ᄡ 벙으리와드니 싱
이 ᄃ로ᄒ여 ᄐ 슈십을 ᄯᅩ 믱타ᄒ여 후원 벽실의 가도와 졍심을 고치지 아닌
후는 ᄉ치 아니리라 ᄒ니 아지 못게라 ᄌ란의 괴벽ᄒ 직심이 엇지 구연냥쇼져
의 환을 니르혀 는 밍이 아니리오 ᄌ란이 죽을지언졍 공ᄌ의 비쳡이 되지 아
니려ᄒ는 고로 듕ᄒ ᄐ쟝을 바다 혈흔이 낭ᄌᄒ되 집심을 곳치지 아니ᄒ고 누
실의 (19)가도이믈 맛느니 뉵월 염쳔을 당ᄒ여 더웁기 불 ᄀᆺᄒ니 나의 단삼으
로 고ᄃ 광실의 쳐ᄒ던 ᄌ란이 엇지 괴롭지 아니리오 마는 분원을 니긔지 못
ᄒ여 괴로오믈 보고 밤이 맛도록 잠을 니루지 못ᄒ여 비읍ᄒ여 굴오ᄃ ᄋᆞ시의
어미를 여희고 아비를 ᄯᅩ로지 못ᄒ고 진궁비 되여 쥬인의 은혜 텬지 ᄀᆺᄒ니
평싱을 구부인 장ᄃ하의 뫼시고ᄌ ᄒ거늘 공ᄌ의 호탕ᄒ 그물의 걸녀 쳥졍ᄒ
ᄯᅳᆺ을 직힐 길이 업스니 엇지 이닯지 아니ᄒ리오 구부인이 슉슉의 쳥을 드러
십 여년 동쳐ᄒ던 졍을 ᄯᅳᆺ쳐 닉치시니 이 원을 품고 ᄉ라 무엇ᄒ리오 찰하리
죽어 직심을 셰우고 남은 혼ᄇᆨ이 진궁의 도라가 동(20)ᄉᄒ리라 ᄒ고 슬허ᄒ
믈 마지 아니ᄒ더니 밤이 반은ᄒ여 믄득 밧긔 ᄉ름이 와 블너 왈 난ᄋ ᄉ랏는
다 ᄒ거늘 ᄌ란이 우다가 닐오ᄃ 닉 아직 죽지 아낫거니와 엇던 사름이 깁흔
밤의 분듀ᄒᄂᆞ뇨 기인 왈 네 닉 쇼릭를 아지 못ᄒᄂᆞ다 구부인 유모 홍파랑이
라 부인이 공ᄌ의 젼어를 드르시고 슉슉지간의 ᄒ 시녀를 아니 듀지 못ᄒ여
보닉시나 졍당 옥쥬 낭낭과 뎐희 아르신 즉 그릇 너기실가 겁ᄒ시고 연쇼져로

더브러 화긔 상홀가 넘녀ᄒᆞᆼᄉ 네 공ᄌᆞ의 명을 슌치아냐 갓친 둘 오히려 다ᄒᆡᆼ이 너기ᄉᆞ ᄀᆞ마니 너를 다려다가 원문으로 도망ᄒᆞ여 구부 ᄒᆡᆼ각의 감쵸고 오라 ᄒᆞ시니 ᄲᆞᆯ니 날을 됴ᄎᆞ가ᄌᆞ ᄒᆞᆫ듸 ᄌᆞ(21)란이 ᄃᆡ희ᄒᆞ여 왈 명듸로 ᄒᆞ려니와 파파의 목쇼릐 엇지 다르뇨 ᄑᆡ 우어 왈 홍ᄑᆡ 아니오 뉘란 말고 난이 호의ᄒᆞ나 사름이 다르고 요인이 작변ᄒᆞ민 둘 엇지 알니요 진녁ᄒᆞ여 창을 ᄶᅢ히고 나와 보니 쇼릐 다르나 형용은 완연ᄒᆞᆫ 홍ᄑᆡ라 난이 ᄃᆡ희 급히 홍파의 팔을 붓들고 ᄂᆞ와 창을 인도ᄒᆞ여 ᄂᆞ오ᄋᆞ오니 ᄑᆡ ᄡᆞ을고 가더니 호졍담 밋희 큰 모시 잇셔 슈ᄑᆡ 창일ᄒᆞ고 깁희 쳔 쳑이라 사름이 ᄲᅢ지민 ᄉᆞ지 못ᄒᆞᆯ 분 아니라 신쳬 듕뉴ᄒᆞᄒᆞ여 ᄃᆡ강으로 ᄂᆞ가니 신쳬도 ᄎᆞᆺ지 못ᄒᆞᄂᆞᆫ 곳이라 믈가의 다ᄃᆞ라 리를 인ᄒᆞ여 건너고ᄌᆞ ᄒᆞ더니 홍ᄑᆡ 믄득 크게 ᄒᆞᆫ 쇼릐 지르고 ᄌᆞ란을 밀쳐 물 가온ᄃᆡ 너ᄒᆞ니 난이 무망의 ᄃᆡ화를 맛나 (22)됴슈 블급ᄒᆞ여 헛되이 믈 ᄀᆞ온ᄃᆡ ᄶᅥ러지니 아지 못게라 ᄉᆞ싱이 엇지 되며 이 요인은 어느 곳 요인이 왓ᄂᆞᆫ고 분셕하회ᄒᆞ라 각셜 만고 강상 죄인 난 음찰녀 황시 모녜 간비로 더브러 교듀를 다리고 황츅을 ᄎᆞᄌᆞ 갈ᄉᆡ 거리 거리 방을 붓쳐 져희 노쥬를 다 지으려 ᄒᆞᄂᆞᆫ지라 경황실식ᄒᆞ여 그윽ᄒᆞᆫ 곳의 모다 경보를 ᄂᆡ여 시상의 건복을 ᄉᆞ다가 삼인이 약을 삼켜 변용ᄒᆞ고 일졔히 건복을 출히고 뎜뎜 ᄒᆡᆼᄒᆞ여 ᄂᆞ오ᄋᆞ갈ᄉᆡ 멸치분민ᄒᆞ며 셔로 일오ᄃᆡ 만일 ᄯᅳᆺ을 일울진ᄃᆡ 슝됴강산을 삼키고 현가 일문을 어육ᄒᆞ여 원슈를 갑흐리라 ᄒᆞ더라 ᄎᆞ뉴 비록 흥완ᄒᆞ나 듀림 화각의 쳐ᄒᆞ여 호화부귀를 누려시(23)니 삼쵼 금년이 원노 발셥이 그리쉬 오리오 슈듕의 듀옥진뵈 오히려 넉넉ᄒᆞ니 파라 노마를 장만코ᄌᆞᄒᆞ나 각읍의 슈험이 두리워 쵼쵼 젼진ᄒᆞ니 허믈며 셔쵹왕반이 극히 요원ᄒᆞ여 늌노로 가면 오쳔 팔빅니요 슈로로 가면 갓갑고 곡노로 도라 ᄒᆡᆼᄒᆞ면 구쳔 여리니 발셥이 그리 쉬오리오 그러나 얼골을 밧그며 셩명을 밧고와시니 방심ᄒᆞ여 ᄒᆡᆼᄒᆞ더니 길흘 그릇 드러 월여의 뎡듀 지경의 니르러 노변의 안ᄌᆞ 쉬더니 곳곳이 방을 붓치고 사름 마다 ᄂᆞ오ᄋᆞᄀᆞ 보며 ᄭᅮ지져 왈 가히 쳔참만육ᄒᆞ여도 앗갑지 아니ᄒᆞ도다 위지ᄉᆞ둑이라 ᄒᆞ고 져 ᄀᆞᆺ흔 음녜 발뵈 잇ᄉᆞ니 됴화옹이 헌ᄉᆞᄒᆞ믈 알니로다 져런 (24)ᄃᆡ옥 ᄃᆡ간 잡기를 쳔금상

을 듀마흐엿시니 그 년들이 빗쏜 년이로다 혹이 쇼 왈 상이 아니라도 우리는
맛나면 잡아 밧치련마는 보지 못흐니 이둛도다 몹슬 년이 혹 져런 힝인 듕 셧
겨신들 엇지 알니오 흐거늘 황시 등이 드르민 모골이 송연흐여 면무인식흐믈
씨듯지 못흐니 그 듕의 흔 사름이 쇼 왈 져 슈즈는 무슨 연고로 흉녀의 말을
듯고 변식흐느뇨 아니 알오미 잇느냐 황시 딕황흐여 교듀와 셜믜를 도라보니
교듀는 딕간딕음이라 듕인의 말을 듯고 발연 작식 왈 우리는 도로 힝긱이라
경셩 사름을 엇지 알니오 열위는 고이흔 말을 흐느뇨 허믈며 져의 죄악이 틱
듕흐나 져는 본딕 경(25)화 거죡이요 우리는 하방 쳔인이라 여러 사름의 근본
을 엇지 알고 흉인의 비겨 욕흐는다 그딕 반다시 흉인의 근본을 아는가 시브
니 우리 맛당이 열위를 고관흐여 흉당을 춫고 상을 취흐여 도로 힝걸의 괴로
오믈 면흐리라 셜파의 긔운이 분분흐고 노식이 등등흐니 듕인이 크게 놀나 말
흐던 즈를 꾸짓고 교듀를 희유 왈 하방 쳔인이 무지흐여 경듕을 모로고 그릇
톤위를 쵹범흐여시니 그딕는 관셔흐라 직솜 희유흐니 셜믜 쏘 교듀를 말녀 왈
형은 식노흐쇼셔 져 사름들이 희담을 나는 딕로흐엿거니와 우리 등은 남지요
져는 녀즈들이라 관겨치 아니흐니 부졀업시 언징치 마르쇼셔 듕인이 칭(26)
스 왈 그딕는 능히 져무나 슬겁고 착흐도다 셜믜 스양 왈 우리는 쇽인이라 현
뎨 어려셔 즈모 듁으니 부친이 다리고 뉴락흐다가 이졔 고향으로 부즈 삼 인
이 도라가는 힝식이니 녈위는 괴이흔 일노 우리를 비우흐니 우리 형이 본딕
조급흔 고로 경식이 젼도흐나 일시 희담이라 허믈흐리오 듕인이 더옥 셜믜를
위즈흐니 황시 모녜 묵연흐더라 황시 등이 츠후로는 도로의셔 힝혀 구식흐믈
맛놀가 더옥 겁흐여 힝식을 곳쳐 그윽흔 도관과 유벽흔 암즈의 쥬인흐더니 일
일은 파셔 농문산 활인스란 졀의 드러가니 녀승 스십여 인이 잇더라 쥬지 니
고의 법명은 우화법식요 본셩은 쵹도 향환 슌우즈의 (27)똘이라 십뉵 셰의 셔
방 마즈가니 슌우녜 용뫼 졀셰흐고 방즈음악흐민 구가의 실의흐여 본부의 도
라오니 맛춤 아비 듁고 계비 스오느와 용납지 아닛는지라 슌우녜 지아비긔 실
의흐고 구가의 츌부로 계모의게 용납지 아니흐니 악을 부릴 딕 업셔 계모와

친쳑을 쇽여 거즛 익스호노라 호고 도망호여 삭발호고 도쳐의 표류호여 주장 긔완을 미미호여 파셔 농문산의 스찰을 일우고 스스로 우화법시로라 호고 의지 업슨 걸녀를 모화 졔즈를 삼고 즈칭 니괴라 호나 음욕이 방즈호여 지느는 힝긱을 다 후려 부딕 지믈을 아스 제 음욕을 치오더니 이의 황시 모녀의 노듀를 마즈드리니 드듸여 지믈을 앗고 (28)또혼 남지 표치호믈 보고 듀지 니괴느와 말슴홀시 가향과 셩명을 뭇거놀 황시 일오딕 복의 셩명은 젼황이요 본딕 졈어셔 상실호고 두 ㅇ들노 더브러 명스의 유탁호더니 젼문의 의탁호여 약간 지믈을 어든 고로 고향의 도라가 션세 묘하의 여싱을 맛고즈 호느이다 우화 딕왈 빈승의 셩은 슌우 삐요 법명은 우화법시라 본이 향환 스독지네러니 유시의 부뫼 뺑망호고 또 친쳑이 업스니 거두어 즈뢰홀 리 업는 고로 일즉 츌가호여 산문의 도라왓더니 이 곳 쇼원이 아니라 부득이 니괴 되여시되 동시 복멸호믈 슬허호느니 만일 상젹혼 곳의 어진 장뷔 잇시면 환쇽호여 부모 후스를 밧들고즈 (29)호나이다 황시 모녀는 사름 ㄱ온딕 여이라 엇지 니고의 긔식을 모로리오 반드시 져희를 유희호여 긔식을 탐지호는 듈 알고 심니의 딕희호여 오직 잠잠호니 우화 웃고 굴오딕 긱관은 노승의 말을 헛되이 아지 말고 뜻을 졍호여 결단호라 빈되 진심호여 셩친케 호리니 관인도 듕년의 환부의 괴로오믈 면홀 거시오 영낭 낭인의 인뉸을 졍호여 가도를 일우미 가호니 너비 혼쳐를 구호여 미부를 어드면 즈숀이 만당홀 거시니 빈승이 비록 간난호나 스등의 쳔금 지믈이 잇시니 우리와 부부지도를 일우게 흠이 엇더호뇨 황녜 쳥파의 변식호고 눈으로 교듀를 보니 교뮈 흔연 왈 스부의 의논이 올흐니 부친은 스 (30)양치 말으쇼셔 맛당이 언약을 굿게 호고 고향의 도라가 빅부긔 상의호여 녜로뻐 혼인호미 올흐니 엇지 신낭 신뷔 일셕의 딕좌호여 혼인을 의논호미 올흐리오 황시 또 우어 왈 오ㅇ의 말이 맛당호니 이딕로 호스이다 우홰 또 굴오딕 관인의 말딕로 호려니와 아지 못게라 눌과 의논호려 호느뇨 교줴 웃고 왈 임의 스부의 의논으로 우리 인뉸을 뇌약호미 엇지 깃브지 아니리오마는 가듕의 빅뷔 잇느니 듕간의 분니호여 쳔명산의 가 치졔 되어 잇느니라 우홰 굴오

디 요스이 드르니 쳔명산 치쥬 견괴라 ᄒ니 본쳐를 쩌나 농문산의 가 산형 굉
듄ᄒ믈 스랑ᄒ여 치칙을 옴기다 ᄒ더니 이 아니 관인의 (31)형인가 ᄒ노라
연즉 스듕의셔 슈리 졍되라 관인이 슈고 아냐 골육이 셔로 맛나리라 황시 모
녜 쳥파의 디희ᄒ여 지슘 근본을 즈시 뭇고 또 혼인을 구지 졍ᄒ미 우홰 스스
로 깃거 쥬육을 굿쵸와 밤드도록 통음ᄒ여라 ᄒ고 미명의 힝니를 출혀 나아갈
시 우홰 길 아ᄂ 쇼리를 명ᄒ여 쵹만봉을 인도ᄒ게 ᄒ고 안마를 굿쵸와 듀니
황녜 후의를 칭스ᄒ고 길히 오르니 바야흐로 편ᄒ 말 우히 관을 굿쵸와 길 가
기 편ᄒ더라 삼 일 만의 쵹만봉 암하의 다드르니 긔형긔셕과 만학쳔봉이 밀밀
층층ᄒ여 산뇌 츠아ᄒ미 발붓치기 어렵거늘 쇼리 인도ᄒ여 가다가 말긔 ᄂ려
십여 리나 거러가니 갈스록 산이 (32)험ᄒ며 폭푀 듕듕ᄒ고 봉만이 최외ᄒ며
슈목이 덥혀시니 힝ᄒ기 ᄀ장 어렵거늘 듀지ᄒ더니 믄득 무슈ᄒ 건장군이 길
을 막으려 ᄒ거늘 니괴 닐오디 엇지 길을 막ᄂ뇨 디왈 산이 굿ᄀ온 고로 목칙
을 베러 군영의 웅장ᄒ 형셰를 버렷다 ᄒ더라 모든 젹도들이 여러 사ᄅ믈 보
고 지믈이나 앗고져 ᄒ여 가ᄂ 곳을 뭇거늘 니괴 몬져 일오디 이 관인이 너의
치듀의 지친 동긔로라 교쥬 또 닐오디 우리ᄂ 너의 치쥬의 즈데라 골육이 격
셰 상니ᄒ여 분찬ᄒ미 피츠 쇼문을 모로더니 이졔 니의 거ᄒ 바를 알고 츠츠
니르럿ᄂ니 너희ᄂ 밧비 인도ᄒ여 디왕긔 알외라 반ᄃ시 듕상ᄒ리라 젹돌이
이 말을 (33)듯고 일시의 졀ᄒ고 뫼셔 동구의 다드라 큰 문 밧긔 머무르고 드
러가 치쥬의게 고ᄒ니라 각셜 션시의 황시의 질즈 황체 쳔흉만악을 비포ᄒ여
교쥬의 ᄀᄅ치믈 바다 미교로뼈 그릇 옥화군듀라 ᄒ여 신고히 도젹ᄒ여 다리
고 집의 도라와 쇽은 둘 이달와 ᄒ나 미괴 쏘ᄒ 홍안이 졀셰ᄒ고 힝시 영오ᄒ
니 황축이 ᄀ장 의혹ᄒ여 션이 하강ᄒ가 넉여 이듕ᄒ더니 오히려 욕심이 독지
못ᄒ여 간모를 외흥뇌합ᄒ여 ᄀ마니 셔신을 왕궁의 통ᄒ더니 군쥐 덕거ᄒᄂ
쇼문을 듯고 다시 무뢰비를 쳐결ᄒ여 듕노의 가 쳔신만고ᄒ여 아스오니 이ᄂ
또 사ᄅ미 아니라 ᄒ 단 풀을 치식으로 ᄭ우미고 의장을 화려이 ᄒ여시니 황축
이 (34)디경분히ᄒ여 교쥬와 슉모의 상심치 아니믈 도로혀 졀치분미ᄒ고 밍

셰ᄒ여 ᄎ후 다시 간계를 돕지 아니리라 ᄒ여 절신ᄒ엿더니 일일은 홀연 긱인
이 이르러 황슈ᄌ를 ᄎᄎ거늘 황츅이 ᄂ와 보니 ᄂ히 ᄉ십이나 ᄒ고 풍치 준ᄋ
ᄒ며 의복이 션명ᄒ여 요간의 픽금이 징징ᄒ니 황츅이 본ᄃ 탐지 무쌍ᄒ여 아
모라도 돈이 만흐면 위왓기를 텬상낭ᄀᆺ치 ᄒ고 경화ᄉᄃ부라도 간난ᄒ면 노예
ᄀᆺ치 ᄒ더니 이늘 긱인이 왓다 ᄒᄆᆯ 듯고 ᄂ와 보ᄆᆡ 이는 동ᄂᆫ의 잇던 젼긔라
크게 반겨 마ᄌ 드러가 셔로 말ᄒᆯᄉᆡ 황츅이 젼긔를 각별 공경ᄒ여 ᄃ졉ᄒᄆᆯ
아비ᄀᆺ치 ᄒ며 젼후ᄉ를 무르니 젼긔 답왈 ᄂᆡ (35)젼일의 ᄆᆡ양 울젹ᄒᄆᆯ 인
ᄒ여 산님의 오유ᄒ더니 모든 호걸의 츄ᄃᆡᄒᄆᆯ 닙어 산치의 뒤 되여 도쳐의
ᄌᆡ믈을 거두니 은금이 누거만이오 슬하의 거ᄂ린 당뉴 슈텬 명이라 ᄌᆡ물이 만
흐ᄆᆡ 미인이 어ᄃᆡ 업ᄉ리오마ᄂᆞᆫ 진실노 녕슉의 졀셰화미를 닛지 못ᄒ고 더옥
님별의 유복을 ᄭᅵ쳐던 비니 남녀간 골육을 ᄎᆺ고져 ᄒ여 ᄂᆡ의 왓ᄂᆞ니 그ᄃᆡ는
도모ᄒ여 녕슉과 오ᄋ를 다려와 날노ᄡᅥ 못게ᄒᆫ 즉 맛당이 그ᄃᆡ로 더브러 산듕
의 도라가 부귀를 ᄒᆫ가지로 ᄒ리라 황츅이 쳥파의 젼일 긔모의게 드른 비라
ᄃᆡ경ᄃᆡ희ᄒ여 금은의 ᄯᅳᆺ이 기우러시니 엇지 젹셔의 분과 젼긔의 쳔ᄒᄆᆯ 긔회
ᄒ리오 연망이 황녀의 싱ᄒᆫ 바 교(36)쥐 미식이 쳔고독보ᄒ여 광평왕의 ᄯᅡᆯ노
아라 현승상의 ᄋᄃᆞᆯ과 혼인ᄒ되 박명이 극ᄒ고 황녜 ᄯᅩ 윤후의 춍젼을 거우지
못ᄒ여 신셰 위구ᄒᄆᆯ ᄀᆺ쵸 젼ᄒ니 젼긔 깃거 왈 이 조각이 더옥 묘ᄒ다 황시
만일 왕긔 득춍ᄒ고 녀이 구가의 득의ᄒᆫ 즉 엇지 궁향 필부를 ᄎᆞᄌ리오 가히
여ᄎ여ᄎᄒ여 모드리라 ᄒ고 이 밤을 식와 명됴의 젼긔 황츅을 다리고 져의
듀인의 도라와 빅은 오십 근과 명듀 옥픽 등물을 만히 듀어 탐심을 흡독토록
깃기고 두 봉 글월을 듀어 황시 모녀의게 젼ᄒ라 ᄒ고 일이 셩블셩간 셔촉 진
명산 산치로 ᄎᆞᄌ오라 ᄒ고 도라가니 황츅이 만흔 ᄌᆡ믈을 엇고 영ᄒᆡᆼ 쳔만ᄒ여
졔 어(37)미라도 앗기지 아닐 ᄯᅳᆺ이 잇ᄂᆞᆫ지라 슌슌 응낙ᄒ고 모지 도라와 의논
ᄒ고 즉시 사름을 경셩 왕궁의 보ᄂᆡ엿더니 황녜 ᄆᆞ츰ᄂᆡ 일이 비밀치 못ᄒ여
어진 ᄌᆞ부를 다듁이고 스ᄉ로 빅계 무칙ᄒ여 쳐음의 회셔를 공환ᄒ고 ᄆᆞ츰ᄂᆡ
망명분듀ᄒ여 이의 모드미 되니라 황츅이 경ᄉ의 사름을 보ᄂᆡ고 황시 모녀의

탈신ᄒᆞᆷ믈 그윽이 죄오더니 월여의 가인이 공환ᄒᆞ니 황츅이 홀일업셔 친히 글
월을 품고 쵹등의 ᄂᆞ오가 젼긔를 보와 슈말을 젼ᄒᆞ니 젼긔 미인의 무졍ᄒᆞ믈
ᄭᅮ지즈나 ᄯᅩᄒᆞᆫ 후회 미미치 아니믈 깃거 황셩을 관틱ᄒᆞ며 집을 올마 동거ᄒᆞᆷ믈
니르니 황츅이 산쳐의 긔특흠과 고등의 금빅치단이 만흐(38)믈 보고 딕락ᄒᆞ
여 언언이 응슌ᄒᆞ고 도라와 즉시 집을 쪄나 어미와 미교를 싯고 산쳐의 와 머
무니 젼긔 ᄌᆞ못 후딕ᄒᆞ고 안젼의 두어 이목을 삼으니 황츅이 기리 쳠녕ᄒᆞ여
언필층 슉뷔라 ᄒᆞ고 황시를 기ᄃᆞ리더라 젼긔 졈졈 큰 ᄯᅳᆺ이 잇ᄂᆞᆫ 고로 ᄉᆞ명산
이 ᄒᆡᆼ인이 만히 단니고 산뇌 험ᄒᆞ다 ᄒᆞ고 셔쵹 농문산 뒤히 츅만봉 험둔녕을
굴히여 쳔여 간 딕가를 일우고 산하를 ᄉᆞ이 두어 목칙을 믿드니 듀회 ᄉᆞ십 니
요 ᄉᆞ명산 치칙을 년ᄒᆞ여 상게 블원ᄒᆞ니 그 참남 외월ᄒᆞ미 황셩 금궁으로 다
름이 업더라 젼긔 스ᄉᆞ로 셔호 호장군이로라 ᄒᆞ고 치등의 졔쳡이 가득ᄒᆞ나 반
ᄃᆞ시 희라 (39)ᄒᆞ고 부인을 봉치 아냐 황시의 도라오믈 기다리더라 광음이 훌
훌ᄒᆞ여 어느 ᄉᆞ이 슈삼 년이 지낫더니 일일은 쇼루픠 ᄉᆡᆯ니 도라와 고왈 치문
밧긔 셰 사름이 니르러 우리 장군의 ᄌᆞ졔로라 ᄒᆞ고 뵈와지라 ᄒᆞ나이다 ᄒᆞ니
젼긔와 황츅이 몬져 나와 볼시 원뇌 황시 모녜 다시 본형으로 왓ᄂᆞᆫ지라 황츅
이 냥구히 보미 비록 남장을 ᄒᆞ엿시나 황시 모녀와 셜미를 아지 못ᄒᆞ리오 기
간 곡졀은 모로고 탈신ᄒᆞ여 져희를 조ᄎᆞ 니른가 딕희ᄒᆞ여 우음을 머금고 말을
ᄒᆞ고ᄌᆞ ᄒᆞ거늘 황시 눈믈을 흘니고 숀을 져허 휘지ᄒᆞ니 황젹이 말을 곳치고
인도ᄒᆞ여 바로 후당으로 드러갈시 다려온 니고를 (40)휘각고ᄌᆞ ᄒᆞ여 낭등의
은ᄌᆞ ᄉᆞ오 젼과 명듀 다엿 낫츨 듀어 왈 네 임의 나의 안신홀 곳을 아랏시니
ᄉᆞ부긔 고ᄒᆞ고 동용흔 ᄯᅢ 다시 오라 젼일 의논을 시힝ᄒᆞ리라 쇼리 응낙고 도
라가더라 황젹이 아ᄌᆞ미 남복으로 발셥 도도ᄒᆞ여 형용이 쵸체ᄒᆞ믈 보고 젼긔
깃거 아닐가 ᄒᆞ여 후당의 몬져 쳥ᄒᆞ여 드리고 ᄎᆞ를 드려 긔갈을 위로흔 후 피
ᄎᆞ 지년 말을 딕강 니르고 눈믈을 흘니니 황츅이 돈독 요두 왈 우리 슉질 남미
의 ᄉᆞ단이 허다ᄒᆞ니 일시의 니룰 빅 아니라 요힝 쳔신만고ᄒᆞ여 셔로 모다시니
동지야 하지일의 고담 삼아 심심 셰월의 베푸ᄉᆞ이다 연이나 젼장군이 산등의

그윽혼 부(41)귀 왕후의 지나고 미녀홍장이 슈풀 궃흐나 슉모의 졀염 미모를 닛지 못흐여 어려온딕 만히 보닌 음식을 드렷거늘 져러틋 쇠혼 얼골노 져 놈의 욕을 엇지 보리오 황시 모녜 연망이 일오딕 우리 임의 이럴 둘 알고 모녀의 치복을 장만흐여 와시니 오늘 편히 쉬고 명일 장속을 곳쳐 장군긔 뵈오리니 현질은 이 뜻을 니르라 오직 과의를 일우지 못흐여시니 엇지 흐리오 황츅이 깃거 왈 쇼질이 장군의 젼이흐믈 닙어쇼가흐여 이곳의 머무니 후졍 별스의 모친과 가쇽이 잇스니 슉뫼게 가 모친과 흔가지로 밤을 지닉고 별회나 펴쇼셔 언파의 츄환을 불너 황시 모녜 노듀를 별당으로 인도흐라 (42)흐고 져는 드러가 젼가를 보고 슈말을 니르니 젼긔 딕경딕희흐여 침션 츄환을 명흐여 부인과 쇼져의 즈장을 일일 닉 다스리라 흐고 그 듕의 듀옥 치단을 무수이 닉여 별당의 보닉여 명일 보기를 니르고 듀육진찬을 궃쵸와 보닉니 황시 모녜 별당의 니르미 황츅의 어미와 미교를 맛느니 피치 놀나고 반겨 별회 탐탐흐니 슈긔셔의 긔록기 어렵더라 이윽고 젼긔의 츄환이 금슈 치의와 가즌 보픽를 슈업시 드리며 화미진찬으로 느오며 딕장군의 말노 젼어흐여 원노 힝역을 무르니 황시 일변 깃거흐고 황시의 모 공시 엇더케 넉일고 붓그려흐더라 이 밤을 편히 쉬고 명일 산호경딕와 (43)옥거울을 나와 아미를 공교히 그리고 지분방퇴으로 홍안을 다스려 금슈 치복을 졍히 흐니 교듀의 옥면 낭셩의 교교염여흐믄 니르도 말고 황녜 연긔 스십의 옥 궃흔 얼골과 쏫 궃흔 보됴기 잉도 궃흔 입시울의 쳔교빅미 쵸츌흐니 흑운 궃흔 운환을 놉히 쒸으고 엇게의 홍금 젹의를 닙고 가는 허리의 직금즈하상을 미고 칠보 씌를 둘너시며 픽옥을 츠고 교듀는 규녀의 복식으로 머리의 모란 츠를 쏫고 녹의홍상을 졍이 흐고 츈광이 겨요 이팔이라 쏫치 닉픠고 달이 둥그러시니 작뇨 아틱 연연작작흐여 삼츈의 도화 궃흐니 공시 모지 칭찬 블이흐며 암희흐여 깁흔 뜻이 잇더라 이쩍 젼긔 (44)군듕의 하령흐여 잔치를 빅셜흐고 말을 닉되 쳐음의 안히와 쏠을 분찬흐엿더니 이졔 츠졋노라 흐고 흔 빵 슌금 교즈와 무슈 복쳡을 별스의 보닉여 황시 모녀를 뫼셔 졍당의 니르니 젼긔 쏘혼 비단 옷슬 닙고 황시를 마즈 부뷔 녜녜

필 젼긔 눈을 드러 황녀의 찬난흔 복식과 꼿 ᄀ튼 얼골을 보미 반가오미 황홀
ᄒ여 어린 듯ᄒ더니 교뷔 압히 ᄂ으가 두 번 졀ᄒ고 눈물을 ᄲ려 왈 불효이
싱셰 이뉵의 엄안을 이졔야 뵈오니 엇지 슬푸지 아니리오 ᄒ니 말쇼릐 옥을
마으는 듯 옥안화뫼 졀식이라 젼긔 손을 잡으 무릅 아릐 안치고 황녀ᄃ려 왈
필뷔 용녈ᄒ여 옥ᄀ튼 쳐ᄌ와 꼿 ᄀ(45)튼 녀으로뻐 타인의게 사양ᄒ고 셰월
을 보닉더니 이졔 다힝이 텬눈을 완젼ᄒ니 엇지 깃브지 아니리오 황녜 함틱졔
미ᄒ여 지는 바를 니르미 역비역희ᄒ여 미인의 교틱 블가형언이라 젼긔 역시
모양을 슈렴ᄒ며 좌우로 술을 노와 통음흘식 이찍 젼긔의 모즈 희쳡이 져희
쟝군의 희쳡이 이졔야 오시다 ᄒ고 황시의 황홀흔 식틱를 보고 딕경ᄒ여 셔로
닐오딕 부인과 낭지 아름다오니 우리 쟝군이 옥 ᄀ튼 부인과 꼿 ᄀ튼 ᄯ롤 ᄉ
랑ᄒ미 우리 등을 ᄭ움의나 싱각ᄒ랴 ᄒ더라 황시 모녜 모든 희쳡의 연분췌식과
칠보단장이 셕은 ᄂ무 등걸의 췌식흔 모양 ᄀ튼ᄒ여 ᄌ긔 모녀롤 보(46)고 낙
담 실됴ᄒ는 형상이 가쇼로오믈 니긔지 못ᄒ더라 막하 졔젹이 듀효롤 ᄀ초와
잔치의 참녜ᄒ고 듀쟝의 부뷔 지합ᄒ믈 하례ᄒ더라 젼긔 듀감의 교듀의 손을
잡고 닐오딕 녀으의 일홈을 황ᄌ의 ᄌ녀와 ᄀ치 지은 비니 맛당이 곳쳐 교이
라 ᄒ노라 항시 졈두ᄒ고 교이 졀ᄒ여 사례ᄒ더라 젼긔 왈 우리 ᄂ히 ᄉ십의
으들이 업스니 이 산쳐의 부귀롤 뉘게 젼ᄒ리오 교이 아름다오니 맛당이 착흔
ᄉ회롤 어더 후스롤 젼ᄒ리라 교이 심닉의 딕희ᄒ여 ᄉ례ᄒ고 황츅이 좌의셔
듯고 더옥 흠모ᄒ더라 동일 연낙ᄒ고 파ᄒ미 졔젹이 훗터지고 젼긔 크게 취ᄒ
여 황시로 더브러 졍침의셔 구(47)졍을 니으니 음부 탕ᄌ의 즐기미 비홀 딕
업더라 젼긔 ᄯ또 슈십 시녀로 교으롤 뫼셔 큰 당의 거ᄒ게 ᄒ니 셜미 ᄯ또흔 됴
ᄎ 머무니 피ᄎ 득의ᄒ여 도로혀 셕일 광평 후궁의 츙슈ᄒ여 괴로이 졍궁을
셤기고 사롬을 져허ᄒ던 듈 이달나 ᄒ더라 황시 늘마다 옥안을 다스려 젼젹을
농낙ᄒ니 젼긔 딕혹ᄒ여 슈유불니ᄒ고 모든 미인을 춧지 아니코 산쳐 딕쇼ᄉ
는 황츅을 맛져두니 황가 버러지 교쥬롤 농낙고ᄌ ᄒ여 아요쳠녕ᄒ여 공슌ᄒ
고 근실ᄒ미 효지 부모 셤김 ᄀ고 황시 모녀의 ᄯ뜻을 더옥 영합ᄒ는지라 여러

미인이 젼긔 춫지 아니믈 인ᄒ여 원망ᄒ 리 만흐니 황축이 (48)듯고 황녀다려 니르니 황녜 듸로ᄒ여 기듕 말 만히 ᄒ던 미인과 욕ᄒ던 계집 오뉵 인을 잡ᄋ 다가 머리털을 무듸리고 쇠 쏘치로 ᄶᅴ시며 불노 지져 듁이나 젼긔 언언이 황녀를 올타 ᄒ고 는 졔녀를 호령ᄒ여 만일 부인긔 방ᄌᄒ면 이쳐로 ᄒ리라 ᄒ니 모든 시녜 낙담ᄒ여 감히 말ᄒ지 못ᄒ고 마묘셔지 못ᄒ니 황시의 위엄이 최듕의 진동ᄒ더라 농문산 활인ᄉ 우화 니괴 다시 말 잘ᄒᄂᆫ 니고를 산쳐의 보늬여 황녀를 춫거늘 황시 긔이지 아니ᄒ고 니고를 불너 관듸ᄒ고 왈 우리ᄂᆫ 본듸 남지 아니라 쳐슈의 안히와 ᄯᅡᆯ이러니 당쵸의 실니ᄒ엿다가 남장으로 ᄎ ᄌᄋᄋᄂᆫ 길이러니 귀암의 드러(49)가 우화 ᄉᄲᅵ 우리 늬력을 모로고 이러틋 ᄒ 니 엇지 우읍지 아니리오 연이나 늬력을 아라시니 이졔란 첫 의논을 곳치고 각별 친의를 믹ᄌ ᄉ괴믈 듯터이 ᄒ라 ᄒ고 글을 닷가 칭ᄉᄒ고 금듀 보픽로 ᄡᅥ ᄉ례ᄒ여 보늬니 쇼리 도라가 이듸로 젼ᄒ니 우화 니괴 일변 아연ᄒ고 일 변 깃거 왈 늬 일즉 몽듕의 이인을 맛나 슐업을 비화 셰상의 젼치 못홀가 념녀 ᄒ더니 이졔 ᄎ인을 맛ᄂᆞ니 가히 직됴를 다ᄒ리로다 ᄒ고 힝니를 다ᄉ려 스ᄉ 로 힝ᄒ려 ᄒ니 원늬 요승의 슐법은 무ᄉ 요슐인고 아지 못게라 어시의 우화 요리ᄂᆫ 황시 모녀를 응시ᄒᆫ 요인이라 당쵸의 집을 반ᄒ고 삭발 거셰홀시 ᄒᆫ 쭘(50)을 어드니 일위 신인이 황건도의로 와 닐오듸 ᄂᆞᄂᆫ 운몽산 귀곡션싴니 칠국 젹 사름이라 무릇 방연을 ᄀᄅ쳐 칠국의 난을 지으니 뉘 웃는 환이 빅 년 의 볏기 어렵더니 셰원 누듸ᄒ여 열국의 분분홈과 한당의 오믈 다시 늬고 오 계의 요란ᄒ믈 다지나 당시 숑됴의 니르러시되 쳔만 듸원 빅이 유유ᄒ여 다시 윤회 직셰의 복원을 갑고ᄌ 홀시 네 ᄯᅩᄒᆫ 이 ᄀᄋᆫ듸 인연이 잇ᄂᆫ지라 텬명이 날노 ᄒ여곰 너를 ᄀᄅ쳐 만고 찰녜 악부 황시 모녀를 도와 텬듀를 밧게 ᄒ라 ᄒ엿ᄂᆞ니 네 삼가 닛지 말나 네 ᄯᅩᄒᆫ 부귀 구ᄒ리라 ᄒ고 젹은 칙 ᄒᆫ 권을 듀 거늘 우홰 바다보니 댱광졔되 크(51)지 아니되 곡히 졍모ᄒ거늘 펴보니 흰 깁 의 붉은 글지 완연ᄒ여 아라보기 쉽더라 신인이 ᄀᄅ치기를 십분 명명이 ᄒ니 호풍환우ᄒ며 등운가무ᄒ여 크며 젹고 날며 긔고 슘으며 뵈여 쳔만 변화의 아

니 가즌 슐법이 업더라 ᄀᆞᄅ치기를 다ᄒ고 닐오ᄃᆡ 부ᄃᆡ 그 사름을 맛나 비혼

바를 져바리지 말고 쎠를 일치 말나 잘못ᄒ면 앙홰 잇시리라 ᄒ더라 텰종황뎨

후궁 김상궁 쳘영 글시

명쥬옥연긔합녹 권지십ᄉ

(1) 명쥬옥연긔합녹 권지십ᄉ

츠셜 우홰 머리 됴아 명을 밧고 쎠ᄃᆞᄅ니 임의 잠드런 지 삼 일이라 모든 승이

져의 둉연이 막혀 오릐 쎠지 못ᄒᆞ믈 의려ᄒ다가 니러안ᄌᆞ믈 보고 깃거 그 연

고를 무르니 우홰 우연이 혼혼ᄒ더니라 ᄒ고 달니 ᄃᆡ답ᄒ고 칰을 깁히 간슈ᄒ

고 심복인도 뵈지 아니코 미양 사룸 업는 쎠의 지됴를 닉이더니 임의 슐업이

슉진ᄒᆞ미 슈십년만의 우연이 황시를 맛나 남ᄌᆞ로 아라 인연을 언약ᄒ(2)여 도

라 보닉고 기다리더니 시야의 칰 쥬던 노션이 ᄯᅮ지져 닐오ᄃᆡ 네 ᄂᆞ의 경계는

닛고 ᄉᆞ사 음욕만 싱각ᄒᆞᆫ다 긱관이 남지 아니요 이 곳 너의 셤길 ᄉᆞ이니 쎠

ᄃᆞ라 어긔오지 말나 ᄒ거늘 우홰 놀나 쎠ᄃᆞ라 ᄀᆞ마니 불젼의 ᄂᆞᄋ가 암츅ᄒᆞ고

돈을 더져 흔 괘를 어드니 쾌괘상의 일너시되 뇽이 구름을 맛ᄂᆞ고 범이 바롬

을 맛ᄂᆞ니 밧 ᄀᆞ온ᄃᆡ 누른 곳츨 의지ᄒᆞ니 쳐음은 길ᄒᆞ고 나종은 흉ᄒᆞ도다 그

러나 가히 허신ᄒᆞ여 사룸을 셤기면 ᄌᆞ연 의탁을 숨아 반(3)ᄃᆞ시 길ᄒᆞᆷ믈 어드

리라 ᄒ엿거늘 우홰 그 쯧을 아지 못ᄒᆞ여 지삼 금견을 구을녀 ᄉᆞ랑ᄒᆞ되 뇽이

구름을 어드니 입신홀 거시오 범이 바롬을 어드니 영웅이 지됴를 펼 거시오

밧 ᄀᆞ온ᄃᆡ 누른 곳치라 ᄒᆞ니 밧 젼 ᄶᅡ와 누루 황 ᄣᅥ라 긱관의 셩명이 여추여

추ᄒᆞ던 거시니 이 아니 츠인의게 의탁ᄒᆞ란 말 가연즉 길흉이 상반ᄒᆞᆷ믄 무슴

연괸고 지삼 의혹ᄒ더니 졔오 일 만의 긱관을 됴츠 ᄀᆞ던 쇼리 도라오니 우홰

ᄯᅩ 만분 경의ᄒᆞ여 다시 보닉여 쳐(4)음 언약을 니르라 ᄒᆞ엿더니 믄득 져의 답

찰이 니르고 ᄉᆞ의 여추ᄒᆞ여 남지 아니요 츅만봉 칙쥬의 가속이라 ᄒᆞ엿고 교도

롤 일ᄏᄅ니 스에 은근ᄒ고 녜믈이 ᄀ장 후ᄒ지라 우홰 ᄃ열ᄒ여 싱각ᄒ되 졔 변화위남ᄒ미 일노써 길흉이 여ᄎᄒ미로다 ᄒ고 ᄯᅳᆺ을 결ᄒ여 이에 모든 도졔 롤 불녀 스즁을 션치ᄒ라 ᄒ고 스스로 머리의 승관을 쓰고 엇게의 빅나장삼을 닙고 허리의 홍ᄉ딕롤 두루고 목의 일빅여둛 낫 염쥬롤 걸고 손의 셕장(5)을 쥐고 푸기롤 슈습ᄒ여 골 밧긔 나와 쇼리의 손을 닛글고 두어 마딕 진언의 믄 득 우화와 쇼리의 뉵신이 표탕ᄒ여 공즁의 ᄯᅥ 힝ᄒ니 다만 귀가의 바람 쇼리 요요ᄒ고 발 ᄋ릭 풍운이 딕작ᄒ여 경긱의 간 바롤 모로니 쇼리 쳐음으로 딕 경황망 왈 스뷔야 이 엇진 일니뇨 공연이 바룸의 놀니ᄂ니잇고 우홰 쇼왈 네 엇지 ᄂ의 무량ᄒ 법녁을 알니요 나ᄂ 속승이 아니라 셕가의 당딕ᄒ 법슐을 빅화시니 쳔변만화와 신츌귀믈ᄒ지라 손힝(6)ᄌ의 칠십이살 변화롤 닉게 젼 쥬ᄒ니라 쇼리 듯고 크게 놀나며 황복ᄒ더라 슌식의 힝ᄒ여 츅만봉 산쳔의 니 르러 바로 ᄶᅦ쳐 황녀의 곳의 니르니 젼긔ᄂ 만춤 밧긔 잇셔 젹도롤 졈고ᄒ고 황시 모녀ᄂ 황츅으로 더브러 말ᄒ더니 믄득 공즁으로됴ᄎᆺ 흔 ᄶᅦ 빅운이 ᄂ려 오며 빅의닉승 냥인이 당젼만복ᄒ고 합댱고두ᄒ거늘 황녜 ᄌᆞ시 보니 활인스 쥬지 니고 우홰 쇼리로 더브러 니르럿더라 황시 급히 쳥ᄒ여 올니고ᄌᆞ ᄒ더니 우화ᄂ 믄득 (7)보지 못ᄒ고 고은 나뷔 오식 날기롤 붓치고 아아히 ᄂ라 황시 의 나상 ᄋ릭 넘놀거늘 황시 모녜 황홀ᄒ여 아모란 줄 모로거늘 쇼리 웃고 왈 이ᄂ 우리 스뷔라 션슐이 무량ᄒ여 니의 니르럿ᄂ이다 황시 모녜 딕경ᄒ여 입 으로 신긔ᄒ믈 부르며 합슈 도츅 왈 스부ᄂ 가히 금셰 싱불이며 신인이라 놉 흔 지조롤 다 아랏ᄂ니 그만ᄒ여 본셩을 닉쇼셔 ᄒ더니 이윽고 ᄂ뷔 공슈ᄒ고 우홰 니르러 당하의 셔시니 황녜 우음을 머금고 친히 ᄂ려가 손을 닛글고 당의 올나 (8)은근이 칭ᄉ호고 신긔흔 지됴롤 못닉 칭찬 왈 긱즁의 스부롤 우연이 맛나 셩흔 은혜롤 닙고 ᄯᅩ 엇지 신긔흔 지됴 잇ᄂ 줄 알니오 ᄒ고 젼스롤 다 니롤식 졔 님의 왕의 빈희 쇼셩이 되고 녀ᄋ롤 ᄂ흐니 왕의 ᄯᅡᆯ이라 ᄒ여 현승 상 며느리 되엿더니 젼긔 구지 ᄎᄌᄆᆡ 져희 모녜 탈신도쥬흔 슈말을 니연이 니르고 눈믈을 흘니며 이졔 신인을 맛ᄂ시니 셰셰히 도모ᄒ여 모든 원슈 갑기

룰 니르고 교쥬는 옥화군쥬 투악으로 박명을 격고 셩혼 슈년의 잉혈이 의(9)
구흐믈 니르니 우홰 격분강기 왈 광평왕 부녜 황가의 부귀룰 밋고 스오나오미
여추흐여 부인 모녀로써 만상간고룰 격게 흐엿시나 우홰 잇시니 맛당이 부인
모녀의 원슈룰 갑게 흐리라 흐고 쏘 져의 츌가 시의 몽시 여추여추흐믈 니르
니 황시 이 말을 듯고 디희흐여 졀흐여 스례흐고 드디여 우홰 스듕의 도라가
지 아니흐고 다만 쇼리룰 도라 보니고 져는 머무니 황시 모녜 우화룰 관디흐
여 별스의 보니여 공시와 흔 디 머믈게 흐고 공졔흐며 위앗기룰 셕가셰죤굿치
(10)흐여 범스의 상의흐니 젼긔는 흔굿 강포의 무리나 황시의 졀졔흐믈 면치
못흐니 슈하졔젹이 다 황시룰 두려 반드시 젹장의게 괴이믈 엇고즈 흐는 뉴
몬져 황녀룰 셤기더라 각셜 황츅이 그윽이 교이룰 엇고즈 흐여 젼긔 황녀의게
졍셩되고 쯧을 깃기니 젼긔 가장 깃거 일일은 황시 모녀룰 디흐여 닐오디 녀
이 비록 현가의 혼인흐엿다 흐나 이졔는 발셔 졀의흐엿고 젼일 금지옥엽의 일
홈이 잇슬 쩌도 힝노굿치 아더라 흐거늘 더옥 (11)향인의 피폐흔 여동으로
왕궁과 지상가의 용납흐믈 바드리오 아름다온 혼닌을 공숑치 말고 쳥츈이 늣
지 아냐 장부룰 마즈 일싱을 즐기고 즈손을 두는 거시 올흐니라 황시 탄왈 장
군의 말이 올흐니 젼일 녀이 현희빅의 옥면영풍을 보와 눈이 고산 굿흐니 부
디 희셰흔 옥면낭군을 취코즈 흐니 장군은 귀쳔을 굴히지 말고 착실흔 남즈룰
구흐라 젼긔 왈 현가는 엇더흔지 모로거니와 닉 즈쇼로 텬하의 두루 단녀 열
인흐미 만흐되 표치 샌혀난 풍치 쥰우흔 지 황싱만 흐 (12)니 업고 흐믈며 쥼
표 결혼은 셰간의 왕왕이 잇스니 닉 쇼견의는 황싱을 바리고 어디 가 어드리
오 더옥 황싱이 우리 부부의게 지극흔 졍셩이 잇셔 구장 슌실흐니 나는 황싱
으로 녀셔룰 숨우디 쇼스룰 져의 부부의게 맛기고즈 흐노라 황시 과약기언흐
나 교우의 쯧을 아지 못흐여 눈으로써 본디 교쥐 쏘흔 니의 온 긔년의 쥬야로
츙년쇼즈룰 다 유의흐여 술피되 황싱만도 못흐여 심니의 즈탄흐며 현춍즈의
만고부졕흔 옥모풍신을 상상흐여 원이 미치고 한이 깁흐나 츠싱의 인연이 쓴
(13)허지니 심야월혼의 잔등을 니웃흐고 비춰 니블의 봉황 침이 무류흐믈 슬

허ᄒ더니 금일 부모의 말을 드르미 츄연 탄왈 옥인군ᄌ 텬하의 흔치 아니ᄒ니 현마 엇지ᄒ리오 명ᄃᆡ로 ᄒ리이다 젼긔와 황녜 ᄃᆡ희ᄒ여 즉시 황싱과 공시를 쳥ᄒ여 이 ᄯᅳᆺ을 니르니 황싱 모지 불감쳥이언졍 고쇼원애라 빅빅 칭스ᄒ고 즉시 퇴일ᄒ여 셩친홀시 이ᄯᅥ 미피 황츅의 후ᄃᆡ를 바다 임의 삼 셰 유ᄌ를 두엇더니 교쥐 업시코ᄌ ᄒ여 셜미와 의논ᄒ고 후산 고봉의 올나 화류ᄒ(14)ᄌᄒ고 슈십 ᄎ환으로 더브러 숑하의 포진을 빈셜ᄒ고 쥬육을 ᄀᆞᆽ쵸고 미교를 쳥ᄒ여 은근이 웃고 닐오ᄃᆡ 너와 ᄂᆡ 진실노 인연이 잇도다 엇지 평싱의 동거홀 줄 알니오 맛당이 너와 동긔ᄀᆞᆺ치 화목ᄒ리니 엇지 젹인이라 ᄒ리오 금일 슐잔을 난화 각별ᄒᆫ 졍을 표ᄒ리라 ᄒ고 셜파의 낭낭이 웃고 스스로 잔을 거후르고 감언미어로 슐을 슈업시 권ᄒ니 미교는 쥬변 업고 경망ᄒᆫ 계집이라 교쥬의 말을 진졍으로 아라 권ᄒᆞ는 ᄃᆡ로 먹고 ᄃᆡ취ᄒ니 교쥐 그졔야 닛그러 니러(15)나 고봉쥰녕의 오르니 뒤흐로 졀벽이 ᄎᆞ으ᄒ고 아릭로 계쉬 잔잔ᄒᆫᄃᆡ 놉희 쳔쳑이라 스람이 ᄯᅥ러지미 쇄골분신ᄒ여 ᄶᅢ도 남지 못홀지라 교쥐 졈졈 닛그러 ᄂᆞ으가니 미피 오히려 졍신을 출혀 유ᄌ를 안고 취즁이나 교쥬의 긔식을 ᄭᅢᄃᆞ라 급히 물너나려 ᄒ거ᄂᆞᆯ 교쥬 크게 ᄒᆫ 쇼릭 지르고 ᄒᆫ 번 잡ᄋᆞ 밀치니 미교의 모ᄌᆞ의 몸이 낙엽ᄀᆞᆺ치 ᄯᅥ러져 분골쇄신ᄒ니 ᄎᆞ녀의 죄악이 즁여퇴산ᄒ나 ᄯᅩᄒᆫ 인싱이 가련ᄒ더라 교쥐 미교를 밀치고 우러 왈 앗갑다 미피 유ᄌ로 더브러 (16)취ᄒᆫ 거름의 실죡ᄒ여 낭하의 ᄯᅥ러지다 ᄒ니 모든 ᄎ환이 ᄃᆡ경ᄒ여 급히 황츅의게 고ᄒ니 황츅이 ᄃᆡ경ᄒ여 니르러 보니 임의 죽은지라 홀 일 업고 교쥐 미교를 불너 이읍ᄒ니 황츅이 진졍만 넉여 도로혀 위로ᄒ고 미교 모ᄌᆞ의 시슈를 어더 염장홀시 혈육이 바아져 춤혹ᄒ더라 교이 미교를 쾌히 죽이고 심ᄉᆡ 흔흡ᄒ여 날노 용모를 다ᄉᆞ려 길일의 황츅을 마ᄌ 부뷔 되니 탕ᄌ 음부의 득의ᄒ미 교칠 ᄀᆞᆺ고 공시 스랑ᄒ미 극진ᄒ더라 젼긔 ᄎ후는 ᄎᆡ즁 닉(17)외ᄉᆞ를 다 황츅과 교ᄋᆞ를 맛져 두니 냥인이 흔흔ᄌᆞ락ᄒ여 지믈 ᄡᅳ기를 진토ᄀᆞᆺ치 ᄒ니 부귀ᄒ미 만승텬ᄌ라도 이의 더으지 못홀더라 우화를 별당의 두고 공경ᄒ믈 싱불ᄀᆞᆺ치 ᄒ고 범ᄉᆞ의 상의ᄒᆞ는 지 셰월이 오릭미 믄득 우화의 지됴롤 비호고져 ᄒᆞ여 ᄀ마니 상의ᄒᆞ니 우홰 왈 이 법을 비호고ᄌᆞ 홀진ᄃᆡ 부뷔 각거ᄒᆞ여야 슈년닉 비홀 거시오 불연즉 십 년을 경영ᄒᆞ여야 진습ᄒᆞ리라 교쥐 아연냥구의 왈 쇼년 부뷔 각거ᄒᆞ리오 가히 십년을 경영ᄒᆞ여 비호리라 (18) ᄒᆞ고 심원 별당을 쇄쇼ᄒᆞ여 상탁을 빅셜ᄒᆞ고 니고롤 머므러 교이 날마다 아춤이면 목욕지계ᄒᆞ고 별당의 드러가 환슐을 비호니 셜믹 쏘흔 흠모ᄒᆞ여 발원ᄒᆞ여 니고의 제ᄌᆡ 되여 슐을 비홀식 셜믹는 ᄋᆞ시붓터 궁인이라 나히 교쥬와 상칭ᄒᆞ되 인간 물욕을 아지 못ᄒᆞ는 고로 과연 우화의 말 ᄀᆞᆺ치 묘법을 슈히 통ᄒᆞ여 날노 장진ᄒᆞ니 이러구러 ᄉᆞ오 춘취 되믹 교쥬는 오히려 슉진치 못ᄒᆞ나 셜믹는 션능다지ᄒᆞ여 무불통지ᄒᆞ니 우홰 ᄀᆞ장 ᄉᆞ랑(19)ᄒᆞ고 교쥐 깃거 닐오ᄃᆡ 닉의 평싱 원ᄒᆞ는 바는 제현을 어육ᄒᆞ여 현가 쇼젹의 날을 박ᄃᆡᄒᆞ던 원슈롤 갑고 옥화의 고기롤 맛보며 월셩공쥬로 ᄒᆞ여금 제위션인ᄒᆞ는 욕을 보믹 쇼원이라 연이나 이런 큰일을 경영ᄒᆞ믹 닉의 슐법이 장진ᄒᆞ믈 기ᄃᆞ려 구쳔의 십 년 셩취ᄒᆞ여 회계의 욕을 갑흐믈 효측ᄒᆞ리니 너는 지퇴 독ᄒᆞ니 그만ᄒᆞ여 황도의 닉아가 범ᄉᆞ롤 규찰ᄒᆞ여 셰긱이 되고 관기ᄉᆞ셰ᄒᆞ여 몬져 제궁의 난을 지어 사롬이 츙냥치 못홀 곳의 힝(20)계ᄒᆞ여 젼일 신명으로 ᄌᆞ부ᄒᆞ던 졔왕 부부로 ᄒᆞ여금 간담이 쎠러지게 ᄒᆞ라 셜믹 흔연이 슈명ᄒᆞ고 힝니롤 슈습ᄒᆞ여 하산홀식 우홰 골 밧긔 닉와 니별 왈 션낭ᄋᆞ 만일 급흔 일이 잇거든 분향지비ᄒᆞ고 우화션ᄉᆞ롤 세 번 념ᄒᆞ라 반ᄃᆞ시 도으미 잇ᄉᆞ리라 셜믹 언언이 칭소ᄒᆞ고 스ᄉᆞ로 일도풍운을 어거ᄒᆞ여 반공의 쇼ᄉᆞ 만슈쳔산을 슌식간의 지나 슈일 닉의 경셩의 다ᄃᆞ라 스ᄉᆞ로 변ᄒᆞ여 팔구 셰ᄂᆞᆫ 흔 유이 되여 힝니롤 깁흔 뫼골의 감초고 각(21)쳐 시상과 녁렴졈을 ᄎᆞᄌᆞ 힝걸홀식 ᄎᆞ시 승평셩시롤 당ᄒᆞ여 요슌 ᄀᆞᆺ흔 님군이 계시고 이윤쥬공 ᄀᆞᆺ흔 현상이 국졍을 잡ᄋᆞ 이음양슌ᄉᆞ시ᄒᆞ니 젼야의 오곡이 풍등ᄒᆞ고 인심이 슌후ᄒᆞ더라 어엿분 계집ᄋᆞ히 비는 줄 불샹이 넉여 져마다 음식을 먹이고 냥식을 쥬며 혹 무ᄌᆞ흔 뉴는 ᄌᆞ식 숨ᄋᆞ 기르고ᄌᆞ ᄒᆞ리 만으니 셜믹 혀치 아냐 닉 본ᄃᆡ 부뫼 업ᄉᆞ미 아니라 즁간의 연괴 잇셔 부모롤 실니ᄒᆞ엿더니 ᄎᆞᄎᆞᄎᆞ 젼언을 드르니 부뫼 뉴락ᄒᆞ여 경ᄉᆞ의 왓다 (22)ᄒᆞ고

혹왈 어늬 곳 권문의 두탁ᄒ여 부요ᄒ다 ᄒ나 천만환희ᄒ여 ᄎᄌ되 지우금맛
ᄂ지 못ᄒ여시니 부모를 ᄎᄌ즉 열위 후은을 닛지 아니려니와 쳡이 부모의 흔
놋 ᄌ식이라 엇지 ᄉᄉ로이 타인을 위부모ᄒ리오 ᄒ더라 젼젼ᄒ여 문견을 듯
보며 광평왕궁 근쳐 와 현상부와 졔왕궁 근쳐의 왕늬ᄒ여 쇼식을 탐문ᄒ니 젼
후 ᄉ연을 분명이 드를너라 원늬 옥화군쥬의 죽지 아낫던 쥴과 그 사이 상부
의 경시 늉흡ᄒ여 슈다 졔질ᄌ녀 입신셩취ᄒ(23)며 졔왕비 월셩공쥬의 춍부
구쇼졔 싱남홈과 ᄎᄌ 희문이 취실ᄒ여 연쇼져의 쵸셰탁ᄋᄒ미 구쇼져의 하등
이 아니라 ᄒᄂ지라 셜미 허다 문견을 드르미 뮈온 빈 업시 졀치부심ᄒ믈 마
지아니ᄒ며 ᄉᄉ로 졔궁의 투입홀 길이 업ᄉ무로 우민ᄒ여 져녁이면 츄인의
도라와 ᄌ고 늣이면 토쳐의 방황ᄒ며 상부와 왕궁 근쳐의 왕늬ᄒ더니 일일은
월셩궁 큰문 밧긔셔 방황ᄒ더니 믄득 두어 사룸이 셔로 말ᄒ며 ᄂ오니 의복이
션명ᄒ고 표치 화려ᄒ여 디가 (24)복쳡인 쥴 알너라 일인이 일오디 져져야 젼
하와 낭낭이 이런 쥴 모로시ᄂ냐 일인이 ᄯ 답왈 궁듕이 녜되 강엄ᄒ여 각당
의 셔로 어음이 상통치 아니ᄒ고 시비를 놀난치 아니ᄒ니 더옥 공ᄌ의 과거를
뉘라셔 들츄리오 이러틋 ᄒ무로 뎐하와 낭낭이 모로시고 모일의 우슉희 엇지
ᄉ긔를 아던지 퇴군부인이 우리 쇼져를 불너 좌의 두시고 ᄉ실의 보늬지 아니
시니 공ᄌ 임의로 보치지 못ᄒ여 믄득 여츠여츠ᄒ여 쇼졔 다시 침실의 도라오
시나 날마다 불(25)평ᄒ ᄉ단이 만코 ᄯ 요ᄉ이 구부인 본부 시녀 ᄌ란을 유
의ᄒ여 긔관지시 만흐니 이졔 동치 셔싱이 져러ᄒ니 미구의 등과ᄒ여 농각의
쥬인이 되신즉 고쇼져는 유시약혼이니 의법지취ᄒ실 거시니 그 밧 호신의 풍
뉴 둇ᄂ 미인이 메치 될 쥴 알니요 ᄒ며 셔로 탄식 왈 우리 쇼졔 아름다온 긔
질과 유한ᄒ신 덕셩으로 ᄉ각금규의 싱장ᄒ여 니부쳔관의 만금교이라 현공ᄌ
의 젹거부뷔 되여 피ᄎ 겸숀ᄒ미 업ᄉ디 현공ᄌ의 경박ᄒ믈 면치 못ᄒ여 이졔
불과 십습ᄉ 어린 ᄋ히 익싟(26)지심이라 ᄒ여 꼿츨 보면 가지마다 썩고져
ᄒ고 옥을 보미 그릇마다 치오고ᄌ ᄒ고 음쥬무량ᄒ여 니빅 흑ᄉ의 일두쥬를
ᄉ양치 아니틴 쥬량이 잇ᄉ니 우리 쇼졔 유란ᄀᄎ치 약ᄒ고 혜쵸ᄀᄎ치 보도라온

괴질노 평싱 계활이 여츳ᄒ니 엇지 빅벽이 ᄯ히 뭇치지 아니며 지란이 우지
아니ᄒ리오 이러틋 문답ᄒ여 큰 문을 지ᄂ며 말ᄒ거늘 셜미 싱각ᄒ되 이 반다
시 졔궁츳ᄌ 희문의 부부의 ᄉ단인 줄 알고 밋쳐 곡직은 치 아지 못ᄒ나 부체
금슬이 온젼치 못ᄒᄆ를 짐쥭ᄒᄆ니 간험(27)ᄒᆫ 혜ᄋ림의 이 ᄀ온ᄃ 셔져의 간모
롤 시험ᄒᆯ가 깃거ᄒ고 ᄯᅩ 젼부터 희문 공지 연고 냥가의 졍혼ᄒᆫ 줄은 알며 연
쇼졔 현호부의 부인 질녜요 연뷔 왕궁과 상게 불원ᄒᆷ를 아ᄂ지라 곡졀을 치
알고져 ᄒ여 비ᄂ 아힌 체ᄒ고 두 츳환의 뒤흘 됴츳 연부 문하의 밋츳니 냥인
이 안흐로 드러가ᄂ지라 셜미 ᄯᅩ ᄯ라 닉각의 ᄉ못츳니 일영이 반오의 미쳣ᄂ
고로 가즁이 한가ᄒ지라 틱부인이 안침고와ᄒ여 졔 손으로 유희ᄒ고 연상셔부
인이 졔부롤 거ᄂ려 시축ᄒ엿(28)더니 두 츳환이 드러와 쳥하의 복지ᄒ여 문
안ᄒ고 품 ᄀ온ᄃ로셔 쇼져 셔찰을 밧드러 드리더라 셜미 당젼의 밋쳐 만복을
쳥ᄒ고 냥식을 빌거늘 부인이 눈을 드러 보니 팔구 셰 어린 녀지 의복이 남누
ᄒ여 살흘 ᄀ리오지 못ᄒ여시나 틱되 졀셰ᄒ여 극히 영오ᄒ여 뵈나 다만 두루
ᄂ 눈이 호란ᄒ고 져기ᄂ 발 ᄉ치 공교롭고 냥미의 살긔 어리여 슬허ᄒᄂ 쇼
리 익창ᄒ나 번득이ᄂ 혀 ᄉ치 현하롤 드리온 듯ᄒ니 녀겨 보니 의심컨ᄃ 요
형ᄉ골이라 부인(29)이 ᄀ장 이상이 넉여 냥구 예시러니 각별 근본을 뭇지 아
니ᄒ고 좌우로 일승미롤 ᄀ져 걸ᄋ롤 쥬고 닐오ᄃ 노냐 셩되 엄ᄒᄉ 문늬의
근본 업ᄉ 무리롤 드리지 말나 ᄒ신다 ᄒ고 언파의 좌우로 미러닉치니 셜미
악연실망ᄒ고 무록히 ᄶᅩ치여 나와 다시 졔왕궁과 상부 근쳐로 단니며 부듸 그
연혼을 ᄒᆫ 집의 두탁ᄒ여 간계롤 닐ᄅ혀려 ᄒ여 구승상 부듕을 츳ᄌ 드러가니
구승상과 딘왕은 당셰명현이요 명틱부인은 쳘부가인이라 지식의 통달ᄒᆷ과 지
각(30)의 명텰ᄒᄆ니 엇지 걸녀의 요악ᄒᆷ를 아지 못ᄒ리오 맛치 연부인의 박츅
ᄒᆷ ᄀᆺ치 ᄶᅩ치니 셜미 모든 사름의 신명ᄒᆷ를 한ᄒ여 빅계궁측ᄒ니 감히 닉각을
ᄉ못지 못ᄒ나 날마다 구상부 힝각의 츌입ᄒ여 공슌이 밥을 빌며 ᄉ환ᄒ여 그
즁 어린 ᄌ식 인ᄂ 뉴의 ᄋ희롤 거두어 분슈롤 쳐 시죵ᄒ기롤 극진이 ᄒ니 져
무지ᄒᆫ 창두의 무리 무어슬 알니요 날이 오릭ᄆ니 ᄌ연 인믈이 영오ᄒᄆ니 ᄉ랑ᄒ

여 셔로 일ㅋ라 고공 삼고ᄌᆞ ᄒᆞᄂᆞᆫ지라 상부 쇼루의 불 혀(31)ᄂᆞᆫ ᄎᆞ환 긔셤이 어린 ᄌᆞ식이 만흔 고로 드듸여 셜미를 고공 슴ᄋᆞ 부리며 영오ᄒᆞᆷ믈 ᄉᆞ랑ᄒᆞ여 심복으로 ᄃᆡ졉ᄒᆞ니 셜ᄆᆡ 감언미어로 투미ᄒᆞᆫ 긔셤을 농낙ᄒᆞ며 바히 모로ᄂᆞᆫ 쳬 ᄒᆞ고 구상부 ᄉᆞ젹을 무르니 긔셤이 구승상 오ᄌᆞ삼녀의 셩만ᄒᆞᆷ과 딘왕과 다ᄉᆞᆺ 곤계 부귀번화ᄒᆞᆷ믈 ᄌᆞ랑ᄒᆞ니 셜ᄆᆡ 격동 왈 나ᄂᆞᆫ 드르니 금됴의 현상부와 월셩 도위 평졔왕 ᄀᆞᆺ흔 부귀ᄂᆞᆫ 천하의 읏듬이라 부귀 셩만ᄒᆞ나 외됴신희니 엇지 평 졔왕의 초방지친을 당ᄒᆞ리오 긔셤이 우람부 (32)허ᄂᆞᆫ 무리라 져 걸ᄋᆡ 져의 상 문 부귀를 현상부만 못ᄒᆞ다 ᄒᆞᆷ믈 분분ᄒᆞ여 ᄀᆞᆯ오ᄃᆡ 우리 진뎐하의 쳔금 군쥐 곳 평졔왕 현부마의 ᄎᆞ비 되여 임의 긔린을 ᄉᆡᆼᄒᆞ시니 쇼공ᄌᆞᄂᆞᆫ 우리 뎐하의 외숀이라 셜ᄆᆡ 쳥파의 구쇼졔 발셔 봉관화리의 명뷔 되고 ᄉᆡᆼᄌᆞᄒᆞᆷ믈 드르ᄆᆡ 졔 계 부당ᄒᆞ되 교쥬를 ᄃᆡᄒᆞ여 ᄋᆡ답고 질오ᄒᆞᆷ믈 니긔지 못ᄒᆞ여 변ᄉᆡᆨ 탄왈 텬의 가히 고르지 아니시다 구상부와 현상부ᄂᆞᆫ 무ᄉᆞᆫ 젹덕이 잇관ᄃᆡ 문회 현달ᄒᆞ져 ᄌᆞ숀이 창셩ᄒᆞ여 부귀 셩만ᄒᆞ미 져 ᄀᆞᆺ고 우리ᄂᆞᆫ 무ᄉᆞᆷ 젹(33)악으로 의뢰무탁 ᄒᆞ여 인가의 앙ᄉᆞᄒᆞᄂᆞᆫ 드아리 되여 의식이 곤궁ᄒᆞ미 여ᄎᆞᄒᆞ고 가히 아지 못ᄒᆞ 리로다 이의 우왈 쳔ᄋᆡ 본ᄃᆡ 하토의 ᄉᆡᆼ장ᄒᆞ여 농장촌향의 미식을 보지 못ᄒᆞ엿 ᄂᆞ니라 드르니 경셩은 번화지지라 절식이 만타 ᄒᆞ니 경궁귀틱의 화려ᄉᆞ치ᄒᆞ므 로 절식이 만흐리니 파파ᄂᆞᆫ ᄒᆞᆫ번 인도ᄒᆞ여 ᄉᆞ치와 미식을 ᄒᆞᆫ번 귀경케 ᄒᆞ쇼셔 긔셤이 닐오ᄃᆡ 그 무어시 어려오리오 우리 궁즁 부인 쇼져ᄂᆡᄂᆞᆫ 다 희세ᄒᆞᆫ ᄉᆡᆨ 염이어니와 현상부 졔왕궁비ᄂᆞᆫ 더옥 만흐니 금옥단장이 휘황ᄒᆞ고 옥모염광은 (34)보 니마다 황홀ᄒᆞ니 요지왕모 반도회ᄂᆞᆫ 보지 못ᄒᆞ엿거니와 실노 희한ᄒᆞ 니라 슈연이나 ᄂᆞᄂᆞᆫ 됴두의 말ᄌᆡ ᄎᆞ환이라 능히 말ᄆᆡ암을 길히 업거니와 ᄂᆞ의 젹아ᄌᆞ미 홍파랑이라 ᄒᆞᆫ 리 져머셔븟터 유되 풍독ᄒᆞ여 현흑ᄉᆞ 부인 구쇼져의 유뫼 되여 지금 졔왕궁의 잇ᄉᆞ니 ᄂᆡ일 아츰의 네 ᄂᆞ의 유무를 가져 졔궁의 ᄂᆞ ᄋᆞ가 홍좌랑을 ᄎᆞᄌᆞ보고 네 ᄯᅩ ᄂᆞ의 외독으로 의지 업서 ᄂᆡ게 와 닛노라 ᄒᆞ고 인ᄒᆞ여 모든 부인ᄂᆡ를 구경ᄒᆞ고 오라 셜ᄆᆡ 슌슌 ᄉᆞ례ᄒᆞ더라 이튼날 긔셤이 졔 ᄯᆞᆯ의 남은 의상을 쥬어 셜미(35)를 ᄀᆡ복게 ᄒᆞ고 두어 ᄌᆞ 됸문을 써 쥬며 ᄂᆞᄋᆞ

가 평문을 뭇고 오라 ᄒ니 그 셔간의 되강 ᄒ여시되 이 ᄋ희ᄂ 외독으로 의뢰
곤핍ᄒᄆᆯ 니ᄅ고 구급ᄒᄆᆯ 쳥ᄒ엿더라 셜믜 졔궁의 ᄂᄋ가 구부 ᄎ환이로라
ᄒ고 홍유랑을 ᄎᄌ 응휘각의 나아가니 임의 발이 셔지 아닌지라 ᄎᄌᄆᆡ 군쇽
지 아냐 굿ᄒ여 무를 거시 업더라 이쎄 쇼졔 졍히 신셩ᄒ고 도라와 녜복을 버
스니 홍픠 시호ᄒ며 ᄌ란 등이 뫼셔더니 믄득 셜믜 ᄎᄎ 니ᄅ러 홍좌를 보고
긔셤의 유무를 드리니 셜믜ᄂ 유심ᄒ나 호좌ᄂ 무심ᄒᆫ지라 즉시 답간(36)을
일워 쥬고 협ᄉ의 약간 은냥을 쥬어 보ᄂᆡ니 셜믜 감히 머무지 못ᄒ고 하직고
나오ᄂ 체ᄒ고 합문 ᄉ이의 ᄂ와 변ᄒ여 작츄 되여 음휘각 난간 아리 큰 회화
목의 작쇄 잇거ᄂᆯ 올나 안ᄌ 각즁을 지시ᄒ더니 이윽고 일위 쳥의 드러와 무
ᄉ 말을 ᄒ더니 ᄌ란이 울며 ᄂ가지 아니려 ᄒ거ᄂᆯ 셜믜 의아ᄒ여 다시 변ᄒ
여 창승이 되엿ᄂᆫ지라 깁창의 부되쳐 쇼져 노쥬의 문답을 드르니 ᄇ야ᄒ로 젼
두슈미를 알너라 ᄌ란이 울며 왈 이졔ᄂ 죽으리로다 ᄒ고 가거ᄂᆯ 셜믜 ᄀ마니
등 뒤히 됴ᄎ 시죵을 ᄂᄃ(37)치 보고 ᄌ란이 퇴벌을 바다 후졍의 가도이ᄂ
양과 희문 공ᄌ를 보니 동치 공ᄌ로 ᄉ오 년 지ᄂ 언건ᄒᆫ 장뷔 되여 옥골션풍
이 영호쇄락ᄒ여 쥬랑의 풍치와 니븩의 호긔 잇ᄂ지라 믄득 흠션ᄒ여 싱각ᄒ
되 ᄌ란은 가히 박복ᄒᆫ ᄋ희로다 당당ᄒᆫ 장됭닌지의 옥모영걸을 ᄉ양ᄒ고 공
연이 연ᄒᆫ 다리의 피 흐르ᄂ 미를 곤곤히 바드미 실노 엇지 어리지 아니리오
ᄂᆡ ᄂ히 비록 져와 부젹ᄒ나 또 십 년이 장치 못ᄒ여 다만 심궁 옥누의셔 동
ᄉ호연 지 오릭니 옥 갓ᄒᆫ 조흔 몸이 이졔ᄂ 져를 셤기나 무(38)ᄉ 구익ᄒ미
잇ᄉ리오 구연 냥인을 히ᄒ여 쥬인의 부탁을 져ᄇ리지 말며 셔셔이 도모ᄒ여
쥬인의 쐬를 일우ᄂ 날 현가를 다 죽이나 ᄂ의 ᄒᄂᆺ 유졍ᄒᆫ 바 현싱이야 구치
못ᄒ리오 연즉 현가의 후를 니으미 ᄂᆡ게 잇ᄉ니 또 현시 효뷔 아니리오 싱각
이 이의 밋ᄎᄆᆡ 유츈지심이 발발ᄒ여 몸을 늘녀 궁문 밧긔 ᄂ와 다시 ᄋ희 되
여 홍파의게 맛튼 셔간과 은화를 품고 도라와 긔셤을 쥬니 셤이 깃거 슈말을
뭇고 더듸오믈 무르니 셜믜 되왈 파파의 인진ᄒᆫ 은혜를 닙어 허다 장관을
구경(39)ᄒ니 ᄌ연 지류ᄒ엿노라 셤이 그러히 넉녀 다시 뭇지 아니ᄒ더라 셤

이 믄득 안히 드러가거늘 셜미 어둡기를 기다려 바름의 쓰이여 정궁의 니르러 홍파의 얼골이 되여 즈란을 유인ᄒ여 연지의 밀치고 스스로 즈란이 되여 방즁의 잇셔 현싱이 찻기를 기다리더라 현공지 즈란의 슌동치 아니믈 보고 분노ᄒ여 미이 쳐 가도고 삼일을 춧지 아니ᄒ여 셜미 도로혀 쥬의를 몰나 괴로오믈 니긔지 못ᄒ더니 삼일야의 공지 바야흐로 심복 동즈를 보니여 줌은 거슬 열고 난을 불너 당하의 꿀니(40)고 슌동ᄒ며 아니믈 무르니 가즈란이 거즛 쳬읍 왈 쳔인은 쵸츙 ᄀᆞᆺ흔 인싱이라 엇지 튼위를 감히 항거ᄒ리오마는 쥬인이 당부ᄒ시되 이 공지 견어ᄒᆞᆺ 너를 보니라 ᄒ시니 닉 슈슉지간의 흔 시녀를 아니 쥬지 못ᄒ여 보니거니와 네 만일 공즈의 말을 슌흔즉 연쇼졔 날을 무엇만 넉이리오 형뎨지의 상ᄒᆞᆯ 거시오 네 몸의 종칙이 도라와 스셰 여러 가지로 난쳐ᄒ리니 네 만일 날노써 편코즈 ᄒ거든 죽기로써 명을 밧드지 말나 ᄒ시니 쳔비 감히 쥬모의 명을 위월치 못ᄒ오미러(41)니 이졔 공즈의 호슈풍널 ᄀᆞᆺ흔 위엄이 여ᄎᆞᄒ시니 엇지 감히 거슬니잇고 셜파의 공교로히 씽긔고 낭낭흔 셩음이 사름을 님ᄒ여 정신을 흐리오니 공지 미인의 교틱ᄒᄂ 늣빗과 아당ᄒᄂ 거동을 보니 슌죵ᄒ믈 딕희ᄒ여 정히 무산의 쑴이 견도ᄒ고 의시 낙쳔의 무루녹ᄋ 연망이 좌를 물니고 쥬식을 쥬어 긔갈을 위로ᄒ며 방듕의 드러가 숀을 잡고 쇼왈 너ᄂ 근심 말고 두려 말나 구슈 졸약ᄒ신 셩졍이라 부인녀즈의 혜ᄋ리미 만하시나 네 임의 ᄂᄋᆡ 시인이 된 (42)후ᄂ 연시ᄂ 더옥 ᄂᄋᆡ 슈하라 장부의 춍희를 엇지 ᄒ리오 언파의 침셕의 ᄂᄋ가미 은이 즈못 호탕ᄒ니 셜미 즈유로 심궁의 잇셔 연장 이십여 셰의 봄을 늣기며 ᄀᆞ을을 슬허ᄒ며 반싱을 황녀 모녀의 탕음ᄒᆞᆷ을 눈 닉게 보앗ᄂ지라 금야의 풍뉴랑의 은졍이 여ᄎᆞᄒ니 스스로 난음흔 졍틱 불가형언이라 이러틋 화락ᄒ여 밤이 진ᄒ니 공지 즈란을 이러틋 춍이ᄒ여 당명왕의 양귀비ᄀᆞᆺ치 너기나 진실노 엄흔 부형이 알가 두리ᄂ지라 명묘의 ᄀᆞ마니 심복(43)셔동 경운을 불너 즈란을 맛져 머무르게 ᄒ니 경운은 노즈 경긔의 아들이니 집이 궁문 안히 잇셔 머지 아니ᄒ무로 맛지고 밤이면 후졍으로 드령ᄒ라 ᄒ니 난이 즐겨 아냐 왈 쳔쳡은 구쇼져 시이라 맛당이 물

너가 부인 장티하의 잇고즈 호나이다 공지 왈 네 전과 다르니 존쉬 신임치 아
닐 거시오 네 쏘 비비와 동반호미 가치 아니호니 경노 집이 궁문 안히오 잡인
이 업고 늬 쏘 혼번 보니 뒤담이 후원 별당과 머지 아니호니 늬 이곳의셔 너와
즐기고져 호느니 엇지 응휘각 수환이 되(44)리오 난이 발연이 경운을 묘츠가
더라 공지 즈란의 교요염식을 과혹호여 츠야의 혼졍을 파혼 후 명휘각의 가는
체호고 별청의 나으가 즈란을 불너 동슉호니 가즈란이 현공즈의 과도히 춍이
호믈 보미 졈졈 의시 교악호니 엇지 슈동의 변심호는 단약이며 요괴로온 슐이
니는지라 날이 오릭도록 무심호리오 간악을 지어닉니 동말이 엇지 된고 이씨
구쇼졔 즈란의 힝젹이 젼일과 크게 다르믈 의으호여 혼번 뭇고즈 호나 졔 뵈
지 아니호니 부르미 비편호여 역시 모로는 체호(45)니 홍파 홍쇼 셤난 등 졔
녜 즈못 괴이히 넉여 즈란의 젼일 츙의로써 이러호믈 의으호더라 츠시 텬지
츈취 놉흐시니 스스로 셩슈 빅년을 긔약기 어려오시믈 감회호스 졔왕과 공쥬
룰 인견호스 희문의 과거 뵈기룰 직쵹호시니 왕의 부뷔 셩만호믈 깃거 아니호
나 황명을 거역지 못호여 츠년 츄과의 희문 희명 냥즈룰 참방케 호니 냥 공지
의의히 뇽방의 고등호여 희문은 장원이 되고 희명은 솃지 되고 가안빅의 으즈
운이 둘지 되고 기여 모든 현공의 졔지 참방혼 지 뉵칠 (46)인이라 쳔지 희문
의 영풍신지룰 쳐음 보시미 아니로딕 과도히 두굿기고 스랑호스 뎐의 올녀 친
히 어화룰 머리의 쏘지시고 등을 두다려 글오스딕 희문이 예스 신뇨의 즈식이
라도 이러틋 비상혼즉 득인호미 깃부려든 호믈며 짐의 외손이리오 으녀 월셩
이 쳥슈약질노 이런 영즈룰 쌍으로 두니 엇지 아름답지 아니리오 희셩은 가히
희셰혼 셩현군지라 즈유법도호미 공쥬룰 젼혀 품슈호엿고 희문은 영호발원호
며 호상준미호여 기부룰 만히 품슈(47)호엿시니 연시는 가히 금고슉녜라 걸
호혼 장부룰 진압호려니와 아지 못게라 고경의 녀이 가히 녀영의 온슌호미 잇
느냐 고졀되 우반의 시위호엿더니 응셩 쥬왈 신녜 비록 긔특다 못호나 어려셔
고셔룰 보와 녀즈의 스덕은 아오니 반다시 비연의 방즈흄과 틱진의 창궐호믄
업슬가 호나이다 상이 흔연 졈두호시고 우왈 텬닌의 십숨 셰의 문무장원 되믈

긔특이 녀기느니 짐이 또 희문의 궁예를 보고즈 ㅎ노라 졔왕이 츌반 고ᄉ 왈 즈고로 부직 굿ㅎ여 달물 거시 아니라 희문 쇼(48)지 미급약관의 ᄒ번 휘쇄ㅎ 미 농방쳔인을 묘시ㅎ와 만방다ᄉ의 우희 되오미 다분ㅎ옵거놀 엇지 또 연쇼 셔싱으로 ㅎ여금 궁마를 희롱ㅎ와 괴운을 길우게 ㅎ리잇고 상이 불윤ㅎ시고 좌우 환시를 명ㅎ여 어궁 금비젼을 ᄀ져 장원을 쥬시고 슈빅 보 밧긔 녹엽을 맛치라 ㅎ시니 장원이 불감역명ㅎ여 탑하의 ᄂ려 원비를 것고 우슈로 보궁을 줍고 금젼을 다리여 빅발빅즁ㅎ여 텬양지지 잇ᄂ지라 뎐상 뎐히 보건디 비봉 ᄀ흔 엇기와 셤셤흔 옥(49)쉬 움즉이ᄂ 바의 신뉴 ᄀ흔 허리 미풍의 쓸니일 듯ㅎ니 능히 궁젼을 니긔지 못홀 듯ㅎ되 손 쓰ᄂ 지뫼 신이ㅎ여 귀신이 돕ᄂ 듯ㅎ니 시위 졔인이 어린 듯ㅎ고 상이 크게 두굿기ᄉ 부즈 냥인을 탑하의 뎐 유ㅎᄉ 어은을 반ᄉㅎ시고 파됴ㅎ시니 졔공이 즈질을 압셰워 도라올식 위의 도로의 니엇더라 졔궁의셔 디연을 기장ㅎ여 크게 즐길식 연쇼졔 봉관화리로 옥픠셩장의 명부의 복식을 ᄀ쵸와 좌의 ᄂ니 존당 구괴 연이ㅎ미 지극ㅎ고 연 상셔 부인이 녀셔의 과(50)경을 구경코즈 ㅎ여 존고를 뫼셔 이의 니르러 녀ᄋ 의 옥슈를 줍고 쥬퇴부인과 졔왕비를 향ㅎ여 치하ㅎ여 약녀의 평싱을 부탁ㅎ 며 넘늬의셔 녀셔의 풍치를 쳠관ㅎ여 긔상을 두굿기나 엽엽히 미인을 껴 유희 방탕ㅎ믈 보고 심니의 념녀ㅎ더라 니러구러 삼일유과를 맛고 졀하의 슉ᄉㅎ오 니 상이 시로이 ᄉ랑ㅎ시미 퇴숀의 감치 아니ᄉ 희문으로 강셔원 비셔각 직혹 ᄉ를 빅ㅎᄉ 퇴숀으로 논학ㅎ라 ㅎ시고 희명으로 한님슈찬을 ㅎ이(51)시고 ᄎᄎ 신방 졔인을 승품ㅎ여 관작을 더으시니 졔인이 ᄉ은퇴됴ㅎ여 직임의 ᄂ 아가니 가풍셰덕과 부됴여풍이 거관의 쳡녕공검ㅎ니 아망이 됴야의 진동ㅎ더 라 ᄎ시 한님 희셩은 간의 퇴우어ᄉ 즁승이러라 흑ᄉ 희문이 딕무 시의 기녀 옥단 셤월노 유졍ㅎ여 본부 교방 월누 깁히 두고 죠용흔 즉ᄌ로 ᄎᄌ 총힝ㅎ 니 즈연 과거 이후ᄂ 결을치 못ㅎ고 삼일유과 후 가즁 이목을 두려 명휘각의 슈일의 흔 번식 왕늬ㅎ며 옥단 셤월이 다 십슘ᄉ 년 쇼고ᄋ로 옥안미(52)뫼 샌혀나고 가뮈 졀등ㅎ며 긔질이 냥션ㅎ믈 ᄉ랑ㅎ고 신졍이 침혹흔 빅 되어 즈

란을 니졋더니 즈란이 현공지 놉히 계화 뎨일지를 썩거 농각의 쥬인 되믈 듯
고 장관을 구경코즈 ᄒ며 경운 부즈의게 응휘각 부인이 부르신다 ᄒ고 응휘각
의 나아가 구쇼긔 비알ᄒ고 거줏 눈물을 ᄲ려 공즈의 밀막으무러쎠 오리 장디
를 쩌나 뫼시지 못ᄒ믈 일ᄏ라 고두쳥죄ᄒ니 모든 동뉘 반기며 무졍ᄒ믈 칙ᄒ
디 즈란이 눈물을 흘녀 왈 늬 엇지 부인의 무휼ᄒ시던 혜틱을 (53)니즈며 녈
위 동반의 ᄉ랑ᄒ던 졍을 니즈리오마ᄂ 상공 엄명이 여츠여츠ᄒ여 다시 응휘
각의 ᄉ환ᄒ즉 일죄로 하령ᄒ시니 감히 거역지 못ᄒ여 경노의 집 방구셕의 직
희ᄂ 귀신이 되여더니 금일은 궁즁의 장관이 잇ᄉ니 춧지 아니실 고로 잠간
틈을 어더 니르러 부인긔 비알ᄒ고 녈위로 반기고즈 왓더니 엇지 도로혀 칙ᄒ올
줄 알니요 부인이 ᄉ일을 흘녀 즈란을 보니 평일 츙슌질박ᄒ던 즈란이 아니라
거줏 눈물을 ᄲ리고 입으로 졍셩을 늣타ᄂ나 ᄉ식이 호란ᄒ여 (54)망지 뒤록
이고 젼일은 즈긔를 방즈히 쳠관ᄒ미 업더니 금일은 즈긔 긔식과 동뉴의 힝동
을 유심찰시ᄒ니 비록 얼골이 즈란이나 힝동거지 미달의 뉘라 부인이 미지일
견의 디경희연ᄒ여 거듭 쎠보믈 씨닷지 못ᄒ여 이연이 일너 굴오디 네 비록
젼일 ᄂ의 비지나 이졔ᄂ 슉슉의 시인이라 늬 엇지 ᄒ늦 비즈를 앗겨 임의 허
ᄒ여 보니고 다시 츠즈미 잇ᄉ리오 유랑 등과 홍쇼 등이 연연ᄒᄆ 일시 동쳐
ᄒ던 졍을 닛지 못ᄒ미라 연이나 귀쳔간의 녀즈의 동가지되 이시(55)니 일시
ᄉ졍을 권연ᄒ리오 공즈의 명이 엄ᄒ즉 다시 득죄치 말고 ᄲᆯ니 도라가고 번거
이 왕늬치 말나 셜파의 옥안이 단슉ᄒ고 ᄉ긔 쎅쎅ᄒ여셔 어히 말 붓치기 어
려온지라 가즈란이 늬참 황공ᄒ여 유유히 ᄉ죄ᄒ고 동뉴를 초초이 니별ᄒ고
ᄂ오며 앙앙ᄒ여 싱각ᄒ되 구시 이러틋 강악ᄒ여 날을 진짓 졔동만 넉여 언건
이 ᄭ지즈니 엇지 통ᄒ치 아니리오 불구의 너희 모즈 부부의 셩명이 셜낭의
숀 ᄀ오디 잇ᄂ 줄 모로ᄂ냐 ᄒ고 잇던 곳의 도라와 아미를 다ᄉ리고 단장을
치레ᄒ여 (56)스ᄉ로 명휘각의 ᄂᄋ가 연쇼져긔 비알ᄒ고 문후ᄒ니 쇼졔 바
히 아지 못ᄒᄂ 드시 관졉ᄒ거늘 가즈란이 믄득 즈약히 웃고 지비 왈 쳔쳡이
젼일은 구부인 시녜나 금일은 장원 노야 시쳡이라 부인이 모로시ᄂ 바의 즈릭

ᄒ미 방즈ᄒ오나 시쳡의 도리 ᄡ 녀군긔 뵈ᄂᆞ 녜ᄅᆞᆯ 폐치 못ᄒ여 당돌이 ᄂᆞ아
오미로쇼이다 쇼졔 쳥파의 방즈ᄒᄆᆞᆯ 어히 업셔 침음 반향의 츄픠 고요ᄒ고 옥
뫼 즈약ᄒ여 갈오ᄃᆡ 일죽 아지 못ᄒ엿더니 너의 공근ᄒ미 여ᄎᆞᄒ니 ᄯᅩᄒᆫ 영오
ᄒᄆᆞᆯ 칭긔ᄒ노라 즈란이 우음을 먹(57)음고 다시 고왈 바라건ᄃᆡ 부인은 셩덕
을 드리워 무휼ᄒ쇼셔 쇼졔 왈 너ᄂᆞ 오직 분을 직희라 인가의 쳐쳡을 거ᄂᆞ리
ᄆᆞᆫ 가장의 도리요 안흐로 다ᄉᆞ리ᄆᆞᆫ 부인의 홀 비 아니라 ᄒ리오 인인의 치가
지되 각기 쇼장이니 네 젼일 구져겨 ᄃᆡ하의 머믈 젹 보니 ᄒᆞᆫᄂᆞᆺ 온유ᄒᆫ 가인으
로 아랏더니 엇지 말 만흐미 이러틋 ᄒ뇨 셜파의 옥면의 화긔ᄅᆞᆯ 변치 아니나
단엄썩썩ᄒ니 가즈란이 늠년늇니ᄒ고 분희ᄒ여 이윽고 하직ᄒ고 도라오다가
혹시 단옥 등으로 즐기믈 듯고 졀치분ᄆᆡᄒ여 울고 도라와 식음(58)을 젼폐ᄒ
고 계교ᄅᆞᆯ 싱각ᄒ며 공즈의 ᄎᆞᄌᆞᄆᆞᆯ 기다리더니 이러구러 십여 일이 지ᄂᆞ니 가
즈란이 스스로 학ᄉᆞ의 ᄯᅳᆺ을 몰나 쵸됴착급ᄒᄆᆞᆯ 니긔지 못ᄒ여 일일은 ᄒᆫ 병
맛 됴흔 슐의 미혼단을 셧거 경운으로 ᄒ여금 혹ᄉᆞ의긔 드리라 ᄒ니 경운이
쥬육을 가지고 창월누의 니르니 혹시 취안이 반타ᄒ고 의관이 부졍ᄒ여 냥창
으로 유희방탕ᄒ거ᄂᆞᆯ 경운이 쥬호ᄅᆞᆯ 올니고 즈란의 말ᄉᆞᆷ으로 고왈 노얘 약년
쳥츈의 셤궁의 단계ᄅᆞᆯ 썩거온ᄃᆡ 즈팔의 영춍이 쳥현ᄒ시(59)니 맛당이 나아
가 하례코즈 ᄒ더니 노얘 즈란의 묵은 ᄌᆞ최ᄅᆞᆯ 염박ᄒ시고 쵸요월ᄆᆡᄅᆞᆯ ᄀᆞᆺ초오
연낙ᄒ신다 ᄒ니 쳔쳡이 무광ᄒᆫ ᄌᆞ최로써 감히 면젼의 등알치 못ᄒ옵고 일호
쥬로써 혁혁ᄒ신 영광을 하례ᄒᄂᆞ이다 ᄒ거ᄂᆞᆯ 혹시 흔연 쇼왈 근일 됴ᄉᆞ의 분
망ᄒ고 ᄉᆞ긔 다쳡ᄒ여 춍희ᄅᆞᆯ 오리 ᄎᆞᆺ지 못ᄒ니 일졍 셜워ᄒᄂᆞᆫ도다 명일야의
별당의 모드리라 ᄒ고 드ᄃᆡ여 쥬호ᄅᆞᆯ ᄂᆞ와 병썩 거후르니 믄득 취긔 미란ᄒ고
두골이 ᄯᅩ리ᄂᆞᆫ 듯ᄒᆫ지라 연음홀 의ᄉᆞ 업셔 취ᄒᄆᆞᆯ 일(60)ᄏᆞᆺ고 심복시동 ᄉᆞ오
인의게 붓들녀 셔지의 도라오니 졔ᄃᆡ 놀나 닐오ᄃᆡ 금야ᄂᆞ 명휘각의 아니 가시
고 어ᄃᆡ 가 져리 취ᄒ시니잇고 혹시 졍혼이 아득ᄒ고 두통이 고극ᄒ여 능히
말을 못ᄒ고 겨요 오슬 그르고 즈리의 쓰러지ᄆᆡ 통셩이 의의ᄒ니 졔ᄃᆡ ᄃᆡ경ᄒ
여 동야 구호ᄒ여 명효의 니르나 통셰 놋지 아니ᄒ니 졔공지 놀나 됴당의 알

외니 톤당 부뫼 경녀ᄒ고 진공이 미우ᄅ 씽긔여 왈 혼인이 미급 슌일이여늘 ᄋ히 불의에 증세 딧단ᄒ니 엇지 근심되지 아니리오 왕이 빈미 딧(61)왈 근너 희문의 거동이 졈졈 호일ᄒ여 창광ᄒ기의 밋츤 듯ᄒ오니 히이 경쳑고ᄌ ᄒ오나 ᄋ히 근간의 텬졍의 푸른 긔운이 밋치고 읷간의 직악이 다쳡ᄒ여 반ᄃ시 크게 병 드지 아닌즉 죽을 직앙이 업습ᄂ 고로 그 당일ᄒᄆ를 모로지 아니되 ᄇ려 두오믄 직앙을 쇼멸코져 ᄒᆞᆸ더니 반다시 위질을 일위도쇼이다 공이 우왈 연쇼뷔 쏘 직앙이 만흔 아히라 져희 부뷔 시운이 건우ᄒᄆ 필연 다쇼 읷경이 잇시려니와 ᄌ고로 셩인도 오ᄂ 읷을 면치 못ᄒᄂ니 ᄒᄆᆯ며 시쇽비린이리 (62)오 연이ᄂ 오이 다만 연쇼부와 문ᄋ의 유읷흠만 알고 쇼장지해 가국이 쇼요ᄒ고 문호의 위망이 낙미의 잇실 쥴 아지 못ᄒᄂ도다 왕이 계슈 쥬왈 엇지 모로리잇가마ᄂ 만시 텬의니 다만 텬니의 슌환흠도 ᄇ랄 ᄯᄅ름이요 맛쵬니 쳔니안 니슌풍의 지음이 업ᄉ니 쏘 미리 ᄌ쵸시말을 미가분이로쇼이다 공이 졈두 왈 여언이 졍합야심이라 ᄒ더라 공의 부지 졔ᄋᆯ 거ᄂ려 흑ᄉ의 병을 슬피니 병셰 딧단ᄒ여 분명이 독을 만난 병이여늘 왕니 심니의 괴ᄋ ᄒ여 근간을 알기 어(63)려온지라 슉시냥구의 진뫼ᄒ고 ᄌ작명약ᄒ여 슈십 쳡 약을 지어 병근을 다ᄉ리니 과연 슈일 후 쇼셩ᄒ여 긔뵈 여상ᄒ니 요녀의 약이 쇼삭흔지라 쏘흔 ᄌ로 츳지 아니ᄒ니 요녜 미혼쥬ᄅ 보닉고 괴로이 가망을 바라더니 흑시 슈일을 고통ᄒ고 니러ᄂ되 뭇ᄂ 일이 업고 쇼문을 드르니 흑ᄉ의 신취 길일이 갓가왓다 ᄒᄂ지라 셜믹 분심쵸조ᄒ여 일일은 흑시 홀노 셔당의 잇셔 좌위 고요ᄒᄆᆯ 타 스ᄉ로 나아가 뵈올시 운환을 헷틀고 눈믈니 흘르며 굴오딕 쳔쳡이 비록 인가쳥(64)의나 금누화각의 딘왕 뎐하의 쳔금 쇼져ᄅ 종ᄉᄒ여 댱어호치ᄒ고 일신이 평안ᄒᄆ 규리도장이 금옥 귀쇼져와 다르미 업던 바로써 부졀업시 유희ᄒᄉ 쥬인의 장딕ᄅ 하직ᄒ고 쏘 바리ᄆᆯ 헌신ᄀᆺ치 ᄒ시니 일신이 무의무탁ᄒ여 도라갈 곳이 업게 ᄒ시고 연부인은 날마다 구부인긔 공치ᄒ시고 시시로 시녀ᄅ 보닉여 쳡을 문죄ᄒ시며 구부인이 쏘흔 계ᄉ금장의 화긔 상ᄒᄆᆯ 불평ᄒᄉ ᄌ로 불너 노애 츳지 아니시ᄂ ᄉ이의 먼니 도쥬ᄒ여 하방의 기젹ᄒ여 살고 (65)거역ᄒᆞᆫ즉 죽으리라 ᄒᆞ시니 쳔인이 지은 죄 업시 쥬인의게 득죄홈과 오릭지 아냐 인쳬지환을 맛ᄂᆞ게 ᄒᆞᄆᆡ 다 노야의 다ᄉᆞᄒᆞ신 연괴라 쳡이 지식이 쳔단ᄒᆞ니 스스로 보신지ᄎᆡᆨ이 아득ᄒᆞ온지라 금일 톤하의 뵈옵고 명을 듯ᄉᆞ와 ᄉᆞ싱을 결코ᄌᆞ 니르럿ᄂᆞ이다 ᄒᆞ더라 뎌동궁 지밀 셔상궁 글시

명쥬옥연긔합녹 권지십오

(1) 명쥬옥연긔합녹 권지십오

차셜 혹시 쳥파의 ᄌᆞ란이 일시 은이롤 미더 방ᄌᆞᄒᆞᄆᆡ 여ᄎᆞᄒᆞ믈 어히업셔 믄득 졍식 왈 늬 쇼년 풍졍으로 너의 이용을 유졍ᄒᆞᄆᆡ 네 다만 분을 직희여 고요히 잇신즉 타일 거두어 금ᄎᆞ 지열의 두미 늦지 아니ᄒᆞ거늘 니러틋 요란이 셔돌며 더욱 구현슈ᄂᆞᆫ 지극히 톤듕ᄒᆞ시거늘 네 엇지 요언을 지어 동긔롤 니간ᄒᆞ며 쏘 연부인은 녀ᄌᆞ의 ᄉᆞ덕이 잇ᄂᆞᆫ 슉녜오 네게ᄂᆞᆫ 녀군의 톤ᄒᆞᄆᆡ 잇거늘 (2)네 비 쳡이 되어 감히 졍실의 흔단을 지어 은은이 항거홀 ᄯᅳᆺ이 잇ᄉᆞ니 엇지 방ᄌᆞ치 아니랴 부부의 도ᄂᆞᆫ 군신 ᄀᆞᆺ고 건곤의 니와 ᄀᆞᆺᄒᆞ니 친홀 졔 친ᄒᆞ나 장부의 마음이 ᄒᆞᆫ 번 두루혀면 텬지의 됴홰 병츌ᄒᆞ여 우로의 혜퇴과 뇌졍의 위엄이 잇ᄂᆞ니 너ᄂᆞᆫ 너모 방ᄌᆞ치 말나 셜파의 긔위 한슉ᄒᆞ고 말솜이 둔졀ᄒᆞ여 일호 은졍이 업ᄉᆞ니 요녜 심장이 져상ᄒᆞ여 아연 뉴체 왈 상공이 여ᄎᆞ 미믈ᄒᆞᄉᆞ 쳔쳡의 거춰롤 졍치 아니ᄒᆞ시니 혈혈단신이 듀(3)인의 닉치심과 동뉴의 농납지 아니ᄒᆞ믈 인ᄒᆞ여 엇지 잔쳔을 투싱ᄒᆞ리잇고 학시 쏘흔 운익이 거릿겨 요녀의 함 틱ᄒᆞ고 비읍뉴쳬ᄒᆞᄂᆞᆫ 교언녕식의 뮙든 아닌지라 일분 가이ᄒᆞ여 안식을 빌녀 위로 왈 경노의 집이 동용ᄒᆞ니 너ᄂᆞᆫ 안심ᄒᆞ여 머믈나 늬 쏘 고졀도 부듕의 신 취 길이 ᄀᆞᆺ갑고 연일 ᄉᆞ괴 다 쳡ᄒᆞ여 찾지 못ᄒᆞ나 엇지 니즈미 잇시리오 당당이 삼부인과 칠미희롤 ᄀᆞᆺ쵸리니 홀노 너롤 니즈리오 지삼 위로ᄒᆞ고 협듕의 빅은 빅 근을 늬여 ᄌᆞ장의 쓰라 ᄒᆞ고 쥬니 셜믜 은근ᄒᆞᄆᆞᆯ 보고 잠간 (4)방심

ᄒᆞ여 하직고 경노의 집의 도라와 스스로 싱각ᄒᆞ되 ᄂᆞ의 신긔ᄒᆞᆫ ᄌᆡ됴로써 엇지 인가 쳔비 ᄌᆞ란의 용모ᄅᆞᆯ 비러 구추히 쳔되ᄒᆞᄆᆞᆯ 감심ᄒᆞ리오 가히 고가 녀ᄌᆡ 엇더ᄒᆞ고 ᄒᆞᆫ번 보와 진실노 아름답거든 고시ᄅᆞᆯ 햐슈ᄒᆞ여 ᄌᆞ란ᄀᆞᆺ치 ᄆᆞᆺ지르고 ᄂᆡ 져의 형용이 되어 셩시ᄅᆞᆯ 비러 비록 ᄌᆡ질의 빈실의 거ᄒᆞ나 ᄯᅩᄒᆞᆫ 녜로 도와 셰셰히 도모ᄒᆞ여 연시ᄅᆞᆯ 업시 ᄒᆞ고 구시ᄅᆞᆯ 쇼졔ᄒᆞ여 주인의 부탁을 져ᄇᆞ리지 아니리라 ᄎᆞᄎᆞ 모계ᄒᆞ여 현가 일문을 어육ᄒᆞ고 (5)주인이 군을 나와 되ᄉᆞᄅᆞᆯ 졍ᄒᆞᄂᆞᆫ 날 ᄂᆡ응 의합ᄒᆞ여 만셰불멸되공을 셰워 부귀복녹을 누릴 젹의 엇던 담 큰 ᄌᆡ 감히 셜ᄆᆡ의 미쳔ᄒᆞᄆᆞᆯ 일ᄏᆞᆯ르니오 요악ᄒᆞᆫ 계교와 되지 못ᄒᆞᆯ 흉의 발발 ᄒᆞ니 엇지 ᄭᅥᆽ치 누르리오 아지 못게라 고쇼져의 위인이 엇더ᄒᆞ여 삼쳑 쇼녀ᄌᆡ 무인 심야의 엇지 능히 되화ᄅᆞᆯ 면ᄒᆞ고 하회ᄅᆞᆯ 셕남ᄒᆞ라 각셜 어시의 하줘 졀 도ᄉᆞ 고경녁은 긔국공신 되장군 희안후 고희덕의 일지라 본되 쟝동여엽으로 호걸의 풍치와 영웅의 긔상이 엇고 셩되 관인되도ᄒᆞ여 누ᄉᆞ덕의 (6)홍낭이 잇 ᄉᆞ니 샹이 ᄉᆞ랑ᄒᆞᆺ 총이ᄒᆞ시더라 실듕이 번화ᄒᆞ여 삼쳐 오희ᄅᆞᆯ 두어시나 공 이 졍되엄쥰ᄒᆞ여 졔가ᄅᆞᆯ 공변되이 ᄒᆞ고 원비 부시ᄂᆞᆫ 틱동 황후 부낭낭 지친이 라 용안이 슈려ᄒᆞ여 삼츈의 만해 웃ᄂᆞᆫ 듯 ᄒᆞ고 셩되 침듕ᄒᆞ고 ᄉᆞ덕이 겸비ᄒᆞ 여 동녈을 화우ᄒᆞ며 졔희ᄅᆞᆯ 거ᄂᆞ리ᄆᆡ 원망이 업ᄉᆞ니 공이 공경화락ᄒᆞ여 ᄉᆞᄌᆞ ᄅᆞᆯ 싱ᄒᆞ고 ᄎᆞ비 셔시 이ᄌᆞᄅᆞᆯ 싱ᄒᆞ고 삼비 뉴시 삼ᄌᆞᄅᆞᆯ 두고 오희ᄂᆞᆫ 셋슨 유ᄌᆞ ᄒᆞ나식 두고 둘흔 무ᄌᆞᄒᆞ니 슈연이나 젹셔의 (7)ᄋᆞ들이 열둘히로되 ᄒᆞᆫ ᄂᆞᆺ ᄯᅡᆯ 이 업ᄂᆞᆫ지라 졔ᄌᆡ 쟝셩ᄒᆞ여 취쳐ᄒᆞ니 여러 며ᄂᆞ리 가득ᄒᆞ고 각하의 졔손이 만 당ᄒᆞ나 공이 ᄆᆡ양 슬하의 농왜 업ᄉᆞᄆᆞᆯ 탄ᄒᆞ더니 부부인이 오십의 믄득 잉틱ᄒᆞ 여시니 가듕 샹히 되경ᄒᆞ여 반ᄃᆞ시 ᄉᆞ병이라 ᄒᆞ더니 부인이 잉툐 긔몽을 어드 ᄆᆡ 잇ᄉᆞᄆᆡ 벅벅이 뉴틱ᄒᆞᄆᆡᆫ 둘 알오되 쇠년의 유틱ᄒᆞᄆᆞᆯ 크게 붓그려 남다려 니르지 아니나 약을 믈니치니 공의과 가듕이 더옥 근심ᄒᆞ더니 십삭이 ᄎᆞᆫ 후 분산 싱녀ᄒᆞ니 이 곳 졍셩 원ᄒᆞ던 바 빅셜 교이라 공이 되희ᄒᆞ고 가듕이 치하 ᄒᆞ더라 공(8)이 만ᄂᆡ의 긔화ᄅᆞᆯ 어드ᄆᆡ 익이ᄒᆞᄆᆡ 졔ᄌᆞ의 더은지라 명을 연벽이 라 ᄒᆞ고 ᄌᆞᄅᆞᆯ 위쥬라 ᄒᆞ니 이ᄂᆞᆫ 연셩지벽과 위ᄂᆞ라 진쥬ᄅᆞᆯ 비겨 니르미라 연

벽이 졈졈 즈라 팔구 삭의 능히 다름 듀어 단니고 호부호형ᄒᆞ니 옥안이 쇄락
ᄒᆞ고 냥미 흰츨ᄒᆞ며 체형이 셕듸ᄒᆞ고 긔질이 츌범ᄒᆞ니 엄연이 남즈의 긔샹이
요 ᄋᆞ녀의 티되 아니라 공이 ᄆᆡ양 슬샹의 완농ᄒᆞ여 스랑ᄒᆞ며 우어 왈 ᄎᆞ이 옥
골셜븨 윤퇴ᄒᆞ며 긔품이 쎅쎅ᄒᆞ니 의심컨듸 죵군ᄒᆞ던 (9)목난이요 투합ᄒᆞ던
홍션의 무리라 즈라미 가히 규합의 ᄉᆞ군지 되려니와 맛츰ᄂᆡ 금슈즈각의 졀염
가인은 아니라 비필을 구ᄒᆞ미 텬하 영웅이 아니면 가히 그 雙이 업스리로다
아지 못게라 어느 곳의 웅지긔남이 잇셔 ᄂᆡ의 동샹을 빗ᄂᆡ리오 부인이 쇼왈
남녜 싱지ᄒᆞ고 음양이 각판ᄒᆞ미 쵸목금슈의 니르히 다 雙이 잇ᄂᆞ니 광딕ᄒᆞᆫ 텬
하의 현마 쇼녀의 비필이 업스리잇가 슈연이나 미역 쇼ᄋᆞ의 슈요장단을 엇지
알 거시라 이제부터 혼인을 근심ᄒᆞ리잇가 공이 ᄯᅩᄒᆞᆫ 웃더라 광음이 훌훌 지나
연벽 쇼졔 (10)칠팔 셰의 니르니 슈려ᄒᆞᆫ 옥안은 쳔퇴의 금봉오리 ᄆᆡ줏ᄂᆞᆫ 듯
원산 ᄀᆞᆺᄒᆞᆫ 아미와 듀슌옥치며 졀세 동용ᄒᆞ되 신장체지 댱딕ᄒᆞ여 슉ᄋᆞ의 십 셰
나 지난 듯ᄒᆞ고 춍명통달ᄒᆞ고 신능다지ᄒᆞ여 통치 못홀 글이 업고 직긔과인ᄒᆞ
며 명쳘여신ᄒᆞ고 샹활쎅쎅ᄒᆞ여 열ᄉᆞ의 풍치 잇스니 부뫼 스랑ᄒᆞ고 졔형이 익
경ᄒᆞ더라 공이 그윽이 비필을 광문ᄒᆞ더니 우연이 현샹부 연셕의 참녜ᄒᆞ여 평
졔왕 ᄎᆞᄌᆞ 희문의 닌봉ᄀᆞᆺᄒᆞᆫ ᄌᆞ질과 웅호 ᄀᆞᆺᄒᆞᆫ 긔샹을 (11)보미 일 분파 타의
업시 평싱 쇼교로써 위굴ᄒᆞ믈 혐의치 아니ᄒᆞ고 졔왕 부ᄌᆞ의게 간구ᄒᆞ여 결승
을 뇌졍ᄒᆞ고 도라와 부인과 졔ᄌᆞ를 듸ᄒᆞ여 현ᄌᆞ의 발츌영위ᄒᆞᆫ 긔샹이 진짓 오
지교ᄋᆞ의 雙이 상젹ᄒᆞᆫ 가위라 현직 아니면 녀ᄋᆞ를 진복기 어렵고 녀익 아니면
현ᄌᆞ를 진압지 못ᄒᆞ리라 ᄒᆞ되 부인이 빈미 불열 왈 현ᄌᆞᄂᆞᆫ 텬황지엽이요 부귀
교동으로 월셩공듀의 싱츌이라 ᄯᅩᄒᆞᆫ 시인이 닐오되 현샹부 가듕은 요지월궁이
니 그 집 녀부ᄂᆞᆫ 긔긔히 낭원 션ᄌᆞ와 요지 금모 ᄀᆞᆺ다 ᄒᆞ니 졔현의 눈 놉흐미
고산퇴악 (12)ᄀᆞᆺᄒᆞᆫ지라 녀익 비록 녹발이 푸르고 홍안이 슈려ᄒᆞ나 염염작작
ᄒᆞ여 도리의 빗난 ᄉᆡᆨ이 업고 뇨됴한ᄋᆞᄒᆞ여 가인의 직뫼 아니라 ᄒᆞ믈며 사ᄅᆞᆷ은
셩당ᄒᆞᆫ 가문의 하풍이 되어 여러 눈의 ᄎᆞ기 쉬오리오 출하리 풍요로온 가문의
영웅인직를 퇴ᄒᆞ미 올토소이다 공이 쇼왈 ᄋᆞ녀ᄂᆞᆫ 녀듕영걸이오 계ᄎᆞ군지라 현

지 긔샹이 발호ㅎ고 외뫼 쥰슈ㅎ여 쟝부의 풍치 잇스니 가히 녀ᄋ와 샹젹ᄒ
부뷔 되믹 초오ᄒ미 업슬 거시오 연시 뇨됴ᄒᆯ진딕 군ᄌ의 닉됴ᄅᆞᆯ 진(13)졍ᄒ
리니 닐은바 님군이 문무 냥신을 줌치홈 ᄀᆞᆺᄒ니 무어시 유희ᄒ리오 ᄒᆞᆯᄆᆞᆯ며 오
의 복덕완젼지샹이 ᄀᆞ죽ᄒ니 엇지 쟝닉ᄅᆞᆯ 근심ᄒ리오 부인이 공의 호의 업슨
말ᄉᆞᆷ을 듯고 도로혀 미쇼ᄒ더라 일월이 훌훌 지나 쇼져의 연긔 십삼의 미츠니
신쟝이 죠일ᄒ고 체형이 슉셩ᄒ여 계츗의 미진ᄒ미 업ᄂᆞᆫ지라 현공지 임의 취
쳐입신ᄒ여 옥당금마의 쳥현을 ᄌᆞ임ᄒ니 고졀되 크게 깃거 드듸여 퇵일을 보
ᄒ고 혼슈ᄅᆞᆯ 셩비ᄒ여 길일을 등딕ᄒ더라 쇼졔 일일은 졔형졔질노 더브러 삼
모친을 시측(14)ᄒ여 야심토록 말ᄉᆞᆷᄒ다가 유ᄋ 등을 거나려 침쇼의 도라오
니 초환이 임의 쵹을 볼히고 침구ᄅᆞᆯ 포셜ᄒ여 쇼져의 오기ᄅᆞᆯ 딕후ᄒ엿ᄂᆞᆫ지라
쇼졔 옷슬 그르고 졍히 침샹의 ᄂᆞ아가고ᄌᆞ ᄒ더니 홀연 난딕업슨 오쇠나븨 금
쟝 속이로셔 ᄂᆞ라 밧그로 향ᄒ거늘 쇼졔 괴이히 넉여 슈건을 드러 치니 그 나
븨 ᄂᆞ릭ᄅᆞᆯ 마ᄌ 거의 쩌러질 듯ᄒ더니 믄득 나븨ᄂᆞᆫ 보지 못ᄒ고 일진 괴풍이
니러 문틈으로 닉다르니 쇼져와 모든 시비 실쇠경ᄋᄒ여 갈오딕 나븨 엇(15)
지 방안히 들며 ᄯᅩ 변시 불측ᄒ여 여ᄎᆞ 요괴로오뇨 유뫼 왈 반다시 요슐ᄒᄂᆞᆫ
도젹이 쇼져의 혼슈 ᄌᆞ쟝의 보픾ᄅᆞᆯ 도젹ᄒ라 드러든가 ᄒᄂᆞ이다 샐니 외당의
고ᄒ고 슌효군을 불너 츄심ᄒᄉᆞ이다 드듸여 닉외의 도젹을 웨지지니 각당의
불을 볼히며 가졍 쟝확이 홰ᄅᆞᆯ 잡고 광활ᄒᆫ 누딕와 쟝원을 아모리 츄심ᄒᆞᆫᄃᆞᆯ
요녀의 흔젹 업슨 ᄌᆞ최 여오와 속 ᄀᆞᆺᄒ니 어딕 가 ᄎᆞᄌᆞ리오 식 도록 츄심ᄒ다
가 긋치니 모다 의논이 분분ᄒ여 엇지 환슐ᄒᄂᆞᆫ 뇨인이 공후지퇵의 간딕로 드
러오리오 사름이 침슈 혼곤ᄒ(16)여 그릇 보미라 ᄒ니 유ᄋ 등이 ᄯᅩᄒᆫ 잠의
취ᄒ여 져희ᄂᆞᆫ ᄌᆞ시 보지 못ᄒᆫ 고로 반신반의ᄒᆞ며 쇼졔 괴ᄋᄒᆞᆯ 니긔지 못ᄒ
나 텬품이 딕쳬ᄒᆞᆫ지라 스스로 혜오딕 ᄉᆞ불범졍이라 ᄒ니 사름이 엇지 요물을
져허ᄒ리오 타연이 거릿기지 아니ᄒ더라 이찍 셜뫼 과연 변ᄒ여 ᄂᆞ븨 되여 고
부 닉각의 드러 동일방황ᄒ여 슬피니 쇼년 녀지 무슈ᄒ고 쇼년 냥지 만흐니
이ᄂᆞᆫ 고쇼졔 예남 십이 삼셰오 버거 층층ᄒ여 쇼져의 질ᄋ등 칠팔 구셰 된지

잇는 고로 셜미 그 아(17)뫼현 흑스의 슈빙훈 쇼졔믈 아지 못호고 슬피더니 기 즁 훈 녀지 규슈의 복식으로 치복이 화려호나 신장이 표일호고 쳬골이 슉셩호여 이십이나 훈 듯호거놀 셜미 심하의 싱각호되 츠녀는 하등 지인고 눗굿치 희고 입시울이 붉으나 쳬뫼 쟝되호고 느히 만하 뵈니 현쥬의 혼약훈 조는 아닌가 시브고 버거 연쇼 규쉬 여러히니 어느 녀지 현가의 슈빙훈 빈 고연이나 다 범범미식이요 셰쇽홍분이라 하나토 연시의 되뒤 업도다 임의 니의 니르러시니 부되 츠즈 알니라 호고 그윽이 슬피니 가즁이 분분이 신혼즈장을 타(18)졈호여 졍당 마즌편 치각의 두거놀 반다시 신방인 줄 알고 혜오되 이 당즁의 잇시면 응당 즈라 오는 녀지 신뷔리니 바야흐로 분간호여 슬피리라 호고 방즁의 드지 아니 호고 금쟝 밋히 슘어 괴로이 기다리더니 フ장 야심 후 쇼졔 도라오니 과연 셕샹의 보던 연쟝훈 녀지라 셜미 스스로 실쇼 왈 가히 무용두질이로다 져 굿치 흉샹호니 쇼년 남지 무슴 스랑호미 잇스리오 고졀되 가히 욕심이 무던호도다 져런 흉녀를 두고 겸금옥슈굿훈 현쥬를 구호여 어드니 엇지 가쇼롭지 아니리오 현(19)싱은 일되 풍뉴 기식라 임의 취쳐 작쳡호여 옥굿훈 안히와 꼿 굿훈 쳡이 가즈시니 엇지 져런 둔질을 취호여 금슬지낙이 잇스리오 연즉 츠녜 단쟝박명이 문군 의 빅두음을 외오리니 이 フ온되 모계 잇실지라 닉 당당이 츠인과 연시를 다업시 호고 훈 눗 졀셰가인이 되여 현쥬의 빅년금슬을 쳔즈호리니 츠녀의 무용둔질이야 무어시 쓰리오 스스로 마음이 쾌호고 의시 방약호여 방즈무인이 나아가다가 쇼져의 슈건 잣히 걸녀 급급히 도라와 호읍을 진졍호여 졀치 왈 닉 당당이 너 흉녀를 졀졔호여 견피훈 분을 풀니라 호더라 (20)흑시 즈란의 다졍호믈 어엿비 넉여 별졍으로 불너 시침케 호고 써를 탄즉 옥단 셤월 등을 훈 가지로 불너 춍이호니 가즈란이 암희호여 바야흐로 요약을 시험호니 원간약이 쳐음으로 먹으면 졍긔 손샹호고 쟝위졔란호여 통셰잇시나 여러 번지는 관겨치 아닌지라 현싱이 비록 협퇴산이 초북히훌 긔샹이 잇사나 당시 혈긔 미졍훈 연쇼셔싱이요 춍명여신호나 운익이 フ린 바를 면치 못호여 히음업시 교언녕식의 버셔느지 못호니 믄득 옥단셤월을 물니

치고 요녀를 (21)젼춍ㅎ여 슈유불니홀 쯧시 이시나 부왕을 두리미 과흔 고로
신혼의 쩌를 일치 아니며 임시 쳐변이 능딕능쇼ㅎ니 부뫼 아지 못ㅎ더라 니러
구러 고부 길일이 다드르니 궁듕의 티연을 빅셜ㅎ고 일가 졔인이 티희ㅎ여 신
낭을 보닐시 연쇼졔 각별 돈명을 밧줍지 아냐시되 임의 길복을 일워 구슬함의
담아 시녀를 명ㅎ여 좌샹의 노흐니 돈댱 구괴 크게 아름다이 넉이고 졔긱이
칭찬ㅎ여 왈 연시의 호연흔 셩덕이 진짓 옥쥬의 즈부 되미 붓그럽지 아닌지라
임의 길복을 다스려시니 맛당이 스스로 셤겨 셩덕(22)을 놋타ᄂ게 ㅎ쇼셔 졔
왕이 졍식 왈 불가ㅎ다 연식부는 문아의 젹거 졍실이라 엇지 흔 빈희를 취ㅎ
미 녀군이 옷슬 셤겨 체면을 숀샹ㅎ리오 좌듕이 다 션타ㅎ더라 날이 느즈미
흑시 옷슬 곳치고 돈댱 부모긔 하직ㅎ고 빅마 금안의 우부고취를 거나려 고아
의 나아가 젼안교비를 맛츠미 신낭의 영풍이 표표 쇄락ㅎ니 만고 영준이라 졔
긱의 치히 분분ㅎ고 공의 부뷔 희긔 만면이라 흑시 빙부모긔 빅현ㅎ고 투목으
로 삼위 악모를 보니 흔글ᄀᆞᆺ치 유화온(23)슌흔 부인이요 졔희 다 현냥흔 가
인이라 샹하의 화긔 츈풍 ᄀᆞᆺㅎ니 학시 심하의 칭찬ㅎ고 혜오되 고시 만일 그
부모를 달마신즉 엇지 깃부지 아니리오 ㅎ여 옥면셩모의 화긔 츈양 ᄀᆞᆺ고 쥬슌
옥치의 답언이 도도ㅎ여 현하를 드리온 듯ㅎ니 공의 부뷔 스랑ㅎ며 두굿기믈
졔즈의 지나게 ㅎ고 시랑 등 십이 곤게 흔갈ᄀᆞᆺ치 우익ㅎ더라 고쇼졔 비록 스
문화엽이나 젹거 졍실과 달나 뉵녜 강둥ㅎ무로 즉일 신녜를 부힝ㅎ고 삼일 친
영ㅎᄂ 고로 신낭이 드듸여 머믈시 셕식을 파ㅎ고 쵹을 니으미 신낭을 인도ㅎ
여 향방의 ᄂᆞ아가니 옥(24)난듀함의 고루취각이 화려ㅎ여 가히 공후졔퇵인
둘 알거시요 방듕 물식이 졍졔ㅎ여 당쥬의 현슉ㅎ믈 알니러라 싱이 취긔를 쩍
여 셔안의 의지ㅎ엿더니 이윽고 향취 욱욱ㅎ고 픽옥이 낭낭ㅎ여 아름다온 즈
쵀를 보ㅎᄂ 듯 흔 쎄 홍분이 신부를 뫼셔 드러와 좌를 졍홀시 싱이 눌호여
니러 마즈니 즈연 츄픽 흐르ᄂ 곳의 신뷔 댱슉ㅎ믈 경ᄋ호여 좌를 일우고 유
모 시비 금구를 포셜ㅎ고 댱후의 퇴ㅎ니 싱이 슉시이좌ㅎ여 투목 송시ㅎ니 신
뷔 신장이 살되 ᄀᆞᆺㅎ여 거의 즈가(25)의 병익홀 거시로되 냥미휜츨ㅎ고 옥안

이 윤퇴ᄒ여 천퇴의 어름이 말고 옥이 됴흔 듯 단슌홍협이 풍영흐억ᄒ여 부협
진 곳숑이 ᄀ틋ᄒ니 츄픠 고요ᄒ여 시쳠이 ᄂ죽ᄒ나 흐르는 빗치 명경을 말게
닷가 실벽의 거럿ᄂ듯 쳬되 한가ᄒ고 긔질이 유화ᄒ여 츈풍이 화창ᄒᄆ 만홰
졍발홈 ᄀ틋ᄒ니 비록 동형슈 옥화군듀의 쳔퇴 만광과 빅슈 구쇼져와 부인 연쇼
져의 긔화염식의 졀셰방용과 졔믜의 쇼담 가려ᄒ 의용션퇴의 비겨 의논ᄒᄆ
반불급ᄒ나 ᄯ훈 황시의 황발흑면은 아니라 도로혀 화려준일ᄒ(26)여 보암
죽ᄒ니 싱이 스스로 쇼 왈 츠인이 만일 남ᄌ런들 거셰 혼일ᄒ고 덕망이 현하
ᄒᄋ 긔상이니 날노 더브러 관표의 지긔를 니을 낫다 만일 날을 맛나지 못ᄒ고
필부의 비위 되엿던들 위징왕두의 안히와 니웃ᄒ리랏다 침음반향의 믄득 좌를
ᄂ호여니 셩문 왈 혹싱은 미말 셔싱이여늘 힝혀 녕듸인 ᄉ랑ᄒ시믈 닙ᄉ와 외
람이 규리옥슈로써 동고의 깃드리믈 허ᄒ시니 엇지 감히 칭ᄉ치 아니리요 싱
이 쇼져의 화벌노써 빈관의 쳐ᄒ믈 불안ᄒᄂ니 직 능히 녕(27)듸인 어진 교훈
을 밧ᄌ와 원비를 돈경ᄒ고 가부를 니됴ᄒ여 녀영의 셩덕을 효측ᄒ시랴 쇼졔
쳥파의 져의 믹 바드믈 보고 실쇼ᄒ여 졍금부답ᄒ니 싱이 우왈 부부 돈비는
군신일쳬라 문ᄂ 바를 듸치 아니ᄒ니 가히 부도의 올흐냐 쇼졔 안셔이듸 왈
듸슌의 어지르심과 아황의 셩덕이 엇지 홀노 여녕만 어지시리 잇고 쳡슈 불민
이나 군지 문왕의 관홍ᄒ신 덕이 계시고 원군이 퇴ᄉ의 교화를 베푸신즉 쳡이
엇지 비연의 챵궐ᄒᄆ 잇ᄉ리 잇고 옥셩이 유화일쳥ᄒ니 싱이 심니의 탄복ᄒ
고 ᄯ훈 쇠훤이 녀겨 싱각ᄒ되 연시는 비록 (28)긔특ᄒ나 너모 닝담ᄒ여 괴
롭더니 츠인은 유화상냥ᄒ 가인이니 ᄂ의 쇼망의 합ᄒ도다 ᄃ만 익달온 바는
됴화옹이 흠셩구져 미인의 졀묘ᄒ 지용이 부둑ᄒ니 가탄이로다 심듕의 탄아ᄒ
믈 마지 아니ᄒ더니 야심ᄒᄆ 쇼져를 권ᄒ여 ᄂ위의 ᄂᄋ가니 은의 진듕ᄒᄆ
비길듸 업더라 명됴의 부뷔 신셩ᄒ고 공의 부부긔 문안ᄒ니 공의 부뷔 싀로이
의듕ᄒ며 됴션을 올니니 혹싱 약간 햐져ᄒ고 도라와 신셩홀싀 돈당의 뵈옵고
모비를 뫼셔 궁의 도라와 말솜홀싀 졔슉 졔믜 차례로 모드니 연쇼졔 ᄯ훈 봉
관옥쥐로 구쇼져와 안향을 비겨 좌ᄒ여(29)시니 월모화틱 염염쇄락ᄒ여 희월

이 만니 강한의 빗최는 듯 ᄒ니 엇지 고시의 완만흔 체용의 비겨리오 마음의
아름다오믈 니긔지 못ᄒ나 강녈ᄒ믈 흔ᄒ여 스스로 화긔변ᄒ믈 씌닷지 못ᄒ니
공쥐 ᄋᄌ의 긔싁을 경녀ᄒ여 믄득 졍싁 왈 댱부의 졔가지도는 치국평텬하지
본이라 네 이졔 황구쇼ᄋ로 구상유취를 면ᄒ미 오릭지 아니 ᄒ거늘 힝혀 셩은
을 닙스와 작위쳥현ᄒ고 규각의 냥쳐를 굿쵸니 엇지 과치 아니리오 맛당이 슈
신졔가의 화평ᄒ여 약흔 어미의 은우를 씨치지 말나 싱이 모비의 신명ᄒ시믈
두려이 경화긔ᄒ고 슈명빈ᄉᄒ더라 ᄎ일 (30)고부의셔 거마를 보닉여 쳥ᄒ니
싱이 침병 불거흔딕 보뫼 잠잠ᄒ되 형뎨 군동이 쇼 왈 네 아니 신혼쵸야의 닉
쇼박을 마줏느냐 엇지 쳐가의 가지 아닛는다 싱이 함쇼 왈 쇼뎨 가기 실흘 시
아니 가느니 어느 담 큰 신뷔 가부를 소박ᄒ리잇고 신인을 맛느미 금일은 고
인을 위로코ᄌ 아니 갓느이 다 졔인이 쇼왈 능활흔 말 말나 네 진실노 이 마음
이 잇느냐 ᄒ풍익 왈 이 금ᄋ 신뷔 너의 샹원부인과 엇더ᄒᄂ뇨 딕왈 열시는 잔
약흔 녀짓라 고시 그러면 무어시 쓰리잇고 하풍익 왈 그 어인 말고 연시도곤
신뷔 더 아름답다 ᄒ는 말인가 그리면 월궁항이 바로 텬문을 열고 ᄂ려오닷다
(31)셰상의 연시도곤 나은 슉녜 어딕 잇시리오 싱이 미쇼흔딕 가안빅이 쇼왈
희문ᄋ 네 샹원부인을 잔약다 ᄒ니 고시는 반딕시 츙늉부인 굿튼가 보고나 싱
이 잠쇼부답이여늘 하가 이공이 흔들며 닐오딕 어셔 바른말 ᄒ라 싱이 쇼이
딕왈 명일이면 ᄌ연 아르실 거시니 그리 밧브리잇가 딕스간 졍닌이 쇼왈 냥형
은 밧비 아라 무엇ᄒ려 ᄒᄂ뇨 어엿버도 냥형게 부당ᄒ고 뮈워도 부졀업스니
굿시나 보고 썩이나 먹으미 됴타 ᄒ니 속담을 듯지 못ᄒ시냐 졔 말딕로 명일
이 불원ᄒ니 그리 쳬면 업시 구시느니잇고 쇼졔 거야의 꿈을 ᄭ니 월셩궁듕의
금의신(32)쟝이 나려 뵈니 이 신뷔 반딕시 범연치 아닌가 시부더이다 딕간의
이 말은 시녀비의 젼언을 드르미러라 졔공이 ᄎᄎ 흔 말식 찬됴ᄒ여 보쳐되
싱이 다만 함쇼부답이러라 ᄎ야의 싱이 명휘각의 ᄂᄋ가 연쇼져를 보니 쇼졔
쳔연이 니러 마ᄌ 공경흘 ᄯᄅᆷ이오 말이 업스니 혹시 젼일 엄슉흔 눗빗츨 곳
쳐 흔연 왈 싱이 관ᄉ와 ᄉ친 여가의 ᄉ괴 다쳡ᄒ여 오릭 각듕의 졀젹ᄒ니 부

인이 일정 싱의 박정흐믈 한흐리로다 쇼제 청파의 옥믜 주약흐고 츄픠 ᄀ족흐
여 부답흐니 싱이 ᄂᄋ가 옥슈룰 잡고 좌룰 연흐여 굴오듸 부인은 복어인이라
녀지 너모 쵸(33)독흘 거시 아니요 쟝부의 뜻을 일흐미 불가흐니 싱이 비록
용녈흐나 임의 농누의 계지룰 쩍거 옥당의 손이 되고 췌실작쳡흐여 규방의 번
화흐미 잇ᄂ니 이러틋 방ᄌ치 말나 문군의 빅두음과 아교의 댱문부룰 됴문흘
젹 도로혀 직금 일복의 두도의 감동흐믈 불워흐나 밋지 못흐리라 쇼제 쏘 부
답흐니 싱이 듸로 왈 님군이라도 신하의 말을 듸답흐ᄂ니 그듸 엇지 가부의
뭇ᄂ 말을 듸치 아니리오 별난 거죄 잇스리라 쇼제 괴로오믈 이긔지 못흐나
강잉 듸왈 군ᄌ의 니르시ᄂ 빅 다 우심의 혜ᄋ리지 아닌 빅라 능히 슈이 듸치
못흐미나 엇지 감히 (34)셜만흐리잇고 스긔 주약흐니 다시 흘 말이 업셔 우왈
그듸 용안이 졀셰흐나 너모 쳥약흐여 호번흔 셰스룰 션치흐기 어려을가 시브
니 고시 비록 후의 드러오나 긔질이 츙슌흐고 위인이 명달흐니 원위룰 스양흐
미 하여오 쇼제 청파의 믹바드믈 우이 넉여 불변안식흐고 즉시 듸왈 이ᄂ 곳
쳡의 원이로소이다 싱이 빅가지로 믹바드나 쇼제 스긔 가지록 주약흐니 여러
말흐미 도로혀 무류흐여 잠쇼흐고 밤들믈 일ᄏ라 쇼져룰 권흐여 샹요의 ᄂᄋ
가니 쇼제 심하의 블쾌흐나 감히 물니치지 못흐더라 명일 궁듕 합문 샹히 듸
흐고 위의룰 ᄀ(35)쵸아 고쇼져룰 우귀흐니 신뷔 막ᄎ의 쉬여 단장을 곳치고
됴뉼을 밧드러 돈당구고긔 비알흐고 좌듕의 힝녜흐미 졔왕궁 스지샹궁 니셜
냥인과 찬녜스 경샹궁이 ᄎ례로 녜슈룰 호창흐미 화관듀리로 누른 단댱을 쓰
을고 진퇴 졀치 어긔미 업더라 졔왕이 좌우로 흐여곰 연쇼져룰 ᄀ르쳐 빈실이
원군긔 뵈ᄂ 녜룰 힝흐니 고쇼제 나죽이 돗 아릭셔 공경직비흐니 녜뫼 졍슉흐
더라 연쇼제 다만 져의 녜파의 기리 읍흐고 존명을 슌흐나 심니의 불안흐믈
니긔디 못흐더라 녜파의 신뷔 좌의 나아가니 만목이 일시의 쳠관컨듸 신뷔 연
긔 십삼 유연(36)이나 신장이 훤츌흐여 팔쳑 장신이요 쳬용이 댱슉흐고 용뫼
화려흐여 츈슝이 화무흐고 댱미 훤츌흐여 팔치 어릐엿고 빵빈이 윤퇵흐여 만
복화길지샹이라 규뫼 어위ᄎ고 긔량이 홍원흐여 슈화의 너허도 명쳘보신흐여

신여명이 구젼홀지라 엇지 졀셰아미와 홍분미식의 비길리오 이는 곳 여듕영걸
이요 투쳘 亽군지라 좌듕이 그 너모 슉셩ᄒᆞᆷ믈 놀나고 진국공과 듀틔부인이 희
연 두굿기며 졔왕이 희동안식 왈 문이 ᄌᆞ유로 불학용우ᄒᆞ나 쳐궁은 남달니 유
복ᄒᆞ도다 연식부 ᄀᆞ틋 슉완현쳐로 샹두의 거ᄒᆞ고 신뷔 쏘한 유한ᄒᆞᆫ 덕(37)셩
과 어위츤 긔량이 셰쇽 홍분의 비길 빅 아니라 분틔의 지랑이라 불쵸ᄒᆞᆫ 오희
하감승당이리잇고 문이 하가 가히 쳐ᄌᆞ로 틱졉지 말고 스싱으로 셤겸즉 ᄒᆞ도
다 승샹이 쇼이 치하 왈 현뎨 여러 며ᄂᆞ리를 어드니 졔질이 다 화월이 슈틔홀
식광과 임강마등 ᄀᆞ틋 덕셩이 잇시되 ᄒᆞᆫ 말 기리미 업더니 금일 신부의 화려
쟝슉ᄒᆞᆫ 체모를 보믹 구부의 쳬면을 닛고 과쟝ᄒᆞ니 일은바 고시는 너의 효뷔로
다 왕이 흔연 틱왈 쇼뎨의 졔뷔 다 규합의 지극ᄒᆞᆫ 슉녀가인이로틱 금일 신부
ᄀᆞᆺᄒᆞ 니는 업ᄂᆞ이다 가부인이 쇼왈 거거의 졔부 듕 구시 연시는 금고의 무빵
(38)가인이요 희셰 슉녜여늘 믄득 신부만 못ᄒᆞ다 ᄒᆞ시니 쇼믹 거거의 지감을
향복지 아닛ᄂᆞ이다 졔긱이 연셩치하ᄒᆞ더라 이럿틋 즐겨 일모긱산ᄒᆞ믹 신부 슉
쇼를 지셩각의 졍ᄒᆞ여 보닉니 쇼졔 인ᄒᆞ여 머므러 효봉구고ᄒᆞ고 승슌군ᄌᆞᄒᆞ여
션슈원군ᄒᆞ고 화우금쟝ᄒᆞ니 녜셩이 물 쓸 틋ᄒᆞ고 화긔 만당ᄒᆞ거늘 요녀 셜믹
이 듕의 일을 비르져 연고 냥 쇼져를 셔릇고 감히 좌의 ᄂᆞ오가ᄌᆞ ᄒᆞ믹 흉계
를 표쟝ᄒᆞ고 이늘 황혼 후 몸을 슘겨 먼져 명휘각의 니르러 보니 슬푸다 연쇼
졔의 화익이 당두ᄒᆞ엿는지라 엇지 능히 면ᄒᆞ리오 츳시 연쇼졔 마춤 신긔 (39)
불안ᄒᆞ여 침쇼의 도라와 나금의 쓰혀 혼혼침침ᄒᆞ고 유랑 시녜 쏘한 샹하의셔
시측ᄒᆞ니 가쟝 고요ᄒᆞᆫ지라 셜믹 심하의 깃거 요슐을 발ᄒᆞ여 드리다라 연쇼져
를 거두쳐 업고 닉다를식 짐즛 한 발노 유랑을 드틱고 닉다르니 유뫼 잠결의
놀나 씌여 보니 일긔 표일ᄒᆞᆫ 남직 쇼져를 업고 닉닷는지라 유뫼 틱경실식ᄒᆞ여
급히 입써 잡으려 ᄒᆞ니 엇지 밋쳐 잡으리오 발셔 뎍이 뵈지 아니ᄒᆞ는지라 황
망젼도ᄒᆞ여 크게 쇼릭 질너 닐오틱 각듕의 흉젹이 돌입ᄒᆞ여 부인을 잡ᄋ간다
ᄒᆞ니 모든 시비 혼비빅산ᄒᆞ여 다만 도젹만 웨지지고 일시의 통곡ᄒᆞ니 가즁
(40)이 다 놀나 돈당 샹희 일졔히 평당의 모다 명휘각 유ᄋ 시랑 등을 불너

연고를 무르니 제녜 울며 왈 엇던 표일흔 남직 쇼져를 업고 ᄂᆞ아가미 밋쳐 잡지 못ᄒ고 먼니 아니 가 홀연 뵈지 아니ᄒ오니 이런 변이 ᄯ 어듸 잇소오리가 제쥐 기경ᄒ고 혹시 역경실식ᄒ여 됸당의 고왈 이는 불가ᄉ문어닌국지변이오니 썰니 궁노로 츄심 엄포ᄒᄉ이다 진공이 탄왈 오는 익은 셩인도 면치 못ᄒᄂ니 연쇼부의 멸이흔 식퇴를 어느 곳 요인이 은복ᄒ여 변을 지으나 쇼인이 엇지 미양 군즈를 히ᄒ며 요인이 임의 다라ᄂ지라 ᄯᆞ르미 부졀업ᄂ니 너는 요인을 잡을 넘도 (41)말고 힝실을 말게 닥가 미사를 샹심찰지ᄒ여 그른 곳의 ᄂᆞ아가지 아니흔즉 즈연이 연시도 무ᄉ이 도라오고 요인도 스스로 미이리라 제왕이 맛당ᄒ시믈 듀ᄒ고 혹ᄉ는 가쟝 분이ᄒᄂ 묵연 황공이러라 인ᄒ여 제공과 제부인이 침슈를 졔ᄒ고 이러구러 날이 식미 연시의 변익을 식로이 이련ᄒ니 하윤듀쳘과 ᄉ마부인이 앗기며 슬허ᄒ미 측냥 업더니 뇩부인이 닉다라 닐오듸 이 집 며ᄂ리와 ᄯᆞᆯ은 도젹이 업어가기도 잘ᄒ고 듁으 냥으로 알고 흔가의 최웟다가도 살기를 잘ᄒ데 허믈며 셔쵹 쳥졍산 일광듸시 무량흔 신통이 잇서 젼(42)일의 쇼문도 모ᄅ던 쥬미 만쟝 졀벽의 분골쇄신ᄒ게 된 신쳬도 구ᄒ여다가 영산 듕의 깁히 감쵸아다가 신괴흔 슐법을 ᄀᆞᄅ쳐 국가의 공을 셰우고 슉녈찬 졍문을 밧ᄌ와 진공의 웃듬 춍비 되어 왕후쟝샹의 ᄋᆞ둘과 만승황녀로 위부ᄒ여 금련하데일 복인이 되엿ᄂ니 일광듸ᄉ의 무량흔 법녁으로 무ᄉ 일을 못ᄒ리오 연시 만일 몸을 보젼치 못ᄒ면 터업시 듁거나 못쁠 힝실이 잇거나 ᄒ면 모ᄅ거니와 만일 어질고 착ᄒ여 하날이 도으량 ᄀᆞᆺᄒ면 아모 난쳐흔 일이 잇셔도 깁흔 곳의 슘엇다가 무ᄉ이 몸을 보젼차 ᄒ고 쟝ᄎ 평(43)안이 도라올 듈 알니오 하윤 냥 져져와 듀쳘 냥미는 부졀업시 근심 말고 슉슉과 샹공도 념녀 마르시고 쟝닉를 두고 보쇼셔 오진 냥공은 묵연ᄒ고 졔부인이 갈오듸 뇩미의 말 ᄀᆞᆺᄒ면 무슨 근심이 잇사리오마는 셰ᄉ는 난측이라 뇩부인이 손을 져어며 머리를 흔드러 그러치 아니믈 니르고 공쥬다려 왈 타일 연쇼뷔 싱환ᄒ거든 노모의 덕담 잘흔 공일 줄 알고 노모의 회갑이 당ᄒ거든 궁둥 지믈을 앗기지 말고 셜연 헌작ᄒ여 노모의 신명흔 덕담을 사례ᄒ쇼셔 공쥐 슈명빅

스홀 분이요 각별이 한셜이 업스니 윤부인이 은지 괴로온지라 (44)뉵시의 늙을스록 샹업스믈 우이 넉여 잠쇼 왈 연시 만일 현뎨의 말ᄀᆞ치 싱환치 아니면 엇지 ᄒᆞ리오 맛당이 낙미를 졍ᄒᆞ미 가ᄒᆞ도다 뉵부인이 이 말을 듯고 묵연ᄒᆞ더라 연부의셔 ᄎᆞ변을 듯고 모다 망극ᄒᆞ여 샹셰 현부의 니르니 왕이 치단을 마지 아니 왈 마돈의 쳐궁이 박ᄒᆞ믈 가탄ᄒᆞ나 밋ᄎᆞ리오 입이 쓰고 혜 돕지 아니ᄒᆞ니 고홀 말슴이 업ᄂᆞ이다 혹시 ᄯᅩᄒᆞᆫ 쟉야의 즈긔 신방의 머므다가 변을 고ᄒᆞ무로 알 ᄯᆞᆫ이믈 고ᄒᆞ니 샹셰 드르믹 어히 업고 망단ᄒᆞ니 도로혀 눈물도 나지 아닛 ᄂᆞ지라 좌우로 유ᄋᆞ등을 불너 야변을 셰셰히 무러 (45)알고 아연냥구의 왕의 부ᄌᆞ를 도라보ᄋᆞ 왈 엇던 담 큰 도젹이 왕궁의 드러와 ᄉᆞ문명부를 잡ᄋᆞ가며 ᄯᅩ 날개 업슨 즉 그리 신속히 그림ᄌᆞ를 감쵸리오 왕 왈 도젹이 감히 이러틋 방ᄌᆞᄒᆞ리오 반ᄃᆞ시 산듕 요마의 무리 변을 짓는가 ᄒᆞ나이다 샹셰 왈 녕당이 쇼년 진신으로 혈긔 미졍ᄒᆞ니 도쳐 힝낙의 미쇠을 관졍홀 빈 업슬 거시요 녀익 심규의 양싱ᄒᆞ여 일즉 사름의게 원 미즈미업스니 뉘 가히 샹히ᄒᆞ리오 진실노 ᄎᆞ시 만만괴ᄒᆡᄒᆞ니 흉젹을 지향ᄒᆞ여 ᄎᆞ즐 곳이 업스니 녀ᄋᆞ의 ᄉᆞ싱을 어ᄃᆡ로 ᄎᆞᄌᆞ리오 숙졀업시 단장ᄒᆞᄂᆞᆫ 우(46)름의 ᄌᆞ하의 샹명의 미ᄎᆞ되 고인은 오히려 그 듁으믈 보아시니 엇지 쇼졔의 봉쳑지탄과 ᄀᆞᆺᄒᆞ리오 더욱 참도ᄒᆞᆫ 바는 고당 편친이 블의 참보를 드르시고 쇼졔를 명ᄒᆞ여 밧비 젹보를 아라오라 ᄒᆞ시고 셔셔 기ᄃᆞ리시거늘 ᄎᆞ마 도라가 무어시라 위로ᄒᆞ리오 졔왕이 위로ᄒᆞ고 샹셰 이윽이 탄식다가 도라가니라 혹시 고시 침쇼의 니르시고 쇼졔 연부인 화란을 치위ᄒᆞᆫ되 혹시 왈 졔ᄌᆞ 구ᄒᆞ여 됴히 살냐ᄒᆞ고 아름다온 남ᄌᆞ를 ᄯᅡ라 ᄀᆞᆺ시니 놀날거시 무어시리오 쇼졔 쳥파의 ᄃᆡ경ᄒᆞ여 졍식 왈 쳡이 엇지 엇그졔 (47)신인으로 돈문의 드러와 동셔의 안면을 닉지 못ᄒᆞ고 원비의 교화를 펴이지 못ᄒᆞ오나 돈댱과 구고 슉당 졔미의 연부인을 앗기시믈 보오니 돈댱 구고의 일월지명과 슉당 졔미의 붉으시무로ᄡᅥ 그릇아지 못 아니시리니 군지 엇지 ᄎᆞ마 비례로 졍실을 의심ᄒᆞ시리오 고어의 왈 부부는 일일지간도 마음을 안다ᄒᆞ거늘 군지 연부인으로 결발슈년의 셔로 아지 못ᄒᆞ미 이 ᄀᆞᆺᄒᆞ니 슬푸다 표ᄉᆞ호비라 ᄒ니 연부인으로 ᄒ여곰 군즈의 츠언을 드르시즉 반다시 표셕면나ᄒᄆᆯ 면치 못ᄒ실거시오 쳡이 ᄯᅩᄒᆫ 강남의 니(48)쇼 읇기ᄅᆞᆯ 면치 못홀쇼이다 셜파의 안ᄉᆡᆨ이 엄졍ᄒ고 말ᄉᆞᆷ이 강기ᄒ여 금셕으로셔 나ᄂᆞᆫ듯 ᄒ니 혹시 상광지심이나 ᄂᆡ괴ᄒ미 업지 아니ᄒ여 구연 부답이라 부부 두 사ᄅᆞᆷ이 각각 심시불호ᄒ여 묵묵샹ᄃᆡ러니 혹시 냥구의 강잉ᄒ여 상요의 나ᅌᆞ가나 고쇼져ᄂᆞᆫ 직기 쳥졍결염ᄒᆫ 녀지라 혹ᄉᆞ의 심용을 부직히 녀기고 연시의 직용을 앗기더라 계명의 쇼져ᄂᆞᆫ 졍당의 먼져 드러가고 혹시 바야흐로 ᄶᅵ여 졍히 니러ᄂᆞ고ᄌᆞ ᄒ더니 믄득 드르니 후챵 밧긔셔 미미히 말ᄒ여 굴오ᄃᆡ 우리 쇼 (49)졔 가히 능활ᄒ도다 일인 왈 무ᄉᆞ일고 우 왈 연부인의 원위ᄅᆞᆯ 아ᄉᆞ려 ᄒ고셔 쇼싱을 통모ᄒ여 즈긔 쳐음 오ᄂᆞᆫ 날의 용ᄉᆞᄒ여 사ᄅᆞᆷ이 즈긔ᄅᆞᆯ 의심치 아니케 ᄒ고 쟉야의 혹ᄉᆞ 상공귀의 여ᄎᆞ여ᄎᆞᄒ여 예셩을 요구ᄒ니 아니 능활ᄒ시냐 뭇던지 ᄯᅩ 닐오ᄃᆡ 셜싱즈ᄂᆞᆫ 뉘 던고 이 궁듕 심쳔을 능히 알고 드러 왓던고 우 왈 네 모로ᄂᆞᆫ다 셜싱은 구상부 문긱이 아니냐 ᄉᆞ닌부인 왕ᄂᆡ 시의 셜싱이 잇다감 후 거의 호힝ᄒ여 단니러니 즈연 궁노비의 문견으로 됴ᄎᆞ 궁즁 일을 거의 아ᄂᆞᆫ 둘 ᄂᆡ 익이 아ᄂᆞ니 셜싱이 타일의 (50)반다시 ᄯᅳᆺ을 일우미 그져 잇지 아닐지라 일 타언이 아니요 ᄂᆡ의 젹 ᄉᆞ촌이니 표치 쥰ᄋᆞ히 고인시 총민ᄒ고 신긔ᄒᆫ 슐법이 만흐니 구부인이 후일의 쓸 곳이 잇실가 시비 즈란을 듀마 언약ᄒ엿더니 셜싱이 어드로 됴ᄎᆞ 연쇼져 아름다오ᄆᆞᆯ 듯고 유의ᄒ던ᄎᆞ 즈란이 혹ᄉᆞ의 쇼희되니 셜직 분노ᄒ여 모야의 혹ᄉᆞᄅᆞᆯ 희홀 의ᄉᆞ이시니 구부인이 듯고 ᄃᆡ경ᄒ여 일을 발각고져 ᄒ나 그 직조ᄅᆞᆯ 앗기고 무더두고ᄌᆞ 흔즉 한님이 상홀가 놀나 드ᄃᆡ여 ᄀᆞ마니 명휘각 길을 ᄀᆞ르쳐 연부인을 아ᄉᆞ다리고 먼니(51)가 살나ᄒ니 셜냥이 ᄃᆡ희ᄒ여 ᄯᅩ 나ᄅᆞᆯ 와보고 닐오ᄃᆡ 닌 너의 듀인의 강젹을 쇼졔ᄒ여 듀리니 금빅으로 냥탁을 보틱라 ᄒ거ᄂᆞᆯ 닌 우리 쇼졔긔 알외니 쇼졔 협듕을 기우려 빅은 오십 냥과 황금 빅 냥을 듀어시니 지금 쇼져 협듕의 직불이 업ᄂᆞ니라 이리ᄒ고 어진 쳬ᄒ니 아니 가쇼로오냐 ᄯᅩ 닐오ᄃᆡ 아모나 드르리라 ᄒ고 다시 쇼ᄅᆡ 업거ᄂᆞᆯ 혹시 크게 의괴망측ᄒ여 믄득 크게 쇼ᄅᆡ 질너 규규히 말ᄒᄂᆞᆫ 시

비를 잡으오라 ᄒᆞ니 계파 쇼잉 등은 쇼져를 뫼셔 정당의 가고 난항 밧긔 두어
시녜 잇더니 응성 디왈 (52)유랑 시녀 등 십여인은 쇼져를 뫼셔 정당의 가옵
고 다만 비ᄌᆞ 등 슈인이 당하의 ᄉᆞ후ᄒᆞ와 노야의 긔침ᄒᆞ시믈 기다리옵고 다른
양낭은 좌우 힝각의 머무옵ᄂᆞᆫ 고로 아직 디령치 아니ᄒᆞ엿고 창 외의셔 한만이
말ᄒᆞᆫ 지 업ᄂᆞ이라 흑시 졔녜의 무심ᄒᆞᆫ 말이 진졍이믈 듯고 홀 일 업셔 니러
관쇼ᄒᆞ고 각당의 문안을 맛고 부왕을 뫼셔 졀하의 됴회ᄒᆞ고 도라올ᄉᆡ 분분ᄒᆞᆫ
마음을 지젹지 못ᄒᆞ여 디풍의 거뮈듈 ᄀᆞᆺᄒᆞᆫ지라 연시나 고시나 하나토 심의에
합지 못ᄒᆞ니 듁어도 합지 앗갑지 아니ᄒᆞ고 ᄉᆞ라도 귀치 아니ᄒᆞ미 어엿분 ᄌᆞ란
이나 밧비 보리라 ᄒᆞ고 부왕과 (53)ᄉᆞ인긔 연부의가 악모를 보렷노라 ᄒᆞ고 총
총이 연부의 니르러 ᄉᆞᆨ최홀ᄉᆡ 상셔ᄂᆞᆫ 흑ᄉᆞ를 보고 댱탄무인이요 티부인과 셕
부인은 쳥뉘환난ᄒᆞ여 닐오디 불미ᄒᆞᆫ 녀ᄌᆡ 현셔의 ᄂᆡ됴를 님홀 복이 업셔 남의
업ᄉᆞᆫ 화란을 맛나 규듕 약질이 어느 곳의 듁어시며 ᄉᆞ라시믈 아지 못ᄒᆞ니 부
모지심이 엇지 참통치 아니ᄒᆞ리오 져의 향신을 거두어 풍진의 쟝ᄒᆞ면 이듸도
록 망국지 아닐가 ᄒᆞ노라 셜파의 쳔향뉘 쳠금ᄒᆞ고 셩음이 경녈ᄒᆞ니 흑시 져기
인심일진디 참연홀거시도디 임의 부부의 냥익이 티심ᄒᆞ고 요녀의 간교ᄒᆞᆫ 요슐
이 총명을 ᄀᆞ리왓ᄂᆞᆫ지라 의(54)시 무심 무려ᄒᆞ려 묵연 냥구의 굴오디 인명이
탄슈ᄒᆞ니 간디로 듁지 아닌즉 아모것 곳으로나 쇼문이 잇스리니 하슬워 마르
쇼셔 아모 흉인이 다려가도 듁이든 아닐 거시오 임의 듁지 아냐신즉 오가의ᄂᆞᆫ
됸분을 통치 아냐도 됸부의셔ᄂᆞᆫ 아시리이다 부인과 상셰 흑ᄉᆞ의 어돈이 괴이
ᄒᆞ믈 놀나고 ᄎᆞ악ᄒᆞ여 일시의 일오디 쇼녀ᄂᆞᆫ 심ᄒᆞᆫ 약질이라 일죽 놉흔 당과
깁흔 누의 쳐ᄒᆞ여 발ᄌᆞ최 당하의 ᄂᆞ리지 아냐시니 비록 가인 친쳑이라도 간디
로 상디치 아낫거늘 무인 심야의 흉젹의 착낙ᄒᆞ미되미 반다시 듁으미 응당ᄒᆞ
거늘 군의 언근이 ᄌᆞ못 괴이ᄒᆞ도다 연공지 졍ᄉᆡᆨ 왈 (55)일즁은 녜 문시 덕가
지츌노 금지여엽이라 허믈며 녕디왕의 어진 교훈을 밧ᄌᆞ와 도혹이 고명ᄒᆞᆫ 군
진가 ᄒᆞ엿더니 금일지언은 만히 무식ᄒᆞ기의 ᄀᆞᆺ갑도다 인듕의 언단이 아미로ᄡᅥ
유박지힝이 잇ᄂᆞᆫ가 의심ᄒᆞ미냐 그러치 아닌 즉 녜의 군ᄌᆞ 졍실 디졉ᄒᆞᄂᆞᆫ 도리

여추호뇨 혹시 쳥파의 일변 무류호고 노호여 스미를 썰쳐 니러느며 왈 악부뫼 녕미를 일허하 슬허호시니 느의 위로코즈 흔 말이 즈연 실언호미 괴이치 아니 호거늘 형이 엇지 면박호믈 틱심이 호느뇨 쇼졔 이 온듈 뉘웃노라 셜파의 틱 부인과 악공 부부긔 졀호고 표연이 도라가니 (56)상셔부뷔 학스의 닝쵸흔 긔 식을 보미 필유묘믹호믈 씌둣지 못호고 현싱이 원간 녀우와 금슬이 불화호던 가 의심홀스록 더욱 녀우 잔잉호미 칼을 숨킨 듯 호여 모조 부뷔 쵸챵 탄식호 믈 니긔지 못호더라 추시 혹시 궁의 도라와 늬문의 드지 아니호고 심복 셔동 으로 호여곰 본부 교방의 가 옥난 셤월을 불너오라 호고 경노의 집의 니르러 즈란을 보니 잇딕 즈란이 무인혼야 즁의 명휘각의 드러가 연쇼져를 활챡호여 공듕의 쇼 스슉픠홀 용흔 곳의 느우マ 용냑호여 왈 옛젹 굴숨여는 님군을 그 룻맛나 익슈 원혼이 되어거니와 금셰의 (57)자란과 연시는 현즈를 맛난 연고 로 슈좌 혼빅이 되니 쏘흔 쳥츈이 가셕호도다 스스로 너희 팔즈를 원호고 날 을 한치 말나 언파의 일쟝을 쾌히 웃고 업은 거슬 느리와 マ비야 이불의 밀치 고즈 호더니 연쇼졔 요슐의 졍신이 아득호여 인스를 바렷더니 요녀의 은은흔 셰어로 툐츳 몸이 쓰히 느리미 믄득 샹연이 졍신을 추려 셩안을 드러보니 희 미흔 월하의 일긔 표일흔 녀지 만면 살긔로 즈긔를 물의 너흐려 호는지라 쇼 졔 비로쇼 명휘각이 아니오 즁즁을 쩌나 요인의 희를 닙으민 줄 알고 딕경 추 악호여 슬피니 이 믄득 다르니 아니라 구쇼져 시비 즈란(58)이라 더옥 경의호 여 옥셩이 밍녈호여 왈 녜 구져의 시비 즈란이여늘 무슴 원쉬 잇단딕 느를 쳑 략호여 이의 니르뇨 느의 명이 하늘의 잇느니 너희 요형스골이 잇지려 호는다 셜미 답지 아니호고 밧비 햐슈코즈 호더니 추시 심야 삼경이라 만뇌 구젹호여 빅만 가호의 인형일 요호고 만니 쟝텬의 은히 기울고즈 호니 믄득 셔다히로 표츳 흔쪠 빅운이 니러マ며 일위 션인이 느우오니 연쇼져의 셩명이 엇지 된고 추쳥호회호라 뎌동궁 지밀 셔샹궁 글시

명쥬옥연긔합녹 권지십뉵

(1)츄셜 시시의 셜미 졍히 연쇼져를 물의 밀치고즈 ㅎ더니 믄득 셔다히로됴츠
일위 션인이 빅나 광슴을 붓치고 숀의 구졀듁장을 드러 크게 꾸지져 굴오듸
미말 쳔비 감히 텬의를 역ㅎ여 텬지의 즈옥흔 죄를 짓고 방즈히 무지ㅎ여 낭
원션즈를 히코즈 ㅎ니 기죄 불용쥬라 가히 즉긱의 쥭일 거시로듸 아직 쥭을
씨 아니무로 다만 연부인만 구ㅎ여 가노라 셜파의 듁장을 드러 요녀를 밀치니
요녜 듁장을 흔 번 마즈미 것구러져 피를 토ㅎ고 인스를 모로(2)더라 노션이
연쇼져를 거두쳐 빅운 스이의 츌믈ㅎ니 쇼졔 놀나고 신긔히 녀겨 눈을 드러보
니 일위 노션이 머리의 빅가운납을 밧고 엇긔의 빅화로 슈노은 당슴을 닙어시
니 도안이 결빅ㅎ고 냥안이 별 굿고 빈하의 셔리 빗치 미쳣고 도화냥협의 입
이 단스 굿ㅎ니 션풍이 표일ㅎ더라 쇼졔 져의 복쉭이 남진 쥴 경오ㅎ여 무러
굴오듸 노션은 어느 곳 샹션이시완듸 쇼쳡의 잔명을 구ㅎ시ᄂ니잇고 돈시 임
의 구ㅎ시미 구가와 친당이 예셔 머지 아니ㅎ니 도라보니시미 올커늘 쟝츠 어
듸로 다려가려 ㅎ시ᄂ니잇고 노(3)션이 쇼왈 부인은 빈도의 남의를 놀나지 말
나 오년이 슈빅여 세요 임의 도를 닥가스니 셔악 화산 일광듸스를 아지 못흘
쇼냐 셕년의 쇼져의 돈당 쥬슉녈이 월쳥 요리의 희를 만나계실 젹 빈되 구ㅎ
여 산즁의 도라가 지앙을 쇼멸ㅎ고 퇴운을 맛ᄂ시미 본부의 도라가 부녜 상봉
ㅎ고 부뷔 지합ㅎ시미 뎨왕 굿흔 긔즈와 월셩 굿흔 슉완 현부를 두어 무궁흔
복녹을 누리시ᄂ니 쇼졔 쏘흔 도관의 삼스 년 연분이 잇ᄂ지라 엇지 텬의를
역ㅎ여 즈레 도라가 긔구 참난을 당ㅎ리오 쇼져는 산즁이 고젹(4)홀가 념녀치
마르쇼셔 구부인 시비 즈란이 쇼져를 기다리미 오릭니라 언파의 진언을 념ㅎ
며 듁장을 흔 번 두루치니 발 오릭 풍운이 딕쟉ㅎ고 귀가의 운뮈 즁엄ㅎ여 그
아모만 가는 쥴 아지 못ㅎ리러라 쇼졔 니의 밋쳐는 츄스ㅎ여 밋지 못흘 쥴 알
고 젼일 일광듸스의 됴화를 드르미 잇ᄂ지라 다만 명도의 긔구ㅎ믈 탄ㅎ고 쵸
챵홀 분이라 쳔봉만학의 긔구산노와 망망딕히를 건너 흔 곳의 다드르니 구름

이 거드며 바람이 졍ᄒᄂ 곳의 몸이 ᄂ리거늘 바야흐로 졍신을 졍ᄒ여 좌우롤 보니(5) 만산이 최외ᄒ고 십이 봉만이 ᄎㅇᄒ여 하날의 다핫고 단이취벽의 ᄎ식을 메운 듯 울울챵송과 늙은 잣남기 울울층층ᄒᆫ 산협으로조ᄎ 은은ᄒᆫ 영믹이 텬지됴화를 감쵸와 변봉 암혈의 은근ᄒᆫ 물결이 구뷔져 흐르니 산쳔 슈괴롤 토ᄒᄂ 듯 괴화요쵸와 슈쳔 버들은 쳔니 강희의 농쥬롤 버릿ᄂ 듯 난봉공쟉과 난학미록이 무리지어 왕ᄂᆫ히ᄒ니 숑풍은 슬슬ᄒ고 잉가ᄂ 묘묘ᄒ니 거문고 쇼리의 맑은 노린롤 챵화ᄒᄂ 듯 사룸으로 ᄒ여곰 진염이 쇼연ᄒ고 냥익이 고상홀 듯ᄒ더(6)라 쇼졔 쳐연 낙누ᄒ믈 씌듯지 못ᄒ더니 노션이 믄득 쇼리ᄒ여 왈 ᄌ란이 어ᄃ 잇ᄂ뇨 말이 맛지 못ᄒ여셔 ᄒᆫ 미인이 담쟝 쳥의로 ᄂ아와 쇼져긔 ᄌᄇ비ᄒ고 복지 쳬읍 왈 쳔비 ᄌ란이 슈ᄉ 여셩으로 금일 부인긔 뵈오니 반가븐 슬푸미 쥬인을 뵈온 듯ᄒ여이다 쇼졔 ᄌ란을 보미 ᄃ경 의괴ᄒ여 침음 부답ᄒᄃ ᄃ시 쇼왈 불의지환을 맛나 궁즁을 ᄯ어ᄂ신 곡졀을 오히려 미지ᄒ시ᄂ니 너ᄂ 부인을 뫼셔 관즁의 드러가 동용이 심ᄉ롤 고달ᄒ라 ᄒ고 쇼져와 ᄌ란을 지쵹ᄒ여 관문의 다ᄃ(7)르니 관즁 ᄃ쇠 일시의 나와 영졉ᄒ여 드러 갈ᄉ 여러 층 쥬문을 지나며 층층ᄒᆫ 화계롤 말믜암아 셕실의 니르니 암지 크지 아니ᄒ되 졍쇄ᄒ고 버린 거시 만치 아니ᄒ나 쇼담ᄒ여 진짓 무릉 별계러라 ᄃ시 셕탑의 좌ᄒ고 연쇼졔 각셕의 좌롤 일우미 ᄃ시 홍의 녀동을 명ᄒ여 옥반금긔의 ᄎ과롤 관ᄃᄒ여 닐오ᄃ 쇼관이 벽누하쳐ᄒ여 도즁 ᄃ쇠 츌가 이후로 아아히 인간 화식과 진미롤 아지 못ᄒᄂ지라 귀인이 일시롤 머무럼즉지 아니ᄒ나 쵸쵸ᄒᆫ 숑ᄎ와 무미ᄒᆫ 여름이 먹으미 둑히 긔갈을 면ᄒ(8)ᄂ니 산즁 젹막ᄒ믈 념치 마르시고 진ᄒ쇼셔 쇼졔 ᄉ례ᄒ고 ᄎ과롤 맛보미 이 믄득 옥익경쟝이요 화리교되라 맛시 감열ᄒ여 인간의 비길 빅 아니라 ᄎ롤 파ᄒ미 ᄃ시 ᄯ 명ᄒ여 후졍 그윽ᄒᆫ 방쟝의 쳐쇼롤 졍ᄒ고 우왈 이 곳은 셕년 슉녈비 운유지 머무시던 방쟝이라 셔칙 등물과 긔완이 오히려 ᄀ득이 잇셔 금일을 기다리더니이다 쇼졔 ᄉ례 왈 싱아ᄌᄂ 부뫼요 구싱ᄌᄂ ᄉ뷔라 ᄉ부ᄂ 가히 우리 구문의 불셰 은인이로쇼니다 쳡이 다만 의심된 바롤 뭇줍ᄂ니 쳡의 이리 오미

주란의 작희러니(9) 이곳의 주란이 쏘 엇지 잇느니잇고 딕시 쇼왈 엇지 주란
이 하나쑨이리요 도쳐의 주란의 작용이 비상ᄒ니 이곳의 잇는 주란은 이의 완
지 슈 월이요 역시 사름의 ᄒ를 닙어 스싱이 슈파의 급ᄒ거늘 빈되 구ᄒ여 이
곳의 머믈미 경망ᄒ 으ᄒ 고향을 닛지 못ᄒ여 이러ᄒ미 현혹스 타시라 ᄒ여
각골통원ᄒ느니 부인이 본딕 주란으로 더브러 슉셰 연분이 듕ᄒ여 동쳐동귀ᄒ
미 스싱의 셔로 쩌느지 아니러니 주란이 부인 위ᄒ 졍셩이 오히려 구부인긔
지나리니 엇지 부인을 ᄒᄒ리오 빈되 당화를 다 못ᄒ느니 부인은 스(10)실의
도라가 주란다려 주시 무르쇼셔 쇼졔 직삼 칭스ᄒ고 주란으로 더브러 후당의
드러가니 당즁이 주못 졍결ᄒ고 반쥭 셔안의 셔칙을 가득이 빳하시며 좌우 벽
상의 졔영ᄒ 글이 구득ᄒ니 묵광이 찬난ᄒ고 필법이 신긔ᄒ여 주주언언이 귀
귀마다 쳠망부혜와 모혜국으의 불회 막딕ᄒ믈 슬허ᄒ며 연궁의 그림직 외로오
믈 셜워ᄒ엿시니 주마다 슬푸고 귀마다 쳐완ᄒ되 일효 부부 원별과 홍안박명
을 슬허 아냣고 말단의 써시되 모원 월일의 쥬시 여교는 감회 작시ᄒ노라
(11)ᄒ엿더라 쇼졔 ᄒ 번 보매 돈당 쥬슉녈의 회감시를 알고 츄연이 눈믈을
흘니고 셔적을 향ᄒ여 공경직비ᄒ여 굴오딕 불쵸죄 쳡이 운익이 긔구ᄒ와 규
리의 주최 일야지간 만니의 표령ᄒ믈 셜워ᄒ오미 무싱지긔러니 이졔 돈댱 슈
필을 보오니 쏘ᄒ 돈하의 뫼셔 은퇴을 밧줍는 듯ᄒ온지라 일분 셰렴을 머므러
다시 고원의 도라가 슬하의 뫼시믈 ᄇ라나이다 언파의 좌를 일우니 주란이 느
으와 젼후곡졀을 알월시 그쩌 흑스의 노를 유실의 ᄀ쳐더니 야간의 홍픽 츠주
니르러 구(12)부인 명으로 여츠여 젼ᄒ여 구상부의 가 슙으라 ᄒ거늘 진짓 홍
파만 넉여 싼라나오미 믄득 길을 도라 연지의 니르러 물의 밀치니 무망지화를
면치 못ᄒ리러니 돈스의 구ᄒ믈 닙어 니의 니르러시믈 고ᄒ니 연쇼졔 주긔 ᄒ
ᄒ던 요인이런 줄 알고 기연 탄식 왈 아지 못게라 어느 곳 요인이 너와 날노
더브러 무슴 원쉬 잇관딕 텬일지하의 인명 ᄒᄒ기를 틔글ᄀ치 ᄒ느뇨 닉 상문
교으로 표령만니ᄒ여 무거 쇼착ᄒ니 엇지 투싱홀 뜻이 잇시리오마는 돈스의
활명딕은과 너의 신(13)근 다졍ᄒ믈 보니 츠마 잇기 어렵도다 주란이 쳬읍 왈

비쥬 냥인이 스즁구싱ᄒ여 이리 모드미 텬쉬라 부인은 과상치 마르시고 쇼비
를 난향ᄀᆞ치 미드시면 쇼비 ᄯᅩ 부인 바라믈 아쥬와 ᄀᆞ치 ᄒ여 풍운의 길시를
맛나거든 영화로이 도라가ᄉ이다 이러틋 문답ᄒ여 밤을 지닉고 명됴의 ᄌᆞ란이
궤를 열고 ᄒᆞᆫ 벌 도복을 밧드러 드리고 딕ᄉᆞ의 명으로 긔복ᄒᆞᆷ믈 쳥ᄒ고 ᄯᅩᄒᆞᆫ
복식을 곳쳐 도동의 밉시를 ᄒ니 쇼졔 역시 녀복이 비편ᄒᆞᆫ 고로 도복을 긔착
ᄒ니 홍상치의 ᄀᆞ온ᄃᆡ 졀염미쇼졔 변ᄒ여 옥면낭군이 되여(14)시니 딕ᄉᆞ 니
르러 보고 칭찬 왈 슉녈비 여풍이로다 ᄒ고 삼 권 텬셔와 손오병셔를 ᄀᆞ르치
니 쇼졔 ᄉᆞ양 왈 이는 다 녀ᄌᆞ의 부당ᄒᆞ옵고 더옥 병셔는 무어시 쓰고ᄌᆞ 비호
라 ᄒ시나니잇고 딕ᄉᆞ 왈 빈되 그릇 아니리니 빈화 쓸 ᄃᆡ 잇ᄂᆞ니다 ᄒ고 도슐
을 ᄀᆞ르치니 쇼졔 능히 역지 못ᄒ여 쳑을 바다 쥬야 슈습ᄒᆞᄆᆡ 본ᄃᆡ 여신ᄒᆞᆫ 총
명이라 ᄌᆞᄌᆞ 희득ᄒ여 무불통지ᄒ니 오릭지 아냐 상통텬문ᄒ고 하달지리ᄒ며
둔갑긔슐과 손오병셔와 의약복셔를 모를 거시 업고 스스로 젼셰라 보와 과거
미릭를(15) 목젼ᄀᆞ치 씨ᄃᆞ라 옥단 셤월 ᄌᆞ란이 다 젼셰 연분으로 흑ᄉᆞ 금ᄎᆞ
의 튱슈ᄒ여 ᄌᆞ긔로 더브러 빅년을 동거홀 연분이 씨ᄃᆞ라 가연 탄식ᄒ고 ᄌᆞ란
의 튱근ᄒᆞᆷ믈 ᄉᆞ랑ᄒ여 무휼ᄒ고 ᄌᆞ란이 ᄯᅩᄒᆞᆫ 딕ᄉᆞ의 ᄀᆞ르치무로됴ᄎᆞ 연쇼졔
져의 녀군인 줄 알고 각별ᄒᆞᆫ 졍셩이 잇더라 각셜 어시의 요녀 셜믹 딕ᄉᆞ의 쥭
장을 맛고 구러져 입의 피을 흘니고 반향을 죽기의 니르러더니 겨오 뎡신을
출혀 보니 션용과 연쇼졔 간 곳 업ᄂᆞᆫ지라 마음의 분ᄒᆞᆷ믈 니긔지 못ᄒ더니 스
스로 풀쳐 싱각ᄒ되 신인이 아모리 만타 ᄒᆞᆫ들 우화 ᄉᆞ부 ᄀᆞᄐᆞᆫ(16) 비상ᄒᆞᆫ 직
죄 어ᄃᆡ 잇ᄉᆞ리오 반다시 어느 곳 요인이 연시의 아름다오믈 알고 아ᄉᆞ가미로
다 비록 후환은 업ᄉᆞ나 흑ᄉᆞ 연시의 무망봉변을 의심ᄒ리니 밧비 셜계ᄒ여 후
환을 ᄭᅥᆺ츠리라 ᄒ고 ᄀᆞ마니 경노의 집의 도라와 놀이 져믄 후 변ᄒ여 창승이
되여 궁즁의 왕닉ᄒ여 동졍을 술피더니 ᄎᆞ야의 흑ᄉᆞ 고쇼져와 동침ᄒᆞᆷ믈 보고
분노ᄒ여 ᄯᅥ라가 밤이 맛ᄃᆞ록 후창하의 규시ᄒ여 져 부부의 긔식과 ᄉᆞ어를 다
듯고 쇼져의 상쾌ᄒᆞᆷ믈 미워ᄒ고 학ᄉᆞ의 아득ᄒᆞᆷ믈 딕희ᄒ여 혜오ᄃᆡ 이졔 거쳐
업ᄂᆞᆫ 연시는 죄를 일워 불가ᄒ니 구시 고(17)시를 어즈러이 뒤얽어 긴 거슬

감쵸며 져른 거슬 늣타니게 호미 울타 호여 창하의 곡슉이 업듸엿더니 계명을
응호여 고쇼제 신성호라 드러가믈 보고 믄득 스스로 뭇고 스스로 답호여 혹시
듯게 호고 머무던 곳의 도라와 됴반을 초즈 먹고 굿브믈 니긔지 못호여 고요
히 슉와 호엿더니 홀연 긔약지 아닌 혹시 니르러 즈란의 방의 드러가니 즈란
이 치금으로 가슴을 반만 덥고 됴으름이 몽농호여 운발이 삽삽호여 반월 니마
를 덥헛고 셩안을 그린 드시 감으 좀 드러시니 도화냥협이 무루녹고 단스잉슌
이 노라호듸 쇼담 가려호여 미인의 (18)좀든 모양이 더옥 졀셰혼지라 혹시
이 거동을 보미 풍졍이 호탕호여 나아가 션즈로 듸골을 쳐 끌오듸 쥬군이 니
림호되 영졉호미 업스니 비쳡의 도리 가히 여츠호냐 즈란이 쑴 굿온듸 경동호
여 눈을 드러 보니 오미불망호던 혹시라 요네 황홀이 반가옴과 그음 업시 깃
브믈 니긔지 못호여 연망이 니블을 밀고 니러 두 번 졀호고 이뤼 교쥬호여 왈
쳔쳡이 비록 스문 부네 아니나 어려셔 구부인 장듸를 밧들미 구부인은 또 범
연혼 스둑 녀지 아니라 왕공 귀쳑의 만금농쥬로 존호고 귀호미 황녀의 감치
아니시니 그 장(19)각의 근시호미 미말츠환이라도 의식이 독호거늘 쳡은 더
옥 구부인 골경비지라 먹는 거시 옥식여찬이요 닙는 거시 금슈능단이니 호화
부귀의 쳐호여 비환이락을 아지 못호더니 부인이 제궁 총비 되신 후 쏘 닐오
시되 너의 지졍이 극히 아름다오니 니 엇지 널노뼈 심궁한쳐의 쳥슈 아미를
공숑호여 봄을 늣기며 가을을 슬허호는 탄이 잇게 호리오 호시고 본부 문긱뉴
의 츌인혼 즈를 골히여 젹인호려 호시던 거슬 우연이 노야의 느뷔 잡는 그물
의 걸녀 쥬인의 쟝듸를 하직호고 이곳의 온 후는 홀연이 지은 죄 업시 (20)쵸
쉬 되여 머리를 방 밧긔 니왓지 못호고 먹는 것과 쓰는 거시 다 부둑호니 이
리호고 스라 무엇호리오 쏘 드르니 연부인이 일야간 거쳬 업다 호고 인언이
분분호여 노야의 풍뉴혼 연고로 화익이 부인긔 밋다 호니 이런 말슴이 젼셜혼
즉 여익이 다 뭇고 부인과 쳔쳡의게 도라가지 아니호고 어느 곳의 밋츠리잇고
찰하리 삭발 기셰호고 스문의 도라가믈 원호느니 바라건듸 노야는 쾌히 허락
호스 쳡의 유무를 스싱간 거리끼지 마르쇼셔 셜파의 불승쳬읍호니 혹시 흔연

이 손을 닛그러 졋히 안치고 위로 왈 너는 슬허 (21)말나 니 잇스니 무순 일 삭발위리 흐리오 아직 엄명을 두려 너를 임의로 춧지 못흐나 타일 당당이 금 츠 뎨일향의 두어 명ᄉᄌᆞ상의 총희로 ᄌᆞ녀를 ᄀᆞ쵸 두고 복녹이 가즉게 흐리라 요녜 눈물을 거두고 함튀졔미흐여 이원 탄식 왈 양비의 완혜지용으로도 마외 역의 참혹히 죽고 문군의 실졀흐믈 늣바 아닛는 졍으로도 쳥신 빅두음을 외와 시니 쳔쳡이 무순 사름이라 노야의 과도흐신 은춍을 당흐리잇고 흑시 지슘 위 로흐고 쳥산녹슈로 밍셰흐여 타일 져바리지 아니믈 니르고 우문 왈 빅슈 구부 인이 너를 (22)셜가 문긱의게 허흐미 잇더냐 요녜 양경 왈 노애라 엇지 아르 시ᄂᆞ냐 흑시 왈 니 드른 곳이 잇스무로 뭇노라 셜싱지 되강 인믈이 엇더흐며 무슴 지뫼 잇ᄂᆞ냐 요녜 되왈 ᄌᆞ시 아지 못흐나 부인이 미양 니로되 셜낭이 ᄂᆞ 히 져믄 풍치 츌뉴흐며 지죄 신긔흐여 어려셔 인믈이 영오흐고 일즉 이인을 만나 신슐 변화를 빅호고 형가 셥졍의 늘늬미 잇고 호풍환우흐는 ㅈᆡᄃᆡ 잇 스니 널노써 허흐여 심복의 부리리라 흐시던 비니 되강 지뫼 잇는가 시부더이 다 흑시 왈 네 반다시 니게 도라오믈 한흐리로다 그리면 니 (23)너를 슈흐여 셜가의 노닉리니 엇더흐뇨 요녜 함쇼 왈 노야는 되지 못홀 말슘을 마르쇼셔 쳔쳡이 비록 지우하쳔이나 어려셔 고셔를 빅화 춤신이 두 임군을 셤기지 아니 흠과 녈녜 이부를 돗지 아니믈 아옵ᄂᆞ니 노애 만일 바리시면 죽을 ᄯᆞ름이라 엇지 실졀흔 더러온 겨집이 되리잇고 흑시 우왈 네 셜가의 동젹을 아는다 되 왈 쳡이 구부인을 뫼와실 졔는 홍파랑이 ᄌᆞ로 셜가의 말을 니르니 드럿거니와 이리 온 후야 엇지 쇼문을 드르리잇가 연이나 노애 셜가를 아르시니 ᄀᆞ장 괴 이흐이다 졍언 간의 옥단(24) 셤월이 복명흐나 흑시 말을 긋치고 경노 부쳐를 불너 쥬찬을 ᄀᆞ쵸와 드리라 흐되 경뇌 고두 왈 돈명을 엇지 감히 거역흐리잇 고마는 샹공이 쳔가의 미녀를 감쵸시고 ᄊᆞᄊᆞ 님흐ᄉ 연낙흐시믈 뎐희 아르신 즉 노야 돈쳬의 듕칙이 밋츠시고 여홰 쇼인의게 밋츨가 두리ᄂᆞ이다 흑시 왈 너는 오직 함구흐라 부왕이 엇지 쇼쇼 곡졀을 다 아르시리오 셜ᄉ 발각흐나 부왕의 인인셩심으로써 ᄌᆞ식을 죽이든 아니시리니 너는 다만 쇼쥬인의 명을

거역지 못ᄒᆞ무로써 알외라 약간 칙벌ᄒᆞ시나 관겨ᄒᆞ랴 경(25)노 부체 후일을
념녀ᄒᆞ나 감히 말을 못ᄒᆞ고 쥬는 금젼을 바다 쥬찬을 장만ᄒᆞ여 올니ᄆᆡ 혹시
스스로 슐을 거후르고 ᄌᆞ란으로 잔을 부으라 ᄒᆞ고 옥단 셤월노 가무ᄒᆞ여 즐길
ᄉᆡ ᄌᆞ란이 슈즁의 미혼단을 가져 혹ᄉᆞ의 진ᄒᆞᄂᆞᆫ 잔마다 셧거 드리니 십여 ᄇᆡ
의 혹시 ᄃᆡ취ᄒᆞ여 인ᄉᆞᄅᆞᆯ 모로고 좌셕의 구러지니 날이 져무되 혼혼 불셩ᄒᆞ여
가기를 닛ᄂᆞᆫ지라 경노 부체 황망 쵸됴ᄒᆞ여 붓드러 후당의 드리고 졔미인이 구
호ᄒᆞ니 삼녜 붓드러 ᄌᆞ리의 편히 뉘이고 슈독을 쥼물너 구호ᄒᆞ더니 야심ᄒᆞᆫ 후
바야흐로 슐이 (26)ᄭᆡᆫ 듯ᄒᆞ여 눈을 드러보니 이 곳 궁즁이 아니요 경노의 집
후당이요 좌우의 셰 미인이 붓드러 구호ᄒᆞ거늘 혹시 슐이 ᄭᆡ고ᄌᆞ ᄒᆞ고 쵹하의
ᄌᆞ란을 ᄃᆡᄒᆞ니 황홀ᄒᆞᆫ 은졍이 십솟ᄃᆞᆺᄒᆞ여 냥녜 이시믈 휘치 아니ᄒᆞ고 ᄌᆞ란을
닛그러 황음ᄒᆞ기를 마지 아니ᄒᆞ니 옥단 등이 비록 일홈이 창기나 졍졍ᄒᆞ여 ᄉᆞ
독의 놉흔 ᄒᆡᆼ실이 잇고 음난ᄒᆞ지는 아니ᄒᆞᆫ지라 혹ᄉᆞ의 방일홈과 ᄌᆞ란의 요음
ᄒᆞᆫ 졍ᄐᆡ를 더러이 넉여 눈을 낫쵸고 냥녜 셔로 잇그러 방 밧긔 ᄂᆞ오니 혹ᄉᆞᄂᆞᆫ
무심ᄒᆞ되 요녜 냥녀의 눈츼를 알(27)고 심하의 노ᄒᆞ여 반ᄃᆞ시 쥭일 ᄯᅳᆺ이 잇
더라 니러구러 날이 ᄉᆡ니 혹시 상광지심이나 부왕의 엄노를 두려 밧비 의관을
졍졔ᄒᆞ고 삼녀를 니별ᄒᆞᄆᆡ 보ᄒᆡᆼ으로 궁문의 다ᄃᆞ르니 바야흐로 큰문이 여럿더
라 혹시 넌ᄌᆞ시 인원 총즁의 셕겨 안문의 드러가되 감히 셔헌으로 드지 못ᄒᆞ
고 후면 월앙의 인젹이 업슨 곳으로 ᄒᆡᆼᄒᆞ여 고쇼져 침실의 드러가니 당샹 좌
우의 불빗치 됴요ᄒᆞ고 쇼졔 ᄇᆞ야흐로 신쟝을 다ᄉᆞ리다가 혹ᄉᆞ를 보고 그의 관
이 부졍ᄒᆞ고 거지실됴ᄒᆞᄆᆞᆯ 보ᄆᆡ 심니의 희연경히ᄒᆞ여 거울을 놋코 니(28)러
마ᄌᆞ 좌를 졍ᄒᆞᄆᆡ 셩안의 두 줄 졍광이 거듧써 보믈 ᄭᆡᄃᆞᆺ지 못ᄒᆞ여 믄득 츄파
를 거두고 관줌을 졍히 ᄒᆞ며 쟝복을 염의고 옥픠를 ᄎᆞᄆᆡ 옥안이 쎅쎅ᄒᆞ고 셩
안이 ᄂᆞ즉ᄒᆞ여 긔샹이 츄련한월 ᄀᆞᆺᄒᆞ니 말 붓치기 어려온지라 혹시 십분 긔탄
ᄒᆞᄆᆡ 업지 아냐 이의 션우음ᄒᆞ여 왈 싱이 쟉일 됴참 후 연부의 가 연공 부부의
허다 넉두리를 다 듯고 심난ᄒᆞ여 오다가 친우의 간쳥ᄒᆞ믈 맛나 슐을 과취ᄒᆞ고
감히 돈젼의 뵈지 못ᄒᆞ여 궁문 밧 경노의 집의셔 ᄌᆞ고 왓ᄂᆞ니 쳥컨ᄃᆡ (29)부

인은 가부의 신샹을 앗기거든 돈당의 여추여추 알외여 싱이 밤들게 도라와 수침의셔 신음ㅎ여 신셩의 불참ㅎ무로써 알외소셔 소졔 청파의 졍식 왈 고인이 운ㅎ되 인즈 ㄴㅇ가미 방쇼롤 반ᄃ시 부모긔 고ㅎ고 ᄯㅗ 군즈 되여 쳐신ㅎᄆ 힝신의 반졉궤고 ㅎᄆ 업스리니 엇지 거짓말을 ᄭ며 부형 쇽이믈 능소로 ㅎ리잇고 쳡이 즈유로 품셩이 우직ㅎ여 평싱의 거짓말을 비호지 아냐시니 돈당이 군즈의 거취롤 뭇지 아니신죽 닥치 아니려니와 만일 무르신죽 수유 본말ᄃ로 알(30)외리니 엇지 돈젼의 긔망ㅎ여 알외리잇고 셜파의 ᄉ긔 츄상열일 굿ㅎ니 싱이 일변 무류ㅎ고 일변 노ㅎ여 쟉식 왈 부인은 복어인이라 녀즈의 경부 지되 온슌ㅎᄆ 가ㅎ리니 져리 거스리ᄆ 가ㅎ랴 불통흔 녀지 무식흔 부모의 싱훈이 아모리면 ㅇ죽 ㅎ랴 쇼졔 닝쇼 왈 쳡이 비록 무가의 싱쟝ㅎ여 ᄉ체롤 아지 못ㅎ나 유문 군지 방쇼롤 두지 아니시고 시하 인인 츌입을 즈젼ㅎ며 허언을 ᄭ며 부모긔 고흔다 ㅎ문 일즉 듯지 아낫ㄴ이다 싱이 쇼져의 말마다 의리쾌(31)단ㅎ여 단쇽지 아니믈 십분 닥로ㅎ여 닙셔나 쇼져의 봉관을 벗겨 더지고 운발을 줍ㅇ 벽의 부딧이즈랴 ㅎ니 쇼져는 강기 열슉흔 녀지라 엇지 힘힘이 마즈리오 발연이 썰치니 관이 버셔지고 옥픠 쩌러지고 옥쳐 썩거지나 쇼져는 샹치 아니ㅎ고 혹식 췌긔 오히려 잇는 고로 쇼져의 미이 썰치믈 인ㅎ여 헛도이 노하바리고 샹머리의 구러지니 닥로ㅎ여 광미롤 거스리고 봉안을 부릅ᄻ 니러ㄴ며 쇼져롤 난타홀 형샹이 급ㅎ거늘 쇼졔 셔연이 관줌을 거두어 쳥수의 ㄴ리니 힝뵈 날 듯ㅎ여 계하의 ㄴ리ᄆ 계파 쇼잉이 쵹을 줍(32)ㅇ 인도ㅎ여 졍젼으로 향ㅎㄴ지라 싱이 쇼져롤 노화 바리고 분긔 엄엄ㅎ여 방즁 긔완을 ᄂᆺ ᄂᆺ 차 분쇄ㅎ며 병장을 다 뮈이 치니 산호경닥와 옥거울이 만젼의 노고 금옥 긔완이 산산이 바아지니 그림 그린 ᄉ창과 아로삭인 난간이 편편ㅎ여 어즈러이 쩌러지니 싱의 분이 날치는 거동이 완연흔 광인이라 쇼졔 시이불견ㅎ고 졍당으로 향ㅎ더니 합문 압희 ᄃ다라 우슉희롤 맛ㄴ니 쇼졔 왈 셔뫼 어딕로 가시나니잇가 슉희 왈 졍궁으로 가ㄴ이다 쇼졔 침음 쥬져ㅎ거늘 슉희 경아 문고 흔딕 쇼졔 안셔히 딕왈 쳡의 각즁의 기괴흔 변이 잇(33)스니 셔뫼 아니시면

푸지 못ᄒ리니 바라건디 거름을 앗기지 마르쇼셔 슉희 경문 왈 지 작일의 명
휘각 디변을 지니고 ᄯᅩ 무슴 변이 잇ᄂᆞ니잇가 쇼제 월ᄋᆞ를 ᄲᅥᆼ긔여 왈 도ᄎᆞ의
엇지 다ᄒ리잇가 다만 가셔 보시면 아르시리이다 슉희 쇼져의 말이 필유ᄉᆞ고
ᄒᆞ믈 ᄭᅵ닷라 다시 뭇지 아니ᄒᆞ고 거름을 두루혀 지셩각의 니르니 크게 아름답
지 아닌 광경이라 슉희 디경ᄎᆞ악ᄒᆞ여 급히 싱의 손을 줍으며 녀셩 왈 공지 취
ᄒᆞ지 아냐시면 과연 미쳣도다 고쇼제 이 궁즁의 니르신 지 ᄉᆞ 오 일이라 무슨
견과ᄒᆞ미 잇관디 공즈의 거죄 여ᄎᆞᄒᆞ시뇨 싱이 셩이 북밧쳐 열화 (34)ᄀᆞᆺᄒᆞ나
셔모의 칙언을 드르미 ᄌᆞ못 공경ᄒᆞ여 왈 고시ᄂᆞᆫ 극악 발뷔라 언시 여ᄎᆞ여ᄎᆞᄒᆞ
니 쟝뷔 되여 그르나 올ᄒᆞ나 엇지 녀ᄌᆞ의게 굴ᄒᆞ리잇가 ᄎᆞ고로 거죄 광픽ᄒᆞ기
의 미쳣더니 이 ᄯᅩ 고시의 허믈이요 ᄌᆞ의 타시 아니로쇼이다 슉희 뎡식 왈 공
ᄌᆞ를 은양ᄒᆞ미 이시니 그 졍이 엇지 범연ᄒᆞ리오 고쇼제 비록 용우ᄒᆞ나 긔특ᄒᆞ
나 공ᄌᆞ긔 ᄶᅡ로인 쇼제여늘 엇지 공ᄌᆞ긔 더ᄒᆞ리오 무타라 공즈의 ᄋᆞ시 총명이
입쟝 등과 후 돌연이 변화ᄒᆞ시미 흔ᄀᆞᆺ 공즈의 운쉬 불니흘 분 아니라 연고 냥
부인의 쇼죄 (35)긔험ᄒᆞ미로쇼이다 뎐하의 엄훈과 ᄉᆞ인 상공의 졍디흔 교훈
을 밧드지 아니시고 풍뉴호탕을 나는 디로 ᄒᆞ여 셩졍이 샹ᄒᆞᆯ믈 싱각지 아니ᄒᆞ
고 즁야의 방쇼를 임의로 ᄒᆞ여 신셩을 폐ᄒᆞ며 취광흔 거됴로 부인의 쳐쇼를
임의로 ᄒᆞ여 신셩을 제ᄒᆞ며 취광흔 거됴로 부인의 쳐쇼의 돌입ᄒᆞ여 거죄 히괴
망측ᄒᆞ니 평일 슈힝이 엇지 이러ᄒᆞ리오 쳡이 골돌ᄒᆞᆯ믈 니긔지 못ᄒᆞᄂᆞ니 ᄎᆞ후
의 이 일을 뎐하와 낭낭이 아르신죽 공ᄌᆞ 신샹이 엇지 무ᄉᆞᄒᆞ리오 싱이 셔모
의 구구지언을 드르미 구연ᄒᆞ여 져두 묵연ᄒᆞ거늘 슉희 지삼 권ᄒᆞ여 편히 쉬기
를 권ᄒᆞ고 졍당의 드러가 문안ᄒᆞ고 (36)졔인이 다 모다시되 홀노 흑식 업ᄂᆞᆫ지
라 왕이 ᄉᆞ인다려 왈 문이 어디 ᄀᆞᆺ관디 냥일을 보지 못ᄒᆞᆯ쇼냐 디왈 작일 파됴
후 연부로 가노라 ᄒᆞᆸ더니 연공이 쳥뉴ᄒᆞ민가 ᄒᆞᄂᆞ이다 왕이 불열 왈 ᄋᆞ히
비록 무힝ᄒᆞ나 연공은 녜의군지라 엇지 인ᄌᆞ의 방쇼를 고치 말나 ᄒᆞ리오 ᄎᆞ익
근간 힝식 크게 괴이ᄒᆞ여 겨옥 니 압흘 님ᄒᆞ여 슈련ᄒᆞ노라 ᄒᆞ나 두루ᄂᆞᆫ 목ᄌᆞ
와 온즁흔 쳬ᄂᆞᆫ 다 버리고 밋친 거름이 실노 히괴ᄒᆞ여 다ᄉᆞ릴 거시로디 ᄌᆞ고

로 셩인도 오는 익을 면치 못한니 추이 근간 미간의 흑긔 밋치여 딕익을 맛날 거동이니 만일 긔운을 줍고져 한죽 익쉬 공참(37)한여 반다시 소성의 념녜 잇실지라 추고로 만소의 지이부지한여 속슈딕턴한느니 오으는 모로미 샹심명 찰한여 그 힝동을 유심한여 딕과의 니르게 말나 추이 반다시 연부의 잇지 아 니리라 소인이 슈히 딕치 못한고 유유한거늘 우희 느으와 고왈 추공지 과연 작야의 도라와시나 취긔 미란한여 감히 졍당의 뵈옵지 못한고 홀노 후당의 가 밤을 지니고 계명 씩의 지셩각의 드러와 슉취 몽농한고 신긔 불안한여 요셕 의지 못한더이다 왕이 불열한여 묵연 무어한고 공쥐 빈미 탄왈 닉 여익이 미 진한여 여해 조식의게 밋추미로다 연쇼부의 무망 참익이 (38)소성을 미가분 이여늘 간인이 은복한여 악소를 지으니 구현부와 고쇼뷔 엇지 고당의 안거한 믈 긔필한리오 좌위 왕의 부부의 말숨을 의혹한되 구시는 신명한 녀지라 지긔 한미 잇는 고로 아미를 줍간 빈츅한더라 이늘 마춤 진공이 미양이 잇스믈 알 외니 왕이 딕경한여 부인과 조녀를 거느려 샹부의 느으가 문안한니 빅부와 부 공이 혼가지로 딕셔헌의 쳐한엿는지라 진공이 졔조를 딕한여 왈 우연이 감돈 한여 신음한나 본딕 큰 병이 아니라 여등은 물념한라 연이나 노뷔 쟉야의 침 쉬 경경한여 형양을 뫼셔 건샹을 술피니 요미의 긔운이 졔궁(39)의 フ득한엿 시니 필연 여해 불측홀지라 알고 속슈한믄 텰인의 지혜 아니여니 주고로 홍안 지희는 텬니의 샹식라 구연 냥이 용안이 너모 슈이한믈 닉 주못 깃거 아니한 더니 연이 불의 봉변한여 돈망을 아지 못한고 또 궁즁의 요젹이 잇스니 고시 는 비록 쇼쇼 익경이 잇시나 본딕 다복유덕지샹이니 셜스 악인의 무리 만쟝킹 참의 밀쳐도 그 몸이 화의 느으가지 아니코 고당의 안거한려니와 두리는 바는 구쇼뷔라 얼골이 너모 과도한여 직익이 만흔 으히니 엇지 두립지 아니리오 오 는 익은 셩인도 면치 못한느니 구시 엇지 홀노 면한리오마는 노부의 의심은 구시 연으의 무망딕화를 (40)맛늘가 두리느니 여추여추한여 방비한라 왕이 복슈 쳥교의 괴이 비스 왈 딕인의 셩뫼 명셩한시니 희이 양복한느이다 연이나 만시 다 하늘이니 엇지 인녁으로 밋추리잇고 오직 돈명을 봉승한리이다 진공

이 우연 탄왈 니 실노 녀즈의 싴이 불관ㅎ고 덕과 복이 둣거오믈 깃거ㅎ되다 졔부 졔숀이 하ᄂᆞ토 의빈의 복덕이 겸비ᄒᆞ믈 밋기 어려오니 엇지 가한치 아니리오 오공이 위로 왈 화복이 지텬ᄒᆞ고 궁달이 유명ᄒᆞ니 인역의 밋츨 빅 아니라 현데 즈쇼로 총명 상쾌ᄒᆞ데 모년의 니르믹 엇지 잔 헴이 그리 만ᄒᆞ뇨 진공이 형쟝을 도라보와 잠쇼 듸왈 쇼데 즈(41)유로 셩질이 쇼돌ᄒᆞ거늘 쇼시의 쥬시로 인ᄒᆞ여 괴괴흔 변익을 ᄀᆞ쵸 지니고 즈부 숀ᄋᆞ의 니르히 여익이 미진ᄒᆞ여 듸회 칭싱ᄒᆞ니 즈연 심화되여 스심이 만복ᄒᆞ오미러니 형쟝이 오돌ᄒᆞ믈 칙ᄒᆞ시니 추후는 비록 근심이 잇ᄉᆞ나 형쟝 안젼의 우회를 베푸지 못ᄒᆞ리로쇼이다 ᄒᆞ더라 왕이 졔즈를 거ᄂᆞ려 부젼의 뫼셧다가 모부인긔 뵈오니 쥬부인이 졔부 졔숀을 거ᄂᆞ려 말솜ᄒᆞ다가 왕의 곤계를 보고 진공의 반일 긔후를 뭇고 종용이 한담ᄒᆞ여 일모ᄒᆞ매 졔인이 물너ᄂᆞ니 왕의 부뷔 쏘흔 궁의 도라오다 고쇼졔 돈고를 뫼셔 샹부의 문안ᄒᆞ고 도라와 침쇼의 니르니 추시 흑식 종(42)일 언와ᄒᆞ여 고시의 도라오믈 괴로이 기ᄃᆞ릴식 요녜 흑ᄉᆞ의 노긔를 씌여 고쇼져 침쇼로 드러가믈 보고 가마니 ᄯᆞ라가 여허 보니 쇼져는 돈당의 드러가고 흑ᄉᆞ는 쟉난을 흔 번 잘ᄒᆞ고 상상의 누어 분흔 슘쇼릭 긋치지 아니ᄒᆞ거늘 양낭 추환이 실즁과 난간의 흣터진 긔완을 슈습ᄒᆞ여 ᄯᆞ려진 거슬 셔룻노라 분쥬 왕닉ᄒᆞᄂᆞ지라 요녜 변ᄒᆞ여 창승이 되여 ᄂᆞ라 싱의 머리 우희 안줏다가 창밧긔 ᄂᆞ가 왕닉ᄒᆞ여 ᄀᆞ마니 일오듸 우리 쇼졔 실노 답답ᄒᆞ시도다 부졀업시 쟝부를 촉노치 말고 그만ᄒᆞ여 본부의 도라가 연부인의 구츄이 도쥬ᄒᆞ믈 본밧지 말고 광명졍듸히 풍뉴(43)냥군을 어더 쾌락ᄒᆞ미 아니 올흔가 문득 답ᄒᆞᄂᆞ 직 잇셔 왈 미미야 실노 인심을 불가측이러라 연부인은 소돌 혼암 녀직 가부의 호일방탕ᄒᆞ고 박졍미믈ᄒᆞ믈 한ᄒᆞᄂᆞ 마음의 구부인의 능활흔 씨음과 고쇼져의 긔모를 버셔ᄂᆞ지 못ᄒᆞ여 힘힘이 젹슈의 쩌러져 훼졀 음븨 되믈 면치 못ᄒᆞ엿거니와 고쇼져는 창기를 싀싀와 도라갈 쯧이 업ᄉᆞ니 아니 괴이ᄒᆞ냐 몬져 말ᄒᆞ든 직 우어 왈 미미ᄂᆞ 우은 말 말나 고쇼져는 창기라도 젹인이 잇셔 금슬지락이 동요롭지 못ᄒᆞ믈 한ᄒᆞ거니와 구부인은 텬승 국군의 총뷔요 진신명ᄉᆞ의 부인으로 가부의 단졍ᄒᆞ미 궁즁 슈풀 ᄀᆞᆺ흔 홍장분ᄃᆡᄅᆞᆯ 무심 힝노ᄒᆞ(44)고 은툥이 ᄌᆞ가의 젼일ᄒᆞ거늘 무어시 부독ᄒᆞ여 쥬희의 탕음ᄒᆞ미 잇ᄂᆞ뇨 슈답지 긔긔히 우어 왈 ᄉᆞ인노애ᄂᆞᆫ 진실노 금셰의 미ᄌᆞ와 뉴하혜라 풍졍이 너모 미믈ᄒᆞ여 마치 슈도승 ᄀᆞᆺᄒᆞ니 엇지 가인의 탐츈ᄒᆞᄂᆞᆫ 졍의와 ᄀᆞᆺᄒᆞ리오 ᄎᆞ고로 구부인이 현ᄉᆞ 인의풍뉘 너모 미믈ᄒᆞᆷ믈 미흡ᄒᆞ여 반다시 뉴졍 낭군을 ᄉᆞ통코ᄌᆞ ᄒᆞ미니 이ᄂᆞᆫ 가인의 다다흔 탐졍이라 구부인이 스스로 진희 되고ᄌᆞ 홀지언졍 도라가고ᄌᆞ ᄒᆞᄂᆞᆫ 뜻이 업ᄂᆞ이라 답왈 ᄯᅩ흔 아노라 ᄎᆞ인이 진짓 옥얼골의 슛마음이니 금문가별과 부귀호치ᄅᆞᆯ 니ᄅᆞᆯ진ᄃᆡ 가히 그 인물이 앗갑도다 그러나 져러나 우리 하ᄇᆡ 알 ᄇᆡ 아니로다 미미와 닉 비록 (45)지쳔의 졍이 잇ᄉᆞ나 임의 인가 ᄇᆡᄇᆡ 되여 각각 임ᄌᆞᄅᆞᆯ 됴ᄎᆞ시니 쥬인의 시비ᄅᆞᆯ 일어 무엇ᄒᆞ리오 속어의 왈 쥬어ᄂᆞᆫ 문됴ᄒᆞ고 야어ᄂᆞᆫ 문셔라 ᄒᆞ니 다셜ᄒᆞᆷ믈 긋치라 셜파의 고요ᄒᆞ니 싱이 ᄉᆞ믹로 ᄂᆞᆺ츨 덥고 ᄌᆞᄂᆞᆫ 듯ᄒᆞ나 ᄌᆞ지 아낫거니 엇지 요인의 문답ᄒᆞᆷ믈 못 드르니오 심하의 분희ᄒᆞ여 싱각ᄒᆞ되 나ᄂᆞᆫ 부모의 계지니 비향이 비록 불합ᄒᆞ나 홀일업거니와 형장은 문즁의 즁흔 몸이라 비필을 ᄀᆞᆯᄒᆡ미 맛당이 쟝강의 식과 임ᄉᆞ의 덕을 겸흔 슉녀ᄅᆞᆯ 취ᄒᆞ여 금슬동고의 갈담힝치ᄅᆞᆯ 노릭ᄒᆞ고 싱ᄌᆞ휵손ᄒᆞ여 둉을 챵ᄒᆞ며 ᄉᆞᄅᆞᆯ 널니미 올커늘 구쉬 엇지 긔화의 향염과 쥬옥(46)의 직긔로써 의용이 관졀ᄒᆞ시나니 반ᄃᆞ시 규측의 셩범으로 오문을 챵ᄃᆡ홀가 ᄒᆞ엿더니 엇지 뜻 밧긔 여ᄎᆞ 누힝이 잇실 줄 알니오 형뎨ᄂᆞᆫ 골육이라 닉 슈시의 이ᄃᆡ도록 불미흔 과실을 붉히 알고 모로ᄂᆞᆫ 드시 무더둔죽 이ᄂᆞᆫ 골육을 닉외ᄒᆞ미라 맛당이 드른 말노써 형장긔 몬져 고ᄒᆞ여 샹논ᄒᆞ고 ᄯᅩ 부모긔 알외여 불인흔 직최ᄅᆞᆯ 가녀의 업시 ᄒᆞ고 식로이 고문ᄃᆡ가의 뇨됴슉녀ᄅᆞᆯ 어더 가형의 닉됴ᄅᆞᆯ 빗닉여 부모 후ᄉᆞᄅᆞᆯ 닛게 ᄒᆞ리라 ᄒᆞ고 미친 의식 발작ᄒᆞ여 셔당으로 분연이 ᄂᆞ가고ᄌᆞ ᄒᆞ더니 셔뎨 희양이 안흐로셔 ᄂᆞ오며 닐오ᄃᆡ 됸당 틱노애 미양이 계시니 부왕 뎐하와 현(47)비 냥냥이며 궁즁 다쇼인이 다 샹부의 가 계시니 혹ᄉᆞᄂᆞᆫ 신음ᄒᆞ신다 ᄒᆞ고 명치 아냐 계시니 아지 못게라 지금은 ᄂᆞᄋᆞ시거든 상부로 나아가려 ᄒᆞ시ᄂᆞ니잇가 연즉 의관이 부졍ᄒᆞ고 의용이 환탈ᄒᆞ여 계시니 관쥴이나 곳쳐 ᄒᆞ고 의

딕룰 졍졔ᄒ여 ᄂᄋ가쇼셔 져 모양으로 가시다가ᄂ 엄칙을 면치 못ᄒ시리이다
싱이 쳥파의 ᄌ긔 광망ᄒ 거동을 붓그리고 희양의 졍직ᄒ 말을 드르니 무류ᄒ
여 낫츨 붉히고 왈 날 실노 환후 계시던 줄 모로더니라 연니ᄂ 딕단튼 아니시
냐 동일토록 븬 방의 혼ᄌ 누어시니 심난ᄒ여 셔당의 ᄂ가 형졔 등이나 ᄎᄌ
보고 말이나 ᄒᄌ ᄒ엿더니 셔당이 뷔엿다 ᄒ니 ᄂ가 부졀업(48)도다 작취 미
셩ᄒ고 신긔 곤뇌ᄒ여 거름 것기 슬희여 샹부의 가지 못ᄒᄂ니 더ᄂ 툰댱의
드러가 날 본 체 말나 ᄒ고 도로 침쇼로 드러가니 희양이 고이히 넉여 ᄒ나 불
문기의 ᄒ고 다만 딕답ᄒ더라 싱이 도로 드러와 누어 싱각ᄒ되 닉 잘못ᄒ도다
아ᄌ의 말ᄒ던 시비들을 ᄉ획ᄒ여 곡졀을 ᄌ시 안 후 슈시의 과실을 부모와
형댱긔 고ᄒ미 올커늘 쟝물 잡지 못ᄒ고 이런 즁난ᄒ 말을 구외의 경셜ᄒᆫ즉
부뫼 엇지 칙지 아니시며 형쟝이 ᄯᅩ 슈시의 용싁을 과즁ᄒ시니 벅벅이 닉 말
을 고지 듯지 아니시리니 도로혀 합문 샹하의 분분ᄒ 인언이 즁망을 니르혀
날을 괴이히 넉이리니 엇지 망(49)계 아니리오 아모커나 이졔란 범ᄉ를 샹심
ᄒ고 부딕 눈칙 잇게 ᄒ여 음악ᄒ 단셔를 잡은 후 명졍언슌ᄒ여 구시와 고시
날을 원치 못ᄒ게 ᄒ리라 ᄒ고 이러틋 ᄉᄉ 난예 빅츌ᄒ여 동일 번뇌ᄒ며 칭
병 잠와 ᄒ여 식음을 츳지 아니ᄒ더니 셕양의 왕의 부뷔 도라오니 고쇼졔 비
후ᄒ여 온지라 쇼졔 싱이 침쇼의 그져 잇시믈 듯고 샹딕ᄒᄆᆯ 크게 괴로와 졍
견의셔 졔ᄉ 쇼고와 ᄒ가지로 셕식을 파ᄒ고 혼졍을 맛ᄎ미 쇼졔 옥혜쇼져로
더브러 향미각의 니르니 쇼져ᄂ 의빈군쥬의 질녜라 ᄂ히 어리나 인즈 명쳘ᄒ
여 춍명영긔 모부인 슬긔 잇더라 고쇼져의 홍군을 닛그러 낭낭이 쇼왈 져져의
셩(50)덕 지모룰 닛지 못ᄒ여 ᄒ 번 ᄀ르치믈 듯고ᄌ ᄒ되 연져져의 봉변 후
가즁이 블낙ᄒ고 근일 ᄎ거거의 본셩을 일허 분쥬ᄒ고 져져 각즁의 공연ᄒ 젼
쟝이 되니 심히 불안ᄒ여 감히 쳥치 못ᄒ엿더니 져졔 돌연이 누쳐의 님ᄒ시니
금야란 ᄌ고 가쇼셔 동야 한담ᄒ여 동긔지졍을 펴ᄉ이다 쇼졔 흔연 ᄉ왈 쇼졔
쳡의 용우ᄒ 긔질을 이러틋 우딕ᄒ시니 엇지 감은치 아니리오 맛당이 후의룰
밧들러 머물고ᄌ ᄒ되 ᄉ괴 만흔지라 능히 한유치 못ᄒᄂ니 쇼져ᄂ 허물치 마

르쇼셔 다만 향미각이 쳡의 쳐쇼와 지근ᄒ나 쳡이 말믜 암ᄋ 쟝티를 구경치 못ᄒ 고로 퇴실ᄒᄂ 길히 니르미로쇼이다 (51)교혜 쇼졔 이의 왓더니 교혜ᄂᄂ 구 셰요 옥혜 형이라 쇼왈 고져졔 ᄎ형의 셩품을 아ᄂ도다 무ᄉᆷ 일인지 동일 혐샹을 부리고 됴셕을 다 폐ᄒ고 쳥평 셰계의 광긱이 되여 침쇼의 고와 ᄒ엿 더라 ᄒ니 져졔 만일 ᄉ침을 ᄎ지 아니신즉 티란이 날 ᄃ시ᄒ니 ᄲᆯ니 가쇼셔 쇼 졔 쳥미의 ᄲᅡᆼ미를 ᄲᅵᆼ긔여 부답이러니 믄득 보ᄒ되 쥬군이 죵일 불식ᄒ고 샹셕 의 고와 ᄒ여 겨시더니 부인이 졸연이 슉쇼를 ᄎ지 아니시고 ᄋ쇼져 침당의 오시믈 아르시고 노ᄒᄉ ᄲᆯ니 쳥ᄒ시더이다 쇼졔 진실노 싱의 광거를 상면ᄒᆯ 마음이 업셔 한유ᄒ여 도라가고ᄌ ᄒ더니 ᄎ언을 드르믹 괴로오믈 엇지 면ᄒ 리오 이의 후회를 니(52)르고 날이 임의 황혼이라 실즁의 쵹광이 여쥬ᄒ더라 쇼졔 입실ᄒ니 싱이 노홉던 마음이 풀니지 아닌지라 져의 드러오믈 보고 노분 이 통한ᄒ여 경긱의 큰일을 닐 ᄃ시ᄒ되 ᄯᅥ 효혼이라 요란ᄒ즉 다쇼 인원의 즁 구를 일위여 부뫼 아르실가 져허 분을 참고 상상의 빗기 누어 쇼져를 보ᄂ 눈 이 ᄲᅵ여질 ᄃ시ᄒ니 옥면 츄파의 참엄ᄒ 노긔 열슉ᄒ여 셜만궁학의 노회 파람ᄒ 믹 빅쉬 진공ᄒᄂ ᄃ시ᄒ니 져기 담 젹은 지면 한츌쳠비ᄒᆯ 거시로되 쇼졔 심지 긩원ᄒ고 지혜 능쳘ᄒ며 담긔 과인ᄒ지라 싱의 무단ᄒ 노싴과 무고ᄒ 즐칙을 우히 넉이되 분분ᄒ 거동과 뮈워ᄒᄂ 눈칙를 젼(53)혀 모로ᄂ ᄃ 옥안이 쳔 연ᄒ고 긔위 단슉ᄒ여 져두 묵묵ᄒ니 삼쳑 ᄋ녀진나 긔심을 불가측이라 만일 명ᄒ 군ᄌ와 쟝부로 볼진ᄃ 슉녀의 방향이 완젼ᄒ믈 깃거ᄒᆯ ᄇ로되 댱ᄎ 지시 ᄒ여ᄂ 현희문의 ᄒ ᄡᅡᆼ 구슬이 밤 드지 아냐시되 어둡기 칠야 ᄀᆺ고 총명영긔 요녀의 흉즁의 어릭미 되여 셕쟝이 되엿시니 엇지 슉녀 명염을 잘 알라 진압 ᄒ리오 그 진즁ᄒ 거동이 이완ᄒ ᄃ 더옥 뮙고 안셔ᄒ 긔질과 유한ᄒ 동쟉이 흉흅ᄒ ᄃ 더옥 증분ᄒ니 냥구 예시의 긔리 혜 ᄎ 녀셩 문왈 싱이 맛춤 ᄉ긔 잇셔 타쳐의 가 ᄌ고 싀비 드러와 쉬고ᄌ ᄒ여든 그딕 비록 ᄂ의 됴강원비라 도 녀(54)ᄌ의 도리 쇼텬을 셜만치 못ᄒ려든 그딕 슈돈이나 불과 쟝문여동으 로 ᄒ 무부의 녀진라 나의 빈실이 되여 쥬군을 업슈이 넉여 명을 불슈ᄒ고 돈

당을 쵹ᄒ여 허믈을 공격ᄒ니 아지 못게라 ᄌ식이 불효ᄒ면 엄뷔라도 홀 일
업거늘 셔뫼 날을 엇지 ᄒ리오 날 보기 슬희여 거줏 문안 펑계ᄒ고 동일 돈당
의셔 ᄂ의 흔단을 언마나 쥬츌ᄒ뇨 만일 바로 니르지 아니ᄒ면 그듸 고졀도의
ᄯᆞᆯ 아냐 월녀 쳔숀이라도 요뒤치 아니ᄒ리라 쇼졔 져의 무고흔 노식과 억탁ᄒ
ᄂ 칙언을 드르믹 노홉고 긔괴흔 즁 가쇼로온지라 은연 부답ᄒ니 싱이 딕로ᄒ
여 번연이 닙ᄯᅥ나 딕답(55)을 직쵹ᄒ여 넓더 칠 듯ᄒ니 쇼졔 셩안 츄파의 쇼
안이 미미ᄒ여 왈 쳡은 미말 한문의 쳔흔 녀지라 일즉 우믈 밋 긔고리ᄀᆞᆺ치 쟝
셩ᄒ여시니 셰상 아란 지 십슴의 오히려 셰ᄉᆞ롤 아지 못ᄒᄂ지라 능히 군ᄌ의
무고헌 칙언이 ᄌ당 감슈니 ᄯᅩ흔 우몽ᄒ여 득뫼흔 ᄉ단을 능히 씌닷디 못ᄒᄂ
니 쳡이 본딕 향인ᄒ여 흔 말슴이 업ᄉ니 군직 비록 픱박ᄒ여 무르시나 쟝ᄎ
무어시라 딕ᄒ리잇고 연이나 군직 쳡을 빙ᄒ실 젹 반ᄃ시 근본을 모로지 아니
실 듯ᄒ되 금일 돌연이 문호의 한미ᄒ믈 니르시니 원뉘 유시 졍약시로붓터 댱
금의 니르히 근본을 모르시던가 불승괴히ᄒᄂ이다 셜파(56)의 ᄉ긔 ᄌ약ᄒ니
싱이 말히 막혀 ᄭ우지즐 말을 싱각ᄒ더라 뎌동궁 지밀 셔샹궁 유순 글시

명쥬옥연긔합녹 권지십칠

(1) 명쥬옥연긔합녹 권지십칠
ᄎ셜 싱이 말이 막혀 믄득 익노우믜 왈 녀ᄌ의 간악ᄒ미 여ᄎᄒ여 ᄆᆞ춤닉 쇼
뎐을 능멸ᄒ니 언족이식비흔 녀지로다 그듸 비ᄌ 즁 구슈의 시ᄋ와 지친 되ᄂ
니 잇ᄂ냐 쇼졔 침음 딕왈 쇼잉 홍쇠 쳑의 잇시나 이셩 팔쵼지간이라 본딕 셔
어ᄒ여 셔로 춧지 아니터니 우연이 일퇴의 모드니 ᄌ연 조모의 모다 친친ᄒ미
잇ᄂ가 시부더이다 싱이 닝쇼 왈 흉휼흔 녀지 ᄌ가의 입문 쵸일의 흉젹을 쳐
결ᄒ여 젹인을 함지깅참ᄒ고 ᄯᅩ흔 일념이 부죡ᄒ여 도쥬홀 ᄯᅳᆺ이 잇ᄂ냐 연시
롤 업시 ᄒ고 ᄂ의 춍이롤 독당코ᄌ ᄒ다가 창기 미희롤 ᄉ긔(2)시와 반부실졀

코즈 호니 그 더러오미 녀무의 우히로다 쇼졔 쳥미반의 듸경듸로호여 영쉬 멀
믈 한호되 이 본듸 강하의 지량이 잇난지라 졔 비록 경박호나 셩문 즈뎨로 댱
어녜문호고 싱어상문호여 근본업슨 말을 호니 필유묘뵉이믈 씨듯라 묵연이 말
이 업더라 싱이 좌우로 쥬호를 구호여 취토록 먹으미 밤이 깁헛더라 이에 쇼
잉을 면젼의 셰우고 왈 네 셕상의 응휘각 추환으로 더부러 후창하의셔 무슨
말을 구마니 호더뇨 쇼잉이 복슈쳥교의 진실노 망연혼지라 괴이히 넉여 되왈
비지 홍쇼로 더브러 쳑의 잇스오나 본듸 친친호미 업습고 아모 졔도 스스로이
모다 말호미 업난이다 더옥 금일(3)은 각각 쥬인을 뫼셔 상부의 가 죵일토록
후함밧긔 학무를 보다가 셕양의 궁으로 각각 쥬인을 뫼셔 도라와 겻흘 써나미
업스오니 엇지 스스로이 모다 말호미 잇스리잇고 싱이 요망타 꾸짓고 좌우로
주란과 옥단 셤월을 부를시 이찌 요녜 벽간의 숨어 구시를 모함호고 싱각호되
니 홀노 계교를 운동호미 조각을 맛쵸기 어려오니 우화 스부를 쳥호여 일을
의논호리라 호고 이의 요리의 구르치던 듸로 작법호니 과연 아이오 우훼 니르
거늘 요녜 마즈 크게 깃거 일을 밀밀히 의논호니 엇지 된고 호회를 보라 추시
요녜 싱의 명쇼호믈 듯고 듸희호여 즉시 응명호니 싱이 반겨 겻히 안치고 희
롱(4)호믈 무인 심야굿치호니 쇼졔 셔연이 니러 협실노 피호니라 요리 하산홀
졔 현시 일문을 어육을 민들고 스원 보슈호기를 언약혼 고로 셜미를 지쵹호여
밀밀이 계교를 가르쳐 보니고 추야의 스스로 변호여 웅건혼 남지 되여 비슈를
안고 응휘각의 니르니 임의 셜미로 인호여 각당을 다 아라시니 심야 삼경의
만뇌구젹호거늘 창하의셔 인젹을 표표히 호며 어셩은 은은이 호여 왈 구시 옥
인이 즈난가 씨엿난가 희셩 슈인이 잇난가 업난가 옥낭이 가히 졸약호고 답답
호도다 녹녹히 현즈의 표치부귀를 뉴련호여 날 굿흔 호걸노써 간부의 구구호
믈 힝하라 호니 엇지 우읍지 아(5)니리오 무음의 마즌 가인으로 임의 졍이 구
든 바의 타인의 힝낙을 뉴련호리오 희셩이 잇스나 업스나 금야는 쾌히 돌입호
여 현즈의 머리를 버히리라 언흘의 칼을 안고 지게를 열고 엄연 돌입호니 추
시 스인 부뷔 와상의 누으가 오히려 즈지 아냣더니 의외의 요언을 드르미 쇼

져는 불승경히ᄒ고 ᄉ인은 본딕 니루지명과 ᄉ광지총이 잇ᄂ지라 반ᄃ시 무원
무고 즁 흉인이 은복ᄒ여 녀홰 마ᄌ 자긔 부부를 니간코ᄌ ᄒ믈 모로리오 더
옥 작셕의 왕부 진공의 명교로됴ᄎ 졔왕이 졔요ᄒᄂ 친필 부작을 뼈 각쳐의
붓쳐시니 진명딕군ᄌ의 식견이 당당ᄒ고 실듕의 군ᄌ 셩녀의 졍명지긔 황황휘
휘(6)ᄒ여 흑야 가온딕 됴마경이 걸닌 듯ᄒ지라 ᄉ인이 횡혀 부인이 놀날가
옥슈를 잡고 쇼왈 이ᄂ 남ᄌ 아니요 불과 환슐ᄒᄂ 요괴의 무리 쟉히ᄒ미니
놀나지 마르쇼셔 언필의 낭즁으로됴차 야명쥬를 닉여셔 안의 노ᄒ니 광치 표
요ᄒ미 빅쥬를 묘시ᄒᄂ지라 믄득 일진 음풍이 쇼쇼ᄒ며 일긔 영한흔 놈이 안
검 돌입ᄒ려 ᄒ더니 보건딕 비취 샹샹의 군ᄌ 슉녜 빵 지어 누은 곳의 졍긔 당
당ᄒ여 샹두 명쥬의 오치 샹광이 실듕의 됴요ᄒ여 일만 ᄉ긔를 슬와ᄇ릴 듯ᄒ
거늘 젼후 ᄉ면 문창의 창농 ᄀᄎ흔 진필의 셔긔 당당ᄒ여 됴마경이 달닌 듯ᄒ
니 요리 스스로 져의 요슐을 밋고 방(7)ᄌ히 다라드러 ᄉ인을 놀닉고 구시를
활착ᄒ여 깁흔 산곡의 가 죽이거나 아모 곳 직쥬의게 팔거나 ᄒ려 ᄒ더니 스
스로 담이 ᄎ고 넉시 분신ᄒ여 이의 본젹이 드러날가 졍신이 아득ᄒ여 희음업
시 무투다라 닉다르며 음아 음아 무셔웨라 ᄒ고 한 거름의 쮜여 닉ᄃ라 지게
밧그로 나오민 져기 졍혼을 진졍ᄒ나 오히려 호읍을 졍치 못ᄒ고 겁결의 먼니
닷지 못ᄒ고 것구러져 난간 밋틱 드러가 침침흔 셤 ᄋ릭 업딕여 식경 후 겨요
긔여 나올식 ᄎᄎ 졍신이 ᄂᄂ지라 방ᄌ흔 의식 ᄯ 발작ᄒ여 싱각ᄒ되 셜낭의
거동을 보리라 ᄒ고 오더니 요녜 바야흐로 싱을 농낙ᄒ여 잠이 깁흐믈 보고
우화의 긔모를 알고(8)ᄌ ᄒ여 ᄂ오다가 셔로 맛나민 후졍 심쳐의 드러가 셔
로 니룰식 우홰 머리를 흔들고 손을 져어 왈 ᄉ인과 구시ᄂ 인셰 셩인이요 텬
샹 진인이라 ᄉ긔 여ᄎ여ᄎᄒ니 ᄎ인 등은 하늘이 듀이지 아닌 젼은 사룸이
능히 스스로이 히치 못홀너라 셜미 심하의 져를 눗비 넉이던 줄 노ᄒ여 미쇼
왈 ᄉ뷔 쳡의 완홀ᄒ믈 칙ᄒ더니 스스로 지닉여 보시니 엇더ᄒ뇨 젼젼붓터 현
샹부 졔왕부 닉외 샹하의 붉으미 일월 ᄀᄎ흐니 우리 노쥐 지혜 젹으미 아니로
딕 사룸이 긔긔히 특츌ᄒ니 쳔방빅계로 도모ᄒ나 능히 히치 못ᄒ고 져ᄂ 도로

혀 무스학고 우리 노쥬는 텬하의 망명흔 츌뷔 되니 엇지 이닯지 아니리오 쳡
이 하산홀 졔 졍녕 (9)이 부탁을 바다시니 엇지 셰월을 쳔연하리오마는 텬지
귀신이 밋쳐 쎠룰 빌니지 아니시니 즈연 유유 도일하여 겨유 즈란의 용모룰
비러 쇼랑의 호탕흔 괴물이 되어 연시 하나흘 졀졔하여시나 이 졍히 큰 남긔
닙 하나 쎠러짐 궃하니 츠츠 인진하여 가지룰 썩그며 여름을 쓰고 불희룰 업
시 하여 보슈 슈원하믈 쾌히 하고즈 하미요 다른 쯧이 아니여늘 스뷔 맛치 쳡
이 스스 은졍으로써 현즈의 권편을 거릿겨 쥬인의 부탁을 니즌가 넉이니 엇지
우읍지 아니리오 우홰 그 쯧을 알고 짐즛 위즈 왈 셜낭의 영니흔 혜으림과 통
텰흔 지혜 여츠하니 만일 남지런들 낭평의 우히 되리랏다 셜미 심니의 암암즈
득하여 거즛 스양하니 (10)우홰 다시 닐오딕 낭지 이곳의 잇스미 난쳐하니 가
히 여츠여츠하여 고시룰 마즈 업시 하고 당당흔 현혹스 부인이 되어보미 엇더
하뇨 셜미 믄득 깃거 왈 쳡이 이 쯧이 업지 아니나 합셰하리 업셔 민울하이다
요리 쇼왈 빈승이 슈무지나 가히 낭즈의 일비지녁을 도으리라 셜미 딕희하더
라 우홰 황시 모녀의 긔탁하믈 싱각하니 일직 쳔연하믈 싱각하니 민망하여 급
급 용스홀시 상부 뉵부인의 우광하믈 아는 고로 닙힝의 교쥐 셜미와 요리룰
당부하여 오진 낭공과 하윤쥬텰공 졔부인은 다 명텰하여 속이기 어려오니 뉵
부인은 흔낫 고기 잘니요 슐듀머니라 가히 속염 즉하니로 하여 텬만 부탁하무
로 낭뇌 그윽이 틈을 여(11)허 뉵부인을 속이고즈 홀시 우홰 왈 임의 딕스룰
운동하미 급격물실하라 하엿느니 오히려 뉵시는 속이미 낭듕춰물이니 장츠 엇
지코즈 하느냐 셜미 왈 닉 엇지 미양 현싱의 희쳡을 감심하리요 이졔 가히 여
츠여츠하여 금션탈각계로 고쇼져룰 발명치 못흘 형셰룰 일우고 몸을 쎅쳐 공
후 졔틱의 아름다온 녀즈의 용모룰 쏘 다시 비러 현부의 구혼하여 뉵녜로 마
즈 졍실 좌룰 엇고즈 하노라 우홰 격슬 칭찬 왈 묘타 션타 이 계교는 졔갈이
깅싱하나 이의 지느지 못하리라 셜미 이늘 쵸인 하느흘 만드러 진언을 념하니
의구흔 즈란이라 뉵부 통신을 붓치고 요슐을 지어닉니 능히 힝보하며 말하는
지라 싱을 보라 느으(12)갈시 셜미 쏘 변용하여 고쇼졔 되어 가즈란의 뒤흘

쓰르며 쇼릭 질너 왈 쳔비 주란이 감히 나의 허물을 쥬츌ᄒ고 흑ᄉ의 은춍을
독당코주 ᄒᄂ냐 늬 칼이 ᄉ정이 업ᄂ니 어제 날 옥단 셥월을 임의 죽엿고 오
늘날 너를 마주 죽이리라 가주란이 쏫치며 드러오며 급ᄒᆫ 쇼릭로 웨여 왈 흑
ᄉ 상공은 쳡을 구ᄒ쇼셔 이쩍 싱이 혼혼ᄒ나 ᄉ례 만하 잠주지 아냐시니 어
이 모로리오 늬미러보니 고시 칼을 들고 주란을 꾸짓고 슈죄ᄒ며 드러오ᄂ지
라 분긔 틔발ᄒ여 넓더ᄂ올 ᄉ이 가 쇼제 크게 꾸지져 왈 무신 박졍ᄒᆫ 츅싱이
요마 쳔비의게 혹ᄒ리오 말이 맛지 못ᄒ여 칼이 번듯ᄒ며 주란을 지르고 ᄂ는
드시 다라ᄂ니 싱이 틔경황(13)망ᄒ여 고시는 나둉ᄎ 잡으려니와 주란의 ᄉ
싱을 몰나 급히 ᄂ려보니 주란이 가슴의 피를 흘니고 구러져시니 옥안화틱는
웃는 듯ᄒ고 명믹은 아죠 쓴허져 듁으미 분명ᄒᆫ지라 분ᄒ고 앗기며 급히 좌우
를 불너 고시를 잡으오라 ᄒ고 몸을 계하의 부틔이지며 주란을 더듬어 울며
왈 앗가올ᄉ 늬 미인이여 가련ᄒᆯᄉ 늬 미인이여 네 인물 네 틱를 ᄂ의 평싱이
호화롭더니 원슈의 고녜 흉악ᄒ여 너를 먼져 히ᄒ니 음부를 쳔참만뉴ᄒ나 네
엇지 ᄉ라ᄂ며 구원의 도라가는 혼빅이 무슴 알음이 잇ᄉ리요 숀으로 쓰흘 치
며 머리를 함부로 부틔이즈니 두골이 씌여지고 옥각이 상ᄒ여 피 흐르니 실노
가관이라 이러구러 시ᄋ 등(14)이 던지도지ᄒ여 됸당의 고ᄒᄆᆡ 됸당 상히 다
알고 히괴이 녀기며 놀나 쇼유를 무러 알고 면면상고 묵연이요 ᄎ시 고쇼제
맛춤 시측이러니 한심 경악ᄒ여 관줌을 히탈ᄒ고 계의 ᄂ려 고두뉴체ᄒ고 죄
를 쳥ᄒ니 긔졍이 측은치 아니리오 왕이 희허 탄왈 이 일은 다 임의 짐작ᄒ여
알믜요 희ᄋ의 방탕ᄒᆫ 연괴라 ᄉ로이 무러 알니요 현부는 관심ᄒ여 당의 오르
라 쇼제 쳬읍ᄒ여 홍은을 감츅ᄒ고 감이 승당치 못ᄒ니 왕이 지삼 오르기를
젼ᄒᄃᆡ 쇼제 됸명을 역지 못ᄒ여 말셕의 국궁진췌ᄒ여 고두쳥죄 왈 쇼쳡이 한
문 미질노 외람이 셩문의 의탁ᄒ오니 집을 쩌나올쩍 주뫼 경계 왈 셩문의 득
(15)죄치 말나 ᄒ고 엄뷔 계훈ᄒ시되 이졔 귀문의 위부ᄒᆞᄆᆡ 됸당 구괴 지상
ᄒ시고 원군이 우히 잇ᄉ니 삼가며 죠심ᄒ여 녀영의 공슌ᄒᆷ을 본밧고 비연의
창궐ᄒᆷ을 효측지 말나 ᄒ신 교명을 밧주와 명심 불망ᄒ옵거늘 믄득 일월이 오

리지 아냐 규즁 녀지 발검 살인ᄒ는 죄명을 엇ᄉ오니 ᄌ고로 살인ᄌ 눈식라 쳡이 엇지 싱도를 바라리잇고 오직 돈ᄒ의 붉히 다ᄉ리시믈 바라ᄂ이다 셜파 의 안식이 쳐연ᄒ니 왕이 지슴 연이ᄒ고 공쥐 츄연 위로 왈 슈한슈원이리오 ᄂ의 십삭 틔픠 무상ᄒ여 불쵸ᄌ를 싱ᄒ여 숙녀의 평싱을 함ᄒ미로다 왕이 비 를 도라보ᄋ 왈 현비ᄂᆫ 쇼부를 협실의 머믈나 돈당의 고(16)ᄒ여 쳐치를 졍 ᄒ리라 ᄒ고 ᄉ인을 명ᄒ여 흑ᄉ를 닛그러 오라 ᄒ니 ᄉ인이 승명ᄒ여 ᄂᆞᄋ가 흑ᄉ를 보니 실노 히괴ᄒᆫ지라 ᄯᅩ다시 죽은 ᄌ란을 보니 엇디 그 진가를 모로 리요 묵연이 탄식ᄒ고 ᄂᆞᄋ가 ᄋ의 ᄉ미를 닛그러 당상의 올나 병좌ᄒ고 한숨 을 쎠여 상쳐를 동히고 혈흔을 ᄲᅵ슬ᄉ 시싱이 형장을 보고 분연 고왈 빅일지 하의 고시 발뷔 발검 살인ᄒ고 욕지ᄎ경이니 불가ᄉ문어닌국이라 좌우로 고시 를 잡아오라 ᄒ엿더니 쇼식이 업ᄉ오니 아마도 간부를 됴ᄎ 간가 ᄒᄂ이다 ᄉ 인이 어히업셔 ᄌ란의 시쳬를 가르쳐 왈 이ᄂᆫ 사름이 아니라 요미 작용이로다 싱과 좌위 놀나 아모리 뒤젹여 보와도 분명ᄒᆫ 사름의 시(17)신이라 싱 왈 형 장이 평일 신명ᄒ시무로 엇지 이러틋 혼미ᄒ시니잇가 이 시쳬 사름이 아니요 ᄌ란의 시신이닛가 ᄉ인이 불승 히연ᄒ여 탄식 왈 현뎨의 총명이 져러틋 혼암 ᄒ니 이ᄂᆫ 다 고슈의 운익이 긔구ᄒ미로다 언파의 낭듕으로됴차 쥬필을 ᄂᆡ여 쵸인의 익관의 졔요츅ᄉ를 ᄡᅳ니 그계야 모다 보미 과연 ᄒᆫ 뭇 풀이라 당하의 가득ᄒᆫ 남녀 노복이 ᄉ인 노야의 신명ᄒ믈 일콧고 싱이 역경ᄎ악ᄒ나 연무의 잠긴 사름 ᄀᆞᆺᄒ여 아ᄌ의 고시 와셔 질너 죽이던 ᄌ란은 어디 가고 거즛 거시 된고 두미곡졀을 몰나 어리둥졀ᄒ니 ᄉ인이 탄식ᄒ며 노복으로 쵸인을 셔르져 업시 ᄒ라ᄒ고 이의 아을 ᄭᅳ을고 졍뎐의 드러와 왕과 비긔 젼후 (18)ᄉ연을 고ᄒ니 왕이 눈을 드러 흑ᄉ를 보미 의관이 부졍ᄒ고 니마를 ᄲᅮ미여시믈 보고 침음 냥구의 왈 셕일 광평왕 궁의셔 음부를 닐코 칙교졍 요인 노쥬를 닐흐미 발셔 후환을 근심ᄒ엿거니와 간뫼 빅츌ᄒ니 가국의 근심이 되리로다 싱이 부 복ᄒ여 고쇼져의 허물을 셰셰히 고ᄒᆯᄉ 신영 쵸일의 연시를 업시ᄒ고 냥창을 작일의 밧긔 ᄂᆡ여 죽이고 금됴의 ᄌ란을 듁이고 믄득 시슈를 업시 ᄒ고 쵸인

으로 디신ᄒ오니 이런 흉독 발뷔 또 잇ᄉ오릿가 원컨디 법디로 쳐치ᄒ쇼셔 왕
이 쳥파의 빅안성모의 찬 우음을 ᄭᅴ여 문왈 네 고시 오던 늘 연시를 히흔 쥴
엇디 알며 또 사룸으로 쵸인을 밧골 졔 근각(19)을 ᄉ못 알며 어이 발각지 못
흔다 싱이 여지업시 실셩ᄒ엿ᄂ지라 부왕의 긔식을 아지 못ᄒ고 무르믈 보ᄋ
미 힝혀 졔 말을 올케 아르시ᄂ가 힝희ᄒ여 쏘흔 희희이 우으며 머믓머믓 ᄒ
다가 디왈 쇼지 니런 일을 보지 못ᄒ여시니 엇지 알니잇고마ᄂ 즈듕지ᄂ이 잇
셔 여ᄎ여ᄎᄒ옵고 져의 가만가만 말홀 졔 드럿ᄂ이다 작일 쏘 쇼ᄌ 누은 창
창밧긔셔 이리이리 ᄒ오니 그 말ᄒᄂ 시녜ᄂ 고시의 심복 쇼잉과 구슈의 시녀
홍쇠러이다 이러틋 ᄎ셔 업시 옴기ᄂ 가온디나 구부인 허물은 비록 광심이나
ᄎ마 니르지 못ᄒ여 두루 다혀 슈미 업시 옴기니 왕이 문왈 네 말이 어이 ᄎ셰
업ᄂ뇨 싱이 넌지시 디왈 히이 ᄎ마 다 옴기지 못ᄒᄂ이니 셰셰흔 ᄉ연은
(20)홍쇼와 쇼잉을 불너 무르쇼셔 왕이 듯ᄂ 말마다 통히ᄒ나 목금 ᄋ즈의 거
동이 실셩ᄒ여시미 경계ᄒ여 드를 니 업고 칙교ᄒ나 알거시 업셔 막막ᄒ미 흑
야 ᄀᆺᄒ믈 보니 도로혀 쵸목을 경계홈 ᄀᆺᄒ지라 묵연이 쌍광을 엄졍히 ᄻᅥ 찰
시ᄒ고 말이 업스니 한슉흔 긔상이 참엄ᄒ여 셜봉한텬의 빅셜이 ᄂᆯ니이고 동
히 디양의 창농이 죠화를 동ᄒᄆ 벽파를 뒤치ᄂ 듯 ᄒ니 좌위 지은 죄 업시
한츌쳠비ᄒ되 싱은 아모 눈치도 모르고 탐탐이 졔 말만 ᄒᄂ지라 왕이 일언
불기ᄒ고 광슈를 쩔쳐 협문으로됴차 상부의 ᄂᄋ가니 사인과 졔지 비후ᄒ되
왕이 좌우로 ᄒ여곰 싱을 후원 영희당(21)의 가도와 뇌 영 업시 나오지 말게
ᄒ라 ᄒ고 상부로 향ᄒ니 사인이 부명을 역지 못ᄒ여 싱다려 왈 엄명이 여ᄎ
ᄒ시니 영희당의 잇셔 쇼명 업시 즁회의 ᄂ지 말나 싱이 ᄂᆺ출 붉히고 즁즁거
려 왈 디인이 고녀의 참쇼를 드르시고 쇼뎨를 공연이 가도라 ᄒ시니 원민ᄒᄆ를
니긔디 못ᄒ거늘 형댱은 쏘 뉘 말을 드럿관디 쇼뎨를 그르니 올흐니 ᄒ시ᄂᄂ
잇가 형댱은 미구의 변 맛날 놀이 잇ᄂ니 쇼뎨를 웃지 마르쇼셔 원닉 연시 고
시나 슈슈나 하나토 표표치 아니ᄒ니 진실노 우리 형뎨 쳐궁이 박복ᄒ민가 ᄒ
ᄂ이다 ᄉ인이 그 히괴흔 말과 실셩흔 거동을 보니 말ᄒᄆ 우은지라 일장을

크게 웃고 달닉여 후당의 두(22)고 츙근흔 셔동을 분부ᄒ여 싱을 직희여 만일 ᄂ가거든 즉시 고ᄒ라 ᄒ고 부왕을 됴차 상부의 ᄂᄋ가니 ᄎ일 구시 ᄯᅩᆫ ᄉ인의 지긔룰 감격ᄒ나 영신흔 혜ᄋ림의 비로쇼 ᄌ란이 요물의 히룰 닙은 쥴 알고 탄식 무언ᄒ여 ᄌ기 신상의 반ᄃ시 익회 잇슬 바룰 한심ᄒ더라 어시의 왕이 상부의 ᄂᄋ가 부공과 빅부긔 문안ᄒ고 부젼의 ᄭᅮ러 ᄂ죽이 궁듕 변고룰 알외여 쳐치룰 뭇ᄌ오니 냥공이 임의 지긔혼 비나 시로이 한심ᄒ여 왈 허실간 고시의 익미ᄒᄆᆯ 아나 흉뫼 빅츌ᄒ여 ᄉᆺ츨 누르고 말니니 가히 고시룰 친당의 보닉여 그 몸이 편케 ᄒ고 타일 져의 부뷔 익이 진홀 시졀의 빗닉 도(23)라와 부뷔 완젼ᄒ게 ᄒ미 올코 문아는 깁히 감쵸와 슈심 양직ᄒ미 가ᄒ니라 왕이 슈명ᄒ여 지당ᄒ시믈 쥬ᄒ고 왈 요녜 금션탈각계로 몸을 ᄲᅢ혀 다라ᄂ미 무슴 디화룰 지을 장본이라 ᄯᅩᆫ 작야의 구현부 ᄉ침의 여ᄎ여ᄎ흔 변이 잇더라 ᄒ니 구시 미구의 봉화홀가 ᄒᄂ이다 공이 탄식홀 ᄲᅮᆫ이러라 이ᄭᅥ ᄆ춤 쥬부인이 셥식으로 신긔 불평ᄒ미 ᄌ녜 다 모혀 시호ᄒ더니 슈일을 신음ᄒ고 신긔 여상ᄒ니 ᄌ뷔 다 슉쇼로 물너가되 오직 구시 뫼셔 쇼고 등으로 더브러 상하의 시호ᄒ더니 부인이 쇼져다려 왈 금야는 ᄂ의 졍신이 마이 ᄂᄒ니 ᄯᅩᆫ 여러 손녀와 모든 시비 상하의 슉직ᄒᄂ지라 너의 약질이 (24)불평ᄒ리니 협실의 가 편히 쉬라 쇼졔 승명ᄒ여 유모와 홍쇼로 더브러 협실의 도라와 슉침ᄒ미 신긔 곤뇌ᄒ여 혼몽이 깁헛더라 셜믹 요인이 거즛 죽은 쳬ᄒ고 도라와 우화룰 보고 탈신이 묘ᄒᄆᆯ 깃거 냥뇌 한가지로 변ᄒ와 시와 나뷔 되여 왕궁 동졍을 슬피니 현ᄉ인 희셩의 별츌흔 츙명으로 져의 본젹을 탈누ᄒ미 분원졀치ᄒ여 ᄭᅮ지져 왈 ᄂ의 긔모 비계로ᄡᅥ 불구의 너의 원앙치룰 갈기고 구시의 어엿븐 낫갓치 연화분두의 댱낭부 니랑쳬 되게 ᄒ고 너의 일문을 어육ᄒ리라 무슈이 ᄭᅮ짓고 두루 슬피니 구쇼졔 쥬부인 협실의셔 ᄌᄂ지라 다시 상부 동졍을 (25)슬피니 이늘 고쇼졔 구고의 명으로 본부의 갈ᄉᆞᆯ 귀령ᄒᄂ 힝식이요 츌부의 모양이 아니라 요녜 즁노의 ᄯ라 작ᄂ코ᄌ ᄒ다가 구시룰 히홀 의ᄉᆞ 급ᄒ미 밋쳐 싱의치 못ᄒ고 이늘 밤의 셜믹 변ᄒ여 구쇼졔 되고 우화 변ᄒ여

홍쇠 되어 뉵부인 침쇼의 니르니 부인이 주쇼로 우둔ᄒ미 무상ᄒ고 게으르미
심ᄒ여 히곳 지면 발셔 잠잘 쥴 알고 붉으도 됴반을 드린 후 ᄭ는지라 심야 삼
경의 만뇌구젹ᄒ니 뉵부인의 무량ᄒ 줌이야 널너 무엇ᄒ리오 상ᄋ 상 우희 홍
금구를 츄혀 덥고 비성이 우레 ᄀᆺ고 만시 무렴ᄒ고 분별이 업는 고로 슐을 취
ᄒ고 잠들미 돌것잠이 유명ᄒ니 슉직 츄환이 츄일가 두려 감히 (26)ᄀᆺ가이 잇
지 못ᄒ고 쥬육을 포식ᄒ여 슘쇼리 사름을 놀니고 트러져 누오는 방귀 니음시
는 쉴 ᄯᅵ 업셔 졍신을 흔드는지라 이러무로 시녀비 시침치 아니ᄒ더라 요녜
우화로 더브러 난간의 오르니 ᄆ춤 슉직 츄환이 복통이 급ᄒ여 여측ᄒ라 누ᄋ
다가 보고 놀나 문왈 부인이 엇지 심야의 오시니잇고 요녜 답왈 뉵시는 완흉
ᄒ 거시 무슨 잠이 그리 겨워 닉 이의 니르되 영졉지 아닛ᄂ뇨 가희 죄를 무럼
즉ᄒ도다 츄환이 딕경실식 왈 이 엇진 말슴이니잇가 부인이 드르시면 큰일이
ᄂ리이다 구시 닝쇼 왈 나는 졍당군 부인의 손뷔요 졔왕비 월셩공쥬 요츙ᄒ는
며ᄂ리요 진왕의 텬금농쥬라 뉵시는 불과 일(27)기 빈쳔ᄒ 뉴싱의 쏠노셔 진
공을 상ᄉᄒ여 이의 와시니 이곳 진공 노야의 금츠지열이라 닉 근본을 모로고
공경ᄒ엿더니 이졔는 아라시니 져만 거슬 그리 됴경ᄒ랴 뉵시 잠이 깁허시니
이 말을 엇지 드리리오마는 몬져 요슐노 그 잠을 ᄭᅵ왓는지라 뉵시 잠결의 홀
연 ᄌ치음ᄒ고 니러 안ᄌ미 이 말을 드른지라 혼미ᄒ 늙으니 무슨 의리를 싱
각ᄒ리오 겨유 의상을 넘의고 지게를 열치고 녀셩 왈 구경인의 쳔ᄒ 쏠년이
뉘 말을 ᄒ는다 구시 딕로 왈 너 노흉은 일기 궁슈지의 쳔ᄒ ᄌ식으로 진공의
쳡이요 나는 명문의 쳔승 교쥐니 빈부 귀쳔의 현격ᄒ미 쇼양불모ᄒ거늘 감히
건슌노치를 들먹여 날(28)을 여츠 모욕ᄒ는다 뉵시 츠언을 듯고 십분 딕로ᄒ
여 긔운이 막혀 말을 일우지 못ᄒ고 황미를 거스리고 돈독실셩ᄒ여 넙더나 쇠
시랑 ᄀᆺ흔 손으로 구시의 냥협을 ᄂ라ᄂ게 치고 고셩 발작 왈 네 구경닌의 쏠
아냐 셔왕모의 요희라도 손ᄌ 며ᄂ리로셔 싀한미를 업슈이 넉여 능욕ᄒ기를
잘ᄒ랴 네 싀어미는 당당ᄒ 황녀로딕 너쳐로 ᄉᄋ납지 아냐 날 딕졉을 친고
쥬시도곤 더 혜ᄋ리ᄂ니 네라셔 싱심이나 닉 단쳐를 들츌가 시브냐 닉 팔ᄌ

무상ᄒ여 유시의 부모를 조별ᄒ여시나 외구 부뷔 귀즁ᄒ기를 친녀ᄀᆞᆺ치 ᄒ여 금의옥식으로 길너닌미 ᄯ 진공 ᄀᆞᆺ흔 긔남ᄌᆞ를 구ᄒ여 혼인ᄒ려 ᄒ되 옥인군 (29)지 쉽지 못ᄒ다 ᄒ고 외귀 쥬장ᄒᄉ 현공의 직실노 도라보닌여 계시거ᄂᆞᆯ 어듸 가 밍낭흔 거즛말을 쥬츌ᄒ여 날을 업슈이 넉이ᄂᆞ다 네 날을 이리ᄒ고 닌일 네 구뷔 알면 어미를 욕흔 며ᄂᆞ리를 고이 둘 니 업스니 혼셔 치단을 아 됴 ᄎᆞᆺ고 영영 니이ᄒ리라 구시 발연이 밀치고 왈 닉 츌화를 그리 겁ᄒ더냐 졈 지 아닌 노고ᄂᆞ 이졔도 장부의 풍치를 ᄯᆞᆯ라 시인의 치쇼를 휘치 아니커니와 이 구시ᄂᆞ 더러이 넉이노라 ᄒ고 부인을 난하의 것구로 박으니 뉵시 본듸 긔 위 둔탁흔듸 요슐을 당치 못ᄒ여 난하의 젓바져 긔졀ᄒ니 이러틋 쇼요ᄒᄆᆡ 각 당의 ᄌᆞ던 지 다 모ᄒ니 인셩이 분분ᄒ여 뉵시를 시침하던 시녀 듸경ᄒ여 울 며 (30)부인을 구호ᄒ나 감히 구쇼졔 작난흔다 못ᄒ니 구시 더옥 승흥ᄒ여 쳘 여의로 구호ᄒᄂᆞ 시녀를 두다리니 굿보던 ᄎᆞ환의 무리 능히 말니지 못ᄒ여 ᄀᆞᆺ 가온 화셩각의 니르니 쳘부인이 밤이 깁흐되 오히려 와휴치 아냣더니 뉵부인 시녀 월셤이 호흡이 쳔쵹ᄒ여 창밧긔 와 고급 왈 우리 부인 각듕의 듸변이 낫 나이다 부인이 경왈 무슨 변이 낫ᄂᆞ뇨 듸왈 구부인이 뉵틱부인긔 와셔 이리이 리 ᄒ고 부인의 쇼시 젹 단쳐를 들츄어 욕ᄆᆡᄒ시니 뉵부인이 분노ᄒᄉ 여ᄎᆞ여 ᄎᆞ ᄭᅮ지ᄌᆞ니 구쇼졔 쳘편으로 부인을 난타ᄒ여 난하의 것구로 박으니 긔졀ᄒ 시니이다 쳘부인 왈 이 진짓 말가 구시ᄂᆞ 온(31)슌흔 녀ᄌᆞ라 엇지 니럴 니 잇 시리오 여등이 ᄭᅮᆷ ᄀᆞ온듸 니ᄆᆡ를 보왓도다 셤이 ᄎᆞ악 왈 쳔비 엇지 구부인을 무근지셜노 함ᄒ리잇고 부인이 즉시 뉵시 침쇼의 니르니 가 구시 임의 쳘부인 으ᄂᆞ 냥을 보고 왈 너희 쳘부인을 쳥닉ᄒ니 닉 그리 무셔워ᄒᄂᆞ냐 쥬틱부인이 몃 날을 엇지리오마ᄂᆞ 뉵시ᄀᆞᆺ치 흉물이 어듸 잇스랴 도모지 ᄉᆞ찰흔 체ᄒᄂᆞ 냥 이 괘심ᄒ니 닉 거취를 뉘 시비ᄒ리오 언파의 힝뵈 나ᄂᆞ 듯ᄒ여 난간을 나리 며 죵덕이 업스니 그 용모쳬지 의심 업슨 구쇼졔로되 힝동거지와 요사흔 뎡틱 ᄂᆞ 결비구쇼졔라 텰부인이 먼니 바라보고 요ᄉᆞ를 발셔 짐쟉ᄒ고 구시의 화익 이 급ᄒ믈 한심 ᄎᆞ악ᄒ여 묵연 (32)탄식고 각듕의 드러가 보니 뉵시 마죠 닉

다룰식 두골이 씌여져 피 흐르고 머리룰 헛틀고 엉엉 울며 몸을 부딪잇고 니

룰 굴며 쇼리룰 크게 질너 왈 이런 닐이 세상의 쏘 잇는가 구가 기 곳흔 적은

쏠년이 무슴 원슈로 이 아모 탈 업는 늙으니룰 죽도록 치는고 화봉ㅇ 쏠니 외

뎐의 ㄴㅇ가 졔상공긔 알외외여라 월셤아 쏠니 닉각 졔부인긔 알외여라 붉지

아냐셔 요괴년을 셔룻고야 닉 죽어도 죽고 살아도 살니라 텰부인이 홀 말이

업고 셜부인도 이르러 이 광경을 보고 초악ᄒ여 텰부인으로 더브러 상쳐의 피

룰 씻고 쓰미기룰 권ᄒ니 뉵부인이 뒷썰며 닐오딕 숑ᄉ의 혼 말 엇기 어렵다

ᄒ니 엇지 (33)피룰 쎠셔 상흔을 업시 ᄒ리오 붉거든 가듕 상하룰 다 뵈리라

냥 부인이 관위타가 못ᄒ여 도라가니라 과연 눌이 치 붉지 아냐셔 뉵시 모든

시비로 ᄒ여금 각 당의 전파ᄒ니 상부 닉외와 가부와 쥬부가지 요란ᄒ여 들네

니 졔왕과 공쥐 한심 초악ᄒ여 ㅇ부룰 위혼 넘녜 간졀ᄒ고 합문 상히 일시의

상부의 모다 희변을 놀날식 진공 부뷔 어히업셔 공이 탄왈 이 혼곳 구쇼부의

운의쑨 아니라 실노 가운이 불니ᄒ미로다 쥬부인이 츄연 왈 구쇼뷔 작야의 밤

드도록 쳡의 안젼의 잇다가 야심 후 협실의 머무럿거늘 어느 틈의 뉵져의게

가 작는ᄒ여시리가 좌즁이 면면상고ᄒ고 구쇼졔 초변을 맛ᄂᄆ 입이 쓰니

(34)발명이 무익혼지라 관픽룰 그르고 당의 ᄂ려 셕고딕죄ᄒ니 옥혜 교혜 등

모든 쇼괴 불승참연ᄒ여 옥누룰 ᄂ리와 탄식ᄒ고 교혜 분연 왈 쇽담의 니른바

악풍이 동으로 분다 ᄒ여시니 뉵묘모괴로셔 쩌쩌 괴괴혼 ᄉ단이 니러나 아죠

딕ᄉ롭지 아닌 일이라도 부즁의 혼 공ᄉ룰 삼던딕 엇던 요물을 보고 혼모흔

노안의 치 살피도 못ᄒ고 이런 즁난혼 말을 지어 구형을 함지깅참 ᄒ시는고

실노 의둛도다 옥혜 졍식 칙왈 현뎨 엇지 망녕되이 조모룰 어침ᄒ여 경셜ᄒᄂ

뇨 교혜 씌ᄃ라 ᄉ죄ᄒ더라 뉵부인 시녜 가부의 가 야릭지변을 고ᄒ고 부인

의 즁상ᄒ믈 알외니 부인이 졍히 공으로 병좌ᄒ여 (35)죠반을 파치 못ᄒ엿더

니 초언을 듯고 딕경 왈 구시는 셩녀슉완이라 엇지 이런 힝식 잇스리오 가간

의 요악혼 무리 잇셔 모히ᄒ미로다 가안빅이 잠쇼 왈 희셩이 본딕 단졍ᄒ여

다른 쳐쳡이 업스니 뉘 구시룰 희ᄒ리오 반드시 구시 지잉이 즁ᄒ미 니믹 망

냥이 작희흐되 악장과 쥬텰 두 부인은 슉인셩시라 요미 감히 군즈 슉녀의 안
견을 어즈러이지 못흐고 육골범틱의 악모롤 쇽여시나 임의 쇽기롤 불힝이 흐
엿고 유익흐여 마즈시니 현마 엇지흐리오 한가흔 몸이시니 됴흔 긔구의 흔 여
롤 치료흐면 조고만 상쳬 나으시리니 부인은 엇지 쇼쇼라지게 다라ᄂᆞᄂᆞᆫ뇨 예
붓터 악모의 힝식 딕ᄉᆞ롭지 아닌 닐도 흔(36)감져이 구르시던 빅니 요인의 작
난이 심흔들 혈흔이 낭즈토록 치며 그 닷톨 젹 오작흐리잇가 부인은 놀나지
말고 먹던 밥을 물니지 마르쇼셔 부인이 공의 말이 즈위롤 어침흐믈 노흐여
졍식 왈 모친이 명찰치 못흐신 허물이 잇시나 쳡은 그 흉ᄋᆞ딕은을 닙ᄉᆞ온지라
부뫼 비록 유괴신들 즈식이 그 몸이 상흐신 바롤 념녀치 아니리잇가 됸언이
비인졍이시니 쳡이 그윽이 유감흐믈 니긔지 못흐리로쇼이다 셜파의 옥뫼 닝담
흐니 공이 부인의 노식을 보고 크게 웃고 관유 왈 싱의 무심흔 말ᄉᆞᆷ이 츙곡의
발흐미요 악모롤 경만흐미 아니니 부인은 노치 말나 부인이 부답흐고 즈부롤
(37)명흐여 아춤 진반을 긔걸흐고 협문으로됴ᄎᆞ 상부의 니르니 공이 ᄯᅩ흔 ᄯᅡ
라 니르니라 가공 부뷔 니의 니르니 상하 졔인이 다 모부인 침쇼의 모닷고 오
직 빅부와 듀텰 냥 즈위 즁당의 계시거늘 가공과 부인이 나아가 빅알흐고 야
릭롤 문침흔 후 가변의 챠악흐믈 일ᄏᆞᄅᆞ니 진공이 녀셔롤 보고 광미롤 ᄲᅥᆼ긔어
닐오디 구쇼부의 맛난 바 지앙은 오죠의 즈응이 모롬ᄀᆞᆺ고 녀모의 광거지셜은
츙냥키 어려오니 셰월이 오릴ᄉᆞ록 노뷔 실노 슈괴흐도다 이졔 비록 녀모의 상
쳬 딕단흐다 흐나 글노셔 죽든 아니리니 현셰 슈고로이 문병흐리오 현셔는 니
의 머믈고 녀이 홀노 가 문병흐라 가공 부뷔 빅ᄉᆞ흐고 가공은 이에 오진 냥공
(38)을 뫼셔 말ᄉᆞᆷ흐고 가부인은 모친 침쇼로 향흐더니 이ᄯᅥ 졔왕과 승상 등
십ᄉᆞ 곤계ᄂᆞᆫ 식비 뉵부인 긔거롤 뭇줍고 됸당의 드러가 밋쳐 도라오지 못흐고
다만 연쇼 공즈와 ᄉᆞ마부인 월셩공쥬 등 졔부인이 뉵부인을 문후흐니 그 거동
이 오죽흐리오 만면의 피롤 흘니고 만신을 부딕이즈며 망측흔 욕언이 무슈흐
니 구쇼져의 진의가 십딕롤 들츄어 욕미흐기롤 마지아니흐더니 시녜 승상 등
과 졔부인의 문안을 고흐니 호읍을 늣쵸고 죽어가ᄂᆞᆫ 쳬흐며 슬피미 진공은 업

는지라 셥셥하고 셜운 ᄆᆞ음이 더옥 간졀하여 ᄉᆡ로이 통곡하니 졔왕이 나아가 그 흐르는 피를 ᄲᅵ스며 붓드러 위로(39)ᄒᆞᆫᄃᆡ 뉵시 입을 비젹여 작야 구쇼져 의게 봉욕하믈 탐탐이 니르거늘 왕이 쳥죄 왈 이는 다 쇼ᄌᆞ의 불쵸하미라 맛 당이 명졍기죄 ᄒᆞ오리니 모로미 식노하쇼셔 승상 등 칠 곤계와 호부 등 뉵인 이 왕의 말ᄉᆞᆷ을 니어 위로하니 뉵시 위인이 본ᄃᆡ 긔승졉지 못한지라 그 관위 하믈 보고 묵연이 말이 업더니 승상과 왕이 됴회 느ᄌᆞ믈 일ᄏᆞ라 죠셥하믈 쳥 하고 나가ᄆᆡ ᄆᆡ 됴ᄎᆞ 졔부 졔질ᄲᅢ 드러와 문안ᄒᆞ며 공쥬 ᄌᆞ부를 그릇 가르치 믈 쳥죄하니 뉵시 왈 옥쥬도 혜ᄋᆞ려보라 노쳡이 비록 죄폐하나 진공의 잉쳡은 아니오 혁혁ᄒᆞᆫ ᄉᆞ독으로 인연이 긔구하여 진공의 빈실노 드러왓시나 구경인의 젹은 쑐(40)년이 싱심이나 노모를 칠가 시브니잇가 옥쥬는 당당ᄒᆞᆫ 만승 왕희 요 졍궁 낭낭 친녀로ᄃᆡ 현가의 하가하신 후 싀부모 디졉은 니르지 말고 날가 지 디졉이 엇더터니잇가 이졔 구녀는 싀한미 치기를 어린ᄋᆞ히 두다리듯 하고 구가를 능욕하니 만일 젹국이 잇신즉 인체의 환이 업스리잇가 언파의 좌위 묵 연하고 셜시 듯고 변식하믈 ᄭᅴ닷지 못하더라 뉵시 분긔를 니긔지 못하여 좌우 로 슐을 구하여 삼십여 ᄇᆡ를 마시ᄆᆡ 디취한지라 취즁의 광심이 크게 발하여 ᄒᆞᆫ 손의 금쳑을 들고 ᄒᆞᆫ 손의 쳘여의를 쥐고 넓더나 바로 닉당으로 향하니 졔 부인이 디경하여 일시의 조ᄎᆞ (41)즁당의 니르니 가부인이 졍히 모친 당즁을 향ᄒᆞᆫ 즈음이러니 모친이 일신 만면의 혈흔이 낭ᄌᆞ하여 머리를 산발하고 취 긔 미란하여 호곡하며 다라드는지라 가부인이 디경하여 연망이 붓드러 닐오ᄃᆡ ᄌᆞ위 이 엇지 경식이니잇고 쇼녀와 ᄒᆞᆫ가지로 침쇼의 가ᄉᆞ이다 부인이 ᄀᆞ득ᄒᆞᆫ 인ᄉᆞ의 슐이 취하니 오즉하리오 ᄲᅳ리쳐 갈오ᄃᆡ 에여라 노화라 네 말 듯지 아 냐 물너셔거라 다 아노라 속담의 부쳐지간은 져머셔 쇼하다가도 늙으면 귀타 ᄒᆞᆯ것마는 진공은 쇠홀ᄉᆞ록 ᄲᆞᆯᄲᆞᆯ하고 미믈하니 날노 더브러 젼셰의 큰 원쉬런 가 시브니 그러키로 구시ᄉᆞᆺ지 노를 부려 노모를 업슈이 넉여 날을 (42)두다리 니 아니 통분ᄒᆞ냐 네 부친이 져기 인심이면 날을 위로하고 발부를 다ᄉᆞ릴 거 시로ᄃᆡ 도로혀 구녀의게 견욕ᄒᆞᆯ 쥴 징그러이 넉여 드리미러 뭇도 아니하니 긔 아니 절통ᄒᆞ냐 니 이졔는 구녀의게 마ᄎᆞ 죽게 되니 약 ᄒᆞ기로 스라나랴 ᄒᆞ고 광언망셜이 부졀ᄒᆞ나 진공을 원망ᄒᆞ며 구녀를 잡ᄋᆞ 날 쳐듯 두다려 피 흐르믈 보고 곳치리라 ᄒᆞ고 고셩발악ᄒᆞ니 가부인이 울며 붓드러 말나나 엇지 드르리오 진공이 차경을 보믹 어히업셔 좌우를 ᄭᅮ지져 침쇼로 다려가라 ᄒᆞ딕 뉵시 취긔 미란ᄒᆞ여 강변의 덴 쇼ᄀᆞ치 늘치니 모든 시녜 엇지ᄒᆞ리오 가안빅이 악모의 (43)취광ᄒᆞ믈 보믹 식로이 한심ᄒᆞ고 ᄯᅩ 가쇼로이 넉여 함쇼 찰시ᄒᆞ더니 부인의 망극쵸됴ᄒᆞ는 거동을 보고 심니의 악모를 뮈이 넉이나 졍스를 측은ᄒᆞ여 관을 슉여 침음ᄒᆞ거늘 진공이 미쇼ᄒᆞ고 가안빅을 도라보아 왈 네 악뫼 불의에 상셩ᄒᆞ여시니 ᄂᆞ의 호령이 능히 힝치 못ᄒᆞ고 녀ᄋᆞ의 간언이 귀의 드지 아닛는지라 현셔의 ᄒᆞᆫ 말 격동 곳 아니면 져 쥬광을 곳칠 길 업스리니 현셔는 괴로오믈 참ᄋᆞ 기유ᄒᆞ미 엇더ᄒᆞ뇨 가안빅이 웃고 딕왈 쇼셰 본딕 악모의 허심 이셔 노르슬 못ᄒᆞ여시니 셔어ᄒᆞᆫ 구셜이 무익홀가 유유ᄒᆞ오미러니 틱의 여츳ᄒᆞ시니 삼가 명을 밧들니이다 언(44)파의 좌의 ᄂᆞ려 뉵시를 향ᄒᆞ여 공슈 왈 아지 못게이다 틱졍의 명뷔시고 후빅의 모친으로 쳬뫼 돈즁ᄒᆞ시거늘 가간의 쇼쇼 불평지시 잇신들 쳬위를 굴ᄒᆞᄉ 하쳔의 쥬졍ᄒᆞ는 거됴를 ᄒᆞ시ᄂᆞ니잇가 실인이 악모의 실쳬ᄒᆞ시믈 셜워 장촌 ᄌᆞ형기신코ᄌᆞᄒᆞ니 엇지 이닯지 아니리잇고 쇼싱의 녕녀로 더브러 의를 졀ᄒᆞ고 도라가리이다 쇼싱이 바야흐로 당년의 어딕 가 옥인을 못 얻으리잇가 셜파의 긔상이 한슉ᄒᆞ고 말숨이 쥰졀ᄒᆞ며 ᄯᅩ 관인후덕ᄒᆞ믈 보믹 져 오관의 쉬 슬고 염통의 보믜 낀 뉵시 엇지 녀셔의 격동ᄒᆞ민 줄 알니요 ᄌᆞ긔 가부의 박딕를 바다 쇠년의 (45)니르도록 단장박명이 극ᄒᆞ니 녀셰 믄득 이 말을 ᄒᆞ민 힝혀 녀ᄋᆞ를 쇼박홀가 겁이 ᄂᆞ고 삼혼이 니쳬ᄒᆞ여 넓써 안ᄌᆞ며 악 쓰던 쇼릭 ᄂᆞ즉ᄒᆞ여 거믄 눈의 눈믈이 쥬쥴ᄒᆞ여 왈 관인후덕ᄒᆞᆫ 현셔는 엇지 이런 놀나온 말을 ᄒᆞᄂᆞ뇨 우리 상공이 늙도록 하야슉ᄒᆞ며 노뫼 손ᄌᆞ 며느리게 미 마ᄎᆞ 죽게 되어시되 드리미러 뭇도 아니ᄒᆞ니 노호와 죽고ᄌᆞ ᄒᆞ엿거니와 녀이 무스 일 날을 ᄯᆞᆯ와 죽으며 현셰 졀의ᄒᆞ리오 ᄒᆞ고 가안빅의 말을 기다리지 아니ᄒᆞ고 비슬비슬 거러 침쇼로 드러가니 가부인이 모친

의 허다 히거를 가안빅이 참쳥흐믈 붓그리고 셜워 모친을 쏠와 드러와 붓들고
누쉬 연낙ᄒ니 (46)뉵시 이쩌 슐이 져기 씩여ᄂᆞᆫ지라 녀ᄋ의 간언을 두려 노흉
흔 의ᄉᆞᆯ 니러나 눈을 희게 쓰고 좌셕의 구러져 취몽이 혼혼흔 쳬ᄒ니 부인이
모친의 ᄯᆺ을 알미 말ᄉᆞᆷ이 무익ᄒ여 오직 붓드러 피 무든 의상을 갈고 좌우로
물을 구ᄒ여 친히 모친을 쇼안ᄒ여 눗치 혈흔을 업시 ᄒ니 원닉 상쳐ᄂᆞᆫ 딕단
치 아니ᄒ니 부인이 딕희ᄒ여 약을 ᄲᅳ미고 죵일 뫼셔 구호ᄒ니 졔왕이 또흔
퇴됴ᄒ여 도라와 부모 슉당의 뵈옵고 바야흐로 구시를 명졍긔죄 ᄒ시믈 고ᄒ
니 진공이 빈미 왈 가간의 변괴 츙싱ᄒ니 엇지 한심치 아니리오 이졔 구쇼부
를 근본 업슨 죄로 도라보닉면 구상국 부지 엇지 우리를 괴(47)이히 넉이지
아니며 또 ᄋ부를 츌거흔죡 간계를 맛츠미니 노부의 ᄯᆺ을 짐죽ᄒ리니 오ᄋᄂᆞᆫ
도로 궁으로 다려다가 져의 ᄉᆞ실의 깁히 두어 신혼 셩졍을 말게 ᄒ고 말을 닉
되 ᄉᆞ실의 폐치ᄒ여 슈죄를 감당케 ᄒ노라 ᄒ여 아직 요인의 엿보믈 방비ᄒ라
ᄉᆞ인이 왕부의 션견을 항복ᄒ나 튠당을 간범ᄒ여 능욕흔 죄 등한치 아니니 왕
뷔 비록 지휘 여ᄎᆞᄒ시고 부왕이 의심치 아니시나 간인 요당이 먼니 아니 잇
ᄉᆞ리니 임의 현인을 희ᄒᄂᆞᆫ 흉심이 그만ᄒ지 아니믈 알미 만심이 불안흔지라
이의 면관쳥죄 왈 구녀의 픽악흔 죄 가히 칠거의 범ᄒ엿ᄉᆞ오니 맛당이 혼셔를
ᄎᆞᆺ고 니이영츌ᄒ미 가(48)ᄒ오니 엇지 그 부조의 안면을 구이ᄒ리잇고 왕부
와 딕인이 ᄎᆞᄉᆞ를 난쳐타 ᄒ실진딕 쇼손이 스스로 구녀의 픽악지죄를 단졀의
쥬ᄒ여 왕법을 졍히 ᄒ고 쇼손이 또흔 불엄가졔흔 죄를 당코ᄌ ᄒᄂᆞ이다 진공
이 졍ᄉᆞᆨ 왈 노뷔 비록 모황ᄒ나 딕ᄉᆞ를 당ᄒ여 가여불가의 여등 쇼비의 혜아
림만 은ᄒ리니 져 뉵시ᄂᆞᆫ 쇼시로붓터 광망우리흔 인물이라 져의 허탄흔 말노
ᄡᅥ 구시의 죄를 엇지 실히오리오 구시 부딕 츌화를 구흘진딕 어닉 곳의 가 작
변을 못ᄒ리오 고어의 ᄉᆞ불범졍이라 ᄒ니 요인이 불과 환슐노 사름을 속이고
ᄌ ᄒ미 졍흔 곳의 감히 빗최지 못ᄒ고 광잡흔 녀ᄌ(49)를 속이며 져히니 이
일은바 뉴뉴상죵이라 ᄉᆞ셰 여ᄎᆞᄒ니 엇지 허망흔 녀ᄌ의 ᄭᅮᆷ 가온딕 니미 망냥
ᄀᆺ흔 요언을 듯고 쥬광을 겸ᄒ여 ᄲᅮ어리ᄂᆞᆫ 광언을 취신ᄒ여 구ᄋ를 의심ᄒ리

오 오공이 안셕의 비겨 ㅇ의 부즈죠손의 상확ㅎ는 말을 듯고 미쇼 왈 현데 박 힝미야ㅎ미 뉵슈의 원언ㅈ도다 뉵쉬 쇼시붓터 단일튼 못ㅎ거니와 현마 그딕도 록 상셩취광ㅎ며 스름이 아모리 허령흔들 촉광이 여류흔딕 인귀룰 분변치 못 ㅎ며 뉵시 쏘흔 혼즈 보신 빅 아니라 그 시녀 츄환 빅 분명이 구시룰 보왓노 라 ㅎ고 철쉬 쏘흔 보시다 ㅎ니 현데 말 ㅈ흘진딕 다못 현슈와 시녀의 무리 다 귀미룰 보단(50)말가 우형은 싱각건딕 셕년의 월청 요승 ㅈ흔 요인이 어 딕 잇셔 구시의 형용을 비러 모든 이목을 쇽인가 ㅎ느이다 아의 쳣 의논딕로 스실의 깁히 두어 요인의 졍젹을 슬피미 올흐니라 진공과 왕이 셩괴 맛당ㅎ시 믈 쥬ㅎ고 스인은 무슨 스단이 쏘 잇실가 혜ㅇ려 심니의 불쾌ㅎ나 돈명을 역 지 못ㅎ여 슈명ㅎ더라

철종황데 후궁 김샹궁 철영 글시

명쥬옥연긔합녹 권지십팔

(1) 명쥬옥연긔합녹 권지십팔

츠셜 진공이 명을 느리와 구쇼져룰 그 침쇼의 안치ㅎ여 명 업시 나드지 말나 ㅎ니 쇼졔 명을 밧즈와 존당의 하직ㅎ고 궁중의 도라와 졍침의 드지 아니ㅎ고 나즌 당의 셕고딕죄ㅎ고 쳥상녹의로 블견텬일ㅎ며 좌우룰 분부ㅎ여 쇼식을 본 부의 통티 아니ㅎ더라 츠시 가부인이 부군과 형왕이 구시룰 안치ㅎ믈 보고 심 니의 무류ㅎ여 모친긔 쇼유룰 고ㅎ여 왈 구시는 현텰흔 슉녜라 간인의 희룰 맛나 무고히 슈계ㅎ니 가련토쇼이다 부인이 가장 분분ㅎ여 왈 그 년이 날 ㅈ 흔 늙으니룰 거윗기로 그만이나 ㅎ지 만일 쥬시나 텰시나 거윗더(2)면 능지쳐 참을 면홀쇼냐 너는 구녀의 회뢰룰 언마나 바다 져리 두호ㅎ는다 가부인이 슬 허 왈 인눈의 지극ㅎ믄 모녀의 졍이여늘 엇지 이런 말씀을 ㅎ시느니잇가 다만 티티 옛 일을 싱각ㅎ쇼셔 쇼녀는 후싱이라 편ㅎ는 말을 드럿거니와 셕년의 딕

인이 운남텬亽로 회환시의 월쳥이란 요승이 여亽여亽ᄒ여 부친 얼골이 되어
왓더라 ᄒ니 ᄯᅩ 금셰원들 그 ᄀᆞᆺᄒᆞᆫ 요인이 업스리잇가 뉵시 미련ᄒᄆᆡ ᄯᅡᆨ이 업
셔 남이 이리ᄒᆞ면 그런가 ᄒ고 져리 ᄒ면 져런가 ᄒᄂᆞᆫ지라 이 말을 듯고 번연
이 ᄭᆡᄃᆞ라 손벽 치며 닐오ᄃᆡ 올타 올타 긔야 네 말이 의연ᄒ다 구시 현마 날을
그리 몹시 욕ᄒ고 쳣시랴 (3)아ᄎ 그런 쥴 아더면 요괴 년을 구지 붓드럿다가
면질이나 ᄒᆞ더면 이달니도 ᄒ엿다 그러면 노뫼 이졔 구시ᄅᆞᆯ 보와 요괴 년이
작난홀 ᄶᅦ 어ᄃᆡ 잇던고 무러 보리라 가부인이 간ᄒ여 왈 일이 너모 경거ᄒᆞᆫ즉
쳬면의 손상ᄒᄂᆞ니 즈위 이졔ᄂᆞᆫ 모로ᄂᆞᆫ ᄃᆞ시 바려두쇼셔 이졔나 아모 일이 잇
셔도 살펴 힝ᄒ쇼셔 답왈 구시 진실노 익미ᄒ량이면 노모ᄅᆞᆯ 아니 원망ᄒᄂᆞ냐
부인이 지삼 간왈 구시ᄂᆞᆫ 통텰ᄒᆞᆫ 녀ᄌᆡ라 스ᄉᆞ로 운익을 탄ᄒ올지언졍 돈당을 원
망치 아니리니 이런 쇼亽ᄂᆞᆫ 물녀ᄒ쇼셔 가즁이 도로혀 모친의 쳬면 업스믈 우
으리이다 뉵시 녀ᄋ의 격동ᄒᄂᆞᆫ 말을 듯고 亽셰 기연ᄒᆞᆫ 듯 말을 다시 아니ᄒ
(4)더라 이러틋 亽오일이 지ᄂᆞ니 요리와 셜ᄆᆡ 늘마다 상부 동졍을 슬피나 구
쇼졔 죵시 니이ᄒᆞ미 업고 도로혀 편히 되엿ᄂᆞᆫ지라 셜ᄆᆡ 스ᄉᆞ로 쥬인의 부탁을
져바릴가 쵸죠ᄒ여 우화ᄅᆞᆯ 보치여 가긔ᄅᆞᆯ 도모코즈 ᄒᆞ더니 도로혀 우해 이르
러 져희 가연을 작희ᄒᆞᆫ가 원언이 깁더라 우화 요승은 본ᄃᆡ 궁향벽쳐의 싱장ᄒ
여 셰상 변화ᄅᆞᆯ 아지 못ᄒ고 옥인미남을 구경치 못ᄒ엿더니 쳐음으로 황가 모
녀ᄅᆞᆯ 보니 요괴로온 ᄉᆡᆨ틱 현난ᄒ여 져의 본 바 쳐음이라 亽랑ᄒ믈 니긔디 못
ᄒ여 亽괴기ᄅᆞᆯ 후히 ᄒ고 지긔로 ᄃᆡ졉ᄒ여 亽싱동거ᄅᆞᆯ 긔약ᄒ여 당당이 져ᄅᆞᆯ
도와 듕원의 亽슴을 ᄯᅳ르고 텬죠 군신으로 더브러 강(5)약을 닷톤즉 져의 신
슐과 지혜로ᄡᅥ 텬하 ᄃᆡ亽ᄅᆞᆯ 도모ᄒᆞᆫ즉 져의 늉공ᄃᆡ업이 국쵸 무혜왕과 묘보 범
질 등의 ᄋᆞ릭 되지 아니리니 공을 일운 후 무량ᄒᆞᆫ 도법을 셰워 빅년윤회의 ᄲᅱ
여ᄂᆞ고즈 ᄒᆞ더니 이졔 니르러 황셩 빅만가의 벌 버듯ᄒᆞᆫ 쥬문갑뎨와 고루치각
이며 슈달난창의 참치ᄒᆞᆫ 번화와 의관문물의 화려ᄒ믈 보ᄆᆡ 눈의 황홀ᄒ며 마
음의 긔이ᄒ여 스ᄉᆞ로 몸이 화ᄒ여 진환의 도라오믈 ᄭᆡᄃᆞᆺ지 못ᄒᆞ더니 현상부
늬외의 돌입ᄒ여 현시 상하 졔공의 텬일지표와 일월지광을 ᄒᆞᆫ번 보ᄆᆡ 넉시 홋

터지고 의시 됴탕ᄒ여 몬져 현시 졔쇼년을 업슈이 넉여 설계ᄒ려든 의시 삭막
ᄒ니 임(6)부ᄌ의게 인연을 미ᄌ면 형셰 인정이 가히 그 문호를 뭇지 못ᄒ리
니 장ᄎ 엇지 쳐치ᄒ여야 맛당ᄒ리오 셜미 역쇼 왈 고어의 운ᄒ되 위텬하ᄌᄂ
불고기라 ᄒᄂ니 스스로 만니젼졍을 계교ᄒ미 엇지 남을 위ᄒ여 닉 젼졍을 그
르게 ᄒ리오 우리 쥬인이 임의 됴졍의 득죄ᄒ여 망명도쥬ᄒ미 부부와 부ᄌ 단
합ᄒ여 산즁 왕낙의 부귀 극진ᄒ니 굿ᄒ여 남을 쥭여든 쾌ᄒ미 잇스리오 ᄉ부
ᄂ 이쳐엿 일은 넘녜 말고 우리 동신듸ᄉ를 도모ᄒ미 가ᄒ니라 우홰 듯ᄂ 말
마다 깃거 칭ᄉ하더라 냥뵈 그윽이 흉계를 지어닉니 아지 못게라 공쥐 능히
화를 당ᄒ가 ᄉ연이 ᄎ례 잇스니 하회를 셕남ᄒ라 ᄎ셜 금오 (7)셜공은 졔왕
의 우빈 셜부인의 부친이라 셜시 귀향 갈 ᄯ 폄ᄒ여 젼니의 닉쳤더니 십 년 만
의 셜시 환쇄ᄒ니 월셩공쥐 텬ᄌ긔 쥬ᄒ여 셜궁의 다시 복직ᄒ여 경ᄉ의 도라
왓더니 오릭지 아냐 셜공이 쥭으니 일ᄌ 셜져 삼 년 후 등과ᄒ여 급ᄉ낭즁이
로딕 인시 쥰쥰무지ᄒ며 부인 노시 쏘ᄒᆫ 예ᄉ 인물이라 일즉 싱산ᄒ여 다ᄉᆺ
아들을 두엇시나 ᄯ이 업스니 민양 농와의 ᄌ미 업더니 늣게야 ᄒᆫ ᄯ을 느흐
니 부모를 담지 아냐 크게 아름다오니 일홈을 익란이라 ᄒ여 ᄉ랑ᄒ믈 보벽굿
치 ᄒ더니 금년 십이 셰라 우화와 셜미 셜가의 왕닉ᄒ여 동졍을 낫낫치 알고
ᄎ야의 셜미 변(8)ᄒ여 음풍이 되여 셜부의 니르러 익란을 잡ᄋ다가 산곡간의
뭇지르고 셜미 스스로 익란이 되어 의구히 침실의 잇스니 부뫼 아지 못ᄒ고
ᄉ랑홀 쥴만 아더라 우홰 쏘ᄒᆫ 공쥬를 업시코ᄌ ᄒ여 일진 음풍이 되어 공쥬
의게 ᄀᆺᄀ이 느ᄋ가니 두상의 셔긔와 냥미의 탈쳑명광이 휘휘ᄒ여 졍신이 어
즐ᄒ지라 다시 변ᄒ여 나뷔 되여 금벽의 부딕쳐 쳔식을 뎡ᄒ더니 믄득 졔왕이
졔ᄌ를 거ᄂ리고 드러오더니 지후ᄌ 사인이 눈을 드러 벽상의 느뷔를 이윽이
보더니 요물이믈 짐쥭고 옥쥬미를 드러 치니 느뷔 놀나 이고 쇼릭 ᄒ며 사룸
의 치이 ᄒᆫ 낫치 써러지며 아아히 느라가니 왕과 ᄉ인 (9)등이 딕경ᄒ여 써러
지ᄂ 거슬 보니 분명ᄒᆫ 사룸의 치이라 왕의 부ᄌ 경악ᄒ여 ᄉ인은 칼노 치지
못ᄒ믈 흔ᄒ니 공쥐 왕을 마ᄌ 좌졍ᄒ고 피ᄎ 무망의 놀ᄂ믈 니룰ᄉᆡ 왕이 탄

왈 쳥편빅일지하의 요얼이 왕궁 후문의 돌입ᄒᆞ니 ᄂᆞ의 힝신이 용우ᄒᆞ미로다 공쥐 ᄯᅩᄒᆞᆫ 놀나 왈 아ᄌᆞ의 우연이 슬피니 음풍이 입실ᄒᆞ다가 스스로 물너나더니 원ᄂᆡ 요변이로소이다 의빈과 셜시와 슉희 등이 다 놀나 의논이 분분ᄒᆞ고 상부의셔 ᄯᅩᄒᆞᆫ 왕궁 변고를 듯고 ᄃᆡ경 의괴치 아니 리 업더라 시의 우홰 공쥬의 광치를 ᄲᅩ이고 놀나 ᄂᆡ닷다가 왕을 맛나 졍신이 황홀ᄒᆞ더니 ᄉᆞ인의 옥쥬미의 슌치를 마이 마ᄌᆞ (10)치ᄋᆞ를 일흐미 되니 알푸믈 니긔지 못ᄒᆞ여 급급히 쇼쇼쳐 쇼혈의 도라와 비로쇼 슘을 ᄂᆡ쉬고 졀치분이ᄒᆞ더니 두어 늘 쉬여 일계를 싱각ᄒᆞ고 의관을 션명이 ᄒᆞ고 셜부 ᄂᆡ당의 드러가니 셜낭즁 부인 노시 ᄌᆞ부와 이란을 다리고 투호 승부를 결우게 ᄒᆞ더니 우홰 당젼ᄒᆞ여 만복을 쳥ᄒᆞ미 부인이 본셩이 허박ᄒᆞᆫ지라 우화의 슈미ᄒᆞᆷ믈 보고 빅의관음이나 현셩ᄒᆞᄂᆞᆫ 듯 밧비 쳥ᄒᆞ여 문답ᄒᆞᆯ시 이쩌 셜금오ᄂᆞᆫ 비록 쥭어시나 그 부인은 오히려 ᄉᆞ랏ᄂᆞᆫ지라 요리의 간ᄉᆞᄒᆞᆷ믈 모로고 노시와 ᄒᆞᆫ가지로 관졉ᄒᆞᆯ시 우홰 노시 고식의 판탕ᄒᆞᆫ 위인을 보고 이의 말슴을 치례ᄒᆞ여 져의 신(11)통을 ᄌᆞ랑ᄒᆞ여 사름의 길흉화복을 다 아노라 ᄒᆞ니 틱부인 고식이 ᄃᆡ희ᄒᆞ여 쇼찬다과로 ᄃᆡ졉ᄒᆞ고 큰 반의 슈승 빅미와 슈십 냥 은ᄌᆞ를 놋코 ᄌᆞ녀의 젼두 길흉을 무르니 우홰 숀가락을 꼼죽여 졔인의 길흉을 늣늣치 니르며 졔왕빈 셜부인의 젼후 길흉 니르미 분명ᄒᆞ니 틱부인 고식이 크게 신통이 넉이고 ᄯᅩ 이란의 팔ᄌᆞ를 무르니 요리 왈 이 쇼졔 팔지 극히 셰츠고 ᄯᅩ 금년의 횡ᄉᆞ병살지년이라 벅벅이 무ᄉᆞ치 못ᄒᆞ리이다 냥 부인이 ᄃᆡ경 문왈 연즉 ᄌᆡ앙을 방어ᄒᆞᆯ 모칙이 잇ᄂᆞᆫ냐 우홰 눈살을 집푸리고 숀가락 꼼죽여 혜아리다가 왈 이 ᄯᅩ 어렵지 아니ᄒᆞ나 ᄌᆡ물이 만히 들(12)니로쇼이다 셕가 졔불을 위ᄒᆞ여 도관을 일우고 슈륙 치직ᄒᆞ여 ᄌᆡ앙을 쇼멸ᄒᆞ고 ᄯᅩ 쇼졔 팔지 슌치 못ᄒᆞ여 남의 부실이 되어 셰츤 팔ᄌᆞ를 응ᄒᆞ면 무ᄉᆞᄃᆡ길ᄒᆞ리이다 냥 부인이 고지 듯고 ᄌᆞ장지물을 뒤여 금은치빅을 다 쩌러ᄂᆡ니 우홰 ᄆᆞ음의 독ᄒᆞ여 바다 ᄀᆞ디고 ᄒᆞᆯ직 왈 명산 승지를 굴ᄒᆡ여 도관을 일우 량이면 ᄌᆞ연 지쳬되오리니 그 ᄉᆞ이 만복ᄒᆞ쇼셔 ᄒᆞ고 ᄂᆞ오니 냥 부인이 다만 녀ᄋᆞ의 살푸리만 잘ᄒᆞ라 부탁ᄒᆞ더라 셜ᄆᆡ 우화의 나가믈 보고 ᄀᆞ마니 눈을 쥬어 쯧을 보늬고 침실의 홀노 안즈 우화를 기다리더라 우해 허다 진물을 바다 쇼혈의 도라와 간슈ᄒ고 변ᄒ여 ᄂᆞᄇᆡ 되여 셜부의 니르러 이란의 침(13)실의 드러가니 셜미 아라보고 반겨 마즈 좌정ᄒᆞᄆᆡ 지닌 말을 무르니 우해 혜를 둘너 공쥬의 황홀ᄒᆞᆫ 정광과 ᄉᆞ인의 옥쥬미를 마즈 치ᄋᆞ가지 썬지오고 실계ᄒᆞᆫ 말을 니르거늘 셜미 격동 왈 연즉 일즉이 도라가미 맛당ᄒ도다 우해 왈 낭즈ᄂᆞᆫ 근심 말나 빈되 임의 계교를 뎡ᄒᆞᄆᆡ 잇ᄂᆞ니 낭즈ᄂᆞᆫ 가히 여ᄎᆞ여ᄎᆞᄒ여 신몽이 잇다 ᄒᆞ고 현혹ᄉ 삼취를 도모ᄒ라 빈되 ᄯᅩᄒᆞᆫ 이리이리 ᄒ여 도으리라 셜미 깃거 응슌ᄒᆞ고 공쥬를 셜니 업시 ᄒᆞ라 ᄒᆞ더라 우해 고기 둧고 도로 ᄂᆞᄇᆡ 되여 ᄂᆞᄋᆞ가니 뉘 능히 알니요 명됴의 셜미 아름다이 단장을 ᄀᆞᆺ쵸고 돈당의 문안ᄒᆞ니 낭즁 부뷔 요녀를 보고 시로이 혹이ᄒᆞ여 틱부인이 (14)ᄂᆞᄒᆞ여 요녀의 손을 잡고 왈 ᄎᆞ녀의 형뫼 녀ᄋᆞ와 방블ᄒ니 엇지 아름답지 아니리오 노시 믄득 쳔금ᄀᆞᆺ치 ᄂᆞᆫ 쏠노ᄡᅥ 틱부인이 졔왕 빈실 셜시의게 비기믈 듯고 ᄉᆞ외로이 넉여 낫츨 븕혀 왈 쇼괴 비록 아름다오나 복녹이 ᄀᆞᆺ지 못ᄒᆞ거늘 돈괴 엇지 불길ᄒᆞᆫ 말ᄉᆞᆷ을 ᄒᆞ시ᄂᆞ니잇가 틱부인이 무류ᄒᆞ고 노ᄒ여 왈 녀ᄋᆡ 졔왕 ᄀᆞᆺᄒᆞᆫ 군즈의 비필이 되니 공쥬 아니런들 일쳔지하의 다복지인이연마ᄂᆞᆫ 공쥐 하가ᄒ여 상두의 거ᄒ니 투괴ᄂᆞ 녀즈의 상시라 녀ᄋᆡ 비록 셰속 투긔를 면치 못ᄒ여 그릇 텬위를 간범ᄒ여 십 년 젹니 고쵸를 겻거시나 지금은 금누화당의 거ᄒ여 비록 졍실이 되지 못ᄒ나 가뷔 션ᄃᆡᄒ고 공쥐 화우(15)ᄒᆞ며 ᄋᆞ들이 업ᄉᆞ나 화옥 ᄀᆞᆺᄒᆞᆫ 냥녀를 두어 일싱이 평안ᄒ니 이만 팔즈도 쉽지 아닌지라 슉질간 ᄀᆞᆺ다 ᄒ여든 변져이 넉일 거시 무어시뇨 노시 작쇠 왈 쇼고의 쇼년시로븟터 즁상간고ᄂᆞᆫ 남즈라도 견ᄃᆡ기 어려올 거시요 이졔 계유 평안ᄒ나 공쥬 ᄀᆞᆺᄒᆞᆫ 녀군이 상주의 거ᄒ고 의빈 ᄀᆞᆺᄒᆞᆫ 강젹이 좌우의 버러 옥동화녀를 써 당당ᄒ니 쇼고의 셔어ᄒᆞᆫ 즈최로 무용ᄒᆞᆫ 냥ᄋᆞ를 두어 무어시 빗ᄂᆞ고 쾌ᄒ리오 실노 쇼고의 그만 유복은 불워 아닛ᄂᆞ이다 틱부인이 크게 무안ᄒ여 늘근 ᄂᆞᆺ가듁이 졈졈 븕으니 셜미 교틱ᄒ여 냥 부인을 히유ᄒᆞᄆᆡ 오관의 쉬 슨 셜낭즁이 손을 잡고 모친긔 고ᄒ여 녀ᄋᆞ의 관위ᄒᆞᄆᆞᆯ 됴츠쇼셔 ᄒ니 틱부인이 노ᄒ(16)미 깁흐나 주뷔 희유ᄒᆞᆷ믈 됴초 노롤 도로히더라 슈일이 지나ᄆᆡ 이란이 믄득 미우의 시름을 ᄆᆡᄌᆞ 견ᄀᆞ치 낭낭ᄒᆞᆫ 담쇠 업스니 낭즁 부체 괴히 넉여 연고롤 무른ᄃᆡ 요녜 함틔졔미ᄒᆞ여 왈 히이 부모의 싱휵지은을 밧ᄌᆞ와 싱장ᄒᆞ오ᄆᆡ 무슴 의견이 잇스리잇고마ᄂᆞᆫ 작야 몽ᄉᆞ ᄀᆡ이ᄒᆞ여 믄득 신인이 쇼년 남ᄌᆞ롤 잇그러 드러와 닐오ᄃᆡ ᄂᆞᄂᆞᆫ 월화옹이라 현희문과 셜이란이 젼셰 슉연이여ᄂᆞᆯ 쳐음 홍ᄉᆞ롤 흑셩ᄀᆞ지 ᄆᆡᄌᆞ 현지 긔약을 두 번 두엇시나 ᄎᆞ냥인은 현ᄌᆞ의 호귀 아니라 그런 고로 가만ᄒᆞᆫ ᄀᆞ온ᄃᆡ 신명이 작희ᄒᆞ여 냥녀의 인연을 ᄯᅳᆫ쳐ᄂᆞ니 이졔야 쳔졍가연을 졈복ᄒᆞ노라 ᄒᆞ고 쇼년과 쇼녀롤 인도ᄒᆞ(17)여 동상의 결승을 ᄆᆡᄌᆞ니 쇼녜 져롤 보ᄆᆡ 젼의 슉뫼 귀령ᄒᆞᆺ 유병 시의 왕ᄂᆡᄒᆞ던 월셩공쥬의 ᄎᆞᄌᆞ 현희문이라 ᄯᅩ 슉뫼 드러와 닐오시되 닉 너와 슉질의 졍으로 고식의 의롤 겸ᄒᆞ리라 ᄒᆞ시거ᄂᆞᆯ 쇼녜 놀나 곡졀을 뭇고ᄌᆞ ᄒᆞ다가 ᄭᆡ다르니 ᄭᅮᆷ이요 ᄯᅩ 월뇌 현ᄌᆞ와 쇼녀의 신변지물노 증험을 ᄭᆡ쳐 신을 졍ᄒᆞ노라 ᄒᆞ더니 임의 쇼녀의 탄월 ᄒᆞᆫ ᄯᅥᆨ이 업고 옥셔징이 쇼녀의 슈즁의 잇스니 아니 의괴ᄒᆞ니잇가 ᄒᆞ고 이의 셔징을 드리니 ᄎᆞ물을 밧고믄 우화 요리 요슐노 ᄭᅮᆷ을 지어 희롱ᄒᆞ여 현ᄌᆞ의 상셩ᄒᆞᆫ 넉슬 인도ᄒᆞᄆᆡ라 낭즁 부뷔 셔징을 바다보니 남젼 미옥을 황금으로 ᄭᅮ며시니 쇽 업ᄉᆞᆫ 틔부인과 혼암ᄒᆞᆫ 낭즁(18)은 신긔ᄒᆞᆷ믈 부르되 노시 변식 왈 요괴로온 ᄭᅮᆷ으로 엇지 오ᄋᆞ의 평싱을 졈복ᄒᆞ리오 닉 드르니 현희문은 영풍쥰걸이나 호일방탕ᄒᆞ다 ᄒᆞ니 엇지 그 난잡ᄒᆞᆫ 가즁의 드려보ᄂᆡ리오 셕년의 쇼괴 져 집의 드러가 만상 풍익을 무슈이 겻거시니 ᄉᆡ틋ᄒᆞᆫ들 엇지 다시 현가의 결친ᄒᆞ리오 틔부인 모지 즙볏ᄒᆞ여 말을 못ᄒᆞ고 이란이 아연ᄒᆞ여 침쇼의 도라와 돌돌분원ᄒᆞ더니 홀연 일계롤 싱각고 가마니 미혼단을 가져 노시와 틔부인 모ᄌᆞ롤 다 먹이니 이 무리 용녈ᄒᆞᆫ 것들이 여지업시 되여 검은 거슬 희다 ᄒᆞ여도 고지 듯고 가즁 틱쇼ᄉᆞ의 이란의 지휘롤 됴츠니 셜싱 등 오인의 부부ᄂᆞᆫ 다 도로혀 눈 밧긔 ᄌᆞ식이 되여 (19)닙고 먹ᄂᆞᆫ 거시 다 요녀의 지휘 간의 잇더라 어시의 우ᄒᆡ 쇼혈의 도라와 그윽이 계교롤 싱각고 변ᄒᆞ여 창승이 되여 왕부와 상부의 ᄂᆞᄋᆞ가 아모리 규찰ᄒᆞ여 틈을 여으나 현부 닉의 각당의 쥬필부작이 곳곳이 붓

쳐 창농이 셔린 듯ᄒᆞ니 우홰 감히 ᄂᆞ아가지 못ᄒᆞ고 쳔ᄉᆞ만념이 아니 밋친 곳
이 업셔 오직 유유도일홀 ᄯᆞᆫ이러라 추시 학ᄉᆞ 희문이 부왕의 엄노ᄅᆞᆯ 만나 연
희당 심쳐의 슈계ᄒᆞᄆᆡ 스스로 허믈을 아지 못ᄒᆞ고 부모의 ᄌᆞᄋᆡ 박ᄒᆞᆫ신가 이듧
고 근본을 싱각ᄒᆞᆫ즉 쳐궁이 박ᄒᆞ미라 ᄒᆞ여 연고 냥인을 졀치ᄒᆞ고 형슈 구시의
경쳔ᄒᆞ믈 기탄ᄒᆞ더니 ᄌᆞ연 구쇼졔 여ᄎᆞ여ᄎᆞᄒᆞ여 뉴부인긔 득(20)죄ᄒᆞ믈 듯고
경히ᄒᆞ더니 일일은 믄득 일몽을 어드니 몽혼이 ᄂᆞ라 ᄒᆞᆫ 곳의 니르니 완연이
셜낭즁 부즁이라 의괴ᄒᆞ믈 마지아니ᄒᆞ더니 믄득 ᄒᆞᆫ 신인이 일오ᄃᆡ 나는 월하
옹이러니 이곳의 공즈의 진짓 빗필이 잇스니 보쇼셔 ᄒᆞ고 한 미인을 ᄀᆞᄅᆞ쳐
슉연을 일큿고 귀의 거럿던 탄월 ᄒᆞᆫ ᄶᆞᆨ을 글너 쥬고 답물을 구ᄒᆞ거늘 싱이 연
망이 밧고 스ᄆᆡ의 드럿던 옥셔징을 ᄂᆡ여 쥬고 졍히 근본을 뭇고ᄌᆞ ᄒᆞ더니 신
인이 쇼왈 셜가의 규쉬 잇시믈 알니니 굿ᄒᆞ여 무르리오 ᄒᆞ고 밀치거늘 흑싯
놀나 ᄭᆡ니 샹일몽이라 〈이ᄂᆞᆫ 우화의 환슐이라〉 미인의 뎔셰이용이 눈의 암암
ᄒᆞ고 슈즁의 탄월 ᄒᆞᆫ ᄶᆞᆨ이 잇고 ᄌᆞ긔 셔징이 업스니 더(21)옥 신긔이 녀겨 싱
각ᄒᆞ되 비록 몽즁이나 그 집이 분명 셜낭즁 집이요 미인이 셜시로라 ᄒᆞ니 엇
지 괴이치 아니리오 ᄒᆞ고 십분 의려ᄒᆞ더니 믄득 오졔 희원이 드러와 보거늘
싱이 반겨 말ᄒᆞ다가 언간의 문왈 부왕이 무ᄉᆞᆷ 연고로 우형을 오ᄅᆡ 부르지 아
니시ᄂᆞ뇨 희원이 ᄂᆞ히 뉵 셰라 ᄃᆡ왈 부왕이 일오시되 형쟝이 샹심ᄒᆞ여시니 ᄆᆞ
음을 졍ᄒᆞ거든 불으신다 ᄒᆞ시더이다 싱이 ᄃᆡ경ᄒᆞ여 묵묵 반향의 왈 우형이 무
ᄉᆞᆷ 죄 잇다 ᄒᆞ시더뇨 희원이 잠쇼ᄒᆞ고 ᄃᆡ왈 삼형이 쇼뎨ᄅᆞᆯ 어리다 ᄒᆞ여 너모
업슈이 넉이ᄂᆞ이다 쇼뎨 삼 셰 쇼ᄋᆞ 아니오 슉믹불변이 아니라 엇지 어룬의
긔식과 말ᄎᆞ를 몰나 드르리잇가 엇지 두 번 듯고ᄌᆞ (22)ᄒᆞ시ᄂᆞ니가 싱이 믄
득 ᄂᆞᆺᄎᆞᆯ 붉히고 왈 너도 싱각ᄒᆞ여 보아라 ᄂᆡ 무ᄉᆞᆷ 죄 잇관ᄃᆡ 부왕이 그ᄃᆡ도록
ᄒᆞ실 니 무어신고 연시ᄂᆞᆫ 요악ᄒᆞ고 고시ᄂᆞᆫ 흉휼ᄒᆞ니 하나흔 음분ᄒᆞ고 ᄒᆞ나흔
다라ᄂᆞ니 이 엇지 ᄂᆡ 타시냐 공연이 몹쁠 쳐쳡으로 ᄒᆞ여 부모긔 ᄂᆞ치이니 이
아니 원통ᄒᆞ냐 비록 쳔ᄒᆞ나 ᄌᆞ란인들 무죄이 죽으니 아니 블샹ᄒᆞ리오 ᄂᆡ 셜ᄉᆞ
잘못ᄒᆞ엿셔도 왕ᄉᆞᆫ 니의라 이리 오ᄅᆡ 부르지 아니실 닐이 무어시리오 연고

냥녜는 느의게 당치 아닌 것들이여니와 천정혼 비필이 잇스니 연분을 츠즈미
올흐냐 니 무를 말이 잇느니 교혜나 난혜나 두 누의 즁 불너 오라 희원이 연유
ㅎ나 총명혼지라 웃고 닐오디 형언이 우읍(23)도다 하늘이 졍ㅎ신 연분이 어
디 잇는 쥴 알니잇고마는 미즈다려 무슨 말을 뭇고즈 ㅎ시느니잇가 쇼뎨도 잠
간 드러보스이다 싱이 쇼왈 너는 아라 브졀업느니라 희원이 쇼왈 무슨 말슴을
모로거니니와 혹 아라 유익홀동 엇지 알니잇가 싱이 쳥파의 웃고 말을 아니
ㅎ니 희원이 더옥 의심ㅎ여 지리히 뭇는지라 싱이 허황이 웃고 낭즁을 더듬어
월환 혼 뻑을 니여 뵈고 쑴 말을 니르고 왈 뎐일 드르니 슈덕당 스모긔 질녜
잇단 말을 얼푸시 드러시나 즈셔치 아닌지라 니러무로 쇼미의게 진뎍혼가 뭇
고 월환과 셔졍을 밧고미 잇는가 셜가의 뭇고즈 ㅎ노라 희원이 쳥필의 허탄이
넉여 왈 군즈는 몽스를 밋지 아니홀 (24)거시요 셜스 져 집 규쉬 월환으로 셔
졍을 밧고미 잇슨들 셜부인이 즐겨 작미ㅎ시며 부왕이 엇지 허락ㅎ시리잇고
싱 왈 부왕이 셜마 즈식을 폐륜ㅎ라 ㅎ시며 텬연을 엇지 ㅎ리요 너는 요란이
구지 말고 넌즈시 불너 오라 희원이 응낙ㅎ고 느외 두루 헤질너 교혜를 츠즈
되 맛나지 못ㅎ여 즁당의 니르니 모친 의빈이 셜부인과 말슴ㅎ며 교혜 뫼셔
난혜로 더브러 담쇠 낭낭ㅎ거늘 희원이 눈을 드러 즈죠 져져를 보아 눈치 잇
게 부르고즈 ㅎ되 냥 쇼졔 긔식을 아지 못ㅎ니 희원이 밋망ㅎ여 긔식(25)이
즈못 괴이ㅎ니 됴부인이 ㅇ즈의 거동을 보고 경의ㅎ여 이의 무러 굴오디 ㅇ희
무슨 일이 잇관디 거동이 즈못 당황ㅎ뇨 희원이 황공ㅎ여 눗츨 붉히고 본디
직혼 ㅇ희라 창돌의 쑤미지 못ㅎ여 느즉이 디왈 영희당의 가 삼형을 보오니
형이 냥미를 불너 달나 ㅎ오미 냥미긔 젼코즈 ㅎ미로쇼이다 부인이 졍식 왈
ㅇ희 말이 심히 간스ㅎ도다 여형이 누의를 보고즈 혼즉 그 말 젼ㅎ미 무어시
어려워 슈상이 굴니요 어린ㅇ희 어미 쇽이믈 능스로 ㅎ는도다 셜파의 안쉭이
뻑뻑ㅎ고 말슴이 쥰졀ㅎ니 공지 디황디구ㅎ여 머리를 슉이고 말을 못ㅎ거늘
셜부인이 알연이 웃고 왈 쳘모로는 ㅇ희 형의 ᄀ로치믈 바다 그리ㅎ미요 실졍
이 아니라 부인은 과칙지 마르쇼셔 공즈를 느호여 옥슈를 어루만져 (26)문왈

네 형이 무스 일노 교ᄋ 등을 불너 달나 ᄒ더뇨 공지 감히 쑤미지 못ᄒ여 한님
의 니르던 말을 ᄂᆺᄂᆺ치 고ᄒᆞ니 냥 부인이 쳥파의 어히업셔 됴부인이 바야흐로
ᄂᆺ빗츨 곳쳐 ᄋ즈를 경계 왈 옛말의 일너시되 부뫼 유과라도 ᄌ식이 그른 일
의 손치 아니ᄒᆞᄂᆞ니 허믈며 형뎨간이냐 ᄎ후ᄂᆞ 모든 형과 ᄒᆞ가지로 형을 보고
홀노 왕닉치 말나 희원이 빅ᄉ슈명ᄒᆞ거늘 셜부인이 미쇼 왈 후일은 그리ᄒᆞ려
니와 이번은 교ᄋ 등을 보닉여 졔 뭇ᄂᆞ 말이 잇거든 여ᄎᆞ여ᄎᆞ 딕답ᄒᆞ여 오원
ᄒᆞᆫ 념녀를 막ᄌᆞ르게 ᄒᆞ미 아니 올ᄒᆞ니잇가 가형이 여러 아들이 잇시나 ᄯ올은
ᄎᆞ녀ᄲᅮᆫ이라 지용이 심히 잔둘ᄒᆞ니 부딕 죵요(27)로온 가셔를 어더 ᄌ미를 보
려 ᄒᆞᄂᆞ지라 엇지 즐겨 남의 지취를 쥬며 몽식 그러ᄒᆞ고 신물이 잇셔 셔로 밧
고다 ᄒᆞ니 ᄌᆞ못 괴이ᄒᆞ이다 의빈이 함쇼졈두ᄒᆞ여 심하의 긔괴ᄒᆞᆷ믈 마지아니ᄒᆞ
더라 희원이 셜부인의 ᄀᆞ르치무로 냥 쇼져를 ᄯ라 니르니 한님이 냥믹를 보고
가장 반겨 닐오딕 우형은 현믹 등을 날포 보지 못ᄒᆞ니 그리워 싱각ᄒᆞ엿거늘
너희ᄂᆞ 그 ᄉᆞ이 ᄒᆞᆫ번도 ᄎᆞᄌᆞ보지 아니ᄒᆞ니 엇지 동긔지졍이 그리 박ᄒᆞ더뇨 냥
쇼졔 낭쇼 왈 거거ᄂᆞ 가히 염치 업도쇼이다 쇼믹 등은 규쉬라 외당 츌입을 임
의로 ᄒᆞ오리잇가 아모커나 무스 일노 부르시니잇가 한님이 쇼왈 동긔 ᄉᆞ이의
부르미 변괴랴 임의 ᄂᆞ와시니 잠간 안져 (28)말ᄒᆞ다가 드러가라 냥 쇼져와 희
원이 웃고 ᄎᆞ례로 버러 안즈니 ᄋ시비 슈인은 말셕의 뫼셔 안고 유모 등은 난
간 밧긔 머무더라 한담이 이윽ᄒᆞ미 싱이 문왈 셜낭즁의 규쉬 계시다 ᄒᆞ더니
어딕 의혼ᄒᆞ여시며 지용이 엇더ᄒᆞ뇨 냥 쇼졔 모친의 ᄀᆞ르치믈 드러ᄂᆞᆫ지라 졍
식 왈 형이 엇지 이런 말을 뭇ᄂᆞ뇨 져ᄂᆞ 타문 규쉬라 가불가 유무를 무러 무엇
ᄒᆞ리오 표슉 부뷔 이녀지졍이 ᄌᆞ별ᄒᆞ여 임의 결혼ᄒᆞ여 빙녜를 ᄒᆡᆼᄒᆞ미 모일의
모친이 귀령ᄒᆞᄉᆞ 셜믹의 빙ᄎᆡ를 보시고 도라와 계시니 혼식 블원ᄒᆞ니이다 싱
이 아연 딕경 왈 이 진졍이냐 우형이 분명 셜쇼져의 공믈노 이심을 드럿더니
쇼(29)믹 등의 말이 엇지 신실치 아니ᄒᆞ뇨 냥 쇼졔 변식 왈 아등이 엇지 거거
를 속이며 거게 타문 남ᄌᆞ로 남의 집 규쉬 공믈이며 아니믈 아라 무엇ᄒᆞ려 ᄒᆞ
ᄂᆞ뇨 싱이 쇼믹 등의 너모 믹믈이 썰치믈 보고 ᄯᅩᄒᆞᆫ 노ᄒᆞ여 왈 너와 닉 동긔

지졍이요 셜낭즁 집이 모르는 집이 아니라 셜쇼져 유무를 무러든 이러틋 미졍
이 구는뇨 느는 ᄆᆞᆷ이 그러치 아니ᄒᆞ니 쇼미 듯기 슬희여도 품은 말이나 다
ᄒᆞ리라 우형이 여ᄎᆞ여ᄎᆞᄒᆞ여 몽즁의 가 셜부의셔 여ᄎᆞ여ᄎᆞ흔 장단쳬지 이러이
러흔 녀ᄌᆞ를 보고 기녀의 월환과 우형의 옥셔징을 여ᄎᆞ여ᄎᆞ흔 신인이 밧고와
쥬며 텬졍연분이라 ᄒᆞ여 몽시 ᄌᆞ못 명명흔지라 진실노 텬연이 즁ᄒᆞ 량이면
(30)빙치를 바닷셔도 홀일업슬가 ᄒᆞ노라 냥 쇼졔 어히업셔 도로혀 미쇼ᄒᆞ고
쇼혜는 어린 ᄆᆞᆷ의 월환이란 말을 듯고 믄득 보고ᄌᆞ ᄒᆞ여 닐오ᄃᆡ 거게 거즛
말이로다 어ᄃᆡ셔 ᄭᅮᆷ이 그러틋 이상ᄒᆞ리오 어ᄃᆡ 가 임ᄌᆞ 업는 월환 흔 ᄶᆨ을 가
지고 셜져의 품직용 잇단 말을 듯고 ᄭᅡᆫ 말을 ᄒᆞ는도다 진실노 긔물이 잇거든
니쇼셔 어ᄃᆡ 보ᄉᆞ이다 싱이 즉시 낭즁으로셔 월환 흔 ᄶᆨ을 ᄂᆡ여 쥬거늘 보니
원ᄂᆡ 셜낭즁이 녀ᄋᆞ를 ᄉᆞ랑ᄒᆞ여 쳔금을 허비ᄒᆞ여 별노 월환을 민드라 쥬고 진
쥬 박은 닙 ᄉᆞ이의 ᄀᆞ느리 삭여 흔 ᄶᆨ의는 ᄉᆞ랑 이 ᄯᅳᆺ를 ᄡᅳ고 흔 ᄶᆨ의는 난쵸
난 ᄯᅳᆺ를 ᄡᅥ 쥬어시니 교혜 등이 젼일 (31)본 비라 심하의 괴이 너기믈 마지아
니ᄒᆞ고 쇼혜는 지슘 만지며 왈 그와 ᄀᆞᆺ흔 듯ᄒᆞ니 괴이ᄒᆞ도다 교혜 ᄡᅳ리쳐 왈
텬하의 ᄀᆞᆺ흔 거시 업ᄉᆞ리오 혹시 쇼왈 너희 보미 셜쇼져 월환과 ᄀᆞᆺ흔죽 가져
다가 보ᄂᆡ라 ᄂᆞ는 두어 ᄡᆯ ᄃᆡ 업도다 교혜 왈 셜소 져 집 거시라도 외간 남ᄌᆞ
의 슈즁의 ᄰᅥ러져시니 부졀업거든 허믈며 분명치 아닌 거슬 가져 가 무엇ᄒᆞ리
오 거게 임의 어더시니 바리거나 마으거나 임의로 ᄒᆞ쇼셔 셜파의 쇼혜를 닛그
러 드러가니 혹시 능히 머무르지 못ᄒᆞ고 희원이 ᄯᅩ흔 냥미를 됴ᄎᆞ 드러가니
싱이 머무러 왈 냥미 등은 외당이라 핑계ᄒᆞ고 가거니와 너됴ᄎᆞ 비편ᄒᆞ여 드러
가고ᄌᆞ ᄒᆞᄂᆞ냐 희원이 흔(32)ᄌᆞ ᄰᅥ러졋다가 ᄯᅩ 무슨 말홀가 민망ᄒᆞ여 닐오ᄃᆡ
쇼졔 민져를 ᄯᆞ라가미 아니라 급흔 닐이 잇셔 가ᄂᆞ이다 ᄒᆞ고 ᄂᆞ가니 싱이 능
히 머무지 못ᄒᆞ더라 냥 쇼졔 도라와 됴셜 냥 부인긔 뵈옵고 싱의 슈말과 월환
ᄉᆞ연을 고ᄒᆞ니 냥 부인이 ᄌᆞ못 괴히 넉이더니 좌위 믄득 셜낭즁의 와시믈 고
ᄒᆞ니 셜부인이 침쇼의 도라와 거거를 쳥ᄒᆞ여 셔로 볼ᄉᆡ 원ᄂᆡ 셩공의 니른 곡
졀이 ᄯᅩ흔 월환 빌미라 요녜 미혼단으로 셜공 부부를 먹이고 짐즛 슉식을 폐

ᄒ고 병이 즁ᄒᆞᆫ 체ᄒᆞ며 몽미 ᄀᆞᆺ치 셤어ᄒᆞᄂᆞᆫ 말이 다 공교ᄒᆞ여 잠결의도 부르지지며 혼혼 즁의도 ᄲᅮ어려 ᄒᆞᄂᆞᆫ 말이 신명은 용ᄉᆞᄒᆞ쇼셔 부뫼 쳡을 ᄉᆞ랑ᄒᆞ여 ᄎᆞᆷ아 남(33)의 여럿지 부실을 삼지 못ᄒᆞ니 가ᄎᆔᄂᆞᆫ 쳡이 임의로 못ᄒᆞ려니와 현한님의 셔징을 직희여 일싱을 공쥬의 맛고 타문을 싱각지 아니ᄒᆞ리이다 이러틋 지져괴며 병셰 졈졈 위즁ᄒᆞ여 냥안을 희게 ᄡᅳ고 ᄎᆞᆷ을 흘니며 닙써나 팔을 ᄲᅮᆷ니고 쇼릭 질너 닐오ᄃᆡ 이란 쇼녜야 네 불과 듐 먹은 가문의 쳔ᄒᆞᆫ ᄯᅩᆯ이라 현ᄌᆞ의 빈실 되기 무어시 욕스러워 텬연을 거절코ᄌᆞ ᄒᆞᄂᆞᆫ냐 신명이 역텬ᄒᆞᄆᆞᆯ 뮈이 너겨 너 쇼녀의 넉슬 몬져 잡ᄋᆞ다가 풍도옥의 가도고 버거 네 부모ᄅᆞᆯ 다 잡ᄋᆞ다가 아미디지옥의 너허 딕죄ᄅᆞᆯ 다스리이다 ᄒᆞ고 것구러져 눈을 보아케 ᄡᅳ고 죽어가ᄂᆞᆫ 형상을 ᄒᆞ니 셜공 부뷔 크게 경황ᄒᆞ여 눈믈을 흘니(34)고 ᄶᅮ러 비러 왈 신명은 슬니쇼셔 이란으로ᄡᅥ 현ᄌᆞ의 삼실 아냐 비쳡이라도 쥬오리니 진졍ᄒᆞ쇼셔 ᄒᆞ고 낭즁이 황망이 졔궁의 니르러 미ᄌᆞᄅᆞᆯ 볼ᄉᆡ 셜부인 왈 질녜 유질ᄒᆞ다 ᄒᆞ더니 지금은 엇더ᄒᆞ니잇고 낭즁이 황미ᄅᆞᆯ ᄲᅱᆼ긔고 귀밋ᄎᆞᆯ 긁져긔며 왈 녀ᄋᆞ의 병은 졈졈 즁ᄒᆞ니 민망ᄒᆞ여라 슈연이나 현미의게 냥약의 묘방을 엇고ᄌᆞ 니르괘라 부인이 경ᄋᆞᄒᆞ여 왈 쇼미의 원이 아니라 무ᄉᆞ 당약이 잇셔 질ᄋᆞ의 병을 구ᄒᆞ리잇고 낭즁이 답왈 현미다려 약을 니르라 ᄒᆞ미 아니라 다만 ᄒᆞᆫ 말 긔구의 잇ᄂᆞ니라 ᄒᆞ고 드듸여 이란의 ᄶᅮᆷ 말고 월환과 셔징 밧고인 말을 니르고 당병즁 셤에 여(35)ᄎᆞ여ᄎᆞᄒᆞ여 현ᄌᆞ의 삼실을 구ᄒᆞ리라 부인이 쳥파의 불힝ᄒᆞᄆᆞᆯ 니긔지 못ᄒᆞ여 왈 ᄎᆞ혼이 결단코 되지 못ᄒᆞ리이다 질이 미혼 젼 괴이ᄒᆞᆫ 쇼문이 젼파 타쳐의도 의혼치 못ᄒᆞᆯ 거시요 뎨왕의게ᄂᆞᆫ 더옥 긔구도 말고 도라가쇼셔 낭즁이 즙볏ᄒᆞ여 왈 녀ᄋᆞ의 식용이 당시 졀식이라 무어시 브독ᄒᆞ여 현미 미리 거졀ᄒᆞᄂᆞ뇨 현미 아들이 업셔 ᄌᆞ부의 ᄌᆞ미ᄅᆞᆯ 모로니 슉질이 고식의 의ᄅᆞᆯ 미ᄌᆞ 일퇵의 상동ᄒᆞ면 아니 됴ᄒᆞ냐 부인이 미쇼 왈 쇼미 ᄯᅩ한 거거의 말 ᄀᆞᆺᄒᆞ여 빅ᄉᆞ의 무광ᄒᆞᆫ 몸이라 젹인 ᄎᆝᆼ즁의 무어시 빗져워 신신치 아닌 즁미 노르슬 ᄒᆞ리오 낭즁이 미ᄌᆞ의 거졀ᄒᆞᄆᆞᆯ 노ᄒᆞ여 발연이 니러ᄂᆞ며 왈 ᄋᆞ녀ᄂᆞᆫ 식(36)덕이 겸비ᄒᆞᆫ 슉녜여ᄂᆞᆯ 그리면 미ᄌᆞ쳐로 간계ᄅᆞᆯ 브려 젹국을 히

ᄒ다가 들켜ᄂ 하마터면 셩명을 보젼치 못홀 번ᄒ고 연좌 부모의게 밋도록 ᄒ다가 뎨왕 부부의 ᄃ덕으로 용납ᄒ믈 닙어 무용ᄒ 두 ᄯᆯ을 두고 져리 간양부리고 착ᄒ 체ᄒᄂ다 셜파의 노긔 ᄃ발ᄒ여 ᄂ가니 부인이 어히업셔 일셩을 기리 탄ᄒ고 말을 아니ᄒ니 냥 쇼졔 분연ᄒ여 글오ᄃ 모친이 비록 당년의 쇼쇼 과실이 계시나 긔과쳔션ᄒ신 후ᄂ 비록 졍당 왕부모와 부왕의 위엄이시라도 일즉 젼과를 들츄지 못ᄒ여거늘 구시 동긔지졍의 면당ᄒ여 단쳐를 들츄며 쇼녀 등의 잇시믈 휘치 아냐 말숨을 ᄂᄂ ᄃ로 ᄒ시니 엇(37)지 노홉지 아니리잇가 부인이 탄왈 이 도시 ᄂ의 어지지 못ᄒ 연괴라 동긔간의 불평ᄒ 닐이 잇신들 유심ᄒ미 잇스리오마ᄂ 인가의 돈목우이ᄂ 덧덧ᄒ 상니로ᄃ 나ᄂ 혼ᄎ 동긔우이지졍이 남만 못ᄒ니 엇디 슬푸지 아니ᄒ리오 말을 맛츠미 상연뉴쳬ᄒ니 냥녜 위로ᄒ믈 마지아니ᄒ더라 낭즁이 분연이 밧긔 ᄂ와 졔왕을 ᄎ즈니 상부의 ᄀᆺ다 ᄒ거늘 바로 상부의 니르니 졔현이 오진 냥공을 뫼셔 ᄃ셔헌의 열좌ᄒ엿더니 홀연 셜낭즁이 불문곡직ᄒ고 다라드니 얼골을 집흐리고 냥미의 노식이 표표ᄒ여 드러와 오진 냥공긔 졀ᄒ고 승상 졔왕 등 십ᄉ 인으로 녜필좌졍ᄒ미 진공을 향ᄒ여 졔복졍금 왈 쇼싱(38)이 누루ᄒ 쇼회 잇셔 감히 노션싱 안젼의 고ᄒ여 명찰ᄒ신 의논을 듯고ᄌ ᄒᄂ이다 진공이 져의 긔식을 고이히 넉여 문왈 무ᄉ 쇼회를 발코ᄌ ᄒᄂ뇨 낭즁이 힝혀 실슈 업시 발셜하엿다가 미ᄌ의게 견픠ᄒ듯 홀가 져허 믄득 ᄀ장 지예ᄒ여 두용을 그덕이며 목용을 즁지ᄒ여 가장 어룬다운 체ᄒ여 무릅흘 ᄡ러 공경 ᄃ왈 쇼싱이 비록 인ᄉ 미거ᄒ오나 말숨이 닙 밧긔 발ᄒ미 만일 사롬이 미ᄒ고 인ᄉ 노둔ᄒ믈 견모ᄒ여 말숨을 쳥용치 아니시ᄂ 욕을 볼진ᄃ 아이의 불토발셜홈만 ᄀᆺ지 못ᄒ지라 원컨ᄃ 합하ᄂ 췌ᄉ를 졍ᄒ시면 진졍을 고ᄒ리이다 진공이 크게 의려ᄒ여 침음 냥구의 왈 가여블(39)가의 드른 후 췌ᄉ를 졍ᄒ리니 공의 니르ᄂ 비 가치 아닐진ᄃ 엇지 드르리오 낭즁이 믄득 변쇠ᄒ고 ᄉ미를 썰쳐 니러ᄂ며 왈 싱은 본ᄃ 노션싱의게 와 의논코ᄌ 아니ᄒ되 쇼미 닐오ᄃ 졔왕은 임의로 못홀 거시니 엄구ᄃ인긔 고ᄒ라 ᄒ미 궁극히 니르럿더니 이러틋 면박ᄒ시니 엇지 잇스

리오 호고 느가려 호거늘 오공은 딕체혼 장뷔라 크게 괴이 넉여 머무러 굴오
딕 아모 말이라도 니른 후 가부를 졍호리니 원간 무슨 딕식완딕 이러툿 지예
호리오 진공다려 왈 셜군의 혼즈 의논이 아니요 질뷔 그리호더라 호니 무방혼
일인가 시브니 ᄋ은 듯지 아냐 물니치지 말나 낭즁군이 ᄯᅩ 은익지 말나 낭즁
이 노식을 두루혀 스례 (40)왈 노션싱의 관인딕도호신 덕냥이 여촌호시니 하
관이 엇지 감히 만홀호리잇고 이의 좌의 ᄂᄋ가 진공을 향호여 넘슬치경 왈
원간 다른 닐이 아니라 하관이 여러 ᄋ들을 두고 늣게야 일녀를 ᄂ하 방년 십
이의 직용덕힝이 둑히 군즈를 셤겸 즉호되 아직 ᄂ히 어려 의향혼 곳이 업고
널니 동요로온 가셔를 듯보더니 텬연이 긔구호여 모일의 녀이 여촌여촌혼 신
몽을 엇고 신인이 명명이 여촌여촌 가르치고 탄월 혼 쎅과 옥셔징을 밧고며
너의 빅년의탁이 현희문의게 잇ᄉ니 텬연을 어긔디 말나 호여 꿈을 ᄭᅵ와 월환
은 업고 셔징이 잇는지라 비록 이러호나 일즉 아미로써 됸부의 결혼호여 됴호
(41)믈 보지 못호여시니 현문의 결친홀 의식 업고 ᄯᅩ혼 허탄혼 몽스를 밋디
아니호더니 녀식이 홀연 득병호여 셥에 여촌여촌호온지라 ᄉ세 마지못호여 와
누의를 보고 의논혼즉 쇼믹 닐오딕 됸당의 고호라 호오니 바라건딕 노션싱은
쇼녀의 잔명을 구호쇼셔 셜파의 두 번 졀호니 진공이 쳥미의 묵연이 말이 업
셔 다만 졔왕을 도라보니 왕이 듯기를 다호믹 츄파 썅광의 한풍이 쇼쇼호고
옥안면모의 찬 우음이 ᄀ득호여 기리 웃고 굴오딕 하날이 탕즈의 원을 조츠믹
도쳐의 교이 ᄯᅳ르고즈 호니 희문의 풍뉴는 니젹션 두목지의 지ᄂ도다 셜형이
픽즈의 쇼힝을 아지 못호고 쇼교ᄋ로써 하위의 굴욕호믈 염치 아니호니 아
(42)돌은 비록 용녈호나 며ᄂ리는 아름다오면 만힝이라 다다익션이니 만흘스
록 사양치 아니호거니와 탕즈의 무상혼 쇼실은 임의 쳐쳡을 다 보젼치 못호미
졔 용녈혼 타시라 공이 ᄯᅩ 탕즈의 연고로 교ᄋ를 보젼치 못호고 스계 블평호
미 만흘가 호ᄂ니 타일 그르미 잇셔도 동닉의 뉘웃지 말나 진공이 우왈 둑히
쳔금지벽으로써 슌ᄋ의 여럿지 부실을 혐의치 아니호니 녕녀의 평싱 계활은
우리 ᄯᅩ혼 아지 못호거니와 오문 가법은 공이 바희 모로지 아니리니 녕녜 삼

빈의 나즈미 잇시나 허물치 말나 낭중이 천만힝희ᄒ여 연망치ᄉ 왈 녕손 혹ᄉ
와 ᄋ녀는 하늘이 정ᄒ신 연분이라 빈실 아냐 비쳡인들 한(43)ᄒ리잇가 ᄉ미
로셔 옥셔징을 닉여 젼ᄒ고 왈 셔징을 가져와시니 원컨딕 월환을 ᄎᄌ 신몽의
우합ᄒᄆᆯ 보ᄉ이다 왕이 닝쇼ᄒ고 셔ᄌ 희영을 명ᄒ여 셜공을 인도ᄒ여 영희
당의 가 혹ᄉᄅᆯ 보게 ᄒ라 ᄒ고 왈 ᄎᄉ 극히 요황ᄒ여 불가ᄉ문어타인이라
형이 친히 가 ᄎᄌ 가라 셜공이 왕의 말의 무류흠도 모로고 흔연히 칭ᄉᄒ고
좌중의 하직고 영희당의 니르니 ᄎᄉ 희문이 냥미ᄅᆯ 보닉고 심예 무궁ᄒ더니
믄득 셜공이 셔형 희영으로 더브러 드러오니 싱이 심하의 경희ᄒ여 니러 마ᄌ
녜필의 문 왈 쇼싱이 근간 신질이 미류ᄒ여 직ᄉ의 ᄂᄋ가지 못ᄒ옵고 노션싱
긔 비현치 못ᄒ와 스ᄉ로 불민ᄒᄆᆯ 참슈(44)ᄒ옵더니 관기 믄득 님ᄒ시니 블
승감ᄉᄒ여이다 낭중이 눈을 드러보니 현싱이 헛튼 머리의 관줌이 부정ᄒ고
냥익의 웃옷슬 폐ᄒ여시나 슈앙ᄒ 격됴와 헌앙ᄒ 풍신이 늠늠ᄒ여 금일 덧덧
시 빅년가셔로 아라 유의ᄒ여 슬피나 더옥 긔이ᄒ여 볼ᄉ록 ᄉ랑호온지라 밧
비 집슈 왈 만싱이 독하의 풍신직모ᄅᆯ 이모ᄒ연 지 오릭되 쇼녜 연치부젹ᄒ니
젹슝의 미ᄌᄆᆯ 엇지 못ᄒ고 질둑ᄌ의게 아이ᄆᆯ 미양 탄ᄋᄒ더니 텬연이 긔구
ᄒ여 월하의 늙으니 홍ᄉᄅᆯ 늣기야 미ᄌ니 엇지 우읍지 아니리오 군의 셔징을
가져와시니 그딕는 셜니 월환을 닉여 신몽이 헛되지 아니케 ᄒ라 싱이 쳥파의
혼ᄉ 셩젼케 되ᄆᆯ (45)만심환희ᄒ여 연망이 ᄉ미로셔 월환을 닉여 노ᄒ니 낭
중이 바다보니 과연 이란의 월환이라 크게 깃거 ᄯ 셔징을 닉여 노ᄒ니 낭중
이 이늘 깃거ᄒᄆᆯ 평싱 쳐음인 듯ᄒ지라 혹시 ᄯᅩᄒ 셔징을 보고 긔이히 넉여
왈 쇼싱이 월환을 어드나 진젹히 녕녀의 거시ᄆᆯ 아지 못ᄒ고 ᄯᅩ 드르니 녕쇼
졔 발셔 타문의 빙치ᄅᆯ 밧다 ᄒ니 바라미 삭연ᄒ여 신몽이 헛되ᄆᆯ ᄎ셕ᄒ더니
션싱이 어느 곳으로 인진ᄒ여 호연을 뎜복ᄒ니잇고 낭중이 ᄌ쵸시말을 ᄌ셔히
젼ᄒ니 싱이 비로쇼 냥미의 속이던 쥴 씨다라 심하의 노ᄒ나 ᄉ쇠지 아니ᄒ고
낭중은 녀ᄋ의 식덕을 기리ᄆᆯ 마지 아니ᄒ더라 둉일 한담ᄒᄆᆯ 밀밀탐탐ᄒ니
진짓 상득(46)ᄒ 옹셰라 희문이 일즉 두 악장을 두어시나 연공은 단묵ᄒ고 졀

도는 휴휴엄위ᄒᆞ여 다 ᄌᆞ미롭지 못ᄒᆞ더니 엇디 금일 셜공의 부잡ᄒᆞᆫ 광언과 부
창되미 상셩위광ᄒᆞᆫ 희문의 ᄆᆞᆷ의 맛ᄂᆞᆫ 악장이라 희영이 ᄒᆞᆫ ᄀᆞ의셔 냥인의 슈
작을 보고 실쇼ᄒᆞ더라 일모ᄒᆞ미 싱이 동ᄌᆞ로 쥬효ᄅᆞᆯ ᄂᆞ와 빈쥬 취ᄒᆞ고 도라갈
ᄉᆡ 다시 진공과 왕을 보지 아니ᄒᆞ고 도라가니 인ᄉᆞ의 미거ᄒᆞ미 여ᄎᆞᄒᆞ더라 ᄎᆞ
야의 왕이 슈덕당의 니르러 부인을 ᄎᆡᆨ왈 허랑ᄒᆞᆫ 픽ᄌᆞ와 동당이 되어 용녈ᄒᆞᆫ
오라비ᄅᆞᆯ 쵹ᄒᆞ여 아름답지 아닌 혼ᄉᆞᄅᆞᆯ 도모ᄒᆞ여 슉질이 동심ᄒᆞ여 궁듕을 어
ᄌᆞ러이고ᄌᆞ ᄒᆞᄂᆞ냐 부인이 디참황괴ᄒᆞ여 안셔이 쳥죄 왈 쳡의 당(47)년죄ᄂᆞᆫ
틱산 ᄀᆞᆺᄉᆞ오니 일노뻐 ᄎᆡᆨᄒᆞ시면 ᄌᆞ당감슈여니와 금일 시로 지은 허물은 실노
아지 못ᄒᆞᄂᆞᆫ 닐이로쇼이다 냥 쇼뎨 직측이러니 일시의 울며 셕상 희원의 말노
붓터 져희 형뎨ᄂᆞᆫ 옥가 혹ᄉᆞᄅᆞᆯ 쇽이든 말과 외귀 니르러 이리이리 말쑴ᄒᆞ미
모친이 여ᄎᆞ여ᄎᆞ 디ᄒᆞ시미 낭듕이 셩ᄂᆡ여 하직도 아니ᄒᆞ고 도라간 슈말을 ᄒᆡ
비히 알외니 왕이 바야흐로 셜시의 허물이 아닌 줄 아디 다시 곡졀을 니르지
아니ᄒᆞ고 눈셥을 뻥긔여 긔식이 참엄ᄒᆞ니 부인과 냥녜 공구츅쳑ᄒᆞ더니 왕이
기리 탄ᄒᆞ고 외당으로 나가미 부인 모녜 바야흐로 슙을 ᄂᆡ쉬고 교혜 이루ᄅᆞᆯ
드리워 왈 구시 졈지 아닌 쳬면의 거즛말은 무슴 일고 모친은 공연(48)ᄒᆞᆫ 누
셜을 맛ᄂᆞ시도다 쇼혜 왈 셜형이 본디 외구의 교의로 비혼 거시 업거늘 이런
셩만ᄒᆞᆫ 궁듕의 드러와 안과ᄒᆞ기ᄅᆞᆯ 엇지 바라리요 반ᄃᆞ시 불평ᄒᆞᆫ ᄉᆞ단이 ᄌᆞ로
니러나 모친이 편치 아닐가 ᄒᆞᄂᆞ이다 부인이 탄왈 질이 ᄌᆞ유로 뎡뎡유슌ᄒᆞ니
별단지시 잇ᄉᆞ리오마ᄂᆞᆫ 문이 너모 호일방탕ᄒᆞ고 용뫼 슈미ᄒᆞ여 어느 곳 요인
이 은복ᄒᆞ여 문ᄋᆞ를 경영ᄒᆞ여 변을 지으니 반ᄃᆞ시 질이 ᄯᅩ혼 편치 못홀지라
엇지 근심되지 아니리오 슬푸다 창쳔이 오문의 덕악을 ᄂᆞ리오ᄉᆞ ᄂᆡ 일즉 부모
긔 이우ᄅᆞᆯ ᄭᅵ쳐 불효ᄒᆞᆫ ᄌᆞ식이 되고 ᄯᅩ 형의 부뷔 이 쌀 ᄉᆞ랑이 ᄋᆞᄃᆞᆯ의 더ᄋᆞ
거늘 평싱이 됴흘 줄 모로니 (49)엇지 한홉지 아니리오 셜파의 셕ᄉᆞᄅᆞᆯ 감회ᄒᆞ
여 상연하루ᄒᆞ니 디기 셜시의 우연 감회ᄒᆞ미 셕ᄉᆞᄅᆞᆯ ᄌᆞ회ᄒᆞ여 ᄌᆞ긔 슉질의 팔
직 슌치 못ᄒᆞᆷ믈 근심ᄒᆞ미여늘 뉘 도로혀 진짓 셜쇼져의 이란은 향혼이 독슈의
ᄂᆞ라ᄂᆞ고 유체 산곡암혈의 ᄇᆞ리여 혼빅이 운슈의 표탕ᄒᆞ여 원곡이 쳐쳐ᄒᆞ여

혼빅이 흣터지지 아냐 쑴을 비러 부모의게 원상을 할고즈 ᄒ나 요녜 즈가의 형모를 의구히 비러 가즁의 웅거ᄒ여시니 놀나고 두려 감히 ᄌᄀ이 머무지 못 ᄒ미라 셜부인의 우연ᄒ 말이 질녜 보젼치 못ᄒ리라 ᄒ미 인심의 지령ᄒ미러 라 교혜와 쇼혜 빅단위로ᄒ니 셜믹 요녜 능히 현부의 드러와 변을 지은가 하 회를 분셕ᄒ라 (50)텰종황뎨 후궁 김상궁 쳘영 글시

명쥬옥연긔합녹 권지십구

(1) 명쥬옥연긔합녹 권지십구
ᄎ셜 시시의 셜낭즁이 부즁의 도라가 모부인긔 와 부인과 즈부녀의게 이란을 현혹ᄉ와 결혼ᄒ ᄉ연을 니르니 모다 힝희ᄒ고 요녜 암희ᄒ여 병셰 죠금 나은 듯ᄒ더라 ᄎ일 낭즁이 즉시 퇴일ᄒ니 하날이 요녀의 음흉ᄒ믈 뮈이 넉이시미 길긔 오륙 삭이 가려시니 요녜 악연ᄒ고 낭즁이 현부의 가 보ᄒ니 현시 졔공 왈 쏠 가진 즈의 구구ᄒ믈 참노라 ᄒᄂᆞᆫ들 오죽ᄒ랴 니동 되기 쉽오리라 낭즁이 졔공의 비우ᄉ믈 아지 못ᄒ고 가장 슬거온 쳬ᄒ여 (2)고기를 쓰덕이고 건슈노 치를 들먹여 희희이 웃고 닐오딕 올희여이다 싱이 다ᄉᆞᆺ ᄋᆞ들의 이 쏠 하나히 라 귀ᄒ미 비홀 딕 업거늘 식용이 졀셰ᄒ고 덕힝이 긔특ᄒ니 이러무로 구구ᄒ 여이다 하풍익과 가안빅이 쇼왈 녕녜 그러틋이 아름다오면 희문의 삼취 부실 되기 앗갑도다 희문의 지취 고시 조고만 연고로 친당의 도라ᄀᆞᆺ시나 도라오미 불구의 잇실 거시오 예붓터 이 가즁 녀부들은 죽다 ᄒ여도 살거를 잘ᄒᄂ니 연쇼졔 비록 종젹이 업ᄉ나 그 죽으믈 목젼의 보 니 업고 향쳬를 지즁의 장ᄒ 미 업ᄂ지라 익운이 쇼멸(3)ᄒ미 쏘 어닉 곳으로됴츄 신긔히 도라와 희문의 상원위를 거흘동 알니요 연즉 녕ᄋᆞ 옥슈는 삼빈의 ᄂᆞ즈믈 면치 못ᄒ고 쏘 희 문의 호일방탕ᄒ미 가간의 홍장분딕를 지니여 보지 아니ᄒᄂ지라 이후 몟몟 잉쳡이 삼길동 알니요 ᄉ셰 여ᄎᆞ의 장뷔 무신ᄒᆞᆫ든 즈고 상싀라 녕녜 능히 빅

두음을 면치 못ᄒ리니 가히 견딜가 보냐 낭즁이 쳥필의 능히 딕치 못ᄒ고 몸을 니러 영희당의 가 한님을 보니 싱이 반겨 마즐식 낭즁이 탄식 왈 쳔신만고ᄒ여 졍ᄒᆫ 혼인이 길고 츠ᄋᆡ 머니 엇지 한홉지 아니리오 싱이 (4)길일을 무러 알고 셔운ᄒ나 홀 일 업ᄂᆞᆫ지라 다만 굴오ᄃᆡ 션싱이 우리 왕부와 부왕의 긔식을 보시니 엇더ᄒ시드니가 쇼싱이 이곳의 슈금ᄒᆫ 후 요힝 혼인이나 ᄀᆞᆺᄀᆞ오면 슈이 ᄂᆞᄋᆞᆯ갈가 ᄒ엿더니 길일이 츠라 ᄒ니 답답ᄒ여이다 낭즁이 어루만져 이련ᄒ여 왈 쇠호도 ᄌᆞ식을 ᄉᆞ랑ᄒ거ᄂᆞᆯ 녕ᄃᆡ인은 진실노 비인졍이로다 그만콤 단녀보니 긔관이 만터라 누의ᄂᆞᆫ 그ᄃᆡ의 졔뫼나 ᄂᆞ의 친동긔 ᄉᆞ이여ᄂᆞᆯ 여ᄎᆞ여ᄎᆞ 혼인을 거졀ᄒ니 닉 만일 눈치 업고 슬겁지 아니터면 엇지 혼식 되어시리오 혹시 분연 왈 과연(5)ᄒ여이다 쇼싱이 신몽을 어든 후 냥미ᄅᆞᆯ 불너 의리ᄅᆞᆯ 무르니 냥미 발셔 ᄌᆞ모의 경계ᄅᆞᆯ 드러 여ᄎᆞ여ᄎᆞᄒ오니 그런 분ᄒᆞᆫ 닐이 ᄯᅩ 어ᄃᆡ 잇ᄉᆞ오리가 낭즁이 분분 왈 민지 쇼시젹븟터 승긔ᄌᆞᄅᆞᆯ 념녀ᄒᄂᆞᆫ 심슐이라 그 ᄯᆞᆯ들이 무어시 의졋ᄒ리오 인ᄒ여 젼젼 간악ᄒᆫ 허믈을 다 들츄어 공쥬ᄅᆞᆯ 히ᄒ던 말과 십년 뎍고ᄅᆞᆯ 일일이 셜파ᄒ니 혹시 쳥파의 크게 놀나니 원ᄂᆡ 현부 법녕이 엄즁ᄒ여 사름의 뎐과ᄅᆞᆯ 들츄는 닐이 업ᄉᆞ무로 희셩은 니르지 말고 그 친싱들도 다 후싱이무로 다 듯지 못ᄒᆫ 일이라 학식 ᄃᆡ(6)경 왈 이 엇진 말슴이니잇가 슈덕당 ᄌᆞ뫼 뇨됴현쳘ᄒ시니 무슴 닐 졍당을 히ᄒ며 ᄯᅩ 엇지 죄젹ᄒ시니잇고 낭즁이 학ᄉᆞ의 모로믈 보고 누의 허믈을 들츄미 졔 눗치 붓그러오믈 아지 못ᄒ고 가장 졍다온 쳬ᄒ고 희희이 우으며 당년지ᄉᆞᄅᆞᆯ 낫낫치 베푸니 싱이 드르미 모골이 숑연한지라 냥구묵연이러니 늘호혀 왈 ᄌᆞ모의 과실이 비록 그러ᄒ시나 임의 곳치셧ᄂᆞᆫ지라 다시 일ᄏᆞᆺ지 마르쇼셔 낭즁이 맛ᄎᆞᆷ닉 긋칠 줄 모로고 동일 쑤어리다가 도라가니 이ᄯᅥ 하풍익과 가안빅이 셜공이 희문을 ᄎᆞᄌᆞ가믈 보고 관환 (7)셜향을 명ᄒ여 가셔 규시ᄒ고 오라 ᄒ여 보닉니 셜향이 영희당 후함벽 ᄉᆞ이의셔 규시ᄒ여 냥인의 문답ᄉᆞᄅᆞᆯ 다 듯고 히연망측ᄒ믈 니긔지 못ᄒ여 도라오니 하가 냥공이 밧비 뭇거ᄂᆞᆯ 향이 쥬져ᄒ여 말을 슈이 못ᄒ거ᄂᆞᆯ 냥공이 ᄌᆡ삼 힐문ᄒ니 향이 감히 드른 ᄃᆡ로 바로 고치 못ᄒ고 셜공

의 ᄉᆞ랑ᄒᆞ든 말만 고ᄒᆞ니 가안빅이 정식 왈 너를 보ᄂᆡ미 셜공의 슈작만 듯고
ᄌᆞ ᄒᆞ미 아니라 삼공ᄌᆞ의 딕답과 셜공의 거동을 ᄌᆞ시 아라 오라 ᄒᆞ엿거ᄂᆞᆯ 간
악ᄒᆞᆫ 비ᄌᆞ 속이기ᄅᆞᆯ 능ᄉᆞ로 ᄒᆞ니 이 무슴 도리뇨 ᄂᆡ 발셔 다른 사ᄅᆞᆷ으(8)로
ᄒᆞ여 ᄌᆞ시 드럿거니와 네 남의 비ᄌᆞ 되어 그리 무엄ᄒᆞ리오 셜파의 긔싴이 쥰
엄ᄒᆞ니 셜향이 본ᄃᆡ 가안빅을 두리ᄂᆞᆫ지라 황공젼뉼ᄒᆞ여 딕ᄒᆞᆯ 바ᄅᆞᆯ 모로니 하
풍익이 화ᄒᆞᆫ 말노 글오ᄃᆡ 셜향이 본ᄃᆡ 츙근ᄒᆞᆫ지라 져의 쥬인의 흉이 드려날가
ᄒᆞ여 처음은 제 도리의 허물 될 말을 바로 아니ᄒᆞ나 본셩이 쵸직ᄒᆞᄆᆡ 나동은
다 토셜ᄒᆞᄂᆞ니 군평은 노ᄒᆞ지 말고 ᄎᆞᄎᆞ 드러 보라 ᄒᆞ고 셜향을 은근이 다리
고 그윽ᄒᆞᆫ ᄃᆡ 가셔 닐오ᄃᆡ 가안빅 상공은 발셔 다른 길노 다 듯고 아ᄂᆞᆫ 거슬
네 다 긔이니 엇지 노ᄒᆞ시지 (9)아니리오 셜향이 긔이지 못ᄒᆞᆯ 줄 알고 고왈
쇼비 도리의 쥬군상공의 허믈을 ᄎᆞ마 고치 못ᄒᆞ와 쥬져ᄒᆞ미로쇼이다 ᄒᆞ고 인
ᄒᆞ여 셜공의 거동과 허든 말을 셰셰이 고ᄒᆞ니 하풍익이 듯고 크게 우이 넉여
드러와 가안빅을 보고 뎐ᄒᆞ니 피ᄎᆞ 딕쇼ᄒᆞ고 이 말이 발셔 젼ᄒᆞ여 ᄂᆡ당의 니
르고 셜부인이 드ᄅᆞ미 된지라 동긔의 무식ᄒᆞᆷ믈 통한ᄒᆞ여 왈 ᄂᆞ의 당년 죄과ᄂᆞᆫ
쥭어 맛당ᄒᆞ거ᄂᆞᆯ 공쥬의 혜틱으로 보젼ᄒᆞ여 부귀ᄅᆞᆯ 누리나 ᄎᆞ마 후싱들의 들
니미 붓그럽거ᄂᆞᆯ 가형의 불통ᄒᆞ미 이의 밋ᄎᆞ니 (10)ᄂᆡ 엇지 붓그럽지 아니리
오 좌위 ᄯᅩᄒᆞᆫ 셜공을 통한ᄒᆞ고 부인을 위로ᄒᆞ더라 오릭지 아냐 셜금오 긔싴
다드르니 부인이 귀령ᄒᆞ여 졔좌의 녜필ᄒᆞ고 질녀ᄅᆞᆯ 보니 얼골 모습은 젼일 익
란이나 힝동거지ᄂᆞᆫ 익란이 아리라 ᄌᆞᆺ못 의ᄋᆞ하여 유심이 슬피니 요녜 심히 경
황ᄒᆞ여 믄득 복통을 일콧고 몸을 ᄂᆡ려 ᄉᆞ침으로 도라가니 틱부인이 글오ᄃᆡ 숀
이 심히 잔약ᄒᆞ고 미거ᄒᆞ더니 근ᄂᆡ의 영오특달ᄒᆞᆫ지라 녀ᄋᆞ의 외로온 가온ᄃᆡ
ᄉᆞ랑ᄒᆞᄆᆞᆯ 교혜 등과 ᄀᆞᆺ치 ᄒᆞ라 낭즁 부ᄇᆡ ᄯᅩ 말을 ᄂᆡ어 부탁ᄒᆞ니 (11)부인이
면강화답ᄒᆞ고 ᄀᆞ마니 모부인긔 고왈 질녀ᄅᆞᆯ 오릭 못 보왓더니 그 ᄉᆞ이 언ᄉᆞ의
능여홈과 힝동의 민쳡ᄒᆞᆷ믄 도로혀 젼ᄌᆞ의 비ᄒᆞ미 어리고 미거ᄒᆞᆯ 젹만 ᄀᆞᆺ지 못
ᄒᆞ니 두리건ᄃᆡ 구가 졔인의게 불합ᄒᆞᆯ가 ᄒᆞ나이다 틱부인이 놀나 왈 네 말이
긔이ᄒᆞ도다 이란이 쳐음보다 영오ᄒᆞᄆᆡ 긔특이 알거ᄂᆞᆯ 너ᄂᆞᆫ 도로혀 쳐음만 못

ᄒᆞ다 ᄒᆞ니 그 ᄯᅳᆺ을 아지 못ᄒᆞ리로다 부인 되왈 스룸이 나히 ᄎᆞ면 달니 되오나 이란쳐로 변ᄒᆞ리잇고 ᄋᆞ히 너모 혼잔ᄒᆞ더니 진양을 일코 반다시 니믹를 졉ᄒᆞ엿ᄂᆞᆫ가 ᄒᆞᄂᆞ니다 틱(12)부인이 크게 놀나 왈 그럴 니 업스니 다시 닐큿지 말나 져의 부뫼 드르면 노리라 부인이 씌다라 다시 말 아니ᄒᆞ더라 부인이 인ᄒᆞ여 머무러 슌일 후 궁의 도라오니라 니러구러 일월이 쳔연ᄒᆞ여 구쇼졔 스실의 슈계ᄒᆞ연 지 반 년의 니르럿더니 믄득 만월ᄒᆞ여 시산 싱ᄌᆞᄒᆞ니 일쳑 빅옥이요 크게 긔이ᄒᆞ지라 유뫼 깃거 부인을 구호ᄒᆞ며 ᄋᆞ히를 강보의 거두고 됸당의 보ᄒᆞ니 됸당 구괴 딕희ᄒᆞ여 밧비 응휘각의 니르러 쇼졔를 위로ᄒᆞ고 신ᄋᆞ를 살펴보믹 과연 일딕 셔믈이라 졔왕과 공쥬 (13)등이 면면이 어루만ᄌᆞ 연셕ᄒᆞ믹 더ᄒᆞ고 일노됴ᄎᆞ ᄌᆞ부의 화익이 쎈르믹 급어셩화홀 쥴 짐죽고 ᄎᆞ셕ᄒᆞᆷ을 니긔지 못ᄒᆞ더라 이쎠 우화 요리 왕부와 상부의 왕뇌ᄒᆞ여 일동일졍을 셰셰이 탐지ᄒᆞ여 셜믹의게 보ᄒᆞᄂᆞᆫ지라 셜믹 구쇼져의 싱ᄌᆞᄒᆞᆷ을 듯고 더옥 히홀 마음이 급ᄒᆞ여 됴흔 계교를 싱각ᄒᆞ더니 마ᄎᆞᆷ 노시의 이죵뎨남 양의ᄂᆞᆫ 참졍 양무의 지요 귀인 양시의 오라비라 별흉극물이니 벼술이 도어ᄉᆞ의 잇셔 셜가의 왕뇌 빈빈ᄒᆞᆫ지라 요녜 그윽이 양어ᄉᆞ의 위인이 허픽ᄒᆞᆷ믈 슬피고 유인ᄒᆞ(14)기 쉬오믈 혜ᄋᆞ려 교언영식으로 슉질의 졍을 극진이 ᄒᆞ니 양어시 어려셔 이란의 거동을 닉이 보와시나 마히 미거ᄒᆞ고 어리게 보왓더니 이졔 보믹 영오직릉ᄒᆞ니 믄득 깁흔 의식 니러ᄂᆞ ᄎᆞ일 왕뇌ᄒᆞ여 처음은 슉질의 졍을 일큿더니 ᄂᆞ둉은 졈졈 방ᄌᆞᄒᆞ여 ᄀᆞ마니 금을 더져 ᄯᅳᆺ을 통ᄒᆞ니 요녜 ᄯᅩ흔 혼긔 ᄎᆞ라 ᄒᆞ여 뉴츈지심을 니긔지 못ᄒᆞ더니 양츅의 유졍ᄒᆞᆷ믈 보매 그윽이 암희ᄒᆞ여 마음을 바드니 양츅이 딕희ᄒᆞ여 밤이면 ᄌᆞ른 오슬 닙고 셜가의 니르러 월장찬혈의 모드믹 되니 냥졍의 지(15)극ᄒᆞ믹 비길 딕 업더라 요녜 쳔만 교틱로 양츅을 달닉여 품은 쇼회를 니르고 구시를 여ᄎᆞ여ᄎᆞ 모함ᄒᆞ여 아죠 업시흔즉 쳡이 비록 현부의 가나 공의 은익를 쓴치 아니리라 양츅이 언언낙죵ᄒᆞ고 흉계를 니르혀니 구쇼져의 화익이 엇지됫고 하회를 보라 화셜 만셰 황얘 텬문의 됴회를 베푸시니 뇽누 봉각의 셔긔 익익ᄒᆞ고 문무신뇌 반녈을 졍졔ᄒᆞ여 단지의 고두ᄒᆞ고 옥계의

산호ᄒ여 됴회ᄒᄂ 녜를 파ᄒ고 날이 느즈미 홀연 우부 도어ᄉ 양의 츌반 쥬 왈 요ᄉ이 국강이 히이ᄒ와 (16)풍화디변이 잇시되 풍쇽이 권셰를 븟됴ᄎ 강 상디변을 무더 두오니 엇지 통히치 아니리잇고 쇼신 양의 미말쇼관으로 이 말 숨을 단계의 쥬달ᄒ오미 홰 발 뒤츅을 쏠와 니를 쥴 모르지 아니ᄒ오디 우츙 이 국졍을 몱히고ᄌ ᄒ오미 쥭기를 도라보지 아니ᄒ나이다 쥬파의 혼 장 쇼봉 을 헌탑ᄒ니 흑ᄉ 현희옥이 옥셩을 놉혀 닑으니 기쇼의 왈 도어ᄉ 신 양의ᄂ 돈슈빅비허와 디상 규문의 참덕이 ᄉ림의 젼힝ᄒ믈 보오니 스스로 ᄉ셩 안위 를 두리지 아냐 농뎐(17)의 고달ᄒᄂ이다 즁셔ᄉ인 현희셩은 금지옥엽이요 즁셔ᄉ인 벼슬의 은튱이 둣터온 옥엽이라 기쳐 구시ᄂ 평진왕 구경인의 쇼녜 니 구개 비록 외됴 번신이나 당당혼 공훈지예로 위권이 늉즁ᄒ옵거늘 기녀를 국쳑의 연혼ᄒ여 부귀영광이 일신의 넘쎠 음난을 일삼으니 구녀의 규문 참덕 이 무후 양비의 일뉘라 연이나 측텬 퇴진은 비록 음난ᄒ나 우흔 항거치 아니 ᄒ엿거늘 구녀ᄂ 믄득 권셰부귀로써 무셰혼 ᄌ를 업슈이 넉여 진공 부빈 뉵시 를 쇠됴모를 휘치 아냐 무인 반야(18)의 구타능욕ᄒ여 뉵시 장ᄎ 두골이 ᄯ려 지고 비각이 즁상ᄒ여 쥭으미 니르되 진공 부ᄌ 됴숀이 뉵시의 용녈ᄒ무로 그 ᄉ셩을 불관이 넉이고 구녀를 칙ᄒ미 업셔 평상타 ᄒ오니 엇지 이런 변괴 잇 ᄉ오며 ᄯ 엇지 물시ᄒ리잇고 맛당이 명졍기죄ᄒ시믈 바라ᄂ니다 ᄒ엿더라 현 흑시 간필의 디경ᄎ악ᄒ여 옥면이 여회ᄒ고 텬안이 경히ᄒᄉ 진공 부ᄌ를 ᄀᆺ ᄀ이 부르ᄉ 곡졀을 무르시니 진공 부지 디경통히ᄒ나 원닉 이 일이 잇실 쥴 짐작혼 비라 불변안싴ᄒ고 뎐후 ᄉ연을 (19)일일히 알외고 왈 셜ᄉ 젼언이 흉 ᄉᄒ오나 구녀의 외모ᄂ 셩상의 보신 비요 셩덕녜힝이 미진ᄒ미 업ᄉ오니 즁 목이 비록 그 작난을 보미 잇ᄉ오나 산간 요리 왕닉ᄒ미 ᄌᄌᄋ오니 구녀의 상 시 인ᄉ를 츄이컨디 진실노 오됴의 ᄌ웅을 분간키 어렵ᄉ오니 흑ᄌ 쳐치를 쇼 로이 ᄒ엿다가 즁모의 투져ᄒ미 잇실진디 법을 셰오지 못홀 거시요 평상이 두 오문 불가ᄒ오니 ᄉ실의 계계ᄒ와 즁인 쇼시의 임의로 츌닙지 못ᄒ게 ᄒ오미 반 년이라 연이나 신의 부ᄌ 형뎨 슉질이 슈구여병ᄒ여 젼(20)셜ᄒ미 업더니

언관이 엇지 드른고 괴이ᄒ여이다 구녜 젹인이 업ᄉ오니 희ᄒ다 닐을 길도 업
ᄂᆞᆫ지라 반ᄃᆞ시 무근 무원ᄒᆞᆫ 바의 은복ᄒᆞᆫ 간인이 잇셔 궁극히 희ᄒᆞ나 동늬 츌
거치 아니믈 앙앙ᄒᆞ여 풍문을 일워늬민가 ᄒᆞᄂᆞ이다 상이 침ᄉ냥구의 굴오ᄉᆞᄃᆡ
션악은 외모의 잇지 아니나 구녀의 직덕이 슉녀지풍이요 월셩의 며ᄂᆞ리 불ᄉ
치 아닌지라 엇지 이런 변이 잇실 쥴 알니오 사인이 반녈의 ᄂᆞᆫ 면관고두ᄒᆞ여
가계 잘못ᄒᆞᆫ 죄ᄅᆞᆯ 쳥ᄒᆞ니 상이 탄왈 언관의 쇼시 여ᄎᆞ(21)ᄒᆞ나 구녀의 죄 진
덕ᄒᆞᆯ믈 밋지 아닛ᄂᆞ니 경부의 츙효집녜와 녀모의 셩ᄌᆞ지덕을 짐이 아ᄂᆞᆫ 빅여
ᄂᆞᆯ 구시 진실노 유과ᄒᆞᆫ즉 믈시ᄒᆞᆷ이 잇ᄉ리오 짐이 언관을 다ᄉ리고ᄌᆞ ᄒᆞᄂᆞ니
희셩이 엇지 쳥죄ᄒᆞ리오 뎐즉 황숀 옥해 이런 변이 잇셔 황시 모녀ᄅᆞᆯ 다ᄉ리
고ᄌᆞ ᄒᆞ더니 임의 도쥬ᄒᆞ여 못 줍ᄋᆞᄂᆞᆫ지라 요녀의 모녜 어ᄃᆡ 가 무ᄉᆞᆫ 희ᄅᆞᆯ 짓
ᄂᆞᆫ동 알니요 이런 일을 상냥ᄒᆞᄆᆡ 구시의 죄ᄅᆞᆯ 더옥 밍낭이 아노라 양의ᄂᆞᆫ 담
ᄃᆡᄒᆞᆫ 흉인이라 텬어ᄅᆞᆯ 드르ᄆᆡ 비한이 쳠의ᄒᆞ나 (22)뉴졍 옥인의 쇼쳥을 더
바리지 못ᄒᆞ여 안식을 부동ᄒᆞ고 빅슈 왈 신슈무상이오나 졔현과 원쉬 업ᄂᆞᆫ지라
엇지 허언을 쥬달ᄒᆞ오리잇가 상이 노왈 짐이 임의 아ᄂᆞ니 양의 뉘 말을 듯고
이리 슈다ᄒᆞ뇨 형벌을 밧지 아냐 이실직고ᄒᆞ라 양의 ᄃᆡ경황망ᄒᆞ나 불변안식고
쳥죄 왈 신이 쇼장을 올녀 취화ᄒᆞᆯ 쥴은 임의 아ᄂᆞᆫ 빅라 벼슬이 언관의 잇ᄉ와
드른 바ᄅᆞᆯ 고ᄒᆞ미러니 폐히 망언ᄒᆞᆫ 죄ᄅᆞᆯ 다ᄉ리신즉 형벌의 ᄂᆞᄋᆞ가오나 신직
은 일치 아니ᄒᆞ오리(23)니 이후 언관이 되ᄂᆞᆫ 지 반ᄃᆞ시 신을 징계ᄒᆞ와 쇼임을
츌히지 아니ᄒᆞ리이다 상이 변식ᄒᆞᄉ 칙고ᄌᆞ ᄒᆞ시니 진공 부ᄌᆞ와 구진왕이 츌
반 고왈 국쳬의 언관을 죄 쥬미 불가ᄒᆞ고 후셰 공논이 반ᄃᆞ시 위셰로써 국법
을 난ᄒᆞᄂᆞᆫ 시비 잇시믈 간ᄒᆞ니 유죄무죄간 구녀의 죄ᄅᆞᆯ 다ᄉ리시믈 알외니 상
이 굴오ᄃᆡ 연즉 지쵹ᄌᆞᄅᆞᆯ 양의게 무러 ᄎᆞᆺ지 아니면 구녀ᄅᆞᆯ 엇지 신빅ᄒᆞ리오
삼인이 직슘 간왈 복망폐하ᄂᆞᆫ ᄉᆞ졍으로써 법을 굽히지 마ᄅᆞ쇼셔 상이 만만불
쾌ᄒᆞ(24)사 왈 경등의 간언이 유리ᄒᆞ나 구시ᄅᆞᆯ 엇지 쳐치ᄒᆞ리오 진왕이 쥬왈
셩상 일월지명이 신의 복분지원을 붉히시니 신의 부녜 간뇌 도지ᄒᆞ오나 셩은
을 다 갑지 못ᄒᆞ리로쇼이다 비록 죄명이 강상을 범ᄒᆞ오나 당당이 법을 굽혀시

문 국체의 숀상ᄒ오미니 맛당이 다스리시믈 바라ᄂᆞ이다 샹이 탄왈 사름이 모
로면 홀일업거니와 임의 무죄ᄒᆞ믈 알고 엇지 한이 망스디의 밋게 ᄒᆞ리요 아직
구시를 니이ᄒᆞ여 산동 역셩현의 졍비ᄒᆞ고 희셩은 급히 취쳐를 말나 졔공이
(25)텬은을 스ᄒᆞ고 물너ᄂᆞ미 산동은 현시 고향이라 양의ᄂᆞᆫ ᄀᆞ장 앙앙ᄒᆞ더라
진왕이 슐위를 두루혀 현시 졔공을 ᄯᅡ라 졔궁의 니르러 녀ᄋᆞ를 다려갈ᄉᆡ 이
쇼식이 샹부의 니르니 합기 놀나고 구시 기연이 탄식고 둔당 구고긔 하직ᄒᆞ고
뇩부인긔 쳥죄ᄒᆞ니 샹부 딕쇼 인원이 츠셕 아니 리 업고 뇩부인이 녀ᄋᆞ의 간
언을 됴츠 구시 이미ᄒᆞᆫ가 ᄒᆞ여 위로코즈 ᄒᆞ더니 금일 좌의 ᄂᆞ와 몸 큰 양ᄒᆞ여
왈 둔당 모쳠이 ᄀᆞ장 어렵도다 구시 유죄무죄간 날을 즐타ᄒᆞ다 ᄒᆞ여 진왕의
ᄯᆞᆯ이요 공쥬의 며ᄂᆞ리요 셩샹의 숀뷔로딕 법(26)을 굽히지 못ᄒᆞ여 귀향 가니
유죄즉 가커이와 만일 녀ᄋᆞ의 말ᄀᆞᆺ치 이미ᄒᆞ면 불샹ᄒᆞ도다 이제ᄂᆞᆫ 후일을 징
계ᄒᆞᆯ 거시니 아모 찰녜라도 범연이 딕졉지 못ᄒᆞ리니 이후 옥황의 ᄯᆞᆯ이 드러오
나 날 딕졉 잘 못ᄒᆞ다가는 마이 쇽으리라 ᄒᆞ더니 믄득 구쇼졔 슈안쳑용으로
ᄂᆞᄋᆞ와 즈긔게 쳥죄ᄒᆞᆯ 보미 더옥 둔딕ᄒᆞᆫ 듯 턱을 그덕이며 목용을 지긋그려
눈살을 씽긔고 갈키 ᄀᆞᆺ흔 손으로 구쇼져의 셤슈를 잡고 건슌노치를 비젹여 우
ᄂᆞᆫ 쇼릭로 닐오딕 노뫼 불명ᄒᆞ여 스리를 모로고 스쳬를 도라 보지 아(27)냐
쇼부의 의형 모습ᄒᆞᆫ 요인을 잡ᄋᆞ다가 너와 면질ᄒᆞᆯ 거슬 금일 덕힝이 되게 ᄒᆞ
니 이답고 불샹치 아니리오 나도 무망이요 너도 익이 구즈니 모로미 시운을
탄ᄒᆞ고 ᄂᆡ 타슬 말나 익이 진ᄒᆞᆫ즉 다시 도라 도로 오리라 쇼졔 계슈 문파의 복
슈지비ᄒᆞᆯ 분이니 아릿ᄯᅳ온 거동이 멸승ᄒᆞᆫ지라 뇩시 쇼져의 온화ᄒᆞᆫ 모양을 보
고 우긔 크게 발ᄒᆞ여 아니 ᄂᆞᆫ 눈믈을 씀젹이고 입을 비젹이며 쇼릭를 크게
질너 숀부야 잘 단녀오라 너를 보닉고 그리워 엇지 살고 ᄒᆞ며 건츔을 줄줄 흘
니오니 실노 장관이라 (28)하윤 냥 부인은 미쇼ᄒᆞ고 쇼ᄋᆞ 등은 우음을 참지
못ᄒᆞ여 비쇽의 쑤루룩 쇼릭 스스로 ᄂᆞ니 견딕지 못ᄒᆞ여 입을 뽓고 다라ᄂᆞ더
라 구쇼졔 이의 샹부의 하직ᄒᆞ미 둔당이 참연ᄒᆞ고 졔ᄉᆞ 쇼괴 눈물을 흘니며
써의 옥화군쥐 오즈를 연싱ᄒᆞ여시미 장즈 셩환은 칠 셰요 츠즈 금환 삼즈 월

환 소주 옥환 오주 치환이니 오 세 사 셰라 기기히 션주 ᄀᆺ고 난쵸 ᄀᆺ고 셩환
은 온즁졍되ᄒ여 조부 승상을 품ᄒ엿고 버거 소으ᄂᆞᆫ 영위쥰엄ᄒᆫ지라 일시의
구쇼져를 빙별ᄒᆯᄉᆡ 옥환 치환이 잠미를 씽긔리(29)고 분긔 되발ᄒ여 왈 슉뫼
공연ᄒᆫ 누셜을 시러 원젹ᄒ시믈 당ᄒ니 엇지 분치 아니리잇고 우리 언졔나 주
라 함인ᄒᄂᆞᆫ 요인을 잡ᄋ 쥭일고 말노 됴ᄎᆞ 네 ᄋ히 일시의 우니 이ᄂᆞᆫ 져희
등의 참소ᄒᆷ믈 젼신이 요동ᄒ여 셜워 요인을 졀치ᄒ미라 좌위 경ᄋᄒ고 군쥐
칙왈 여등은 황구쇼ᄋᆡ라 무슨 ᄶᆞ를 아노라 잡말을 ᄒᄂᆞᆫ다 ᄒ고 명모를 흘녀
기리 보미 소의 두려 말을 긋치더라 구쇼졔 모든 ᄃᆡ 하직기를 맛치미 궁즁의
도라와 구고와 졔모긔 하직ᄒ니 왕이 옥슈를 어루만져 연이ᄒ여 왈 츠역 (30)
일시 익을 ᄶᅵ오미나 셩상의 일월지명이 빗최시고 우리 ᄯᅩ 현부의 ᄋᆡ미ᄒᆷ믈 아
ᄂᆞᆫ지라 현부의 빙심녈됴ᄂᆞᆫ 신명이 격ᄒ리니 부운 ᄀᆺᄒᆫ 누명을 기회치 말나 일
홈은 구가의 뷔요 젹각이라 ᄒ나 젹쇼ᄂᆞᆫ 우리 고향이라 무슨 근심이 잇스리오
필연은 복ᄒᆫ 간인이 그만ᄒ지 아니리니 쳐음은 본관의 졍ᄒᄂᆞᆫ 하쳐의 머무러
잇고 불의지환이 잇거든 이 봉셔를 기탁ᄒ여 거취를 졍ᄒ라 ᄒ고 일봉셔를 쥬
니 쇼졔 셩덕을 감소ᄒ여 쌍슈로 밧줍고 슈명빈소ᄒ니 공쥐 ᄯᅩ 츄연 탄왈 닉
완명(31)이 무지ᄒ여 모후를 여희고 지금 투싱ᄒ더니 주부의 익경이 주로 니
러 만단곡경이 층츌ᄒ니 싱셰의 괴로오미 심ᄒ도다 현부ᄂᆞᆫ 방신을 보호ᄒ여
슈히 못기를 바라노라 냥손이ᄂᆞᆫ 닉 맛당이 보호ᄒ리니 념녀 말나 쇼졔 ᄂᆞ죽이
슈명ᄒ니 졔부인이 ᄒᆫ 가지로 분슈ᄒᆯᄉᆡ 신ᄋᆞᆫ 삼칠일이 ᄀᆺ 지ᄂᆞ고 댱ᄋᆞᆫ 삼
셰라 주모의 유압을 어루만져 ᄂᆞᆺ츨 다히고 닙을 졉ᄒ여 ᄎᆞ마 ᄶᅥᄂᆞ지 못ᄒ니
좌위 눈믈 아니 흘니 리 업더라 쇼졔 하직고 연보를 두루혀 침실의 와 졔시녀
를 분부ᄒ고 본궁의 도라오(32)니 진왕궁 혼긔 취회ᄒ여 쇼져를 볼ᄉᆡ 비록
산후 흠질이 업소나 긔 뷔 슈약ᄒ여 향이 여외고 옥이 쌋기며 이잔ᄒ지라 졔
인이 참연익셕ᄒ여 면면이 위로ᄒ며 모친이 손을 줍고 탄왈 여뫼 쵸년의 익회
비상ᄒ여 심골이 경한ᄒ더니 오히려 여익이 미진ᄒ여 너의 횡익이 이의 밋츠
니 엇지 놀납지 아니냐 연이ᄂᆞᆫ 셩상과 너의 구괴 ᄋᆡ미ᄒᆫ 줄 아니 현마 어이ᄒ

리오 뎍쇠 쏘훈 고향이라 ᄒᆞ니 념네 업스나 산후 긔운아 완실치 못ᄒᆞ디 원니 지회룰 어이 견디리오 쇼졔 (33)함누 디왈 이ᄂᆞᆫ 다 쇼녀의 명되 긔험ᄒᆞ미오니 슈한슈원이리잇고 졔슉뫼 면면이 위로ᄒᆞ고 녀공과 틱부인이 어루만져 이셕ᄒᆞ고 진왕이 위로 왈 츠힝이 비록 뎍힝이나 미구의 도라오리니 모로미 보호ᄒᆞ라 녀공이 탄왈 반다시 요인이 ᄯᅩ 작희ᄒᆞ리니 손ᄋᆞᄂᆞᆫ 묘심ᄒᆞ라 쇼졔 ᄂᆞ즉이 졔왕의 봉셔룰 쥬며 이휼ᄒᆞ든 말을 고ᄒᆞ니 녀공이 졔왕의 신명ᄒᆞᆷ을 일ᄏᆞᆯ라 칭찬 불니ᄒᆞ더라 셕양의 현ᄉ인이 부됴의 명으로 니의 니르러 모든 디 뵈오니 졔인 이 반겨 마ᄌ 관디ᄒᆞ며 녀ᄋᆞ의 신누룰 탄(34)ᄒᆞ니 싱이 유화이 위로ᄒᆞ미 옥 안영풍이 더옥 쇄락ᄒᆞ니 졔인이 시로이 이즁ᄒᆞᆷ믈 니긔지 못ᄒᆞ고 이의 동방을 쇄쇼ᄒᆞ여 녀셔룰 맛고ᄌ ᄒᆞ디 쇼졔 간ᄒᆞ여 왈 쇼녀ᄂᆞᆫ 국가의 득죄인이요 우명 일은 원힝지일이라 왕모와 틱틱룰 시침ᄒᆞ미 올코 둘ᄌᆡᄂᆞᆫ 쇼녜 산후 미츠ᄒᆞ오 니 침셕을 밧들미 녜 아니라 불가불가ᄒᆞ니이다 부인 등이 그러이 넉이니 졔공 이 권유 왈 일시 부운 ᄀᆞᆺ흔 누명이 잇스나 구괴 원억히 넉이고 가뷔 이미타 니 르며 황상이 무죄타 ᄒᆞᄉ 마지못ᄒᆞ여 젹(35)거ᄒᆞ시나 이곳 너의 구가 고향이 라 무어시 관겨ᄒᆞ며 현싱이 부명으로 니의 오믄 부뷔 상별코ᄌ ᄒᆞ미여늘 엇지 곡네룰 두어 군ᄌᆞ의 지우룰 경모ᄒᆞ리오 쇼졔 홀 일 업셔 셕식을 파훈 후 침쇼 의 니르니 사인이 졍히 기다리더니 이러 마ᄌ 분좌ᄒᆞ미 피ᄎᆞ 묵연냥구의 싱이 쇼왈 아등이 쇼년 결발노 피ᄎᆞ 허물이 업스니 빅년동시의 마장이 업슬가 ᄒᆞ엿 더니 몽외의 풍픠 니러나 부인의 젹거ᄒᆞ믈 ᄯᅳᆺᄒᆞ여시리오 일시 누셜이 ᄎᆞ악ᄒᆞ 나 신상이 옥 ᄀᆞᆺ고 마음이 어름 ᄀᆞᆺ(36)ᄒᆞ니 무어시 붓그러오리오 바라건디 보 즁ᄒᆞ여 부왕의 지우룰 간폐의 삭여 잇지 말나 쇼졔 공경ᄒᆞ여 듯고 염용 ᄉᆞ왈 불쵸 미질이 오히려 인심이 힝치 못훈 고로 신명의 질오ᄒᆞᆷ믈 닙어 화괴 이러 나 규리녀ᄌᆡ 젹힝을 일위고 군ᄌᆞ긔 심우룰 ᄭᅵ치오니 진실노 불회 막디ᄒᆞ온지 라 스스로 뉵니우즁ᄒᆞ여 치신무지여늘 죤당 구고의 혜틱으로 호구룰 면케 ᄒᆞ 시고 부ᄌᆞ 친님ᄒᆞᄉ 여ᄎᆞ 관유ᄒᆞ시니 쳡슈불혜나 엇지 니즈미 이시리잇고 귀 신이 죽이지 아니(37)훈즉 맛당이 투싱ᄒᆞ와 구고 좌하의 결ᄒᆞ믈 긔약ᄒᆞᄂᆞ이

다 싱이 묵연슉시ᄒ여 앗기를 마지아니ᄒ더니 야심ᄒ미 냥인이 취심ᄒ고 명신
의 니러 부뷔 문안ᄒ고 싱은 하직고 도라가니 샹히 결연ᄒ믈 니긔지 못ᄒ더라
이러구러 슈일이 지나미 졔왕이 셔ᄌ 희영으로 ᄒ여곰 쇼져를 비힝ᄒ여 보호
ᄒ라 ᄒ니 희영이 슈명ᄒ고 구아의 ᄂᄋ가 납명현알ᄒ고 왕명으로 진왕긔 젼
ᄒ니 진왕이 지삼 칭스ᄒ고 희영의 츙근ᄒ믈 긔특이 넉이더라 일식이 느즈
(38)미 쇼져 모든 ᄃᆡ 하직ᄒ고 승샹교ᄒ미 홍픠 등 십여 인과 장확 십여 인이
옹위ᄒ고 희영이 쳥녀를 치쳐 비후ᄒ니 졔왕과 진왕은 십니 밧긔 ᄂ와 보ᄂᆡ고
탄식고 도라오니 두 집의 화긔 스연ᄒ더라 아지 못게라 현ᄉ인의 도흑군ᄌ를
유녜ᄌᆡ 무심ᄒ여 셩상이 친이 지취치 말나 ᄒ오시고 뎨왕과 사인이 ᄯᅩᄒ 타의
업거늘 구쇼졔 덕거ᄒ미 환귀지속이 묘연ᄒ고 사인이 능히 텬연이 ᄆᆡ인 곳이
잇셔도 지취를 아니 ᄒ가 하회를 보라 추셜 (39)현사인이 일일은 국스로 인
ᄒ여 좌각노 뎡슉의 집의 니르니 뎡각노ᄂᆞᆫ 어진 ᄌᆡ상이라 다만 뉴하 덕지 잇
고 부인 조시 현슉ᄒ여 의가지낙이 늣부미 업고 뎡공이 다만 일졔를 두어시니
명은 윤이라 셩되 단ᄋᄒ고 취실ᄒ여 다만 일녀를 두고 부뷔 ᄡᅡᆼ망ᄒ니 쇼ᄋᆡ의
명은 완혜라 각노 부뷔 크게 셜워 질녀를 이휵ᄒ미 친녀의 지ᄂᆞ니 쇼졔 총명
다지ᄒ나 용뫼 평상ᄒ여 니미 놉고 코히 크고 얼골이 풍완ᄒ더라 십오 셰의
니르미 팔쳑 장신이요 몸 쥐 두 아름은 ᄒ고 (40)얼골이 크고 둥그러ᄒ나 옥
셜긔부요 단슌호치며 냥안이 별 ᄀᆞᆺᄒ니 능히 ᄉ셔슙경을 외오고 침션방젹이
부즈런ᄒ니 가즁 상하의 예셩이 ᄌ옥ᄒ고 공의 부뷔 과이ᄒ더라 뎡공ᄌ 훈은
팔 셰니 져져긔 우이 지극ᄒ미 타인은 다 각노의 친녀로 아더라 공이 그윽이
인지를 듯보나 맛당흔 ᄃᆡ 업셔 심위 깁더니 어시의 현싱이 이늘 니르미 공즈
와 쇼졔 공의 압히 뫼셧더니 동ᄌᆡ 쇼져의 잇시믈 모로고 바로 ᄂᆡ셔헌으로 인
도ᄒ여 드러오니 현ᄉ인 직입ᄒ미 공이 바야흐로 늣됴으름이 몽농흔 (41)ᄃᆡ
향풍이 진울ᄒ며 옥픠 징징ᄒ거늘 ᄃᆡ경회두ᄒ니 일표 션ᄋᆡ 신장이 슉진ᄒ고
용뫼 평상ᄒ나 녹의홍군으로 빈하의 탄월을 드리오고 ᄡᅡᆼ계불총이니 분명 규슈
의 장속이라 무망듕 외긱을 만나미 놀나 급히 안흐로 드러가고ᄌ ᄒ나 공이

뇌헌을 통혼 창을 막아 즈는지라 큰문은 긱이 당젼ᄒ니 진퇴유곡이민 쵹금즈
션으로 ᄂᆺ츨 ᄀ리오고 안셔졍닙이라 공지 역경ᄒ여 급히 야야를 씌오거늘 사
인이 ᄯᅩ흔 놀나 연망이 면ᄎ고 몸을 도로혀 난함으로 ᄂ리더니 뎡공이 가미
ᄒ ᄀ(42)온ᄃ 일몽을 어드니 망뎨 윤이 일위 션인을 다리고 와 고ᄒ여 골오ᄃ
ᄎ인은 곳 완혜의 텬졍슉연이라 형장은 쇼뎨 말슴을 헛되이 아지 마르시고 ᄋ
녀로ᄡᅥ 현즈의게 도라보ᄂ쇼셔 ᄒ거늘 공이 놀나 눈을 드러보니 션인은 타인
이 아니라 ᄉ인 현희셩이라 공이 놀나 보니 쇼뎨 ᄯᅩ흔 잇ᄂᆫ지라 더옥 놀나 뭇
고즈 ᄒ더니 ᄋ즈의 쇼릐의 씌치니 몽시 즈못 녁녁ᄒ고 과연 현싱과 녀이 마
됴쳐 피치 경동흔 ᄯᅥ라 공이 놀나고 감회ᄒ여 니러나 급히 녀ᄋ를 드려보ᄂ고
사인을 쳥ᄒ니 싱이 입실(43)ᄒ여 녜필 한훤의 피셕 ᄉ왈 쇼싱이 연쇼 우미
ᄒ와 고인의 승당입실의 눈ᄃ지 아닛ᄂᆫ 녜를 모로와 무심이 문의 들미 닉긱이
놀나시게 ᄒ오니 황괴ᄒᄆᆯ 니긔지 못ᄒ리로쇼이다 각뇌 쳥파의 흔연이 웃고
왈 이ᄂᆫ 무졍지ᄉ라 무슴 허물이 잇스리오 ᄂ 쇼활ᄒ여 외당 ᄀᆺ ᄀ이 쇼녀를
두어 낭피케 ᄒ니 이ᄂᆫ ᄂ 허물이라 즈ᄂᆫ 안심ᄒ라 싱이 칭ᄉ불감ᄒ고 이의
국ᄉ를 문답훌ᄉ 공이 임의 ᄯᅳᆺ이 기우럿ᄂᆫ지라 이의 다시 답논ᄒ여 슈작이 이
윽ᄒᄆᆯ 공이 비로쇼 즈긔의 고위흔 졍(44)긔와 일뎨 됴ᄉᄒ고 일괴 잇ᄂᆫ 쇼
유를 베퍼 혼ᄉ를 간쳥ᄒ여 왈 돈문 가법은 임의 아ᄂᆫ 비나 녕실부인이 의외
죄젹ᄒ시고 군의 닉됴를 ᄀ음알 니 업다 ᄒ니 녕돈이 맛당이 황상긔 알외고
한문 미ᄋ로 빈위를 허ᄒ여 군의 건즐 권도로 밧드다가 구부인이 환가ᄒ시ᄂᆫ
날 황영의 즈리를 니어 군의 실듕을 다스리미 냥편치 아니랴 사인이 ᄃ왈 죤
괴 지당ᄒ시나 우희 부뫼 계시오니 싱의 임의 아니라 깁히 ᄉ랑ᄒ시ᄂᆫ 셩덕을
져ᄇ리ᄂᆫ가 ᄒ나이다 공이 침ᄉ 유유의 다시 말 아니 ᄒ(45)고 다시 국ᄉ를
닐너 이윽ᄒᄆᆯ 공이 쥬찬을 ᄂ와 싱을 ᄃ졉ᄒ더니 셕양의 싱이 하직고 도라가
니 공이 드러와 부인을 ᄃ ᄒ여 몽ᄉ를 니르고 ᄯᅩ 현즈와 문답ᄒᄆᆯ 니르고 왈
이ᄂᆫ 텬연이라 가히 마지못훌 거시오 비록 구혼코즈 ᄒ나 상명을 인증ᄒ여 물
니치리니 장ᄎ 엇지ᄒ리오 부인이 맛당이 쥬션ᄒ여 낭낭긔 뵈옵고 ᄉ혼 은명

을 엇고즈 ᄒᆞᄂᆞ이다 조부인은 조황후의 필뎨라 되왈 어렵지 아니ᄒᆞ되 현가의
절ᄉᆡᆨ이 만타 ᄒᆞ니 녀이 드러가미 셧기지 못ᄒᆞᆯ가 ᄒᆞᄂᆞ이다 공이 쇼왈 (46)부
인은 념녀 말나 ᄋᆞ녜 ᄉᆡᆨ이 부죡ᄒᆞ나 ᄉᆞ덕이 슉진ᄒᆞ고 복녹완젼지상이니 엇지
졀염을 니르며 망뎨의 유명이 명명ᄒᆞ니 엇지 그르미 잇스리오 호의치 말고 도
모ᄒᆞ쇼셔 부인이 응낙고 닙궐ᄒᆞᄆᆡ 조휘 인견ᄒᆞᄉᆞ 좌ᄅᆞᆯ ᄀᆞᆺᄀᆞ이 쥬시고 왈 경의
가뷔 궐닉 츌입을 심히 막더니 하유ᄉᆞ로 드러오뇨 부인이 염용 쥬왈 낭낭이
일즉 ᄉᆞ긔ᄅᆞᆯ 피람ᄒᆞ여 계실지라 마황휘 공검졀ᄎᆞᄒᆞ여 되의ᄅᆞᆯ 웃듬ᄒᆞ고 ᄉᆞ졍
을 존졀ᄒᆞᄉᆞ ᄉᆑ총과 은혜 구독의 밋지 아니ᄒᆞ무로 마시 동독이 (47)평안ᄒᆞᆷ을
엇ᄉᆞᆸ고 당젹 양시ᄂᆞᆫ 국권을 ᄶᅧ 기열토지ᄒᆞ여 임의로 쳔즈ᄒᆞ더니 맛츰ᄂᆡ 어양
의 ᄒᆞᆫ 북쇼릭의 양가 구독이 다 길에 ᄇᆞᆲ혀 죽어ᄉᆞ오니 양비의 부용여면뉴여미
로 마외역의 혼이 놀고 뉵군의 ᄯᅳᄋᆞᆫ 쥭엄이 교하의 ᄇᆞ렷ᄉᆞ오니 두렵지 아니
ᄒᆞ니잇가 낭낭은 호연ᄒᆞ신 셩덕이 마등과 상우ᄒᆞ시니 신이 엇지 지엄 궁듕의
즈로 츌입ᄒᆞ여 낭낭 셩덕을 상히오리잇고 가뷔 미양 한 고ᄉᆞ로 경계ᄒᆞ오니 신
이 감히 ᄉᆞ졍을 발뵈지 못ᄒᆞ미니이다 낭낭이 쇼왈 (48)아이 능언ᄒᆞ니 실노 변
ᄉᆞ라 ᄒᆞ리로다 드듸여 쇼작을 여러 관되ᄒᆞ시고 말ᄉᆞᆷᄒᆞ실ᄉᆡ 부인이 쥬왈 낭낭
긔 질녀의 쇼유ᄅᆞᆯ 알외려 ᄒᆞ오니 드르시리잇가 낭낭이 문기고ᄒᆞ시니 부인이
쥬왈 낭낭긔 질녀의 쇼유 알외려 ᄒᆞ오믄 타ᄉᆞ 아니오라 각노의 몽ᄉᆞ 여ᄎᆞ여ᄎᆞ
ᄒᆞ옵고 현즈의 쇼답이 여ᄎᆞᄒᆞ오니 텬연이라 ᄉᆞ혼지ᄅᆞᆯ 쳥ᄒᆞᄂᆞ이다 낭낭이 침음
왈 이 ᄯᅩ 냥가의 호ᄉᆡ라 실노 어렵지 아니ᄒᆞ되 희셩은 황상의 손이요 기ᄎᆡ 구
시 ᄉᆡᆨ덕이 겸비ᄒᆞᆫ 슉완으로 횡익의 젹(49)거ᄒᆞ나 조만의 환쇄ᄒᆞ리니 취실ᄒᆞ
믈 허치 아니실지라 모로거니와 경녜 ᄉᆡᆨ덕이 가즈미 잇시랴 부인이 빗슈 왈
녀이 ᄉᆡᆨ의 머다 ᄒᆞᆯ 거시로되 덕이 가족ᄒᆞ오니 셩녀의 즈리ᄅᆞᆯ 니을지라 낭낭이
ᄉᆞ혼ᄒᆞ신즉 셩은을 욕지 아니리이다 낭낭이 쇼왈 현뎨 날을 쇽이지 아니리니
맛당이 황상긔 고ᄒᆞ리라 부인이 깃거 ᄉᆞ은ᄒᆞ더라 동일 한담ᄒᆞ여 퇴됴ᄒᆞ려 ᄒᆞ
더니 낭낭이 권유ᄒᆞ시고 상의ᄅᆞᆯ 알고져 별뎐의 쉬더라 상이 뎡궁의 드르시니
낭낭이 뎡녀의 현슉ᄒᆞ믈 알외(50)고 은명을 쳥ᄒᆞ니 상이 조후ᄅᆞᆯ 심히 은ᄋᆡᄒᆞ

시무로 허락ㅎ시니 낭낭이 깃거 조부인다려 니르시니 부인이 스은ㅎ고 인ㅎ여
부즁의 도라오니 임의 은지 느렷더라 상이 졔왕 부즈룰 인견ㅎ스 명각노 질녀
와 결친ㅎ라 ㅎ시니 졔왕은 텰인이라 식부의 환귀ㅎ미 슈년은 지음홀 거시요
오직 봉친지졀과 딕긱슈응의 가뫼 일시 업지 못홀지라 쏘 명가 규슈의 향명이
즈즈ㅎ고 상명이 계신 고로 슉스ㅎ나 사인이 놀나 스양ㅎ되 셩의 불윤ㅎ시고
엄명이 고집(51)을 칙ㅎ시미 마지 못ㅎ나 말이 업더라 명공이 스혼 은지룰 밧
즈오미 딕희ㅎ여 퇵일ㅎ여 보ㅎ니 길긔 슈슌이 격ㅎ여는지라 현명 냥가의셔
길신을 딕후ㅎ여 장ᄎ 셩녜ㅎ려 ㅎ더니 구쇼져 비힝혼 칙관이 니르러 일가의
셔간을 올니오니 믄득 구시의 봉변실니혼 셔간이라 모로는 즈는 놀나믈 마지
아니ㅎ되 친구 부모는 동치 아니ㅎ더라 시의 셜미 요인이 간부 양의룰 쵹ㅎ여
구쇼져룰 히ㅎ나 오히려 죽이지 아니믈 분ㅎ여 쳔금을 (52)훗터 물외 협긱을
스괴여 젹쇼의 보니여 무인 반야의 탈취케 ㅎ니 우홰 급히 구시 힝도룰 쏠와
ᄀ더니 협슌의 도라와 구쇼져룰 죽여 멸젹ㅎ엿노라 ㅎ니 요녜 딕희ㅎ여 스례
ㅎ고 간부로 음낙ㅎ더니 믄득 명각노의 질녜 현스인의 직실노 길긔 ᄀᄀ오믈
드르니 졔계 간섭지 아니ㅎ되 미양 졀치교오 왈 명녜 엇던 우물이완딕 감히
구시의 즈리의 안고즈 ㅎ는고 맛당이 명녀의 용식이 날도곤 승ㅎ미 잇거든 이
란쳐로 죽이고 날(53)만 못ㅎ거든 아직 머무럿다가 그 위인을 보와 쳐치ㅎ리
라 ㅎ고 우화룰 보니여 슬펴보니 용식이 불미ㅎ다 ㅎ는지라 이러무로 히홀 의
스룰 멈츄니라 ᄎ셜 션시의 구쇼졔 낙미지익을 만나 친당 구가룰 니별ㅎ고 유
오 덕즈룰 더지고 규리 금년이 고원을 하직ㅎ니 니슬지회 장ᄎ 엇더ㅎ리오마
는 품슈혼 빅 슘쳑미명이나 뜻 즙으미 텬지의 규량과 깅희의 운심을 가졋는지
라 셜셜히 슬허ㅎ며 쇼쇼이 슈우ㅎ미 업셔 음식이 니르면 먹고 밤이 오(54)면
즈기룰 편히 ㅎ니 긔식이 유졍유일ㅎ여 아모 근심 업는 듯ㅎ니 희영이 항복ㅎ
믈 마지아니ㅎ고 유랑 시녜 깃거ㅎ더라 구쇼졔 일노의 무스이 힝ㅎ여 슌여 일
의 덕쇼의 니르니 원닉 현상부 고퇵은 비록 산동이나 쵼명이 다르고 상게 ᄀ
지 아냐 삼십여 리 졍되니 본관 퇵슈 졔공은 사간 현졍닌의 부인 졔남이니 본

딕 현시 제공으로 인친지의 잇고 위인이 현명정직ᄒ더라 평제왕의 ᄌ뷔며 평
진왕의 녀이며 현ᄉ인의 부인이요 텬ᄌ의 손뷔라 (55)엇지 범연ᄒ리요 큰집
을 셔르져 햐쳐ᄒ게 ᄒ고 긔완즙물을 정제ᄒ여 틱슈 부인 말ᄉᆞ므로 젼어ᄒ여
딕졉이 관곡ᄒ며 틱쉬 친히 문하의 ᄂᆞ가 문안ᄒ니 쇼제 딕경불안ᄒ여 희영
으로 젼어ᄒ여 구지 ᄉᆞ양ᄒ니 틱쉬 현시 제공으로 면분이 닉으나 희영은 쵸면
이라 표치풍광을 ᄉᆞ랑ᄒ며 구쇼져의 덕힝을 치위ᄒ니 희영이 공슈ᄉᆞ례ᄒ더라
틱쉬 구쇼져의 번화ᄅᆞᆯ ᄉᆞ양ᄒ믈 더옥 공경ᄒ나 그 뜻을 바다 ᄉᆞ오 간 쵸실을
졍ᄒ여 일힝을 안(56)둔ᄒ니 쇼져ᄂᆞᆫ 유랑 시비ᄅᆞᆯ 거ᄂᆞ려 안ᄒᆡ 거ᄒ고 희영은
가졍 장노ᄅᆞᆯ 거ᄂᆞ려 외실의 머무더라 공직 하직고 도라가랴 ᄒᄆᆡ 쇼제 친당
구가 돈당 부모긔 상셔ᄒ여 무ᄉᆞ안거ᄒᄆᆞᆯ 고ᄒ고 셰월을 보ᄂᆡ더니 이러구러
슈슌이 지ᄂᆞᆺᄂᆞᆫ지라 일일은 신긔 불평ᄒ여 셕식을 믈니치고 안침의 비겨더니
ᄉᆞ몽비몽간의 공듕의셔 불너 왈 부인ᄋᆞ 급홰 당젼ᄒ여시니 ᄲᆞᆯ니 피ᄒ라 ᄒ거
늘 놀나 ᄭᆡᄃᆞ르니 침상일몽이오 한츌쳠비라 심즁의 딕구ᄒ더니 익일 평명의
(57)현싱이 드러와 문침ᄒ거늘 구부인이 ᄀᆞᆺᄀᆞ이 좌ᄅᆞᆯ 쳥ᄒ고 야간 몽ᄉᆞᄅᆞᆯ 니
르고 왈 허탄ᄒᆞᆫ 몽ᄉᆞᄅᆞᆯ 취신홀 거슨 아니나 금츄 덕힝이 묘믹이 잇거늘 엇지
그만ᄒ리오 임의 변을 알고ᄂᆞᆫ 안ᄌᆞ 당ᄒᆞ믄 우물이라 공즈ᄂᆞᆫ 탈신지계ᄅᆞᆯ 미리
방비ᄒᄉᆞ이다 싱이 놀나 딕왈 맛당이 돈명딕로 ᄒᆞ오리ᄂᆡ니 피홰ᄒ실 도리ᄅᆞᆯ
니르쇼셔 부인 왈 아직 번거ᄒ니 됴용이 의논ᄒᄉᆞ이다 싱이 지필을 취ᄒ여 피
홰ᄒ시ᄂᆞᆫ 밤의 남의ᄅᆞᆯ 기착ᄒ고 협실의 몸을 감쵸쇼(58)셔 ᄒ니 부인이 ᄯᅩᄒᆞᆫ
답ᄒ되 명딕로 ᄒ여 고틱으로 가 은신ᄒᄉᆞ이다 피ᄎᆞ와 의논을 졍ᄒᄆᆡ 싱은 외
당의 ᄂᆞ와 심복 셔동과 건장ᄒᆞᆫ 노ᄌᆞᄅᆞᆯ ᄲᅢ 약쇽을 졍ᄒ고 쇼져ᄂᆞᆫ 홍파 모녀와
은취 등 오 인으로 더브로 남의ᄅᆞᆯ 기착ᄒ고 협실의 잇셔 남녀 노복을 다 약쇽
ᄒ여 피케 ᄒ니라 이ᄶᅥ 우홰 요리 슈십 명 무뢰비ᄅᆞᆯ 모화 금빅을 쥬고 쇼유ᄅᆞᆯ
니르며 구쇼져 일힝의 지물이 만코 졀ᄉᆡᆨ이 만흐니 맛당이 ᄂᆞ아가 겁탈ᄒ라 ᄒ
니 제적이 만구(59)응슌ᄒ고 일힝을 ᄯᅡ라 긔게ᄅᆞᆯ ᄀᆞ쵸와 근쳐 산곡의 숨어
어둡기ᄅᆞᆯ 기ᄃᆞ려 작변ᄒ려 홀ᄉᆡ 우홰 황혼을 타 변ᄒ여 창승이 되여 문금그로

드러가 살피니 부인이 금니의 말니여 호읍이 고요ᄒᆞ고 잔촉이 명미ᄒᆞᆫᄃᆡ 시녀 등이 좌우로 누으며 안잣고 아무리 살펴보나 각별 아모 동졍이 업거ᄂᆞᆯ 우홰 심니의 암희ᄒᆞ여 도로 ᄂᆞ와 뉴황 염쵸를 ᄀᆞ져 집기 ᄉᆞ리의 틈틈이 ᄊᆡ이고 가마니 ᄂᆞ라ᄂᆞ와 젹뉴를 보고 슈말을 젼ᄒᆞ고 밤들기를 기다려 우홰 ᄯᅩ 은신ᄒᆞ여 (60)드러가 집기 ᄉᆞ리의 두어 곳 불을 노흐니 져근덧 ᄉᆞ이의 화셰 녈녈ᄒᆞ여 연염이 창천ᄒᆞ며 졔젹이 일시의 고함ᄒᆞ고 다ᄅᆞ드니 졔인이 ᄃᆡ경ᄒᆞ여 슈미를 도라보지 못ᄒᆞ고 각각 목숨을 도망ᄒᆞ니 ᄯᅩ 엇지 부인과 유랑 등의 ᄉᆞ싱을 알리오 젹뉘 바로 당젼ᄒᆞ여 돌입고ᄌᆞ ᄒᆞ더니 믄듯 밧그로됴ᄎᆞ 고셩이 니러ᄂᆞ며 십여 인 장확이 창도를 드러 술퇴ᄒᆞ며 현싱이 ᄯᅩᄒᆞᆫ ᄃᆡ도를 빗겨 졍셩 ᄃᆡᄆᆡ 왈 이 힝ᄎᆞᄂᆞᆫ 범연ᄒᆞᆫ 힝치 아니라 쳔승국군의 녀와 (61)뷔니 여등 산님 쵸젹이 방ᄌᆞ히 작난ᄒᆞ거니와 ᄇᆞᆰᄂᆞᆫ 날 반ᄃᆞ시 본관의셔 츄포ᄒᆞᄂᆞᆫ 위엄은 니르지 말고 만승텬ᄌᆞ의 위엄과 졔진 냥국 긔셰로ᄡᅧ 텬하의 힝이ᄒᆞᄆᆡ 너희 쵸젹을 잡지 못ᄒᆞᆯ가 넉이ᄂᆞ냐 셜파의 좌우를 지휘ᄒᆞ여 졔젹을 휘각ᄒᆞ니 이 무리ᄂᆞᆫ 본ᄃᆡ 젹당이 아니라 긔한을 이긔지 못ᄒᆞ여 ᄌᆡ물을 ᄉᆞ랑ᄒᆞᄂᆞᆫ 오합지졸이라 져희 공을 일우지 못ᄒᆞ면 ᄌᆡ물을 아일가 ᄒᆞ여 감히 ᄀᆞᆺᄀᆞ이 ᄂᆞ으가지 못ᄒᆞ고 ᄒᆞᆫᄀᆞᆺ 어즈러이 덤벙여 아오셩 쇼ᄅᆡ쁜이라 겻방의셔 ᄌᆞ던 ᄎᆞ(62)환의 무리 ᄌᆞ던 눈을 빗ᄡᅵᆺ고 보며 젼경ᄒᆞ여 요란이 브르지져 부인 노쥬의 피화ᄒᆞᆷ을 웨지지ᄂᆞᆫ ᄉᆞ이의 화셰 열열ᄒᆞ고 연염이 창텬ᄒᆞ여 ᄉᆞ오 간 쵸실이 즘간 ᄉᆞ이의 업더져 ᄌᆡ 되니 졔네 돈독호통ᄒᆞ여 부인이 반ᄃᆞ시 화즁 경ᄉᆞᄒᆞ다 ᄒᆞ나 졔젹이 임의 여러 가졍으로 결젼ᄒᆞ여 예긔 최찰ᄒᆞ니 감히 ᄌᆡ물 아술 ᄯᅳᆺ을 두지 못ᄒᆞ고 집이 임의 쇼화ᄒᆞ니 부인 노쥐 임의 화즁몰ᄉᆞᄒᆞ다 ᄒᆞᄆᆡ 쳐음 계괴 그릇되엿ᄂᆞᆫ지라 도로혀 하ᄂᆞ히나 잡힐가 두려 일시의 흣터져 다라ᄂᆞ니 (63)현싱이 다시 ᄶᅩ로지 아니ᄒᆞ고 졔복을 하령ᄒᆞ여 불을 구ᄒᆞᆯ ᄯᆞ름이러라 우홰 공즁의셔 동졍을 ᄉᆞᆯ피고 십분 의혹ᄒᆞ여 헤오ᄃᆡ 구시ᄂᆞᆫ 셜ᄉᆞ 빅희의 고집을 ᄀᆞ져 불의 드러 쥭다 ᄒᆞ려니와 그리 만흔 노복됴ᄎᆞ 뎌리 희쇼ᄒᆞ리오 반다시 간계 잇ᄂᆞᆫ가 시부거니와 ᄂᆞ와 원쉬 업ᄉᆞ니 굿ᄒᆞ여 히ᄒᆞ여 무엇ᄒᆞ리오 경ᄉᆞ의 가 셜낭의게 의심되ᄂᆞᆫ 말을 ᄒᆞ면 응당 괴로이 보치여 부딕 업시 ᄒ라 홀 거시니 출하리 진적히 죽으믈 닐너 괴로이 보치믈 면ᄒ리라 ᄒ고 드딕여 졔젹을 보지 (64)아니ᄒ고 경ᄉ로 도라가니라 니러구러 늘이 발그니 현싱이 본관의 고장ᄒ여 도젹 츄포ᄒ기룰 고ᄒ고 부인의 거쳐 업ᄉ믈 고ᄒ니 틱쉬 딕경ᄎ악ᄒ여 급히 관군을 발ᄒ여 젹졍을 심방ᄒ나 죵시 ᄎ지 못ᄒ고 홀 일 업셔 구부인 봉변ᄒᆫ 쇼식을 경ᄉ의 보ᄒ니라 뎌 동궁 지밀 셔상궁 유순 글시

명쥬옥연긔합녹 권지이십

(1) 명쥬옥연긔합녹 권지이십
시시의 현싱이 틱슈룰 보고 닐오딕 구부인 거쳐룰 아지 못ᄒ고 무단이 도라가 부왕긔 뵈올 ᄯᅳ시 ᄂᆞ지 아닛ᄂᆞᆫ지라 고향이 머지 아니ᄒ니 이의 가 머무다가 거쳐룰 ᄎᆞᄌᆞᆫ 후 바야흐로 도라가미 올타 ᄒ니 틱쉬 ᄯᅩᄒᆞᆫ 그러히 넉이더라 현싱이 하직고 넌지시 경파의 집의 가 부인 노쥬로 더브러 향즁고퇵의 니르러 노복을 불너 가마니 부인이 피화ᄒᆞᆷ믈 니르고 각별 유벽ᄒᆞᆫ 당ᄉᆞ룰 갈히여 부인 노쥬 오 인을 안둔ᄒ니 부인 노쥬 현싱의 근신쥬밀ᄒᆞᆷ믈 탄복ᄒ더라 이에 머물미 쳐쇠 유ᄋᆞ(2)ᄒ고 비복이 졍셩을 다ᄒ고 현싱이 ᄯᅩᄒᆞᆫ 밧들미 극진ᄒ니 쇼져 노쥬 일신이 안여평셕ᄒ더라 어시의 경ᄉ 졔왕궁의셔 일월이 신쇽ᄒ여 사인의 신취 길긔 님박ᄒ여 냥가의 혼구룰 셩비ᄒ여 길일의 사인이 졍쇼져룰 빅냥우귀홀ᄉᆡ 허다 위의룰 거ᄂᆞ려 졍부의 나ᅀᅡ가 젼안ᄒᆞᆼ녜ᄒ고 각노 부부긔 뵈오니 각노 부뷔 이즁ᄒᆞ미 비길 딕 업고 망뎨 부부룰 싱각고 츄연탄식ᄒ더라 일모긱산ᄒᆞ미 ᄎᆞ야의 공쥬 훈이 신낭을 인도ᄒ여 신방의 니르니 방즁 버린 거시 염결쇼ᅌᅡᄒ더라 셕상을 올니(3)미 훈이 웃고 ᄀᆞᆯ오딕 돈형이 쳔승 귀공ᄌᆞ로 고량진미룰 넘어ᄒ시리니 엇지 이런 쵸쵸빈한ᄒᆞᆫ 미찬이 구미의 합당ᄒ리잇고마ᄂᆞᆫ 허물치 말고 진음ᄒ쇼셔 사인이 쳥파의 쇼ᅌᆞ의 말이 용쇽지 아니믈 긔특

이 너겨 미쇼 왈 늬 비록 천승지지나 고량진미를 취치 아니ㅎ느니 너 쇼이 노
형을 긔롱ㅎ는다 공지 쇼왈 옛말의 일너시되 십년장즉형ㅅ지라 ㅎ니 존형이
불과 쇼뎨의 팔년장이여늘 그딕도록 노쇄ㅎ여 노형 참녜토록 ㅎ리잇가 쇼졔는
오직 졔부로 존경ㅎ미요 연치로 딕졉ㅎ미 아니로쇼이다 ᄉ인(4)이 우쇼왈 쇼
이 가히 범남ㅎ도다 팔년이 장이나 아모커나 견슈홀 법이 잇느냐 업느냐 공지
쇼왈 이러나 져러나 ᄋ히 어룬을 결우리잇가 어셔 햐져나 ㅎ쇼셔 언파의 졔상
을 느호여 먹으니 ᄉ인이 역쇼ㅎ고 긔기를 여러 진반ㅎ기를 맛고 상을 물니믹
믄득 쵹을 붉히고 졍공이 녀ᄋ의 옥슈를 닛그러 졋히 안치고 싱의 안기를 쳥
ㅎ니 싱이 쇼져를 마ᄌ 동셔분좌ㅎ매 공이 구지 쳥ㅎ여 좌우로 안치고 츄연
왈 노인이 팔ㅈ 궁박ㅎ여 상션부모ㅎ고 무타종독ㅎ니 다만 형뎨상의러니 불힝
ㅎ여 ᄋ의 부(5)뷔 됴ᄉㅎ고 다만 ᄎᄋ를 두고 도라가니 늬게 ᄯ흔 훈ᄋ 일인
이라 남녀간 골육이 희쇼ㅎ거늘 녀이 조별부모ㅎ고 노부를 의탁ㅎ는 졍ᄉ ᄌ
못 이련ㅎ지라 우리 ᄉ랑ㅎ믈 훈ᄋ의 더어 비록 용뫼 불미ㅎ나 부딕 옥인군ᄌ
를 굴히여 져의 종신을 쾌히 ㅎ고 망뎨의 유명을 져바리지 아닐가 ㅎ엿더니
텬연이 긔구ㅎ여 현셔 ᄀᆺ흔 딕군ᄌ를 마ᄌ니 이는 노인의 과망이라 오날날 무
모고ᄋ를 길너 문미 놉흔 딕가의 옥인군ᄌ를 의탁ㅎ니 평싱 무한이로딕 다만
져희 부뫼 아지 못ㅎ믈 슬허ㅎ느니 불민흔 ᄋ히 고(6)혈무친ㅎ여 쇼흑이 불
쵸ㅎ나 현셔는 유신유덕ㅎ여 빅년을 져바리지 아니흔즉 져의 부뫼 구쳔지하의
셔 엇지 결쵸ㅎ기를 싱각지 아니ㅎ며 노뷔 ᄯ흔 군ᄌ의 활은딕혜를 엇지 니ᄌ
리요 셜파의 상연타루ㅎ니 쇼졔 ᄯ흔 아미를 슉여 홍슈를 늣쵸고 못 듯는 듯
ㅎ나 ᄲᅡᆼ안의 이뤼 어릿엿고 ᄉ인은 군직라 명공의 비ᄉ고어를 드르믹 크게 감
동ㅎ여 안싴을 곳치고 비ᄉ 왈 쇼신이 셜ᄉ 무신 불쵸ㅎ오나 합하의 지우를
져바리며 실인의 고위흔 졍ᄉ를 가셕지 아니리잇고 녕질이 삼가 부도를 슉진
눈상의 (7)득죄ㅎ미 업순즉 비록 무염의 더은 박식이라도 져바리지 아니ㅎ오
려니와 셔ᄌ왕장지싴이 잇셔도 부도를 일흔즉 군부의 명이라도 눈긔를 출히기
어려울가 ㅎ느니다 각뇌 ᄉ왈 불쵸이 요힝 늬훈을 유도ㅎ여 고ᄌ 슉녀의 셩덕

을 흠모ᄒᄂ니 군이 싀용의 불미ᄒᄆᆯ ᄂ모라 ᄒ면 모로거니와 부도의 진션ᄒ
믄 거의 셩문의 득죄치 아닐가 ᄒ노라 ᄉ인이 쇼이 ᄃᆡᆯ 연즉 근슈교의리이다
각뇌 칭ᄉᄒ고 드듸여 ᄋᄌ의 숀을 닛그러 ᄂ아가니 ᄉ인이 몸을 니러 뎡공을
보ᄂᆡ고 좌의 ᄂᄋᄀ 바야흐로 츄파ᄅᆯ 드러 신부ᄅᆯ (8)보니 비록 졀셰요라ᄒ
경국지싴은 아니나 냥미 ᄉᄋᆡ의 유화ᄒᆫ 골격이 샹낭ᄒ여 츈일이 영요ᄒ고 츈
숑이 화무ᄒᆫ지라 용싴이야 부죡ᄒᆫᄃᆯ 엇지 ᄒ리오 야심ᄒᄆᆡ 냥인이 취금슉침ᄒ
고 명됴의 각노 부부긔 문안ᄒ니 부뷔 싀로이 귀이ᄒ더라 ᄉᆡᆼ이 됴식을 하져ᄒ
고 하직고 본부의 도라와 둔당 부모긔 문안ᄒ니 뉵부인이 믄득 닉다라 닐오ᄃᆡ
신뷔 용싴이 엇더ᄒ더냐 졀싴은 못 되여도 날만나 ᄒ더냐 셜파의 좌우 졔인
이 묵연ᄒ고 ᄉ인이 화졍이 ᄃᆡᆯ 엇지 감히 ᄌ손이 되여 (9)조모의 존안을 비
겨 하ᄌᄒ리잇가 다만 녜ᄉ 인물이러이다 부인이 갑갑ᄒ여 ᄉ인의 ᄉᄆᆡᄅᆯ 잡
고 니로ᄃᆡ 네 날을 흉 보면 그르다 ᄒ려니와 바른 말 ᄒ여든 관겨ᄒ랴 ᄉᆡᆼ이 민
망ᄒ여 ᄃᆡᆯ 쇼손은 그 밧 더 알ᄋᆯ 거시 업ᄉ오니 명일이 머지 아냐시니 보시
면 쇼손의 말ᄉᆷ이 허언이 아니믈 아르시리이다 좌위 다만 드를 ᄲᆞ이요 교혜
등이 잇더니 교혜ᄂ 본ᄃᆡ 경도ᄒᆫ지라 뉵부인의 거동을 보ᄆᆡ 우읍기ᄅᆯ 참지 못
ᄒ여 미미히 함쇼ᄒ고 왈 조뫼 아모리 무르셔도 거거ᄂ 바른 말을 아니 ᄒ오
리니 어제 혼가의 왕반ᄒ던 시녀비다려 뭇지 아(10)니시ᄂᄂ잇고 부인이 ᄭᆡ
ᄃᆞ라 허허 웃고 닐오ᄃᆡ 교아ᄂ 살ᄀ온 ᄋ히로다 노모의 안젼 쇼ᄎᆞ환 봉년이
영니하여 말 옴기기ᄅᆯ 잘ᄒ니 이졔 불너 무러보ᄌ ᄒ고 봉년을 불너 무러 ᄀᆯ
오ᄃᆡ 뎡쇼졔 진실노 엇더ᄒ며 눌과 ᄀᆺ더뇨 됴부인과 날과 비기ᄆᆡ 엇더ᄒ뇨 봉
년이 쇼이 ᄃᆡᆯ 쇼비 올흔 ᄃᆡ로 알외고ᄌ ᄒ오나 부인이 죄 쥬실가 져허 못ᄒ
ᄂ니다 뉵시 착급ᄒ여 연망이 밍셰ᄒ여 왈 네 아모리 닐너도 네 말을 ᄀᆞ르면
인면슈심 ᄭᆡ쏠괴쏠이로다 봉년이 불과 십일 셰 쇼이라 부인의 즁밍을 듯고 불
승황공ᄒ여 왈 과연 뎡쇼졔 비록 군쥬 부인과 쇼부인 (11)등 졔쇼져와 구부인
셩ᄌ광휘ᄂ 바라지 못ᄒ오나 고부인마ᄂ ᄒ시고 왕부 됴부인도곤 ᄂᄋ시니 더
옥 우리 부인은 됴부인만도 못ᄒ시니 감히 뎡쇼져긔 밋츠리잇가 뉵부인이 쳥

파의 ᄌ가롤 의빈과 식부만 못ᄒ다 ᄒᄆᆯ 딕로ᄒ나 임의 밍셰롤 ᄒ엿ᄂ 고로
불호지식을 두지 못ᄒ고 마음의 업시 션우음 우으며 닐오딕 아모리면 늙으니
롤 쇼년의 비길쇼냐 이졔 졍시 홍분치장 가온딕 인물이 그만ᄒ 량이면 늙으면
날만 아니 더ᄒ랴 ᄂᄂ 쇼년지시의ᄂ 연분 화장을 다ᄉ리고 ᄀ면 사ᄅᆷ들이 츰
밧지 아니터니라마ᄂ 져머셔붓터 팔ᄌ 됴치 못ᄒ여 싀답고 쓸ᄲᆯ(12)ᄒ 상공
을 맛나 쳥년의 박명을 ᄌ즐이 격거 늙기의 밋쳐시ᄆ 검던 머리 희기의 다ᄃ
고 풍화롭던 ᄂᆺ ᄀᆺ치 살씨기의 니르면 희던 ᄂᆺ치 검기의 미쳣시니 셔ᄌ왕장 ᄀᆺ
흔 미식이라도 날쳐로 간장을 셕이면 볼 거시 잇실가 시부냐 ᄂᄂ 졈졈 연쇠
ᄒ면 죽을 거시니 장녜 못 보려니와 여등 쇼년들은 상하 업시 오릭 술 거시니
됴시도 치 늙거든 보고 명시도 늙거든 보ᄋ라 ᄂ의셔 쒸여놀 거시 업ᄂ니라
ᄒ고 것츠로 웃ᄂ 쳬ᄒ나 뇌심은 ᄌ못 분분ᄒ니 하부인이 쇼왈 늇져의 말ᄉᆷ이
졍논이라 사ᄅᆷ이 늙으니와 쇼년이 다르고 모란홰 비록 흐억ᄒ나 화엽이 쎠러
지면 (13)황냥ᄒ여 볼 거시 업ᄉ니 ᄭᅩᆺ치 심츈이 진ᄒ면 무어시 빗ᄂ며 사ᄅᆷ이
쇠ᄒ면 무어시 아름다오리오 아등은 발셔 반빅을 당ᄒ여 지ᄂ ᄭᅩᆺ ᄀᆺ흔지라 이
졔 시로이 쇼년화식을 싱각ᄒ고 ᄋ비로 더브러 투식ᄒᄆᆡ 우읍지 아니랴 연이
나 ᄌ와 손은 ᄌ긔의 후롤 닛ᄂ 근본니여니와 뷔 남의셔 ᄂ으면 만힝이니 늇
뎨ᄂ 실업슨 긱답을 늘회라 다언ᄒ면 언졍ᄒ기의 밋고 언졍ᄒ면 화긔롤 닐ᄂ
니 됴흔 못고지의 아름다온 말ᄉᆷ이 ᄀ득ᄒ니 긋치미 가타 ᄒᄃᆡ 늇부인이 불평
ᄒ나 본딕 하부인을 긔탄ᄒᄂ지라 희희이 션우음ᄒ여 왈 엇지 져져의 명을 돗
지 아니(14)리오 ᄒ더라 니러구러 삼일이 되니 졔왕궁즁의 연셕을 베풀고 부
모 슉당을 뫼셔 약간 친쳑을 모화 명쇼져롤 마ᄌ와 보니 명쇼졔 됴뉼을 밧드
러 죤당구고긔 됴뉼을 헌ᄒᄆᆡ 만좨 쳠관ᄒ니 명쇼졔 신당이 쵸연ᄒ고 용식이
평평ᄒ나 ᄲᅡᆼ안의 어진 덕과 힝동의 유한ᄒ 동지 진짓 슉녜라 됸당 구괴 깃거
ᄒ고 졔긱의 하셩이 여류ᄒ더라 동일 진환ᄒ고 긱귀기가ᄒᄆᆡ 신부 슉쇼롤 졍
ᄒ여 보닉고 왕이 ᄋ ᄌ롤 불너 닐오딕 금일 신인을 보니 닉 ᄋ히 쳐궁이 복되
믈 깃거ᄒᄂ니 너ᄂ 그 친당이 녕졍ᄒᄆᆯ 긍념ᄒ여 ᄌ못 후딕ᄒ라 싱(15)이

슈명ᄒ고 믈너 취화각의 니르니 신뷔 긔영ᄒ여 동셔분좌ᄒᄆᆡ 싱이 침음냥구의 왈 싱은 공믈이 아니라 됴강치체 잇고 ᄯᅩ 냥지 잇거늘 텬연이 긔구ᄒ여 주의 명문고벌을 굴ᄒ여 싱의 빈위의 도라오니 비록 슉연이 금셕 ᄀᆞᆺᄒ나 흑싱의 용우ᄒᄆᆡ 슉녀의 평싱을 져ᄇᆞ릴가 져허ᄒ노라 아지 못게라 지 능히 녀영의 슉신지풍을 본바다 ᄂᆡ의 가계를 어디리 다ᄉᆞ리잇가 뎡쇼졔 공경 믄파의 쳔연 손ᄉᆞ 왈 미쳡이 한문미질노 쇼죄 궁박ᄒ와 일즉 부훈모교를 밧줍지 못ᄒ고 싱장ᄒ니 쇼혹이 극히 노둔ᄒ온지라 엇지 (16)감히 ᄃᆡ군주의 건즐을 밧드럼 즉ᄒ리잇고마ᄂᆞᆫ ᄃᆡ애 경계ᄒᄉᆞ되 녀ᄌᆞᄂᆞᆫ 유슌ᄒᄆᆡ 읏듬이라 ᄒ시니 어린 ᄯᅳᆺ의 명심ᄒ완 지 오ᄅᆡᆫ 지라 이제 셩문의 의탁ᄒᄆᆡ 혜퇵을 닙ᄉᆞ오믈 ᄇᆞ랄 ᄯᆞᄅᆞᆷ이라 무ᄉᆞᆷ 혜아리미 잇ᄉᆞ리잇고 언파의 ᄉᆞ긔 졍슉ᄒ고 옥셩이 한ᄋᆞᄒ니 사인이 깃거 야심ᄒᄆᆡ 닛그러 주리의 ᄂᆞᄋᆞ가니 은이 진즁ᄒ더라 명됴의 신뷔 니러 됸당구고긔 문안ᄒ니 졔공과 졔부인이 ᄉᆡ로이 ᄉᆞ랑ᄒ더라 츠셜 요녀 셜미 우화로 ᄒ여 현ᄉᆞ인이 뎡시 취ᄒ믈 알고 현혹ᄉᆞ 마주미 급ᄒ나 혼긔 ᄎᆞ라 ᄒ고 양츅으로 즐기나 (17)엇지 현혹ᄉᆞ의 옥안영풍을 당ᄒ리오 양츅이 요녜 현싱을 싱각ᄂᆞᆫ ᄯᅳᆺ이 간졀ᄒ믈 슷치고 마음의 밍셰ᄒ여 현싱을 업시 ᄒ고 위란으로 평싱을 즐기리라 ᄒ나 모계를 엇지 못ᄒ여 발광ᄒ기의 니르니 요녜 ᄉᆞ긔를 알고 힝혀 혼난을 져희홀가 겁ᄒ여 양츅을 달뇌여 비록 현싱을 마주나 즐기믄 군과 즐기리니 너모 쵸됴치 말나 ᄒ니 양츅이 흔년ᄒ나 ᄂᆡ심의 현싱을 죽이려 ᄒ더라 이러구러 길일이 님박ᄒ여 ᄉᆞ오 일의 밋쳣더니 ᄎᆞ시 만셰 황애 츈취 놉ᄒᄉᆞ 우연이 옥휘 미령ᄒ시니 늘노 더으ᄉᆞ 주못 즁ᄒ시ᄆᆡ 됴야신민(18)이 황황ᄒ고 현상부 졔인이 황황망극ᄒ여 즉시 닙궐 시호ᄒ니 졔왕이 바야흐로 흑ᄉᆞ를 ᄉᆞᄒ여 탑하의 근시케 ᄒ시니 흑시 오히려 실셩ᄒ엿더라 상이 졈졈 옥휘 즁ᄒ샤 일삭의 현시 졔공을 ᄀᆞᆺᄀᆞ이 부르ᄉᆞ 왈 짐이 희셩 등의 관쟉을 도도고ᄌᆞ ᄒ더니 병이 이러틋 즁ᄒ니 오늘이야 도도리라 ᄒ시고 현시 졔공의 가ᄌᆞ를 쥬시니 희빅으로 병부상셔를 ᄒᆞ이시고 ᄃᆡᄉᆞ마영남후를 봉ᄒ시며 희텬으로 호부상셔 직금오를 비ᄒ시고 희셩으로 니부춍ᄌᆞ 문연각 ᄐᆡ흑ᄉᆞ를 ᄒᆞ이시고 희문으로 어ᄉ틱우 도찰어ᄉ를 ᄒ이시니 졔(19)왕 부ᄌ 슉질이 텬만 불안ᄒ여 침상의 안즌 듯ᄒ니 당시 상휘 불예ᄒ신 쩌라 감히 셩심을 어즈러이지 못ᄒ여 다만 ᄉ은슈명홀 ᄯᆞᆫ이러라 옥휘 눌노 침즁ᄒ시니 궁즁 ᄂᆡ외 졔신이 황황망극ᄒ더니 맛춤ᄂᆡ 텬명이 진ᄒ시니 시위 되숑 인동황뎨요 지위 ᄉ십녀 연이라 만됴 빅관이 ᄐᆡᄌ를 붓드러 발상거이ᄒ고 ᄋᆡ됴를 텬하 십삼싱의 반포ᄒ시고 셩복을 지ᄂᆡ시고 ᄃᆡ신이 ᄐᆡᄌ를 붓드러 보위의 즉ᄒ시니 드ᄃᆡ여 동묘와 ᄉ직의 고츅ᄒ시고 ᄃᆡᄉ텬하ᄒ시니 시위 영동황뎨라 구부인도 ᄉ즁의 닛슬 거시로ᄃᆡ 졔진 냥왕이 시슈를 (20)혜ᄋ려 구시의 거체 업ᄉ믈 알윈 고로 ᄉ를 쥰지ᄒ시니라 국휼을 당ᄒ여 각골비통ᄒᄂᆫ 니ᄂᆫ 월셩공쥬요 크게 원망ᄒᄂᆫ ᄌᄂᆫ 요녀 셜미라 불과 ᄉ오 일이 격ᄒ여든 혼닌이 삼 년이 물너ᄂᆞ니 잇ᄃᆞᆲ고 분ᄒᆞᆷ믈 무어ᄉ시 비ᄒ리오 히음업시 눈믈노 셰월을 보ᄂᆡ니 요인이 비록 흔ᄶᆞ 승시ᄒ나 엇지 ᄆᆡ양 무ᄉ하리오 이ᄶᆞ 우ᄒᆡ 왕부의 ᄌ됴 츌닙ᄒ여 공쥬를 히ᄒ고 뎨왕의 인연을 도모코ᄌ ᄒ나 공쥬의 뎡양지긔를 감히 거우지 못ᄒ고 울울이 근심ᄒ더니 셜미 계교를 ᄀᆞᆯ으쳐 왈 공쥬ᄂᆫ 감히 거우지 못ᄒ고 이러툿 지완ᄒ면 동(21)신빅두의 엇지 졔왕의 인연을 도모ᄒ리오 모르미 셜시의 용모를 비러 졔왕의 인연을 도모ᄒ미 엇더ᄒᆞ요 우ᄒᆡ 씨ᄃ라 됴각을 엿더니 ᄎᆞ시 인산이 지난 지 오ᄅᆡ되 현시 졔공이 ᄂᆡ당 슉침을 아니 ᄒᄂᆫ지라 우ᄒᆡ 틈을 엇지 못ᄒ더니 이ᄶᆞ 공쥬 국상의 과쳑ᄒ여 병휘 미류ᄒ니 츙ᄌ 등이 시약의 분쥬ᄒ고 왕이 홀노 슉침ᄒ니 궁환의 무리ᄂᆫ 장외의 잠들고 경운뎐 즁의 왕이 홀노 슉침홀ᄉᆡ 졍히 의ᄃᆡ를 탈ᄒ고 상의 오르고ᄌ ᄒ더니 믄득 ᄂᆡ각으로됴ᄎ 인덕이 훌훌ᄒ더니 믄득 일기 녀ᄌ 션슘ᄂᆞ의로 긔호 입실ᄒ거늘 왕이 거안지시ᄒ니 이 다(22)르 니 아니라 셜부인이여늘 왕이 견파의 크게 히괴ᄒ여 말을 아니ᄒ고 냥구찰시ᄒ니 요리 스스로 지됴를 밋고 앙연이 좌ᄒ여 함ᄐᆡ교미 왈 되왕이 실노 고집ᄒ도다 님군이 비록 즁ᄒ시나 부ᄌ유친의 비기지 못ᄒ리니 공쥬ᄂᆫ 신상의 참최 계시니 되왕이 명광뎐은 ᄎᆞ지 못ᄒ시려니와 쳡과 우시ᄂᆫ 무ᄉᆷ 연고로 공쥬 단장을 감심ᄒ리잇가 쳡이 팔지 슌치 못ᄒ여 션으로ᄡᅥ 후를 감심ᄒ여 형셰 감히 황녀를 결우지 못ㅎ나 엇지 녹임의 숑젹지녀 우시만 못ㅎ리오 티왕은 부귀로써 ㅇ시 결발지졍을 니즈나 쳡은 (23)진실노 골돌원민ㅎ믈 니긔지 못ㅎ는듸 누삭 상니ㅎ여 왕의 화풍경운을 보니 스렴ㅎ는 마음과 그리온 졍을 니긔지 못ㅎ여 번거ㅎ믈 피치 아니ㅎ고 이의 니르럿ㄴ니 외뎐이 비록 비편ㅎ나 쏘 흔 닉뎐이 굿갑고 즁쉬 그윽ㅎ니 우리 부부의 ㅅㅅ 못거지를 뉘 알니요 티왕이 쏘흔 남ㅇ의 장년이 ㅂ야히라 달포 공관의 독쳐를 감심ㅎ시니 가히 션황긔 효셰요 공쥬긔 졍남이라 이르나 장부의 풍치 아니니 쳡은 그윽이 티왕의 평일 광풍졔월 굿흔 긔상으로써 엇지 니럿듯 ㅎ시ㄴ니잇고 왕이 냥구슉시의 임의 요졍을 씨드라는지라 블승통완(24)ㅎ나 별단 묘믹을 알고즈 ㅎ여 이의 은근이 ㄴ슈를 닛그러 연기슬ㅎ고 미쇼 왈 엇지 그듸를 춫지 아니리요마는 국은을 만히 닙스와 츠마 국상 즁 닉당의 즈최를 닐위지 못ㅎ미러니 그듸 스스로 ㄴ와 츳즈니 만힝이라 금야의 좌위 고요ㅎ니 무슘 비편홀 닐이 잇스리오 언파의 그 숀을 잡고 스미를 닛그러 친밀코즈 ㅎ는 긔식이 잇스니 우홰 티희열열ㅎ여 심신이 녹는 듯 깃브미 아긔즈긔ㅎ니 닉심의 결ㅎ여 금야의 졔왕의 은총을 닙고 그 길노 셜시를 쥭이고 슈덕당의 웅거ㅎ여 부귀를 누리라 ㅎ여 불 굿튼 욕심이 니러ㄴ니 즈미롭고 긔졀ㅎ미 졍신이 호탕ㅎ여 아모란 쥴 (25)모르니 불시로셔 열두 넉슬 십왕뎐 치시 잡으빈다 ㅎ여도 모로고 쏙뒤의 벽녁이 ㄴ려 만신을 분쇄흔다 ㅎ여도 모를 듯 시분지라 엇지 잠쇼간의 열풍지위 ㄴ릴 쥴 알니오 다만 왕의 얼골만 바라보와 어리듯흔 스이의 왕이 발셔 요듸를 글러 요리의 냥비를 뒤흐로 짓쳐 미고 연갑을 열고 쥬필을 닉여 냥협의 어즈러이 졈치니 요리 그졔야 취흔 넉시 씨여 크게 쇼리 지르고 본형이 임의 드러ㄴ니 머리의 화관이 ㄴ려져 구을고 쒸온 운환이 간 듸 업스니 이 흔늣 머리 뮌 녀지요 음스흔 산승이라 왕이 크게 요괴로이 넉여 일셩 음ㅇ의 슉직 궁환을 부르니 블영동시의 십(26)여 궁환과 슈십 궁뇌 젼뉼 진췌ㅎ여 복명ㅎ니 왕이 명ㅎ여 요리를 줍으ㄴ리와 결박가쇄ㅎ고 당상당하의 쵹을 붉히고 금녕을 흔드러 스돌을 모호니 져근덧 스이의 건장흔 아역과 범 굿흔 스돌이 가야미 뿌시며

벌이 뭉킈드시 모혀 긴 미와 넙은 곤장을 단단이 헷치고 정하의 오형을 베러
시니 규규흔 위엄이 댱텬의 음이롤 지으며 창농이 벽파롤 뒤치는 둣 공산이
최외흔디 뇌정이 진쳡ᄒ미 빅쉬 진공ᄒᄂ 듯ᄒ니 진실노 무죄ᄌ라도 한츌쳠
비ᄒᆞ믈 면치 못ᄒ려든 더옥 당형흔 요리의 마음이 엇더ᄒ리오 비록 평ᄉᆡᆼ 비혼
바 지됴롤 (27)다ᄒ여 다라나고ᄌ ᄒ나 졍인 군ᄌ의 졔요ᄒᄂ 쥬필부작이 만
면ᄒ시니 어디 가 요슐을 발뵈리오 텬지 망망ᄒ여 아모리 홀 쥴 모로더라 이
러구러 인셩이 훤화ᄒ고 궁즁이 진동ᄒ니 일궁인이 뉘 모로리오마ᄂ 요리 오
히려 셜부인 형모롤 비러 작화흔 쥴은 알지 못ᄒ고 다만 슛 두어려 ᄎᆞ추 젼ᄒ
ᄂ 말이 경운뎐의 도적이 드럿다 ᄒ니 궁즁 상히 되경ᄒ고 춍ᄌ 등이 실ᄉᆡᆨ되
경ᄒ여 일시의 외뎐의 ᄂ와보니 쳥하의 국츅흔 거시 ᄌ긱의 모양이 아니요 화
려흔 녹의쳥숨의 부인이로디 판판흔 승뒤 분명ᄒ니 졔인이 더옥 경의ᄒᄆᆞᆯ 마
지아냐 슬펴보(28)니 만면의 쥬필이 난만ᄒ고 좌목이 폐밍ᄒ엿ᄂᆫ지라 불승괴
히ᄒ여 이의 승당ᄒ여 부젼의 ᄭᅮ러 놀나시믈 뭇줍고 시측의 불경ᄒ믈 쳥죄흔
디 왕이 미쇼ᄒ고 왈 이 엇지 여등의 틴만ᄒ미료 불과 여부의 박면이 누츄
치 아닌 고로 산간 요리의 희롱을 면치 못ᄒ괘라 연이나 ᄎᆞ요리롤 츄문ᄒᄆᆡ
별유ᄉ단홀 듯ᄒ니 여등이 ᄯᅩ흔 참문ᄒ라 춍직 등이 부고 왈 요리롤 다ᄉ리오
미 밧부오나 임의 야심ᄒ여ᄉ오니 본부 옥즁의 엄슈ᄒ엿다가 명효의 다ᄉ리읍
고 안침ᄒ시미 가ᄒ올가 ᄒᄂ이다 이제 야애 침슈롤 폐(29)ᄒ시고 이러틋 근
노ᄒ시니 셩쳬 ᄌᆞ못 불안ᄒ실가 두리ᄂ이다 왕이 불열 왈 일야 잠을 폐ᄒ다
간디로 불안ᄒ리오 궁즁의 잡인이 업ᄉ되 괴괴흔 변난이 ᄌᆞᄌᆞ 구연 냥 식부
등이 봉변ᄒ믈 여ᄎᆡ ᄀᆞ장 괴이히 넉이ᄂ니 요리 쳐음 경식이 여ᄎᆞ여ᄎᆞᄒ니 반
ᄃᆞ시 환슐ᄒᄂ 요승이요 범상흔 뉘 아니라 엇지 다ᄉ리시믈 지완ᄒ리오 춍ᄌ
등이 요리 셜부인 형용을 비럿던 쥴 더옥 놀나고 요괴로이 넉여 다시 간치 못
ᄒ고 다만 부왕의 결ᄉᆞᄒ시믈 볼ᄉᆡ 왕이 졔ᄌ롤 거ᄂ려 경운뎐 쳥즁의 교위롤
놋코 좌롤 일우니 쵹영과 횃불이 됴요ᄒ여 빅(30)쥬롤 묘시ᄒ리러라 범 ᄀᆞᆺ흔
ᄂ됼이 요리롤 ᄭᅳ어 형판의 올리미 치기롤 급히 ᄒ니 일장의 살이 ᄶᅧ러지고

지장의 쎄 ᄇ ᄋ져 뉴혈이 님니ᄒ나 쳐음은 직쵸치 아니ᄒ고 횡셜슈셜ᄒ더니 엄형 삼ᄎ의 우해 견ᄃ지 못ᄒ여 통곡ᄒ고 이의 쵸소 왈 빈승은 본ᄃ 파셔 농문산 활인ᄉ 니괴라 먼니 궁벽의 쳐ᄒ와 경향이 요원ᄒ니 현상부와 졔왕부를 엇지 알니잇고마ᄂ 모년 모월의 여ᄎ여ᄎᄒ 긱인이 암ᄌ의 쥬인ᄒ니 닉력이 ᄌ못 슈상ᄒ지라 근본을 무러 안ᄌᆨ 다르 니 아니라 가국이 쇼요ᄒ여 츄심ᄒᄂᄂ 바 광평 뎐하의 빈희 황시와 기녀 가칭 됴시 교쥐라 (31)악시 발각ᄒᄆ 셜ᄆ 각하 심복시녀로 잇셔 누통ᄒ여 셔로 탈신ᄒ여 젼부 젼긔를 ᄎᄌ 가노라 ᄒ니 원닉 젼긔ᄌᄂ 본산 치쥐라 ᄉ듕의셔 머지 아닌ᄂ 고로 빈승이 젼긔 쳐의 지물이 만흐믈 흠션ᄒ여 ᄉ괴고ᄌ ᄒ던 고로 드디여 향되 도여져 모녀 노쥬를 다려 산치의 가 부녀 부뷔 맛ᄂ게 ᄒ고 빈승이 ᄯ 져를 위ᄒ여 심산의 두루 노라 이인을 만나 신슐을 빅화 황시의 질ᄌ 황뎨와 젼녀를 ᄀ르치며 젼녜 드디여 황뎨로 부뷔 되여 음악ᄒ며 젼긔 무ᄌᄒᄆ 타일 녀셔로 후ᄉ를 삼으리라 ᄒ고 용부를 ᄉ괴여 호걸을 모화 무예를 닉이고 그윽이 텬하 도모ᄒᄆ를 쇠ᄒ (32)되 황시 모녜 두리ᄂ 바ᄂ 현상부 졔인이라 몬져 졀졔ᄒ고ᄌ ᄒ여 모년 월일의 셜ᄆ를 몬져 보닉엿더니 셜ᄆ 하산 후 슈년이 되도록 쇼식이 업ᄉ니 황시 모녜 착급ᄒ여 빈승으로ᄡ 쇼식을 아라 오라 ᄒ니 빈승이 작년 모일의 경ᄉ의 니르러 셜ᄆ를 ᄎᄌᆫ 즉 져희 쥬인의 부탁을 져바리고 졔왕 뎐하의 ᄎᄌ 혹ᄉ 상공의 유의ᄒ신 바 응휘각 ᄌ란이 혹ᄉ의 풍졍을 가랍지 아녀 여ᄎ여ᄎ 득죄ᄒ니 한님이 ᄉ모ᄒᄆ 방계 곡경의 밋쳐 빅슈 구부인긔 쳥ᄒ여 계오 일위니 ᄌ란이 지긔 널널ᄒ여 굴치 아니ᄒ니 한님이 노ᄒ여 누실의 (33)가도고 식음을 긋쳐 부ᄃ 항복바드려 ᄒᄂ 눈칙를 알고 구부인 유모 홍파의 얼골이 되여 심야의 ᄌ란을 여ᄎ여ᄎ 유인ᄒ여 연지의 잠으고 셜ᄆ ᄌ란이 되여 거즛 한님의 위엄의 굴ᄒᄂ 드시 한님의 명을 슌죵ᄒ니 한님이 ᄌ란만 넉여 극히 춍힝ᄒ나 감츌 ᄃ 업셔 궁문 안 경노의 집의 두고 ᄌ로 ᄎᄌ 춍이ᄒ나 ᄀ만흔 ᄌ최 구구ᄒᄆ를 한ᄒ고 ᄯ 쳔금 즁탁을 바든 빅 졔왕비의 두 며ᄂ리를 히ᄒ여 평일 져를 쎄리든 한을 갑흐라 ᄒ 고로 여ᄎ여ᄎᄒ여 한님의 두 부인

과 ᄉ인부인을 모히ᄒ미 다 셜미의 작ᄉ라 그쎤 일은 빈승이 ᄌ시 모로거니와
셜미 여ᄎ여ᄎ(34)ᄒ여 연부인을 잡ᄋ다가 죽이려 ᄒᆯ 졔 공즁의 일코 또 고
부인과 한님을 니간ᄒ고 스스로 구부인이 되어 뉵부인을 난타ᄒ며 다시 연고
냥 쇼졔 업ᄂ 쩨를 타 혼닌을 도모ᄒ여 한님의 졍실위의 ᄂᄋ가기를 쇠ᄒ여
셜냥즁의 녀ᄋ를 잡ᄋ다 죽이고 셜미 변ᄒ여 셜쇼졔 되고 빈승이 뎐하의 용광
을 흠모ᄒ여 공쥬 ᄌ리의 ᄂᄋ가고ᄌ ᄒ여 변ᄒ여 ᄂ뷔 되여 궁즁의 드러왓다
가 감히 공쥬의 졍명지긔를 감히 햐슈치 못ᄒ고 ᄂᄋ가다가 춍ᄌ 상공의 파리
치의 마ᄌ 치ᄋ 하ᄂᄒᆯ 닐코 도라온 후 한이 깁허 구부인 히ᄒᆷ를 급히 ᄒ고
셜미와 한님의 넉(35)슬 인도ᄒ여 몽즁의 월한과 셔징을 밧고게 ᄒ고 미혼단
으로 셜냥즁 부부를 농낙ᄒ여 혼ᄉ를 뎡ᄒ나 길긔 ᄎ라ᄒ미 셜미 음심을 참지
못ᄒ여 양어ᄉ를 ᄉ통ᄒ고 쳥쵹ᄒ여 구부인 죄를 일워 젹거ᄒ게 ᄒ고 젹쇼의
ᄯ라가 여ᄎ여ᄎ 히ᄒᆫ 후 빈승이 뎍왕의 풍모를 크게 흠모ᄒ여 셜부인의 형을
비러 뎍왕의 은의를 닙고 셜부인을 히ᄒ고 부귀를 누리고ᄌ ᄒ더니 ᄉ이지ᄎ
ᄒ오니 쳔지망의라 슈한슈원이리잇고 복원 뎍왕은 호싱지덕을 드리오ᄉ 잔명
을 구의방셕ᄒ쇼셔 셔긔 문목을 잡ᄋ 올니오니 왕과 춍ᄌ 곤계 간파의 불각뎍
경(36)ᄒ여 왕이 셔안을 쳐 뎍미 왈 ᄌ고 금금의 음녀 발뷔 하뒤뎍무지리오마
ᄂ 황시 모녀 노쥬 ᄀᄒ 니 어딕 잇ᄉ며 산즁 요승과 녹님 쵸젹이 셰상을 어
즈러이니 이 뉴를 엇지 일시나 머무러 두리오 더옥 희문 블쵸ᄌ의 호식탕음ᄒ
무로 요얼의 삭시 밋기 되여 고요ᄒᆫ 가즁을 쇼요케 ᄒ고 현쳐를 보젼치 못ᄒ
며 무죄ᄒᆫ ᄌ란을 원슈케 ᄒ고 셜쇼ᄋᄉᆨ지 죽게 ᄒ이 이른바 빅인이 유ᄋ이지
라 불쵸지 젼졍이 무어시 빗ᄂ리오 춍ᄌ 등은 묵연이 듯줍고 틱우ᄂ 불승황공
ᄒ여 면관을 탈ᄒ고 고두쳥죄ᄒᆯ 분이러라 이러구러 동방이 긔빅ᄒ니 왕이 인
(37)ᄒ여 ᄌ지 못ᄒ고 작ᄉ로쎠 돈당의 고ᄒ니 오진 냥공이 뎍경 왈 요녀를
실포ᄒ던 날봇터 홰 다시 잇실 줄 짐쥭ᄒᆫ 비여니와 이러틋 궁극ᄒᆯ 줄 알니오
왕이 쥬왈 요리의 ᄒᆫ 말노 뎍옥을 일우지 못ᄒ오리니 쇼식이 누통치 아냐셔
셜냥즁을 쳥ᄒ여 기녀의 원슈ᄒᆷ믈 니르고 셜미를 잡ᄋ다가 명졍기죄ᄒ미 가

호오되 텬의를 난측이라 요녜 쇽슈ᄒ여 미이믈 밧지 아닐가 ᄒᄂ이다 진공이
졈두 왈 졍합ᄋ심이라 ᄎ녀를 이번의 실포ᄒᆫ즉 일후지히 장ᄎ 엇더ᄒ리오 셜
파의 셜부의 가인을 보니여 셜낭즁을 쳥ᄒ고 셜부인을 명ᄒ여 진퇴(38)부인
긔 여ᄎ여ᄎ 상셔ᄒ여 야간스를 되강 고ᄒ고 요녀를 잡ᄋ 쥬시믈 쳥ᄒᄆᆡ 기간
의 엇지 요녀의 됴화 스특ᄒ여 다라놀 줄 알니요 상부 ᄎ환이 셜부의 니르러
졔왕의 명으로 니람ᄒ시믈 쳥ᄒ고 셜부인 셔간을 퇴부인긔 올니니 낭즁은 무
슴 스괴 잇ᄂᆫ가 ᄒ여 왕부로 ᄂᄋ오고 진퇴부인은 셔간을 바다 보기를 다ᄒᄆᆡ
되경실ᄉᆡᆨᄒ여 눈을 모흐로 쓰고 쇼ᄅᆡ ᄂᆞ믈 ᄭᆡ닷지 못ᄒ여 왈 셰간의 니 엇지
니런 변이 잇ᄂᄂᆂ 이란 쇼녜 눌과 원슈 잇관되 희를 닙고 요물이 안연이 거ᄒ
리오 ᄎ환 계엽이 연망휘지 왈 부인은 셩음을 ᄂᆺ츄쇼셔 요녜 알고 다라놀(39)
가 ᄒ나이다 부인이 경황ᄒ여 묵연이 계엽을 ᄇᆞ라보고 아모리 홀 줄 모로더니
요녀 셜ᄆᆡ 단장을 화려이 ᄒ고 ᄭᅩᆺ ᄀᆞᄐᆞᆫ 얼골의 우음을 먹음고 안흐로됴ᄎ 드
러와 안즈며 닐오되 무슴 닐이 잇관되 왕뫼 안ᄉᆡᆨ이 불예ᄒ시니잇고 부인이 하
놀납고 ᄭᆷ즉ᄒ여 졍신이 ᄲᆞ져시니 셜ᄆᆡ 발셔 여어듯고 짐즛 모로ᄂᆫ 쳬ᄒᄆᆡᆫ 줄
알고 되홀 말이 업셔 두 눈이 멀금ᄒ여 바라보며 녀ᄋ의 셔간을 숀의 줴고 안
즈시니 계엽이 아모리 눈을 긘들 엇지ᄒ며 ᄯᅩ 셜만이 무어시라 ᄒ리오 지은
죄 업시 면홍이 ᄌᆞ져ᄒ니 요녜 낭낭이 웃고 왈 아니 슉뫼 ᄯᅩ 졔왕긔 견과ᄒ여
닉치게 되니잇가 퇴부인이 믄득 되로ᄒ(40)여 진목녀셩 왈 이 달긔 ᄀᆞᄐᆞᆫ 요괴
년ᄋ ᄂᆞ의 녀이 무슴 닐노 츌뷔 되리오 네 근본을 이졔야 안즉 광평궁 ᄒᆫᄂᆺ 반
역ᄒᆫ 동년이 ᄂᆞ의 쳔금숀ᄋ을 죽이고 작악이 무슈ᄒ다 ᄒ니 무슴 말을 ᄒᄂᆞ냐
졔왕이 잡ᄋ 보니라 ᄒ엿시니 ᄒ ᄂᆞᆯ납고 ᄭᆷᄯᅳᆨᄭᆷᄯᅳᆨᄒᆫ지라 뎡신을 거두지 못ᄒ
거늘 네 엇지 악착히 닉 ᄯᆞᆯ을 거드ᄂᆫ다 셜ᄆᆡ 쳥포의 눌나오미 마른 하늘의 벽
녁이 ᄂᆞ리ᄂᆫ 듯ᄒ니 이 반다시 우홰 실계ᄒ여 되홰 놋ᄂᆫ 줄 알고 삼십뉵계의
닷ᄂᆫ 거시 웃듬이라 이의 고셩발악 왈 아모리 뮙다 ᄒᆫ들 조숀지간의 이런 빙
낭ᄒᆫ 말을 ᄒᄂᄂᆂ 닉 이란이 아니요 (41)뉘리요 조뫼 반ᄃᆞ시 니ᄆᆡ망냥을 ᄡᅵ
여도다 그러치 아니면 ᄂᆞ를 뮈이 넉여 혼인을 작희ᄒᄆᆡ로다 ᄒ며 웨지지니 니

르거니 딕답거니 흐믹 가즁이 쇼요흔지라 낭즁 부인 노시와 모든 셜싱 등 부뷔 다 니르러 광경을 보고 노시 셩닉여 왈 존괴 아모리 노흔흔들 어룬의 체면 업시 구시는뇨 틱부인이 분분이 숀의 셔간을 더지며 울며 왈 너희는 다 니를 보라 져 요괴년이 이란을 죽이고 그 얼골이 되여 작변흔다 흐니 이쩐 노시는 미혼단의 본셩을 일헛는지라 셔간을 뮈쳐 브리고 딕로 왈 존고는 아모리 친싱 쏠인들 그 간악흐믈 모로고 도로혀 이란을 죽이고즈 흐느뇨 반두시 이(42)란의 으름다오미로 젹즈의 비필 되믈 싀긔흐여 이런 몹쁠 말을 지어니니 불구의 텬앙을 닙어 무스치 못흐고 그 냥녀도 급살 마즈 죽으리라 틱부인이 분긔 츙쳔흐나 노력의 엇지흘 길이 업셔 가슴을 두리고 방셩딕곡흐니 셜믹 발연이 니러나 벽상의 보도를 취흐여 숀의 쥐고 녀셩 왈 금일 경은 인눈딕변이라 아즈미는 독하믈 힉흐고 조모는 숀녀를 힉코즈 흐니 닉 스라 무엇흐리오 말을 맛츠미 삼춘 셜잉이 셔리 빗츨 토흐며 바로 가삼을 향흐는 듯 어느 스이 이호일셩의 몸이 구러지고 졍혈이 믈 쏫듯흐니 노시와 졔인이 놀나 (43)급히 칼을 쌘히고 보니 임의 뇨믹이 단졀흐고 스지 졀닝흐여 일분 가망이 업는지라 노시 망극흐여 신체를 붓들고 통곡흐며 츠마 구두의 올니지 못흘 욕언과 원망을 흐여 졔왕으로붓터 모든 현가를 왕망 동탁의 무리라 흐고 셜부인을 욕흐여 녀으를 힉흐다 흐고 눈쵀 업는 늙은니 숀녀를 죽이랴 흐고 간악흔 쏠과 동심모의 흐단말가 당당이 격고등문흐리라 흐고 셜싱 등도 조모를 핀잔 쥬니 틱부인이 목젼의 요녀의 죽는 냥과 식부 모즈의 원망 욕셜을 보믹 요인의 변화는 모로고 가업시 놀나 삼혼칠빅이 느라느고 아모란 상 (44)업시 꿀 먹은 벙어리 굿흐니 졔업이 즈쵸지죵을 보고 어히업셔 하직도 못흐고 총망이 도라오더니 셜부 문을 막으며 졔궁으로됴츠 범 굿흔 가졍이 스슬을 츠고 요녀 잇는 딕 급히 드러가려 흐거늘 졔업이 급히 숀 쳐 슈말을 즈시 니르니 졔복이 놀나 흔가지로 본부의 도라오니라 어시의 셜낭즁이 왕궁의 니르믹 현상국 곤계와 뎨왕 곤계 즈질을 거느려 셩녈흐엿고 계하의 형벌 긔구를 버렷는딕 일기 산승을 믹여 지웟거늘 낭즁이 의괴흐여 좌의 느아가 녜필의 졔왕이 말을 펴 왈 불의 명공의 관기를 슈고롭게 ᄒᆞᆫ 필유ᄉ단이라 (45)ᄎᆞ시 오가의ᄂᆞᆫ 되단치 아니ᄒᆞ되 돈부의ᄂᆞᆫ 되변이라 가부를 엇지 현형과 의논치 아니리오 장ᄒᆡ 지리ᄒᆞ니 공은 몬져 이 글을 보라 낭쥬이 눈이 둥그러ᄒᆞ여 문목을 슬피니 쳐음은 극히 요괴로이 넉이고 ᄯᅩ흔 계현을 우이 넉여 심하의 싱각ᄒᆞ되 광평궁 ᄉ단과 졔왕부 ᄉ단이 뇌 아란곳치완되 날을 쳥ᄒᆞ여 뵈는다 ᄒᆞ여 가장 실업시 넉여 빙쇼ᄒᆞ고 ᄎᆞᄎᆞ 보아 가더니 말단의 ᄉᆞ의 심한골경ᄒᆞ니 이 다른 닐이 아니라 만금농쥬로 쳔금보벽ᄀᆞᆺ치 ᄉ랑ᄒᆞ고 즁히 넉이던 이란 쇼녀의 봉변참ᄉᆞᄒᆞ미라 쵸ᄉᆞ를 밋쳐 다 못 보와 이란을 (46)ᄒᆞᆫ 번 부르고 긔운이 엄이ᄒᆞ여 좌셕의 구러지니 좌위 놀나 붓드러 구호ᄒᆞ미 이윽고 졍신을 출혀 굴오되 쇼녜 진실노 봉변참ᄉᆞᄒᆞ단 말가 뇌 집의 잇ᄂᆞᆫ ᄋᆞ히 요ᄉᆞ이 거동이 ᄋᆞ녀와 호발도 ᄎᆞ착지 아니ᄒᆞ니 셰간의 엇지 니런 괴시 이시믈 알니오 졔왕이 둉두지미를 니르고 왈 진짓 녀ᄋᆞᄂᆞᆫ 독슈를 맛나 친쳬를 산벽궁혈의 더지고 즉금 공의 슬하의 잇ᄂᆞᆫ 거슨 요물 셜미니라 낭쥬이 통곡 왈 ᄂᆞ의 녀이 남과 원슈 업거늘 이러틋 비명참ᄉᆞᄒᆞ니 이런 분한흔 닐이 ᄯᅩ 어되 잇ᄉᆞ리오 졔왕이 이의 셜공 보는 되 우화를 다시 츄문ᄒᆞ니 우ᄒᆡ (47)울며 왈 엇지 두 번 긔망ᄒᆞ리잇고 이졔라도 사ᄅᆞᆷ을 보니여 셜쇼져 신쳬를 ᄎᆞᄌᆞ 오쇼셔 머지 아닌 곳의 여ᄎᆞ여ᄎᆞ흔 산협토굴 속의 잇ᄂᆞ이다 낭쥬이 돈독실셩ᄒᆞ며 친히 두어 ᄌᆞ 필젹으로 모부인긔 요녀 잡ᄋᆞ 보ᄂᆡ시믈 긔별ᄒᆞ고 기ᄃᆞ리더니 이윽고 계업이과 잡으라 ᄀᆞᆺ던 즁복이 한가지로 공환ᄒᆞ여 요녀 ᄌᆞ결ᄒᆞ믈 알왼되 졔왕과 좌우ᄂᆞᆫ 실포ᄒᆞ믈 놀나고 낭쥬은 ᄯᅩ 통곡 왈 요녀를 잡ᄋᆞ 뇌 숀으로 죽여 녀ᄋᆞ의 원슈를 갑흘가 ᄒᆞ엿더니 발셔 졔 스스로 죽단 말가 졔왕이 탄왈 공은 요녀를 죽다 니르지 말나 ᄎᆞ녜 금션탈각(48)계로 다라ᄂᆞ미니 녕부의ᄂᆞᆫ 무히ᄒᆞ려니와 오가의ᄂᆞᆫ 화란이 되리로다 낭쥬 왈 아모 요괴라도 죽은 후 무슴 작변ᄒᆞ리오 졔왕 왈 공은 왕ᄉᆞ를 과상치 말고 ᄲᆞᆯ니 도라가 녕녀의 신쳬랄 ᄎᆞᄌᆞ 안장ᄒᆞ고 요녀의 시신을 헷쳐 심간을 보라 블측흔 일이 잇ᄉᆞ리라 셜공이 총총이 하직고 도라가니 승샹이 졔왕다려 왈 이 슈악을 일허시니 쳐치를 엇지코ᄌᆞ ᄒᆞᄂᆞ뇨 왕이 되왈 간인이 복쥬흘 ᄲᅢ 아니무로 싱도

룰 어더 다라ᄂ오나 그 쉬 진흐는 날은 화등의 다라드는 나뷔 굿흐리이다 승
상이 뎜두흐고 제복으로 흐여곰 (49)요리룰 본부 즁옥의 쳘박 엄쇄흐여 타일
간장을 잡는 날 흔가지로 다스리려 흐더라 틱우 희문이 요리의 쵸ᄉ룰 보고
바야흐로 츈몽이 쳐음으로 씐 듯흐나 오히려 연고 냥 쇼져의 돈망을 씌듯지
못흐니 이 엇지 익운이 가리오미 아니리오 승상과 제왕이 돈당의 쇼유룰 고흐
니 오공은 묵연흐고 진공은 빈미흐여 후일 요변을 넘녜흐더라 이쩌 셜낭즁이
집의 도라와 모친긔 허다 셜화룰 고흐니 틱부인은 통흉돈독흐여 지난 말을 니
르고 울며 노시는 이 말을 듯고 딕경실쉭흐여 아모 말도 못흐니 낭즁이 졀치
교ᄋ 왈 요녀의 시신을 죽여 쩌져 발기(50)고 녀ᄋ의 시체룰 츳즈 안장흐리
라 흐고 시신 덥흔 니불을 들치고 보니 아모 것도 업고 다만 가쥭 쥬머니의 피
룰 넛코 칼이 오히려 쌘지지 아냣거늘 낭즁이 쇼릐 질너 왈 요괴롭고 스특흐
도다 이거슬 엇지 몰나보앗더냐 모다 놀나고 황망흐미 아즈 광경의 지난지라
모다 일신을 쩔며 아모 말도 못흐고 낭즁이 겨오 진정흐여 츠환으로 방즁 더
러온 거슬 업시 흐고 건장흔 복부 장확으로 요녀의 ᄀ르치던 곳의 가 신체룰
츳즈 보라 흐니 제뇌 쳥녕흐고 일시의 가 산밋히 ᄂᄋ가 바회 밋츌 파니 과연
반 길은 파미 흔 닙 쵸셕의 뭇친 거시 잇거늘 닉여 보니 과연 (51)셜쇼졔라
의상의 혈흔이 낭즈흐고 죽은 지 일 년이나 되여시니 살이 반나마 쩍엇고 옥
안이 변흐여시ᄂ 의복졔되 완연흐니 챵두 반츙은 곳 이란의 유뷔라 엇지 모로
리오 딕경흐여 밧비 닉당의 와 고흐니 낭즁 부부와 틱부인과 셜셩 등이 급히
가 보니 얼골은 분간치 못흐나 다만 귀의 거럿던 월긔탄이 완연흐니 이는 노
시 본가의 잇실 젹 부뫼 준 거시니 노시 극히 ᄉ랑흐여 녀ᄋ룰 쥬엇더니 요인
이 급히 작ᄉ흐미 밋쳐 월환을 그르지 못흐여더니 그후 노시 요녀룰 이란으로
아라 탄월을 츳즈니 요녜 일흐무로 딕흐니 노시 익구진 시녜룰 댱칙흐니 시녜
(52)등이 크게 원망흐여 스쳐로 심방흐나 깁히 흙 ᄀ온딕셔 임즈와 굿치 쩍
는 줄 엇지 알니요 셜가 상히 월환을 보미 더욱 상감흐고 노시 더욱 셜워 이란
을 불너 통곡흐니 좌위 구흐여 졍당의 도라오미 낭즁이 이의 이란의 시슈룰

금슈능의 념습ᄒ여 입관ᄒ고 션산의 안장ᄒ니 제궁의셔 셜부인이 ᄯ흔 니르러 참상을 치위ᄒᄆᆡ 불통흔 노시 녀ᄋᆡ의 참ᄉᄒᄆᆡ 현부 빌ᄆᆡ라 ᄒ여 폭빅 욕셜이 무빵ᄒ니 셜부인이 어히업셔 잠쇼ᄒ고 즉시 도라오니라 이러틋 반환ᄒᄂᆫ ᄉᆞ이의 광음이 신쇽ᄒ여 션뎨의 삼상을 맛치니 군신이 능묘의 현빅ᄒ고 동묘의 참(53)됴ᄒᄆᆡ 셩덕을 츄모ᄒ여 군신의 지통이 시롭더라 월셩공쥬 ᄯ흔 딕닉의 드러가 조틱후ᄅᆞᆯ 뫼셔 부황의 동ᄉᆞᄅᆞᆯ 참ᄉᄒᄆᆡ 시로이 이통ᄒ여 작슈ᄅᆞᆯ 불음ᄒ고 긔식이 엄엄ᄒ니 뎨후와 궁즁 상히 그 되효ᄅᆞᆯ 감탄ᄒ더라 임의 국긔ᄅᆞᆯ 지ᄂᆡᄆᆡ 공쥬 틱후와 냥뎐의 빅ᄉᄒ고 궁의 도라와 됸당의 뵈오니 모다 마ᄌ 보ᄆᆡ 비록 빅의쇼장을 곳쳐시ᄂᆞ 담담청의로 녜복을 다ᄉᆞ리지 아냐시니 진공과 쥬부인이 굴오되 아등은 드르니 녜ᄂᆞᆫ 왕ᄌᆞ의 지으신 빅라 ᄌᆞ텬ᄌᆞ달어셔 인히 텬상 삼년의 졀육식ᄒ며 치쇼식은 텬도의 상이라 ᄌᆞ공의 뉵년상은 부ᄌᆞ의 경계 아니라 ᄒ엿ᄂᆞ(54)니 옥쥬의 셩회 지극ᄒ시나 션뎨의 계훈이 아닌가 ᄒᄂᆞ이다 더옥 녀ᄌᆞ의 상녜ᄂᆞᆫ 남ᄌᆞ와 달나 귀쥬의 명견으로 엇지 되의ᄅᆞᆯ 싱각지 아니시ᄂᆞᆫ니잇가 공쥬 복슈쳥교의 하셕쳥죄 왈 쳡이 불민ᄒ여 혼ᄀᆞᆺ 션후황고의 교이ᄒ시든 셩은을 싱각ᄒ오ᄆᆡ 명완ᄒ와 텬양의 ᄯ라 뫼시지 못ᄒ옵고 텬상 삼지의 망극ᄒ오믄 셰월노됴ᄎᆞ 더ᄒ온지라 츈장이 여할여졀ᄒ와 되의와 녜졀을 밋쳐 싱각지 못ᄒ여숩더니 셩괴 지ᄎᆞᄒ시니 쳡이 엇지 감히 됸명을 거역ᄒ리잇고 언파의 옥셩이 유화ᄒ고 옥면의 승안화긔ᄅᆞᆯ 지으나 팔치의 슈운이 희미ᄒ여 가월이 (55)침담ᄒ고 냥ᄉᆡᆨ의 슈운이 어리여 훈싴이 몽농ᄒ니 슈쳑흔 방용과 쵸쳬흔 긔질이 더옥 쳥연교교ᄒ여 놉흔 골격이 더옥 단즁ᄒ니 구괴 볼ᄉᆞ록 귀즁ᄒ여 쥬쳘 냥 됸괴 그 옥비ᄅᆞᆯ 줍고 시로이 그 슈약ᄒᆞ믈 이련ᄒ여 위로ᄒ더라 니셜 냥 상궁이 구슬함의 녜복을 담ᄋ 복식 곳치믈 권ᄒ니 공쥬 바야흐로 쇼장을 곳치고 구고긔 뵈오니 구고 슉당이며 졔ᄉᆞ 슉ᄆᆡ 다 깃거ᄒ더라 날이 져믈ᄆᆡ 상하 졔인이 다 도라가니 공쥬 구고긔 빅ᄉᄒ고 우침뎐의 도라오니 ᄌᆞ녜 졔뷔 뫼셔 니르고 의빈과 셜부인과 우슉희 다 ᄌᆞ녀ᄅᆞᆯ 거ᄂᆞ려 흔 당의 모다 환셩이 열열ᄒ고 시로온 화(56)긔 화원의 츈싴이 무루녹앗더라 셕

식을 파흐고 쵹을 밝히미 왕이 졔ᄌᆞ를 거ᄂᆞ려 늬각의 드러와 ᄇᆞ야흐로 부뷔
드러와 상견홀ᄉᆡ 각각 녜필좌졍의 왕이 눈을 드러 공쥬의 슉ᄎᆡ용ᄉᆡᆨ이 슈약흐
믈 보고 화우를 ᄲᅵ긔여 왈 텬히 불힝흐여 션뎨 안가흐시미 신민의 지통이 범
연흐리오마는 셩인도 분상 삼년의 상녜를 다흘 ᄯᅟᆞ름이라 셰시 경권이 잇ᄂᆞ니
엇지 흔ᄀᆞᆺ 지통을 니긔지 못흐여 몸이 상흐기의 밋ᄎᆞ리오 현비의 거죄 비록
셩효의 지극흐미니 훼불멸셩을 니ᄌᆞ시니 고의 바라든 비 아니로쇼이다 셜파의
광미 뻑뻑흐고 안ᄉᆡᆨ이 쥰졀흐(57)여 엄웅흔 ᄉᆞᆼ식이 심히 녜ᄉᆞ롭지 아닌지라
공쥐 일즉 쵸구 츙년의 졔왕긔 슉현흐여 동풍츠로의 위엄을 ᄌᆞ로 맛나 엄쥰흔
긔상과 싀험흔 호령의 과도히 두리고 붓그려 긔운을 펴지 못흐다가 텬의 헌ᄉᆞ
흐여 젹국의 간악흔 허믈이 드러ᄂᆞ고 냥익이 진흐미 고결쳥심이 부마의 젼일
광픠흐믈 한흐고 붓그려 다시 인뉸셰ᄉᆞ의 참녜치 말고ᄌᆞ 흐나 ᄯᅳᆺ 곳지 못흐여
부득이 부뷔 화락흐여 뉴ᄌᆞ싱녀흐고 손ᄌᆞ가지 보되 미양 엄흔 호령이 긋치지
아니니 스스로 녀죄 되믈 한터니 근늬 텬봉지통의 삼년을 동쳐흐미 업다가 금
야 엄칙을 드르미 싀로이 (58)싁스럽고 슈괴흐여 봉관이 슉고 면홍이 ᄌᆞ져흐
여 유유부듸흐니 됴부인과 셜시 우시 등이 져 냥인의 화긔 업ᄉᆞ믈 보고 일시
의 도라가더라 무슐년 뎌동궁 지밀 셔상궁 유슌 글시

명쥬옥연긔합녹 권지이십일

(1) 명쥬옥연긔합녹 권지이십일
ᄎᆞ셜 왕이 침음 반향의 졔ᄌᆞ를 믈너가라 흐고 ᄉᆞ일을 흘녀 공쥬를 보니 져두
단좌흐여 강싀의 훈싀이 염염흐니 이화빅셜향이 취우의 져졋ᄂᆞᆫ 듯 만억광치와
셩ᄌᆞ방용이 ᄉᆞ슌이 거의로ᄃᆡ 쇼년 홍옥을 묘시흐ᄂᆞ지라 왕이 만복 흠경흐여
이윽이 바라보며 ᄯᅩ 슈괴흐미 과도흐믈 실쇼흐여 빅안셩모의 미흔 우음을 ᄯᅴ
엿더니 이윽고 금니를 병셜흐고 좌우 시녜 믈너나니 왕이 비로쇼 좌를 옴겨

이성화란ᄒᆞ여 왈 고의 말ᄉᆞᆷ이 진졍쇼발이요 현비긔 유히ᄒᆞ(2)미 업거늘 엇지 답지 아니시며 우리 부뷔 우봉 삼십 ᄌᆡ의 ᄋ들이 ᄌᆞ라 며ᄂᆞ리를 엇고 졔손이 ᄀᆞ득ᄒᆞ여 손부 손셔를 보려든 현비 엇지 셰쇽 붓그러오미 과도ᄒᆞ뇨 공쥐 ᄯᅩ 부답ᄒᆞ니 왕이 쇼왈 과인이 시회 아니로쇼니 현비 엇지 이디도록 외딕ᄒᆞ시ᄂ 뇨 공쥐 비로쇼 닙을 여러 왈 쳡이 불혜ᄒᆞ와 군왕의 위엄을 ᄌᆞ로 번거롭게 ᄒᆞ 니 무슨 말ᄉᆞᆷ이 잇시며 지어 말단 말ᄉᆞᆷ은 쳡의 인싴 미거ᄒᆞ여 비록 삼년의 일 실 동거를 폐ᄒᆞ여시나 일퇴의 쳐ᄒᆞ여 됴모의 됸문을 아라시니 쳔니 원별이 아 니라 무슨 별회 잇시리잇고 언필의 옥(3)뫼 유화ᄒᆞ고 말ᄉᆞᆷ이 졍딕ᄒᆞ니 왕이 다시 ᄒᆞᆯ 말이 업셔 잠쇼ᄒᆞ고 다른 말ᄉᆞᆷᄋ로 한담ᄒᆞ다가 야심ᄒᆞ미 샹요의 ᄂᆞ아 가니 싀로온 은이 여산약히ᄒᆞ더라 이ᄯᅥ 춍ᄌᆡ 희셩과 희명 등 졔싱과 샹부 졔 공이며 졔쇼년이 ᄒᆞᆫ갈ᄀᆞ치 부됴의 졍딕ᄒᆞᆫ 훈교를 본바다 국샹 삼긔의 빅의쇼 딕와 표의쇼금의 완연ᄒᆞᆫ 샹인으로 거쳐ᄒᆞ여 닉당을 ᄎᆞᆺ지 아니며 부인을 보지 아니ᄒᆞ더니 밋 결복ᄒᆞ미 바야흐로 각각 부인을 ᄎᆞᄌᆞ 봉지의 낙을 일우니 현시 졔공의 츙효션ᄒᆡᆼ이 여ᄎᆞᄒᆞ더라 ᄐᆡ우 희문이 본셩이 호일방탕ᄒᆞ나 녜문학동이 라 일시 운익이 긔구ᄒᆞ여 본셩(4)을 일허시나 ᄯᅩᄒᆞᆫ 신ᄌᆡ라 졔현 뎨군죵이 국 샹 삼년을 맛치미 각각 슉소의 왕ᄂᆡᄒᆞ여 부부 화락이 단단ᄒᆞᆷᄋᆞᆯ 보미 도로혀 부럽고 이달온지라 스스로 혜오딕 닉 왕궁의 싱ᄒᆞ여 호치즁ᄌᆞ라 부귀 극ᄒᆞ고 ᄌᆡ용이 하등이 아니며 다시 졀염을 취ᄒᆞ고 일죽이 계지를 ᄭᅥᆨ그며 션뎨의 외손 이요 금황의 싱질이라 은딕 ᄌᆞ팔의 영춍을 계승ᄒᆞ미 인지싱셰의 무슨 일이 ᄯᅳᆺ 과 ᄀᆞ치 못ᄒᆞ리오마ᄂᆞᆫ 쳐궁의 당ᄒᆞ여ᄂᆞᆫ 금슬의 마댱이 만흐니 엇지 이답지 아 니ᄒᆞ며 졔형 군죵이 날과 연갑이 샹칭ᄒᆞ고 ᄒᆞᆫ 가지로 입쟝ᄒᆞᆫ 지 발셔 ᄌᆞ녀를 ᄂᆞ하 농쟝의 ᄌᆞ미를 (5)보거늘 나ᄂᆞᆫ 두 안히를 다 실니ᄒᆞ고 소년호긔로ᄡᅥ 독 슈공방의 환부의 괴로오믈 감심ᄒᆞᆯ 쥴 엇지 알니요 이러틋 헤아리미 ᄉᆞ심난예 빅츌ᄒᆞᄂᆞᆫ지라 일일은 됸당의 혼졍을 파ᄒᆞ고 셔직의 도라오니 이날 부왕은 샹 부의 머믈고 빅형 니부ᄂᆞᆫ 입번ᄒᆞ고 희명도 문연각의 닙직ᄒᆞ고 희슉 등 졔뎨 쵹을 밝히고 강학ᄒᆞᄂᆞ 쇼릭 ᄌᆞ못 요란ᄒᆞ거늘 싱이 심홰 ᄀᆞ득ᄒᆞ딕 여러 아이

짓제믈 괴로이 넉여 광미롤 뻥긔고 나아가 칙을 아스 더져 왈 글을 져딕도록

닉쓰지 아냐도 현마 급제 못ᄒ랴 우형이 심긔 불평ᄒ니 일즉 쉬고ᄌ ᄒ노라

희몽이 쇼왈 형이 심난ᄒ신 줁인(6)들 남됴츠 심난ᄒ리잇고 음풍영월은 댱부

의 긔상이니 글 닐어 급제ᄒ기만 브라고 힝실은 닷ᄀ미 업ᄂᆞ니잇가 오뎨 희원

이 쇼왈 엇지 ᄒᄂᆞᆺ 글만 ᄒ리잇가 튱효와 오륜을 ᄉᆞ못 아지 못ᄒ고 오직 급제

ᄒ여 작녹만 허비ᄒ면 이ᄂᆞᆫ 진희 쳬경의 무리라 이러무로 쇼뎨 등이 흑문을

부즈러니 ᄒ여 오샹의 득죄커나 면코ᄌ ᄒᆞ미로쇼이다 칠뎨 희픠 ᄂᆞ히 오 셰라

쇼왈 오형의 언단이 우읍도다 쇼뎨 오히려 옛말을 ᄉᆞ못지 못ᄒ거니와 삼형이

모로실 거시라 져 말을 ᄒᄂᆞ뇨 싱이 희교의 튱명ᄒᆞᆯ 긔특이 넉여 ᄂᆞ호여 안

고 우어 왈 여언이 극션ᄒ도다 우형(7)이 줍이 미오 겨워 줌간 ᄌᆞ고ᄌ ᄒᄂᆞ니

져 놈 둘이 실업손 긱담을 ᄒ려 ᄒᄂᆞᆫ도다 희픠 옥안셩모의 향긔로온 우음을

씌여 왈 ᄉ형이 요ᄉᆞ이 슈힝ᄒᆞ미 ᄀᆞ쟝 졍딕ᄒ여 젼쳐로 희학ᄒᆞ미 업셔 두용직

ᄒᆞ며 슈용공ᄒ여 ᄒᄂᆞᆺ 됸젼뿐 아니라 남 업손 곳의도 존긱이나 딕ᄒ 드시 인

ᄉᆞ롤 출히니 이ᄂᆞᆫ 무틱라 반ᄃᆞ시 입쟝ᄒ실 날이 ᄀᆞᆺᄀᆞ와시민 힝실을 슈렴ᄒ시

ᄂᆞᆫ가 시브뎌이다 희슉이 문파의 금션으로 엇기롤 쳐 ᄭᅮ지져 왈 엇지 거즛말

ᄒᄂᆞ다 닉 언제 그리ᄒᆞ더뇨 희픠 왈 ᄉ형이 일졍 그리 아니ᄒᆞ니잇가 슉이 우

왈 우형이 화심당 난간 알픠셔 잉모의 노ᄂᆞᆫ (8)양을 보다가 일져졔 졍당 ᄌᆞ위

롤 뫼셔 지ᄂᆞ다가 보고 드럿던 쥬미로 닉 니마롤 쳐 희롱ᄒ거놀 닉 또 여ᄎᆞ여

ᄎᆞᄒ니 졍당 ᄌᆞ위 힝신의 경도ᄒᆞᆯ 이리 이리 경계ᄒ시니 닉 경계롤 밧ᄌᆞ온

후로 경심계지ᄒ여 힝ᄉᆞ롤 슈련ᄒ거놀 어린 ᄋᆞ히 엇지 엉뚱ᄒ 말을 ᄒᄂᆞᆫ뇨 희

픠 왈 그ᄯᅵ 쇼뎨도 드럿ᄂᆞ이다 모일의 ᄎᆞ져졔 형다려 도어ᄉᆞ 부인이 ᄀᆞ쟝 어

려오니 부딕 됴심ᄒ여 악모긔 득죄치 말나 ᄒ시니 형이 그 후로붓터 가쟝 됴

심ᄒᆞ더이다 원닉 희슉이 국휼젼의 어ᄉᆞ즁승 조무의 녀ᄋᆞ와 밍약 슈빙ᄒ엿더니

의외 션뎨 붕ᄒ시니 드틱여 삼 년을 기다려 바야흐(9)로 퇴일ᄒ여 셩녜 슌일

이 ᄀᆞ렷더라 조어ᄉᆞᄂᆞᆫ 이곳 차쇼셔 구문이라 조한님 챵문의 동슉 도찰어ᄉᆞ 뮈

부인 부시긔 이ᄌᆞ일녀롤 두엇더니 녀ᄋᆞ 옥계 쟝셩ᄒ여 지용이 관셰ᄒ니 부뫼

편이ᄒ여 희슉의 옥면유풍을 흠션ᄒ여 졔왕긔 간쳥ᄒ니 조한님이 작민혼 비라 졔왕과 의빈이 ᄯᅩ혼 녀ᄋ의 쇼견으로됴ᄎ 조쇼져의 아름다오믈 익이 아ᄂᆞ 고로 쾌허ᄒ고 길긔를 등ᄃᆡᄒ여시니 조어사 부인 부시 조협 교싁ᄒ여 투악이 유명혼 고로 미혜 쇼졔 공ᄌᆞ를 희롱혼 말을 희픠 듯고 옴기미러라 틱위 심우를 도로혀 희슉을 희롱 왈 칠뎨의 말이 올흐(10)니 현뎨ᄂᆞᆫ 슈고로이 발명치 말나 우형이 드르니 교부인이 투긔의 션봉이오 싀음의 ᄃᆡ장이라 ᄒ니 기녜 엇지 담지 아니리오 네 가히 이졔붓터 머리를 움치고 긔운을 쥬리혀 타일 위징 왕두의 경계를 당치 말나 공ᄌᆡ ᄃᆡ쇼 왈 형장은 우은 말 마르쇼셔 아모리 용널혼들 일녀ᄌᆞ를 졔어치 못ᄒ여 위징의 쎔 마즘과 왕두의 다라나믈 본바드리잇가 머지 아냐시니 형장은 쇼졔의 뎨가ᄒᄂᆞ 양을 보쇼셔 틱위 쇼왈 오냐 어ᄃᆡ 보ᄌᆞ 녀ᄌᆞ도 셩악ᄒ면 졔어키 어려오리라 공ᄌᆡ 긔긔 졀도ᄒ여 왈 젼일 형장이 고슈의 강녈ᄒ신 위엄의 만(11)히 관슉ᄒ시도쇼이다 범남ᄒ거니와 군ᄌᆞᄂᆞ 묵묵ᄒ고 슉녀ᄂᆞ 졍졍ᄒ다 ᄒᄂᆞ이다 틱위 양노 왈 연즉 너ᄂᆞ 군ᄌᆡ요 나ᄂᆞ 너만 못ᄒ단 말가 네 밋쳐 보다 아닌 쳐ᄌᆞ를 져리 역셩ᄒ니 아직은 큰말 ᄒ거니와 쟝ᄂᆡᄂᆞ 머리를 규방의 ᄂᆡ왓지 못ᄒ고 악모의 위엄을 두리며 쳐ᄌᆞ의 호령을 단쇽ᄒ여 규중의 ᄉᆞ령이 될 쥴 아노라 연이나 너ᄂᆞ 가긔를 굴지계일 ᄒ노라 경경불미ᄒ거니와 우형은 심화 계온 ᄉᆞ름이라 만ᄉᆞ를 다 닛고 잠이나 ᄌᆞ려 ᄒ니 어와 결우기 슬타 ᄒ고 언파의 관을 히탈ᄒ고 금이의 ᄂᆞᄋᆞ가니 희픠 ᄯᅩ 품긔여 눕거늘 공ᄌᆡ 왈 긴긴 셰월의 (12)미양 ᄌᆞᄂᆞ 잠을 져리 못 ᄌᆞ ᄒ시ᄂᆞ니잇가 ᄭᅮᆷ 속의나 아니 신녀를 맛나 슉연을 우합ᄒ려 ᄒ시나니잇가 틱위 폐목잠와ᄒ여 부답ᄒ고 희교를 안고 잠드니 졔뎨 ᄯᅩ혼 웃고 각각 침금의 ᄂᆞᄋᆞ가 ᄌᆞ니라 시야의 틱위 일몽을 어드니 믄득 쳥의 도동이 압히 와 졀ᄒ고 황번 우긔를 잡으 시위ᄒ엿ᄂᆞᄃᆡ 일위 노션이 머리의 ᄌᆞ옥관을 쓰고 엇긔의 일월포를 닙고 허리의 봉 그린 옥ᄃᆡ를 ᄯᅴ고 셧시니 숑형옥골이 범범혼 슉인이 아니라 흔연이 현ᄉᆞᆼᄃᆞ려 왈 현군이 ᄒ번 화계의 ᄂᆞ리민 션진이 노슈ᄒ여 음신이 막연ᄒ니 ᄉᆞ모ᄒᄂᆞ 회픠 (13)간졀ᄒ여 겨유 장간을 어더 쳥ᄒ엿더니 존긔 님ᄒ믈 어드니

평싱 힝이로다 싱이 공경 복슈 왈 쇼싱은 진토 쇽긱이라 일면지분이 업고 비
루흔 ᄌ최를 이러틋 은딕ᄒ시니 불승황감ᄒ여이다 션군이 은근이 좌를 쳥ᄒ여
왈 그딕 하계의 ᄂ려가 홍진의 잠겨 셕ᄉ를 니졋도다 ᄒ고 좌우로 ᄒ여금 옥
비의 경쟝을 ᄂ오거늘 싱이 바다 마시니 맛시 쳥녈ᄒ고 구즁이 샹연ᄒ여 젼셰
닐이 목젼 ᄀᄉᄒ니 ᄌ긔 옥청도션으로셔 옥뎨 명으로 노ᄌ궁의 왓다가 노군의
필녀 운화 션녀를 보고 흠모ᄒ여 꼿츨 더져 희롱흔 죄로 샹뎨 노ᄒᄉ (14)인
간의 젹거ᄒ시니 ᄌ가는 공쥬긔 슈틴ᄒ여 졔왕의 ᄋᄃ이 되고 운화는 연상셔
의 쑬이 되어 부뷔 되게 ᄒ시나 부뷔 다 원을 품어 도션은 운화의 너모 미몰ᄒ
믈 노ᄒ고 운화는 도션의 방탕ᄒᄆ로 션당 쾌락을 바리고 홍진의 분쥬ᄒᄆ를 한
ᄒ여 마음의 ᄎ지 못ᄒ고 의ᄉ 불합ᄒ여 금슬의 마쟝이 니러나미요 고시 ᄯᄒ흔
젼싱 부뷔라 운화로 더브러 강셰홀 졔 ᄌ원ᄒ여 하계의 ᄂ려가 운화를 몬져
취ᄒ거든 버금 안히 되기를 원ᄒ니 고시 젼신은 셔왕모의 시녜라 왕뫼 져의
구ᄎ로이 댱부를 ᄯ로고ᄌ ᄒ믈 뮈이 넉여 고졀(15)도의 녀지 되어 위ᄎ ᄂ
줄 ᄲᆫ 아니라 ᄌ덕이 ᄯᄒ흔 져를 밋지 못ᄒ게 ᄒ미요 빅슈 구부인 시녀 자란이
ᄯᄒ흔 젼싱 인연으로 모들 거시로딕 셜미는 쳔 년 묵은 호미의 졍녕이라 진군
이 우연이 쳔틴산의 갓다가 여을 만나 쏘아 쥭엿더니 진군이 지셰홀 졔 몬져
발원ᄒ여 셰샹의 ᄂ와 인연을 도모ᄒ고 금슬의 마쟝을 지어닉미러라 틱위 황
연 딕오ᄒ여 피셕 빅ᄉ 왈 쇼싱이 진실노 어리고 아득ᄒ여 샹텬의 외오 넉이
시믈 잇고 ᄯ 존하의 죄를 어드미 만커늘 이러틋 셩덕으로쎠 딕졉ᄒ시니 불승
감은ᄒ여이다 아지 못게라 쇼싱(16)이 녕녀로 긔약흔 연분을 지셰의 셩젼ᄒ
여신즉 맛당이 유ᄌ싱녀ᄒ여 삼싱의 미진ᄒᄆ를 다ᄒ여 쾌락을 누릴 거시여늘
요미의 작얼ᄒᄆ로 연시의 ᄉ싱돈망을 아지 못ᄒ오니 연시 만일 ᄉ라시면 인
셰의 잇시려니와 쥭어신즉 잇던 곳의 도라왓ᄉ오리니 가히 흔 번 보믈 어드리
잇가 노군이 미쇼 왈 운화 그딕를 됴ᄎ 하계ᄒ미 그 거취를 닉 엇지 알니요
연이나 ᄎᄉ를 위ᄒ여 그딕를 쳥ᄒ엿노라 ᄒ고 즉시 좌우를 명ᄒ여 팔진셩찬
을 ᄂ와 권ᄒ며 슈즁으로 흔 낫 명쥬를 닉여 노ᄒ니 오ᄎ 샹광이 휘휘ᄒ고 황

황(17)호여 셔긔 바로 두우의 쎄칠 듯호니 변화의 옥이라도 밋지 못호고 위혜왕의 십이승의 빗최는 벽진쥬라도 이의셔 더호지 못홀지라 구슬 マ온디 은은흔 글지 잇셔 명쥬회합 네 지 삐엿더라 진군이 マ르쳐 왈 그디 이 구슬을 일즉 보미 잇더냐 싱이 눈을 드러 보고 문득 의의히 반가온 뜻이 잇셔 침음냥구의 믄득 씨드라 딕왈 이 진쥬는 싱이 엿놀 텬궁의 잇실 제 슈즁지물노 스랑호던 빈라 일즉 녕녀의게 보닉엿더니 녕네 반다시 바리고 가도쇼이다 진군이 쇼왈 그딕 가히 총명호도다 녀의 과연 비례지물이라 호여 바리고 굿거니와 이 본딕 텬졍(18)이니 엇지 실흐무로 면호리오 닉 맛당이 츠물노뻐 그딕와 녀ᄋ의 긋쳐진 인연을 다시 닛게 호리라 셜파의 손의 구슬을 쥐고 입김을 흔 번 보니 구슬이 믄득 둘히 나고 글뻑 씨여지거늘 노군이 일편을 マ져 수미의 쟝호고 일편을 싱을 쥬어 왈 그딕 오릭지 아냐 변방의 창딕를 베는 근심이 잇시리니 반다시 하늘이 이인을 ᄂ리와 도으실지라 젼공을 거두지 못홀가 근심은 업거니와 고인을 샹봉호미 조화의 희롱 マ온딕 아득호미 잇시리니 이 반쪽 진쥬 독히 긔봉 희스를 도으미 잇시리니 바리지 말고 신변의 간슈호면 여러 가지 유익(19)호미 만흐리라 싱이 흔연이 바다 낭듕의 넛코 스례 왈 존션이 쇼싱의 아득흔 거슬 볼히 가르치시니 지우호신 셩덕을 감스호나이다 연이나 완뎐흔 구슬을 둘히 ᄶ려 일편은 뉘게 젼호려 호시ᄂ니잇고 진군이 쇼왈 닉 스스로 쥬고즈 호는 사름이 잇ᄂ니 츠ᄉ는 아라 부졀업다 호고 밀치거늘 놀나 씨치니 침상일몽이요 방즁의 셔긔 황홀흔 곳의 낭즁의 명쥬 잇거늘 크게 신긔히 넉여 침샹의 노코 유의호여 슬피더니 희슉 등 졔이 잠결의 흔 줄 명광이 실즁의 뇨요호믈 보고 문왈 형장이 무슴 긔보를 가졋관딕 이런 광칙 잇ᄂ니잇가 싱이 쇼왈 너희 아라 무엇호(20)리오 이 구슬 츌취흔 말을 드르면 놀나 긔졀홀 거시니 밤즁의 어딕 가 쳥심환을 어드리오 그러무로 니르지 못호노라 호고 구슬을 거두어 쟝호려 호거늘 졔뎨 급히 ᄂ와 손을 좌우로 붓잡즙고 볼식 기즁 어린 ᄋ히 두 눈의 조으름이 몽농흔지라 눈을 빗뗏고 보니 이 불과 반쪽 구슬이로딕 긔해 암암호고 셔긔 등등흔지라 졔공지 일시의 칭찬 왈 앗갑다 이 구슬

을 어딕 가 어드시뇨 위국 십이승 빗최던 벽진쥬의 뉘로딕 그릇 나려져 파물
이 되여시니 가셕이로다 틱위 쇼왈 이 구슬은 텬샹텬하의 무빵지뵈라 우형이
마춤 길히셔 어덧거니와 (21)근본 반쪽이라 츌쳐야 엇지 알니요 졔공지 묵연
ᄒ되 희원 희픠 괴로이 뭇거놀 틱위 다만 길히셔 삿노라 ᄒ니 희슉이 쇼왈 이
ᄂ 아마도 신명이 니를 응ᄒ여 합호의 구슬을 완젼홀 빅 될가 ᄒᄂ이다 틱위
그 능활ᄒᆫ 의견을 황복ᄒ나 닐오딕 좀이나 주시 잡말ᄒ여 무엇ᄒ리오 ᄒ고 구
슬을 낭즁의 넛코 잠을 드니 졔공지 ᄯᅩ흔 주더니 이윽고 금계 악악ᄒ니 졔공
지 일시의 니러 쇼셰ᄒ고 돈당 부모긔 신셩ᄒ고 물너 샹부 셔헌의 니르니 군
죵 형뎨 셩녈ᄒ엿거놀 희슉 등 졔공지 닐오딕 졔형쟝이 녯글을 보아 벽진쥬
잇더란 말을 드르(22)시나잇가 샹셔 등이 쇼왈 벽진쥬ᄂ 젼국젹 보뵈라 물이
비록 긔특ᄒ나 츳물노 말미암아 졔휘 징젼ᄒ니 무어시 됴ᄒ리오 졔공지 쇼왈
삼형이 어딕 가 벽진쥬 ᄒᆫ ᄲᅥ을 어덧시니 텬하 긔뵈라 열위 형쟝은 귀경ᄒ쇼
셔 샹셔 등이 쳥파의 쇼왈 죵뎨 엇던 거슬 ᄀ졋관딕 희슉 등이 져리 츔을 흘니
ᄂ뇨 아모커나 우리도 귀경ᄒ미 엇더뇨 틱위 웃고 냥즁으로셔 반ᄲᅥ 진쥬를 ᄂᆡ
여 뵈거놀 돌녀가며 보니 황황흔 셔칙와 휘휘흔 보광이 ᄉ벽의 됴요ᄒ거놀 샹
셔 등이 크게 놀나고 괴이히 넉여 셔로 닐오딕 가셕다 이 엇지 파(23)물이 된
고 츌쳬 반ᄃ시 범연치 아니리니 어든 곡졀을 듯고ᄌ ᄒ노라 틱위 감히 숨기
지 못ᄒ여 작야 몽ᄉ를 고ᄒ고 굴오딕 몽시 ᄀ쟝 허망ᄒ오나 어든 빅 이상ᄒ
오니 깁히 간ᄉᄒ엿다가 무솜 징험이 잇ᄂ가 보려 ᄒᄂ이다 한님 희명이 쇼왈
현뎨 이번도 ᄯᅩ 아니 요믹의 희롱을 맛나 뉘 집 규쉬 비명원ᄉᄒ미 잇실가 ᄒ
노라 샹셔와 춍지 쇼왈 문뎨 젼일은 요믹의 간모의 버셔나지 못ᄒ엿거니와 이
번은 실시라 이 진쥐 비록 완젼치 못ᄒ나 셔칙 휘황ᄒ여 텬지의 뎡믹과 산쳔
의 녕긔를 거두엇시니 벽벽이 요ᄉ를 진압홀 거시요 타일의 반ᄃ(24)시 합쥬
의 경시 잇실가 ᄒ노라 틱위 슈명ᄒ고 이후ᄂ ᄀ쟝 삼가 명쥬의 직합ᄒᆯ믈 희
망ᄒ더라 이ᄯᅥ 졔왕 ᄉᄌ 희슉의 ᄌᄂ 문즁이니 좌부인 의빈균쥬 됴시의 ᄎᄌ
라 풍신지화 부풍모습ᄒ여 년긔 십오의 옥안영풍이 지셰 반악이요 문쟝필법이

고인의 지느고 식견이 원티ᄒ고 지혜 선능ᄒ더라 돈당 부뫼 ᄉ랑ᄒ여 일즉 조쇼져 옥계와 명혼 납빙ᄒ엿더니 국샹 삼년이 지느믹 퇵일ᄒ여 냥가의셔 혼구를 셩비ᄒ여 희슉 공지 옥안영풍의 허다 위의를 거느려 조쇼져를 빅냥우귀ᄒ니 조쇼져의 용식이 쵸셰ᄒ고 슉덕이 현츌(25)ᄒ니 돈당 부뫼 과이ᄒ고 희슉 공지 희열ᄒ여 부뷔 상경녜빈ᄒ여 금슬우지의 죵고낙지ᄒ더라 승샹의 빈실 ᄉ마영쥬의 일즈 희연의 즈는 ᄉ듕이니 연급십뉵의 옥모풍신과 직학이 츌뉴ᄒ되 기모의 쇼년 과악이 만셩의 훼즈ᄒ여 일즉 취쳐의 길이 막혓더니 승샹이 널니 구ᄒ여 쳐ᄉ 교운의 일녀와 명혼ᄒ여 희연 공지 교쇼져를 마즈오니 교쇼졔 식용이 졀눈ᄒ고 ᄉ덕이 온슌ᄒ니 승샹과 ᄉ무시 이즁ᄒ고 공지 ᄯ호 금슬화락ᄒ더라 졔왕의 오즈 희원의 즈는 희즁이니 의빈군쥬의 졔삼지라 옥안이 쇄락ᄒ고 졔(26)ᄉ즈 희몽의 즈는 선즁이니 이곳 동틱 ᄡᅡᆼ싱이라 풍뫼 한가지로 긔특ᄒ고 문장지혜 금시 무젹이라 년이 십이 셰의 어룬의 체되 니르러시니 졔왕이 널니 구ᄒ여 틱샹경 뉵보의 ᄡᅡᆼ녀와 명혼ᄒ니 이곳 뉵부인 직죵 질즈의 ᄡᅡᆼ녜라 졔왕이 의모의 친쳑이 고고ᄒᆯ믈 한심ᄒ더니 뉵공으로 더브러 명혼홀시 뉵부 셰계를 느리 이르믹 비로쇼 뉵부인 친쳑이 분명ᄒᆫ지라 왕이 더옥 힝희ᄒ여 납빙ᄒ고 퇵일ᄒ여 길일의 냥가의 티연을 비셜ᄒ고 빈긱이 티회ᄒ믹 희원 희몽 냥 공지 ᄡᅡᆼ으로 옥안영풍의 (27)허다 위의를 거느려 뉵부의 니르러 냥 신부를 빅냥우귀ᄒ여 도라오니 돈당 구괴 냥 신부의 묘튤을 밧고 졔긱으로 더브러 쳠망ᄒ니 일ᄡᅡᆼ 부용이 셩기ᄒᆫ 듯 어엿부고 진퇵 녜졀이 규구의 어긔미 업ᄂᆞᆫ지라 돈당 구괴 환열ᄒ고 모든 빈긱의 하셩이 여류ᄒ니 졔왕이 희긔 만면ᄒᆫ 즁 뉵부인이 연셕을 당ᄒ여 미쥬셩찬을 표복도록 진음ᄒ고 광잡ᄒᆫ 긱셜은 본품이라 냥 신부를 ᄒᆫ 번 보믹 웃ᄂᆞᆫ 닙을 쥬리지 못ᄒ고 두 숀으로 냥 신부를 ᄀ로 잡고 왈 너의 등이 ᄂᆡ의 뇩친이로되 일즉 보지 못ᄒ엿더니 금일 텬힝(28)으로 모다 샹면ᄒ니 엇지 깃브지 아니ᄒ리오 ᄒ고 좌우 고면ᄒ며 말을 긋지 아니나 오히려 졔왕을 ᄭᅥ려 참ᄂᆞᆫ 거동이 일필난긔라 ᄯᅩᄒᆫ 장관이러라 일모 긱산ᄒ믹 신부 슉쇼를 각각 졍ᄒ여 보니니 냥 신낭이 혼졍을 맛고 각각 신방

의 니르미 텬졍가연이라 금슬지낙이 흡연ᄒᆞ더라 니튼날 니러 뺭으로 돈당의
문안ᄒᆞ니 남풍녀뫼 ᄀᆞ즉ᄒᆞ지라 시로이 ᄉᆞ랑ᄒᆞ더라 어시의 만승텬지 결식명빅
ᄒᆞᄉ 교지ᄅᆞᆯ ᄂᆞ리ᄉ 희셩의 쳐 구시와 희문의 쳐 고시ᄅᆞᆯ 복합ᄒᆞ시ᄂᆞᆫ ᄉᆞ명이
ᄂᆞ리이 일기 경환ᄒᆞ나 이ᄰᅥ 구릐공이 졍위의 모(29)함을 닙어 이쥬의 폄젹ᄒᆞ
미 진왕 등이 ᄉᆞ직ᄒᆞ고 부군을 ᄯᅡ라 만니 절희의 도라ᄀᆞᆺ고 약간 친쳑이 경ᄉ
의 잇고 구부ᄂᆞᆫ 노복이 직희엿시니 뎐후 ᄌᆞ셔ᄒᆞᆫ ᄉᆞ연은 구릐공졍츙직졀긔의
긔록ᄒᆞ엿시미 ᄎᆞ젼의ᄂᆞᆫ 명쥬옥연긔합ᄒᆞᄂᆞᆫ ᄉᆞ연만 긔록ᄒᆞ무로 다른 말은 다 ᄱᅢ
히다 졔왕이 틴우의 힝ᄉᆞᄅᆞᆯ 졀통ᄒᆞ여 고쇼져ᄅᆞᆯ 다려올 ᄯᅳᆺ이 업ᄉᆞ니 진공 부뷔
왕의 고집을 칙ᄒᆞ고 식부 다려오믈 지쵹ᄒᆞ니 왕이 슈명ᄒᆞ고 쥬왈 ᄎᆞᄉᆞᄂᆞᆫ 봉승
존교 ᄒᆞ오려니와 연쇼부의 싱ᄉᆞᄅᆞᆯ 미분ᄒᆞᆸ고 몬져 고시ᄅᆞᆯ 솔귀ᄒᆞᆫ즉 연공이
비록 말을 아니나 쇼ᄌᆞ의 ᄉ(30)리 모름과 문ᄋᆞ의 무신ᄒᆞᄆᆞᆯ 엇지 유감치 아니
리잇고 믜ᄉᆞᄅᆞᆯ 신즁이 ᄒᆞ여 잠간 일월을 지지ᄒᆞ여 구쇼부의 환경지속을 등듸
ᄒᆞ미니이다 공이 졈두 왈 여언이 션ᄒᆞ거니와 믜시 ᄯᅩ 경권이 업ᄉᆞ리오 졍언간
의 가인이 연샹셔와 고졀도의 도문ᄒᆞ여시믈 고ᄒᆞ니 왕의 곤계 ᄒᆞᆫ가지로 츌외
ᄒᆞ여 냥공을 마ᄌᆞ 녜필좌졍ᄒᆞ고 몬져 연즁 셜화ᄅᆞᆯ 베퍼 셩명 쳐치 불으시믈
일ᄏᆞᆺ고 한담의 밋쳐ᄂᆞᆫ 연샹셰 츄연 희허 왈 셩챠 홍은이 망극ᄒᆞ샤 싱ᄉᆞ 육뉼
의 밋ᄎᆞ시나 ᄉᆞᄌᆞᄂᆞᆫ 니의라 약녀의 신뉴와 ᄀᆞᆺ흔 (31)긔질노 무인 심야의 독슈
ᄅᆞᆯ 만나ᄉᆞ니 엇지 슬기ᄅᆞᆯ 바라리오 져ᄅᆞᆯ 일턴 날 발셔 ᄉᆞ싱을 판단ᄒᆞ여시되
오히려 목젼의 죽으믈 보미 업ᄉᆞ니 혹자 텬힝을 바라더니 이졔 보건듸 살미
무가닉히라 더옥 통셕ᄒᆞᄂᆞᆫ 바ᄂᆞᆫ 구고와 가뷔 잇고 친당이 가ᄌᆞᆺ시되 죽으미 아
지 못ᄒᆞ고 유쳬ᄅᆞᆯ 거두어 궁진의 장치 못ᄒᆞ이 이 마듸ᄅᆞᆯ 싱각ᄒᆞ듸 복의 마음
이 셕목이 아니라 엇지 슬푸지 아니리오 만일 젼친을 뫼실 ᄒᆞᆫ낫 동긔 잇시면
스스로 쥬류ᄉᆞ희ᄒᆞ여 싱ᄉᆞ간 쇼식을 ᄌᆞ시 알고져 ᄒᆞ나 봉노 시하의 그림지 외
로오니 능히 일신을 ᄌᆞ유치 못ᄒᆞ미 더옥 (32)골돌 참비ᄒᆞᄆᆞᆯ 니긔지 못ᄒᆞᆯ소이
다 언파의 츌쳬 쳠표ᄒᆞ니 졔공이 참연 변식ᄒᆞ고 왕이 츄연 탄왈 명공의 말슴
을 드르니 인심이 엇지 이셕지 아니리오 불쵸 돈익 박복ᄒᆞ여 평지의 풍파ᄅᆞᆯ

일우혀 현부의 ᄉ싱을 졍치 못ᄒ니 인졍이 참졀ᄒ거니와 그으기 혜으리면 으
뷔 본ᄃᆡ 심덕이 졀인ᄒ여 범뉴와 다른 곳이 만코 셩되 강녈ᄒ여 녈ᄉ의 풍치
잇스무로 조물의 니극지ᄉ와 텬도의 흑영지니를 면치 못ᄒ여 쇼쟝의 환이 거
의 샹신ᄒ기의 미쳣시나 말고 조흐되 풍염흔 긔품이 잇고 약흔 (33)ᄀ온ᄃᆡ 탈
속흔 풍격이 당당ᄒ던 거시니 비록 홍안지희로 비로셔 일시 참익이 비샹ᄒ나
결연이 구슬이 챵ᄒᆡ의 잠기지 아니며 ᄭᅩᆺ치 진토의 ᄡᅥ러지지 아니리니 엇지 요
황흔 무리의 요란흔 말을 고지 드러 ᄉ싱을 념녀ᄒ리오 ᄌ고로 셩이 환난의
맛ᄎ시다 ᄒ믈 듯지 못ᄒ여시니 오부ᄂᆞᆫ 녀즁셩인이요 작즁봉황이라 명공이 비
록 ᄂᆞ하시나 알기ᄂᆞᆫ 이 싀아비긔 밋지 못ᄒ리니 쳥컨ᄃᆡ 명공은 ᄂᆞ의 광망ᄒ믈
웃지 말나 다만 궁달이 유슈ᄒ고 니합이 유시ᄒ믈 싱각ᄒ쇼셔 니어 졔공이 관
위ᄒ니 샹셰 쳑연 왈 졔(34)형의 말ᄉᆞᆷ이 화려ᄒ시고 운빈의 화담이 가히 드럼
즉ᄒ거니와 사ᄅᆞᆷ이 흔 번 쥭으ᄆᆡ ᄉ지 못ᄒᆞᆷ믄 텬니샹싴라 비록 남ᄌᆞ라도 무인
심야의 변을 맛난즉 보젼치 못ᄒ려든 허믈며 심규 으녀리잇가 고졀되 ᄯᅩ흔 위
로ᄒ여 ᄀᆞ오ᄃᆡ 명공은 열위 뎨형의 의논을 됴ᄎᆞ쇼셔 화복이 문이 업고 슈달이
지텬인 즉 근심ᄒ여 ᄡᆞᆯᄃᆡ업ᄂᆞ니 타일을 기다리고 샹심치 마르쇼셔 복이 ᄯᅩ흔
불쵸흔 녀식으로ᄡᅥ 외람이 문즁의 농호 ᄀᆞᆺ흔 긔샹을 의탁ᄒᆞᄆᆡ 신명이 질오ᄒ
ᄉ 일쟝풍파의 원앙이 샹니ᄒ여 지쳑의 은(35)하쉬 ᄀᆞ려시나 힝혀 친옹이 관
인명달ᄒ여 쇼녀를 깁히 지심ᄒᆞᄆᆡ 계시니 만싱은 실노 부지어텬ᄒ여 다만 텬
니의 슌환홀 ᄶᅥ만 기다리고 파렴만ᄉ ᄒᆞᄂᆞ이다 졔공이 칭션ᄒ여 고졀도의 통
달관인ᄒᆞ믈 일ᄏᆞ라 연샹셔를 위로ᄒ며 쥬찬을 올녀 빈쥬 통음ᄒ니 연샹셰 강
잉 화답ᄒ나 즐기지 아니ᄒ더라 졔왕이 쥬비 간의 고졀도를 향ᄒ여 식부를 슈
이 권실홀 ᄯᅳᆺ을 니르니 졀되 미쇼 왈 만싱이 비록 ᄯᆞᆯ을 ᄂᆞ하시ᄂᆞ 임의 존문의
쇽현흔 후ᄂᆞᆫ ᄉ싱화복이 ᄃᆡ왕 부ᄌᆞ긔 잇스니 바리며 거두믈 임의로 ᄒ실지라
엇지 싀로이 니(36)르시ᄂᆞᆫ뇨 왕이 칭ᄉ ᄒ고 둉일 담화ᄒ여 셕양의 빈쥬 취ᄒ
고 훗터지니라 명일의 됴당 샹히 모다 담쇼ᄒ며 일변 가동을 산동의 보ᄂᆡ여
희영 공ᄌᆞ로 ᄒ여곰 구쇼져를 보호ᄒ여 오게 ᄒ고 우슉희 ᄎᆞᄌᆞ 희양으로 거마

를 ᄀᆞᆺ쵸와 고쇼져를 다려오니 고쇼졔 니르러 됸당 구고 슉당 문안ᄒᆞ고 쳥죄ᄒᆞᆫ ᄃᆡ 진공이 평신ᄒᆞ믈 니르고 교혜 등 졔쇼졔 반기ᄂᆞᆫ 우음이 ᄀᆞ득ᄒᆞ니 쇼졔 됸명을 니어 좌의 나ᄋᆞ가ᄆᆡ 됸당 구괴 ᄉᆡ로이 무ᄋᆡᄒᆞ고 고쇼져 침당을 곳쳐 쳥휘각이라 ᄒᆞ다 졔담이 이윽ᄒᆞᄆᆡ 황혼니 되니 졔인이 각각 혼졍을 맛고 물러날 (37)ᄉᆡ 고쇼졔 유랑 시녀를 더브러 침쇼의 니르니 슈호난창의 쥬렴이 졍졔ᄒᆞ고 버린 거시 의구ᄒᆞ나 옥거울과 구슬경ᄃᆡ 우ᄒᆡ 틧글이 ᄌᆞ옥ᄒᆞ엿시니 쇼졔 물ᄉᆡᆨ을 감오ᄒᆞ여 츄연이 셔안을 의지ᄒᆞ엿더니 믁득 ᄋᆞ쇼져 교혜 등졔 니르러 웃고 왈 져졔 쳥휘각 즁의 님ᄌᆡ 되션 지 오ᄅᆡ지 아냐 무단ᄒᆞᆫ 츌화를 맛나 친당의 도라가시니 쇼ᄆᆡ 등이 져져의 덕셩을 닛지 못ᄒᆞ더니 이졔 도라오시니 ᄎᆞ후란 됴셕샹ᄃᆡ ᄒᆞᄉᆞ이다 고쇼졔 흔연이 마ᄌᆞ 좌졍ᄒᆞ고 쇼왈 쇼졔 쳡의 용우ᄒᆞ믈 ᄂᆞ모라지 아니시고 여ᄎᆞ 권ᄋᆡᄒᆞ시니 엇지 쇼져 등의 인의를 뎌바리오리잇가 졔쇼졔 (38)답ᄒᆞ고 한담ᄒᆞᆯᄉᆡ 이늘은 ᄐᆡ위 니르지 아닐 쥴 알ᄆᆡ 고쇼졔 시졀 과품을 ᄂᆡ여 모다 진음ᄒᆞ고 야심ᄒᆞᆫ 후 동슉ᄒᆞ니라 ᄐᆡ위 고쇼져의 왓시믈 아나 ᄌᆞ긔 젼일 광긔를 슈괴ᄒᆞ여 ᄉᆞ실을 ᄎᆞᆺ지 아니ᄒᆞ고 셔당의 슉침ᄒᆞ니 희명 등이 쇼왈 쳥휘각 즁의 은하슈를 ᄌᆞ음ᄒᆞ여 오쟉교를 노핫거ᄂᆞᆯ 형쟝이 엇지 쳔숀의 ᄌᆞ최를 ᄎᆞᆺ지 아니시고 독셔당 공관의 한침독슉을 ᄡᅳ로시ᄂᆞ니잇고 ᄐᆡ위 쇼왈 너희 엇지 날을 희롱ᄒᆞᄂᆞ뇨 견우ᄂᆞᆫ 동녁히 일홈난 션낭이오 직녀ᄂᆞᆫ 텬졔의 옥엽금지라 엇지 진셰의 미쳔ᄒᆞᆫ 아동의게 비기리오 연니나 직녀ᄂᆞᆫ 텬(39)숀이로ᄃᆡ 쟝부의 은춍을 ᄉᆞ모ᄒᆞᄆᆡ 견우로 더브러 칠셕 가회를 도모ᄒᆞ엿거니와 이졔 고시ᄂᆞᆫ 셰쇽 비린의 ᄒᆞᆫ 무부의 ᄯᆞᆯ이로ᄃᆡ ᄯᅳᆺ 놉흐미 ᄐᆡ악 ᄀᆞᆺᄒᆞ니 엇지 날 ᄀᆞᆺ흔 광부를 다시 보고ᄌᆞ ᄒᆞ리오 이러무로 우형이 ᄯᅩᄒᆞᆫ 승긔ᄌᆞ를 보고ᄌᆞ 아닛노라 샹셰 졍ᄉᆡᆨ 왈 고슈ᄂᆞᆫ 당셰 셩염이라 현데 광망이 말ᄒᆞᄂᆞᆫ도다 춍ᄌᆡ 니어 칙왈 현데 잘ᄒᆞᆫ 냥ᄒᆞ여 말을 ᄂᆞᄂᆞᆫ ᄃᆡ로 ᄒᆞᄂᆞᆫ다 신인을 안즌 돗기 덥지 아냐 무단ᄒᆞᆫ 즐언과 쟉난이 광ᄌᆞ의 거동을 다ᄒᆞ고 무어시 부됵ᄒᆞ여 실셩ᄒᆞᆫ 말을 ᄂᆡ나냐 ᄐᆡ위 슈괴ᄒᆞ여 피셕 ᄉᆞ죄ᄒᆞ니 졔공ᄌᆡ 셔로 도라보아 미미 함쇼ᄒᆞ더라 (40)이늘 ᄐᆡ위 셔당의셔 밤을 지ᄂᆡ고 명됴의 명광뎐의 드러가니 고쇼졔 졍히 삼쇼고로 더브러 병익ᄒᆞ여 드러와 퇴우의 닛ᄉᆞ믈 보고 천연이 거름을 두루혀 네ᄒᆞ니 퇴위 날호여 답읍ᄒᆞ고 좌의 나ᅀᆞ가 투목규시ᄒᆞ니 쇼제 봉관을 정히 ᄒᆞ고 옥픠를 울녀 제ᄉᆞ쇼고로 향녈을 일워시니 윤퇵샹활ᄒᆞᆫ 긔질이 천연슈려ᄒᆞ여 녈쟝부의 풍ᄎᆡ 잇ᄉᆞ니 바라보ᄆᆡ 숑년ᄒᆞᆫ지라 ᄉᆞ일 ᄲᅡᆼ광이 두 번 거듭 ᄡᅥ 보믈 ᄭᅵ닷지 못ᄒᆞ더니 고쇼제 우연이 츄파를 드다가 피ᄎᆞ 마됴쳐 보믈 면치 못ᄒᆞ니 쇼제 심하의 셜만ᄒᆞ믈 미흡ᄒᆞ여 셩안을 ᄂᆞᆺ쵸고 (41)머리를 숙여 정식 슈렴ᄒᆞ여 믄득 냥미 츈산의 하일이 가외홈 ᄀᆞᆺᄒᆞ니 퇴위 져의 셜만이 넉이믈 보고 역시 관을 숙이고 안ᄉᆡᆨ이 엄졍ᄒᆞ니 좌즁이 다 무심ᄒᆞ되 교혜 눈츼를 알고 그윽이 웃더라 니러구러 여러 날이 지나 일삭이 거의로ᄃᆡ 퇴우의 동덕이 쳥휘각의 님치 아니ᄒᆞ니 돈당 샹히 모로지 아니ᄒᆞ되 짐즛 모로는 체ᄒᆞ더라 ᄎᆞ셜 구쇼제 산동 고퇵의 깁히 쳐ᄒᆞ여 비록 구고와 보모를 ᄉᆞ렴ᄒᆞ나 몸은 평안ᄒᆞ미 반셕 ᄀᆞᆺ더니 일일은 희영 공지 만면 희우로 ᄲᆡ니 드러와 봉셔를 올니고 희긔 만면 ᄒᆞ거늘 쇼제 급히 보니 이 (42)믄득 구고의 글월이요 ᄉᆞ명이 ᄂᆞ리ᄉᆞ 즁ᄉᆡ 니ᄅᆞ럿는지라 부인이 다만 텬은을 일ᄏᆞᆺ고 누명 신셜ᄒᆞ믈 뭇지 아니ᄒᆞ니 유뫼 답답이 녀겨 연고를 무른ᄃᆡ 희영이 가인의 말노됴ᄎᆞ 셜ᄆᆡ 요녀의 허다 쟉변과 악ᄉᆞ 발각ᄒᆞᆫ 쇼유를 젼ᄒᆞ고 부인의 힝거를 직쵹ᄒᆞ니 부인이 즁당의 ᄂᆞ와 향안을 빅셜ᄒᆞ고 북향ᄉᆞ빅 후의 공경ᄒᆞ여 됴셔를 ᄡᅥ히니 셩의 은우를 ᄀᆞ득히 배푸ᄉᆞ 위로ᄒᆞ시믈 가인지친녀로 ᄒᆞ시고 구시의 셩덕을 표쟝ᄒᆞᄉᆞ 만고 음녀 노쥬의 간악으로 무단ᄒᆞᆫ 젹힝을 위무 ᄎᆞ탄ᄒᆞ시고 간당을 ᄉᆞ획ᄒᆞ미 슈악을 밋(43)쳐 잡지 못ᄒᆞ나 협종을 몬져 잡ᄋᆞ 복쵸를 바드ᄆᆡ 무죄ᄒᆞᆫ 사름이 신원ᄒᆞ미 되니 이제 봉ᄒᆞ여 니부춍ᄌᆡ 희셩의 원비 구시긔 ᄂᆞ리노라 ᄒᆞ여 계시더라 구시 간파의 황감텬은ᄒᆞ여 망궐ᄉᆞ은ᄒᆞ고 츠환을 분부ᄒᆞ여 쥬육진찬으로 황ᄉᆞ와 퇴슈를 관ᄃᆡᄒᆞ고 인ᄒᆞ여 치힝ᄒᆞ여 금옥치교의 들ᄆᆡ 허다 츄동이 보호ᄒᆞ고 홍파 등 졔녜 각각 교ᄌᆞ를 타 뒤흘 ᄯᆞ르고 희영 공지 쥰춍을 치쳐 뒤히 완완이 ᄯᆞ르니 원ᄂᆡ 구시의 무ᄉᆞᄒᆞ믈 졔왕이 텬뎡의 쥬달ᄒᆞᆷ으로 ᄉᆞ명이 즉시 ᄂᆞ리미라 퇴쉬 비로쇼 희영 공ᄌᆞ를 만나 왕ᄉᆞ를 무러 알고 바야흐(44)로 션견지명을 탄복ᄒ여 지경을 ᄂ와 작별ᄒ고 산동 고틱 남녀 노복은 빅닉가지 ᄂ와 비별ᄒ더라 구쇼져 일힝이 무ᄉ이 슌여의 경ᄉ의 니르러 션문이 졔왕궁 즁의 미츠미 궁즁 샹히 불승환열ᄒ여 왕이 틱우 등을 명ᄒ여 교외의 나아가 구부인을 마즈 바로 샹부의 도라오니 가즁 샹히 모다 일졔히 볼신 치교의 ᄂ려 즁계의 다ᄃ라 복지쳥죄ᄒ거늘 진공과 부인이 좌우로 명ᄒ여 셜니 승당ᄒ믈 직쵹ᄒ여 올니미 구쇼졔 즁좌의 녜를 다ᄒ고 면면이 문후ᄒ미 진공 부뷔 불승연이ᄒ여 (45)집슈 무이 왈 쇼부는 당셰 슉완이라 홍안이 너모 졀미ᄒ무로 간인의 싀이를 닙어시나 왕ᄉ는 니의라 다시 닐너 무엇ᄒ리오 더옥 통셕ᄒᄂ 바는 녕돈당 녀국공의 직졀 츙의는 가히 금셕의 박ᄋ 후셰의 젼ᄒ 거시여늘 시운이 불니ᄒ여 만니의 관계ᄒ시니 식ᄌ의 긔탄홀 비라 오부의 지효로 상회지심이 오죽ᄒ리오마는 ᄎ역명이라 ᄋ부는 과상치 말나 구쇼졔 아미를 슉여 공경ᄒ여 드를 ᄯᆞᆫ이러라 졔담이 슉진ᄒ미 왕이 명쇼져로 ᄒ여곰 구쇼져와 녜를 베풀나 ᄒ니 명쇼졔 안셔히 니러 구쇼져 뎌 ᄋ릭 나(46)ᄋ가 ᄉ빅ᄒ니 구부인이 연망이 답읍홀 ᄲᅮ이라 명쇼졔 구부인의 식덕광휘를 우러러 일안의 항복ᄒ고 구부인이 ᄯᅩ흔 졍쇼져의 상활흔 긔상을 이경ᄒ더라 진공이 인ᄒ여 구부인 싱ᄌ 문환 긔환을 불너 모ᄌ 보게 ᄒ니 문환은 오 셰요 긔환은 숨 셰라 문환 긔환이 구쇼져 슬하의 졀ᄒ고 우러러 반기는 눈물이 여우ᄒ니 돈당 샹히 이 문득 상봉ᄒᄂ 경ᄉ로딕 쇼ᄋ 등의 눈물 ᄂ리오믈 보고 모다 탄식 뉴톄ᄒ더라 날이 져물미 졔왕 부뷔 ᄌ부 졔손을 거ᄂ려 궁의 도라오니 구부인이 금쟝쇼고로 더(47)브러 구고를 뫼셔 명광뎐의 시립ᄒ엿더니 셕양의 춍직 됴당의셔 도라와 몬져 샹부의 ᄂᄋ가 왕부모긔 뵈옵고 궁의 니르니 틱우 등 형뎨 즁현의 ᄂ와 마즈 쇼왈 현슈 도라오시니 가즁의 이만 경ᄉ 업ᄂ지라 쇼졔 등이 이졔야 뵈옵고 ᄂ왓ᄂ이다 춍직 미쇼 왈 나ᄀᆺ던 사람이 모드면 예ᄉ라 그만 일이 무슨 경ᄉ리오 칠공ᄌ 희긔 쇼왈 문왕 ᄀᆺ흔 셩인도 슉녀를 구ᄒ시미 오미구지ᄒ시고 젼젼 반측ᄒ시니 구연슈는 당금 슉인셩ᄉ시니 형쟝의 ᄌ복ᄒ시는 마음인죽 독히 문왕의 사시 구ᄒ시는 셩심과 다르미 업ᄉ려든 이러(48)틋 닉외를 달니 ᄒ사 쇼제 등을 어둡게 ᄒ시ᄂ도다 춍지 미쇼 왈 현데 감히 댱형을 괴롱ᄒᄂ냐 늬 언제 그리 규리의 니별을 못 니져 ᄒ더냐 공지 굴오듸 형쟝은 미ᄉ의 참되고 어지러 이락을 발치 아니시니 본 일은 업ᄉ오니 요ᄉ이 삼형의 ᄒ시ᄂ 형샹을 보아ᄒ니 형쟝 마음도 져러ᄒ실노라 혜어 싱각ᄒ미러니 늬도히 쎄치시니 홀 말이 업ᄂ이다 춍지 미급답의 틱위 션ᄌ로 공ᄌ의 머리를 쳐 왈 이 ᄋ히 가쟝 영민ᄒ 체ᄒᄂ도다 늬 언졔 너 보ᄂ 듸 무ᄉ 흉이 잇더냐 공지 쇼왈 어린 ᄋ 히라 ᄒ고 위엄(49)으로 단쇽지 마르쇼셔 쇼졔 본듸 잠이 업고 귀 불으며 눈이 어둡지 아니ᄒ거든 형쟝의 눈최를 모로리잇가 ᄌᄂ 드시 구엇셔도 눈최를 다 보앗ᄂ이다 틱위 닐오듸 우형이 젼과를 튜회ᄒ 후ᄂ 녀관이 쑴 ᄀ치ᄒ여 고시 도라온 몃 날의 구구히 츠자 권연ᄒ미 업ᄉ니 쟝부의 ᄒ힝시 광풍폐월 ᄀ거늘 네 감히 우형을 하ᄌᄒᄂ다 공지 영민ᄒ나 틱우의 뉴슈 ᄀ흔 말의 능히 듸치 못ᄒ니 틱위 심하의 우이 넉여 옥안의 미미ᄒ 우음 씌여 말을 아니ᄒ니 춍지 졔졔의 광슈를 잇그러 ᄒ가지로 드러가ᄌ ᄒ니 한님이 듸(50)왈 쇼졔 등은 님의 혼졍ᄒ여시니 셔지의 모다 졔졔 등으로 훈학고ᄌ ᄒᄂ니 형쟝만 드러가쇼셔 춍지 강권치 아니코 홀노 졍젼의 드러가니 부뫼 병좌ᄒ시고 계슈 졔미와 구시 졍시 등이 시립ᄒ엿거늘 안셔히 ᄂᄋ가 부왕 모비긔 반일 돈후를 뭇ᄌ고 부인으로 녜필 좌졍ᄒ니 이 본듸 졍즁ᄒ 부부로 구별지여의 반기미 범연ᄒ리오마ᄂ 좌우 관쳠이 져 부부의 신샹의 빗최여시듸 군ᄌ의 슉연ᄒ 위의와 슉녀의 졍졍ᄒ 틱듸 빅벽이 틔 업고 슉졍이 말은 듯ᄒ니 부인 녀ᄌ의 슈치ᄒᄂ 마음과 겸숀 도리 (51)녀도의 당연ᄒ거니와 군ᄌ의 녜를 잡으며 힝을 슈련ᄒ문 당시의 현춍ᄌ 일인이라 봉안이 시슬ᄒ여 시쳠이 씌 우히 오르지 아니ᄒ니 두용직ᄒ며 목용졍ᄒ며 슈용공ᄒ여 온즁ᄒ 긔샹과 단엄ᄒ 골격이 죠표 양양ᄒ여 틱우의 호호ᄒ 긔운과 건곤의 슈이ᄒ 졍믹을 거두어 승당입실의 도학진유로 공안의 바른 줄믹이 츠인의 신샹의 완젼ᄒ니 좌우 견시ᄌ 경양ᄒ고 부뫼 ᄌ부의 샹젹ᄒ믈 두굿기고 어엿비 넉여 미우 츈풍이 환열ᄒ더니 왕이 ᄌ부를 명ᄒ여 왈 너ᄂ 범연ᄒ 부뷔 아니라 아시 밍약으로 (52)조강결발이여늘 시운이 긔구ᄒ여 냥익이 퇴심ᄒ여 쇼쟝지환이 니러나 아부의 옥골방신이 위화를 경녁ᄒ고 샹별 슈슘 지의 단원 즁봉ᄒ니 오가의 경환이 젹지 아닌지라 추후는 마ᄉᆡ 업시 화락홀 거시요 뎡쇼뷔 쏘흔 명문 슉녀로 여영의 풍치 잇스니 냥뷔 각각 젹인 두 ᄌ를 싱극지 말고 기리 화우ᄒ여 황영의 미ᄉ를 본바들지어다 튱지 부부 삼 인이 슈명ᄇᆡᄉᄒ고 ᄇ야흐로 퇴실홀ᄉᆡ 뎡쇼져는 ᄉ실노 도라가고 튱지와 구부인은 응휘각의 니르니 난향보촉을 불히고 시녀 복쳡이 당(53)즁을 슈리ᄒ여 부인을 마즈니 빗쳑 치루의 향연이 안기 ᄀᆞᆺ고 그림 쳠하의 경요렴을 반권ᄒ여 산호구의 걸녀시니 슈호난창의 금슈병을 두루고 부용쟝을 지워시니 믈식이 번화ᄒ미 젼일노 다르미 업스니 냥인이 입실좌졍ᄒᄆᆡ 긔화 옥슈 ᄀᆞᆺ흔 냥지 치슈를 니어 드러와 슬하의 안즈니 튱지 옥안셩모의 혜풍이 화란ᄒ여 냥ᄋᆞ를 닛그러 무릅 아릭 좌를 쥬고 눈을 드러보니 부인의 옥안화팅 찬난흔 즁 냥ᄋᆞ의 교미ᄒᄆᆞᆯ 두굿겨 향긔로온 우음이 어릭여시니 튱지 화이 웃고 부인의 (54)옥슈를 잡ᄋᆞ 왈 우리 부뷔 이합이 뉴시ᄒᄆᆞᆫ 아랏거니와 부인이 화란 ᄀᆞ온 ᄃᆡ 명실보신ᄒ여 이졔 셔로 맛ᄂᄆᆡ 깃브지 아니리오마는 한ᄒ오믄 그 ᄉ이 인ᄉᆡ 윤회ᄒ여 녕돈당 닉국공 딕인이 쇼인의 참힉를 맛ᄂᆞᄉ 졀역 풍상의 맛춤ᄂᆡ 몸을 맛츠리니 졍츙지졀은 임의 샹텬이 감동ᄒᄉᆞ 고쥬이 싱화ᄒᄂᆞ 이싱 잇스니 쏫다온 영명이 ᄒᆞᆫ ᄀᆞᆺ 텬하의 들닐 ᄲᅮᆫ 아니라 가히 만ᄃᆡ의 뉴젼ᄒ려니와 현인 군지 명뒤 건우ᄒ시니 엇지 추홉지 아니리잇가 악쟝과 졔공이 다 산능의 슈샹ᄒᄉᆞ 경퇵과 진궁이 (55)황연흔지라 부인이 환귀ᄒ나 부모를 뫼셔 고홀 곳이 업스니 결홀지회를 뭇지 아냐 알니로다 부인이 쳥미파의 ᄉ월 아황의 슈운이 함집ᄒ고 츄파의 물결이 요동ᄒᄆᆞᆯ ᄭᆡ듯지 못ᄒ여 함쳑 딕왈 쳡신의 지난 화익은 싱각이 밋ᄎᆞᆫ즉 경심ᄒ니 추유긔왕이요 쳡이 쥭지 아냐시니 현마 엇지 ᄒ리잇가 우리 왕부의 츙의딕졀노ᄡ 그릇 악인의 희를 만ᄂᆞᄉ 만니 익각의 폄젹ᄒᄉᆞ 다시 죵젹이 연곡을 드딕지 못ᄒ시고 일졈 츙혼이 유유ᄒᄉᆞ 쳔딕의 함원 합연ᄒ시니 부모 슉당의 궁텬ᄒ 텬지통을 보옵는 듯흔지라 쳡의 통(56)박 비원ᄒᄆᆞᆯ 무러 아르실 빅 아니로쇼이다 셜파의 옥뉘 샹연ᄒ니 튱지 부인의 졍니룰 츄셕ᄒ고 녀공의 졍츙직졀을 역시 츄샹ᄒ여 늇빗츨 고치고 위로 왈 츄역 명운이오 존부 가운이 불니ᄒ미라 녀공 디인이 학발지년의 참누룰 시러 졀역 만니의 명을 바리시나 당당ᄒ 졍츙직졀은 인인의 쇼공지요 황샹이 ᄯᅩᄒ ᄭᅵ다르미 계슈 젼일을 깁히 츄회ᄒ시ᄂ니 삼샹이 지난 후면 반ᄃ시 악장과 졔공을 징쇼ᄒ시리니 이별이 비록 지리ᄒ나 빅구지 과극이라 언마ᄒ여 부ᄌ 모뎨 단원ᄒ리잇가 슈연이나 우리 부뷔 격(57)셰 분듀의 싱은 일신이 무양ᄒ거니와 부인은 위화참난의 하마 방신이 보젼치 못ᄒᆯ 번 ᄒ니 가히 니른바 ᄌ즁ᄌ졍이라 식로이 신신치 아닌 비ᄉ고어룰 일ᄏ라 즐거온 시졀의 화긔룰 숀ᄒ리오 부인이 졍금 디왈 군ᄌ의 말슴이 여ᄎᄒ시나 쳡이 부모의 구로지은과 조부모의 온양디혜룰 밧ᄌ오미 일쳬니 구원의 츄모지심과 만니의 영모지회 다르미 잇스리잇고 챵지 지삼 위로ᄒ고 냥이 부모의 병좌ᄒ여 가ᄎᄒᆯ믈 어드니 아쇼지심의 즐거오믈 니긔지 못ᄒ거눌 모친의 비식을 보미 냥이 아연 민망ᄒ고 문ᄋᄂᆫ 져두묵연ᄒ고 긔ᄋᄂᆫ 별ᄀᆺ ᄒᆫ 냥목으로 ᄌ안을 우러(58)러 옥져 ᄀᆺᄒᆫ 숀으로 쟝박을 드러 모친 누흔을 ᄲᅵ스며 즐겨 아냐ᄒ더라 뎌동궁 지밀 셔샹궁 유슌 글시

명쥬옥연긔합녹 권지이십이

(1) 명쥬옥연긔합녹 권지이십이

차셜 시시의 냥이 즐겨 아냐 낭낭ᄒ 쇼음으로 일오디 쇼지 싱셰 삼 셰의 죤안을 아지 못ᄒ다가 비로쇼 죤안을 봉시ᄒ오니 깃브고 즐거오미 싱셰 후 쳐음이로쇼이다 모친은 하고로 샹회ᄒ시ᄂ니잇고 언파의 졀묘ᄒᆫ 용광과 긔이ᄒᆫ 말쇼리 신신요요ᄒ여 구쇼의 어린 봉이 부르지지져 우는 듯 졀츌긔려ᄒ여 찬찬화미와 편편냥빈이 ᄀᆺ쵸 긔려ᄒ미 그림으로 모스키 어렵고 입으로 형언치 못ᄒᆯ지라 이 진짓 텬뵈며 긔뵈요 인호ᄋ 지호ᄋ 물호ᄋ 아마도 산영이라 텬지별긔

와 산쳔영믹이(2)니 인지ᄌᆞ익는 그 ᄌᆞ식이 범연ᄒᆞ여도 ᄉᆞ랑홉고 인ᄉᆞ 평평ᄒᆞ
여도 두굿기거늘 쇼싱지츌이 여ᄎᆞ 특효ᄒᆞ니 그 ᄌᆞ익지심이 엇더ᄒᆞ리오 춍지
편편광슈로 문ᄋᆞ의 숀을 잡고 긔ᄋᆞ의 머리를 만져 화연 쇼왈 부인은 즐거온
시졀의나 빈빈치 아닌 비어를 들츄지 말나 부인의 노셩ᄒᆞᆫ 인ᄉᆞ도 영모지회 이
ᄀᆞᆺᄒᆞᆯ 졔 이긔지심을 비겨 싱각ᄒᆞ라 ᄎᆞ 냥이 강보 히뎨로 어믜 그리던 마음이
오죽ᄒᆞ리오 이졔는 혬이 길고 냥ᄌᆞ를 나하시니 하마 슈치지심도 덜ᄒᆞᆯ 듯시부
니 희ᄋᆞ 등을 연ᄌᆞᄒᆞ여 ᄌᆞ모지의를 다ᄒᆞ쇼셔 부인이 유유잠탄ᄒᆞ여 맛츰ᄂᆡ 언
쇼 (3)ᄯᆞᆺ이 업더라 한셜이 진ᄒᆞ고 야심ᄒᆞᄆᆡ 냥이 각각 유모를 됴ᄎᆞ 협실노 퇴
ᄒᆞ니 유뫼 침금을 포셜ᄒᆞ고 일시의 물너나니 춍지 탈관 히의 ᄃᆡᄒᆞ고 쵹을 물
니ᄆᆡ 부인을 권ᄒᆞ여 원앙금을 ᄒᆞᆫ 가지로 ᄒᆞ니 구졍의 환흡ᄒᆞᄆᆡ 여교여칠ᄒᆞ더
라 구부인이 도라오ᄆᆡ 텬지 직쳡 고명을 ᄂᆞ리ᄉᆞ 표장뎡문ᄒᆞ시니 은영이 호호
ᄒᆞ고 돈당 구괴 ᄉᆡ로이 ᄉᆞ랑ᄒᆞ며 금장 쇼괴 묘모의 ᄯᅡ라 졍의 단슉ᄒᆞ고 뎡쇼
졔 공경ᄒᆞ여 셤기믈 돈형ᄀᆞᆺ치 ᄒᆞ고 구부인이 뎡쇼져를 이경ᄒᆞᄆᆡ 동긔ᄀᆞᆺ치 ᄒᆞ
니 상히 칭찬ᄒᆞ며 고쇼졔 그윽이 탄복ᄒᆞ여 반ᄃᆞ시 본밧고ᄌᆞ ᄒᆞ(4)더라 뉴부인
도 자긔 과게 과ᄒᆞ던 줄 싱각고 구시의게 각별 ᄌᆞ익ᄒᆞ더라 틱우 희문이 형의
가ᄉᆞ 화ᄒᆞᄆᆞᆯ 깃거ᄒᆞ고 닌봉옥슈 층층ᄒᆞᄆᆞᆯ 불워ᄒᆞ고 ᄎᆞ형 희명이 양시로 화락
ᄒᆞ여 싱ᄌᆞᄒᆞ고 셔형 희영이 묘시로 화락ᄒᆞ여 규화 ᄀᆞᆺᄐᆞᆫ 녀ᄋᆞ를 완농ᄒᆞᄂᆞᆫ지라
ᄭᅩᆺ ᄀᆞᆺᄐᆞᆫ ᄋᆞ쇼들을 볼 젹마다 부러오믈 니긔지 못ᄒᆞ더니 일일은 비회ᄒᆞ여 화츈
뎡 난간의 니르니 ᄎᆞ시는 즁츈 념간이라 버들이 푸르고 황잉이 왕ᄂᆡᄒᆞ며 만화
방챵ᄒᆞᆫ ᄭᅩᆺ ᄉᆞ이의 졔질의 유뫼 각각 쇼ᄋᆞ를 쥬취로 삭이며 능나로 닙혀 안으
며 업고 화류를 구경(5)ᄒᆞᄂᆞᆫ 거동이 머니 바라보ᄆᆡ ᄭᅩᆺ과 사름을 분간키 어렵
고 ᄀᆞᆺ가이 ᄂᆞᄋᆞ가 보ᄆᆡ 그림 속 션ᄌᆞ ᄀᆞᆺ거늘 졔이 옥져 ᄀᆞᆺᄐᆞᆫ 숀으로 푸른 닙
과 블은 ᄭᅩᆺ츨 ᄀᆞ르쳐 말ᄒᆞᆫ 쇼ᄅᆡ 낭낭ᄒᆞ여 쐬쏘리 부르지지는 듯ᄒᆞ니 긔려ᄒᆞ고
어엿분 거동이 비길 ᄃᆡ 업ᄂᆞᆫ지라 틱위 아름다이 넉이믈 니긔지 못ᄒᆞ여 거름을
멈츄어 바라보더니 믄득 쇼시ᄋᆞ 잇되 지ᄂᆞ며 혼ᄌᆞ 말노 니로되 모든 쇼부인과
졔쇼졔 화원의 오신다 ᄒᆞ더니 화츈뎡이 뷔여시니 반ᄃᆞ시 취연지의 모다 계시

도다 ᄒ고 돌쳐 닷거늘 틱위 반다시 계슈 졔미 치연지의 모다 완유ᄒ믈 알고
보고ᄌ ᄒ여 화츈뎡 후루의 올나 바라보더니 과연 (6)구부인 등 졔슈 졔쇼져
와 쇼실 죠실 등 졔미 다 모다시니 그 쉬 칠십이라 치연당 너른 연지의 치션을
ᄭ며 시흥이 발발ᄒ니 틱위 슈미의 모힌 바를 보와 믄득 연쇼져의 옥모화안이
싱각히ᄂ지라 히음업시 탄식ᄒ여 ᄌ긔 불명ᄒ무로 슉여의 ᄉ싱을 모로믈 ᄎ탄
ᄒ더니 홀연 일인이 쇼왈 네 무슨 일을 탄ᄒᄂ다 요ᄉ이 은하의 물이 지니 쟉
교를 노치 못ᄒ여 한ᄒᄂ냐 ᄉᄌᄂ 니의여니와 목젼의 슉녀가인이 화당옥누의
안거ᄒ엿거늘 엇진 고로 단장쇼혼ᄒ여 장부의 심장이 병들고 영웅의 긔운이
최찰ᄒ여 벽녁의 놀난 잠(7)츙 ᄀᆺᄒ뇨 틱위 놀나 보니 즁형 한님 희명이라 한
님이 마을노셔 도라와 틱우를 보지 못ᄒ미 ᄎᄌ 니르러 희롱ᄒ미라 틱위 강잉
쇼왈 즁시ᄂ 희언을 긋치쇼셔 남이 드르면 쇼뎨를 작히 밋치게 굴니잇가 나흔
만치 아냐도 셰상 긔괴흔 변난을 만히 격거시니 이졔ᄂ 미싁이 귀치 아니ᄒ니
월녜 텬문을 열고 ᄂ려오고 셔시 지싱ᄒ나 다 싀틋ᄒ니 쳐지 업다 ᄒ여 현마
못 살니잇가 우연이 산보ᄒ여 구경ᄒ미요 타렴이 업ᄂ이다 한님이 션ᄌ로 엇
기를 쳐 왈 네 진실노 군ᄌ 아니로다 어너 군ᄌ 니외를 달니ᄒ더뇨 언파의 셔
로 웃고 누상의 좌를 일우고 (8)연지를 바라보니 과연 괴이ᄒ여 구름다리의
졔션이 모닷ᄂ 듯 오 셰 이하로 ᄋ공ᄌ ᄋ쇼졔 쩌지 니 업시 모친을 됴ᄎ시니
연쇼 부인ᄂ 엽엽히 ᄌ녀를 쩌 쇼셩이 낭낭ᄒ되 홀노 고쇼졔 봉관옥픽의 홍상
치의를 쇼담이 ᄒ고 좌셕의 졍돈ᄒ여 말숨이 회쇼의 밋지 아니ᄒ니 한님이 굴
으쳐 왈 졔슈 졔미 신인을 면흔 ᄌᄂ 거의 다 농와를 어더 인봉옥쉬 빵빵이
슬하의 넘놀거늘 현뎨와 고슈ᄂ 결발 ᄉ 년의 농장의 ᄌ미 업ᄉ니 남의 거동
보와 ᄒ니 아니 무미ᄒ냐 틱위 미쇼 왈 쇼뎨와 고시 이십이 못ᄒ여시니 그리
밧브리잇가 고(9)인은 삼십의 가유실인 ᄒ엿ᄂ이다 한님이 쇼왈 져리 쓸쓸ᄒ
고 단졍흔 량이면 실ᄂ의 뇨됴 현필을 두고 무어시 부됵ᄒ여 한화야쵸 ᄀᆺ흔
ᄌ란을 구구히 가축ᄒ다가 그 몟몟 인싱을 맛츠며 화란의 삭시 어듸가지 미쳣
ᄂ뇨 틱휘 쳑연 탄식 듸왈 쇼졔 이 마듸를 싱각ᄒ미 무슴 사룸이리잇고 경히

한심ᄒ와 닛기를 공부ᄒᄂ이다 한님이 역탄ᄒ고 고쇼져와 화락을 열나 ᄒ니
틱위 침음 쇼왈 쇼뎨 이 뜻이 업지 아니ᄒ오되 고시 너모 셰츠 위징 쳐 ᄀᆺ스오
니 아직 바려 두어 그 예긔를 썩고즈 ᄒᄂ니다 한님이 쇼왈 네 위징 쳐의 스오
남만 알(10)고 지덕은 모로ᄂ다 더옥 고슈ᄂ 이의 비홀 비 아니니 네 너모 겁
ᄒ미라 연즉 엇던 쳐ᄌ가 합당ᄒ뇨 틱위 쇼왈 녀ᄌᄂ 온슌ᄒ미 읏듬이니 민스
의 슌통ᄒ미 합의로쇼이다 한님이 쇼왈 그리면 쇼원을 왕모긔 고ᄒ여 식로이
공슌ᄒ고 비약ᄒᆫ 녀ᄌ를 귀쳔간 굴히여 쳐여쳡을 네 장즁의 더져 두고 임의로
ᄒ여 졔어ᄒ되 안즈라 ᄒ면 안고 셔라 ᄒ면 셔고 먹으라 ᄒ면 먹고 굴무라 ᄒ
면 굼고 스싱을 ᄒ라 ᄒᄂ 디로 ᄒᄂ 이런 녀ᄌ를 구홀 거시니 션묘젹의 비단
푸ᄌ ᄒᄂ 부호의 ᄋ들 감기 잇더라 ᄒ니 광디ᄒᆫ 텬하의 어디 갈(11)히면 녀
ᄌ 즁인들 엇지 감기 업스리오 틱위 역쇼 왈 쇼뎨ᄂ 진졍의 말을 ᄒ엿더니 형
은 도로혀 곤히 보치여 웃고져 ᄒ시니 동긔지졍이 아니로쇼이다 셜파의 셔로
웃고 스미를 잇그러 도라오다 틱위 슈슙 년 공관독쳐의 심식 ᄌᆷ못 무류ᄒ지라
고집을 두루혀 초야의 쳥휘각의 ᄂᄋ가니 시야의 고쇼졔 야심토록 녜긔를 슈
렴ᄒ다가 졍히 쵹을 물니고 상의 오르고즈 ᄒ더니 믄득 계졍의 신 씌으ᄂ 쇼
리 완완ᄒ며 지게를 여ᄂ 지 잇시니 이곳 틱위라 계파 등이 놀나 퇴ᄒ고 쇼져
ᄂ 심니의 경ᄋᄒ여 의상을 염의고 상의 ᄂ려 마ᄌ니 (12)틱위 좌를 일우고
엄연이 일오디 임의 야심ᄒ엿거늘 잠을 폐ᄒ리오 쇼졔 공슈졍좌ᄒ여 묵묵부디
여늘 틱위 졍식 왈 ᄂ의 말을 엇지 답지 아니ᄂ뇨 나의 당당ᄒᆫ 졍실이라도 이
러치 못ᄒ리라 쇼졔 쳥파의 무단ᄒᆫ 최언을 우이 넉이나 디치 아니ᄒᆫ 네 아
니라 강잉 디왈 군지 일쯕 폐쳐의 님치 아니시니 디후홀 비 업ᄂ 고로 창돌의
답언이 쉽지 못ᄒ미로쇼이다 틱위 묵연 냥구의 왈 우리 부뷔 우봉 스 연의 엇
그계 신인이 아니라 엇지 안져 시오리오 쇼졔 쳥포의 언단의 거만ᄒᄆᆯ 불복ᄒ
나 스식지 아니ᄒ고 시녀를 부르고즈 ᄒ거늘 (13)틱위 일오디 밤이 깁고 츈
쇠 고단ᄒ니 아모리 죵인들 ᄌᄂ 거슬 씌오미 가치 아니ᄒ니 금침을 손죠 펴
쥬쇼셔 펴기 괴로올진디 싱이 스스로 포셜ᄒ리라 쇼졔 괴로오믈 니긔지 못ᄒ

나 쳬면의 마지못ᄒ여 봉침쳐금을 친히 포셜ᄒ고 물너 좌ᄒ니 틱위 날호여 의
딕를 탈ᄒ고 쇼져를 도라보니 진슈를 슉이고 셩안이 ᄂ죽ᄒ여 좌셕을 졍돈ᄒ
고 긔식이 뿍뿍ᄒ여 미화 납셜을 씌엿ᄂ 듯 츄국이 상노를 아쳐ᄒᄂ 듯ᄒ니
틱위 지긔ᄒ고 심하의 실쇼ᄒ나 모로ᄂ 쳬ᄒ고 옥안셩모의 미흔 우음을 먹음
고 금션을 드러 먼니 후리치고 셔우츈풍이 화란ᄒ여 화(14)발츈산의 호졀을
날니이니 남ᄌ의 이슐과 듀단이 엇지 일 녀ᄌ를 압두치 못ᄒ리오 고쇼졔 비록
텬지를 지작ᄒ고 슬긔와 창희를 엇게 넉이ᄂ 역냥이나 맛춤ᄂ 녀ᄌ지심이요
명달식니흔 식견이라도 쇼쳔의 젼후 힝지를 불복ᄒ미 깁흐나 녀ᄌ 일신이 동
부지되 덧덧ᄒ니 희오미 잇스리오 원앙쟝니의 츈낙이 환연ᄒ니 쇼져ᄂ 만심불
쾌ᄒ나 틱우ᄂ 가장 즐기더라 돈당 부뫼 틱우 부뷔 화락ᄒᄆᆯ 알고 두굿기더라
이러구러ᄐ시 셰월을 보니더니 이쩌 믄득 변뵈 쳔졍의 오르니 이 다른 도젹이
아니라 파셔 농문의 웅거흔 젼긔 황츅이 황(15)시 모녀로 더브러 당을 모ᄒ며
쎼를 무어 날노 창궐ᄒ여 인읍 군현을 노략ᄒ며 쟝ᄎ 돗마듯 텬하를 취코ᄌ
ᄒ니 파촉 스쳔이 딕란흔지라 군신 상히 임의 우화의 쵸ᄉ로됴ᄎ 아로미 분명
ᄒ여 지모 냥쟝이 졍히 니ᄋᆞ가 쵸젹을 줍고 황시 모녀를 잡고ᄌ ᄒ더니 이러
틋 창궐ᄒ미 상이 진노ᄒᄉ 됴회를 크게 베푸시고 문무를 모화 굴오ᄉ디 음부
찰녀의 창궐국난ᄒ문 짐의 허믈이요 광평왕 슈의 어하 가졔 용녈ᄒ미라 쇼쟝
지환이 됴희의 믈 졋듯ᄒ여 쟝ᄎ 가국을 쇼요ᄒ니 엇지 통히치 아니리오 광평
왕이 츌반 복지 쥬왈 신의 불명혼암ᄒ온 죄ᄂ 슈ᄉ난쇽이로쇼이다 (16)이졔
쵸젹이 창궐ᄒ무로 인ᄒ와 어쉬 농탑의 불예ᄒ시니 신이 비록 직죄 노둔ᄒ오
나 일지병을 비러 당당이 음부요젹을 줍ᄋ 농탑하의 헌ᄒ리이다 상이 미급딕
의 좌반 즁으로 일위 쇼년 진신이 금관ᄌ표로 츌좌반향ᄒᆞ니 월익텬졍의 잠미
봉안이요 원비일외라 츄상을 농만홀 긔상과 옥면단슌이 쵹한 빅면쟝군 마밍긔
를 압두ᄒ고 늠늠쇄락흔 긔상이 됴둔의 하일지위 굿ᄒ니 농안이 반겨 보시니
이곳 병부상 현희빅이라 고두부복 왈 파촉은 하방이라 산쟝지활ᄒ여 우리 셩
텬ᄌ 일월광홰 미쳐 빗최지 못ᄒ엿습거늘 망명 찰(17)녀와 산님여당이 시무

룰 아지 못ᄒ고 창궐ᄒ와 셩딕왕화룰 더러이고 싱민을 도탄코즈 ᄒ오니 기죄 불용쥬라 신슈부지오나 원컨딕 광평왕 뎐하룰 조초 종군ᄒ여 녹님 여당을 믓 지르고 요젹을 잡ᄋ 국가 근심을 덜고즈 ᄒ나이다 상이 침음 냥구의 왈 광평 왕과 현경의 의논이 여ᄎᄒ니 제경의 쇼견이 엇더ᄒ뇨 좌승상 현웅닌과 평제 왕 쳔닌이 일시의 쥬왈 츠젹은 불과 오합지돌이라 광평왕 뎐하의 지모지략이 독히 근심치 아닐 거시요 희빅이 비록 연쇼ᄒ오나 셩텬즈 홍복을 닙ᄉ와 셩공 홀가 ᄒᄂ이다 상이 글오ᄉ딕 젹뷰 심상흔 도젹(18)이 아니라 요슐변 무상타 ᄒ니 힝혀 쇼루홀가 ᄒ노라 승상과 왕이 비슈 쥬왈 국되 흥늉의 승운이 만셰 무강ᄒ오시니 산즁 요슐이 엇지 텬도룰 니역ᄒ오며 ᄉ불범졍인즉 광평왕은 귀 복이 가즈신 졍인군지시니 조고만 환슐이 엇지 간범ᄒ리오잇고 원 폐하는 졀 우ᄒ쇼셔 언쥬파의 문무 즁관이 연셩ᄒ여 광평왕의 영뮈 기셰흠과 현희빅의 지략 다지ᄒᄆ믈 쥬ᄒ여 츌젼 즈원ᄒᄆ 당당이 딕공을 셰우고 산졈 쵸젹을 삭평 ᄒᄆ 어렵지 아닐 바룰 알외니 텬안이 딕열ᄒᄉ 잠쇼ᄒ시고 즉일의 광평왕을 비ᄒ여 텬하 딕도(19)독 파쵹 딕원슈룰 ᄒᄉ이시고 현상셔로 부도독을 ᄒᄉ이시 니 간의 틱우 현희문이 또 종군ᄒ기룰 쳥ᄒ온딕 상이 놀ᄂᄉ 왈 경은 년쇼약 관이라 다만 옥폐금난의 ᄉ긔룰 쵸ᄒ며 셩젼을 의논홀 ᄯᄅᆷ이라 엇지 늉복으 로 흉봉지지룰 불으리오 희문이 강기 쥬왈 신슈미약ᄒ오나 엇지 산간 쵸젹을 잡지 못ᄒ리잇고 한 유뮈 악질미용이로딕 한뎨 약ᄒ다 아니ᄒ고 졔갈이 쳥슈 ᄒ나 무안왕의 젹쉬 되엿ᄉ오니 신이 현마 셔졀구투룰 져허ᄒ리잇고 상이 두 굿기ᄉ 함쇼ᄒ시고 졔왕을 도라보ᄉ 왈 범의 숫기 기 되지 아닛ᄂ다 ᄒᄆ 졍 이 경의 부즈룰 니르(20)미로다 셕년 셔도 츌졍시의 경언이 여ᄎᄒ더니 금즈 의 희문의 의논이 여ᄎ 준상ᄒ니 진짓 난부난지로다 져의 쇼원이 여ᄎᄒ니 이 만 쉬온 쳥을 듯지 아니리오 졔왕이 불감고두ᄒ더라 상이 이의 희문으로 군즁 참모ᄉ룰 ᄒᄉ이시니 틱위 고두ᄒ더라 무반 즁 지용 냥장을 퇵ᄒ여 쳔원 명장과 십만 비호룰 연습ᄒ여 삼일치힝ᄒ여 니발홀ᄉᆡ 광평왕과 현상셰 바로 교장의 나ᄋ가 졔군 장돌을 즈모 바드니 능히 부즁을 춫지 못ᄒ여 연습 슈일의 바로 힝훌시 원쉬 하령ᄒ여 졔군ᄉ쭐을 각각 부모 쳐ᄌᄅ 니별ᄒ라 ᄒ고 겨유 틈을 보와 각각 궁의 도라오니 어시(21)의 이 쇼식이 각각 본부의 니르ᄆ 광평궁과 현상부의셔 듕경ᄒ여 닐오ᄃ 병괴ᄂ 흉지여ᄂ 허믈며 흉심이 ᄉ심을 혜지 아니리니 엇지 위틱치 아니리오 ᄒ고 졀녀 비길 곳이 업ᄉ되 오공 진공 승상 졔왕 부뷔 타연무려ᄒ니 뉵부인이 탄왈 황상이 진실노 ᄌ의 박ᄒ시도다 희빅은 커니와 희문은 텬황지ᄉᄂ이여ᄂ ᄎ마 시셕을 무릅쓰게 ᄒ시리오 예ᄉ 도젹과 달나 텬지간 ᄲ 업ᄉ 듸음발부녀들이 졔 죄ᄅ 모로고 희빅을 보면 산 치로 먹으려 ᄒ리니 모진 벌의 무심코 ᄡᄂ 살과 독ᄒ ᄉ물이 불의 독히 잇실진ᄃ 엇지 두립지 아니리오 ᄂᄂ 드르니 음아음아 무셔(22)웨라 ᄒ더라 상셰 죤당 부모 슉당의 하직ᄒ고 군종으로 분슈ᄒᄆ 참모 희문이 ᄒ가지로 하직ᄒ니 진공 부지 경계 왈 오ᄋᄂ 집의 잇실 ᄲᄀᄎ치 급거쥰격ᄒ믈 바리고 쥬식을 먼니 ᄒ여 다만 장녕을 슌슈ᄒ여 빅ᄋ의 긔모권장ᄒ믈 어그릇지 말나 참뫼 지비슈명ᄒᄆ 죤당 부뫼 원슈와 참모ᄅ 어루만져 무양보즁ᄒ여 국ᄉᄅ 진심ᄒ고 집의 도라와 셔로 반기게 ᄒ라 ᄒ고 ᄉ긔 타연ᄒ니 뉵부인이 ᄀ장 모지리 넉이더라 참뫼 좌상의 고시 잇ᄉᄆ 슬피지 아냣더니 거름을 두루혈ᄉ 봉안을 흘녀 고시의 잇시믈 보고 죡용을 즁지ᄒ니 고시 안셔이 니러 상녜(23)필의 참뫼 죤당 시봉을 부탁ᄒ니 고시 염용 침음ᄒ여 지교ᄒ시ᄂ 바ᄂ 본ᄃ 쳡의 소임이니 원 군ᄌᄂ 쳔금즁신을 보즁ᄒ여 긔가로 도라오시믈 쳥ᄒ니 말슴이 간냑ᄒ고 동지 쳔연ᄒ여 츄쳔 상월이 옥누의 븕ᄋ심 ᄀ흔니 참뫼 졈두ᄒ고 샹셔로 병비ᄒ여 밧그로 나가니 거류냥졍이 타연무려ᄒᄆ 흉봉지지ᄅ 향ᄒᄂ 거동이 아니니 뉵시 ᄀ쟝 괴이히 넉여 이윽니 보더니 혁 ᄎ 닐오ᄃ 이 가즁의ᄂ 노쇼 업시 인졍이 아니로다 셕년의 우리ᄂ 슉슉과 샹공이 졍벌ᄒ실 ᄲ 구고와 졔슉 등이 위로 니별ᄒ니 ᄂ 홀노 비식을 뵈지 못ᄒ나 눈물이 십 솟듯ᄒ니 구괴 위로ᄒ(24)시고 상공의 싱쳘 ᄀ흔 마음으로도 감동연측ᄒ시더니라 ᄒ니 모다 웃더라 ᄎ셜 부원슈와 참뫼 교장의 니르니 광평왕이 발셔 니르럿더라 니의 군위ᄅ 졍히 ᄒ여 결진ᄒ고 시긱을 기다릴ᄉ 틱지 황됴ᄅ 밧ᄌ와 젼송홀실ᄉ 홍금냥

산과 금보졀월이 일식의 휘영ᄒᆞ딕 문무 쳔관이 구름 못듯 니르러 분답ᄒᆞ고 과
갈이 휜텬ᄒᆞ여 틋글이 니러ᄂᆞ니 이 진실노 텬즈의 친힝ᄒᆞ시무로 다르미 업더
라 틱지 광평왕의 손을 니어 ᄀᆞᆯ오스딕 광평군은 부원슈 이하를 통솔ᄒᆞ여 흉지
의 ᄂᆞᄋᆞ가 도젹을 삭평ᄒᆞ고 긔가로 반ᄉᆞᄒᆞᄂᆞᆫ 날 짐이 당당이 황봉어(25)쥬를
시러 이 ᄯᅡ히 와 마즈리니 경등은 진ᄉᆞ진츙ᄒᆞ여 황상의 미더 맛지신 바를 져
바리지 말나 냥 원슈와 참뫼 고두 빅쥬 왈 신등이 비록 경뉸직략이 업ᄉᆞ오나
셩상 홍복이 졔텬ᄒᆞ시며 츈궁뎐하의 만셰뎍화를 닙ᄉᆞ와 난역ᄒᆞᄂᆞᆫ 도젹을 평졍
ᄒᆞ오리니 복원 폐하ᄂᆞᆫ 텬측을 봉시ᄒᆞᄉᆞ 셩슈무강ᄒᆞ시믈 바라ᄂᆞ이다 틱지 직삼
위유ᄒᆞ시고 옥빅 향온을 각각 ᄂᆞ리오시고 삼군을 다 호상ᄒᆞ시니 원슈 등이 고
두ᄉᆞ은ᄒᆞ고 잔을 밧즈오니 만됴 문뮈 니르러 승젼반ᄉᆞᄒᆞ믈 부탁ᄒᆞ여 날이 임
의 반의 니르미 어양의 북이 즈로 니러 시긱을 보ᄒᆞ니 군신 상히 일장 니별
(26)을 맛ᄎᆞ미 냥 원쉬 늉장을 졍졔ᄒᆞ여 상마ᄒᆞ여 호통삼ᄎᆞ의 딕군이 길흘
여니 뇌고 함셩이 텬지를 흔들며 산쳔이 뒤눕ᄂᆞᆫ 듯ᄒᆞ니 오식 긔치ᄂᆞᆫ 일식을
ᄀᆞ리오고 검극은 삼열ᄒᆞ여 하날의 일만 무지게를 지엇거늘 냥 원쉬 힝군긔눌
이 엄슉ᄒᆞ여 쥬ᄋᆞ부의 영풍과 졔갈의 긔모비계를 품어 신위 일월노 징광ᄒᆞ니
ᄎᆞ인 등 ᄒᆞᄂᆞᆺ 산젹 쵸구를 파치 못홀가 근심ᄒᆞ리오 틱지 블승칭찬ᄒᆞ시고 만됴
문뮈 갈치ᄒᆞ더라 슌식의 산이 구뷔지고 길이 머러시니 틱지 난가를 휘동ᄒᆞᄉᆞ
환궁ᄒᆞ여 상후긔 봉명ᄒᆞ시니 뎨휘 드르시고 깃거ᄒᆞ시더라 ᄎᆞ시 현상부의셔 상
(27)셔 군동이 츌졍ᄒᆞ미 톤당 상히 훌연ᄒᆞ믈 이긔지 못ᄒᆞ고 격츄의 음희 아
모 지경의 밋츌 쥴 아지 못ᄒᆞ여 우레 만단이러라 이쩍 승상의 필즈 희계의 즈
ᄂᆞᆫ 화즁이니 ᄉᆞ마부인 필지라 싱셩ᄒᆞ미 풍되 쇄락ᄒᆞ여 방년 십삼의 문장직홰
츌뉴ᄒᆞ니 승상이 널리 구혼ᄒᆞ여 니부시랑 노공의 녀로 셩혼ᄒᆞ니 노공이 다른
즈식이 업고 다만 일녀쑨이라 승상긔 현싱 부부를 슬하의 두믈 간쳥ᄒᆞ니 승상
이 그 고고흔 졍셰를 감쳑ᄒᆞ여 허ᄒᆞ니 현싱이 일즉 문달을 구치 아니ᄒᆞ고 노
시로 더브러 노공 부부를 밧드니 노공이 ᄯᅩ흔 ᄉᆞ직ᄒᆞ고 고향 산동으로 도라가
니 싱이 ᄯᅩ흔 ᄯᆞ라 별(28)호를 쳥허 션싱이라 ᄒᆞ고 한ᄂᆞᆺ 쳐ᄉᆞ 되여 노시로 더

브러 고요이 쳐ᄒ여 칠ᄌ삼녀를 싱ᄒᄆᆡ 댱ᄌ 추환으로 노공 부부의 봉ᄉ를 닛
게 ᄒ니라 이쎠 현부 졔공의 ᄌ녜 층층이 ᄌ라ᄆᆡ 남혼녀가의 혼취 ᄌᄌ니 이
로 긔록지 못ᄒᆯ너라 각셜 평쵹ᄃᆡ원슈 광평왕이 부원슈 현희빅과 참모 현희문
으로 더브러 쳔원 명장과 십만 비호를 거ᄂ려 옥궐의 비ᄉᄒ고 문무 즁관을
분슈ᄒᄆᆡ 빅모황월과 긔치검극이 삼나ᄒ여 ᄃᆡ군이 물 미듯 힝ᄒ니 쇼과쥬현이
망풍영ᄃᆡᄒ거늘 지ᄂᄂᆞ 바의 츄호를 불범ᄒ고 임의 파셔 지경의 니르ᄆᆡ 합쥐
ᄌ시 영졉ᄒ(29)여 관즁의 드러가 셜연 관ᄃᆡ코ᄌ ᄒ거늘 냥 원슈 졍식고 닐
오ᄃᆡ 방금 쵸젹이 강셩ᄒ여 ᄉ쳔을 거의 다 앗고 황셩을 범코ᄌ ᄒ니 쥬상이
슉쉬 농상의 불안ᄒ시거늘 이졔 엇지 안연이 셜연 음쥬ᄒ여 임군의 맛지신 바
를 히틔케 ᄒ리오 ᄌ시 무안ᄒᆯ믈 니긔지 못ᄒ여 다만 ᄉ죄ᄒᆯ 쑨이라 원슈 이
의 젹졍을 무른ᄃᆡ ᄌ시 일일이 알외고 왈 젹셰 ᄌ못 호ᄃᆡᄒᆯ 분 아니라 젹괴
젼긔라 ᄒᄂᆞ 지 참칭ᄃᆡ호ᄒ고 쇼위 황후 황시와 긔녀 능연공쥐 부마 황츅으로
더브러 요슐 변화 무궁ᄒ오니 이러무로 관군이 ᄌ로 졉젼ᄒ다가 픽ᄒ엿ᄂᆞ이다
ᄒ거늘 냥 원(30)슈 쳥ᄆᆡ의 임의 짐죽ᄒᄆᆡ 잇ᄂᆞ지라 블승통완ᄒ여 굴오ᄃᆡ 명
공은 념녜 말나 이 불과 산님 쵸젹이요 산간 요슐이니 아등이 비록 용우ᄒ나
당당ᄒᆫ 장부로 엇지 독히 쥐 무리를 근심ᄒ리요 ᄌ시 염복칭하ᄒᆯ믈 마지아니
ᄒ더라 슈일을 관즁의 머므러 댱돌을 쉬오고 관 밧긔 영치를 셰운 후 격셔를
닥가 살 긋ᄒ 믜여 젹진의 쏘와 보ᄂ니 슌쵸ᄒ던 젹돌이 격셔를 어더 젹괴 젼
긔의게 드리니 젼긔 졍히 황시 모녀와 군졍을 의논ᄒ며 텬병 와시믈 듯고 탐지
ᄒᄆᆡ ᄃᆡ원슈ᄂᆞ 황ᄌ 광평왕이요 부원슈ᄂᆞ 병부상셔 현희빅이라 ᄒᄂᆞ지라
(31)황시 모녜 믄득 이 말을 드르ᄆᆡ 노발이 상지ᄒ니 황시ᄂᆞ 오히려 광평왕의
은총을 닙어 ᄌ녀를 굿쵸 두며 부귀를 누렷ᄂᆞ 고로 일변 감회ᄒᄆᆡ 잇시나 교
쥬 음녀ᄂᆞ 현상셰 삼 ᄌ를 드르ᄆᆡ 뮈온 한이 쳘텬ᄒ고 분ᄒᆫ 눈믈이 돌돌ᄒ여
교ᅌᅵ졀치ᄒᆯ믈 마지아냐 닐오ᄃᆡ 츠인 등은 진실노 우리 모녀의 블공ᄃᆡ쳔지쉬라
모친은 오히려 광평왕의 셕년 총이를 싱각ᄒ나 이졔ᄂᆞ 셔로 원슈 되엿시니 다
만 우리 부친의 용병ᄒᆯ믈 도와 ᄃᆡ업을 도모ᄒᆫ즉 반ᄃᆞ시 만승의 부귀를 긔약ᄒᆯ

거시요 쇼녀는 진심ㅎ여 만일 현가 츅싱을 스로잡거든 스스로 닉 손으로 져를
죽여 분을 셜코즈 ㅎㄴ이다 황녜 듯고 다만 졈두ㅎ여 (32)묵연ㅎ고 젼긔와 황
츅이 분미ㅎ여 닐오디 이 말이 가장 유리ㅎ니 오직 밋고 바라는 바는 현비와
녀ㅇ의 쥬션ㅎ믈 기다리ㄴ니 진심ㅎ라 황츅이 일오디 광평왕은 본디 호강ㅎ던
귀공즈로 목금은 더옥 쇠모ㅎ지라 혼암ㅎ 지혜 오직 비단옷시 가비얍고 스미
ㅎ 진찬이 닙의 마즐 뿐 아니니 엇지 군졍스를 알며 현희빅은 또ㅎ 고량 즈졔
로 옥당금마의 명필흑시니 실노 무슨 담약과 지혜 잇셔 승젼입공ㅎ리오 우리
부뷔 맛당이 흔 번 나ㅇ가 쇼츅싱을 일젼의 싱금ㅎ여 딕왕 휘하의 밧치리이다
젼긔 이 말을 듯고 딕희ㅎ여 닐오디 녀ㅇ의 신긔흔 죠화와 현셔의 웅지로 흔
번 ㄴㅇ가미 엇지 흔 무리 고량 쇼ㅇ를 근심ㅎ(33)리오마는 이졔 텬병의 ㄱ
장 크다 ㅎ니 승픽는 진실노 미리 졍치 못ㅎ리니 엇지 근심이 업스리오 황녜
왈 딕왕은 져 무리를 너모 업슈이 넉이지 말나 광평이 비록 ㄴ히 만코 쇠모ㅎ
미 잇시나 오히려 지략이 겸젼ㅎ미 잇고 현희빅이 비록 빅면셔싱이나 그 위인
을 즈시 아ㄴ니 지모와 의견이 범상흔 뉴 아니라 반드시 경젹지 못ㅎ리니 가
장 근심ㅎ노라 젼긔 듯기를 맛츠미 아연ㅎ여 무러 굴오디 연즉 우리 치즁의
만흔 호걸이 능히 져를 당흘 지 업스랴 교쥐 변식고 분연이 닐오디 모친은 이
졔 말슴을 닉미 엇지 젹국의 강용만 즈랑ㅎ고 우리 치즁의 사롬이 업손가 넉
이시ㄴ뇨 이러틋 ㅎ면 군즁(34)의 예긔 최찰ㅎ여 ㄴ오지 아닐가 져허ㅎ노라
황시 웃고 왈 닉 뜻이 엇지 이러치 아니리오마는 셜미 흔 번 간 후 쇼식이 아
득ㅎ고 우화법시 또 가더니 셰월이 누변ㅎ여시되 오히려 도라오지 아니ㅎ니
이 또흔 크게 의심된 일이라 냥인이 죽지 아냐시면 반드시 다라나지 아니럿마
는 죵젹이 맛츰닉 업스니 엇지 괴이치 아니리오 닉 뜻의 그으기 싱각건디 기
간의 스긔 픽루ㅎ여 시미 두 사롬이 다 죽어 도라오지 못ㅎ민가 ㅎ노라 교쥐
이 이 말을 듯고 크게 우으며 굴오디 셜미는 가장 영니ㅎ니 엇지 딕스를 당ㅎ
여 쇼루흘 니 잇스며 법스는 금셰의 싱불이라 길흉화복을 늣늣치 혜아리ㄴ니
엇시 님시응변이 업스(35)며 힘힘이 사롬의게 잡혀 몸을 뭇츠리잇가 쇼녜 다

만 의심ᄒᆞᄂᆞᆫ 바ᄂᆞᆫ 셜ᄆᆡ의 위인을 아ᄂᆞᆫ이 졔 본ᄃᆡ 영ᄂᆡᄒᆞ고 지혜로와 미ᄉᆞ의 예비ᄒᆞ미 만코 그릇ᄒᆞ미 업ᄉᆞᆯ 듯ᄒᆞ되 오직 과시ᄒᆞᆫ ᄋᆞ희로 한 죠각 츈졍이 만 턴 빈니 경ᄉᆞ 번화지지의 ᄯᅳᆺ의 찬 가랑을 맛나 물욕의 슈히 버셔ᄂᆞ지 못ᄒᆞᄂᆞᆫ 가 시부고 법ᄉᆞᄂᆞᆫ 반ᄃᆞ시 셜ᄆᆡᄅᆞᆯ 맛나 달ᄂᆡ노라 일월이 쳔연ᄒᆞ여 지금 더ᄃᆡᆫ가 시부거니와 일이 픠루ᄒᆞᆫ가 근심은 업ᄉᆞᆯ가 ᄒᆞᄂᆞ이다 황시 머리ᄅᆞᆯ 슉여 다만 묵 연이 탄식ᄒᆞᆯ ᄲᅮᆫ이니 젼긔 문득 작식 왈 그ᄃᆡ 광평왕의 부귀와 은춍을 져리 몬 니져 ᄒᆞ랑이면 당쵸의 엇지 굿하여 날을 됴ᄎᆞ 옛졍을 다시 니(36)어 망명도쥬 ᄒᆞ기의 니르릿ᄂᆞ뇨 이졔 아모리 뉘웃쳐도 광평왕이 다시 용납지 아닐가 ᄒᆞ노 라 황시 쳥파의 져의 은젹을 교쥬와 황츅이 모른다 ᄒᆞᆯ 거슨 아니로ᄃᆡ 좌우의 츠환이 듯ᄂᆞᆫ 쥴을 붓그리고 노ᄒᆞᆷ믈 마지아냐 역시 변식 왈 쳡이 그ᄃᆡᄅᆞᆯ 됴츠 무로붓터 이 ᄯᅳᆺ이 업거늘 이러틋 억견으로 ᄭᅮ짓ᄂᆞ뇨 당당이 그ᄃᆡ 안젼의셔 죽 기ᄅᆞᆯ 결ᄒᆞ여 ᄆᆞᄋᆞᆷ을 밝히라 셜파의 누쉬 방방ᄒᆞ여 냥목의 슬긔 등등ᄒᆞ고 노식 이 돌돌ᄒᆞ여 ᄉᆞ갈의 독을 ᄯᅩᆸᄂᆞᆫ 듯ᄒᆞ니 황츅이며 교쥐 황망이 붓드러 말니고 위로ᄒᆞ여 부부의 노ᄅᆞᆯ 풀고 화긔ᄅᆞᆯ 권ᄒᆞ니 냥인이 각각 함노무언이러라 믄득 군ᄉᆡ 숑진 격셔ᄅᆞᆯ 어더 올니거늘 여러 보니 굴와시되 텬됴 ᄃᆡ(37)도독 친황ᄌᆞ 광평왕은 부원슈 현공으로 더브러 파셔 쵸젹의게 격셔ᄅᆞᆯ 젼ᄒᆞᄂᆞ니 목금의 셩 텬지 우희 계시고 현샹냥신이 당권ᄒᆞ여 요슌의 졍ᄉᆞᄅᆞᆯ 도와 셩샹의 지치 ᄀᆞ죽 ᄒᆞ시거늘 너희 감히 텬시ᄅᆞᆯ 아지 못ᄒᆞ고 망녕도이 ᄉᆞ슴을 ᄯᅩ르고ᄌᆞ ᄒᆞ니 그 죄 불용쥐라 하날과 귀신이 ᄒᆞᆫ 가지로 진노ᄒᆞ시니 너희ᄂᆞᆫ 섈니 ᄂᆞᄋᆞ와 ᄌᆞ웅을 결ᄒᆞ라 불연즉 긱의 ᄃᆡ군을 더으ᄂᆞᆫ 쩌의ᄂᆞᆫ 옥셕을 구분ᄒᆞ리니 뉘웃츠미 업게 ᄒᆞ라 ᄒᆞ엿더라 젼긔 견파의 고장 ᄃᆡ언 왈 ᄒᆞᆫ 무리 고량의 무쳣던 쇼이 엇지 여 ᄎᆞ 방ᄌᆞᄒᆞ리오 금일이 오히려 날이 늣지 아냐시니 즉긱의 나아가 승부ᄅᆞᆯ 결ᄒᆞ 여 나의 분을 풀니라 뉘 몬져 ᄂᆞᄋᆞ가 ᄃᆡ진ᄒᆞᆯ고 교쥐 져(38)희 부부의 지됴ᄅᆞᆯ ᄌᆞ랑코ᄌᆞ ᄒᆞ여 황츅으로 더브러 몬져 ᄂᆞ가기ᄅᆞᆯ ᄌᆞ원ᄒᆞ고 의장을 가장 빗ᄂᆞ게 ᄒᆞ고 용무ᄅᆞᆯ 비양ᄒᆞ여 진문 크게 열고 슈쳔 누라ᄅᆞᆯ 거ᄂᆞ려 ᄂᆞᄋᆞ가 숑진으로 교젼ᄒᆞᆯᄉᆡ 황츅이 황금갑의 슈젼포ᄅᆞᆯ 쪄닙고 봉시투고의 일장ᄃᆡ검을 잡고 쳥춍

마를 타시니 귀밑틱 왕후의 관면을 엄연이 ᄀᆞᆺ쵸고 교쥬는 분면을 빗닉 다ᄉᆞ리고 머리의 곳 그린 투고를 ᄡᅳ고 엇기의 홍금 갑오시 칠보딕를 두루고 과하의 빅셜말를 타고 냥슈의 궁젼과 보검을 드러시니 거동이 표연ᄒᆞ여 나는 제비 ᄀᆞᆺ흐니 보느 니 다 칭찬ᄒᆞᆷ믈 마지아니ᄒᆞ더라 호통 삼ᄎᆞ의 진문을 열고 문긔 하의 ᄂᆞ셔니 숑진듕의셔 금괴 졔명(39)ᄒᆞ며 홍냥산이 움작이는 곳의 딕원슈 광평왕이 머리의 ᄌᆞ금통텬관을 ᄡᅳ고 엇기의 망농포를 닙고 허리의 통텬셔ᄶᅵ를 두루고 팔뉸거를 탓시며 좌슈의 빅옥편을 쥐고 우슈의 금젼도를 드러시니 슈미 호상ᄒᆞ고 쳥쉬 가슴을 눌러시니 텬일지표와 농봉지ᄌᆞ 늠연ᄒᆞ여 군왕의 죤귀흔 격과 언건흔 긔상이 만군의 쇼ᄉᆞ나고 부원슈 현공이 슌금 갑옷시 ᄌᆞ금봉시 투고을 ᄡᅳ고 부운총을 타시니 좌슈의 장창을 잡고 우슈의 딕도를 드러시니 명봉지안과 츄슈골격이 의의히 구텬의 비등ᄒᆞ는 딕붕이요 옥골영풍이 히젼의 교룡이 포화를 발ᄒᆞ는 듯 좌우(40)의 버럿는 텬장과 슈하의 거느린 ᄉᆞ돌이 기갑이 쁙쁙ᄒᆞ여 시위ᄒᆞ여시며 참모ᄉᆞ 현희문이 츌발영호흔 긔상이 참치션명ᄒᆞ여 만군의 됴요ᄒᆞ니 젹진 졔군이 바라보고 훌훌이 경탄ᄒᆞᆷ믈 마지아니ᄒᆞ더라 교쥐 현원슈의 옥골풍광을 보믹 일변 반갑고 져 ᄀᆞᆺ흔 낭군을 죵시 금슬의 낙을 일우지 못흔 상ᄉᆞ 원분이 겸발ᄒᆞ니 별 ᄀᆞᆺ흔 눈의 음독이 니러나고 분긔 비장이나 놉흐니 즉긱의 ᄂᆞ오가 셤분을 믹들러 옥화의 일싱을 희짓고 광평왕의 의를 잊츠며 져의 분을 풀고ᄌᆞ ᄒᆞ니 도로혀 분뇌 돌돌ᄒᆞ여 능히 진졍치 못ᄒᆞ더라 황츅이 몬져 녀셩 딕즐 왈 (41)아등이 ᄉᆞ쳔 원방의 일면 토지를 직희고 본딕 됴졍의 간셥ᄒᆞ미 업거늘 그딕 무슴 연고로 노혼흔 황뎨를 도와 부딕 간과를 닐으혀 인민을 쇼요케 ᄒᆞ고 감히 나아와 우리 지경을 침노ᄒᆞᄂᆞ뇨 광평왕이 드르믹 엇지 황츅을 아지 못ᄒᆞ리오 비록 복식이 다르나 십오 년 슬하의 양휵ᄒᆞ여 긔츌 친녀로 아랏던 교쥬 등을 모로리요 믄득 잠미상지ᄒᆞ고 봉안이 진열ᄒᆞ여 딕로 딕즐 왈 무지 젹ᄌᆞ와 교쥬 찰녜 하 면목으로 언연이 과인을 딕ᄒᆞ여 이ᄀᆞ치 무례ᄒᆞ리오 황가 젹지 흔ᄀᆞᆺ 나라흘 반흘 ᄲᅮᆫ 아니라 음악흔 아ᄌᆞ미를 도와 지난 악ᄉᆞ는 니르지 말고 산님 쵸젹을 (42)교통ᄒᆞ니 가살지죄를 혜아

리면 만亽무셕이라 엇지 일시나 지체ᄒ리오 ᄒ고 ᄯ오 교쥬를 크게 ᄭ우지즈니 황
츅은 감히 입을 여지 못ᄒ여 묵연ᄒ고 교쥐 앙연이 ᄃᆡ답ᄒ여 왈 ᄃᆡ왕이 그르
도다 쳡이 본ᄃᆡ 왕의 골육이 아니로ᄃᆡ 대왕이 당당ᄒᆫ 만승 황즈로 일면 군왕
이 되여 텬하의 미인을 구ᄒ려든 어늬 곳의 업슬 거시라 유부녀즈를 위력으로
강취ᄒ니 즈뫼 형셰 마지못ᄒ여 왕을 됴ᄎ 쳡을 싱ᄒ다 ᄒ니 어미 니르지 아
니ᄒ고 아비 셰력을 두려 쳐즈 아이니 아비 원방의 뉴락ᄒ미 닉 엇지 알니요
왕이 쳡을 위지즈식이라 ᄒ여 즈의ᄒ여 기르시니 비록 휵양지은이 크나 싱뷔
(43)쳐우를 ᄎ즈 니르니 엇지 텬뉸을 비약ᄒ리오 연이나 ᄃᆡ왕이 쳐음의 윤비
와 옥화의 간참을 듯고 그윽이 황명을 비러 쳡의 모녀를 亽살코즈 ᄒ시니 사
름이 어리나 엇지 무고히 亽화를 바드리오 더옥 현희빅은 쳡의 불공ᄃᆡ쳔지쉬
라 오날날 亽싱을 고즈치 못ᄒ리잇가 황츅이 ᄯ오 고셩 ᄃᆡ호 왈 일이 이의 밋쳐
시니 가여불가의 지난 말을 일너 무엇ᄒ리오 다만 냥진이 샹ᄃᆡᄒ여시니 승부
를 결홀 ᄯ름이라 ᄒ고 언파의 창을 두루며 말을 쮜여 ᄡᅡ홈을 지촉ᄒ니 광평
왕이 ᄃᆡ로ᄃᆡ분ᄒ여 좌우를 도라보와 닐오ᄃᆡ 뉘 몬져 나가 ᄃᆡ적홀고 션봉 곽즈
(44)위 쳥녕ᄒ고 졍창 츌마ᄒ니 표두환안의 원비일외요 방활삼장이라 영풍이
늠늠ᄒ고 위의 엄녈ᄒ더라 황츅으로 교봉ᄒ여 슈십여 합의 니르럿더니 황츅이
졈졈 창법이 어즈러오며 능히 ᄃᆡ적지 못ᄒ니 졔 스스로 젹쉬 아닌 줄 알고 급
히 말을 도로혀 닷고즈 ᄒ거늘 교쥐 아비를 ᄃᆡᄒ여 큰말을 ᄒ고 어미를 썩지
르미 잇ᄂᆞᆫ지라 만일 픽ᄒ미 잇신즉 부모긔 홀 말이 업고 치즁 누라 등 브기 붓
그러온지라 믄득 환슐노ᄡᅥ 져를 쇽여 ᄃᆡ적고즈 ᄒ여 즉시 입으로 진언을 념ᄒ
며 금편을 드러 ᄒᆫ 번 두루치니 홀연 음운이 스긔ᄒ며 광풍이 (45)ᄃᆡ작ᄒ여
돌히 다르며 모릭 눌이니니 진퇴 아득ᄒ여 송군이 능히 눈을 ᄯᅳ지 못ᄒ고 사
름이 셔로 얼골을 술펴보지 못ᄒ니 져마다 낫츨 ᄡᅡ고 亽산분궤ᄒᄂᆞᆫ지라 곽션
봉이 능히 눈을 ᄯᅳ지 못ᄒ고 사름이 셔로 얼골을 보디 못ᄒ니 져마다 놋츨 ᄡᅡ
고 亽면으로 허여지믈 보고 곽션봉이 홀 일 업셔 말을 도로혀 본진으로 도라오
니 송진듕의셔 형셰 블니ᄒ믈 보고 ᄯᅩ훈 날이 임의 느졋ᄂᆞᆫ지라 이의 징 쳐 군

을 거두미 비록 스망흔 죄 업스나 디의 어즈럽고 긔계마필을 만히 일헛는지라 적군이 본디 강도의 무리라 지물 몬져 탐ᄒ고 사름을 밋쳐 상히오지 못ᄒ고 다만 (46)긔계를 거두어 도라가니 날이 발셔 황혼이 되엿는지라 황츅과 교쥬 도라가 황시를 보고 닐오디 ᄡᅩᆷ을 거의 니긔미 되엿더니 날이 임의 져믈고 송군이 퇴군ᄒᄆ로 능히 상견치 못ᄒ고 도라왓시니 날이 싀거든 다시 ᄂᆡ가 크게 ᄡᅩ화 반ᄃ시 송진을 즛바라 편갑도 남기지 아니ᄒ리라 ᄒ니 젼긔 듯고 크게 깃거ᄒ며 술을 ᄂᆡ와 황츅과 교쥬를 위로ᄒ고 모든 누라를 호군ᄒ더라 이날 광평왕이 장디의 도라와 졔장 샬을 모호고 상의ᄒ여 왈 적진의 요슐 변화 잇스니 가히 경적지 못ᄒᆯ지라 장ᄎ 엇지ᄒ여야 젹군을 파ᄒ리오 현원쉬 답왈 악장은 념녀를 마르쇼셔 고어의 일너(47)시되 사불범졍이요 요불승덕이니 졔 비록 변화 무궁ᄒ나 무슴 념녜 잇스리잇고 연이나 승피는 병가의 상식라 디진 이 젹국을 교봉ᄒ미 반ᄃ시 쳐음은 흉ᄒ고 ᄂᆞ동은 길ᄒ리니 승피를 가히 근심 ᄒᆞᆯ 것 업스되 이 ᄀᆞ온디 살운과 겁슈를 치암 즉흔 무리 맛츰ᄂᆡ 텬슈를 도망치 못ᄒ오리니 이는 다 졍쉬라 만시 인녁으로 일울 비 아니요 텬명이니 엇지 한 ᄒ리잇고 왕이 듯고 칭션ᄒᄆ를 마지아니며 굴오디 현셔의 졍논이 진실노 금옥 ᄀᆞᆺ ᄒ니 닉 무슴 근심이 잇스리오 ᄒ니 현원쉬 겸양ᄒᄆ를 마지아니ᄒ더라 명됴 의 젹군이 ᄯᅩ 진젼의 ᄂᆞ와 ᄡᅩᆷ을 도도거늘 현원쉬 진왈 이졔 맛당이 슌여 (48)를 견벽불츌ᄒ여 구치흔 장졸을 쉬오고 젹심이 히틔ᄒ기를 기다리미 맛 당이 올ᄒ니 ᄌᆞ연 여러 날이 되면 계피 잇스리이다 왕이 연긔언ᄒ여 이의 군 즁의 하령ᄒ여 진문을 구지 닷고 안병부동ᄒ라 ᄒ니 군즁이 쳥녕ᄒ고 ᄂᆞ지 아 니ᄒ나 젹슈는 송군이 어졔날 우리 도슐의 겁ᄒ여 반ᄃ시 ᄡᅩ호지 아닛는다 ᄒ 고 더옥 업슈이 넉여 진 밧긔 ᄂᆞ와 만단슈욕ᄒ기를 마지아니ᄒ되 송군이 다만 고요히 잇셔 일인도 ᄂᆞ와 보지 아니ᄒ니 군식 이 쇼유를 젼긔게 고혼디 젼긔 닝쇼ᄒ고 다만 닐오디 흔 무리 고량 ᄌᆞ뎨 무슨 병법을 알니요 져의 필연 여러 늘이 지ᄂᆞ지 못ᄒ여 우리 숀의 ᄉᆞ로잡히리니 아직 ᄇᆞ려 두라 어느 ᄯᆡ (49)엇 지ᄒ는고 보리라 황시 믄득 닐너 굴오디 디왕은 져를 슈이 넉이지 마르쇼셔 광평왕이 본디 지혜롭고 현희빅이 쏘흔 지긔 과인ᄒ니 그 즁의 무슨 쇠 잇ᄂᆫ 동 알니오 교쥐 듯고 변식 왈 모친은 미양 져만 기리고 쇼녀 부부와 산쳐의 모든 호걸은 셕은 풀ᄀᆺ치 넉이ᄂᆞ니잇고 광평왕이 졉어셔 약간 지뫼 잇신들 이졔 쇠모ᄒᆞ미 밋쳤고 전일 혈긔 강장ᄒᆞᆯ 젹도 혼암ᄒᆞ던 거슬 져리 일ᄏᆞ르면 모친의 ᄉᆞ죄ᄅᆞᆯ ᄉᆞᄒᆞ고 다시 용납ᄒᆞᆯ가 넉이ᄂᆞ니잇가 황녜 교쥬의 억견으로 썩지르믈 무류ᄒᆞ고 노ᄒᆞ여 ᄂᆞᆾ츨 블키고 되코즈 ᄒᆞ거늘 젼긔 흔연이 말녀 왈 현비와 녀ᄋᆞᄂᆞᆫ 부졀업시 징단치 말나 네 이러틋 니르(50)지 아니나 ᄂᆡ 임의 다 아ᄂᆞᆫ 일이라 아직 되여가믈 보미 가ᄒᆞ니라 황츅이 쏘흔 호언 관위ᄒᆞ고 모녀의 화긔ᄅᆞᆯ 권ᄒᆞ니 황시ᄂᆞᆫ 분분ᄒᆞᄂᆞ 오직 말을 아니ᄒᆞ고 교쥬ᄂᆞᆫ 쏘흔 분연ᄒᆞ되 그윽이 싱각ᄂᆞᆫ 비 만하 줌줌ᄒᆞ더라 교쥬 되음찰녜 작일 현원슈의 옥골풍광을 다시 보미 원한이 더옥 ᄀᆞ득ᄒᆞ여 부디 졔 손으로 잡ᄋᆞ 깁히 가도고 ᄉᆞ싱으로 져혀 져의 음욕을 치오고즈 ᄒᆞ미 몬져 가슴의 영원이 쮜노라 스스로 진졍치 못ᄒᆞ거늘 어미 눈츼 업슨 말을 드르미 심홰 되발ᄒᆞ여 블공흔 말노 어미ᄅᆞᆯ 촉노ᄒᆞ고 ᄉᆞ실의 도라와 고요히 싱각ᄒᆞ미 믄득 공교흔 의ᄉᆡ 니러나 혜오디 현싱이 나의 교슐을 보고 경겁ᄒᆞ여 안병부동ᄒᆞ시니 ᄂᆞᄂᆞᆫ (51)이 ᄀᆞ온디 묘계로 운동ᄒᆞ리라 ᄒᆞ고 가마니 일봉셔ᄅᆞᆯ 닷가 긴긴히 봉ᄒᆞ고 심복 쇼교ᄅᆞᆯ 불너 비밀이 닐너 왈 네 ᄎᆞᄉᆞᄅᆞᆯ 부왕과 황장군긔 고치 말고 원방 장ᄉᆞ의 모양으로 글을 품고 숑진 밧긔 가 방황ᄒᆞ다가 숑군이 보고 뭇거든 이리이리 되답ᄒᆞ고 드러가 부원슈긔 글을 드리고 답셔ᄅᆞᆯ 맛타오면 너ᄅᆞᆯ 각별 즁상ᄒᆞ고 만일 아모나 알게 ᄒᆞ면 너ᄅᆞᆯ 버히리라 ᄒᆞ니 쇼돌이 감히 곡졀을 뭇지 못ᄒᆞ고 복식을 굿쳐 숑진 밧긔 니르러 방황ᄒᆞ더니 과연 숑군이 보고 잡ᄋᆞ 넌다 무르니 소괴 답ᄒᆞ여 니로디 쇼흔은 이 ᄯᅡ 쇼민이러니 가장 비밀식 잇셔 부원슈 안젼의 글월을 드리고즈 ᄒᆞᄂᆞ니 바라건디 인진ᄒᆞ라 (52)ᄒᆞ니 군ᄉᆡ 이 말을 듯고 괴이히 넉여 닐오디 네 엇지 이곳의 와 이런 오활흔 말을 ᄒᆞᄂᆞ뇨 네 즉시 도라가지 아니ᄒᆞ면 일명이 경긱의 ᄂᆞ라ᄂᆞ리니 여러 말을 말고 ᄂᆞ가라 쇼괴 쏘 간졀이 비러 줌안 드러가 글월만 드리고 나오리니 허ᄒᆞ라 군ᄉᆡ ᄀᆞ장 괴이히 넉이며 ᄌᆞ져ᄒᆞᄆᆞᆯ 마지아니

ᄒ다가 다시금 ᄌ셔히 뭇고 이의 기인을 잡으 부원슈 장하의 드러가 쇼뎔의 말노뼈 고ᄒᆫ디 원쉬 듯고 ᄀ장 의혹ᄒ며 괴이히 넉여 즉시 그 군스를 잡으 장하의 굿ᄀ이 안치고 연고를 힐문ᄒᆫ디 쇼졸이 디왈 다만 글월이 잇ᄂ이다 ᄒ고 즉시 품 ᄀ온디로됴ᄎ 일봉셔를 ᄂ여 올니거늘 원쉬 눈을 드러 보니 피봉의 뼛시되 텬됴 부(53)원슈 안탑의 글월을 올니노라 ᄒ엿거늘 원쉬 즉시 써혀 보니 그 글의 디강 굴와시되 고인 젼시ᄂ 일봉 셔간을 밧드러 부원슈 현공 휘하의 일편 셔찰을 드려 그윽ᄒ 쇼회를 고ᄒ옵ᄂ니 됴감ᄒ시고 녀ᄌ의 졍셩을 가이ᄒ쇼셔 쳡이 본디 됴시의 골육이 아니로디 광평왕이 처음의 황가를 유셰ᄒ고 ᄌ모를 탈취ᄒ여 사롬의 쳐으를 아스 인뉸을 어즈러이니 엇지 뉸상의 디변이 아니리오마ᄂ 왕ᄉᄂ 니의라 다시 졔긔치 아닛ᄂ이 명공이 젼일 쳡으로뼈 그릇 됴시로 알고 옥화의 투한을 져허 임의 거졀ᄒ엿거니와 이졔ᄂ 쳡이 죠녜 아니니 실노 무어슬 구이ᄒ미 잇스리오 만일 닉이 혜으려 (54)굿츤 인연 닛기를 허락ᄒ신즉 쳡이 당당이 부모를 달늬여 텬됴의 귀슌케 ᄒ고 불연즉 일젼의 승부를 결ᄒ리니 바라건디 ᄒ낫 쇼뎔노 ᄒ여금 식로이 미죡을 숨아 쳥됴의 쇼식을 희망ᄒ옵ᄂ니 원컨디 원슈ᄂ 물니치지 마르시고 인뉸을 온젼케 ᄒ쇼셔 ᄒ엿더라 원쉬 견파의 두 발이 상지ᄒ고 목지 진열ᄒ여 크게 ᄭ지져 왈 네 도라가 음녀드려 ᄌ시 니르라 불구의 당당이 몸을 만단의 뼈져 쥭기를 디후ᄒ라 니르라 ᄒ고 글 가져온 쇼뎔의 두 귀를 버혀 원문 밧긔 ᄂ치니 쇼졸이 혼불니 쳬ᄒ여 울며 도라와 교쥬를 보고 슈말을 니르더라 무슐 대한 광무 이년 (55) 무슐 십월 이십구일 필셔 김상궁 셔상궁 글시

명쥬옥연긔합녹 권지이십삼

(1) 명쥬옥연긔합녹 권지이십삼

ᄎ시의 교쥬 쇼교를 보ᄂ고 굼긔오믈 니긔지 못ᄒ여 눈니 ᄲᆯ러질 드시 기다리

다가 믄득이 말을 듯고 딕로딕분ᄒ여 교ᄋ절치ᄒ며 닐오딕 현가 쇼축을 부디
닉 숀으로 싱금ᄒ여 고은 낫ᄎ츨 벗기리라 ᄒ고 쇼피 힝혀 누셜ᄒ가 져허ᄒ여
큰 잔의 상품쥬를 가져 가운딕 독약을 셧근 후 쇼교을 ᄀᄀ이 불너 은근이 위
로ᄒ며 슐을 먹으라 ᄒ니 쇼피 크게 깃거 ᄉ례ᄒ믈 마지아니ᄒ고 이의 슐을
바다 마시더니 오릭지 아야 믄득 칠규으로서 피을 무슈히 흘니고 족ᄉᄒ니 교
쥐 좌우로 ᄒ여곰 시신(2)을 겨ᄅ져 업시 ᄒ라 ᄒ고 호령ᄒ여 닐오딕 ᄎᄉ를
만일 구외의 닉여 남이 알게 ᄒᄌ죽 일죄로 마련ᄒ리니 슴가 젼셜치 말나 ᄒ니
복부 ᄎ환니 감히 말을 못더라 이쩌 교쥐 스ᄉ로 싱각ᄒ되 져의 요술노 족히
텬를 뭇지르고 숑군의 안병부동ᄒ믈 ᄀ장 민망이 넉여 날마다 딕쇼 누라을 식
여 옷슬 메왓고 살을 드러닉여 슈욕게 ᄒ니 숑진 ᄉ돌이 아니 분ᄒ 리 업스되
오직 낭 원쉬 쳔연ᄌᄉ약ᄒ여 즘쳥아인ᄀ치 못 듯는 듯ᄒ며 견벽불츌ᄒ더니 후
군 병마ᄉ 뎡간이 본딕 장문 여동으로 무예 츌인ᄒ나 성되 과격ᄒ여 범ᄉ의
춤(3)지 못ᄒ는 병통이 잇는지라 낭 원쉬 젹인을 딕진ᄒ믹 믄득 쳣 ᄡᄒ홈의 예
긔 쇼삭ᄒ여 견벽불츌ᄒ믈 의혹ᄒ나 ᄌ긔 쇼님이 말장의 잇시니 감히 말을 못
ᄒ더니 젹군이 여러 날 슈욕ᄒ믈 드르믹 능히 춤지 못ᄒ여 장즁의 드러가 냥
원 슈긔 고ᄒ여 왈 져 무리 분딕 녹님의 젼경ᄒ는 강도의 무리로셔 방ᄌ이 참
칭뎨왕ᄒ고 이졔 텬병으로 상지ᄒ연 지 오릭되 가지록 참월ᄒ여 쳔장을 능멸
곤욕ᄒ니 엇지 통히치 아니리잇고 쇼장이 비록 무직ᄒ나 이졔 만일 군ᄉ를 빌
니시면 당당이 나ᄋ가 쥐 ᄀ흔 도젹을 싱금ᄒ여 (4)도라오리이다 냥 원쉬 듯
고 오히려 허치 아니ᄒ고 구지 직희기를 위쥬ᄒ거늘 뎡간니 분울ᄒ믈 이긔지
못ᄒ여 여러 번 ᄡᄒ호기를 쳥ᄒ되 원쉬 젼연 부동ᄒ니 졍간니 무언이 퇴ᄒ여
장 밧긔 나와 드르니 진문 밧긔 됴셩 딕란ᄒ며 모든 젹군이 양비용약ᄒ여 만
단슈욕ᄒ여 도젼ᄒ는 형상은 ᄉ룸이 ᄎ마 듯지 못홀지라 뎡간니 더욱 분희ᄒ
여 심닉의 싱각ᄒ되 딕장뷔 ᄉᄌ즉ᄉ의라 인지싱셰의 싱은 긔야요 ᄉ는 귀예니
죽고 살미 다 뎡이라 엇지 미리 죽을가 겁ᄒ여 목을 움치고 드러 잇셔 져의 욕
을 감심ᄒ리오 쏘 (5)장녕을 불봉흔 죄는 나동의 군법을 ᄇ들지연졍 엇 예긔

를 감쵸고 젹군의 우음을 취ᄒᆞ리오 말을 밧츠며 분연니 갑쥬를 곳치고 슈하
ᄉᆞᆷ천 군을 호령ᄒᆞ여 일시의 진 밧긔 ᄂᆡ다라 ᄃᆡ호 왈 무지ᄒᆞᆫ 도젹이 진실노 방
ᄌᆞ무인ᄒᆞ미 여ᄎᆞᄒᆞ여 감히 텬병을 항거코ᄌᆞ ᄒᆞᄂᆞ요 우리 ᄃᆡ원슈 흉즁의 경제
ᄃᆡ략이 업시미 아니요 슈하의 용병 냥장이 지릉다모ᄒᆞ여 님진 ᄃᆡ젹의 신출귀
믈ᄒᆞᆫ ᄌᆡ ᄒᆞ나둘히 아니라 엇지 너희 등을 일시의 뭇지르지 못ᄒᆞ리요마는 ᄃᆡ군
니 원노의 발셥ᄒᆞ여 피로ᄒᆞᆫ ᄇᆡ 만ᄒᆞᆫ 고로 잠간 안병ᄒᆞ여 삼군의 긔운을 치고
ᄌᆞ ᄒᆞ(6)미니 엇지 여등 쥐 무리를 두리리요 ᄒᆞ고 이의 칼을 둘너 ᄂᆞ오며 젹
장을 취ᄒᆞ거ᄂᆞᆯ 이ᄯᆡ 젹이 연일 도젼ᄒᆞ되 숑군이 맛ᄎᆞᆷᄂᆡ ᄂᆞ오지 아니ᄒᆞ니 ᄀᆞ장
업슈이 넉여 날마다 젼긔 황녜로 더브러 황축과 교쥬로 더브러 연음 ᄌᆞ락ᄒᆞ고
말장쇼졸을 보ᄂᆡ여 천병을 슈욕ᄒᆞ믈 긋치지 아니ᄒᆞ더니 졍병ᄆᆡ 블의에 나와
셔로 교젼코ᄌᆞ ᄒᆞ믈 보고 젹장 ᄆᆡᆼ분니 ᄂᆡ다라 마ᄌᆞ ᄊᆞ화 블과 ᄉᆞ오 합의 졍간
의 칼날이 번득이며 ᄆᆡᆼ분의 가슴을 질너 말긔 ᄂᆞ리치고 승세ᄒᆞ며 엄술ᄒᆞ니 이
불과 ᄒᆞᆫ 무리 오합지졸이라 졍병마의 감용을 뉘 능히 당ᄒᆞᆯ ᄌᆡ 잇(7)시리오 ᄯᅩ
교쥬의 요술을 맛ᄂᆞ지 아야시니 뎡간의 용ᄆᆡᆼ이 무쌍ᄒᆞ고 지략이 겸젼ᄒᆞ믈 당
ᄒᆞ니 뉘 항거ᄒᆞ리오 젹즁의 크게 제란ᄒᆞ여 분쥬ᄒᆞᆯ 즈음의 텬병이 승세ᄒᆞ여 호
장 육 인을 쥭이고 졸도을 뭇지르니 젹쉬 황황 도찬ᄒᆞ여 산곡으로 닷거ᄂᆞᆯ 뎡
간의 군ᄉᆡ 승승ᄒᆞ여 츄살ᄒᆞ고 졍간이 ᄯᅩᄒᆞᆫ 승세ᄒᆞ여 졈졈 ᄯᆞ라 드러가며 협곡
으로 ᄃᆞ라들거ᄂᆞᆯ 숑진의셔 바라보고 ᄃᆡ경ᄒᆞ여 급히 경을 치며 군을 도로혀믈
ᄌᆡ촉ᄒᆞ되 졍간니 듯지 아니ᄒᆞ고 졈졈 깁히 드러가며 젹군을 ᄯᆞ로더니 믄득 됴
셩이 ᄃᆡ진ᄒᆞ며 산상으로됴ᄎᆞ 일지군이 급히 ᄂᆡ(8)다른니 이는 황축과 교쥐라
졍히 젼긔와 황녜로 연음ᄒᆞ더니 져의 션봉과 제군이 숑군의게 쥭으믈 듯고 ᄃᆡ
로ᄒᆞ여 블의 발군ᄒᆞ여 ᄂᆞᄋᆞ오미러니 숑군을 맛나ᄆᆡ 왈 ᄇᆡᆨ셜춍 타고 이화창을
둘너 나아오며 녀셩 ᄃᆡᄆᆡ 왈 무명 말장이 엇지 감히 우리 션봉과 군ᄉᆞ를 살히
ᄒᆞ리오 네 ᄯᅩ 이 깁ᄒᆞᆫ 골의 드러와시니 스ᄉᆞ로 쥭기을 ᄌᆡ촉ᄒᆞ미로다 ᄂᆡ 이졔
너를 엇지 살나 보ᄂᆡ리오 언파의 창을 츔츄어 뎡병마을 취ᄒᆞ니 졍간니 ᄃᆡ로ᄒᆞ
여 ᄭᅮ지져 일오되 너는 만고 음녀악뷔라 젼젼 죄악을 헤ᄋᆞ리건ᄃᆡ 텬살무셕이

오 만스유경이여늘 안연이 임진ᄒ여 젼(9)일 아비로 칭호ᄒ던 국군과 젼부와 결젼코즈 ᄒ는다 ᄒ고 이의 쌍도를 드러 음녀와 교봉홀시 교줘 딕로ᄒ여 창을 드러 셔로 쏴화 십여 합의 이르미 황츅이 ᄯᅩ 협역ᄒ여 도젼ᄒ니 졍간의 용녁이 츌유ᄒ여 고즈 쵸픠왕의 강용을 우살지라 좌우로 냥젹을 딕젹ᄒ더니 황츅과 교줘 문득 입으로 진언을 념ᄒ며 치를 드러 ᄒᆫ 번 ᄀᆞ르치니 음운니 스긔ᄒ며 진퇴 아득ᄒ여 스롬을 아라보지 못홀너라 문득 ᄒᆫ줄 독ᄒᆫ 닉 진동ᄒ며 뎡간의 낫치 씨치니 졍신니 아득ᄒ며 아모리 홀 줄 모르다가 졈즉이 마하의 써러지거늘 황츅이 급히 (10)다라드러 졍간을 싱금ᄒ고 다시 군을 지쵹ᄒ여 일진을 엄살ᄒ니 졍간의 일군이 파셔 금계산 아릭셔 몰스ᄒ니라 교줘 숑진을 엄살ᄒ고 승승장구ᄒ여 뎡간을 결박ᄒ여 산치의 도라와 공을 드리니 젼긔 딕희ᄒ여 댱즁의 놉히 안고 군스를 명ᄒ여 졍간을 잡아드리라 ᄒᆞ딕 군시 명을 듯고 셜니 졍간을 ᄭᅳ어 장하의 ᄭᅮᆯ니라 ᄒᆞ니 뎡간이 분연딕로ᄒ여 환안을 부릅ᄯᅳ고 쇼릭를 크게 질너 닐러 왈 나는 쳔됴 명장이오 너는 하방 쵸젹이라 네 감히 쳔의을 이럿듯 불만ᄒᆫ 죄을 싱각지 못ᄒᆞ는요 딕장뷔 스즉스의여니와 엇지 조고만 쵸(11)젹의게 굴슬ᄒ리오 ᄒ고 ᄭᅮ지기을 긋치지 아니ᄒ거늘 젼긔 딕로ᄒ여 좌우을 ᄭᅮ지져 닉여 버히라 ᄒᆞ니 졔졸이 일시의 나ᄋᆞ와 졍간을 잇그러 치문 밧긔 닉여가 참홀시 뎡간이 불변안식ᄒ고 다만 닐오딕 닉 혼암ᄒ여 일즉 양 원슈 댱녕을 듯지 아니ᄒ다가 오날날 닉 몸이 그릇 돗과 기 갓흔 무리의게 욕을 보니 슈한슈원이리오 이는 나의 불민 용우ᄒ무로 스스로 화을 취ᄒ도다 말을 맛고 이의 목을 느리혀 칼을 바드니 엇지 츠홉지 아니리요 이날 젹군이 졍간의 슈급을 긔예 다라 호령ᄒ니 숑진 셰작이 냥 원슈긔 고ᄒ니 광평왕과 현원쉬 탄식고 일오딕 (12)뎡간은 ᄒᆞᆫ 놋 용뷔러니 맛춤닉 장녕을 듯지 아니ᄒ고 경젹ᄒ다가 몸이 스스로 망ᄒ니 가련토다 좌우 졔장이 져마다 강기호믈 마지아니ᄒ고 현츰뫼 졀치분미 ᄒ여 닐오딕 젼긔 흉젹은 니르지 말고 음녀 모녀의 죄악이 쳔지의 관영ᄒ니 맛당이 잡는 날 오형의 늏이 오히려 경흘가 ᄒᆞ나이다 졍간니 비록 혼암ᄒ나 츙의와 무용이 졀뉸ᄒ더니 이졔 젹슈의 몸을 맛ᄎ

니 가히 참담호도쇼이다 냥 원쉬로부터 졔군 장졸이 아니 슬허호 리 업더라
명죠의 젹군니 승승호여 진문 밧긔 나아와 슈욕호물 마지아니호며 쏘흠을 도
도거날 광평왕이 틴로호(13)여 이의 젼녕호여 진문을 크게 열고 틴틴인민 문
긔호의 일즈 장슈진을 치고 빅모황월이 졍졍졔례호여 위엄이 셔리 궃고 군장
슈졸의 긔갑이 션명호고 틴위 엄슉호니 젹괴 젼긔 먼니셔 바라보고 암칭호물
마지아니호며 져의 진즁을 도라보미 틴외 창난호고 장쉬 위엄이 업스며 군시
항오을 아지 못호는지라 젼긔 스스로 구연호믈 이긔지 못호여 다만 일 긔를
긋치지 아니며 황츅과 교쥬을 도라보와 굴오딘 과연 황비의 말이 올토다 광평
왕의 지모와 현희빅의 지략을 못닌 긔리며 일쿳더니 닌 다만 셔의호 계교로써
이란 격셕호는 낭픽 (14)잇슬가 져허 호느이 엇지 호리오 가장 근심이 젹지
아니되 오직 밋는 바는 너희 부부쓴니라 모로미 진심호여 쇼루호미 업게 호라
황츅이 밋쳐 답지 못호여셔 교쥬 응셩 분연호여 졀치 통도 왈 부치는 너무 구
겁지 마르쇼셔 쇠숑 말셰의 숀빈니 다시 오면 모로거니와 쇼녜 독히 늒국의
틴인비를 셰우던 협긔 잇고 겸호여 호풍호는 지쥐 잇시니 이졔 엇지 젹장을
두려 셩사치 못홀가 근심호리잇가 젼긔 웃고 당부 왈 오직 녀셔의 지쥐을 밋
느니 진심호여 셩슈커을 바라노라 호더니 인언니 숑진즁의셔 금괴 졔명호며
곽션봉(15)이 승챵 츌마호여 예긔 등등호고 용약이 비운호여 쏘흠을 도도거
날 교쥬 분연니 닌다라 교봉홀시 황츅이 쏘흔 말을 닌여 도으니 숑진의셔 우
션봉 이상과 좌장군 우익과 젼장군 묘셩이 일시의 장창 틴도을 좌우로 두루고
예긔 등등호여 닌다르니 젹진즁으로셔 쏘 두 장쉬 닌다라 교봉호니 금괴 졔명
호더라 각각 오십여 합의 불분셩뷔러니 교쥬 문득 창을 머무르고 요슐을 힝코
즈 호거날 곽션봉이 요슐의 이히를 임의 아랏는지라 급히 마두를 도로혀 다라
나니 숑장 숨 인이 쏘 일시의 픽쥬호여 곽션봉의 뒤흘 이어 다르니 교쥬 놀라
져(16)의 슐이 밋쳐 힝치 아야셔 쳔장이 믄득 픽쥬호믈 보고 흔흔 즈득호여
창을 두루며 크게 웨여 일오딘 너희 지쥐 그만이어든 일즉이 황복호여 살기을
요구호라 쏘 일오딘 희빅 쇼지 진실노 지혜 잇거든 쌜니 나아와 즈웅을 결호

라 닉 당당이 젹즈을 잡ᄋ 눗칠 벗기고 염통을 ᄲᅢ여 한을 갑ᄒ리라 이ᄭᅥ을 더
듸게 말나 ᄒ고 연ᄒ여 ᄭᅮ지기를 마지아니ᄒ는지라 현참뫼 듯고 듸로ᄒ여 창
을 빗기고 닉다라 듸즐왈 만고 음악츌녜 쥭으미 목젼의 잇는 줄을 아지 못ᄒ
고 담듸흔 말을 ᄒ는다 ᄒ고 크게 흔 쇼릭를 지르니 산악이 문어지는 듯흔지
라 교쥬 듸로 (17)분미 왈 너는 익잔흔 월셩공쥬의 젹은 즈식이로쇼니 됴히
네 집의 업듸여 어믜 덕의 고량을 빅부르게 먹을 거시여늘 피견집예ᄒ여 님진
듸젹ᄒ미 진실노 우읍지 아니리요 닉 굿ᄒ여 너 쇼ᄋ를 쥭이려 아닛ᄂ니 희빅
을 불너 ᄂ오게 ᄒ라 참뫼 부답ᄒ고 쌍도을 드러 핍박ᄒ기를 급히 ᄒ니 교쥬
본듸 참모의 쳥년 슈미ᄒ물 아됴 업슈이 넉이는지라 이의 창을 드러 슈십여
합을 싸호미 춤모의 칼 쓰는 법이 즈못 졀눈ᄒ여 듸젹기 어려운지라 문득 몸
을 두루혀 가마니 금비젼을 ᄲᅢ혀 참모를 향ᄒ여 쏘니 참모의 직죄 진실노 부
독ᄒ미 아(18)니로듸 일시 운익이 잇고 텬졍지슈로 합쥬의 응ᄒ미 급흔지라
밋쳐 피치 못ᄒ고 살이 비도라 우비를 마지니 살이 비록 젹으나 살싯히 독약
을 발ᄂᆺ시니 ᄉ름이 만일 흉복을 마즈면 반드시 즉ᄉᄒ고 슈독이 마즈면 병잔
ᄒ는지라 참모의 우비 마지미 문득 뉴혈이 돌츌ᄒ며 의갑의 피 ᄉ못치니 범인
ᄀᆺᄒ면 발셔 말긔 ᄶᅥ러져 젹슈의 잡히믈 면치 못홀 거시로듸 희문은 본듸 츙
텬 장긔라 살을 ᄭᅳ고 즉시 본진의 도라오니 이ᄭᅥ 곽션봉 이션 등은 젹장 슈인
으로 싸화 님의 머리을 버히고 승젼고를 울니며 도라오고즈 ᄒ더니 참뫼 젹장
의 살을 마즈 픽(19)쥬ᄒ믈 보고 일시의 말을 도로혀 도라오니 임의 황혼 ᄭᅢ
의 이르럿더라 이ᄭᅥ 교쥬는 본진의 도라가 싸화 이긔믈 고ᄒ니 황츅은 ᄯᅩ흔
두 장슈를 쥭이고 ᄀᆞ장 무류ᄒ니 젼긔 교쥬의 승쳡ᄒ물 듯고 크게 깃거ᄒ나
두 장슈의 쥭어믈 듯고 묵연니여날 교쥬 ᄭᅮ지져 왈 듸장뷔 져ᄀᆞ치 용녈ᄒ고
듸ᄉ을 엇지 도모ᄒ리오 나는 ᄒ마 젹장을 쥭이거나 싱금커나 홀거슬 져희 스
ᄉ로 다라나고 현가 쇼츅이 나의 비젼을 맛고 다라낫시니 비록 쥭든 아니나
우비 병잔ᄒ리니 이만 ᄒ여도 숑군니 낙담ᄒ엿고 졍간을 버히미 ᄂ의 직죠을
아랏ᄂ냐 불구의 숑군을 뭇지르니 필뷔 그(20)릇ᄒ여 숑군니 우리를 업슈이

넉이리로다 황츅이 분연 왈 승픠는 병가의 상셰라 진실노 텬슈의 졍ᄒ미 잇신
즉 ᄂᆡ의 오날 잘못ᄒ모로 픠치 아니 거시요 쳔명이 업순ᄃᆡ 그ᄃᆡ 낭일 승쳡으
로 망치 아니 리 업는지라 교쥐 노왈 그ᄃᆡ 가지록 불길ᄒᆫ 말을 엇지 ᄒ는요 우
리 부왕이 텬명을 바드미 쇼연ᄒ거늘 엇지 복 업산 말노 근심을 요동ᄒ는요
부왕이 맛춤 과인ᄃᆡ도ᄒ실ᄉᆡ 만졍 픠군장이 무ᄉᆞᆷ 큰말을 ᄒ는요 황츅이 믄득
ᄂᆞᆺ츨 붉히고 크게 닷토려 ᄒ거늘 젼긔 부쳬 지삼 히유ᄒ여 슐을 부어 화긔을
권ᄒ니 낭인이 함노묵연 ᄒ더라 명일의 교쥐 (21)쏘 진젼의 나 ᄊᆞ홈을 쳥ᄒ
니 숑군니 쏘 안병부동ᄒ더라 화셜 현츙뫼 살을 씌고 본진의 도라오니 낭 원
쉬 ᄃᆡ경ᄒ여 급히 붓드러 댱의 드리고 살을 ᄲᅢ히니 셩혈이 낭ᄌᆞ이 흘르는지라
금창약을 바르고 동일 구호ᄒ나 상쳬 ᄃᆡ단ᄒ지라 군듕의 죳츤 의ᄌᆞ 슈십 인을
다 불너 치료ᄒ며 잇튼날 임진치 아니ᄒ니 젹군은 더욱 무양위ᄒ더라 이러틋
ᄉᆞ오 일이 되니 츙모의 상쳬 크게 덧나 ᄌᆞ로 혼혼ᄒ니 군죵이 황황ᄒ고 낭 원
쉬 과려ᄒ여 쥬군의 방를 붓쳐 낭의를 브르며 광평왕은 힝혀 블힝ᄒᆫ즉 무삼
ᄂᆞᆺ츠로 졔왕과 쇼믜를 보리오 ᄒ여 슉식을 폐ᄒ고 우(22)례 간졀ᄒ니 부원쉬
위로 왈 악장은 과례치 마르쇼셔 동졔 일시 운익이 괴이ᄒ여 그릇 요슐의 곤
ᄒ미나 맛춥ᄂᆡ 달슈하원지샹이니 엇지 몰몰ᄒ리오 과렴 마옵쇼셔 왕이 탄왈
현셔의 논시 올커니와 망망ᄒᆫ 쳔의을 알기 어렵고 이 아희 병셰 가장 위틱ᄒ
니 엇지 념녀롭지 아니리오 악부찰녀를 즉긱의 버히지 못ᄒᄆᆞᆯ 한ᄒ노라 ᄒ더
라 젹진의셔 참모의 병셰 즁ᄒᄆᆞᆯ 듯고 그윽이 쥭기을 암츅ᄒ여 역시 ᄊᆞ홈을
쳥치 아니ᄒ고 깁흔 뫼속의 유벽쳐을 글희여 교쥐 방슐 요법을 힝ᄒ여 광평왕
옹셔의 명 ᄊᆞᆽ기을 도츅ᄒᆯᄉᆡ 이러구러 십여 일이 (23)지나니 현츙모의 상쳐는
날노 위틱ᄒ고 양 원쉬 믄득 몽믜 번즙ᄒ고 스스로 신음ᄒ되 힝혀 군심이 요
동ᄒᆯ가 십분 강잉ᄒ여 신의를 부르는 방문을 써 붓치니 글와시되 보텬지하는
막비왕토요 솔토지민은 막비왕신이라 촉지 ᄉᆞ쳔이 다 셩쥬의 두신 비오 인민
은 셩쳔ᄌᆞ의 젹지라 방금의 무지ᄒᆫ 쵸젹이 오합지졸을 모화 산듕을 웅거ᄒ고
졈졈 창궐ᄒ여 셩지를 아ᄉᆞ며 인민을 쇼요ᄒ여 셩상이 친황계와 지모양장을

보뇌스 졍벌ᄒ실ᄉ 군즁 춤모ᄉ 현공이 그릇 요젹의 난젹을 마ᄌ 상체 틴단ᄒ
지라 심산 암혈의 도고흔 은ᄌ의 무리나 민간의 (24)슐이 고명흔 지 잇거든
쾌히 ᄂᅌᅡ가 화틴의 무안왕 병 곳치던 묘슐노써 현춤모의 병을 구ᄒᄌᆨ 맛당히
쳔상과 논공봉ᄌᆨ을 앗기지 아리라 히엿더라 이러틋 히엿더니 과연 슈일 만의
흔 무리 운유ᄒᄂᆫ 도인니 문득 ᄂᅌᅩ와 방을 쎠이니 모다 보건틴 도졔 이 인이
기기이 옥안 쇼년이요 션풍이 표일ᄒᄃ 하ᄂᆯ히 더욱 비상혀 산쳔 슈긔와 옥
셜 빙긔 표표이 틴허의 맑은 긔운과 건곤의 가업ᄉ 죠화을 오르지 거두어 황
건도복 고온틴 앙앙이 승난ᄒᆫ던 ᄌ진이요 승운ᄒᆫ던 도션을 우이 넉이니 벅벅
이 옥쳥 상션이 진셰의 ᄂᆞ리미라 보ᄂᆫ 지 훌훌이 쇼(25)흔ᄒ니 어린 듯 바라
보고 말을 못ᄒ니 아지 못게라 이 엇던 도인인고 하회을 셕남ᄒ라 각셜 션시
의 현쇼졔 셔촉 쳥셩관의 머무런 지 얼푸시 누셰 츈취라 묘양셕월의 계향을
쳠망혀 ᄉᆞ친ᄒᄂᆫ 눈물이 화험의 마을 젹이 업ᄉ나 ᄌ란니 좌의 뫼셔 밧드ᄂᆫ
졍셩이 지극ᄒ고 일광 노션의 무휼ᄒᄂᆫ 은혜 극진혀 일신이 반셕 ᄀᆞᆺᄒ니 자
연 슬픈 고온틴 위회ᄒ미 되고 쵸당 벽실의 고요히 쳐혀 쳔문비셔와 손아병
셔을 줌심ᄒ고 의셔를 학습ᄒ니 날노 장진혀 일취월장ᄒ미 쳔니인시와 쳔지
묘화을 모을 거시 업고 ᄌ란이 능히 (26)슐을 통혀 궁시와 검무을 닉이미
빅보의 쳔냥ᄒᆫ물 빅발빅즁 ᄒᄂᆫ지라 틴시 칭찬 왈 부인의 춍명아지와 ᄌ란의
궁마지지 니러틋 긔이ᄒᆫᆫ 하날이 유의 ᄒ시미라 엇지 아름답지 아니리요 쇼
졔 츅연 ᄉᆞ례 왈 ᄉᆞ뷔 쳡 등의 누란의 급ᄒᆯ믈 구ᄒ시고 ᄯᅩ 위도로써 가르치시
니 감히 명을 역지 못혀 거의 죤명을 헛되게 아얏건니와 아지 못게라 빈흔
바를 장ᄎᆞᆺ 무어시 쓰리요 틴시 쇼왈 쳔긔 비밀ᄒ니 아라 무엇ᄒ리오 다만 오
릭지 아야 응험이 잇시리라 ᄒ더라 일야는 쇼졔 ᄉᆞ친지회 더욱 ᄀᆞ이 업셔 보
던 췩을 덥고 기리 탄왈 구고와 부모의 좌측을 쎠나 (27)임의 누년이라 냥가
돈냥이 불효의 ᄉᆞᆼᄃᆞᆫ망을 믈나 화됴월셕의 단장지곡이 역니의 더으시리니 불
쵸ᄂᆫ 어느 날 고향의 도라가리요 ᄒ고 셜파의 옥뉘 쌍유ᄒ니 ᄌ란니 늣겨 왈
쳔쳡은 구상부 ᄎᆞ환으로 연보 ᄉᆞ오 셰로붓터 구부인을 동ᄉᆞᄒ니 부인니 심복

으로 익휼ㅎㅅ 골경의 두시니 명위 노쥐나 비즈의 여른 정성이 빅두 동시의

써나지 아닐 쯧이 잇더니 부인니 십여 츙년의 제왕부 춍븨 되시니 그 존ㅎ고

귀ㅎ미 제후의 일반이라 쳔비 역시 옥규 심합의 동ㅅㅎ여 발이 계졍의 나리지

아니코 눈니 즁문을 엿보미 업스니 어느 곳 담화봉졉이 희롱ㅎ리오마는 슴싱

슈(28)가로 쳔만 의외예 한님 노얘의 탐방ㅎ시는 눈 밧긔 도망치 못ㅎ엿시나

흔 조각 금셕 ㄱㅌ흔 마음이 구지 졍ㅎ엿는 고로 노야의 엄노을 맛나 쇼당의 계

계ㅎ미 뉘 이 가온디 흉인의 독쉬 잔명을 슈즁의 밀츌 줄 알니요 쇠잔흔 목슘

이 활불나흔을 맛나 먼니 산즁의 유탁ㅎ되 오히러 아득ㅎ여 홍픠 무ㅅ 닐노

날을 쥭이러 ㅎ던고 의혹ㅎ나 엇지 나을 쥭이고 의형을 비러 한님긔 득춍ㅎ여

연부인을 희할 줄 알이시리오 인인이 다 즈란을 지시ㅎ믈 싱각ㅎ오미 골경심

히ㅎ여이다 쇼제 도로혀 위로ㅎ더라 추일야의 쇼제 일장 긔몽을 어드미 몸

(29)이 스스로 ㄴ라 쳔궁의 이르러 노군을 보니 군니 명명이 일오디 젼싱 녀

지라 ㅎ고 젼셰 과보를 셰셰이 일으고 반쪽 진쥬을 쥬거날 쇼제 밧고 씨다르

니 남ㄱ일몽이라 난디업손 반쪽 구슬이 슈즁의 잇셔 비록 파물이나 셔치 암암

ㅎ여 벅벅이 위혜왕의 십이승 빗최엿 벽진쥐라 쇼제 심하의 신긔이 넉이나 허

탄ㅎ믈 깃거 아니ㅎ고 즈긔 마춤니 현싱의 실듕을 면치 못홀 줄 알고 심니의

텬도를 탄ㅎ더니 날이 붉으미 문득 디시 드러와 웃고 굴오디 부인니 비록 승

쳔입지ㅎ는 직죄 잇셔도 옥쳥도군의 슉치는 면치 못ㅎ(30)리니 작야 신몽이

그르미 업나이다 쇼제 디스의 말을 듯고 발셔 아라시믈 신긔히 넉이나 졉담ㅎ

미 괴로와 묵연 칭ㅅ홀 뿐이더라 고어함삭의 니쉬 훌훌ㅎ여 반 년이 지낫더니

일일은 디시 도동으로 연쇼져와 즈란을 쳥ㅎ거날 쇼제 도복을 졍졔ㅎ고 졍젼

의 나ㅇ가 디시긔 고왈 노시 무슴 ㄱ르칠 말솜이 잇ㄴ니잇가 디시 왈 부인이

오날날 폐암의 인연이 진ㅎ엿는 고로 특별이 산춘 산과로써 숑별코즈 쳥흔 괘

이라 쇼제 디경 왈 추일 돈명이 여추ㅎ시나 쳡등이 진토의 길히 아득ㅎ오니

장춧 어디로 가라 ㅎ시나니잇고 디시 미쇼 왈 부(31)인이 이졔는 익운니 쇼멸

ㅎ여 풍운의 길흔 시졀이 도라와시니 가히 긔회을 어그릇지 마르쇼셔 이졔 파

셔는 이곳 셔쵹지경이오 이곳의셔 왕반니 머지 아니ᄒᆞ니 불과 ᄉᆞ오 일 정되라 용문산의 여ᄎᆞ여ᄎᆞᄒᆞᆫ 도적이 창궐ᄒᆞ여 ᄉᆞ쳔을 작난ᄒᆞ니 이곳 가국의 근심이요 다못 부인 화란의 근본이라 즁원의셔 디병을 니르혀 졍벌ᄒᆞ니 디원슈는 황즈 광평왕이요 부원슈는 병부상셔 디ᄉᆞ마 현일낭이요 참모ᄉᆞ는 현티위라 이졔 현 참모 요인의 비졈을 마ᄌᆞ 우비 불인ᄒᆞ고 상쳬 디단ᄒᆞ여 ᄉᆞ싱이 위티ᄒᆞ니 만일 무안왕의 괄골요독ᄒᆞ던 화티 아니면 살기 어렵고 요인니 ᄯᅩ 젼국 방슐노써 상 장의 명 ᄭᅳᆺ기을 도모ᄒᆞᄂᆞ니 부(32)인이 금츠 쇼쇼 예절을 거리ᄭᅧ ᄂᆞᆼ으가지 아니면 디시 그를 거시오 빈되 일즉 부인과 ᄉᆞ낭으로 외도을 ᄀᆞ르치미 이의 쇽ᄒᆞ엿ᄂᆞ니 가히 텬명을 녁지 말고 밧비 산의 ᄂᆞ리쇼셔 쇼졔 ᄯᅩ흔 역니 도슈 의 알오미 볽은지라 실흐무로써 면치 못홀 줄 알고 다만 빈ᄉᆞᄒᆞ여 ᄀᆞᆯ오디 ᄉᆞ 뷔 쳡등의 ᄉᆞ화을 구ᄒᆞ시고 홍진의 쳔한 ᄌᆞ최로 션당의 머무러 후휼ᄒᆞ시고 교 훈니 명명ᄒᆞ시니 ᄉᆞ지라도 불감역명이라 삼가 명디로 ᄒᆞ오리니 젼두을 볼히 가르치쇼셔 디시 칭션 왈 부인의 명견달식은 범인의 밋츨 ᄇᆡ 아니로쇼이다 녕 존당 슉녈비는 혈혈쳑신으로 풍진 ᄉᆞ이(33)의 분쥬ᄒᆞ시니 이졔 부인은 좌우 의 슘기 호걸의 지난 ᄌᆞ란이 뫼셔ᄉᆞ오니 무어슬 긔탄ᄒᆞ리잇고 드디여 쵸당의 돗굴 열고 션과향다를 ᄀᆞᆺ쵸와 니별ᄒᆞ며 흔 권 젹은 척을 쥬어 왈 비록 댱광디 쇠 젹으나 허다 미묘ᄒᆞ미 잇ᄂᆞ니 힝즁의 유익ᄒᆞ미 만흔지라 진인후의 별호을 들외긱 운계ᄌᆞ라 ᄒᆞ시고 아직 ᄌᆞ란의 근본을 누셜치 마르쇼셔 힝냥은 부졀업 시니 약간 미시와 두어 냥 은ᄌᆞ을 가져가쇼셔 범인은 ᄉᆞ오 일의 득달ᄒᆞ건니와 빈도의 신힝법으로 힝ᄒᆞ시면 어두게야 쵼졈을 ᄎᆞᄌᆞ 쉬시고 명효의 숑진 영쳐 의 나ᄋᆞ가 의원 부르는 방을 ᄯᅥ히시(34)고 광평왕과 현원슈을 디ᄒᆞ시나 조곰 도 슈치지심을 두지 말고 님시응변 ᄒᆞ오시고 ᄯᅩ 합쥬의 이ᄉᆞ와 쳔졍지슈을 어 긔오지 마르쇼셔 쇼졔 빈ᄉᆞᄒᆞ고 ᄌᆞ란으로 더브러 하산ᄒᆞ여 골 밧긔 ᄂᆞ오니 디 시 ᄂᆞ와 니별홀시 두 쌍 쵸혜을 ᄂᆞ와 노쥬를 신기고 기리 하직ᄒᆞ미 흔 번 셕 장을 두루시며 진언을 념ᄒᆞ니 문득 쳥풍이 삽습ᄒᆞ며 운뮈 ᄌᆞ욱ᄒᆞ여 디ᄉᆞ는 간 디 업고 노쥬의 육신니 표표탕탕이 반일 ᄂᆡ의 육빅여 리을 힝ᄒᆞ여 발이 한 곳

의 ᄂᆞ리니 비록 인기 만흐나 인젹이 희쇼ᄒᆞ여 가가호회 다 뷘집이니 이곳 병
난니 분괴ᄒᆞ미 피란ᄒᆞᆫ 냥민의 집이러라 연쇼져와 ᄌᆞ란(35)니 ᄒᆞᆫ 곳의 니르러
집의 드러가니 거츨 모히 업시 황연ᄒᆞ더라 미시을 녀여 요긔ᄒᆞ고 ᄎᆞ야을 지닌
후 명조의 이러나 디로의 나아가 살피니 평원 광야의 병진이 졔졔ᄒᆞ고 군용이
숨녈ᄒᆞ더라 여러 곳 골 어귀마다 의원 부르는 방을 붓치고 군시 직희엿거날
연쇼졔 송구ᄒᆞ미 침상을 드된 둣ᄒᆞ나 이의 이른 후는 괴로온 경계을 면치 못
흘지라 담을 크게 ᄒᆞ고 숨녀 등으로 도라 ᄌᆞ란 등을 다리고 ᄂᆞᆼ가 방을 쪄혀
ᄉᆞ미의 너흐니 쥬인이 져 도인의 풍치 비범ᄒᆞ고 긔질니 탈쇽ᄒᆞᆯ믈 보고 쳐음은
반드시 신션니 강님흔가 ᄒᆞ더니 ᄌᆞ란이 (36)쥬인을 향ᄒᆞ여 왈 우리 ᄉᆞ부는 신
션도 아니요 귀신도 아니라 다만 고산암혈의 스싱을 좃ᄎᆞ 슈도ᄒᆞ더니 ᄉᆞ부의
명을 밧ᄌᆞ와 쳔장의 셩명을 구ᄒᆞ고 역쳔반젹을 쥬ᄒᆞ러 ᄒᆞ시나니 우리을 인ᄒᆞ
여 딕원슈 휘하의 현알커 ᄒᆞ라 졔인니 듯고 일시의 공경ᄒᆞ여 쳥ᄒᆞ여 진문 밧
긔 머무르고 댱딕의 드러가 ᄎᆞᄉᆞ을 고ᄒᆞ니 냥 원슈 딕희ᄒᆞ여 밧비 마ᄌᆞᆯ식 일
위 미쇼연니 황건우의로 빅옥션을 드혀 일광을 반ᄎᆞᄒᆞ고 편편니 거러 드러오
니 휘휘ᄒᆞᆫ 광념이 요일ᄒᆞ(37)여 그 맑고 고으믈 어듸 비겨 의논ᄒᆞ리오 냥 원
슈 일견의 불승경아ᄒᆞ더니 기인니 앙연니 당의 올나 냥 원슈을 향ᄒᆞ여 공경지
비ᄒᆞ니 냥 원슈 연망이 거슈답읍ᄒᆞ고 긱셕을 도도와 상빈예로 딕홀식 기인이
겸양 왈 냥위 귀인을 쳔가지친이니 죤귀ᄒᆞ시미 일인지하의 계오신 죠졍지인이
시고 빈도는 심산 암혈의 용부쇽지라 일즉 쇼학이 불민ᄒᆞ오나 스싱의 지교을
바다 군즁의 혹ᄌᆞ 유익ᄒᆞ미 잇실가 ᄒᆞ여 당돌이 냥의을 부르시는 방을 쪄혓ᄂᆞ
이다 옥음이 상냥ᄒᆞ여 산협의 봉이 우는 둣ᄒᆞ니 냥 원슈 더욱 의경(38)ᄒᆞ여
흔연 왈 우리 냥인은 이곳 옹셔지의 잇ᄂᆞ니 고는 광평왕 모요 부원슈는 병부샹
셔 현희빅이니 옹셔 냥인이 황됴을 밧ᄌᆞ와 녹님 여당을 졍벌ᄒᆞ더니 승픽 득실
이 여ᄎᆞᄒᆞ고 춤모ᄉᆞ 현희문은 평졔왕 현모의 ᄌᆞ직요 어미 월셩공쥬의 쇼싱이
러니 그릇 요녀의 난젼을 마ᄌᆞ 우비 즁상ᄒᆞ여 협슌의 스싱이 가례라 아등이
ᄉᆞ졍은 지친이요 의는 동조 ᄉᆞ군ᄒᆞ던 바로 엇지 그 스싱을 앗기지 아니리오

시고로 방을 거러 냥틱의 쳥냥슐을 비호미 잇느야 쏘흔 놉흔 도호와 귀흔 셩 명을 알고즈 흐노라 도식 숀수 왈 물외긱이 엇지 셩명이 (39)잇스리잇고 일 즉 도가의 연분니 즁흔 고로 니친쳑기부모흐여 일죵 스싱의 명을 조츠미 셩명 을 니르지 못흐고 다만 쳔흔 별호을 운계지라 흐느이다 현원쉬 우문 왈 현스 의 쳥츈니 몟치나 흐시뇨 딕왈 헛도이 십팔 츈츄을 지니엿느이다 냥 원쉬 겸 두흐고 이의 좌우을 인도흐여 병쇼로 느으가니 근시흐는 군관이 ᄀᆞ득흐고 군 즁의 죠츤 의즈 슈십 인이 분분이 약을 의논흐다가 양 원슈를 인도흐거날 양 원쉬 즁인을 다 물니치고 운계즈을 쳥흐여 춤모와 상의 느으가니 보건딕 의형 이 환탈흐고 일월 안광의 졍긔 쇼삭흔지라 상쳐을 푸(40)러보니 검고 푸르고 독긔 장춫 오장의 스못고즈 흐는지라 참모의 광쳔을 넘쎋는 긔운이나 봉목이 몽농흐고 장긔 쇼삭흐여 거의 진코즈 흐는지라 연쇼졔 비록 졀노 더브러 금슐 이 고로지 못흔 스이나 녀즈의 위부지심이 엇지 범연흐리오 심하의 경희흐되 스식을 강잉흐여 진믹 냥구의 왈 참모의 환휘 흔ᄭᅩᆺ 난젼의 상흔 독긔만 아니 라 운익이 건둔흐시미니 만일 이쎠의 다스리지 아니면 스싱이 위틱흐리니 쇼 되 젹은 직죠을 시험코즈 흐나니 강믹흔 장스로 일신을 단단니 붇들고 침냑으 로 상쳐을 다스려 독혈을 니고 화틱의 쎄 극던 슈단을 (41)다흐여 골부의 스 뭇츤 독을 업시 흐고 냥약을 시험흐면 병셰 츠도의 들니이다 양 원쉬 긔연 허 락흐고 현원쉬 니로딕 닉 아니면 뉘 능히 현졔의 병쳬을 펴니 붇들니오 언파 의 큰옷슬 벗고 춤모을 붓드러 단단니 안고 운식 또 도동으로 춤모의 좌슈를 붓들나 흐고 스스로 광슘을 놉히 것고 딕스의 쥬던 즈금침을 쌘혀 참모의 우 비상의 독혈을 질너 두어 번 술피더니 옥쉬 두루치는 곳의 참뫼 일신을 쇼쇼 와 장호 일셩의 검고 누르고 붉고 더러운 악혈이 닉흘 일우니 독쵀 코흘 거스 리고 좌우 시호흐는 스룸의 옷식 쒸는지라 운스 노쥬(42)의 옷과 숀의 다 무 드니 뉘 아니 놀나리오마는 오직 현원슈와 운스 노쥐 불변 안식흐고 일변 삼 다를 느와 구호흐며 더욱 단단이 붓들나 흐고 은젼도를 쌘혀 푸르고 거믄 살 을 그러으니 쇼릭 십니의 들니고 스각스각 흐는 쇼릭의 춤뫼 엄흘 긔식흐니 냥 원쉬 디경실식ᄒ고 좌위 다 늦출 ᄀ리와 ᄎ마 보지 못ᄒ고 담이 젹은 ᄌᆞᆫ 썰기을 마지아니ᄒ고 군종ᄉᆞ졸이 그 위악ᄒᆞᆫ 동쳐의 신긔ᄒᆞᆫ 슈단으로 파종ᄒ여 농혈과 악취 대단ᄒᆞᄆᆞᆯ 보고 져마다 탈식ᄒ더라 화표 시시의 현츔되 창쳐를 파훼ᄒᆞᄆᆡ 알푸고 쓸혀 긔식 혼도ᄒᆞᄆᆡ 광평왕과 현원쉬 디경(43)실식ᄒ고 운ᄉᆞ 노좌 ᄯᅩᄒᆞᆫ 심동경춤 ᄒ나 슈졍안식고 왈 쇼되 명치 못ᄒ나 츔모 상공 달슈완 복지상이 귀격이 당당ᄒ시고 남두의 타ᄂᆞᆫ 바 원쉬 하원ᄒ시거날 일시 운쉬 틱험ᄒ시나 일노써 천명을 감홀 빈 아니오니 디왕과 명공은 과려치 마르쇼셔 언파의 월미봉졍의 모운이 취집ᄒ여 옥슈셤지를 동ᄒᆞᆫ 바의 창쳐의 신약을 붓치고 깁을 ᄶᅥᆺ쳐 ᄆᆡ며 쳥슈를 구ᄒ여 일환 신약을 갈ᄉᆡ 향긔 응비ᄒ고 졍치 약종의 어리엿시나 옥익진슈러라 운식 친니 약을 드러 오ᄆᆡ 반눈 월익의 칠ᄉᆞ 보요 관니 즘간 숙어시니 보비로온 귀밋히 셔긔 춍울ᄒ고 (44)봉미의 졍광을 흘여 긔운을 슬피니 틱냥 졍치 누실이 광명ᄒ니 좌위 변식ᄒ고 신션이 강님ᄒ민가 의려ᄒ더라 운계지 믄득 신연ᄒᆞᆫ 화긔 ᄉᆞ월ᄒᆞᆫ 아황의 침노ᄒ여 광평왕과 원슈을 향ᄒ여 회싱ᄒᆞᄆᆞᆯ 치하ᄒ고 츔되 호흡을 통ᄒ고 숨을 너쉬니 원쉬 디열ᄒ여 연망이 나ᄋᆞ가 졉면 왈 하날이 현졔을 살오시도다 현졔는 ᄉᆞ싱의 근심을 두지 말나 츔되 봉안을 희미희 ᄯᅥ 좌우를 슬피ᄆᆡ 오히려 아득ᄒ여 타인니 잇시믈 모로고 다만 위구와 동빅을 분간ᄒ여 형장의 안화을 졉ᄒ여 왈 쇼졔 졍혼니 아득ᄒ고 창쳬 쓸혀 알히던 (45)거시 픽 나하 팔을 움즉일 듯시브니 살가 시브이다 셩음이 평상ᄒ여 젼ᄌᆞ로 다르지 아니ᄒ니 왕과 원쉬 디희ᄒ여 운ᄉᆞ를 ᄉᆞ례ᄒ여 왈 임의 날이 져무러시니 셕식을 아당과 ᄒᆞᆫ 가지로 음ᄒ시고 병쇄 누취ᄒ니 머무러 구호ᄒ시미 엇더 ᄒ시니잇고 운식 답ᄉᆞ 왈 빈되 임의 ᄉᆞ부의 교를 밧ᄌᆞ와 츔모 상공 창쳐을 곳치고 쇼되 젹은 지혜로 요젹을 파ᄒ여 냥위 귀인의 직앙을 구코ᄌᆞ 니르러습더니이다 쳥컨디 원슈는 도라가 헐숙ᄒ시면 빈되 머무러 참모의 환후을 구호ᄒ고 ᄉᆞ부의 명 디로 요ᄉᆞ을 멸ᄒ여 냥위 귀인의 신상이 쾌쇼ᄒ시고 젼필승공필취 ᄒ시게 (46)ᄒ리이다 냥 원쉬 디희 칭ᄉᆞ 왈 연즉 만힝이라 아등이 황야긔 쥬고 당당니 만ᄒᆞᆫ지귀와 쳔동지

녹의 후빅지상이 스부의게 더으시고 아름다온 셩명이 유젼쳔츄ᄒ리니 아등이 엇지 ᄃᆡ은할 은혜을 이즈리오 연이나 현ᄉ는 고지신슐이 쇽인의 뉘 아니라 아등이 연야 몽죄 번줍ᄒ고 각별 병이 업스되 식음이 무감ᄒ고 심혼이 썩썩 홀난ᄒ니 현ᄉ의 말슴을 듯건ᄃᆡ 댱부의 할 말이 아나ᄂ ᄯᅩ 요슐이니 군ᄌ지덕이 업셔 요법이 신상의 밋ᄎᄆᆞ믈 츰괴ᄒ나이다 운ᄉ 미쇼 왈 ᄃᆡ왕과 원슈는 하날 복녹이 무량ᄒ시니 엇지 요ᄉ로써 군ᄌ를 범ᄒ리(47)잇고마는 요얼이 피운이 밋쳐 다닷지 못ᄒ무로써 일시 작폐ᄒ나 무슴 신뉘 잇시리잇고 쇼되 스부지교을 밧ᄌ와시니 ᄃᆡ왕과 원슈는 방심ᄒ쇼셔 냥 원슈 언언이 칭ᄉᄒ고 흔담ᄒ더니 축을 붉히고 셕식을 올니니 금반옥긔의 산진희찬니 ᄀᆞ득ᄒ더라 냥 원슈 문 왈 아지 못게라 션도와 유불이 다르니 현ᄉ ᄌᆡ계ᄒᆞ믄 업고 산즁암혈의 믹슉과 들나물이요 오직 흐르는 물의 슝츠 일동이라 귀ᄒ 지방의 셩찬화미로써 쥬시나 더욱 쥬계는 도가의 상식니 ᄃᆡ왕과 명공은 용셔ᄒ쇼셔 냥 원슈 명ᄒ여 슐을 앗고 션과향미로 권ᄒ니 운ᄉ 쳔만 (48)불평ᄒ나 ᄉ냥ᄒ여 득지 못ᄒ고 도로혀 의심만 더을가 두려 십분 강잉ᄒ여 약간 햐져흘ᄉ 축이 밝고 좌치 머나블 그림ᄌ의 운ᄉ 초옥 미슈로 햐져ᄒ는 거동이 더욱 졀승ᄒ니 동ᄒ는 쥬슌과 츌몰ᄒ는 션빈이 영요 찬난ᄒ니 옥빈의 덕긔 현효ᄒ고 냥셩 츄파을 나리 ᄯᅳ ᄀᆞ온ᄃᆡ 엄약ᄐᆡ양이 승죠화요 완약유룡 침녹파라 교슈 영치 막고무비ᄒ니 냥 원슈 심하의 탄진칭션ᄒ여 셕식을 파ᄒ믹 운계지 상을 물녀 동ᄌ를 쥬더라 현 원슈는 운계ᄌ를 의심ᄒ여 혜오ᄃᆡ 츠인의 용모긔질과 언ᄉ동용이 결비남지요 만히 연상셔(49)와 흡ᄉᄒ고 연슉모와 방불ᄒ니 만ᄉ 의외지ᄉ 만흐니 비록 ᄌ분을 치 아지 못ᄒ나 연가 슈슈 화란을 버셔나 도가의 투입ᄒ미로다 이러틋 싱각ᄒ미 완연ᄒ 총명이 도라오나 도ᄎ의 아른 양ᄒ미 됴치 아야 다만 공경ᄒ믈 극진이 ᄒ니 왕을 권ᄒ여 슉쇼 갈ᄉ 운ᄉ을 향ᄒ여 누쳐의 안혈ᄒ시믈 지슘 쳥ᄒ더라 운ᄉ 하당비숑ᄒ고 동ᄌ을 다리고 도라오니 참모는 모로더라 광평왕과 원슈 당즁의 도라와 참모의 싀싱 우려는 업ᄉ믈 치하ᄒ고 츠야를 마음 노화 침변의 누으가니 심식 혼곤ᄒ여 ᄉ몽비몽 간의 춤모 병쇼의 누으가니 문

득 (50)방즁의셔 흔 쥴 셔긔 일러나며 일쌍 빅의동지 냥 원슈를 향ᄒ여 비복

왈 냥위 귀인은 쇼ᄌ을 ᄯ라 요인의 작변ᄒ는 거동과 운화도션의 졔요허는 거

동을 보쇼셔 냥 원쉬 괴히 넉여 동ᄌ을 됴ᄎ 향ᄒ더니 뒤히 금의 신장이 젹면

환안의 황금 갑쥬을 닙고 냥슈의 쳘장과 강편을 드러 고산 졀협을 지나 곡구의

다ᄃ르니 산을 등지고 물을 님ᄒ여 포진향탁을 버리고 쵹을 븕히며 향을 퓌웟

는듸 냥좌의 상탑을 버리고 쵸인 둘을 금슈 의복을 닙히고 웃듬 쵸인의 가슴

의는 듸ᄌ로 ᄡᆞᆺ시되 숑황ᄌ 광평왕 됴(51)뫼라 쓰고 둘지 쵸인 가슴의는 듸

숑 병부상셔 현희빅이라 쓰고 칠규 익릭 일곱 동을 버리고 압히 각각 졔물을

놋코 황시 모녀 머리의 흑관을 쓰고 흑의 입고 집검궁시ᄒ여 ᄉᆞ방을 향ᄒ여

졀ᄒ며 양 원쉬의 명 쯫기를 도츅ᄒ고 활을 만작ᄒ여 두 쵸인의 몸의 살히 무

슈이 겻니고 쏘는 곳마다 젹혈이 넘니ᄒ니 빅의션동이 양 원슈을 호위ᄒ여 독

슈를 졔어ᄒ는 양을 보고 원쉬 경동긔체ᄒ여 거의 혼졀홀너니 이 비후의 잇던

황건역시 창과 쳘편을 드러 상탁을 씌치고 쵸인의 겻닌 살흘 ᄲᅢ히더니 열풍이

되긔 ᄒ(52)며 화셰 이러나 쵸인을 쇼화ᄒ고 황시 모녀을 졀학의 만장 회슈ᄒ

여 머니 더져 왈 여등 듸음찰녀을 엇지 ᄀᆞ마니 쥭여 후인이 모르게 ᄒ리오 불

구의 쳔쥬을 바다 쳔춤만육 ᄒ여 쳔하인니 다 알게 ᄒ리라 녀겨 더지니 홀연

반공 운무 즁의셔 웨여 왈 아직 쥭이지 말나 옥난 치홍 금듸 화월이 살신보슈

ᄒ리라 녁시 우러러 고두ᄒ고 바룸과 화셰을 거두어 거쳬 업더라 양 원쉬 경

동이각ᄒ니 침병 일몽이오 십분 명명ᄒ니 옹셔 냥인니 요탄ᄒᄆᆞᆯ 깃거 아니

(53)ᄒ더라 요녀 등 용ᄉᆞ 방슐의 요괴로옴과 운계ᄌ의 신슐 됴해 비상ᄒᄆᆞᆯ 능

히 지긔ᄒ더라 시야의 운계지 츔모 병침의셔 셤옥 등을 명ᄒ여 지셩 완호ᄒ며

야심 후 부작을 날녀 황의 신장을 불너 요인의 작법을 좌케 ᄒᄆᆡ요 빅의동ᄌ

는 일광듸ᄉ 명으로 운계ᄌ를 보호ᄒ더니 연쇼져의 직덕을 븕히고져 ᄒ여 냥

션니 원슈의 혼을 인도ᄒ여 시말을 알게 ᄒ니 고요흔 가온듸 신인의 됴해 여

ᄎ ᄒ더라 일츌 동녕의 슴군 ᄉ졸이 냥 원슈긔 문안ᄒ고 츔모의 병후을 문침ᄒ

니 냥 원슈의 신식이 여상ᄒ고 긔운이 안(54)안ᄒ여 ᄎᆞ일 졔장의 문안을 밧는

지라 제군장졸이 양 원슈의 안화를 우러러 츔모 환희 나으믈 치ᄒᆞᄒᆞ더라 냥 원쉬 츔모 병쇼의 ᄂᆞᄋᆞ가 운ᄉᆞ의게 하례ᄒᆞ니 운시 불감ᄒᆞ믈 손ᄉᆞᄒᆞ더라 왕과 원쉬 츔모를 보니 누일 고통ᄒᆞ여 졍혼니 훗터져더니 ᄎᆞ야는 앏푼 곳이 업ᄉᆞ니 줌을 편니 ᄌᆞ고 잇다감 약을 먹으시나 본ᄃᆡ 쇼탈ᄒᆞ지라 타인이 잇시믄 아지 못ᄒᆞ고 다만 ᄉᆞ후ᄒᆞ는 장관 셔동의 무리로 아니 운ᄉᆞ는 다만 좌우을 명ᄒᆞ여 ᄶᆞᄶᆞ 약음을 구호ᄒᆞ고 ᄉᆞ이의 쇼금장을 쳐 ᄌᆞ(55)음 쳐 머므러시니 엇지 알니요 틴양이 부상의 오르도록 쵹을 ᄯᅳ지 아야더니 냥 원쉬 타인과 문답ᄒᆞ는 지라 참뫼 의ᄋᆞᄒᆞ여 좌우을 살피니 운ᄉᆞ 노쥬을 본지라 종빅긔 뭇ᄌᆞ와 굴오ᄃᆡ 좌우의 일즉 모로던 긱이 계시니 뉘니잇고 ᄒᆞ더라 무슐년 필셔

명쥬옥연긔합녹 권지이십ᄉᆞ

(1) 명쥬옥연긔합녹 권지이십ᄉᆞ
화표 시시의 원쉬 아을 어루만져 왈 현뎨 창쳬 즁난ᄒᆞ니 뎐하와 우형이 졀위 무궁ᄒᆞ여 명의을 부르는 방을 거럿더니 작일 진인 ᄉᆞ부 돈쳬 니르ᄉᆞ 너희 병을 다스려 위경을 면ᄒᆞ엿ᄂᆞ니 현뎨는 ᄉᆞ례ᄒᆞ라 참뫼 문파의 번연 긔동ᄒᆞ여 은ᄉᆞ를 향ᄒᆞ여 칭ᄉᆞ 왈 병인이 능히 녜을 일우지 못ᄒᆞ니 사부는 허물치 마르쇼셔 현시 쳥풍은일의 맑은 지취로써 만싱의 외질을 살와ᄂᆡ시니 복이 만니의 쥭어 부모긔 불효를 씨치지 아니ᄒᆞ고 다시 고국의 도라가 부모 동긔을 반기올지라 ᄉᆞ부의 활희(2)지은니 덕여텬자ᄒᆞ니 엇지 구셜노써 치하ᄒᆞ리잇고 뭇즙ᄂᆞ니 ᄉᆞ부의 듸명을 어더 드러지이다 진인니 흠신 왈 명공은 됴졍귀인이시고 비인은 산쵼 야인라 쳥은과 빅운니 길히 다르고 향슈와 탁쉬 되 갓지 못ᄒᆞ온지라 엇지 돈하의 빈현ᄒᆞ엿시리잇고 역쳔반젹이 무도창궐ᄒᆞ니 왕식 만니의 근고ᄒᆞ시고 명공이 난젼의 풍독ᄒᆞᄉᆞ 의원 브르는 방 붓치시믈 드르니 비록 산야우밍이 아는 거시 업ᄉᆞ나 보쳔지히 막비왕토요 솔토지민니 막비왕신인즉 셩쥬의

쓴 아인 곳이 업고 신히 아니 되니 업시니 엇지 안연 괄목ㅎ리잇고 ᄉ(3)뷔
명ㅎ시니 외람이 방을 써혀고 명공의 창쳐을 보앗ᄉ오나 무슨 칭은 허실 비리
잇고 두어 낫 환약이 명공의 무량딕슈를 도으미요 빈도의 공이 아니오니 일콧
지 마르쇼셔 언파의 도건을 슉여 졍좌단용ㅎ여시니 황관우의 ᄀ온딕 션풍옥골
이 찬난ㅎ고 셩음이 쳥신ㅎ여 약유봉이 단혈명이라 참뫼 슉시 일견의 암〃션
탄 왈 ᄉ부는 진짓 션풍도골이라 학싱이 상문의 싱댱ㅎ여 황셩 번화지〃의 열
인ㅎ미 젹지 아니ㅎ되 현사의 고풍덕지는 본 바 쳐음이라 귀향과 죤명을 드르
리잇가 운계지 십분 슈렴ㅎ여 왈 (4)빈되 어려서 부모를 써나 가향을 모로는
지라 스싱이 일홈ㅎ여 운계ᄌ라 ㅎ고 쳔흔 나흔 십칠 셰로쇼이다 츠힝의 ᄉ뷔
니르시되 젼셰의 쵼공을 일운 후 번화지지의 부모를 츠ᄌ라 ㅎ시니 빈되 힝혀
부모 츠줄 긔회 잇실가 명공의 반ᄉ지시의 힝도을 쓰르고ᄌ ㅎ나이다 인언의
옥면의 홍운이 은연ㅎ니 셜부 난질이 졀승ㅎ여 엄약쇼월이 응부운ㅎ니 만틱
교슈무비ㅎ믹 안목이 현낭ㅎ더라 현원슈는 유심ㅎ나 참모는 혜오딕 츠인니 본
딕 교가 ᄌ뎨 아니며 반다시 귀문 싱장으로 환을 맛나 도가의 투신ㅎ미니 부
모를 츠ᄌ 근본을 안 후 졔미 즁 의혼ㅎ리라 쥬의을 졍ㅎ니 엇지 우웁지 아니
리오 광평왕이 어린 드시 보고 만구(5)흠이 왈 현싀 부모를 상봉ㅎ믹 반드시
인뉸을 ᄎ쵸리니 과인니 다르 녀이 업스믈 탄ㅎ노라 운계지 미쇼 왈 셜ᄉ 부
모을 츠즌들 명화거둑이 되며 요힝 부모를 츠ᄌ 텬윤죄인니나 면ㅎ면 다시 ᄉ
부을 조ᄎ 명니의 버셔나미 원니로쇼이다 원쉬 실쇼 왈 츠ᄉ는 닉싀니 이졔
니를 빅 아니로쇼이다 언필의 잠쇼ㅎ고 말을 ᄀ더라 이늘 참모의 병셰 만히
가헐ㅎ고 왕과 원쉬 신상이 화평ㅎ고 침식이 안온ㅎ니 군장ᄉ졸이 딕열ㅎ더라
참뫼 유병ㅎ무로 안병부동ㅎ연 지 슈슌니러니 황시 모녜 현ᄎ뫼 창흔이 덧나
죽기를 죄오고 교쥐 요특ㅎ 방슐을 힝ㅎ여 산곡벽쳐의 도장을 버리고 광평왕
현원슈를 죽이면 텬병이 솔(6)난홀 거시니 쯰을 타 승상댱구ㅎ여 쳔병을 뭇자
르고 황셩을 도모ㅎ리라 ㅎ고 역시 쓰홈을 쳥치 아니ㅎ고 긔모신산을 혜ᄋ려
딕ᄉ을 도모ㅎ더니 작법 ᄉ오 일의 셰작을 보닉여 둧보니 참모는 창체 즁타ㅎ

되 원슈는 알는 쇼문니 업는지라 교쥬 모녜 크게 의으ᄒᆞ여 제칠야의 밋쳐는 맛튼 무리 잘못ᄒᆞ미라 ᄒᆞ고 즐퇴흔 후 교쥬 모녜 목욕ᄌᆡ계ᄒᆞ고 젼됴단발ᄒᆞ여 산벽의 나으가 졔젼를 버리고 분향도츅ᄒᆞ여 두 쵸인을 활노 무슈이 쏘더니 믄득 야심숨경의 텬혼지함ᄒᆞ여 광풍이 딕긔ᄒᆞ며 비ᄉᆞ쥬셕ᄒᆞ여 향화등촉을 다 것구르쳐 쇼화ᄒᆞ고 난딕업슨 젹발 환안의 황건녁시 황시 모녀을 만(7)쟝회슈ᄒᆞ여 더지니 비각 두골이 ᄭᅴ여져 뉴혈이 일신을 줌가시니 다만 비러 왈 지죄지죄라 텬시은 용셔ᄒᆞ쇼셔 역시 노긔을 발ᄒᆞ여 졀학의 더지믜 인ᄉᆞ를 모로는지라 졋ᄎᆞ든 ᄎᆞ환의 무리 썰고 슈풀의 업디엿다가 화세 ᄭᅳᆺ치고 바름이 진흔 후 비로쇼 이러나 보니 황시 모녜 혼졀ᄒᆞ엿다가 겨오 졍신을 ᄎᆞᆯ혀 졔녜을 당부ᄒᆞ여 신령의 작변지ᄉᆞ를 불츌구이ᄒᆞ라 ᄒᆞ니 졔녜 비록 응디ᄒᆞ나 심하의 요악이 여겨 쳔됴 운쉬 딕길홀 바을 아더라 오히려 날이 붉지 아얏고 젼긔 향츅이 쟝풍의 츅을 붉혀 음쥬흔담이러니 믄득 황시 모녜 일신의 유혈이 낭ᄌᆞᄒᆞ여거날 냥젹이 딕경ᄒᆞ여 실쇡 문지ᄒᆞ(8)니 황녜는 묵묵ᄒᆞ고 교쥐 왈 숑군이 ᄎᆞᄉᆞ를 알진딕 필연 우을지라 우리 일을 극진니 ᄒᆞ더니 홀연 공즁으로 ᄌᆞ긱이 닉다라 여ᄎᆞ여ᄎᆞᄒᆞ고 물건 상탁을 분쇄ᄒᆞ고 아등을 쥭이려 ᄒᆞ나 ᄎᆞᆫ쳘이 업셔 이리 즁상ᄒᆞ여 도라왓노라 냥젹이 경혹 왈 엇지 이럴 번니 잇시리오 ᄌᆞ못 괴히ᄒᆞ도다 황시 왈 아등이 일즉 딕ᄉᆞ를 도모ᄒᆞ미 믄져 산녕토신을 위치 아야시니 산령이 엇지 노치 아니리오 냥젹이 과연ᄒᆞ나 교쥬 요물이 신쟝의 슈죄ᄒᆞ던 말을 싱각고 ᄌᆞ못 숑구ᄒᆞ더라 황시 모녜 피 무든 의상을 벗고 상쳐를 됴리홀식 이 곳 텬신의 쥰 벌이라 약회 무감ᄒᆞ니 날포신음ᄒᆞ여 고통ᄒᆞ는지라 냥진니 고요(9)ᄒᆞ여 슈월 졍젼을 굿쳐더니 어시의 운계진인니 진 즁의 유쳐ᄒᆞ연지 슌여 일의 참뫼 상체 완합ᄒᆞ고 긔뷔 풍완니 씩씩흔지라 운시 냥 원슈긔 고왈 참모 상공 쇼환이 ᄎᆞ복ᄒᆞ시고 빈되 심산의 슈도ᄒᆞ여 거쳬 안졍ᄒᆞᄆᆞᆯ 취ᄒᆞ옵는지라 냥위 원슈는 일간 고요흔 곳을 빌니ᄉᆞ 비인 ᄉᆞ쳐을 머물게 ᄒᆞ시면 일비지역을 도으리니 흔 간 쳐쇼을 쳥ᄒᆞ고 불연즉 산으로 도라가 물고 ᄒᆞ나이다 냥 원쉬 흔연니 조츤 후 졍심쳐로 옴기니 참모는 말유 왈 ᄉᆞ뷔 복을 구싱ᄒᆞ시고 진즁이 비

록 번요호나 스부의 스데는 겹겹밀밀호 댱슉의 쳐흥시미 번극지 아닐가 흐느
니 동쳐 슌여의 엇지 짠 쳐쇼를 구흐시느니잇가 (10)진인이 스냥 왈 빈도는
향암된 졸식라 엇지 번요훈 디 머물고즈 흐리잇고마는 스부지명이시고 명공챵
흔니 즁흐시니 약치를 슬피고즈 흐미라 산즁 빈되 명공 안젼의 엇지 오리 유
쳐흐리잇고 양 원슈의 덕으로 고요훈 곳의 허흐시니 명공은 말유치 마르쇼셔
언필의 운빈 보험의 화긔 가득흐나 단졍녈슉흐여 츄월이 운즁의 닉왓는 듯 봉
졍이 참잠흐여 말 붓치기 어려오니 참모는 쎠나믈 아쳐흐나 원슈는 심하의 웃
고 아의 쇼탈흐믈 괴이 넉여 다만 실쇼흐믈 마지아니흐고 운스의 스졔를 후영
의 움기니 운스는 깃거흐나 참모는 화모월틱를 겻히 두어 긔화를 숨다가 연연
흐믈 이긔지 못흐더라 슈(11)월 후 진인니 즈란으로 흐여곰 장젼의 고왈 쎠
졍히 츄풍이 니러나 뇨슈 싯고즈 흐니 교젼 징봉홀 쎠라 원슈는 징젼흐쇼셔
양 원슈 깃거 즉시 병갑을 졍졔흐여 쏘홈을 바야니 젹진 즁의셔 황녀와 교쥐
고통흐는 고로 견벽불츌이러니 믄득 숑군의 금고를 울니며 쏘홈을 쳥흐거늘
젼긔 황츅다려 왈 황비 모녜 치 쇼셩치 못훈디 징젼을 쳥흐니 엇지 흐리오 만
일 나지 아니면 아군의 겁흐믈 우으리니 닉 나가 교젼홀 거시니 그디는 도으
라 황츅이 응낙흐더라 젼긔 금갑 금투고의 장챵을 들고 빅셜디완말을 타고 숨
쳔 누라을 거느려 결젼홀시 숑진즁의셔 디션봉 곽즈위 승챵 약마흐여 (12)고
셩디미 왈 디장뷔 님진 교봉흐뫼 셔로 지죠로 쏘호고 영웅을 결우미 올거늘
여등 쥐무리는 요슐노 인심을 현혹흐니 엇지 장부의 힝홀 비리오 요특흐미 심
어구미회로다 금일 교젼흐미 스슐을 부리지 말고 용녁으로 즈웅을 결흐라 젼
긔 쳥필의 붓그리고 노흐여 왈 아등은 응텬슌인흐느니 엇지 스슐을 힝흐리오
쳔시니 도으미니 아모리 영웅호걸인들 젹국이 교젼 시의 졍권니 업스리오 금
일 너을 셤분을 민들니라 곽션봉이 디로흐여 호안을 부릅쓰고 디검을 드러 교
젼홀시 젼긔는 흔낫 강호의 유락흐여 젼졍흐는 물리로 쓸디업슨 용한을 즈랑
흐여 인쵼의 (13)노락흐여 쥬육으로 구복을 치오던 오합지뷔여늘 황시 모녀
의 능휼의 쌘겨 황시 모녀로써 셰상의 무젹지인만 넉여 우화 요리를 한고뇨의

유후 밋듯ᄒᄃ던지라 가연이 약마 교젼ᄒ더니 삼십여 합의 젼긔 져당치 못ᄒ여 급히 닷다가 말긔 쩌러진지라 곽션봉이 밧비 버히고ᄌ ᄒ더니 황츅이 ᄉ셩을 바려 젼긔을 구ᄒ여 산치으로 도라오니 졔젹이 쥬창의 피ᄒᄆ물 보고 ᄊ홀 ᄯᅳᆺ이 업셔 ᄉ산분졔ᄒ니 곽션봉이 승셰ᄒ여 일셩 음으의 젹장 무ᄉ렴을 버혀 마하의 ᄂ리치니 졔젹이 혼비빅산ᄒ여 풍비ᄒᄂ는지라 곽션봉이 졔장을 지휘ᄒ여 일진을 엄슐ᄒ니 젹시 여산ᄒ고 혈유셩쳔ᄒ더라 일식(14)이 져무니 양진니 징을 울니여 군을 각각 거두니 곽션봉이 졔냥을 거ᄂ려 공을 밧치ᄆ 냥 원슈 군졍ᄉ의 치부ᄒ고 쥬육을 쥬어 슴군을 호상ᄒ더라 ᄎ시 운계지 밤이면 물너가ᄌ고 낫인즉 댱즁의 모라 젼승 득실을 논문ᄒ지라 냥 원슈 왈 금일 요인이 졉젼치 아니ᄆ 션봉이 공을 일우도다 만일 요슐 곳 맛나면 엇지 공을 일우리오 참ᄆ 분연왈 명일쇼졔 맛당이 졉젼ᄒ리니 엇지 요젹을 멸치 아니리잇고 원슈 미쇼 왈 너는 엇지 교젼치 아냐 승픽을 미리 아는요 결단코 젹진 즁의 무슨 연괴 잇셔 요인니 진상의 오지 아야ᄂ니 쇽셜의 궁ᄒᆫ 도젹은 ᄯ로지 말나 ᄒ엿ᄂ니 현졔는 망영된 말을 말(15)나 참ᄆ 왈 쇼졔 실노 요젹을 경젹ᄒ다가 요슐의 곤ᄒᆫ 비 되엿거니와 다시 엇지 쇽으리잇고 원슈 불허ᄒ거날 진인 왈 만시 쳔의이혜건딘 참모공의 님진ᄒ시ᄆ 무방ᄒᆫ지라 원슈는 허ᄒ쇼셔 원슈 쾌허 왈 ᄉ뷔 현졔로 교젼ᄒᄆᆯ 이르니 명됴의 교봉ᄒ라 참ᄆ 용낙ᄉ례ᄒ고 명일 됴조의 참모와 곽션봉이 기갑을 션명이 ᄒ고 진문의 ᄂᆨ다라 ᄊ홈을 쳥ᄒ니 젹진이 작일 딕픽ᄒᆫ 고로 슈이 응치 못ᄒ거늘 슝진니 젹무양위ᄒ여 진 밧긔셔 슈욕ᄒ니 젼긔 황츅이 분연 츌마ᄒ여 ᄉ셩을 바려 ᄊ호니 참뫼 창을 두루고 말을 모라 ᄭᅮ지져 왈 금일은 오녀음부를 나오라 ᄒ라 결단코 실졀반국ᄒᆫ (16)죄을 뭇고 쥭이리라 젼긔 딕로ᄒ여 왈 현가 소지 구상유취여늘 엇지 여ᄎ 교악 당돌ᄒ요 네 어슨 체ᄒ나 우리 살히 상ᄒ여 쥭을 거시 무슨 방ᄌᄒᆫ 말을 ᄒᄂ요 언파의 참모를 취ᄒ니 춤뫼 비록 풍젼셰취 ᄀᆺ고 화용이 미부인 ᄀᆺᄒ나 부ᄉ수여풍으로 젼지 ᄀ장 츌뉴ᄒᆫ지라 젼긔 츌마결젼ᄒᄆᆯ 딕로ᄒ여 마ᄌ ᄊ화 십여 합의 승부을 결치 못ᄒ더니 젼긔 믄득 말을 도로혀 닷거늘 곽션봉이 급히

딕도을 드러 쓰르며 젼긔 머리을 치니 젼긔의 황금 투괴 파산ᄒ고 머리 씌여
져 유혈이 돌츌ᄒ니 젼긔 졍신이 아득ᄒ여 마하의 써러지거ᄂᆞᆯ 곽션봉이 칼을
드러 버히고즈 ᄒ더니 믄득 일진괴풍이 (17)닐며 비스쥬셕ᄒ니 곽션봉이 분
노ᄒ나 요슐을 져허 물너ᄂᆞ니 숑군이 징을 울여 군을 물니더라 원ᄂᆡ 괴풍과
모릭 날니믄 교쥬의 힝ᄉᆞᄒ미라 알푼 거슬 강잉ᄒ여 먼니 관망ᄒ다가 구ᄒ미
라 젼긔 픠쥬ᄒ여 도라오니 두골이 터져 피갑의 져졋더라 황시 모녜 알푼믈
잇고 망극ᄒ여 누슈을 흘니고 붓드러 당즁의 드려 피 무든 의갑을 벗기고 슐
노써 위로ᄒ며 황츅의 ᄉᆞ셩을 몰나 글오ᄃᆡ 우리 모녜 병 눗기을 기다려 졉젼
치 아니터면 딕왕이 무슴 일 이리 즁상ᄒ시며 부마를 젹진의 잡히리오 젼긔
분연 왈 고어의 이른바 쳔망이요 비젼지죄라 우리 산치의 호걸이 젹으미 아니
로(18)ᄃᆡ 현가 쇼츅을 당치 못ᄒ니 ᄎᆞ는 하늘이 돕지 아니미로다 일이 불힝
ᄒ여 황낭이 망ᄒ고 ᄂᆡ 죽을지라도 현비와 녀ᄋᆞ는 심ᄉᆞ를 쵸젼치 말고 부딕
원슈을 갑하 흔당 고ᄉᆞ을 효측홀지여다 흔 녀후와 당 무휘 텬하을 두어시니
비와 교ᄋᆞ는 가부와 아비를 위ᄒ여 져바리지 말나 황시 모녜 눈물을 ᄲᅳ려 현
가을 원ᄒ고 셰죽을 보ᄂᆡ여 황젹을 싱금ᄒ여 본영의 도라오니 곽션봉이 젼긔
투고와 말을 바치니 냥 원슈 장딕의 좌ᄒ고 졔장의 공을 바들ᄉᆡ 졔장이 각각
공을 헌ᄒ니 댱슈를 죽이고 마필을 어든 거시 부지기슈러라 냥 원슈 딕희ᄒ여
댱즁의 슐을 두어 숨군을 호궤ᄒ니 환셩이 츈풍 갓더라 황젹(19)을 장하의 꿀
니믹 원슈 하령 왈 ᄎᆞ젹이 용흔한 뉘 아니라 무단니 죽이지 못ᄒ리니 명됴의
버혀 긔둑 ᄋᆞ릭 졔ᄒ라 ᄉᆞ졸이 쳥녕ᄒ고 계셜 쇽박ᄒ여 함거의 가도니 젹진
탐믹 알고 도라가 고흔ᄃᆡ 황시 모녜 왈 이는 하늘이 도으시미라 우리 모녜 병
약ᄒ니 결우든 못ᄒ나 신슐을 힝ᄒ면 엇지 일우지 못ᄒ리요 숑병이 냥일 젼승
의 예긔 승승ᄒ리니 반ᄃ시 군심이 히완홀 씨 군을 모라 겁측ᄒ면 뉘 능이 봉
예을 당ᄒ리오 젼긔 올타 ᄒ고 ᄎᆞ셕의 딕쇼 누라을 우양을 죽여 빈불니 먹이
고 일일 졈고ᄒ여 약쇽홀ᄉᆡ ᄎᆞ일 황시 모녜 져긔 나은 듯흔 고로 더욱 깃거 융
당을 씩씩이 ᄒ고 슈쳔 (20)군마을 거ᄂᆞ려 숑진의 ᄂᆞᄋᆞ갈ᄉᆡ 젼긔는 상쳬 딕

단흔 고로 노약 슈천을 거느려 영슈ᄒ고 황시 모네 딕딕 인마을 모라 송영의 다드르니 시야 슘경의 인영이 젹무ᄒ니 진문을 닷고 영즁이 고요ᄒ며 경졈이 드무더라 교쥬 모네 딕열ᄒ여 젹졸노 지휘ᄒ고 진문을 돌닙ᄒ니 만믹 무인지경ᄀᆺ치 진문을 쎗치되 일인도 됴당ᄒᄂ니 업더라 임의 즁군 장딕의 밋츠되 황연흔지라 계교의 쎈 진 줄 알고 군을 물니더니 홀연 후영 당딕로셔 일셩 딕호의 딕군니 밀밀ᄒ여 고각이 진동ᄒ니 쵹농이 여쥬ᄒ고 졍동의는 딕션봉 곽ᄌ위요 졍남의는 딕장군 위함이요 졍셔의는 우션봉 댱웅이요 졍(21)북의는 좌장군 호익이 나아오니 딕외 졍졔ᄒ고 영뮈 기셰ᄒ니 기기히 농호지풍이요 비웅지상이라 즁군니 양 원슈 현참모와 졔장을 거느려 겹겹이 쓰시니 비죠라도 날기 어렵더라 교쥬 황망ᄒ여 군을 물니고ᄌ ᄒ나 임의 망ᄂ의 걸인 비죄요 함졍의 치인 호푀라 황황실식ᄒ여 쓰호지 못ᄒ고 좌츙우돌ᄒ여 버셔나지 못ᄒᆯ지라 공즁을 우러러 두어 귀 진언을 염ᄒ더니 문득 음풍이 딕작ᄒ고 모릭 날니며 돌이 다름질ᄒ니 송군 댱졸이 눈을 쓰지 못ᄒ여 황황분쥬ᄒ니 교쥬 좌우을 헷쳐 살츌ᄒ더라 후면 장딕상의 일위 션인니 황관우의 편편ᄒ니 별(22)ᄀᆺ흔 쌍셩의 노긔 어릭여 우션을 드러 흑무를 물니치니 옥경 상션니 ᄒ강흔 듯 만고무쌍 졀염이라 좌하의 일긔 션동이 맑은 눈니 명경 갓고 양협이 도화ᄀᆺᄒ니 비컨딕 홍션낭인가 의심되더라 교쥬 황홀ᄒ여 다시 진언을 염ᄒ니 진군니 구름 ᄉᄆᆡ을 드러 연ᄒ여 우션으로 광풍흑무를 거드니 교쥬 황망ᄒ여 고셩 왈 위국 무음군이 젹셰 슉원을 필보치 못ᄒ리로다 언파의 마하의 썰러질 번ᄒ니 일긔 도션니 냥슈의 틱아검을 두루고 ᄂᆞ오오니 교쥬 모네 마ᄌ 정혼을 거두어 교봉ᄒᆯ시 도션니 아믹을 거스리고 일셩 음ᄋᆞ의 황녀을 활착ᄒ여 마하의 ᄂᆞ리치니 황시 황(23)망이 평싱 빈혼 바을 다ᄒ여 다라나고ᄌ ᄒ더니 도션니 활을 ᄂᆞ호여 살을 만즉ᄒ여 쑈믹 흐르는 살이 황녀의 좌목를 맛쳐 것구르치니 교쥬 기무의 잡히 보고 딕로ᄒ여 쌍도를 두루고 다라들거늘 ᄌ란니 마ᄌ 싸화 쌍검을 츔 츄어 다라드니 검광이 셤삭ᄒ여 교쥬의 일신을 감ᄋᆞ 거의 죽을너니 믄득 교쥬 쳥식 되여 다라나고ᄌ ᄒ거날 ᄌ란니 말셔 보고 급히 치니 썩 발셔 밤이 진ᄒ고 동방이 긔명ᄒ 썰라 교쥬 긔력이 진ᄒ여 딕젹지 못ᄒ 줄 알고 급히 일진괴풍이 되여 다라나니 요인의 환법을 뉘 능히 니긔리요 ᄌ란이 딕경ᄒ여 밧비 ᄯ로나 어듸 가 ᄎᄌ리요 숑진니 야젼ᄒ여 크게 (24)니긔믹 승승댱구ᄒ여 젹병을 뭇즈르니 젹졸의 죽은 슈을 모을네라 평명의 징을 울여 군을 거두고 광평왕 현원쉬 댱듸의 좌ᄒ고 운ᄉ를 긱당의 쳥ᄒ여 졔장의 공을 바들식 운계지 흠신 왈 감히 젹은 쇠로 댱영을 기다리지 아니ᄒ고 졔지을 보 닉여 젹괴을 잡으라 ᄒ엿더니 냥위 원슈는 빈도의 당돌ᄒ믈 허믈치 마르쇼셔 냥 원쉬 칭ᄉ 왈 돈시 귀흔 졔ᄌ를 보닉여 젹괴을 줍게 ᄒ시니 아등의 힝심이 라 돈ᄉ의 도졔 지혜 둑ᄒ리니 가히 넘녜 업셔이다 운식 공경 불감이러라 곽 장 냥 션봉이 젹장 슈십 인을 잡고 졔장이 각각 젹장의 슈급을 장젼의 헌ᄒ니 마필 최즁은 불가승쉬라 군졍(25)식 칙을 펴고 긔록ᄒ더니 창믹 ᄌ란을 맛나 젹치을 쇼화ᄒ고 젹괴 견긔을 잡ᄋ 원슈 장젼의 납공ᄒ니 원닉 현원쉬 참모를 명ᄒ여 믄져 젹치를 싀살ᄒ고 견긔을 잡ᄋ오라 ᄒ엿는지라 운ᄉ는 교쥬의 요 슐을 힝치 못ᄒ게 ᄒ고 ᄌ란 용문산 젹진의 나아가 문 직흰 슈문장다려 왈 낭 낭과 옥쥐 숑진의 가 겁치ᄒ여 숑장을 죽이고 황장군을 구ᄒ여 숑진을 뭇즈르 니 숑군니 ᄉ산분찬ᄒ고 아쥐 우리를 명ᄒ여 딕왕게 회보을 고ᄒ라 ᄒ시니 문 을 열나 ᄒ믹 젹이 의심치 아니ᄒ고 문을 열거늘 졍히 문을 들 ᄉ이의 일표 인 믹 일시의 돌입ᄒ니 ᄎᄂ 현참뫼 (26)댱녕을 바드믹라 젹진 슈문장이 놀나 웨 여 왈 숑군의 츄병이 급ᄒ니 우리 군ᄉ로 급히 문의 들고 문을 다드라 현참뫼 당션딕호 왈 션진니 엇지 너희 군식리오 쳔됴 딕진니 눌만 넉이는다 언파의 슈문장을 춤ᄒ고 장즁의 돌입ᄒ니 숑댱 녕희 됴댱 등이 ᄯ흔 후진이 되여 참 모을 조ᄎ 드러가 젹군을 풀 베듯 ᄒ니 셕시여산ᄒ더라 어시의 견긔 머리을 동히고 댱즁의 누어 됴리ᄒ고 모든 ᄎ환니 딕후ᄒ엿더니 날이 겨우 붉으믹 범 ᄀ흔 군식 좌우로 살입ᄒ니 견긔 교쥬 모녀를 기다려 침불안셕ᄒ더니 포셩이 진긔ᄒ며 일위 도션이 다라드러 홍삭을 더져 슈둑을 (27)결박ᄒ여 말긔 언고 풍우갓치 모라 숑영의 다드르니 견긔 심혼이 살난ᄒ여 힘힘이 잡히 되여 가니라 참뫼 깃거 정됴 이장을 지휘ᄒᆞ여 젹혈을 뭇지르니 젹군의 항직 부지기슈라 참뫼 호령ᄒᆞ여 산치를 쇼화ᄒᆞ고 고즁의 싼힌 미빅을 난화 졔군을 쥬니 젹당이 황감ᄒᆞ여 고두비하ᄒᆞ더라 댱활ᄒᆞᆫ 산치를 불지르니 화셰 밍녈ᄒᆞ여 아방궁 습월 하의 비길지라 옥기둥 되모반즈의 진쥬로 얽은 난간니 일시의 문허지니 원님 송쥭과 원산 호표의 무리 ᄒᆞᆫ 가지로 불 우히 쇼화ᄒᆞ니 누린ᄂᆡ 창쳔ᄒᆞ더라 참뫼 장졸을 거ᄂᆞ려 일시의 승젼 긔가을 울녀 본(28)영의 도라와 댱젼의 공을 드릴ᄉᆡ ᄌᆞ란니 젼긔 황녀를 미여 헌공ᄒᆞ고 냥 션봉이 젹슈 쳔여 급 헌ᄒᆞ니 쎠 거의 셕냥이요 다만 비부난녜을 일헛는지라 광평왕이 원슈를 되ᄒᆞ여 분노ᄒᆞ나 무가ᄂᆡ히라 도부슈를 쑤지져 젹괴 젼긔와 황녀와 황츅을 함긔 참ᄒᆞ라 ᄒᆞ니 무ᄉᆡ 쳥녕ᄒᆞ고 황녀 부부와 황츅을 비러 원문 밧긔 ᄂᆡ오니 황녀 슉질이 면상을 바라보니 되원슈 광평왕과 부원슈 현공이 황금 교위의 좌ᄒᆞ고 참모 현희문이 좌우 현장을 거ᄂᆞ려시니 옥안영풍이 빅일됴요ᄒᆞ고 댱ᄒᆞᆫ 위의는 황홀엄슉ᄒᆞ되 일위 도션이 황관우복으로 긕좌의 안즈(29)시니 옥모션틱 휘휘찬찬ᄒᆞ여 일월 이 광화ᄒᆞᆫ 듯ᄒᆞ니 요녜 ᄒᆞᆫ번 보ᄆᆡ 슴혼이 이쳬ᄒᆞ여 무ᄉᆞ의 ᄭᅳ으는 되로 ᄂᆞᄋᆞ ᄀᆞ 형벌을 바드니 앙텬되호 왈 교쥬 요녀의 지쵹 곳 아니러면 산즁의셔 괴요 이 부귀을 누릴 거슬 ᄎᆞ경을 보건되 엇지 젹악을 힝홀 비리요 젼긔와 황츅이 울고 교쥬를 원망ᄒᆞ더니 무ᄉᆡ ᄒᆞᆫ 쇼리 호령의 슴 인의 머리를 버히ᄆᆡ 군즁의 효시ᄒᆞ고 산치 젹당의 ᄉᆞ로잡힌 ᄌᆞ는 교유ᄒᆞ여 각각 노하 보ᄂᆡ니라 이의 공뇌 부의 운계ᄌᆞ의 공을 올니오니 운ᄉᆡ ᄉᆞ례 왈 빈도는 산야궁민니라 유시의 부모 를 실산ᄒᆞᆫ 유싱으로 스싱의 계훈을 밧ᄌᆞ와 쵼공을 도아시나 (30)엇지 감히 공 젹부의 올녀 지둔의 명감을 번득ᄒᆞ리오 광평왕 왈 불가ᄒᆞ다 현ᄉᆡ 비록 고졀쳥 풍이 은일의 지긔 이시나 엇지 현ᄉᆞ의 ᄯᅳᆺ을 됴츠리요 만셰 황애 현ᄉᆞ의 되공 을 표장ᄒᆞ시는 날 현ᄉᆡ 만 니을 지쳑ᄀᆞᆺ치 왕ᄂᆡ홀 ᄯᆡ 현ᄉᆞ의 지게 고즁ᄒᆞ나 엇 지 능히 득ᄒᆞ리요 모로미 슌니 됴ᄎᆞ 틱평연월의 관면을 ᄀᆞᆽ쵸고 홍규심합의 졀 셰병완과 분면녹빈의 초슈미녀로 당을 메우리니 엇지 산야의 골몰ᄒᆞ리요 원슈 이어 왈 텬여불ᄎᆔ면 반슈기앙이라 현ᄉᆞ의 총명달식으로 엇지 ᄭᆡ닷지 못ᄒᆞ나요

운계 미급답의 츔미 이어 글오듸 션셩이 어려셔붓터 초야의 싱댱ᄒ여 (31)경
셩 번화지지을 못 보시무로 쾌언을 ᄒ거니와 흔번 귀경ᄒ라 장안쥬문의 갑데
거쥭과 녜악문물을 볼진듸 고체 쳥심이 듸풍의 토식 피리라 운식 부용 쌍험의
훈식이 어리여 잠쇼 왈 츔모공 말슴 ᄀᆞᆺ흐면 한 뉴후의 황셕공 셤김과 엄ᄌᆞ릉
의 엄능탄이 업시리로쇼이다 지취 각각 다르니 쳥운과 빅운니 길이 다른지라
열위 귀인의 호변쥬론니 여ᄎᆞᄒ시나 빈도는 물외인이라 엇지 환노의 부귀를
탐ᄒ리잇고 명공은 다시 이르지 마르쇼셔 언파의 식위 단엄ᄒ니 왕은 져두유
유ᄒ고 원슈는 잠쇼묵연니로듸 츔뫼 와잠쌍미의 동황이 무르녹고 쇼용(32)이
환연ᄒ여 바라보니 진인니 ᄉᆞ식 뜻과 ᄀᆞᆺ치 못ᄒ물 심불열이듸 불쾌ᄒ여 모운
이 츈산을 잠가시니 졀셰방용이요 슈츌셔물이라 방불이 비컨듸 슉모 연부인으
로 흡ᄉᆞᄒ지라 일변 괴히 넉이고 비상흔 ᄌᆞ품을 흠이ᄒ여 니로듸 현ᄉᆞ 고즁흔
지취를 ᄌᆞ랑ᄒ시나 복의 뜻의는 현ᄉᆞ의 면모의 귀복과 팔덕이 낫타나니 빅운
마을의 ᄌᆞ지곡을 외오고 황졍경을 읇허 심산의 은거ᄒ올 긔상이 아니라 현ᄉᆞ는
괴로이 ᄉᆞ양치 말고 만셰 셩쥬의 보필 냥상이 되여 화당금누의 부귀를 누리쇼
셔 언파의 냥쇼가월의 쇼식이 영ᄌᆞᄒ니 운식 슉연 졍식 왈 빈도는 산쵸야인이
라 엇지 명공의 (33)위ᄌᆞᄒ시믈 감승ᄒ며 무슨 직죠로 셩쥬를 광보ᄒ리오 만
승이 슈돈이나 불탈필부지심이니 산인의 지취 쇼집이 다르니 다시 일너 비인
의 심회를 어즈러이리요 다시 이르지 마르쇼셔 연이나 빈도는 향곡쵼민니라
연일 군무의 참녜ᄒ와 신질이 일고ᄌᆞ ᄒ니 믄져 물너가나이다 언파의 표연이
도제을 다리고 후영으로 도라가니 냥 원슈 말유치 아니ᄒ더라 일식이 황혼이
라 상장과 마졸가지 츠야는 비로쇼 갑을 벗고 말의 안장을 벗게 인뫼 쉬더니
명죠의 다시 모다 화답ᄒ나 운식 동일 좌을 기우리지 아니ᄒ고 단엄졍식ᄒ엿
시니 참모의 풍늉활변니로쇼이다 (34)산인의 고체ᄒ물 실쇼ᄒ고 다시 간범치
아니ᄒ더라 동일 진환ᄒ고 이의 됴졍의 쳡셔를 올니고 황ᄉᆞ를 기다려 즁지ᄒ
고 안민ᄒ는 방을 붓쳐 졔민을 무휼ᄒ니 ᄉᆞ쳔 원근의 향관불뢰 즐겨ᄒ더라 운
식 날포 지체ᄒ다가 본젹이 탈누홀가 우구ᄒ고 쳔 리 발셥이 어려오니 군즁의

됴추 힝호고즈 호더니 만일 텬즈의 봉공즉상호는 찌는 형적이 탈누홀지라 연즉 현참모의 니상을 면치 못홀지니 싀험호 목즈와 포려호 호령을 싱각호면 심혼니 놀나오니 엇지 다시 왕부의 나아가 현틱우 빙번을 감심호리요 후영의 믈너와 즈란을 딕호여 믈너갈 뜻을 이르니 즈(35)란니 강기 왈 부인의 혜ᄋ리신 빅 비즈의 뜻과 일반이라 임의 군즁의 동소호믄 스부지명이시여니와 노애 쇼환이 쾌복호시고 소세 난쳐호미 겨시니 ᄀ마니 군즁의 됴추미 비편호지라 셩의 딕로호쇼셔 아모 촌졈의나 산소의 숨어다가 쇼식을 탐지호여 힝군호믈 즈시 안 후 소오 일 써져 힝호여 비쥬 소인이 돈틱의 나아가 션쳐호시미 가호여이다 쇼졔 영합 쇼원호여 아미의 희식이 어릐여 칭지 왈 연호다 너희 슬거온 의시 즈못 묘호니 무솜 시름 잇소리요 언미필의 신 쫏으는 쇼릭 완완호며 일위 명공이 기호입실호니 풍치 쇄연호고 육안이 츄공망월 갓흐니 농호긔(36)상이요 딕인지격이니 다르 니 아니라 참모 현공이러라 시의 현공이 군즁이 한가호믈 타 운소의 화모션쳐를 소모호고 쏘 괴망호믈 괴히 넉여 힐문코즈 운소의 뒤흘 쫄와 비쥬 무어시라 호는고 드르니 모호호여 즈셔치 아니나 현상부 일ᄏ르믈 드르니 경혹호여 혜오딕 너므 빗나고 연약호믈 이상이 넉엿더니 원간 여지랏다 연이나 엇던 녀지완딕 언단이 즈못 괴히호고 이러틋 의심호나 쇼활긱이 창졸의 진위를 판단호리요 나의 병을 보고 군즁의 머물 젹은 묘믹이 심상치 아니호니 아모려나 보리라 호고 문을 녈고 드러가니 운식 비쥬 딕경실식호고 즈란니 연망이 니러셔(37)셔거늘 참믹 화연쇼지 왈 복이 싀희 아니여늘 현소의 소계 엇지 놀나시ᄂ니요 운식 졍식 왈 고인이 당의 올으미 믄져 쇼릭호여 스름이 알게 호라 호거날 명공이 식이스유로 엇지 힝소의 경거호니잇고 비인의 도제 귀인을 맛는 녜 업게 호시는요 인언의 쇄옥셩이 쩍쩍 한엄호여 한미납셜을 씌엿시며 쳥공이 쇼월이 운이의 교교호 듯 도건을 숙여 공슈졍입호엿시니 맑고 풍엄호여 셔치 휘요호니 참뫼 볼소록 잌경칭복호니 엇지 슐연이 도라갈 현공이리오 거슈 칭소 왈 현소는 득도션인이라 복의 소질을 회츈케 호시니 딕은 활혜 직상 은인이라 (38)복이 슈암호나 현소의 후덕을 감골치 아니리오 여추 고로 군정이 한가ᄒᆞ미 현ᄉᆞ를 보고ᄌᆞ ᄒᆞ미러니 현시 칙ᄒᆞ시니 광망ᄒᆞ물 ᄉᆞ례ᄒᆞ나이다 운시 불감ᄒᆞ물 답ᄉᆞᄒᆞ고 ᄌᆞ란을 명ᄒᆞ여 ᄒᆡ니을 아ᄉᆞ 라 ᄒᆞ니 ᄌᆞ란니 ᄒᆡ니를 거두더니 ᄒᆡ니의 쇼져 냥ᄃᆡ을 감쵸려 ᄒᆞ미 믄득 무지 게 니러나며 옥쇼릭 낭낭ᄒᆞ더니 반짝 구살이 낭ᄃᆡ로 쇼ᄉᆞ나니 ᄌᆞ란니 ᄃᆡ경ᄒᆞ 여 앗고져 ᄒᆞᄂᆞ 진쥬 구으러 셔긔 일싴의 어리고 좌을 졍치 아니ᄒᆞ니 엇지 ᄉᆞ 룸의 손의 잡히리요 춉모 슬하의 밋쳐는 춉모의 요화 냥ᄃᆡ의 셔쳐 어리며 낭 즁으로됴추 반쪽 구살이 ᄂᆡ다라 징연이 울고 경긱의 ᄌᆞ웅을 응ᄒᆞ여 흔(39)낫 윈진쥬 되니 장광체되 계란만 못ᄒᆞ되 휘휘흔 셔광이 위국 십이승쥬 빗최던 화 시벽의 일뉘라 연쇼졔 쳘옥 심장이나 황황져상ᄒᆞ여 훈홍이 보험의 침노ᄒᆞ니 월미을 슉여 난안ᄒᆞ미 불가형언이라 춉모는 합쥬의 이ᄉᆞ를 허탄니 넉이나 쇼 연남지 격연활별의 ᄉᆞ싱돈망을 아지 못ᄒᆞ고 쳔고셩ᄉᆞ을 흉인의 독슈의 제상육 을 민다라 무인침쳐의 옥골향신을 일허 돈문을 모로니 댱부옹양이 셜셜ᄒᆞ여 됴운모쳔의 여유쇼실ᄒᆞ고 경경불미러니 당금의 찰녀 흉인이 쥬멸ᄒᆞ니 돈망이 경이화슈즁월이라 비록 신몽을 밋고 반쪽 명쥬를 (40)심변의 ᄶᅥ나지 아니나 실노 망당ᄒᆞ더니 우녀의 작교회 아니로되 ᄉᆞ상흔 부인을 긔봉ᄒᆞ니 다시 보건 ᄃᆡ 이 곳 연쇼졔 아니요 뉘리요 월면봉목의 동군니 어리여 펀펀광슘 ᄉᆞ이로 합쥬를 어루만지며 부인을 투목숑ᄋᆞᄒᆞ니 부인니 육안을 슉여 져슈묵연니러라 어시의 현참되 오ᄆᆡᄉᆞ복ᄒᆞ던 부인을 우봉ᄒᆞ니 만심환열ᄒᆞ여 염슬부좌 왈 왕ᄉᆞ 는 심한골경ᄒᆞ니 다시 이르지 말고 평지의 풍픠 상싱ᄒᆞ여 일야지간의 부인의 옥골향체을 실산ᄒᆞ니 부모게 불회 비경ᄒᆞ고 싱의 고분지탄니 냥쇼월야의 무궁 ᄒᆞ더니 각인쥬멸ᄒᆞ고 부인의 빙상도힁이 낫타나니 냥가 부뫼 춈통ᄒᆞ시고 복의 (41)슬푸고 뉘웃차미 셔졔ᄒᆞ여도 밋지 못ᄒᆞᆯ지라 엇지 하늘이 도으ᄉᆞ 부인을 지봉ᄒᆞ엿ᄂᆞ요 연나나 엇지 부인이 보명ᄒᆞ여 가부을 ᄉᆞ즁 회싱케 ᄒᆞ시니잇고 쇼졔 츠경을 목도ᄒᆞ니 장츠 무어시라 은휘ᄒᆞ리요 츄연이 하셕쳥되 왈 비인 명 완불ᄉᆞᄒᆞ여 독슈를 맛나 ᄋᆞ녀지 엇지 보젼ᄒᆞ리잇고마는 일광노션의 활명ᄃᆡ은 니 쳡의 잔명을 슬와ᄂᆡ신지라 츠고로 산즁의 쳐ᄒᆞ여 냥가 부모겨 불회 비경ᄒᆞ

오니 텬하불효죄인니라 엇지 안연이 명공게 뵈오리잇고마는 일광노스의 명으
로 군주의 창쳐를 보미요 감히 방주ᄒ여 군주의 쇼유를 감쵸고주 ᄒ미 아니로
쇼이다 원컨되 군주는 비인의 당(42)돌ᄒ물 용스ᄒ쇼셔 셜파의 빅셜무빈의
셔광이 암암ᄒ니 우쇄우용이요 향연니 훈풍의 웃고져 ᄒ고 구름 스이의 명월
이 일어 념용단좌ᄒ엿시니 안목이 시슬ᄒ지라 참미 칭스ᄒ고 문왈 부의 니른
바 도제 결비남이리니 하쳐지인이완되 부인긔 시호ᄒ는요 쇼제 되왈 추녀 등
은 집의 잇실 제 다른 니 아니라 빅스 구부인 시녀 주란니오니 셰셰지지스을
추녀다려 무르쇼셔 참미 경희문지ᄒᄃ 주란니 탄식고 이의 굿기던 셜화를 일
일이 고ᄒ거늘 춤미 만면 화긔이셩ᄒ여 부인더려 왈 아주 셰군 노쥬의 스어을
일쳥ᄒ엿더니 너모 고집ᄒ물 말아야 알지라 그리 말고 외구와 동빅(43)이 외
인이 아니시니 가부을 상확ᄒᆯ거시요 싱과 부인이 우봉ᄒ믄 희시라 엇지 쳐음
은 복의 스질을 구ᄒ고 국ᄀ을 위ᄒ여 요젹을 멸ᄒ시고 ᄂ동은 물녀가물 졔스
이 ᄒ고주 ᄒ시ᄂ이닛고 추는 식니부인의 ᄒᆯ 빅 아니로쇼이다 부인은 다시 일
쿳지 마르시고 텬의를 슌ᄒ쇼셔 쇼제 유유 양구의 피셕졍금 되왈 비인의 잔질
이 엇지 군주의 빙번을 당ᄒ여 셩문의 동신ᄒ리잇고 저앙이 쳡다ᄒ니 잔쳔니
능히 보젼ᄒ엿시리요마는 일광노스의 주비되덕을 구활ᄒ시믈 닙어 산스의 머
무다가 국가의 요젹이 창궐ᄒ여 군주 귀체를 상히오니 되스의 지휘되로 슈여
일 구호ᄒ미요 뇨젹을 (44)잡으믄 주란의 공이라 명공은 홍은을 드리오사 비
인을 허ᄒ여 부모 슬하의 여연을 맛고 셰스을 참셥ᄒ여 다시 명공가상의 일쿳
지 아니신즉 쳡슈불혜나 화봉인의 쳥츅셩인을 본바드리니 원 군주는 찰납ᄒ쇼
셔 녀주의 셩명이 문밧게 나지 아니미 올커늘 비인의 힝식 엇지 규문춤덕이
아니리잇고 참미 언츠의 만분불예ᄒ나 쇼져의 츄상지념이 붓는 불 ᄀᆺᄒ니 셰
츠를 보아 말ᄒ미 올흐되 함구ᄒ미 가치 아냐 완니쇼지 왈 부인지언니 엇지
녀주의 동부지되리오 비록 녀지 군즁의 츌입ᄒ나 셩인도 경권을 허ᄒ신 빈라
엇지 일도만 직희리요 연이나 예셔 결홀 빅 아오니 도라ᄀ (45)냥가 부모긔
고ᄒ여 명되로 ᄒᆯ 분이라 복이 우용ᄒ니 엇지 상논ᄒ리잇고 쇼제 졍금 문파의

옥뉘 구름 스미을 젹셔 지취를 동시 굴후여 현틔우 부인지명을 면치 못홀 쥴 우탄후니 가탄지라 참민 즈란를 명후여 부인을 스후후라 후고 합쥬를 거두어 낭즁의 넛코 도라가니 즈란니 부인을 위로후며 왈 스이지츳후오니 무가닉하라 원컨딕 부인은 쳔니를 슌후쇼셔 부인니 오열 왈 닉 엇지 일을 모로리오마는 명박흔 인싱이 다시 번화지지을 발블 쯧이 쇼연후니 고요히 산간의 쳐후여 부 모를 밧들미 본닉시연마는 일이 흑셩구지 방금지식 난쳐후니 엇지 츠(46)홉 지 아니리오 즈란니 희허탄식 왈 부인은 오히려 임의 뉵녜를 갓쵸스 슘동지탁 을 미지시미 스이의 요인이 잇셔 하마 위틱후실 번후시거늘 하날이 졍후신 인 연니무로 의외의 일광딕스의 구후물 입어 구구흔 셰월을 보닉시다가 합쥬의 긔이후물 맛쵸고져 지휘후미니 이는 곳 면치 못홀 일이요 마춤닉 뜻을 셰우지 못후시려니와 쳔비는 무슴 곡졀노 츰모상공의게 호방후고 긔물의 걸여 죽기로 굴치 아니후다가 요인의 간계 비롯는 삭시 되어 몸을 슈심의 장후올너니 딕시 긋후여 구후여 무예을 가르쳐 (47)츰모공을 도와 젹도을 잡고 부인의 장딕하 를 쪄나지 마라 참모 상공을 뫼시고 비지 또 다시 죽을지연졍 엇지 쳥졍이 즙 든 쯧을 굴후리오마는 발셔 하날이 졍후신 비라 무어슬 탓후며 엇지 면후리잇 고 젼셰스를 원탄홀지연졍 다만 셰식 되여감만 보고즈 후나이다 말을 맛치미 늣겨 우니 부인니 도로혀 홀 말이 업는지라 탄식 왈 셰상의 구츳후믄 녀지라 슈한슈원이리오 너희 맑은 지기로써 능히 텬니을 됴츳 말이 여츳후니 닉 도로 혀 스리을 모로미 ᄌ갑도다 아모커나 너와 닉 혈혈 ᄋ녀지 다시 어딕을 지향 후리오 마지못후여 경스의 쓰라올나가 부모 됸당의 문안이나 알고 즈의후 (48)시든 구고 됸당긔 이우를 덜고 다시 스졍을 쥬달후여 쯧을 셰우고즈 후나 어이 허락후물 어드리오 후고 노쥬 울울탄돌후더라 츠시 참민 장즁의 도라오 미 마음이 스스로 깃브믈 이긔지 못후여 냥 원쉬긔 나ᄋ가니 현원쉬 눈을 드 려 츰믹을 보고 이윽이 슬피더니 웃고 무러 굴오딕 현졔 금일 면상의 츈풍이 화란후니 무슴 깃브미 잇ᄂ요 명쥬긔합후는 희식 잇는야 광평왕은 무심히 듯 고 참뫼 동빅의 신명예지후믈 놀나고 항복후여 이의 낭즁으로됴츳 합쥬을 닉

혀 노호며 전후 슈답을 고호고 왈 이제 쇼졔의 박졍호던 닐을 시로이 원한호
여 말숨이 여추여추호오니 쇼(49)졔 이리이리 말호엿스오나 장부의 쳐치 구
구홀 바를 탄호나이다 냥 원쉬 귀로 말을 드르며 합쥬를 보니 크게 긔이호여
셔긔 방낭호지라 광평왕이 놀나 왈 이는 곳 벽진쥬로쇼니 현경이 위혜왕이 아
니여늘 어듸셔 엇덧시며 운소를 가르쳐 연시라 호믄 하등스야요 현원쉬 웃고
말을 펴 연시의 모야 봉변호던 말과 요인이 쥭사호여 연시을 업시혼 후 다시
즈란을 업시 호고 요스을 짓든 말과 일광되시 연시와 즈란을 구호여 희문을
구호고 요도을 잡게 호엿시나 져젹 희문이 몽즁의 여추여추호여 이 구슬 반짝
을 엇고 신인이 분명 여추여(50)추 니르믜 꿈 씌여 보니 몽즁스는 허탄호나
구슬은 슈즁의 잇는지라 즈못 호탄니 아나 쳔니를 혜탁지 못호나니라 호엿더
니 됴하의 신니하믜 이러호옵고 아의 말이 여추호믜 졔 스스로 부명의 긔구호
믈 한호여 아의 실즁의 들기를 써리미니 허물이 다 아이 당홀지라 슈한슈원리
잇고 광평왕이 쳥파의 격슬탄상 왈 신죄며 긔죄로다 운소의 스졔 원늬 연시와
즈란이랏다 니는 쳔고의 희스니 임의 모로면 홀일거니와 합쥬의 긔이호믈 오
됴추 안 연후야 엇지 혈혈혼 녀지로써 고고히 도라가 지향이 업게 호리오
(51)희문이 오히려 젼일 박졍호믜 남앗도다 현원쉬 옥안영풍의 화혼 우음을
씌여 왈 튠당 부뫼 연슈의 스싱을 모로시무로 한심위 되어 계시더니 금즈 회
환의 고홀 말숨이 빗치 잇시러니와 아의 쥬견은 연슈의 지긔을 돗고즈 호느냐
참믜 냥미을 씽긔여 되왈 쇼졔의 셩되 괴히호와 녀즈의 과격호믄 진졍 실희여
말호기 괴로온지라 쇼졔 비록 쳐음의 그릇 이운의 면치 못호여 져바리미 잇스
오나 이제는 씌다라 다시 화락기를 바라거늘 졔 구지 젼일을 한호여 피코져
호거늘 쇼졔 엇지 구구히 이걸호리잇고 이러무로 져의 거취를 임의로 호게 호
고즈 호미니(52)이다 현원쉬 탄왈 외라 시호언야요 현졔 오히려 씌닷지 못호
도다 연슈는 만고셩념이시라 비록 젼일 우의 박힝을 한호미 잇시나 엇지 되졀
이 아지 못호시리오 아은 고집지 말고 셜셜혼 쳐즈로 되졉지 말나 슈연이나
연쉬 사긔 탈누호미 이곳을 비련니 넉이리니 모로미 우형으로 나아가미 맛당

토다 참미 유유ᄒ니 광평왕 왈 니 비록 져이 외구나 실은 당니 슉질이나 다름업는지라 오역왕견ᄒ리라 ᄒ 인니 기쇼ᄒ고 이러나 후당의 이르니 추시 연쇼제 주란으로 더브러 주탄불예ᄒ더니 믄득 창외의 인적이 훌훌ᄒ면 ᄒ 인이 기호입실(53)ᄒ니 연쇼제 놀나 거안시지ᄒ니 광평왕과 춥모 곤계라 놀나 연망이 니러나 마주미 ᄒ 인니 좌정ᄒ고 쇼져의 좌을 쳥ᄒ여 먼니 안지미 현원쉬 거슈칭ᄉ 왈 가운이 불힝ᄒ여 요인이 즉변ᄒ미 아이 실성ᄒ고 현쉬 모야 ᄉ망지화를 당ᄒ시미 능히 주최을 구치 못ᄒ고 둔당 부뫼 과렴ᄒ시고 요인을 잡으미 실시 드러나나 현슈의 둔망을 모로와 가즁상히 쥬야 우황ᄒ는 즁 아이 비로쇼 전일을 회과ᄒ여 슉염을 져바린 탄니 망주산의 이츠나 둔슈을 엇지 추지리오 장부의 분ᄒ 탄식이 쉴 시 업더니 쳔우신됴ᄒ와 일광딕시 현슈(54)의 졀힝직덕을 앗겨 힘써 구ᄒ여 아의 병을 구ᄒ고 요적을 쇼멸ᄒ여 국가의 딕공을 셰우고 금일 다시 슈슉의 녜를 베푸러 회환상경ᄒ오미 녕둔당 합니와 싱의 둔당 부모의 환희케락ᄒ실 바를 하례ᄒ나이다 ᄒ더라

명쥬옥연긔합녹 권지니십오 동

(1) 명쥬옥연긔합녹 권지니십오 동

추셜 연쇼제 동슉슉의 말을 드르미 시로이 슈괴ᄒ믈 니긔지 못ᄒ여 옥안화협의 도화 일쳔 졈이 만발ᄒ고 반월 갓ᄒ니 아황미의 모운이 주욱ᄒ여 져슈공경딕왈 첩의 익회 비상ᄒ고 요인니 즉변ᄒ오니 둔문이 요란ᄒ고 구가 본가 둔당 부모긔 이우를 ᄭ치옵고 빅연 군주긔 허물이 빗최와 유ᄉ지심ᄒ고 무싱지긔 ᄒ옵드니 요인이 악을 크게 발ᄒ여 모야의 첩을 겁탈ᄒ여 만장젹학의 명을 ᄆᆞᆺ치려 ᄒ거날 오히려 첩의 잔명이 죽을 ᄯᅢ 아니무로 일광화시 구ᄒ여 산즁의 머무르고 외도을 ᄀᆞ르치오니 이 엇지 (2)첩의 쇼원이오며 혈혈 녀지 규힝을 바려 산즁의 뭇치리잇고마는 딕시 쳔명으로 져히고 빅ᄉ비 주란이 쏘한 여추

여추 봉변ᄒ와 ᄃᆡ시 ᄯᅩᄒᆞᆫ 구ᄒᆞ여 임의 머무러 잇는지라 홀 일 업시 상의ᄒᆞ여 명도을 탄ᄒᆞ고 셰시 되여 가음만 블 ᄲᅮᆫ이러니 홀연 몽시 괴히ᄒᆞ와 여추여추ᄒᆞ온 즁 반쪽 명쥬 완연니 슈즁의 잇스ᄆᆡ ᄌᆞ못 요괴로오믈 불예ᄒᆞ거날 ᄃᆡ시의 신명ᄒᆞ오미 발셔 쳡의 몽ᄉᆞ을 알고 여추여추 이르더니 모일의 환약을 쥬며 이리이리 ᄒᆞ라 ᄒᆞ오ᄆᆡ 마지못ᄒᆞ와 ᄃᆡᄉᆞ의 명을 밧드러 ᄂᆞ아와 신긔히 무ᄉᆞᄒᆞ오나 쳡이 규즁을 바리고 산즁의 오유ᄒᆞ여 냥가 돈당의 불효을 ᄭᅵ치옵고 모야 (3)의 부지거쳐ᄒᆞ온 아름답지 아닌 말이 가국의 쇼요ᄒᆞ오니 엇지 다시 슬고ᄌᆞ ᄒᆞ리오 ᄃᆡᄉᆞ의 명으로 가군의 병을 케쇼ᄒᆞ고 도적을 삭멸ᄒᆞ믈 보오ᄆᆡ 도라가오미 급ᄒᆞ온지라 ᄒᆡᆼ장을 슈습ᄒᆞ옵더니 의외 가군니 입실ᄒᆞ와 슈작간의 홀연 반쪽 명쥐 여추여추ᄒᆞ여 가군의 명쥬와 합쥬ᄒᆞ오ᄆᆡ 쳡의 ᄉᆞ긔 누셜ᄒᆞ온지라 더욱 진퇴냥난ᄒᆞ와 몸둘 바를 아지 못ᄒᆞ리로쇼이다 말슴을 맛츠ᄆᆡ 옥셩이 도도ᄒᆞ여 옥반의 진쥬을 구을니고 기산의 어린 봉이 웃는 듯 ᄒᆞ는 즁 척척이연ᄒᆞ니 현원쉬 흠신 공경ᄒᆞ여 듯기을 다ᄒᆞᄆᆡ 일셩 장탄의 다만 위로 왈 현슈의 이러틋 ᄒᆞ시믄 오문 운익이요 아의 불명ᄒᆞᄆᆡ라 오(4)문 화란이 만셩의 훼ᄌᆞᄒᆞ여 아의 가계 불인ᄒᆞᄆᆡ 현츌홀지연정 현슈을 허물ᄒᆞ나 니 업고 ᄯᅩᄒᆞᆫ 요인이 복쵸ᄒᆞᄆᆡ 현슈의 졀ᄒᆡᆼ이 옥무하ᄒᆞᄆᆞᆯ 만셩 인민니 쇼공지요 셩상 일월지명이 진가을 아오ᄉᆞ 십슴셩의 반됴ᄒᆞ여 현슈의 ᄉᆞ싱돈망을 구식ᄒᆞ라 ᄒᆞ오신 교지 임의 오ᄅᆡ거늘 현쉬 ᄃᆡ졀을 물니치고 쇼졀을 싱각ᄒᆞ여 부모 돈당의 졀우을 도라보지 아니시고 장ᄎᆞ 어ᄃᆡ로 향ᄒᆞ리잇고 왕ᄉᆞ는 이의라 다시 일ᄏᆞᆺ을 비 업ᄉᆞ오니 현슈는 젼월 슉ᄒᆡᆼ으로써 아의 블명ᄒᆞᄆᆞᆯ 운익의 붓쳐 허물치 마오시고 녕친 돈당 부모와 오문 존당 부모 슉당의 슉식을 폐ᄒᆞ기의 이르오신 졀우를 싱각ᄒᆞᄉᆞ 일승 쇼교의 (5)ᄌᆞ란을 다리시고 함긔 상경ᄒᆞ시미 맛당홀가 ᄒᆞ나이다 쇼졔 진슈를 슉여 능히 ᄃᆡ치 못ᄒᆞ니 광평왕이 ᄯᅩ한 위로ᄒᆞ며 고집지 말나 ᄒᆞ고 이윽이 ᄒᆞᆫ담ᄒᆞ다가 ᄌᆞ란을 부탁ᄒᆞ여 쇼져를 보호ᄒᆞ라 ᄒᆞ고 ᄂᆞ올시 군즁이 무로 복식을 곳치라 ᄒᆞᄆᆡ 업고 황상 비답을 밧ᄌᆞ온 후 상경홀 바을 니르고 삼인이 장즁의 도라오니 일일의 ᄒᆞᆫ ᄎᆞ식 드러가 위로ᄒᆞ기는 쳠모공이러라 이러

구러 여러 날이 지나미 믄득 경셩으로묘츳 녜관이 묘지을 밧드러 니르니 이는
곳 다르 니 아니라 녜부상셔 현희쳔이라 현원슈의 ᄉ졔이 쳥덕명망 벼슬이 녜
부상셰 되여 ᄌ원ᄒ여 이르미러라 삼동 형졔 반겨 셔로 손을 줍고 먼져 셩쳬
안강ᄒ심과 (6)부모 됸당의 긔후를 무러 탐탐ᄒ 셜홰 일필난긔오 광평왕이 또
한 반겨 가향 쇼식을 뭇고 이의 비답을 밧ᄌ와 향안의 뫼시고 북향ᄉ비 후 묘
셔을 기남ᄒ니 딕기 짐의 박덕ᄒ무로 산간 요젹이 반역ᄒ민 짐이 슉식을 폐ᄒ
고 쥬야 근심ᄒ더니 광평왕과 현희빅 현희문 숨 인의 츙무 영지로 도젹을 쇼
멸ᄒ고 도탄의 든 빅셩을 건지니 이 엇지 불셰지공이 아니리오 경 등은 빅셩
을 안무ᄒ 후 즉일 상니허여 군신니 반기게 ᄒ라 ᄒ엿더라 밧드러 보기을 다
ᄒ민 녜부로 더브러 장즁의 오을ᄉ 녜뷔 이의 가셔을 니여 ᄉ빅과 둉졔의게
뎐ᄒ고 왕부 셔찰을 광평왕게 젼ᄒ니 숨 인 기람희견ᄒ민 믄득 경동(7)희식
ᄒ여 문왈 이는 곳 텬고희시요 하날이 요인을 쥭이시리로다 광평왕이 또흔 한
가지로 보고 딕희 왈 셜민 왈 교쥬의 다라나무로부터 또 무슨 작변니 잇실가
ᄒ여 무일경경이러니 이졔 잡아 쥭여시니 무슴 근심이 잇시리오마는 금환 등
ᄉ이 능히 쥭이미 이 엇지 희식 아니리오 녜뷔 왈 도츳의 진셜치 못ᄒ오나 요
녀 등 실포ᄒ믈 황상이 드르시고 근심ᄒ시더니 밋 줍아 쥭이믈 쥬ᄒ미 딕열ᄒ
ᄉ 굿하여 비답의 일큿지 아니시고 반기시는 날 말숨ᄒ시고ᄌ ᄒ더이다 슈연
이나 운계ᄌ는 하등지인이완딕 능히 문졔의 병을 곳치고 도젹을 줍으니잇고
현원쉬 화안셩모의 츈풍이 화란ᄒ여 왈 우형(8)은 운계ᄌ로써 일긔 도션인가
ᄒ엿더니 뉘 도로혀 명쥬 긔합ᄒ고 연쥬 싱돈ᄒ신 쥴 쯧ᄒ엿시리요 녜뷔 쳥츳
의 딕희환열ᄒ여 젼후 ᄉ연을 무러 알고 격슬탄상 왈 아름답도쇼이다 연슈의
셩덕으로 요물이 맛지 아일 바를 바히 모로믄 아니오나 기간 ᄉ괴 여츳ᄒ도쇼
이다 슈연이나 슈졔 비록 슈슉의 셔어ᄒ미 잇ᄉ오나 금츳 발힝의 ᄂᄋ가 치ᄉ
ᄒ물 아니치 못ᄒ올지라 ᄂᄋ가ᄉ이다 모다 연타 ᄒ고 나아가고ᄌ ᄒ더니 현
원쉬 말여 왈 불연ᄒ다 연슈의 지긔로써 왕ᄉ를 싱각고 여츳여츳 고집ᄒ거날
우리 ᄉ리로써 무슈이 희유ᄒ엿시나 일습 도의로 일긔 ᄌ란을 다리고 진퇴냥

난호여 치신 무지(9)호거날 현제 나아가미 더욱 슈치 난연호리니 모로미 잠연
호여 져의 마음이 편케 호미 올흘가 호노라 녜뷔 올히 여겨 슈명호고 광평왕
이 명조의 발힝 회환호는 영을 군즁의 나리니 졔군 장졸이 환천희지호고 파셔
튀슈와 닌읍 슈령이 잔치를 베퍼 기악을 곳쵸와 니르럿더라 명일 죠조의 크게
즌치호여 만군 장졸이 즐기고 발힝홀시 현원쉬 춤모로 더브러 일승 교즈을 어
더 진실훈 군관 사십 명을 샙아 운스의게 이르러 상경호믈 권호니 쇼졔 만만
불편호나 홀일업는지라 경듸를 펼쳐 약간 장쇼을 닐우고 도의을 버셔 후리치
고 임의 입엇든 홍상녹의을 기측호고 교즈(10)의 오르미 교란이 쏘혼 담장쳥
의로 쇼교를 타 뒤의 셔미 스십 명 군관이 호위호고 녜뷔 뒤쎠러져 완완니 힝
호여 힝도을 슬피나 굿호여 상견치 아니호니 그 마음을 편케 호미라 일노의
보호호여 힝홀시 원슈의 듸군은 압흘 셔고 연쇼졔의 힝도는 이십 니는 쎠러져
뒤히 힝케 호니 튀슈와 슈령 방빅이며 만군 장졸이 비로쇼 운시 곳 현춤모의
부인이믈 알고 모다 깃거 손등타 신긔호믈 일쿳고 치히 분분호더라 튀슈 등은
물너가고 듸군을 긔발을 두루혀 북으로 힝홀시 승전고을 울니고 가향을 바라
힝호미 거름이 샏르고 현공 곤계의 츙효로 군친을 녕모호는 졍셩이 간졀호미
몸의 (11)우익이 업셔물 한호니 엇지 밧비지 아니리오마는 만군장졸의 구치
홀 부을 연쇼져 일힝이 완완니 힝호여 편케 호무로 셰월을 쳔연호오나 열노
각읍의 지영지숑이 장여호고 쇼과 군현의 계견도 놀니지 아니호더라 아지 못
긔라 교쥐 요녀와 셜미 요녜 엇지호여 쳔쥬을 바든고 하회를 보라 화표 션시
의 요녀 셜미 셜냥즁 부즁의셔 진퇴부인으로 더브러 일장을 힐난호여 고식의
젼졍을 일우고 스긔 탈누홀가 겁호여 즉시 가죡 즙치의 견혈을 너허 진언을
염호여 거즛 쥭어믈 일우고 금션탈각계을 베퍼 일진 괴풍이 되여 반공의 쇼스
나오니 뉘 능히 알니요 바로 상(12)부의 니르니 이쎠 우화을 복축 밧는 쎠라
젼상을 바라보니 즘미봉안의 엄위을 발호여 슈좌의 안즈 니는 평졔왕이요 좌
우의 미신 옥골션풍의 츄슈봉졍으로 부왕을 밧드러 스일이 고요호니 이는 총
즈 곤계 등이오 계하의 엄쥰훈 군관니 열입 호령호고 범 곳흔 나졸이 불근 미

을 메위시며 다시 요형을 갓쵸왓고 유혈이 낭주흔 곳의 일기 노승이 포복ᄒ여
감의 고기을 드지 못ᄒ고 반싱반ᄉᄒ여 슴흔의 운쇼 놉히 곶고 칠빅은 거의
풍도을 향ᄒ는 듯ᄒ더니 셜냥즁이 다시 문쵸ᄒᄆᆡ ᄌ란 죽엄 감쵸물 직쵸ᄒ니
이 분명 우홰 아니요 뉘리오 셜ᄆᆡ 딕간딕악이나 일신이 썰니고 벽역이 (13)쏙
뒤의 임흔 듯흔지라 감히 갓가이 나가지 못ᄒ고 먼니 무루 나와 천식을 경ᄒ
고 다시 변ᄒ여 창승이 되여 놉흔 쳠하의 안ᄌ 시동을 다 보더니 뎐상으로됴
ᄎ 셜냥즁이 급히 ᄂᆞ러 환가ᄒ고 뎨왕이 분부ᄒ여 후졍 ᄉ옥의 가도라 ᄒᄆᆡ
ᄉ예 쳥녕ᄒ고 옥니을 불너 우화을 ᄌ어 ᄉ옥으로 보ᄂᆡ거날 셜ᄆᆡ 뒤흘 ᄯ라가
보니 후졍 그윽흔 곳으로 졈졈 드러가ᄆᆡ 슈목이 울울ᄒ고 귀ᄆᆡ 슬피 우는 곳
의 일간 ᄉ옥이 잇시니 즘싱의 굴도 아니오 ᄉ롬의 거흘 집도 아니라 ᄉ면으
로 형극이 ᄌᆞ욱ᄒ고 암셕이 층층ᄒ고 졀벽이 ᄎᆞ아흔 곳의 바회 밋흘 깁히 판
곳이 잇스니 집 우와 좌우 벽이 암셕이(14)요 ᄉ룸 한나 겨우 안즐 만ᄒ거날
옥니 우화을 ᄌ으러 옥즁의 너코 암셕 밧긔 형국으로 문을 ᄒ여 단단니 닷고
우화를 황쇄 족쇄 흔 후 문을 줌으고 돌쳐 가더니 아이요 그릇시 죽물을 ᄀᆞ져
이르고 옥문을 열고 우화을 붓더러 죽물을 먹이니 엇지 먹으리요 이러구러 십
여 명 옥니 등이 다 모혀 우격으로 죽물을 권ᄒ고 슈직 옥니을 분별ᄒ거늘 셜
ᄆᆡ 보다가 믄득 모진 마음이 크게 이러나ᄆᆡ 분 풀 곳이 업는지라 진언을 념ᄒ
여 안기을 지어ᄂᆡ니 홀연 쳔지 아득ᄒ거늘 변ᄒ여 슴두육비흔 ᄉ룸이 되어 킈
는 이십 쳑은 ᄒ고 몸은 열 아름은 ᄒ고 눈은 동의 만신장이 되여 큰 칼을
(15)두루고 엄연이 옥 압히 ᄂᆞ아가 흔 쇼릭을 크게 지르니 옥니들이 불의지변
을 맛나 황황 포복ᄒ여 일신을 썰며 슘쇼릭도 업스니 셜ᄆᆡ 흉악흔 마음이 불
거치 이러나 칼을 번득이는 곳의 십여 명 옥니 등의 머리 ᄯᅳ히 구으니 그져야
케히 여겨 요슐을 거두고 본상을 ᄂᆡ여 우화의 동졍을 보니 만신 혈육이 웃쳐져
쎄만 남고 면상의 진명 쥬필이 ᄀᆞ득흔지라 두루 도라 문 밋히 ᄂᆞᄋᆞ가 물을 가
져다ᄀᆞ 졍쇄이 씻기고 그 졍신 찰히기를 기다리더니 이윽고 우홰 졍신을 출혀
눈을 ᄯᅥ 요여를 보고 쑴인가 의심ᄒ여 말을 슈히 ᄂᆡ지 못ᄒ거날 셜ᄆᆡ 이의 황

쇄 독쇄 호 그릇고 울(16)며 왈 수부야 이 어인 닐고 이 곳이 말홀 곳이 아니오니 샐니 다라ᄂᆞᆺ이다 우홰 그제야 정신이 완연호여 울며 왈 셜낭ᄋᆞ 엇지호여 이의 왓ᄂᆞ뇨 닉 면모의 제왕의 쥬필이 어리어시니 감히 슐을 발치 못호노라 셜민 왈 제지 여ᄎᆞ여ᄎᆞ호 일노 이곳의 이르러 옥니 등을 다 죽이고 수부 면모의 쥬필 흔젹을 업시 호여시니 샐니 가ᄉᆞ이다 우홰 이 말을 드르미 만장 졀학의 쩌러젓ᄃᆞ가 쳥쳔의 오른 듯호지라 알푼 곳도 이치고 냥뉘 일시의 진언을 염호여 괴히호 바롬이 되여 구름의 ᄊᆞ혀 이윽이 가다가 호 곳 놉흔 뫼 우히 ᄂᆞ려 슘을 닉쉬고 시뇌를 ᄎᆞᄌᆞ가 일변 물을 마시고 일변 피 무든 옷슬 ᄲᅡ라 말니며 요슐노써 상쳬 쉬니 눗(17)는 법을 힝호여 즉긱의 하리미 옷슬 거두어 입고 셔로의논호며 지닌 슈말을 베풀고 우홰 왈 셜낭의 구호무로 잔명이 부지호나 장ᄎᆞ 어듸로 향호리오 셜민 왈 아등의 계교 허호미 아니로되 하날이 ᄿᆡ을 빌니지 아니시니 엇지 호리오 드르니 광평왕과 현상셔 동형제 파셔의 츌젼호다 호니 반ᄃᆞ시 우리 산치와 결울지라 우리 비록 부탁호물 일우지 못호여시나 방금 냥진니 상졍의 죄을 뭇고 잇스리오 도라옴만 힝희호리니 ᄂᆞᄋᆞ가 션봉이 되여 숑진를 뭇지르고 현희문을 스로줍ᄋᆞ ᄂᆞ의 긔물을 삼고 다시 숑 텬하를 둣 마둣 줏쳐 드러오면 뉘 능히 황거호리오 제일공을 셰운 후의 틱평곡 노릭홀졔 오날 만단호(18)던 일이 일장츈몽이요 고담 삼아 질길지라 엇지 용녈이 오도가도 아니호고 탄식만 호오리오 우홰 칭찬 왈 셜낭의 신긔묘사는 과연 ᄌᆞ미롭다 아모커나 나ᄋᆞ가ᄌᆞ 호고 냥뇌 보보젼경호여 산의 닉러가 민가을 겁약호여 음식을 비불니 호여 먹고 여려 날 만의 겨유 파셔 용문산의 이르니 빅니 널은 산하의 긔치 금극이 슙녈호고 금고 쇼릭 진동호거날 탐미의 잡힐가 겁호여 몸을 스리쳐 슘겨 젼긔의 치의 이르니 임의 불탄 터이 되여 고로거각이며 화동쥬란니 쑴 쇽의 본 듯호고 ᄃᆞ만 불탄 등걸만 시비 복쳡 쵸목 금쉬 한 가지로 타 누린닉 코히 거스리고 연염이 오히려 써지지 아야ᄂᆞ지라 냥뇌 일견의 쵸(19)연ᄌᆞ실호고 낙담상혼호여 아모리 홀 쥴 모로더니 믄득 등 뒤흐로됴ᄎᆞ 불너 왈 수부와 셜미는 죽엇든가 무슴 곡졀노 이졔야 와 아방궁 옛터를 구경ᄒᆞ는다 냥녜 놀나 도라보니 이 곳 교쥐라 셔로 반겨 붓들고 일장을 통곡ᄒᆞᆫ 후 슴뇌 피ᄎᆞᆺ 지닌 슈말을 이르미 다시 베풀 계ᄑᆡ 업는지라 냥뇨는 제왕 부즁의 밝으믈 닐너 음아음아 ᄒᆞ여 고기을 흔들고 교쥬는 현원슈와 춤모의 지용을 일너 혼빅을 진졍치 못ᄒᆞ니 이른바 굴혈 ᄊᆡ는 금쉬요 슈풀 일은 망냥이라 슴뇌 면면슴고ᄒᆞ여 문언슴구러니 교쥐 믄두 ᄀᆞᆯ오ᄃᆡ 우리 ᄌᆞ쇼로 학ᄉᆞ를 발ᄒᆞ미 급격 무슐ᄒᆞ믄 업고 ᄎᆞ례를 너모 보와 지(20)완ᄒᆞ미 쳔지신명이 다 알미 되니 엇지 악ᄉᆞ 도으리오 옛말의 일너시되 인불언이면 귀부지라 ᄒᆞ니 우리 님의 ᄑᆡ 군지장이요 쥬츌망녕이나 ᄒᆞᆫ 교ᄑᆡ 잇시니 아등이 반싱즉슐긱으로 한 일도 일우지 못ᄒᆞ고 힘힘이 속슈ᄒᆞ여 ᄌᆞᆸ혀 형벌의 나아가면 후세인니 엇지 웃지 아니리오 ᄌᆞ쇼로 슘ᄃᆡ 명현이 업는니 현부 진공으로붓터 현춤모가지 군ᄌᆞ의 졍명지긔을 가져시나 기하 어린 후싱이야 무슴 졍명지긔 ᄯᅩ 잇스리요 졔갈의 지혜로 ᄉᆞ마의을 잡지 못ᄒᆞ고 댱뇨을 쥭이미 스스로 탄왈 범을 잡으려다가 그릇 노로을 잡은 괘라 ᄒᆞ여시나 후인니 지혜 부독ᄒᆞ다 이르미 업는니 아등이 이졔 분풀 (21)곳이 업는지라 일시의 현상부의 나ᄋᆞ가 모야의 독서당의 드리다라 ᄋᆞ쇼들을 ᄊᆡ 업시 쥭이고 다시 ᄉᆞ름를 맛나는 죡죡 쥭인즉 젹젹 심야의 우리 슘 인의 봉예을 뉘 능히 당ᄒᆞ며 아쇼들이 무슴지긕으로 불의지변을 ᄊᆡ다르랴 이 밧 다른 계ᄑᆡ 업시니 엇더ᄒᆞ뇨 우화와 셜미 듯고 의합ᄒᆞᆫ지라 슴뇌 낙동ᄒᆞ여 각각 비슈을 품고 괴풍이 되어 경셩을 바라고 급히 ᄂᆞ아오더니 ᄎᆞ셜 현상부의셔 현상셔 동형졔 츌젼ᄒᆞᆫ 후로 일흥이 돈감ᄒᆞ고 화긔 ᄉᆞ연ᄒᆞ여 울울 불낙ᄒᆞ니 승상과 제왕이 ᄌᆞ녀질을 거ᄂᆞ려 신혼셩졍의 승안ᄒᆞᆫ는 화긔 됸당 우회을 풀고 성환 등 졔이 슬하의 넘노(22)라 화긔을 지여닉니 오진 냥공이 져으기 슈회를 푸러 ᄎᆞ와 희손시 쳥복을 본바다 츈풍이 화란ᄒᆞ고 승상 등은 최의 옹을 본바ᄃᆞ 열친여가의 ᄌᆞ여손을 교훈ᄒᆞ니 관 쓰 니는 등과ᄒᆞ여 한원옥당의 츌입이 번ᄉᆞᄒᆞ고 어린 이는 십 셰 이하로 슈삼 셰까지 부됴여픙으로 도학이 빈빈ᄒᆞ여 독서당 슈십여 간 방ᄉᆞ의 낭낭ᄒᆞᆫ 글 쇼ᄅᆡ 긋치지 아니ᄒᆞ니 기산의 어린 봉 슈빅이 ᄊᆡ 지여 붓됴ᄎᆞ 긔불탁쇽을 웨지져 슈힝ᄒᆞ미요 빅옥반 우희 진쥬 슈천 기을 난낙ᄒ여 셔로 구으는 쇼릭 ᄀᆞᆺᄒ니 긔이ᄒ미 불가형언니라 여려 ᄋ공즈 즁 금환 월환은 십 셰요 옥환 칙환은 구 셰니 파셔 부원슈 (23)현희빅 의 두 쌍ᄋ지오 옥화군쥬의 쇼싱예라 젼신니 옥단 칙왈 금화 경난의 이믜히 요인의 히를 입어 혼빅이 유유ᄒ여 지장보살긔 발원ᄒ여 희빅의 싱지 되여 츌셰ᄒ미 긔질이 영쥰호상ᄒ고 춍명지예ᄒ여 밋 ᄌ라미 스스로 분기ᄒᆫ 마음이 니러나 요인의 말을 드른즉 졀치분한ᄒ니 모로 이는 위친지효라 ᄒ나 젼셰 보원코즈 ᄒ민 줄 뉘 알니요 연급 십 셰의 쳔문지리을 능히 통ᄒ고 역이을 모로거시 업시며 힘이 능히 구졍을 들고 날닉미 둑히 ᄂᆞᆫ 졔비을 쏘츠 잡는지라 영뮈 긔셰ᄒ여 독셔 여가의 네 ᄋ히 숀이 마져 후원의 드러가 칼춤도 츄고 활도 다리여 병법의 슉진(24)치 아니미 업는지라 일일은 혼졍ᄒᆫ 후 밤드도록 졔 아로 더브러 글을 닑더니 홀연 일진음풍이 방즁으로 이러나며 쵹해 멸코즈 ᄒ거날 다른 아쇼들은 무심ᄒ되 금한 등 ᄉᆞ이 괴이 역여 ᄉᆞ미 가온듸로됴츠 ᄒᆞᆫ 괘을 어드니 괘의 일너시되 금야 삼경의 요젹 숨 인이 은신 돌입ᄒ여 보원 살인코즈 ᄒ리니 미리 알고 방비ᄒ면 듸길ᄒ리라 ᄒ엿거날 숨이 듸경ᄒ여 셔로 눈으로 뜻을 보닉고 즘연 독셔ᄒᆞᆯ식 밤이 깁흐미 졔이 ᄌᆞ고즈 ᄒ거날 금한 등 ᄉᆞ이 닐오듸 우리는 즘이 업나니 너희는 모로미 협실의 드러가 쉬오라 졔이 괴히 역여 왈 어이 ᄒ여 졈침을 바리고 협실노 피슉ᄒ라 ᄒ나이가 금한 등이 쇼왈 쇼이 무슴 (25)말이 지리ᄒ뇨 우리 늣도록 독셔ᄒ미 너희 귀 쇼라 잠 못 잘가 ᄒ미로다 졔이 그러히 넉여 협실노 드러가 쉬더라 ᄉᆞ이 각각 비슈을 들고 방문 뒤히 숨고 쵹화을 쓰고 동졍을 기드리니 이ᄶᅥ는 츄구월 망간이라 금풍이 쇼슬ᄒ여 구양영슉의 츄셩부을 지쵹ᄒ고 명월이 만졍ᄒ여 ᄉᆞ공즈의 안춍을 돕는지라 미급슈경의셔 ᄯ히로됴츠 괴풍이 니러ᄂᆞ며 졈졈 각가이 니르러 독셔당의 이르러는 쵹해 ᄶᅥ지고 인젹이 고요ᄒ물 보고 믄득 근두쳐 변ᄒ여 셰 스름이 되여 한나흔 머리 믠 노승이요 둘은 쳥연 여ᄌᆞ로듸 각각 숀의 비슈을 들고 살긔 등쳔ᄒ여 바로 쳥상의 올나 가비야이 다라드러 방문(26)을 열고즈 ᄒ거날 ᄉᆞ이 일시의 쇼릭 질너 왈 엇던 담 큰 요물이완듸 당돌이 모야의 돌입

군주실흐요 슘뇌 놀나 뒤흐로 물너셔 바라보더니 칼을 날여 다라들거날 사이
각각 비도을 들고 츔 츄어 슘 요물을 취흐니 일곱 스름의 칼 부듸지는 쇼리
가장 요란흐니 슉직 셔동의 무리 놀나 씌여 늬미려 보고 혼비빅산흐여 감히
낫왓지 못흐고 슘쇼리도 업더라 이윽이 쏘흐미 일곱 비뢰 셔로 빗츨 토흐미
스름은 분변치 못흐고 일곱 흰 무지게 젼후좌우로 츌물흐더니 금환이 흔 쇼리
을 크게 지르고 우화의 우비을 치니 월환 옥환은 교쥬의 머리을 치고 치환은
셜미의 ᄀ슴을 향흐여 치더니 슘뇌 진녁흐(27)여 능히 당치 못흐고 팔이 부
러지며 머리 씌여지고 가슴이 질이이니 모다 듸경 황황흐여 일시의 쇼리 질으
고 괴풍이 되여 다라ᄂ거날 스이 요물이 다라ᄂ물 보고 분긔을 이긔지 못흐여
공즁을 우러러 암츅흐더니 불언동시의 공즁으로됴ᄎ 황발환안의 엄위흔 신장
이 크게 웨여 왈 옥단 치월 금화 경환니 금야의 요인을 잡ᄋ 젼셰보원홀 ᄯ라
어이흐여 다라나게 흐리요 말이 맛ᄎ미 슘뇨을 잡히여 쓸의 것구로 박으니 스
공지 눈 드러 보미 신장은 발셔 운간의 쳥풍을 됴ᄎ 간 듸 업고 슘뇨는 것구로
박여 슈독이 졉질미 속히 니지 못흐나지라 스공지 일시의 다라드러 노흐로
(28)긴긴히 동히며 낭즁으로됴ᄎ 졔요부을 늬여 슘요의 머리의 붓쳐더니 금
환 월환니 분연이 칼을 들고 져히며 문쵸코ᄌ 홀시 스일 쌍광이 흘니는 곳의
교쥬와 셜미는 분변치 못흐나 머리 믠 여승은 져젹 왕부의 다스려 스옥의 너
흔 비라 듸로 왈 이 무리을 근본을 모로무로 졍히 문쵸코ᄌ 흐더니 원늬 스옥
의 갓치인 요승이로쇼이다 ᄎ녀 등을 술여두모로 작변이 ᄌ즈미니 맛당이 먼
져 죽이고 명묘의 돈당의 고흐리라 말을 맛ᄎ미 금환은 우화의 머리을 버히고
월환은 교쥬의 머리을 버히고 옥환은 셜미의 머리을 버히고 치환은 슘여의 비
을 무슈히 쑤시니 한 무리 요물이 헛(29)도이 사ᄋ의 손의 명이 ᄯᆫ치니 진실
노 젼셰보원니 분명흐미러라 사공지 비로쇼 셔동의 무리을 씌오니 셔동의 무
리 바야흐로 ᄂ아와 보고 일신을 ᄯᆯ며 연고을 몰나 흐거날 명흐여 장확을 불
너 셰 낫 죽엄을 치우라 흐니 이러구러 계셩이 악악흐여 발셔 신셩 ᄯᅥ 되엿는
지라 스공지 쇼셰흐기을 맛ᄎ미 침실의셔 ᄌᆮ든 공즈도 비로쇼 씌여 쇼셰흐고

나와 졍ᄒ의 세 낫 쥭엄이 빗겻는 바을 보고 놀나 연고을 뭇거늘 치환 공지 야간ᄉ을 셜파ᄒ니 문지진셩이러라 바로 왕부의 ᄂᆞᇰᄀᆞ미 발셔 졔왕공쥐 ᄌᆞ질을 거ᄂᆞ려 신셩의 나아갓더라 졔공지 거름을 두루혀 됴당의 드러가 신셩ᄒᆞ미 발셔 합닉 취회(30)ᄒ여 남파의 여우을 분ᄒᆞ엿거늘 ᄉ공지 믄득 됴당 부모 슬하의 ᄭ려 고두쳥죄 왈 불쵸 숀이 거야의 독셔ᄒᆞᆸ다가 믄득 일진음풍이 방즁의 돌입ᄒᆞ오미 괴히 넉여 ᄒᆞᆫ 괘을 엇ᄉ온즉 괘싀 여ᄎᆞ여ᄎᆞᄒᆞ온지라 예빗치 아니오문 ᄌᆞ취 기화ᄒᆞ오무로 이리이리 ᄒᆞᆯ엿ᄉᆞᆸ더니 야지 숨경의 슘뇌 돌입ᄒᆞ엿ᄀᆞᄂᆞᆯ 쇼숀 등이 진역ᄒᆞ여 ᄂᆞᇰᄀᆞ 막더니 슘뇌 ᄌᆞ못 다라미 잡지 못ᄒᆞᆯ 가쟝 분연ᄒᆞᆸ더니 신장이 여ᄎᆞ여ᄎᆞ 슘뇨을 것구로 박고 이리이리 이르고 인홀불견이여늘 심상ᄒᆞᆫ 도젹이 아니믈 알고 ᄂᆞ아가 살피오니 냥녀는 아뮌 쥴 모로오나 한나흔 져젹 왕뷔 치죄ᄒᆞ여 ᄉ옥의 가도라 ᄒᆞ시든 요승이(31)라 일즉 쥬륙을 면ᄒᆞ무로 ᄯ다시 작변ᄒᆞᆸ는 자라 후환을 씃코ᄌᆞ ᄒᆞ와 먼져 쥭이옵고 후의 알외오니 밋쳐 됴당의 고치 못ᄒᆞᆸ고 ᄌᆞ젼ᄒᆞᆫ 죄을 쳥ᄒᆞ나이다 말이 맛ᄎᆞ미 좌즁지인이 아니 놀나 리 업고 승상이 졍식 왈 군ᄌᆞ는 목불시ᄉ쇡ᄒᆞ며 죠쥬를 멀니 ᄒᆞᆫ든 그 살싱ᄒᆞᆷ믈 보지 아니코ᄌᆞ ᄒᆞ미여날 너희 쇼이 연급 십 셰의 비록 요젹이나 살인ᄒᆞᆷ믈 능ᄉᆞ로 ᄒᆞ니 엇지 한심치 아니리오 네 아뷔 싀외의 ᄂᆞᇰᄀᆞ 집의 업ᄉᆞ미 한아비의 위엄 업ᄉᆞᄆᆞᆯ 방심ᄒᆞ미야 ᄉ공지 황공ᄒᆞ여 고두쳥죄 ᄒᆞ거날 진공이 쇼왈 금환 등은 숀이 방ᄌᆞᄒᆞ미 아니라 ᄯᅩᄒᆞᆫ 부모 슉의 원한을 갑고 가란을 진졍코ᄌᆞ (32)ᄒᆞ미니 무슴 허물이 잇시리오 현질은 칙지 말나 오공이 ᄯᅩᄒᆞᆫ 일오ᄃᆡ ᄎᆞᄉᆞ는 가란을 진졍코ᄌᆞ ᄒᆞ미요 ᄯᅩᄒᆞᆫ 쳔니 쇼쇼ᄒᆞ여 ᄉᆞ인ᄋᆞ로 보원케 ᄒᆞ미니 무슴 죄 되리요 ᄋᆞ히는 온식을 풀나 승상이 슈명빅ᄉᆞᄒᆞ고 ᄉ아을 경계ᄒᆞ여 왈 군ᄌᆞ는 악을 피ᄒᆞᆯ지연졍 몸쇼 힝치 아니ᄒᆞ나니 위틱ᄒᆞᆫ 곳의 너희 쇼이 무어슬 아노라 방ᄌᆞ히 요젹을 방ᄌᆞ이 딕젹고ᄌᆞ ᄒᆞ리요 ᄎᆞ후는 위방불닙ᄒᆞ고 난방불거ᄒᆞ여 힝신을 맑게 닥글지연졍 칼을 줍ᄋ 무예을 ᄌᆞ랑치 말나 ᄉ공지 돈슈ᄌᆡ빅 슈명ᄒᆞ니 츈풍화안의 영뮈 당당ᄒᆞ고 존당 슬ᄒᆞ의 국궁츅쳑ᄒᆞ미 어리로온 거동이 볼ᄉᆞ록 긔이ᄒᆞ지(33)라 졔왕이 나호여 각각 숀을 줍ᆞ

고 머리을 쓰다듬어 승상을 앙견 왈 형장은 츠ㅇ 등을 무슴 닐 쑤지 〃시니잇
고 희문의 방탕ᄒ미 요첩을 모화 가즁을 요란ᄒ고 지어국가의 근심을 이르미
지즈천인도 능히 요젹을 쥬멸치 못ᄒ거날 츠ㅇ 등의 지용이 무쌍ᄒ여 능히 요
젹을 쥬멸ᄒ오니 이는 가국의 동냥지지요 불셰지공이여날 논공즉 상의은 아니
ᄒ오시고 도로혀 쑤지즈시니 쇼이 가장 원민이 알니로쇼이다 좌즁 졔인이 함
쇼ᄒ고 공즈 등을 두굿기더라 졔왕이 시노을 불너 옥니의 동지와 슈옥 요승을
탐지ᄒ라 ᄒ니 슈유의 회보ᄒ되 슈옥 요승은 간 듸 업습고 옥니 십이 명의
(34)머리 각각 노하 죽은 지 임의 오릭더이다 ᄒ거날 좌즁이 경희ᄒ고 장확으
로 허여곰 요녀 등의 쥭엄과 옥니의 쥭엄을 셔로져 업시 ᄒ라 ᄒ고 승상 곤계
와 졔왕 곤계 즈질을 거ᄂ러 입궐 됴회ᄒ고 승상이 츌반부복ᄒ여 야간ᄉ을 일
일이 쥬ᄒ니 문뮈 실식 경동ᄒ고 상이 희동안식ᄒᄉ 왈 희빅은 쳔원 밍장과
십만 졍병을 거ᄂ려 만니의 분쥬ᄒ거늘 기즈 ᄉ이 고요이 안즈 요젹 숨 인 쥭
이니 이 엇지 쳔고긔담이 아니리오 츠후는 짐이 벼기을 놉혀 근심이 업슬 바
는 현시 졔인이로다 ᄒ고 금은옥빅 흔 수례을 ᄉ급ᄒ시니 승상이 불감ᄒ믈 일
ᄏ라 황공감은이러니 믄득 파셔로죠(35)츠 승젼ᄒ온 상픠 오르거늘 군신니
긔남ᄒ니 쇼의 왈 복이 신 등의 황명을 밧ᄌ와 파셔을 치오미 젹셰 요슐을 힝
ᄒ여 슈이 파치 못ᄒ옵고 현희문이 요젹의 암시을 마즈 위틱히 병을 일웟습더
니 믄득 운계즈라 ᄒ는 도ᄉ 이인이 와 병을 곳치며 요젹을 줍ㅇ 죽이오나 만
고음녀 교쥬는 다라낫ᄉ오니 후환니 될 바을 우려ᄒ오나 젹혈은 임의 다 불지
러 업시 ᄒ니이다 ᄒ엿고 광평왕 슈와 현희빅 등 상쇼라 ᄒ엿더라 군신니 희
열ᄒ고 상이 듸열ᄒᄉ 즉시 녜관을 보늬여 회환을 직쵹ᄒ실식 예부 현희쳔이
즈원ᄒ거날 상이 깃그사 즉시 비답(36)ᄒᄉ 즉일 상늬ᄒ라 ᄒ시고 파됴ᄒ시
니 승상과 졔왕이 졔즈질을 거ᄂ려 부즁의 도라 승젼ᄒ오믈 둔당의 고ᄒ여
둔당 상히 아니 깃거ᄒ 리 업더라 녜부 예관으로 파셔의 발힝ᄒ믈 고ᄒ오니
둔당 상히 각각 글월을 붓쳐 보늬고 회환 일즈을 손곱아 기다리니 부즁의 환
셩이 진동ᄒ더라 씩 가진 ᄂ날이 뒤 이즈니 여려 날이 즈됴 지늬미 회군ᄒ는

선뵈 경수의 이르니 상이 친이 난예을 동ᄒᆞ수 문무을 거ᄂᆞ려 교외의 ᄂᆞ시ᄆᆡ 현시 제공이 시위ᄒᆞ여 나ᄋᆞ거 먼니 관망ᄒᆞ더니 이윽ᄒᆞ여 먼리 틋 글이 일며 승전고 쇼릭 진동ᄒᆞ고 긔치 금극이 일ᄌᆞ 장사진을 응ᄒᆞ여 (37)나ᄋᆞ오ᄆᆡ ᄉᆞ름 은 쳔신 갓고 말은 비롱 ᄀᆞᄐᆞ지라 군신 상히 환희ᄒᆞ여 서서 기다리더니 이쎠 원슈의 일힝이 무ᄉᆞ이 힝ᄒᆞ여 경셩의 다드르ᄆᆡ 냥 원슈 먼니 발아보니 빅ᄉᆞ장 너른 ᄯᆞᆯ의 ᄉᆞ름이 ᄌᆞ옥ᄒᆞ고 홍양산니 일광의 표묘ᄒᆞᄃᆡ 우긔 붓치이고 황봉절 월이 슘녈ᄒᆞ고 경필 쇼릭 쳥풍을 됴ᄎᆞ 진동ᄒᆞ며 응포동고의 긔치 황홀ᄒᆞ니 어 긔 친림ᄒᆞ시믈 블문가지라 냥 원슈 이히다함ᄒᆞ니 녜부는 연쇼져의 일힝을 바 로 연부로 보ᄂᆡ고 원슈와 함긔 보힝ᄒᆞ여 어탑하의 이르ᄆᆡ 일시의 산호만셰ᄒᆞ 며 우러러 용안을 밧기고 고무열복ᄒᆞ니 상이 농안의 희긔 가득ᄒᆞ수 광평(38) 왕과 원슈 동형제을 갓가이 명ᄒᆞ수 일변 향온을 ᄉᆞ급ᄒᆞ시며 젼진 구치을 위로 ᄒᆞ시고 공뇌부을 올녀 보시며 운계ᄌᆞ의 틱공을 기리시고 거쳐를 무르시니 츰 모 희문이 부복ᄒᆞ여 연시의 ᄌᆞ쵸시죵 셜화와 명쥬의 긔합ᄒᆞ믈 알외니 상이 환 희 탄상ᄒᆞ수 희문의 손을 줍으시고 제왕을 도라보ᄋᆞ 긔ᄌᆞ 두믈 칭찬ᄒᆞ수 연상 셔을 갓ᄀᆞ이 불으수 긔여 두믈 기리ᄉᆞ 각각 ᄉᆞ쥬ᄒᆞ고 실죠흔 요인 등을 희빅 의 희ᄌᆞ 등이 줍으믈 일ᄏᆞ르수 못ᄂᆡ 칭찬ᄒᆞ시며 일셰 늣지 아니무로 ᄎᆞ일의 논공작상 ᄒᆞ실ᄉᆡ 광평왕으로 안평군 더으수 식음 숨쳔 호을 더으시고 현희빅 으로 금ᄌᆞ광녹틱부 좌승상 츙(39)졍공을 봉ᄒᆞ시고 현희문으로 문현각 틱학ᄉᆞ 병부상셔 츙무후를 봉ᄒᆞ시고 현승상의 벼슬을 도도와 틱공진무빅을 ᄒᆞ이시고 연시의 노쥬을 아름다이 여기수 연상셔로 츄밀ᄉᆞ 무안후을 ᄒᆞ이시고 연상셔 부인으로 인덕부인을 봉ᄒᆞ수 식음 쳔 호을 ᄉᆞ급ᄒᆞ시고 연쇼져로 의열부인을 봉ᄒᆞ수 식읍 쳔와 금은옥빅 두 슈레을 ᄉᆞ급ᄒᆞ시고 고쇼져로 졍열부인을 봉ᄒᆞ 시고 ᄌᆞ란으로 츙졍부인을 봉ᄒᆞ수 현병부의 우부인 직쳡을 쥬오시고 금은옥빅 흔 슈레을 ᄉᆞ숑ᄒᆞ시며 만군 장졸의 공뇌을 보아 ᄎᆞ례로 봉작ᄒᆞ시고 일만 쇼와 일쳔 독슐을 (40)군즁의 호케 ᄒᆞ시며 금은옥빅 오십 슈례로 장졸을 난화 쥬시 니 삼군 장졸의 즐기는 쇼릭 쳔지 진동ᄒᆞ더라 광평왕과 원슈 동형제 봉작이

과호무로 고스호온디 상이 불윤호시고 인호여 환궁호시니 냥 원슈 홀일업셔
스은호고 각각 부듕으로 도라가미 슘군 장졸이 이예 슈호고 또흔 각귀기가호
여 부모 쳐즈을 반기더라 현원슈 춤모와 녜부로 더브러 틱스공과 졔왕을 뫼셔
도라오미 이날 합문 상히 상부의 모다 잔치을 크게 빅셜호고 원근 친쳑이 다
모혀 원슈의 승젼호믈 치하호며 기드리더니 이윽고 벽졔 쇼릭 동구을 흔들며
과갈이 문의 임호미 셩환 등 졔공직 슉항을 뫼(41)셔 쌸니 문 밧글 나 마즈
드러오니 원슈 춤뫼 졔즈질을 반기며 부슉을 뫼셔 하마 입문호여 바로 졍당의
드러가 됸당 부모 슉당 졔좌의 졀호고 우러 반기며 그 스이 셩쳬 안강호시믈
깃거호고 졔슈 졔미와 원근 친쳑으로 예필의 좌의 ㄴㆍ가 국궁궤슬호고 엄슈
져두호니 원슈의 옥면화풍 틱냥지광과 춤모의 화안영호 틱산지상이 슈려쇄락
호니 냥인의 팔상이 두렷호여 화란츈영의 만화방창은 그 용쉭이요 틱산고악이
최호고되는 그 되상이오 북히남명의 호무진이은 그 국냥이요 쳥쳔빅일이 만이
쇼연은 그 마음이오 셜만궁항의 공숑이 특닙은 그 졀기요 홍(42)명슈국의 비
필함노는 그 지혜요 봉비쳔인의 긔불탁쇽은 그 염치요 광풍졔월이 호무진이는
근심지라 졔인니 식로이 바라보와 치히 분분호고 오진 냥공이 광미되상의 츈
풍이 화창호여 승상과 병부의 손을 나호여 줍고 등을 두다려 두긋기믈 이긔지
못호여 젼치 진승을 무러 깃거호미 무궁호고 틱스공과 졔왕의 엄쥰단묵호무로
도 부슉을 뫼셔 공경졍좌호여 츄슈 스일이 승상과 병부 신상의 온젼호여 옥면
화풍의 슘츈화긔 익익호고 두긋기는 우음이 안모의 넘치더라 하윤쥬쳘뉴 오
부인의 두긋기믄 니르지 말고 사마부인의 고요홈과 월셩공쥬의 단아호무로 팔
치 아황(43)의 츈풍이 쇼쇼호고 옥안화모의 만힉방창호여 두긋기는 우음을
쎠엿고 옥화군쥬와 고쇼졔 항녈을 일워 츄픽 고요호여 시쳥이 업는 듯 즁화험
아황의 향긔로온 우음을 쯱여시니 각각 가군의 승젼호믈 깃거 반기는 줄 못지
아야 알니러라 승상과 병뷔 이의 젼진 승픽와 요젹을 잡ㆍ 죽이며 일뇨는 실
죠호여 근심호옵더니 간흉 찰녜 다시 경스의 올나와 작변호고즈 호다가 쳔벌
을 입어 쇼ㆍ들의 죽인 바를 되강 말슴훌식 이 ㄱ온디 좌즁 상히 졔인이 거의

빅여 인의 화긔을 열고 우음이 낭ᄌᆞᆫ 말슴이 잇스니 이 곳 연시의 싱돈ᄒᆞ던 ᄉᆞ연이라 현시 졔공은 임의 교외의 어(44)젼의셔 알온 빅 연니와 화윤쥬쳘뉵 오 부인과 사마부인 칠 금장과 월셩공쥬 칠 금장과 됴부인 셜부인 등 쇼실 슉 혜 조실 미혜 광평 셰ᄌᆞ빈 운혜와 옥화군쥬며 쇼시 구시 고시 노시 양시 조시 육시 교시 범시 경시 됴시 윤시 등 오십여 쇼져와 옥혜 교혜 등 슈십여 쇼져와 셩환 등 졔공ᄌᆞ와 ᄉᆞ지관환ᄭᆞ지 비로쇼 처음 듯ᄂᆞᆫ 빅라 뉘 아니 깃거ᄒᆞ며 칭 찬ᄒᆞ리오 뉵부인이 믄득 닉다라 노빈을 씨그거리며 건슌노치의 요란ᄒᆞᆫ 우음이 쉴 시 업셔 손살을 길게 펴셔 휘휘 두루며 이날 만흔 음식의 빅불니 줍ᄉᆞ오시 고 조흔 술을 진냥토록 과음ᄒᆞ여 취ᄒᆞᆫ 중 괴이흔 것터림이 겻희 ᄉᆞ름의 비위 (45)을 역ᄒᆞ거날 크게 웃고 고깅을 그덕여 일오ᄃᆡ 좌즁 열위 졔좌인이 날 알 오믈 숑양지인이라 ᄒᆞ것마ᄂᆞᆫ 닉 속셈은 짠짠ᄒᆞ여 모로거슬 잇시며 져젹 연시 의 부지거쳐ᄒᆞᆯ 시졀의 진공으로부터 졔왕가지 신명ᄒᆞ미 여신ᄒᆞ나 날만 못ᄒᆞ고 모든 져져와 질뷔 비쳑ᄒᆞ여 연시을 다시 못 볼 쥴노 우는 형상이 ᄌᆞ못 가쇼롭 데 ᄂᆡ의 슬긔ᄒᆞ무로 ᄉᆞ리을 ᄉᆞ리을 이르고 쥬져의 왕ᄉᆞ을 인증ᄒᆞ것마ᄂᆞᆫ ᄂᆡ의 말을 밋지 아니ᄒᆞ데 희문아 너는 나의 덕담ᄒᆞ믈 아ᄂᆞ야 샬니 하빅을 노ᄋᆞ오라 오진 냥공은 미미 흠쇼ᄒᆞ고 승상 졔왕 등은 져슈 공경ᄒᆞ여 듯ᄌᆞ올 ᄲᅮᆫ이요 졔 부인 졔쇼졔 우음을 씌엿고 윤(46)부인이 닝쇼 왈 육졔의 신명ᄒᆞ미 과연ᄒᆞ도 다 연시의 싱돈ᄒᆞ미 뉵져의 덕담이니 ᄒᆞ빅 업지 못ᄒᆞ리라 ᄒᆞ고 시녀을 명ᄒᆞ여 금잔의 향온을 만작ᄒᆞ여 ᄂᆞᄋᆞ오니 뉵부인이 바다 거후르며 취즁의 횡셜슈셜ᄒᆞ 다가 침쇼로 도라가니라 일모토록 연낙ᄒᆞ고 파연ᄒᆞ미 각각 침쇼로 도라가니 승상은 유화군쥬로 일실의 길드리고 병부는 고부인으로 졍ᄒᆞ니 명신의 졔인이 흠취졍당ᄒᆞ여 신셩흔 후 승상과 병뷔 부슉을 뫼셔 궐하의 나아가 됴회ᄒᆞ고 파 됴ᄒᆞ미 부즁의 도라올ᄉᆡ 승상은 광평왕부로 ᄂᆞᄋᆞ가 빙악긔 뵈옵고 문후ᄒᆞ며 병부는 연상셔 부즁으로 ᄂᆞᄋᆞ가니 션시의 연상셔 (47)부뷔 연쇼져의 싱ᄉᆞ을 몰나 쟝우단탄ᄒᆞ여 침식의 맛슬 머무르지 못ᄒᆞ여 병이 일게 되니 ᄌᆞ여뷔 동쵹 흔 졍셩을 다ᄒᆞ여 위로ᄒᆞ여 셰월을 보닉더니 연상셰 어기 교외의 힝힝ᄒᆞᄉᆞ 츌젼 장졸을 마즈시니 쏘혼 시위호고 도라오미 은영을 씌워 만면 희싴을 졔즈을 거느려 드러오고 녜관이 교지을 밧즈와 니르며 부인의 직쳡을 느리오시며 금 은옥빅 여려 슈레와 식읍 쳔위 느리는 은영이니 부인이 연구을 무러 여ᄋ의 슈미을 다 듯고 그 깃부미 무어세 비호리오 몸이 구쇼의 오른 듯호고 부즁의 환셩이 믈 쓸툿호고 이윽고 부문이 요란호며 시녀비 젼지도지호여 쇼져의 (48)환귀호믈 션보호며 일승 치교 졍호의 니르러 장확은 믈너느고 쇼교로됴 ᄎᆞ 즈란이 ᄂᆞᄋᆞ와 쇼져을 뫼셔 ᄂᆞ오니 부인과 상셰 미쳐 그 오르믈 기다리지 못호여 쌜니 뜰의 느려 쇼져의 손을 잡고 부인니 울며 왈 이 진짓 사라 도라오 미냐 쇼졔 하 반가오미 이로 형용치 못홀지라 부모의 손을 밧들어 쳬읍호여 올나 닙실호미 슬하의 결호여 불효을 일콧고 남미 졔미 셔로 반긴 후 즈란니 졍하의셔 문안호니 연공 부뷔 불너 승당호여 좌을 쥬고 녀ᄋ와 동고호던 바을 못니 일크르며 쇼졔 젼후 슈미 쇼쇼 ᄉᆞ연을 셰셰이 고호니 연공 부뷔 깃부고 이즁호미 비길 딕 업(49)더라 잔치을 빅셜호여 동일 연낙호고 금빅을 닉여 먼니 시위혼 장확과 군관을 ᄉᆞ급호더라 쇼졔 슬하을 써나지 아냐 부모의 열친 을 돕고 혼졍혼 후는 즈란을 더브러 침실의셔 쉬니라 명됴의 쇼졔 부모긔 신 셩호고 셜홰 탐탐호더니 시동이 보호되 현병부 닉림호신다 호거늘 쇼졔 즈못 블안호나 감히 피치 못호고 상셔와 부인이 병부를 마잘시 병뷔 옥안면모의 화 풍이 열열호여 드러와 비례문후호고 눈을 드러 쇼져로 상읍호미 좌의 ᄂᆞᄋᆞ가 니 공의 부뷔 승젼호믈 하례호고 좌우로 여셔을 안쳐 셜홰 이윽호미 쥬식을 나와 관딕호니 병뷔 햐져호고 (50)상을 믈니미 하직고 도라오미 쇼져을 도라 보와 부모 돈당의 밧비 보고즈 호시물 젼호니 그 직쵹호믈 알지라 쇼졔 진슈 을 ᄂᆞᆨ이 호여 명을 바들 쭌이러라 이러구러 슈삼 일이 지닉미 녜관이 교지 을 밧드러 현상부의 니르러 연의열의 졍문을 놉히며 금은옥빅 여려 슈례 니르 고 부인과 즈란의게 부인 직쳡이 느리며 쏘혼 연쇼졔 즈란을 다리고 도라오미 감히 승당치 못호고 하졍쳥죄호니 오진 냥공이 밧비 명호여 올니미 연쇼졔 마 지못호여 승당입실호여 구고 돈당 슉당게 결호여 문후호고 졔스 금장 쇼고로

(51)녜필ᄒ미 다시 고쇼져로 더브러 녜읍ᄒ며 반기ᄂᆫ 졍이 무궁ᄒ고 졔좌의 예필의 돈당 ᄉ위 부인이 집슈무마ᄒ여 반기며 진닌 슈말을 무러 ᄉ로이 늣기고 공쥬 쏘흔 쇼져의 옥슈을 잡아 무이ᄒ미 비길 ᄃᆡ 업더라 돈당이 다시 ᄌ란을 갓가이 불너 위로ᄒ니 ᄌ란니 고두ᄒ며 화근의 빌미 되엿든 바을 쳥죄ᄒ고 구부인게 쏘흔 죄을 쳥ᄒ니 모다 위로ᄒ고 지닌 슈말을 무러 고진감ᄂᆡᄒᄆᆞᆯ 깃거ᄒ고 녜지 ᄂᆞ리ᄆᆡ 셩은의 호탕ᄒᄉᆞᄆᆞᆯ 황공ᄒ더라 이의 명휘각을 슈쇄ᄒ여 연부인니 다시 거ᄒ고 그 겻ᄒᆡ 옥화당을 슈쇄ᄒ여 ᄌ란니 거ᄒ게 ᄒ니 병뷔 일삭의 십 일은 돈당 부모(52)게 시침ᄒ고 십 일은 연부인으로 화락ᄒ여 금슬 우지ᄒ며 동고낙지ᄒ여 은졍이 여산약ᄒᆡᄒ고 각 오 일은 좌우 부인을 금슬이 교칠 ᄀᆞᆺᄒ니 요녀 등이 몰ᄉᄒᄆᆡ 현부 일문의 마장이 업셔 아들을 나ᄒᄆᆡ 셩현군ᄌ와 영웅쥰걸이요 ᄯᆞᆯ을 나ᄒᄆᆡ 요됴슉녜요 쳘부셩염이라 남취여가ᄒᄆᆡ 며ᄂᆞ리마다 ᄉᆡᆨ덕이 쵸셰ᄒ고 ᄉ회마다 지용이 ᄲᅢ혀ᄂᆞ니 현부 상희의 화긔 영ᄌᄒ여 우음이 ᄯᅥ날 ᄯᆡ 업고 막복무흠화길흔 죠혼 쇼문니 인국의 들니더라 여류셰월의 허다 ᄌ손이 날노 장셩ᄒ여 남혼여가ᄒ며 등과입신ᄒ여 명망이 됴야의 흔드니 날마다 잔치요 시시ᄯᅥᆺᄯᅥᆺ 경ᄉ라 좌승(53)상 현희빅의 부인 옥화군쥬ᄂᆞᆫ 팔ᄌ 오녀을 싱ᄒ고 녜부상셔 희쳔의 부인 쇼부인은 오ᄌ 삼녀을 싱ᄒ고 이부춍ᄌ 연진공 희셩의 부인 구셩열은 십이ᄌ 삼녀을 싱ᄒ고 병부상셔 ᄃᆡᄉ마 츙무후 희문의 ᄇᆞ인 연의열은 십ᄌ 오녀을 싱ᄒ고 좌빈 고부인은 칠ᄌ 슴녀을 두고 우빈 졍녈은 구ᄌ 이녀을 싱ᄒ고 호부상셔 희명의 부인 냥시ᄂᆞᆫ 오ᄌ 이녀을 두고 형부상셔 희연의 부인 교시ᄂᆞᆫ 삼ᄌ 슴녀을 싱ᄒ고 ᄐᆡ상경 희슉의 부인 조시ᄂᆞᆫ ᄉᄌ 이여을 싱ᄒ고 어림ᄃᆡ장군 희영의 부인 됴시ᄂᆞᆫ 팔ᄌ 칠녀을 싱ᄒ고 공부상셔 희숑의 부인 경시ᄂᆞᆫ 일ᄌ 이녀을 싱ᄒ고 ᄐᆡ(54)흑ᄉ 희계의 부인 노시ᄂᆞᆫ 이ᄌ 삼녀을 싱ᄒ고 ᄃᆡ홍노 희화의 부인 니시ᄂᆞᆫ 칠ᄌ 이여을 싱ᄒ고 도어ᄉ 희옥의 부인 범시ᄂᆞᆫ 오ᄌ 슴녀을 싱ᄒ고 츄밀ᄉ 희랑의 부인 윤시ᄂᆞᆫ 이ᄌ 슴녀을 싱ᄒ고 도찰어ᄉ 용두각 ᄐᆡ학ᄉ 희직의 부인 명시ᄂᆞᆫ 오ᄌ 이녀을 싱ᄒ고 집현젼 시강흑사 희원의 부인 육시와 희몽의 부인 육시ᄂᆞᆫ

각각 육존 육녀을 싱ᄒᆞ고 기여 제공의 싱흔 바을 니로 긔록지 못ᄒᆞᆯ너라 옥혜
교혜 등이 다 고문딕가의 영웅군존을 마져 금슬이 고르고 화ᄒᆞ여 유존싱녀ᄒᆞ
고 부귀 영낙ᄒᆞ며 성환 (55)제공지 각각 장성ᄒᆞ여 입장등과ᄒᆞ여 한원의 쥬인
이요 경희 명희 등 제쇼제 또흔 장성ᄒᆞ니 혼인 잔치 씇일 날이 업고 싱녀ᄒᆞ는
경시 쉴 시 업셔 아춤의 경화당 시비 부인의 싱남ᄒᆞᄆᆞᆯ 고ᄒᆞ고 져역의 명희당
시비 부인의 싱녀ᄒᆞᄆᆞᆯ 고ᄒᆞ니 허다 현공의 부인이 각 당의 거ᄒᆞᄆᆡ 신혼셩경의
그 슈를 혜면 남여노쇼 ᄋᆞ공존 쇼제 병합ᄒᆞ여 거의 쳔 명이나 ᄒᆞ니 정당 광실
이 듭고 경시 무궁무진ᄒᆞ여 날마다 즐기고 존손이 부셩ᄒᆞ니 현부 제공의 복녹
을 일로 다 긔록지 못ᄒᆞᆯ너라 ᄎᆞ후 빅 연의 이르도록 마장 업시 지ᄂᆞ니 원ᄂᆡ 오
진 냥공의 ᄉᆞ적은 현시냥웅쌍인긔의 (56)히비ᄒᆞ고 퇴ᄉᆞ공과 제왕의 ᄉᆞ적은
명쥬긔봉의 히비ᄒᆞ고 현시 제인의 후 ᄉᆞ적은 현시팔용긔 히비ᄒᆞ나 옥화군쥬의
옥연긔합과 연의열의 명쥬긔합이 긔이ᄒᆞᄆᆞ로 현승상 희빅과 병부 희문의 ᄉᆞ적
을 쵸츌ᄒᆞ여 명쥬옥연긔합녹이라 ᄒᆞ여 후셰의 젼ᄒᆞ여 션악의 보응ᄒᆞᄆᆞᆯ 밝히ᄆᆡ
니 후인은 다시 현시 후록을 이어 블지어다

6 백화당가

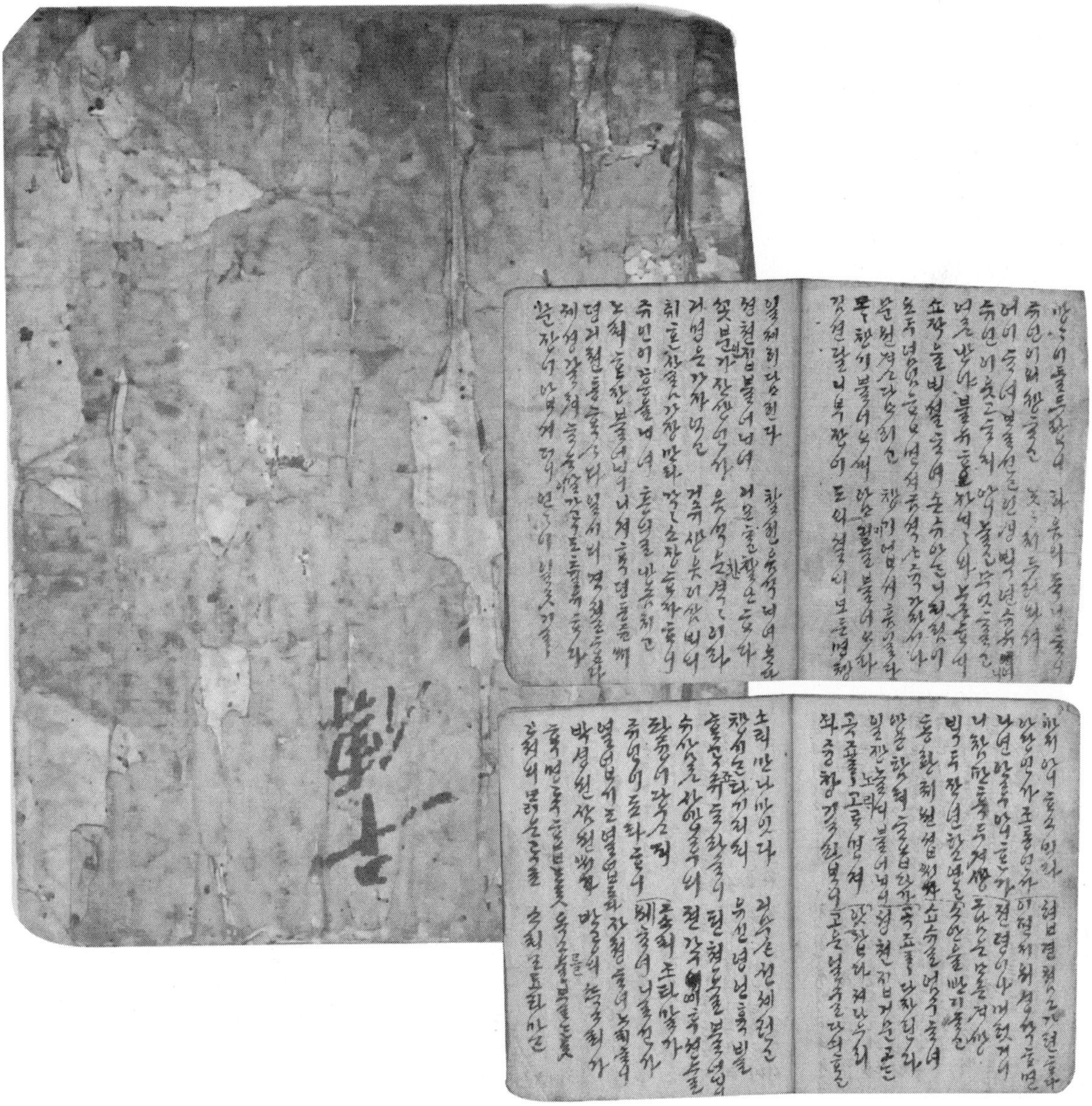

(1)

빅화당가

냥신미경 호시졀의	샹심낙ᄉ 죠흘시고
평싱의 죠흔 친구	모〃이 모도아셔
쳥츈의 죠흔 노름	한가지로 ᄒ오리라
자는 비ᄌ 씌와ᄂ니여	불기지슈 셩비ᄒ고
김별감 이셔원을	힝낭〃 불너ᄂ니여
아모 ᄃ\릭은 네 가리라	아모 ᄃ\릭은 네너거라
밤즁만 문 두ᄃ려	임의 든 잠 씌와ᄂ니
그 즁놈의 ᄃ딥 보소	역졍을 닙도 닌다
영감긔셔 젼갈ᄒ딕	시방 오라 ᄒ시오니
어인 일노 브ᄅ신고	곤흔 잠 밧비 씌여

(2)

망〃이들 드라오니	쥬인이 의쟝ᄒ고
화음의 득닙ᄒ니	굿〃치 드러와셔
어이ᄒ여 브ᄅ신고	쥬인이 웃고 ᄒ딕
인싱 빅년 슈유여니	아니 놀고 무엇홀고
여츠 냥야 불유ᄒ오	쇼작을 비셜ᄒ여
자ᄂ니〃와 노ᄌ ᄒ니	손슈 아ᄂ 니ᄌ림이
요두념임 ᄒ오면셔	문원직ᄉ 다 모히고
금셕ᄉ쥭 가자시나	챵기 업셔 흠이로다
모〃챵기 불너오ᄉ	김션달 니부쟝이
아모긔를 불어오라	도이셜이 모든 명챵

(3)

일졔히 다 모힌다	셩쳔집 불어ᄂ니여
찰힌 음식 ᄂ여온다	긔묘ᄒ고 찬난ᄒ다

솟분인가 잔상인가 　　　　 긔명은 가자 잇고
음식은 식〃이라 　　　　 거쥬샹음 이삼비의
취혼 사름 가장 만타 　　　　 쥬인이 흥을 늬여
각〃 소장 ᄒ자 ᄒ니 　　　　 흥의로 냥금 치고
노릭 흔장 불어닉니 　　　　 뎡긔쳔 홍흑ᄉ와
니지흑 뎡동쥰찌 　　　　 일시의 격졀ᄒ다
졔경 갈치ᄒ온 말이 　　　　 문장이 압셔더니
가곡도 츌유ᄒ다 　　　　 인〃이 일쿳기를
(4)
마지 아니ᄒ소미라 　　　　 아당인가 조롱인가
협견쳠소 가련ᄒ다 　　　　 이젼 지워 싱각ᄒ면
나연안후 아니흔가 　　　　 니참판 흑두지샹
젼뎡이나 머럿거니 　　　　 그 남은 모든 지샹
빅두잔년 ᄒ소연고 　　　　 홍황쥐 원셥찌가
소안을 반기ᄒ고 　　　　 쇼슈로 엄구ᄒ여
야용함틱 ᄒᆞᆸ다가 　　　　 일쟝노릭 불너닉니
곡죠롤 다 차린다 　　　　 셩쳔집 거문고는
곡죠롤 고르면셔 　　　　 좌즁 창기 도라 보니
앗갑다 져 나으리 　　　　 고은 얼굴 다 쇠ᄒ고
(5)
소릭만 나마잇다 　　　　 챵기는 다 기리되
긔 무슨 신셰런고 　　　　 유신영 언휵비는
흔 곡쥬 ᄒ라 ᄒ니 　　　　 슈삼츠 사양 후의
된쳥으로 불너닉니 　　　　 젼가구 예후셩으로
좌즁이 다 우스되 　　　　 쥬인이 됴타 ᄒ니
그 소릭 조타 말가 　　　　 웨ᄒ여 니르신가

열업기도 열업도다　　　　박싱원 삼원㝱가

자쳥ᄒ여 노릭ᄒ니　　　　반공의 쑥소릭가

흑뎡고수 ᄒ옵ᄂ 듯　　　　고져의 묽은 곡죠

옥소을 부릭ᄂ 듯　　　　소릭ᄂ 됴타마ᄂ

(6)

뎡가의 후예로서　　　　ᄂ됴의 뎡직ᄒᄆ

어이 아니 싱각ᄂ고　　　　ᄂ뎡공의 휘모리와

홍딕협이 팔둑츔이　　　　긔죠ᄂ 희악ᄒ고

모양도 챵피ᄒ다　　　　됴졍샹 쳥관미직을

져 무리가 다 흐리ᄂ　　　　인심이 교스ᄒ여

슈오지심 업다 말가　　　　홍딕형 흥셩간은

쥬인을 웃게 ᄒ려　　　　홀연이 입쎠나셔

틱견 씨룸 ᄒᄂ구나　　　　한심ᄒ다 사부 ᄌ뎨

어이 그리 경박ᄒ고　　　　신직죠의 거동 보소

화복이와 딕무ᄒ네　　　　쳥죠이목 져러ᄒ니

(7)

이소진신 그지 업다　　　　윤노동 죠윤슈와

ᄂ직안 윤광녈이　　　　ᄒ편으로 투젼ᄒ며

됴쟝어쟝 ᄂ라 ᄒᄂ　　　　문스를 졔 아던가

잡기ᄂ 무스 일고　　　　일ᄌ부귀 뎡문시ᄂ

챵기픠로 되엿고나　　　　그 아ᄌ비 뎡치슌은

일슉인가 문긱인가　　　　뎡화슌 뎡동교ᄂ

음식 감관 스양ᄒ네　　　　그 집 지ᄌ 뎡■■■

욕타구가 되엿고나　　　　그 외의 좌샹긱이

ᄒ나히나 범연ᄒ가　　　　노안비슬 심이지ᄂ

에 모양 아니쑵다　　　　쳔억화 신무벽은

(8)

간 듸마다 심복인 체　　가증ᄒ샤 뎡지용과
열업슬손 한여경이　　너외 쳐신 싱각ᄒ면
늬 얼굴이 쯧〃ᄒ다　　김지인 니경즁은
쟝스 되여 불샹ᄒ다　　이 노름 못 모히니
져희는 섭〃ᄒ리　　교〃월식 만졍시의
취혼 흥이 절노 난다　　이 노름 됴컷마는
소문날가 두례워라　　힝여 알니 판셔죡쟝
아르시면 꾸즁ᄒ리　　셔산의 돌이 지고
닌졔가 난챵ᄒ니　　홍듸협 도ᄅ보며
분부ᄒ여 니른 말이　　이 노름 다시ᄒ믈

(9)

훗날노 긔약ᄒ시　　셔원네 윤셩보와
뎡희슉 셔여셩과　　셔졍셰 남원명이
오늘은 못 모여도　　그날은 다 쳥ᄒ세
늬형원 윤동만은　　자네 형뎨 츌입ᄒ며
음식은 자네ᄒ여　　밤 든 후 가져오소
만당빈긱 쳥ᄒ올 졔　　젼갈 편지 번거ᄒ니
죠용〃 언약ᄒ소　　어와 벗님들아
하비의 허튼 말이　　이 말이야 못ᄒ기로
ᄌ연이 쥬쇽들이　　젼파ᄒ기 쉬워셰라
오늘날 미류흥을　　그날의 다ᄒ리라

(10)

이 노름 파혼 후에　　숔빅화당가
남듸문 드리ᄃ라　　회현동 아니런가
그 골목 써러늬여　　ᄉ심ᄲᅵ퇵 제일이라

샹하사랑 번화ㅎ고　　　　　　니외 즁문 즐비ㅎ다
슈쳥노즈 불어니여　　　　　　빅화당 포진ㅎ고
셩쳔집 불어니여　　　　　　　아름다온 틱도로다
셩쳔집 ㅎ는 노릭　　　　　　영감 자의 흥을 도아
명월은 교교ㅎ되　　　　　　　경기도 죠흘시고
셩쳔집 나와안자　　　　　　　영감드려 ㅎ는 말이
인싱은 죠로 궃고　　　　　　　셰상만시 부운이라
오늘밤 죠흔 경의　　　　　　　여인동낙 엇더ㅎ오
(11)
밧사랑 친히 나가　　　　　　　자는 죵놈 씌와니여
이놈 져놈 분부ㅎ여　　　　　편지 쓰고 젼갈ㅎ여
예 보니고 졔 보니여　　　　　남여 타고 나귀 타며
압셔거니 뒤셔거니　　　　　슌식간의 만좌ㅎ니
오신 숀님 혜여 보소　　　　　누구〃 모엿는고
금옥직샹 일틴명ᄉ　　　　　일졔히 낙희ㅎ다
기사틴신 홍낙셩은　　　　　노병으로 못오셔〃
뭇 ᄌ뎨 영의씌가　　　　　　틴신ㅎ여 오거고나
니판부 병모씌는　　　　　　늠여초현 젼폐ㅎ고
자근나기 초롱불노　　　　　초〃히 온다 말가
(12)
뎡판셔 챵슌씌는　　　　　　협견쳠쇼 졈지 안타
홍문계혹 니죠판셔　　　　　뉘 덕으로 ㅎ엿는고
셔판셔 유방씌는　　　　　　다라온 구미호야
젼후은덕 혜아리면　　　　　호쳔망극 브죡ㅎ다
홍판셔 냥호씌는　　　　　　슐부공명 기망이라
문인 괴상 어틱 두고　　　　아유지틱 져러ㅎ고

홍판셔 억이삐ᄂᆞᆫ 　막빈 된 긔일월노
평신 모발 챵슈ᄒᆞ니 　지금 셩취 공노홀샤
셔판셔 경슈삐ᄂᆞᆫ 　쳔빅가지 뎡퇴로다
칠십노부 어듸 두고 　타인이 ᄌᆞ 되거고나
(13)
평안감ᄉᆞ 김ᄉᆞ묵은 　만금효양 긔특ᄒᆞ다
일셰가 죠쇼ᄒᆞ고 　여언이 타비ᄒᆞ다
츙쳥감ᄉᆞ 니형원은 　오일문안 효도롭다
만을적 견욕흠믈 　징계도 아니ᄒᆞᄂᆡ
니참판 지흑삐ᄂᆞᆫ 　흑두진열 이 늑거늘
길ᄉᆞ흑 지닌듯 만듯 　노름 참예 무슴 일고
니참의 면응삐ᄂᆞᆫ 　영부의 셔명식을
유이워 부죡ᄒᆞ여 　영면응이 되다 말가
홍판셔 슈부삐ᄂᆞᆫ 　지각 염치 바히 업ᄂᆡ
불시 빈이 자리ᄒᆞ여 　쇽긔ᄌᆞ 무슴일고
(14)
니판셔 민보삐ᄂᆞᆫ 　유지융질 미죡ᄒᆞ여
쥬인 영공 불어ᄂᆡ여 　시원 조원 부탁ᄒᆞᄂᆡ
심판셔 이지삐ᄂᆞᆫ 　고거관작 구〃ᄒᆞ다
향ᄂᆡ쇽셜 불구ᄒᆞ고 　지금 압긱 되엿고나
윤참의 힝원삐ᄂᆞᆫ 　남의 거동 효비ᄒᆞ여
말셕의 참예ᄒᆞ니 　명조손 져러흔가
심참판 환지삐ᄂᆞᆫ 　ᄂᆡ외심 품은 자최
외면은 고이ᄒᆞ나 　박브득이 참회흔다
니참의 면긍삐ᄂᆞᆫ 　풍뉴 남ᄌᆞ ᄒᆞ이시니
ᄉᆞ부 힝ᄉᆞ 져러흔가 　챵기 픠두 무슴일고

(15)

한참의 만유삐는	이삼비 취흔 후의
칠언뉼시 울프면셔	쥬인 영감 화답흐소
윤교리 노동삐는	평싱의 거즛우슴
탁 밋히 졍틱흐니	옥당명스 가셕흐다
심교리 홍영삐는	광후납명 흐엿고나
당후납명 흐온 후에	환욕의 북밧쳐셔
늬부본식 젼혀 업고	불츙불효 극진흐다
신뎡언 직조삐는	쥬인 영공 웃게 흐려
화복이와 틱무흐니	비루흔 줄 모른나냐
뎡평 양삐는	몃번 응부 다 먹이고

(16)

진슈미찬 블시지슈	틱인션부 되엿는고
홍황쥐 원셥삐는	쳥가 일곡 즈쳥흐니
교쳠도 그지 업다	녀챵은 무스일고
홍임실 니간삐는	입타령 더옥 가소
그리흐면 만금틱슈	명일졍의 〃망흘가
유강 언휵삐는	옥져소릭 쳥어흐다
쇼야의 비온 직죠	오늘날 뭇거고나
뎡졍낭 동교삐는	늬부유훈 져브리고
차례번 쥬이흐여	쇼일지한 업게 흔다
뎡젼부 현유삐는	동늬일가 빙즈흐고

(17)

한 방셕 마다시니	웅쥐거목 어틱 가리
김참봉 니죠삐는	틱신형 분부 늬여
입번디슈 압흘 셰워	이졔 쳬힝 흐다 말가

명진스 동녀삐ᄂ 앗가올스 인물이야
언필칭 우리 종형 일셰가 지목흔다
박싱원 삼원삐ᄂ 후졍화 삼곡죠롤
자란 소리 길게 쌘여 명가후예 불초ᄒ다
진스 졍간삐ᄂ 쳥젼의 몃 냥 금을
냥슈로 경진ᄒ여 홍의도의 밧쳣고나
홍진스 듸영삐ᄂ 그 부모 ᄌ졔로셔
(18)
어이 아니 그러ᄒ리 극초흠도 극초ᄒ다
니진스 직안삐와 셔진스 유방삐와
윤진스 광열삐와 원진스 지명삐와
윤싱원 힝운삐와 니싱원 만응삐와
니싱원 의쭉삐와 빵쵹하의 각장투젼
슈쳥방의 잡좌ᄒ여 희쳘비와 짝을 삼아
언쇼희락 ᄌ약흔다 면눌당의 션츅후의
희틔홀샤 한용집이 젼혀 업다 스군복식
권문탁젹 ᄒ거고나 찰힌 음식 지쵹ᄒ니
이윽고 밤든 후의 뎡죵쥬 불너늬여
(19)
불시의 셩비ᄒ나 팔도 찬물 다 오른고
슈륙진찬 ᄀ독지로다 계당쥬 쥭녁고롤
병 〃이 늬여노코 셩쳔집 연 〃틱로
잉모비 호박비로 차례로 슌비ᄒ니
영감 ᄌ의 힝흘다 우리 영감 자랑ᄒ니
셤 〃옥슈 특을 밧쳐 잉슌을 반기ᄒ고
션풍도골 긔특ᄒ다 연셰도 졈거니와

언변인들 업슬소냐   이 영감 분부닉룰

일좌즁이 경쳥ㅎ믹   효월이 희미ㅎ고

디셩 일쳥 후의   오경쳥쳥 ㅎ거고나

(20)

빅반은 낭즈ㅎ고   명셩이 유란흔디

취흥이 긔진흔다   홍챵녕 경두씨와

최봉스 슈경씨는   하상견지만야오

견지도지말지ㅎ니   쥬인 안싴 닝담ㅎ다

여찬이나 먹고 가소   셩쳔집 닉드라셔

홍챵녕 가시려나   일호쥬 스양 마소

파연곡 효모 되어   홍디협이 쳐져니셔

오신 손님 가게 ㅎ니   불취ㅎ니 뉘 잇던고

쥬인 영공 둘어보오   냥신가졀 승호일의

오늘밤 이 노름이   일디의 셩식로다

(21)

이쇽젼유 ㅎ스이다   누구 〃 못 왓는고

계승지극 닉 찰힐 제   못 본 친구 다 쳥ㅎ소

셔원덕 뎡희슉과   훗노름의 방속ㅎ여

니셩양 뎡도니와   남원평 셔경셔룰

간호지건 업게 ㅎ여   어와 이 노름이

소만됴 군현 다 모히니   회현동에 일홈이

오늘날 뭇거고나   니판셔 병졍씨는

구억화신 복싴이라   한함흥 디유씨는

미 죠차 오거고나   삼도문젼 히환 후의

노룰 일 업셔 즈틱ㅎ닉   윤참의 힝임씨는

(22)

슬하의 이열ᄒ여   ♀시의 ᄒ던 일을

오늘날 다시ᄒ네   낮노라 소년들아

틱평셩딕 이 노름을   다시 홀가 ᄒ노라

뎡동쥰 나라의의 춍홀 젹의 희쳘

빅가 이 글을 지어닉여도다

불설장수멸죄호제동자다라니경

(불설圖01ㄱ:01) [그림]

(불설圖01ㄱ:02) [그림]

(불설圖01ㄱ:03) [그림]

(불설圖01ㄱ:04) [그림]

(불설圖01ㄱ:05) [그림]

(불설圖01ㄱ:06) [그림]

(불설圖01ㄱ:07) [그림]

(불설圖01ㄴ:01) [그림]

(불설圖01ㄴ:02) [그림]

(불설圖01ㄴ:03) [그림]

(불설圖01ㄴ:04) [그림]

(불설圖01ㄴ:05) [그림]

(불설圖01ㄴ:06) [그림]

(불설圖01ㄴ:07) [그림]

(불설01ㄱ:01) 佛說長壽滅罪護諸童子陀羅尼經

(불설01ㄱ:02)　　　　罽賓國沙門佛陀波利奉　詔譯

(불설01ㄱ:03) 如是我聞一時佛在王舍城耆闍堀山

(불설01ㄱ:04) 中與大比丘衆千二百人五十俱諸大

(불설01ㄱ:05) 菩薩萬二千人俱及諸天龍八部鬼神

(불설01ㄱ:06) 人非人等共會說法

(불설01ㄱ:07) 爾時世尊於其面門以佛神力放種種

(불설01ㄴ:01) 光其光五色青黃赤白一色之中有無

(불설01ㄴ:02) 量化佛能作佛事不可思議一一化佛

(불설01ㄴ:03) 有無量化菩薩讚誦佛德其光微妙難

(불설01ㄴ:04) 可測量上至非非想天下至阿鼻地獄

(불설01ㄴ:05) 遍帀八萬無不普照其中衆生遇佛光

（불설01ㄴ:06）者自然念佛皆得初地方便三昧爾時

（불설01ㄴ:07）衆中有新發意菩薩四十九人各欲從

（불설02ㄱ:01）佛求長壽命無能發問時文殊師利菩

（불설02ㄱ:02）薩知有所疑從座而起偏袒右肩合掌

（불설02ㄱ:03）向佛而白佛言世尊我見衆中有所疑

（불설02ㄱ:04）者今欲諮問唯願如來聽我所說

（불설02ㄱ:05）佛言善哉善哉文殊師利汝有所疑當

（불설02ㄱ:06）恣汝問文殊師利言世尊一切衆生於

（불설02ㄱ:07）生死海造諸惡業從劫至劫輪廻六道

（불설02ㄴ:01）縱得人身得短命報云何令其得壽命

（불설02ㄴ:02）長滅諸惡業唯願世尊說長壽法

（불설02ㄴ:03）佛言文殊汝大慈無量愍念罪苦衆生

（불설02ㄴ:04）能問斯事我若具說一切衆生無能信

（불설02ㄴ:05）受文殊師利重白佛言世尊一切種智

（불설02ㄴ:06）天人之師普覆衆生是大慈父一音演

（불설03ㄱ:01）說爲大法王唯願世尊哀愍廣說

（불설03ㄱ:02）佛便微笑普告大衆汝等諦聽當爲汝

（불설03ㄱ:03）說過去世時有世界名無垢淸淨其土

（불설03ㄱ:04）有佛號普光正見如來應供正遍知明

（불설03ㄱ:05）行足善逝世間解無上師調御丈夫天

（불설03ㄱ:06）人師佛世尊爲無量無邊菩薩大衆恭

（불설03ㄱ:07）敬圍繞其佛法中有一優婆夷名曰顚

（불설03ㄱ:08）倒聞佛出世求欲出家悲號啼哭白彼

（불설03ㄴ:01）佛言世尊我有惡業求欲懺悔唯願世

（불설03ㄴ:02）尊聽我具說我於昔時身懷胎孕足滿

（불설03ㄴ:03）八月爲家法故不貪兒息遂服毒藥殺

（불설03ㄴ:04） 子傷胎唯生死兒人形具足曾聞智人

（불설03ㄴ:05） 來謂我言若固傷胎此人現世得重病

（불설03ㄴ:06） 報壽命短薄墮阿鼻獄受大苦惱今我

（불설03ㄴ:07） 唯寸生大悲懼惟願世尊以慈悲力爲我

（불설04ㄱ:01） 說法聽我出家令免斯苦爾時普光正見

（불설04ㄱ:02） 如來告顚倒言世間有五種懺悔難滅何

（불설04ㄱ:03） 等爲五一者殺父二者殺母三者殺胎四

（불설04ㄱ:04） 者出佛身血五者破和合僧如此惡業罪

（불설04ㄱ:05） 難消滅爾時顚倒女人啼號哽咽悲泣雨

（불설04ㄱ:06） 淚五體投地踠轉佛前而白佛言世尊大

（불설04ㄱ:07） 慈救護一切唯願世尊憐愍說法　長四

（불설04ㄴ:01） 普光正見如來而重告言汝此惡業當

（불설04ㄴ:02） 墮阿鼻地獄無有休息熱地獄中暫遇

（불설04ㄴ:03） 寒風罪人暫寒寒地獄中暫遇熱風罪

（불설04ㄴ:04） 人暫熱無間地獄無有是處上火徹下

（불설04ㄴ:05） 下火徹上四面鐵墻上安鐵網東西四

（불설04ㄴ:06） 門有猛業火若有一人身亦遍獄身長

（불설04ㄴ:07） 八萬由旬若衆多人亦皆遍滿罪人遍

（불설04ㄴ:08） 身有大鐵蛇其毒苦痛甚於猛火或從

（불설05ㄱ:01） 口入從眼耳出周帀纏身從劫至劫罪

（불설05ㄱ:02） 人肢節常出猛火復有鐵鴉啄食其肉

（불설05ㄱ:03） 或有銅狗齩嚙其身牛頭獄卒手執兵

（불설05ㄱ:04） 具發大惡聲如雷靂靂汝固殺胎當受

（불설05ㄱ:05） 此苦我若妄說不名爲佛爾時轉倒女

（불설05ㄱ:06） 人聞佛說已悲咽躄地漸得蘇息重白

（불설05ㄱ:07） 佛言世尊唯我一人受斯苦痛爲復一

(불설05ㄴ:01) [누락]

(불설05ㄴ:02) [누락]

(불설05ㄴ:03) [누락]

(불설05ㄴ:04) [누락]

(불설05ㄴ:05) [누락]

(불설05ㄴ:06) [누락]

(불설05ㄴ:07) [누락]

(불설06ㄱ:01) [누락]

(불설06ㄱ:02) [누락]

(불설06ㄱ:03) [누락]

(불설06ㄱ:04) [누락]

(불설06ㄱ:05) [누락]

(불설06ㄱ:06) [누락]

(불설06ㄱ:07) [누락]

(불설06ㄱ:08) [누락]

(불설06ㄴ:01) 王所其幡前後歌詠讚嘆出微妙聲柔

(불설06ㄴ:02) 和善順報閻王言此人積善或有亡者

(불설06ㄴ:03) 七日之內信邪倒見不信佛法大乘經

(불설06ㄴ:04) 典無慈孝心無慈悲心當有冥使持一

(불설06ㄴ:05) 黑幡其幡前後有無量惡鬼報閻王言

(불설06ㄴ:06) 此人積惡爾時閻羅法王見五色幡至

(불설06ㄴ:07) 心大歡喜高聲唱言願我罪身亦同汝

(불설07ㄱ:01) 善當此之時諸地獄中變爲淸泉刀山

(불설07ㄱ:02) 劍樹如蓮花生一切罪人咸受快樂若

(불설07ㄱ:03) 見黑幡閻王瞋怒惡聲震烈則將罪人

(불설07ㄱ:04) 付十八獄或上劍樹或刀山中或臥鐵

(불설07ㄱ:05) 牀或抱銅柱牛犂拔舌碓擣磑磨一日

(불설07ㄱ:06) 之中萬死萬生乃至展轉墮阿鼻獄受

(불설07ㄱ:07) 大苦痛從劫至劫無有休息所言未訖

(불설07ㄱ:08) 爾時空中有大惡聲喚言顚倒女人汝

(불설07ㄴ:01) 固殺胎受短命報我是鬼使故來追汝

(불설07ㄴ:02) 顚倒女人驚愕悲泣抱如來足唯願世

(불설07ㄴ:03) 尊爲我廣說諸佛法藏滅罪因緣死當

(불설07ㄴ:04) 願畢

(불설07ㄴ:05) 爾時普光正見如來以佛威力報鬼使

(불설07ㄴ:06) 言無常殺鬼我今現欲爲顚倒女說長

(불설07ㄴ:07) 壽命滅罪經且待須臾自當有證汝當

(불설08ㄱ:01) 諦聽我當爲汝依過去千佛說諸佛秘

(불설08ㄱ:02) 法長壽命經令遣汝等遠離惡道顚倒

(불설08ㄱ:03) 當知此無常殺鬼情求難脫縱有無量

(불설08ㄱ:04) 百千金銀瑠璃軻璩赤珠瑪瑙而將贖

(불설08ㄱ:05) 命無能得免縱使國王王子大臣長者

(불설08ㄱ:06) 恃其勢力無常鬼至斷其寶命無一能

(불설08ㄱ:07) 免顚倒當知唯佛一字能免斯苦顚倒

(불설08ㄴ:01) 世有二人甚爲希有如優曇花難可值

(불설08ㄴ:02) 遇一者不行惡法二者有罪卽能懺悔

(불설08ㄴ:03) 如是之人甚爲希有汝能至心於我懺

(불설08ㄴ:04) 悔我當爲汝說長壽經令汝得免無常

(불설08ㄴ:05) 鬼苦顚倒當知未來世中五濁亂時若

(불설08ㄴ:06) 有衆生造諸重罪殺父害母毒藥殺胎

(불설08ㄴ:07) 破塔壞寺出佛身血破和合僧如是等

(불설08ㄴ:08) 罪五逆衆生若能受持此長壽經書寫

（불설09ㄱ:01）讀誦若自書若遣人書猶向罪滅得生

（불설09ㄱ:02）梵天何況汝今親得見我善哉顛倒汝

（불설09ㄱ:03）於無量曠劫種諸善根我今因汝善問

（불설09ㄱ:04）慇懃懺悔卽得轉于無上法輪能度無

（불설09ㄱ:05）邊生死大海能與波旬共戰能摧波旬

（불설09ㄱ:06）所立勝幢汝當諦聽我當依過去諸佛

（불설09ㄱ:07）說十二因緣法無明緣行行緣識識緣

（불설09ㄱ:08）名色名色緣六入六入緣觸觸緣受受

（불설09ㄴ:01）緣愛愛緣取取緣有有緣生生緣老死

（불설09ㄴ:02）憂悲苦惱無明滅卽行滅行滅卽識滅

（불설09ㄴ:03）識滅卽名色滅名色滅卽六入滅六入

（불설09ㄴ:04）滅卽觸滅觸滅卽受滅受滅卽愛滅愛

（불설09ㄴ:05）滅卽取滅取滅卽有滅有滅卽生滅生

（불설09ㄴ:06）滅卽老死憂悲苦惱滅顛倒當知一切

（불설09ㄴ:07）衆生不能見於十二因緣是故輪轉生

（불설10ㄱ:01）死苦趣若有人見十二因緣者卽是見

（불설10ㄱ:02）法見法者卽是見佛見佛者卽是佛性

（불설10ㄱ:03）何以故一切諸佛以此爲性汝今得聞

（불설10ㄱ:04）我說此十二因緣汝今以得佛性淸淨

（불설10ㄱ:05）堪爲法器我當爲汝說一實道汝當思

（불설10ㄱ:06）惟守護一念一念者謂菩提心菩提心

（불설10ㄱ:07）者名曰大乘諸佛菩薩爲衆生故分別

（불설10ㄴ:01）說三汝當念念常勤守護是菩提心勿

（불설10ㄴ:02）令忘失縱有五陰四蛇三毒六賊一切

（불설10ㄴ:03）諸魔來所侵嬈終不能變是菩提心因

（불설10ㄴ:04）獲如是菩提心故身如金剛心如虛空

(불설10ㄴ:05) 難可沮壞因不壞故卽得阿耨多羅三

(불설10ㄴ:06) 藐三菩提因得阿耨多羅三藐三菩提

(불설10ㄴ:07) 故常樂我淨具足而有卽能遠離此無

(불설10ㄴ:08) 常殺鬼生老病死諸地獄苦

(불설11ㄱ:01) 佛於大衆中說是法時虛空鬼使作如

(불설11ㄱ:02) 是言我聞世尊說是法要地獄淸淨爲

(불설11ㄱ:03) 連花池我今現捨鬼境界鬼復答言顚

(불설11ㄱ:04) 倒汝得道時願見濟度

(불설11ㄱ:05) 爾時普光正見如來復告顚倒我已爲

(불설11ㄱ:06) 汝說十二因緣竟更爲汝說六波羅密

(불설11ㄱ:07) 汝當受持般若波羅密禪波羅密毗梨

(불설11ㄴ:01) [누락]

(불설11ㄴ:02) [누락]

(불설11ㄴ:03) [누락]

(불설11ㄴ:04) [누락]

(불설11ㄴ:05) [누락]

(불설11ㄴ:06) [누락]

(불설11ㄴ:07) [누락]

(불설12ㄱ:01) [누락]

(불설12ㄱ:02) [누락]

(불설12ㄱ:03) [누락]

(불설12ㄱ:04) [누락]

(불설12ㄱ:05) [누락]

(불설12ㄱ:06) [누락]

(불설12ㄱ:07) [누락]

(불설12ㄴ:01) 殺鬼諸地獄苦我當碎身報佛慈恩高

（불설12ㄴ:02）聲唱言我今年至四十九歲從佛聞法

（불설12ㄴ:03）名長壽經今欲碎身不惜軀命寫長壽

（불설12ㄴ:04）經四十九卷欲令一切衆生受持讀誦

（불설12ㄴ:05）我須賣眼將寫此經我眼無價任汝與

（불설12ㄴ:06）直時天帝釋化作四十九人至顚倒所

（불설12ㄴ:07）我願爲汝書寫是經令汝見已當任賣

（불설12ㄴ:08）眼時顚倒女慶幸無量削骨爲筆身肉

（불설13ㄱ:01）支解以血爲墨供給書人於七日中書

（불설13ㄱ:02）寫經竟諸人寫已白顚倒言向來所許

（불설13ㄱ:03）兩眼睛時我等功畢願付我等持賣與

（불설13ㄱ:04）婆羅門爾時顚倒卽命㢑陀羅者汝可

（불설13ㄱ:05）爲我剜出眼睛當令四十九人分汝一

（불설13ㄱ:06）分時㢑陀羅依法欲剜四十九人齊唱

（불설13ㄱ:07）言希有希有不可思議此顚倒女削骨

（불설13ㄴ:01）出血瘡穢能忍不惜身命書寫此經我

（불설13ㄴ:02）等云何而取眼睛以慈悲心白顚倒女

（불설13ㄴ:03）言我等終不貪汝眼睛賣婆羅門願汝

（불설13ㄴ:04）得道當濟度我唯願我等在在處處當

（불설13ㄴ:05）當來生當得與汝同共一處作善知識

（불설13ㄴ:06）宣說是經救度一切罪苦衆生爾時難

（불설13ㄴ:07）陀龍王等以大威力作諸幻術盜顚倒

（불설13ㄴ:08）經於龍宮中受持供養時顚倒女於須

（불설14ㄱ:01）臾頃忽不見經流淚哽咽而白佛言世

（불설14ㄱ:02）尊我所碎身寫長壽經欲令流布一切

（불설14ㄱ:03）衆生我今忽然不知所在我心悶濁愁

（불설14ㄱ:04）毒難忍普光如來告顚倒言汝經是八

(불설14ㄱ:05) 部龍王請在龍宮受持供養汝當歡喜

(불설14ㄱ:06) 不須愁惱善哉顚倒汝當以此功德力

(불설14ㄱ:07) 故盡此壽已生於無色界天受諸快樂

(불설14ㄴ:01) 永不更作女人之身爾時顚倒女人白

(불설14ㄴ:02) 佛言世尊我之所願不願生天唯願生

(불설14ㄴ:03) 生世世常遇世尊佛心不退在在處處

(불설14ㄴ:04) 常爲一切罪苦衆生宣揚此法

(불설14ㄴ:05) 普光告言汝應妄語顚倒又言我若妄

(불설14ㄴ:06) 語願我依前無常鬼逼我若實心願我

(불설14ㄴ:07) 身瘡對佛除愈于時顚倒以誓願力平

(불설14ㄴ:08) 復如故普光如來告顚倒言汝一心念

(불설15ㄱ:01) 佛從一佛國至一佛國汝卽能見無量

(불설15ㄱ:02) 無邊諸佛世界文字語言不可宣說爾

(불설15ㄱ:03) 時顚倒於須臾間得無生法忍三藐三

(불설15ㄱ:04) 菩提心　　　文殊當知普光如來我

(불설15ㄱ:05) 身是也顚倒女人汝身是也四十九人

(불설15ㄱ:06) 新發意菩薩是也我於無量曠劫已來

(불설15ㄱ:07) 常以護身常與汝等宣說此經令一切

(불설15ㄴ:01) 衆生所有惡業聞此長壽命經半偈於

(불설15ㄴ:02) 耳皆得消滅今又更說

(불설15ㄴ:03) 爾時波斯匿王於其夜分在王宮中聞

(불설15ㄴ:04) 有女人高聲號哭哀慟難忍悲不自勝

(불설15ㄴ:05) 而自念言我之深宮曾無是事何故有

(불설15ㄴ:06) 是哀屈之聲於晨朝時卽敕所司往城

(불설15ㄴ:07) 衢路尋求此女使奉王敕尋得將來其

(불설15ㄴ:08) 女驚愕悶絕王前王以冷水而灑其面

(불설16ㄱ:01) 漸漸得蘇大王問言昨夜啼哭審是汝

(불설16ㄱ:02) 不女人答言是我悲耳王曰何故怨哭

(불설16ㄱ:03) 誰之屈汝女人答言我之所恨實無人

(불설16ㄱ:04) 屈唯願大王聽我所說我年十四嫡於

(불설16ㄱ:05) 夫家經三十年生三十子顏容殊妙頭

(불설16ㄱ:06) 紺靑色脣赤如朱齒白如玉身體盛愛

(불설16ㄱ:07) 如春中花我之戀惜猶如髓腦亦如肝

(불설16ㄱ:08) 腸甚於性命此子長大不過一歲於春

(불설16ㄴ:01) 秋時便棄我死其最後兒甚是我命今

(불설16ㄴ:02) 現垂困命將欲終我昨夜號哭因此悲耳

(불설16ㄴ:03) 爾時大王聞此語已深大愁惱所有百

(불설16ㄴ:04) 姓依因於我若不救護非名國王卽集

(불설16ㄴ:05) 群臣共相論議王有六臣一名見色二

(불설16ㄴ:06) 名聞聲三名香足四名辯才五名隨緣

(불설16ㄴ:07) 六名易染而白王言童子初生當作七

(불설17ㄱ:01) 星二十八宿神壇延命方免斯苦唯願

(불설17ㄱ:02) 大王告敕天下

(불설17ㄱ:03) 爾時有一智臣曾於無量佛所種諸善

(불설17ㄱ:04) 根名曰定慧前白大王大王當知六臣

(불설17ㄱ:05) 所言非能免苦今有大師字瞿曇氏號

(불설17ㄱ:06) 悉達多無師自悟今得成佛在耆闍崛

(불설17ㄱ:07) 山說長壽經唯願大王往彼聽受若聞

(불설17ㄴ:01) 此經半偈於耳百劫千生所有重罪無

(불설17ㄴ:02) 不消滅一切童子聞經於耳雖未悟解

(불설17ㄴ:03) 以經功德自然長壽波斯匿言我昔曾

(불설17ㄴ:04) 聞六師所言瞿曇沙門學日淺薄黃頷

(불설17ㄴ:05) 小兒其年幼稚六師經中妖祥幻化瞿
(불설17ㄴ:06) 曇是也若有崇者多失正道爾時定慧
(불설17ㄴ:07) 以偈白王
(불설17ㄴ:08) 釋迦牟尼天人師　曾於無量劫苦行
(불설18ㄱ:01) 今得成佛轉法輪　還依過去諸佛說
(불설18ㄱ:02) 不違一切衆生願　慈悲大力救群迷
(불설18ㄱ:03) 見佛如龜値浮木　亦如最妙優曇花
(불설18ㄱ:04) 唯願大王往聽法　不信外道六師言
(불설18ㄱ:05) 爾時定慧說是偈已以神通力從地踊
(불설18ㄱ:06) 上昇於虛空高七多羅樹卽於王前作
(불설18ㄱ:07) 諸呪術於一念頃令須彌山及大海水
(불설18ㄴ:01) 入於心中安然無礙波斯匿王見是事
(불설18ㄴ:02) 已歎言希有眞善知識前禮定慧白定
(불설18ㄴ:03) 慧言汝師是誰定慧答言我師是釋迦
(불설18ㄴ:04) 牟尼佛今現在王舍大城耆闍崛山說
(불설18ㄴ:05) 長壽滅罪經王聞此語心大歡喜卽以
(불설18ㄴ:06) 國事暫委定慧與無量眷屬大臣長者
(불설18ㄴ:07) 馭馬寶車前後圍遶并此女人及其童
(불설18ㄴ:08) 子齎持花鬘百種供養至王舍城耆闍
(불설19ㄱ:01) 崛山中除諸儀節繞佛七帀合掌頂禮
(불설19ㄱ:02) 散花供養具以上事而白佛言
(불설19ㄱ:03) 爾時世尊告波斯匿王此女人者於過
(불설19ㄱ:04) 去世時身爲後母心生嫉妬和合毒藥
(불설19ㄱ:05) 殺前妻兒三十之子此子被殺各發誓
(불설19ㄱ:06) 言願我生生世世常作其子便卽分離
(불설19ㄱ:07) 令其苦切生大悲痛時此女人今來得

(불설19ㄱ:08) 聞我說長壽命經一偈於耳怨家債主

(불설19ㄴ:01) 從斯永絕

(불설19ㄴ:02) 爾時世尊告諸大衆童子受胎魔王波

(불설19ㄴ:03) 旬卽放四大毒蛇六塵惡賊止住其身

(불설19ㄴ:04) 若一不調命根卽斷我有陀羅尼呪善

(불설19ㄴ:05) 能增益諸童子壽若有患苦聞我此呪

(불설19ㄴ:06) 一經於耳無不除差能令惡鬼四散馳

(불설19ㄴ:07) 走卽說呪曰

(불설20ㄱ:01) 波頭彌波　頭彌提婢　奚尼奚尼

(불설20ㄱ:02) 奚彌諸梨　諸羅諸麗　侯羅候麗

(불설20ㄱ:03) 由麗由羅　由麗波羅波麗聞　制瞋

(불설20ㄱ:04) 迭頻迭般逝末迭遲那迦梨　蘇波訶

(불설20ㄱ:05) 佛言是陀羅尼呪文句若善男子善女

(불설20ㄱ:06) 人受持讀誦爲一切受胎出胎病患童

(불설20ㄱ:07) 子之所演說七日七夜燒香散花書寫

(불설20ㄱ:08) 供養至心聽受所有重病前身業障皆

(불설20ㄴ:01) 得消滅

(불설20ㄴ:02) 爾時醫王菩薩名曰耆婆前白佛言世

(불설20ㄴ:03) 尊我爲大醫療治衆病諸少童子有九

(불설20ㄴ:04) 種病能短其命何者爲九一者父母非

(불설20ㄴ:05) 時行於房室二者初産令血穢地地神

(불설20ㄴ:06) 不居惡鬼得便三者初産不去臍間諸

(불설20ㄴ:07) 小毒蟲四者不以兜羅頓綿拭其胎中

(불설21ㄱ:01) 穢血五者殺生害命而爲歡宴六者其

(불설21ㄱ:02) 母食一切諸雜冷菓七者童子有病餧

(불설21ㄱ:03) 其雜肉八者初産子母未分令諸不祥

(불설21ㄱ:04) 見産生處未分解者能令母死已分解

(불설21ㄱ:05) 者令童子死何謂不祥若有人眼見一

(불설21ㄱ:06) 切死屍及諸變怪眼不淨故名曰不祥

(불설21ㄱ:07) 若以牛黃眞珠及光明砂蜜末微塵定

(불설21ㄴ:01) 童子心能免不祥九者夜行被惡鬼打

(불설21ㄴ:02) 之一切童子若能愼是九事終不至死

(불설21ㄴ:03) 爾時天魔波旬有他心智在魔宮中知

(불설21ㄴ:04) 佛說此長壽滅罪護諸童子陀羅尼呪

(불설21ㄴ:05) 心大忿怒發大惡聲愁憂不樂魔有三

(불설21ㄴ:06) 女前白父王未審大王何故愁惱父王

(불설21ㄴ:07) 答言瞿曇沙門今在王舍大城耆闍崛

(불설21ㄴ:08) 山爲無量無邊衆生說長壽經流布一

(불설22ㄱ:01) 切衆生得長壽樂侵我境界我惡心起

(불설22ㄱ:02) 我今欲將諸眷屬等一切魔兵而往討

(불설22ㄱ:03) 之縱使不能止得瞿曇我今威力止塞

(불설22ㄱ:04) 諸天及大衆耳不令聞佛說長壽經時

(불설22ㄱ:05) 魔三女以偈諫父

(불설22ㄱ:06) 天魔波旬有三女　稽首前白父王言

(불설22ㄱ:07) 瞿曇沙門天人師　非是魔力能禁止

(불설22ㄱ:08) 昔日在於菩提樹　初坐吉祥法座時

(불설22ㄴ:01) 我等三女巧便姸　諸天女中爲第一

(불설22ㄴ:02) 百種姿態擬欲之　菩薩都無染着意

(불설22ㄴ:03) 觀我三女如老姥　今成正覺菩提師

(불설22ㄴ:04) 父王彎弓作恐怖　諸兵器仗帀虛空

(불설22ㄴ:05) 菩薩如觀童子戲　一無驚懼退敗心

(불설22ㄴ:06) 今日道成爲法王　唯願父王息惡意

（불설22ㄴ:07）爾時魔王波旬聞女說偈將諸眷屬私

（불설23ㄱ:01）自平章我當與汝同往佛所善巧方便

（불설23ㄱ:02）而逡巡之詐受佛降令佛信用若得信

（불설23ㄱ:03）者當作種種一切魔事而障此經卽與

（불설23ㄱ:04）眷屬同詣佛所遶佛七帀而白佛言世

（불설23ㄱ:05）尊說法無疲勞耶我今將領諸眷屬來

（불설23ㄱ:06）聽長壽命經爲佛弟子唯願世尊不違

（불설23ㄱ:07）我願

（불설23ㄴ:01）爾時世尊訶責魔王汝在本宮心生忿

（불설23ㄴ:02）怒設得來此詐作逡巡我之法中不容

（불설23ㄴ:03）汝詐時魔波旬羞媿交集歘容無色而

（불설23ㄴ:04）白佛言世尊是我愚計實行詐法唯願

（불설23ㄴ:05）世尊以大慈悲恕我愆犯我今得聞長

（불설23ㄴ:06）壽經護諸童子陀羅尼呪我發誓願若

（불설23ㄴ:07）後末世有受持此經書寫讀誦所在之

（불설23ㄴ:08）處我當擁護無令惡鬼伺求其便設使

（불설24ㄱ:01）地獄若有罪人須臾之間憶念此經我

（불설24ㄱ:02）當以大神力取大海水灌注罪人令大

（불설24ㄱ:03）地獄如蓮花池

（불설24ㄱ:04）爾時復有飛騰羅剎食童子羅剎等而

（불설24ㄱ:05）爲上首與其同類諸眷屬等從空中下

（불설24ㄱ:06）遶佛千帀白佛言世尊我於無量劫來

（불설24ㄱ:07）受羅剎身我之眷屬如恒河沙各爲飢

（불설24ㄴ:01）餓之所逼切於四天下唯噉在胎及初

（불설24ㄴ:02）生童子血肉我等眷屬伺條一切夫婦

（불설24ㄴ:03）交會食噉其精令無胎息或在胎中我

(불설24ㄴ:04) 亦隨入傷胎食血初生七日我等專同

(불설24ㄴ:05) 其便斷其命根乃至十歲我等眷屬變

(불설24ㄴ:06) 作種種諸惡毒蟲入童子胎食其五藏

(불설24ㄴ:07) 所有精血能令小兒吐乳下痢或疳或

(불설24ㄴ:08) 瘤眼腫水腹乃至漸漸斷其命根我等

(불설25ㄱ:01) 今聞世尊說長壽滅罪護諸童子經奉

(불설25ㄱ:02) 世尊勅令我眷屬飢餓所逼不敢食噉

(불설25ㄱ:03) 佛告羅刹汝等當受我之禁戒令汝得

(불설25ㄱ:04) 捨此羅刹身生天受樂

(불설25ㄱ:05) 佛告大衆若有童子受患苦者令其慈

(불설25ㄱ:06) 母分乳微塵與虛空中施諸羅刹并清

(불설25ㄱ:07) 淨受持此長壽命滅罪陀羅尼經書寫

(불설25ㄱ:08) 讀誦病則除差

(불설25ㄴ:01) 時羅刹衆甚大歡喜而白佛言審得生

(불설25ㄴ:02) 天我等眷屬終不能侵諸童子乳乍食

(불설25ㄴ:03) 鐵丸終不能食諸童子血於佛滅後有

(불설25ㄴ:04) 能讀誦受持此經處者設有惡人惱是

(불설25ㄴ:05) 法師或有惡鬼惱諸童子我等當執

(불설25ㄴ:06) 佛金剛杵而衛護之不令惡鬼而得其

(불설25ㄴ:07) 便爾時一切諸天大王并其眷屬一切

(불설26ㄱ:01) 龍王一切夜叉王阿修羅王迦樓羅王

(불설26ㄱ:02) 緊那羅王摩睺羅伽王薜荔多王毗舍

(불설26ㄱ:03) 遮王富單那王乃至迦吒富單那等一

(불설26ㄱ:04) 切諸王各并眷屬禮拜於佛同心合掌

(불설26ㄱ:05) 作如是言世尊我等從今在在處處若

(불설26ㄱ:06) 有比丘比丘尼諸優婆塞優婆夷但有

(불설26ㄱ:07) 受持此長壽經書寫處者我等眷屬常

(불설26ㄱ:08) 當衛護我等諸王驅策惡鬼若有惡鬼

(불설26ㄴ:01) 惱諸衆生令苦患者若能清淨書持是

(불설26ㄴ:02) 經我等諸王禁攝諸鬼不令加害被橫

(불설26ㄴ:03) 死苦爾時牢固地天從座而起作如是

(불설26ㄴ:04) 言世尊若佛弟子受持此長壽滅罪護

(불설26ㄴ:05) 諸童子經者我等地天常出地味滋潤

(불설26ㄴ:06) 彼人令其身中增益壽命我等常以種

(불설26ㄴ:07) 種金銀種種資生種種穀米具足供給

(불설27ㄱ:01) 此信心人令無乏少身得安穩無有愁

(불설27ㄱ:02) 惱心常歡喜得好福田無令惡鬼斷其

(불설27ㄱ:03) 命根若諸童子生一七日我等地神當

(불설27ㄱ:04) 擁護之無令短命

(불설27ㄱ:05) 爾時衆中金剛力士復白佛言世尊如

(불설27ㄱ:06) 來說此長壽命滅罪護諸童子陀羅尼

(불설27ㄱ:07) 呪經已諸大檀越并眷屬衆各各發心

(불설27ㄴ:01) 護持讀誦書寫是經供給所須無令乏

(불설27ㄴ:02) 少我聞大德婆伽婆說吉祥章句大力

(불설27ㄴ:03) 神呪若有衆生一聞於耳百劫千生終

(불설27ㄴ:04) 不短命得壽無量無有病苦雖有四魔

(불설27ㄴ:05) 不能忤亂增長壽命滿百二十不老不

(불설27ㄴ:06) 死不退不沒一切佛子苦患重病聞此

(불설27ㄴ:07) 呪者卽免諸鬼之所奪命卽說呪曰

(불설27ㄴ:08) 多地夜他〈一〉旍達利〈二〉旍達囉毗提〈三〉旍達囉

(불설28ㄱ:01) 魔吽〈四〉旍達囉跋帝〈五〉旍達囉不利〈六〉旍達

(불설28ㄱ:02) 囉闍移〈七〉旍達囉底唎〈八〉旍達吠咩〈九〉旍突

(불설28ㄱ:03) 嘍〈十〉旃達囉婆囉呀〈十一〉旃囉囉勿達唎〈十二〉旃

(불설28ㄱ:04) 達囉婆地移〈十三〉旃達囉婆咩〈十四〉旃達囉佉

(불설28ㄱ:05) 祇〈十五〉旃達囉盧寄〈十六〉藪婆呵〈十七〉

(불설28ㄱ:06) 佛言善哉善哉金剛力士汝今能說此

(불설28ㄱ:07) 護諸童子吉祥神呪汝當爲一切衆生

(불설28ㄱ:08) 之大導師文殊當知如是神呪過去諸

(불설28ㄴ:01) 佛之所宣說建立守護善能增長人天

(불설28ㄴ:02) 壽命能除一切罪垢惡見能護一切持

(불설28ㄴ:03) 經之人延其壽命

(불설28ㄴ:04) 爾時世尊告文殊師利法王之子我滅

(불설28ㄴ:05) 度後濁惡世時若有比丘破我禁戒親

(불설28ㄴ:06) 比丘尼及諸處女并二沙彌飲酒食肉

(불설28ㄴ:07) 姦婬熾盛爲諸白衣之所輕賤毀滅我

(불설29ㄱ:01) 法經營世俗不淨之事無慚媿心猶如

(불설29ㄱ:02) 木頭當知此等是五逆人非我弟子是

(불설29ㄱ:03) 魔眷屬名曰六師此比丘等於現世中

(불설29ㄱ:04) 得短命報比丘尼亦復如是若能懺悔

(불설29ㄱ:05) 不更復作受持此經即得長壽

(불설29ㄱ:06) 復次文殊我滅度後濁惡世時若有菩

(불설29ㄱ:07) 薩誹謗他人自讚其善方等經典不傳

(불설29ㄴ:01) 付人如是菩薩是魔伴侶非眞菩薩若

(불설29ㄴ:02) 能至心受持此經書寫讀誦即得諸佛

(불설29ㄴ:03) 不壞常身

(불설29ㄴ:04) 復次文殊我滅度後濁惡世時若有國

(불설29ㄴ:05) 王殺父害母誅斬六親不依王法廣興

(불설29ㄴ:06) 兵甲侵討他國忠諫之臣枉遭刑戮婬

（불설29ㄴ:07） 欲熾盛違先王法破塔壞寺焚燒經像

（불설29ㄴ:08） 水旱不調因王無道國界飢餓疾疫死

（불설30ㄱ:01） 亡如是國王現世短命死入地獄墮大

（불설30ㄱ:02） 阿鼻若能書寫是經流通供養至誠懺

（불설30ㄱ:03） 悔依先王法卽得長壽

（불설30ㄱ:04） 復次文殊我滅度後濁惡世時若有大

（불설30ㄱ:05） 臣及諸官屬身請天祿無慚媿心諂妄

（불설30ㄱ:06） 不忠專行矯詐賊臣危害國土不安設

（불설30ㄱ:07） 使臨人不行國法侵剋百姓恣意貪殘

（불설30ㄱ:08） 橫殺無辜取他財寶輕慢經典魔障大

（불설30ㄴ:01） 乘如是等人現世短命墮阿鼻獄無有

（불설30ㄴ:02） 出期若能懺悔受持此經書寫讀誦卽

（불설30ㄴ:03） 得長命永守天祿

（불설30ㄴ:04） 復次文殊我滅度後濁惡世時有優婆

（불설30ㄴ:05） 塞優婆夷信邪倒見不信正法大乘經

（불설30ㄴ:06） 典如是衆生縱有無量百千金銀而懷

（불설30ㄴ:07） 慳惜唯求財利不能布施救乏一切貧

（불설31ㄱ:01） 苦之者不能書寫十二部經受持讀誦

（불설31ㄱ:02） 求免無常惡道之苦如是之人宅舍虛

（불설31ㄱ:03） 耗竈下鳥現蛇入臥堂狗忽上舍鼠百

（불설31ㄱ:04） 種鳴諸野禽獸競來入宅百種魑魅名

（불설31ㄱ:05） 之爲怪以見怪故心得煩惱因煩惱集

（불설31ㄱ:06） 得獲短命若能受持書寫是經流通讀

（불설31ㄱ:07） 誦卽能摧破如是等怪而得長命

（불설31ㄱ:08） 復次文殊我滅度後濁惡世時一切衆

（불설31ㄴ:01） ［누락］

(불설31ㄴ:02) [누락]

(불설31ㄴ:03) [누락]

(불설31ㄴ:04) [누락]

(불설31ㄴ:05) [누락]

(불설31ㄴ:06) [누락]

(불설31ㄴ:07) [누락]

(불설32ㄱ:01) [누락]

(불설32ㄱ:02) [누락]

(불설32ㄱ:03) [누락]

(불설32ㄱ:04) [누락]

(불설32ㄱ:05) [누락]

(불설32ㄱ:06) [누락]

(불설32ㄱ:07) [누락]

(불설32ㄴ:01) 復次文殊我滅度後濁惡世時一切衆

(불설32ㄴ:02) 生不知宿命暫得人身謂爲快樂更相

(불설32ㄴ:03) 誹謗或恃權豪種種惡心規他性命不

(불설32ㄴ:04) 信經典我慢大乘如是之人現世短命

(불설32ㄴ:05) 若能至心懺悔調柔其心書寫是經受

(불설32ㄴ:06) 持讀誦以善根力得長壽命設使病患

(불설32ㄴ:07) 終不橫死

(불설32ㄴ:08) 復次文殊我滅度後濁惡世時一切衆

(불설33ㄱ:01) 生或奉王勅或父母敎而於他國及險

(불설33ㄱ:02) 道處以商爲業求諸珍寶爲財利故我

(불설33ㄱ:03) 慢貢高圍棋六博樗蒲投壺親近婬女

(불설33ㄱ:04) 交惡知識不用王勅及父母誡嗜酒耽

(불설33ㄱ:05) 婬喪身殞命設得財寶爲酒迷濁不知

(불설33ㄱ:06) 道路通塞之處被諸惡賊劫奪其財因

(불설33ㄱ:07) 以害命若能書寫是經廣發誓願所在

(불설33ㄱ:08) 之處惡賊退散生歡喜心諸惡毒獸不

(불설33ㄴ:01) 能嬈害身心安隱多獲寶貨以經力故

(불설33ㄴ:02) 得長壽命

(불설33ㄴ:03) 復次文殊我滅度後濁惡世時一切衆

(불설33ㄴ:04) 生以惡業故死入地獄從地獄出得畜

(불설33ㄴ:05) 生身設得人形六根不具聾盲瘖瘂癃

(불설33ㄴ:06) 殘背僂受女人身不識經字設是男子

(불설33ㄴ:07) 爲惡業故癡愚暗鈍不能轉讀此長壽

(불설34ㄱ:01) 經心生愁惱以愁惱故名爲心病以心

(불설34ㄱ:02) 病故現世短命若能令善知識書寫是

(불설34ㄱ:03) 經自取而轉從初至末一心頂戴以至

(불설34ㄱ:04) 誠故功德無量如此惡業不更復受此

(불설34ㄱ:05) 人現世得長壽命

(불설34ㄱ:06) 復次文殊我滅度後濁惡世時若有衆

(불설34ㄱ:07) 生死亡之後從一七日乃至七七日所

(불설34ㄱ:08) 爲亡者建造諸福功德七分亡者所得

(불설34ㄴ:01) 唯獲其一若能生在之時於七七日停

(불설34ㄴ:02) 止家事書寫是經香花供養請佛迎僧

(불설34ㄴ:03) 設生七齋所得功德如恒河沙此人現

(불설34ㄴ:04) 世得長壽命永離三塗諸惡道苦若已

(불설34ㄴ:05) 亡者緣身資産建福七分竝獲

(불설34ㄴ:06) 復次文殊我滅度後濁惡世時一切衆

(불설34ㄴ:07) 生不孝五逆無慈悲心而於父母無恩

(불설35ㄱ:01) 愛情而事六親爾時行道天王遶四天

（불설35ㄱ:02）下種種音樂將諸眷屬於三齋月至閻

（불설35ㄱ:03）浮提若有一切衆生橫被諸病行道天

（불설35ㄱ:04）王爲除惡鬼令得除逾衆生不孝嫉妬

（불설35ㄱ:05）造惡行病鬼王即以惡氣噓而病之令

（불설35ㄱ:06）得瘟疫一切重病若熱若冷虛勞下瘧

（불설35ㄱ:07）邪魔鬼毒及惡癩病若能於歲一日燒

（불설35ㄱ:08）香散花清淨身心書寫是經乃至七日

（불설35ㄴ:01）請佛迎僧清齋讀誦以是善根終無疾

（불설35ㄴ:02）疫無疾疫故得長壽命

（불설35ㄴ:03）復次文殊我滅度後濁惡世時衆生薄

（불설35ㄴ:04）福其劫欲盡七日竝照設無七日國王

（불설35ㄴ:05）無道令天炎旱大地所有藥木叢林一

（불설35ㄴ:06）切百穀甘蔗花菓將欲枯死若有國王

（불설35ㄴ:07）一切衆生能受持讀誦此經典者難陀

（불설36ㄱ:01）龍王及婆難陀龍王等憐愍衆生從大

（불설36ㄱ:02）海水降注甘雨一切叢林百穀草木滋

（불설36ㄱ:03）榮衆生以此經力得長壽命

（불설36ㄱ:04）復次文殊我滅度後濁惡世時一切衆

（불설36ㄱ:05）生斗秤欺誑不義得財以其罪業死入

（불설36ㄱ:06）地獄從地獄出受畜生身所謂牛驢象

（불설36ㄱ:07）馬猪狗羊等一切禽獸蚊蝱虱蟻若有

（불설36ㄱ:08）菩薩摩訶薩以慈悲心於畜生等及蝱

（불설36ㄴ:01）蟻前轉讀此經一經於耳此經力故隨

（불설36ㄴ:02）類皆解此等畜生捨此身已得生天樂

（불설36ㄴ:03）若有菩薩無慈悲心不能廣說此經典

（불설36ㄴ:04）者非佛弟子是摩伴侶

（불설36ㄴ:05）復次文殊我滅度後濁惡世時一切衆

（불설36ㄴ:06）生心生欺慢不信經典毀呰我法若有

（불설36ㄴ:07）說法之處無心聽學以此罪業現世短

（불설37ㄱ:01）命墮諸地獄若有講說此長壽經處一

（불설37ㄱ:02）切衆生能往聽者或能勸他分座與坐

（불설37ㄱ:03）此人是佛棟梁得長壽樂不經惡道轉

（불설37ㄱ:04）此經法清淨立壇隨室大小

（불설37ㄱ:05）復次文殊我滅度後一切女人身懷胎

（불설37ㄱ:06）娠殺一切命食諸鳥卵爲無慈愍心現

（불설37ㄱ:07）世得短命報臨生產難以産難故能斷

（불설37ㄴ:01）其命或是怨家非善知識若能廣發誓

（불설37ㄴ:02）願書寫是經卽令易産無諸災障子母

（불설37ㄴ:03）安樂須男須女隨願得生

（불설37ㄴ:04）爾時世尊告文殊師利菩薩我今說此

（불설37ㄴ:05）長壽滅罪十二因緣佛性經時過去諸

（불설37ㄴ:06）佛之所共說若有衆生受持讀誦多獲

（불설37ㄴ:07）福利盡其壽命滿百二十臨捨化時不

（불설37ㄴ:08）被風刀諸一切苦以佛性故得金剛不

（불설38ㄱ:01）壞諸佛常身湛然清淨念念堅固常有

（불설38ㄱ:02）菩薩一名觀世音二名大勢至乘五色

（불설38ㄱ:03）雲六牙白象持蓮花臺迎念佛者生不

（불설38ㄱ:04）動國自然快樂不經八難文殊當知愚

（불설38ㄱ:05）癡衆生不覺不知壽命短薄如石火光

（불설38ㄱ:06）如水上泡如電光出云何於中不驚不

（불설38ㄱ:07）懼云何於中廣貪財利云何於中耽婬

（불설38ㄱ:08）嗜酒云何於中生疾妬心如此生死流

（불설38ㄴ:01）浪大海唯有諸佛菩薩能度彼岸凡夫

（불설38ㄴ:02）衆生定當淪汲無常殺鬼來無時節縱

（불설38ㄴ:03）有無量無邊金銀財寶情求贖命無有

（불설38ㄴ:04）是處衆生當知須觀此身而生念言是

（불설38ㄴ:05）身如四毒蚖常爲無量諸蟲之所唼食

（불설38ㄴ:06）是身臭穢貪欲獄縛是身可惡猶如死

（불설38ㄴ:07）拘是身不淨九孔常流是身如城羅刹

（불설39ㄱ:01）處內是身不久當爲烏鵲餓狗之所食

（불설39ㄱ:02）噉須捨穢身求菩提心當觀此身捨命

（불설39ㄱ:03）之時白汗流出兩手橫空楚痛難忍命

（불설39ㄱ:04）根盡時一日二日至于五日䐗胝青淤

（불설39ㄱ:05）膿汗流出父母妻子而不喜見乃至身

（불설39ㄱ:06）骨散在於地脚骨異處脮骨脮骨腰骨

（불설39ㄱ:07）肋骨·脊骨頂骨髑髏各各異處身肉腸

（불설39ㄴ:01）肝腎肺藏爲諸蟲藪云何於中橫生

（불설39ㄴ:02）有我生存之時金銀珍寶錢財庫藏何

（불설39ㄴ:03）關我事若有眾生須免此苦當須不惜

（불설39ㄴ:04）國城妻子頭目髓腦書寫是經受持讀

（불설39ㄴ:05）誦諸佛秘藏十二因緣流通供養念念

（불설39ㄴ:06）成就當得三藐三菩提心難可沮壞終

（불설39ㄴ:07）不中夭被橫死逼

（불설39ㄴ:08）佛於大眾中說此十二因緣佛性法時

（불설40ㄱ:01）一切大會比丘比丘尼優婆塞優婆夷

（불설40ㄱ:02）天龍八部人非人等波斯匿王并其眷

（불설40ㄱ:03）屬數如恆沙皆得三藐三菩提心無生

（불설40ㄱ:04）法忍歎未曾有一心頂禮歡喜奉持

(불설40ㄱ:05) 佛說長壽滅罪護諸童子陀羅尼經

(불설40ㄱ:06)

(불설40ㄱ:07) 　　　　　　　長四十

(불설40ㄴ:01) [그림]

(불설40ㄴ:02) [그림]

(불설40ㄴ:03) [그림]

(불설40ㄴ:04) [그림]

(불설40ㄴ:05) 護法韋馱尊天行狀出大藏總聖錄

(불설40ㄴ:06) 南無童眞妙體純一無雜應作無窮龍

(불설40ㄴ:07) 天敬讚三洲護法韋馱尊天普眼菩薩

(불설41ㄱ:01) 一十八世爲將軍身每一世造停接待一百二十所開義井一

(불설41ㄱ:02) 百三十口施僧袈裟碧玉鉢盂各八百一十事說八百萬僧

(불설41ㄱ:03) 尼浴造大路四十八條造佛寺四十八所五十四世爲

(불설41ㄱ:04) 宰相身每一世造旃檀香佛一千尊每一尊高一丈六尺每

(불설41ㄱ:05) 尊前造生金寶塔一所各高七尺每一世造大藏一百藏一百所三

(불설41ㄱ:06) 十六面每面三千花佛准廿前施僧袈裟碧玉鉢盂各八

(불설41ㄱ:07) 十萬事一百一十七世爲童眞身卽寶華瑠璃光佛時成道號

(불설41ㄱ:08) 日普眼菩薩釋迦如來會上成道號曰童眞菩薩手中

(불설41ㄱ:09) 持金剛寶杵重八萬四千斤發大誓願若金剛寶杵壞

(불설41ㄱ:10) 卽破童眞身對釋迦如來發大誓願佛佛出世求護

(불설41ㄱ:11) 佛法頭戴鳳翅兜鍪足穿黑履身着黃金鑠甲

(불설41ㄱ:12) 永不見僧尼之過　　長四十一

(불설41ㄴ:01) ▨▨▨▨▨　▨▨▨▨▨主　朴千兩主　朴成孫兩主　化主洪信

(불설41ㄴ:02) 安國大德義珏　會光郡夫人金氏　李天龍兩主　六龍兩主　化主
　　　　　　　省玲

(불설41ㄴ:03) 川品大禪師田心　進儀守行容吳洳良　長得萬兩主　訥金兩主

化主竹禪

(불설41ㄴ:04) 月菴大禪師信頓　陽城郡夫人李氏　朴奇兩主　升夫兩主　化主
洪田

(불설41ㄴ:05) 大禪師義正　司正李忠生兩主　分加伊　得生兩主　化主三嚴

(불설41ㄴ:06) 廣安禪師善瓊　安逸戶長李暢　夗乙加兩主　白明兩主　化主佛
明

(불설41ㄴ:07) 洪海省觀省衍　戶長李根兩主　莫加兩主　今音達

(불설41ㄴ:08) 雪正仁悅崔氏　記官林白茂兩主　命中兩主　尹中衣兩主

(불설41ㄴ:09) 司直崔厚恩兩主　今音勿兩主介同　金衆兩主　尹石乙伊　彔金
兩主

(불설41ㄴ:10) 且以義訓只巨乙吼兩主　甘音同兩主郭明　欣石兩主　李斤金
末應兩主

(불설41ㄴ:11) 　　　　　　　　　　　道升兩主崔海兩主　雨天兩主　申所進兩主

(불설41ㄴ:12) 　　　　　　　　　　　　　柳加吒仇之

(불설41ㄴ:13) 施主戒方兩主施主雙六兩主施主金敬兩主施主鄭木同兩主大施主
眞連兩主

(불설41ㄴ:14) 大施主梁卜成兩主生同兩主大施主林山水兩主亡乃兩主景泰三園
巖刻

(불설표지:01) 東林送客處月出白

(불설표지:02) 遠啼笑別廬山遠

(불설표지:03) 何須過虎溪

8 / 신정심상소학

(심상00ㄱ:01)

(심상00ㄱ:02) 가갸 거겨 고교 구규 그기 ㄱ

(심상00ㄱ:03) 나냐 너녀 노뇨 누뉴 느니 ㄴ

(심상00ㄱ:04) 다댜 더뎌 도됴 두듀 드디 ㄷ

(심상00ㄱ:05) 라랴 러려 로료 루류 르리 ㄹ

(심상00ㄱ:06) 마먀 머며 모묘 무뮤 므미 ㅁ

(심상00ㄱ:07) 바뱌 버벼 보뵤 부뷰 브비 ㅂ

(심상00ㄱ:08) 사샤 서셔 소쇼 수슈 스시 ㅅ

(심상00ㄴ:01) 자쟈 저져 조죠 주쥬 즈지 ㅈ

(심상00ㄴ:02) 차챠 처쳐 초쵸 추츄 츠치 ㅊ

(심상00ㄴ:03) 카캬 커켜 코쿄 쿠큐 크키 ㅋ

(심상00ㄴ:04) 타탸 터텨 토툐 투튜 트티 ㅌ

(심상00ㄴ:05) 파퍄 퍼펴 포표 푸퓨 프피 ㅍ

(심상00ㄴ:06) 하햐 허혀 호효 후휴 흐히 ㅎ

(심상00ㄴ:07) 과궈 돠둬 쇠쉬 와워 좌줘

(심상00ㄴ:08) 촤춰 콰퀴 톼퉈 퐈풔 화훠

(심상序01ㄱ:01) 〈新丁〉尋常小學序

(심상序01ㄱ:02) 學ᄒᆞᄂᆞᆫ 者ㅣ 전혀 漢文만 崇尙ᄒᆞ야 古를 學

(심상序01ㄱ:03) 홀뿐 아니라 時勢를 혜아려 國文을 參互ᄒᆞ

(심상序01ㄱ:04) 야 ᄯᅩ한 今도 學ᄒᆞ야 智識을 녈닐 것시니 我

(심상序01ㄱ:05) 國의

(심상序01ㄱ:06)世宗大王게으셔 ᄒᆞ샤대 世界各國은 다 國文

(심상序01ㄱ:07) 이 有ᄒᆞ야 人民을 開曉ᄒᆞ되 我國은 홀노 업

(심상序01ㄱ:08) 다 ᄒᆞᄉᆞ 特別히 訓民正音을 지으ᄉᆞ 民間에

(심상序01ㄴ:01) 廣布 ᄒᆞ심은 婦孺와 興儓라도 알고 ᄭᅵ닷기

(심상序01ㄴ:02) 쉬운 緣故ㅣ라 卽今 萬國이 交好ᄒᆞ야 文明

(심상序01ㄴ:03) 의 進步 ᄒ기를 힘쁜 즉 敎育의 一事가 目下

(심상序01ㄴ:04) 의 急務ㅣ라 玆에 日本人補佐員高見龜와

(심상序01ㄴ:05) 麻川松次郞으로 더부러 小學의 敎科書를

(심상序01ㄴ:06) 編輯ᄒ싀 天下萬國의 文法과 時務의 適用

(심상序01ㄴ:07) ᄒ者를 依樣ᄒ야 或 物象으로 譬喻ᄒ며 或

(심상序01ㄴ:08) 畫圖로 形容ᄒ야 國文을 尙用흠은 여러 兒

(심상序02ㄱ:01) 孩들을 위션 ᄭᅵ닷기 쉽고ᄌ 흠이오 漸次 ᄯᅩ

(심상序02ㄱ:02) 漢文으로 進階ᄒ야 敎育 홀거시니 므릇 우

(심상序02ㄱ:03) 리 群蒙은 國家의 實心으로 敎育 ᄒ심을

(심상序02ㄱ:04) 몸바다 恪勤ᄒ고 勉勵ᄒ야 材器를 速成ᄒ

(심상序02ㄱ:05) 고 各國의 形勢를 諳練ᄒ야 竝驅自主ᄒ야

(심상序02ㄱ:06) 我國의 基礎를 泰山과 磐石갓치 措置ᄒ기

(심상序02ㄱ:07) 를 日望ᄒ노이다

(심상序02ㄱ:08) 建陽元年二月上澣

(심상序02ㄴ:01)

(심상序02ㄴ:02)

(심상序02ㄴ:03)

(심상序02ㄴ:04)

(심상序02ㄴ:05)

(심상序02ㄴ:06)

(심상序02ㄴ:07)

(심상序02ㄴ:08)

(심상目錄01ㄱ:01) 〈新訂〉尋常小學卷一目錄

(심상目錄01ㄱ:02)   第一課　學校

(심상目錄01ㄱ:03)   第二課　勉勵

(심상目錄01ㄱ:04)   第三課　蟻

(심상01ㄱ:01)〈新訂〉尋常小學卷一

(심상01ㄱ:02)　　　第一課　學校　　[그림]

(심상01ㄱ:03) 學校는°사름을 敎育ᄒ　[그림]

(심상01ㄱ:04) 야°成就ᄒ는데니°譬컨　[그림]

(심상01ㄱ:05) 딕°各樣모종을°기르는　[그림]

(심상01ㄱ:06) 모판이오°　　　　　　[그림]

(심상01ㄱ:07) ᄯᅩ°學校는°사름의마음　[그림]

(심상01ㄱ:08) 을°아름답게ᄒ는데니°　[그림]

(심상01ㄴ:01) 譬컨딕° 各色물드리는 집이오°

(심상01ㄴ:02) 生徒눈° 모인가° 쟝춫° 조흔꼿도픠며° 조흔열

(심상01ㄴ:03) 믹도° 열니옵ᄂ이다°

(심상01ㄴ:04) 生徒눈° 白絲인가° 쟝춫° 조흔빗스로染色되

(심상01ㄴ:05) 옵ᄂ이다°

(심상01ㄴ:06)

(심상01ㄴ:07) 　　　第二課　勉勵

(심상01ㄴ:08) 무릇° 사름이° 勉勵홀ᄆ음이° 업슨則아모일

(심상02ㄱ:01) 이던지° 苦狀만되옵ᄂ이다°

(심상02ㄱ:02) 진실노° 勉勵홀마음이잇스면° 조곰도° 그苦

(심상02ㄱ:03) 狀을° 아지아닐쑨더러° 도로혀° 樂이되옵ᄂ

(심상02ㄱ:04) 이다°

(심상02ㄱ:05) 그런고로° 나홀일을° 苦狀으로녁이기눈° 實

(심상02ㄱ:06) 노° 그일이° 苦狀스러온거시아니라° 다만° 勉

(심상02ㄱ:07) 勵홀ᄆ음이업눈° 緣故로그러ᄒ오이다°

(심상02ㄱ:08)

(심상02ㄴ:01) 　　　第三課　蟻　　　　[그림]

(심상02ㄴ:02) 개아미눈° 여름ᄉ이에° 一　　[그림]

(심상02ㄴ:03) 年먹을것슬° 쟝만흔다ᄒ　　[그림]

(심상02ㄴ:04) 니° ᄉ름이되야° 儲蓄이업　　[그림]

(심상02ㄴ:05) 눈者눈° 버러지만° 못ᄒ오　　[그림]

(심상02ㄴ:06) 이다°　　　　　　　　　　[그림]

(심상02ㄴ:07) 　　　　　　　　　　　　[그림]

(심상02ㄴ:08) 　　第四課　西大門과밋四小門

(심상03ㄱ:01) 　　　이라

(심상03ㄱ:02) 京城四方에° 四大門과° 四小門이잇스니° 東

(심상03ㄱ:03) 에˚ 興仁門과˚ 西에敦義門과˚ 南에崇禮門과˚

(심상03ㄱ:04) 東北에惠化門을˚ 四大門이라稱ㅎ며˚ 坙˚ 北

(심상03ㄱ:05) 에肅靖門과˚ 東南間에光熙門과˚ 西南間에

(심상03ㄱ:06) 昭義門과˚ 西北間에˚ 彰義門을˚ 四小門이라

(심상03ㄱ:07) 稱ㅎ고˚ 此外에˚ 東南間에˚ 南小門이잇습ㄴ˚

(심상03ㄱ:08) 이다˚

(심상03ㄴ:01) [그림]

(심상03ㄴ:02) [그림]

(심상03ㄴ:03) [그림]

(심상03ㄴ:04) [그림]

(심상03ㄴ:05) [그림]

(심상03ㄴ:06) [그림]

(심상03ㄴ:07) [그림]

(심상03ㄴ:08) [그림]

(심상04ㄱ:01) 　　　第五課　東西南北이라

(심상04ㄱ:02) 아참에˚ 일즉이러나서˚ 히돗ᄂᆞᆫ˚ 景致를보는

(심상04ㄱ:03) 것보담더˚ 爽快ᄒᆞᆫ일은 [그림]

(심상04ㄱ:04) 업ᄉᆞ오리이다˚ 　　　[그림]

(심상04ㄱ:05) 今에˚ 이兒孩ᄂᆞᆫ˚ 돗ᄂᆞᆫ히 [그림]

(심상04ㄱ:06) 를向ᄒᆞ야˚ 섯ᄂᆞ니˚ 그兒 [그림]

(심상04ㄱ:07) 孩의압흔˚ 東이라ᄒᆞ고 [그림]

(심상04ㄱ:08) 뒤를西이라ᄒᆞ며坙이 [그림]

(심상04ㄴ:01) 兒孩의올ᄋᆞᆫ편을˚ 南이라ᄒᆞ고˚ 외인편을˚ 北

(심상04ㄴ:02) 이라ᄒᆞᆸᄂᆞ이다˚

(심상04ㄴ:03)

(심상04ㄴ:04) 　　　第六課　時

(심상04ㄴ:05) [그림]　　　　　一晝夜는二十四時가되니°

(심상04ㄴ:06) [그림]　　　　　二十四時롤°一日이라稱ᄒ

(심상04ㄴ:07) [그림]　　　　　고°一時間을°六十으로分ᄒ

(심상04ㄴ:08) [그림]　　　　　거슬°一分이라일으며그一

(심상05ㄱ:01) 分을°ᄯᅩ六十으로分ᄒ거슬°一秒라ᄒ읍ᄂ

(심상05ㄱ:02) 이다°

(심상05ㄱ:03) 이런時間은°다°時計로　홀거시니°날슈가

(심상05ㄱ:04) 七日이되면°一週日이라稱ᄒ고°三十日°或

(심상05ㄱ:05) 三十一日이되면°ᄒ달이라稱ᄒ고°달슈가

(심상05ㄱ:06) 열둘이되면°一年이라稱ᄒ읍ᄂ이다°

(심상05ㄱ:07)

(심상05ㄱ:08)　　　第七課　馬와 牛라

(심상05ㄴ:01) 말은°性品이°順ᄒ고°힘이　　　[그림]

(심상05ㄴ:02) 만코°몸을가븨엽게°달니　　　[그림]

(심상05ㄴ:03) 읍ᄂ이다°　　　　　　　　　　[그림]

(심상05ㄴ:04) 그런故로°사롬이기르고°　　　[그림]

(심상05ㄴ:05) 무거온짐을°실으며°ᄯᅩ수　　[그림]

(심상05ㄴ:06) 레쓸기를°시기읍ᄂ이다°　　　[그림]

(심상05ㄴ:07) 소는°農事에°第一긴요ᄒ며全身에°ᄒ가지

(심상05ㄴ:08) 도°발일것시업ᄂ니°그졋슨°飲料에조흐며

(심상06ㄱ:01) 고기는°食物에조흐며°ᄶᅧ는°거름을ᄒ며°가

(심상06ㄱ:02) 죽은°신과馬鞍等物에緊要ᄒ며°털은°ᄲᅥ셔°

(심상06ㄱ:03) 席物을ᄒ며°쏄과굽통도°다°소용이되읍ᄂ

(심상06ㄱ:04) 이다°

(심상06ㄱ:05)

(심상06ㄱ:06)　　　第八課　農工商

(심상06ㄱ:07) 田畓을耕作ᄒᆞ며°養蠶ᄒᆞ는거슬°農이라일

(심상06ㄱ:08) 으며°各色器皿과°밋여러가지器械를°민드

(심상06ㄴ:01) 는거슬°工이라ᄒᆞ며°ᄯᅩ°世上萬物을°賣買ᄒᆞ

(심상06ㄴ:02) 는거슬°商이라ᄒᆞ니°우리들은°農工商°세가

(심상06ㄴ:03) 지中에°ᄒᆞᆫ가지業이잇서야°ᄉᆞ름이된°職責

(심상06ㄴ:04) 이라°稱ᄒᆞ옵ᄂᆞ이다

(심상06ㄴ:05)

(심상06ㄴ:06)　　　　第九課　曉

(심상06ㄴ:07) 가마귀는°ᄭᅡ악°ᄭᅡ악울면서°수풀에서°나오

(심상06ㄴ:08) 고°참시는°지지히°울면서°簷下에서°들네고°

(심상07ㄱ:01) ᄯᅩ°문을°여는소릭와°우물에서°물깃는소릭

(심상07ㄱ:02) 와°牛馬가°喂養間에서나오는소릭는°참°시

(심상07ㄱ:03) 精神이°나옵ᄂᆞ이다°

(심상07ㄱ:04) 그°뉘인지°몰으거니와°어늬ᄉᆞ이에°발서°글

(심상07ㄱ:05) 을°읽는소릭나니°자°나도어서°이러나서°그

(심상07ㄱ:06) ᄉᆞ름의게°지지안케°읽깃소°

(심상07ㄱ:07)

(심상07ㄱ:08)　　　　第十課　虹

(심상07ㄴ:01) 이그림은°수풀과°山ᄉᆞ이에°무지개가°ᄲᅢᆺ친

(심상07ㄴ:02)　　　　　　[그림] 模樣이라°

(심상07ㄴ:03)　　　　　　[그림] 무지개는°ᄒᆡ빗시°안개에

(심상07ㄴ:04)　　　　　　[그림] 비취여되니°그빗슨°七色

(심상07ㄴ:05)　　　　　　[그림] 으로°뵈옵ᄂᆞ이다°

(심상07ㄴ:06)　　　　　　[그림] 무지개는°아참°或°져녁에°

(심상07ㄴ:07) 비가°개인뒤에°ᄒᆡ와相向處°구름ᄉᆞ이에°ᄲᅢᆺ

(심상07ㄴ:08) 침ᄂᆞ이다°

(심상08ㄱ:01)

(심상08ㄱ:02)　　　第十一課　　　　　　　　[그림]

(심상08ㄱ:03)　　　　苦는樂의種　　　　　[그림]

(심상08ㄱ:04)　　　　이라　　　　　　　　[그림]

(심상08ㄱ:05) 百姓이°農事홀쎅는°不拘　　[그림]

(심상08ㄱ:06) 寒暑ᄒ고°식벽붓터이러　　[그림]

(심상08ㄱ:07) 나서°져녁에°달이°난後에　[그림]

(심상08ㄱ:08) 야°드러오니°진흙과°거름　[그림]

(심상08ㄴ:01) 에°더러오며°雨露에젓고°霜雪에얼어°그苦

(심상08ㄴ:02) 狀이°形容홀슈업스나°이受苦홈으로써°적

(심상08ㄴ:03) 은°種子를가지고°여러千갑졀秋收를°어드

(심상08ㄴ:04) 니°그런故로°그苦狀은°樂의種인데°實노苦

(심상08ㄴ:05) 狀을°혼보람이잇습ᄂ이다°

(심상08ㄴ:06)

(심상08ㄴ:07)　　　第十二課　雀

(심상08ㄴ:08) 참시는°凡常혼시라°處處에°잇는고로°모르

(심상09ㄱ:01)　　　　　　[그림] 는ᄉ름이°업ᄂ이다°

(심상09ㄱ:02)　　　　　　[그림] 이시는°簷下에°깃드

(심상09ㄱ:03)　　　　　　[그림] 리고°식기를치니°산

(심상09ㄱ:04)　　　　　　[그림] 시쳐럼°곱지안코°쏘°

(심상09ㄱ:05)　　　　　　[그림] 쐬쏘리쳐럼°조흔소

(심상09ㄱ:06)　　　　　　[그림] 릭도못ᄒ나°그러나°

(심상09ㄱ:07)　　　　　　[그림] 나무에°나는°버러지

(심상09ㄱ:08)　　　　　　[그림] 를°잡아먹으니樹木

(심상09ㄴ:01) 의게는°참°有益ᄒ며°쏘°아참은°일즉이°이러

(심상09ㄴ:02) 나서°게으른ᄉ름을°씨는것°갓소이다°

(심상09ㄴ:03)

(심상09ㄴ:04)　　　第十三課　입은흔아이라

(심상09ㄴ:05) 입은°ᄒ나이로되°귀는°둘이요°

(심상09ㄴ:06) 그러ᄒ니°말ᄒ기는°적게ᄒ고

(심상09ㄴ:07) 듯기는만이°홈이올치°

(심상09ㄴ:08) 입은°ᄒ나이로되°눈은°둘이요°

(심상10ㄱ:01) 그러ᄒ니°만히°보고알아셔°

(심상10ㄱ:02) 無益흔°이이기를°아니홈이올치°

(심상10ㄱ:03) 입은°흔아이로되°손은°둘이요°

(심상10ㄱ:04) 그러ᄒ니°飮食먹기보다°

(심상10ㄱ:05) 일을°갑졀이나°ᄒ오°일을°갑졀이나°ᄒ오°

(심상10ㄱ:06)

(심상10ㄱ:07)　　　第十四課　金志學

(심상10ㄱ:08) 金志學이란兒孩는°솜才操가°잇는兒孩라°

(심상10ㄴ:01) 봄을°당ᄒ야는°연을°믄드러파니°그연이°날

(심상10ㄴ:02) 니기조코°갑시°쓴故로°미우°잘°팔리나°志學

(심상10ㄴ:03) 이決斷코°이돈을°虛費치아니코°흔돈°두돈°

(심상10ㄴ:04) 식모와셔°마츰뉘°二元이되얏더라°

(심상10ㄴ:05) 志學은°知覺이°잇는兒孩라°이돈으로°紙筆

(심상10ㄴ:06) 墨만사고°其餘는°다儲蓄ᄒ야°두엇더라°

(심상10ㄴ:07)

(심상10ㄴ:08)　　　第十五課　부엉이가°비둘기

(심상11ㄱ:01)　　　　　　　　　[그림] 의게°우슴을°

(심상11ㄱ:02)　　　　　　　　　[그림] 보앗더라°

(심상11ㄱ:03)　　　　　　　　　[그림] 비둘기가°부엉이

(심상11ㄱ:04)　　　　　　　　　[그림] 의°移居ᄒ랴는貌

(심상11ㄱ:05)　　　　　　　　　[그림] 樣을°보고°어듸갈

(심상11ㄱ:06)　　　　　　　　　[그림] 터이뇨°무르니°부

(심상11ㄱ:07)　　　　　　　　　[그림] 엉이對答ᄒ야°갈

(심상11ㄱ:08)　　　　　　　　　[그림] 오듸°

(심상11ㄴ:01) 이地方ᄉ름은°내우름쇼릭를°미워ᄒ는故

(심상11ㄴ:02) 로°나는°다른地方으로°올무랴ᄒ노라°ᄒ니

(심상11ㄴ:03) 비둘기°우서갈오듸°

(심상11ㄴ:04) 즈네°우는쇼릭를곳치지안코°居處만°옴기

(심상11ㄴ:05) 면°如舊히°ᄯ°미워훔을°免치못ᄒ리라ᄒ얏

(심상11ㄴ:06) 소°

(심상11ㄴ:07) 이이익기는°춤°滋味잇습ᄂ이다°

(심상11ㄴ:08) 여러분즁에도°自家의°악혼일은°곳치지안

(심상12ㄱ:01) 코°다른듸로만°가랴고ᄒᄂ니°잇스면°이는°

(심상12ㄱ:02) 亦是이비둘기의게°우슴을보오리다°

(심상12ㄱ:03)

(심상12ㄱ:04)　　　　第十六課　食物

(심상12ㄱ:05) ᄉ름은°먹기를爲ᄒ야°ᄉ는것시아니라°살

(심상12ㄱ:06) 기를爲ᄒ야°먹는즄을°이져바리지°말것시

(심상12ㄱ:07) 오이다°

(심상12ㄱ:08) ᄉ름의食物은°五穀과°나물과°果實과°밋°고

(심상12ㄴ:01) 기°등뉴오이다°

(심상12ㄴ:02) 五穀이란것슨°쌀과°보리와°픽의종뉴요°나

(심상12ㄴ:03) 물이란것슨°무와°白菜의종뉴를°일으며°果

(심상12ㄴ:04) 實이란것슨°복송아와°감과°비와°大棗와°밤

(심상12ㄴ:05) 의종뉴를일으며°ᄯ°고기는°獸肉과魚物등

(심상12ㄴ:06) 뉴를°일음이오이다°

(심상12ㄴ:07)

(심상12ㄴ:08)　　　　第十七課　쥐의이이기

(심상13ㄱ:01) 쥐쇠기가°어미흔테와셔°　　　　　　[그림]

(심상13ㄱ:02) 말ᄒ되°　　　　　　　　　　　　　[그림]

(심상13ㄱ:03) 나는°卽今°죠흔데를°츳　　　　　[그림]

(심상13ㄱ:04) 느이다°그구멍이°大小ㅣ　　　　　[그림]

(심상13ㄱ:05) 適當ᄒ야°出入ᄒ기조코°　　　　　[그림]

(심상13ㄱ:06) 괴는°드러올슈업스며°其　　　　　[그림]

(심상13ㄱ:07) 內에는°썩이며°生鮮의셔　　　　　[그림]

(심상13ㄱ:08) 가°만히잇서°조흔님식나　　　　　[그림]

(심상13ㄴ:01) 니°나는°곳°드러가랴ᄒ오나°어마님意向이

(심상13ㄴ:02) 엇더ᄒ온잇가

(심상13ㄴ:03) 쥐어미對答ᄒ는말이°

(심상13ㄴ:04) 어어°이원말이냐°큰일날번ᄒ얏다°그것슨°

(심상13ㄴ:05) 쥐돗이란것시니°흔번드러간則°나올슈업

(심상13ㄴ:06) 느니라너오기를°춤잘ᄒ얏다°

(심상13ㄴ:07) 딋테°아모것이라도°모르는것술°뭇지아니

(심상13ㄴ:08) 코°直行ᄒ면°意外災禍를°맛늘것시오이°다°

(심상14ㄱ:01)

(심상14ㄱ:02)　　　　第十八課　ᄋ들되는者의道

(심상14ㄱ:03)　　　　　　　理라

(심상14ㄱ:04) (一)父母의恩惠는°산보다놉고°바다보다°깁

(심상14ㄱ:05) ᄒ오이다°

(심상14ㄱ:06) (二)ᄋ들되는者는°每朝에父母보다°먼저이

(심상14ㄱ:07) 러나°洗手ᄒ며°養齒ᄒ며°머리비스며°몸을

(심상14ㄱ:08) 淸潔이ᄒ야°옷슬端正이입고°먼저°父母의

(심상14ㄴ:01) 계°問安홀것시오이다°

(심상14ㄴ:02) (三)父母가°萬一알으시는ᄶᅵ는°除萬事ᄒᆞ고°

(심상14ㄴ:03) 侍湯홀일이오이다

(심상14ㄴ:04) (四)父母를°對ᄒᆞ야°怒色을뵈이는것슨°ᄌᆞ식

(심상14ㄴ:05) 의道理가°아니오이다

(심상14ㄴ:06) (五)나히만흐신父母를°奉養ᄒᆞ는ᄶᅵ는°아모

(심상14ㄴ:07) 일이라도°父母의마음에°合ᄒᆞ시게ᄒᆞ야°養

(심상14ㄴ:08) 志ᄒᆞ는道理를°일치아니홀것시오이다°

(심상15ㄱ:01)

(심상15ㄱ:02)   第十九課 正直흔兒孩

(심상15ㄱ:03) 朴正福이란兒孩가°흔벗과同行ᄒᆞ야還家

(심상15ㄱ:04) 홀식이ᄶᅵ는°히가저믈고°往來ᄒᆞ는°ᄉᆞ름도

(심상15ㄱ:05) 업고°ᄯᅩ°시쟝흔지라°맛춤°路傍에梨樹ㅣ잇

(심상15ㄱ:06) 셔°ᄇᆡ가°만이°열녀거늘그벗이°말ᄒᆞ되°ᄇᆡ를

(심상15ㄱ:07) ᄯᅡ서饒飢ᄒᆞᄌᆞ흔딕正福이갈오딕비록볼

(심상15ㄱ:08) ᄉᆞ름은°업스°나남의거슬몰닉먹기는°올치

(심상15ㄴ:01)   [그림] 아니°ᄒᆞ니°나는아

(심상15ㄴ:02)   [그림] 모리시쟝ᄒᆞ야도°

(심상15ㄴ:03)   [그림] 決斷코°먹지아니

(심상15ㄴ:04)   [그림] ᄒᆞ리라°對答ᄒᆞ니

(심상15ㄴ:05)   [그림] 그벗이°이正直흔

(심상15ㄴ:06)   [그림] 말을듯고°올히녁

(심상15ㄴ:07)   [그림] 여ᄇᆡ를ᄯᅡ지아니

(심상15ㄴ:08)   [그림] ᄒᆞ얏ᄂᆞ이다°

(심상16ㄱ:01)

(심상16ㄱ:02)   第二十課 貪心잇는개라

(심상16ㄱ:03) 혼 개가° 고기 혼 덩이롤 물고° 다리를° 건널식

(심상16ㄱ:04) 그 다리아릭도° 또혼° 져와 궃 치고 기를° 문° 개

(심상16ㄱ:05) 가 잇는 것슬 보고° 貪心이 發ᄒᆞ야° 마저 쎄서

(심상16ㄱ:06) 먹고즈 ᄒᆞ야° 다리아릭로 向ᄒᆞ야지 젓소이

(심상16ㄱ:07) 다

(심상16ㄱ:08) 그러나° 제° 지즐야고° 입을 열쎠° 물엇든° 고기

(심상16ㄴ:01) 가° 忽然내에쎠   [그림]

(심상16ㄴ:02) 러저° 믈속으로   [그림]

(심상16ㄴ:03) 드러궂소   [그림]

(심상16ㄴ:04) 그쎠에° 다리아   [그림]

(심상16ㄴ:05) 릭 잇는 개의 입   [그림]

(심상16ㄴ:06) 에 고기도° 혼 가지 업서 젓소° 이는° 앗가 實狀

(심상16ㄴ:07) 개처럼° 보인것슨° 제 形狀이° 물에 빗최여° 그

(심상16ㄴ:08) 처럼 된 것시오이다°

(심상17ㄱ:01) 그러므로 이 개는 貪心 만닉다가 저 물엇든

(심상17ㄱ:02) 고기도 못 먹엇소이다

(심상17ㄱ:03)

(심상17ㄱ:04)   第二十一課　和睦혼 家眷一

(심상17ㄱ:05) 여긔° 혼 조고마혼 집이 잇스니° 지은지 오린

(심상17ㄱ:06) 故로 그 簷牙와° 집웅도° 장춧° 허러질 터이되

(심상17ㄱ:07) 야° 別노 볼 거슨 업스나° 그러나° 그 속을 본則°

(심상17ㄱ:08) 참° 말노도° 홀 수 업는° 아름다온 것시° 잇스니°

(심상17ㄴ:01) 여러분 싱각에는° 이거시° 무엇신쯧 ᄒᆞ오° 必

(심상17ㄴ:02) 然° 寶玉인가° 或 金銀인가° 녁이시는가° 보오

(심상17ㄴ:03) 이다°

(심상17ㄴ:04) 그러나° 寶玉도 아니오° 金銀도 아니라° 다만°

(심상17ㄴ:05) 이집속에는° 父母와° 兄弟와° 姉妹가° 和睦ᄒ

(심상17ㄴ:06) 야스는° 貌樣이° ㅇ룸다온일쑨이오이다

(심상17ㄴ:07)

(심상17ㄴ:08)　　第二十二課　和睦ᄒ 家眷二

(심상18ㄱ:01) 지금아비는 집신을숨쏘겻희서맛아들이

(심상18ㄱ:02) 집을츄리며° 아우는° 索믹룰쏘으며° 또° 어미

(심상18ㄱ:03) 는° 베틀에서° 무명을뽀고° 그것희는° 뭇 쌀과° (심상18ㄱ:04) 누의가° 어미ᄒ 는 일을° 거드니° 이아우와° 누

(심상18ㄱ:05) 의는° 學校에° 단이는 兒孩로딕° 오늘은° 空日

(심상18ㄱ:06) 이기° 집에서이러케° 일을ᄒ 는 것시라°

(심상18ㄱ:07) 이집이° 지금은° 苟且ᄒ 나° 兒孩들도° 다° 이러

(심상18ㄱ:08) 케습力ᄒ 야° 일을ᄒ 니° 수이° 넉넉히° 지닉깃

(심상18ㄴ:01) 슙ᄂ이다°

(심상18ㄴ:02)

(심상18ㄴ:03)　　第二十三課　貪慾은그몸을

(심상18ㄴ:04)　　　　　　　亡흠이라

(심상18ㄴ:05) 흔 農夫가돗을나무우에° 믹고° 그속에° 쌀을

(심상18ㄴ:06) 너헛더니° 어닉늘밤에° 흔잔납이° 그나무에

(심상18ㄴ:07) 을나가° 돗속에° 인는 쌀을° 다° 먹고° 나오려ᄒ

(심상18ㄴ:08) 다가° 몸이돗헤끼여° 움직이지못ᄒ 는지라°

(심상19ㄱ:01) 그잇튼　[그림]

(심상19ㄱ:02) 날아참　[그림]

(심상19ㄱ:03) 에° 農夫　[그림]

(심상19ㄱ:04) ㅣ 와서°　[그림]

(심상19ㄱ:05) 잡아습　[그림]

(심상19ㄱ:06) ᄂ이다°　[그림]

(심상19ㄱ:07) 자° 보시 [그림]

(심상19ㄱ:08) 요° 여러분네° 이잔납이ᄂᆞᆫ° 貪慾ᄒᆞᆫ ᄆᆞ음을참

(심상19ㄴ:01) 지못ᄒᆞ야° 드듸여° 그몸을亡ᄒᆞ얏슨니° 츰知

(심상19ㄴ:02) 覺업ᄂᆞᆫ° 일이오이다°

(심상19ㄴ:03) 슬푸다° 世上ᄉᆞᄅᆞᆷ이° 財物을° 貪ᄒᆞᄂᆞᆫ ᄆᆞ음으

(심상19ㄴ:04) 로° 그몸과그집을° 亡ᄒᆞᄂᆞᆫ者ㅣ° 다이잔납이

(심상19ㄴ:05) 와갓소이다°

(심상19ㄴ:06)

(심상19ㄴ:07) 第二十四課 손가락슷이라

(심상19ㄴ:08) ᄒᆞᆫ大商估가° 그廛舖에° 使喚ᄒᆞᆯ兒孩ᄅᆞᆯ° 求ᄒᆞᆯ

(심상20ㄱ:01) ᄉᆡ아모말도아니ᄒᆞ고다 [그림]

(심상20ㄱ:02) 만° 그손가락슷을° 仔細이 [그림]

(심상20ㄱ:03) 보아° 손톱을ᄲᆞ르게베혀° [그림]

(심상20ㄱ:04) 썩뭇지아니ᄒᆞᆫ ᄉᆞᄅᆞᆷ만° 갈 [그림]

(심상20ㄱ:05) 이여ᄲᅧᆺ다ᄒᆞ니° 이商估ᄂᆞᆫ° [그림]

(심상20ㄱ:06) 엇지그리ᄒᆞ얏ᄂᆞ뇨° [그림]

(심상20ㄱ:07) 이ᄂᆞᆫ그손가락슷이° 淸潔ᄒᆞᆫ ᄉᆞᄅᆞᆷ은° 몸의淸

(심상20ㄱ:08) 潔ᄒᆞᆫ標가되며° ᄯᅩ° 몸의淸潔ᄒᆞᆷ으로° ᄆᆞ음의

(심상20ㄴ:01) 아ᄅᆞᆷ다옴과° 몸의康健ᄒᆞᆫ標가될緣故ㄴ가

(심상20ㄴ:02) ᄒᆞᄋᆞᆸᄂᆞ이다

(심상20ㄴ:03)

(심상20ㄴ:04) 第二十五課 淸潔ᄒᆞ게ᄒᆞ라

(심상20ㄴ:05) 우리° 恒常몸을淸潔케아니ᄒᆞᆫ則° 남이실여

(심상20ㄴ:06) 도ᄒᆞᆯᄲᅮᆫ더러° 악ᄒᆞᆫ病은° 大槪더러운몸에서

(심상20ㄴ:07) 나고° ᄯᅩ° 傳染도ᄒᆞᄂᆞ니° 故로° 얼골과° 입과손

(심상20ㄴ:08) 과손가락ᄲᅮᆫ아니라° 其他全身도° 자조물에

(심상21ㄱ:01) 써서˚精ᄒᆞ게ᄒᆞ며˚또˚衣服은˚ᄌᆞ조쌔라입어˚

(심상21ㄱ:02) 째믓지아니케ᄒᆞᆯ것시오이다˚

(심상21ㄱ:03)

(심상21ㄱ:04)　　　第二十六課　蠅과飛蟻의이

(심상21ㄱ:05)　　　　　　　　이기라

(심상21ㄱ:06) 파리가˚쑬담은˚그릇가에˚안ᄌᆞ서˚쑬을먹다

(심상21ㄱ:07) 가˚쑬이˚다리에붓터씬씬ᄒᆞ야˚써러지지아

(심상21ㄱ:08) 니ᄒᆞᄂᆞᆫ지라

(심상21ㄴ:01)　　　　　　　[그림] 飛蟻가˚이거슬보고˚그

(심상21ㄴ:02)　　　　　　　[그림] 慾心이˚만흠을우섯더

(심상21ㄴ:03)　　　　　　　[그림] 니˚不過暫時에飛蟻가

(심상21ㄴ:04)　　　　　　　[그림] 그겻˚등볼가으로˚나라

(심상21ㄴ:05)　　　　　　　[그림] 단이다가˚믓춤니˚불길

(심상21ㄴ:06)　　　　　　　[그림] 노˚드러가˚크게˚데이거

(심상21ㄴ:07)　　　　　　　[그림] 늘˚파러˚또흔˚그撲火ᄒᆞ

(심상21ㄴ:08)　　　　　　　[그림] 고ᄌᆞ흠은˚無識흔일이

(심상22ㄱ:01) 라고˚우섯ᄂᆞ이다˚

(심상22ㄱ:02)

(심상22ㄱ:03)　　　第二十七課　조고마흔羊이

(심상22ㄱ:04)　　　　　　　　라

(심상22ㄱ:05) 조고마흔羊둘이˚각각흔길노˚산에˚올나˚갈

(심상22ㄱ:06) 싀˚외나무다리에서˚서로만ᄂᆞ습ᄂᆞ이다˚

(심상22ㄱ:07) 이다리ᄂᆞᆫ˚미우돕아˚흔마리式아니면˚건널

(심상22ㄱ:08) 수업거늘˚저羊들은˚각각길을˚辭讓치아니

(심상22ㄴ:01) ᄒᆞ고˚서로먼저건너랴　[그림]

(심상22ㄴ:02) 고ᄒᆞ야˚흔거름도˚물너　[그림]

(심상22ㄴ:03) 가지안코゚ 서로怒ᄒᆞ야゚ [그림]

(심상22ㄴ:04) 남을밀치다가゚ 마츰닉゚ [그림]

(심상22ㄴ:05) 둘이갓치゚ 닉에써러젓 [그림]

(심상22ㄴ:06) 소゚ [그림]

(심상22ㄴ:07) 萬一゚ 이두마리羊이゚서 [그림]

(심상22ㄴ:08) 로길을゚辭讓ᄒᆞ얏스면゚ 이러흔苦狀은゚ 아니

(심상23ㄱ:01) 볼터이오이다゚

(심상23ㄱ:02) 여러분은゚ 이말슴을゚ 잘혜아려보시오゚

(심상23ㄱ:03)

(심상23ㄱ:04) 　　　第二十八課　我國

(심상23ㄱ:05) 우리朝鮮은゚ 眞實노゚ 조흔나라이라゚ 其人數

(심상23ㄱ:06) 눈゚ 一千五百萬이오풍속이淳朴ᄒᆞ오이다

(심상23ㄱ:07) 서울을漢陽이라稱ᄒᆞ며゚

(심상23ㄱ:08) 大君主陛下게읍서계시ᄂᆞ데니゚ 크고繁華ᄒᆞ

(심상23ㄴ:01) [그림]

(심상23ㄴ:02) [그림]

(심상23ㄴ:03) [그림]

(심상23ㄴ:04) [그림]

(심상23ㄴ:05) [그림]

(심상23ㄴ:06) [그림]

(심상23ㄴ:07) [그림]

(심상23ㄴ:08) [그림]

(심상24ㄱ:01) 기ᄂᆞ゚朝鮮國中에第一이오이다゚

(심상24ㄱ:02) 朝鮮은゚ 氣候가조코゚ 土地도조흐니゚ 各色곡

(심상24ㄱ:03) 식이゚ 만이나며゚ 또゚ 礦物도゚ 만이゚産出ᄒᆞ읍ᄂᆞ

(심상24ㄱ:04) 이다゚

(심상24ㄱ:05) 朝鮮에는°녜부터°어진사름이며°勇猛혼사

(심상24ㄱ:06) 름이며°일홈난사름이許多ᄒ니°여러분도°

(심상24ㄱ:07) 學校에서°各般工夫를°ᄒ야°才藝를닥고°몸

(심상24ㄱ:08) 을°充實ᄒ게ᄒ며°濟世홀사름이되야°國家

(심상24ㄴ:01) 를爲ᄒ야°맛당히盡忠ᄒ고°竭力홀거시니

(심상24ㄴ:02) 이다°

(심상24ㄴ:03)

(심상24ㄴ:04)　　　第二十九課　가마귀와여호

(심상24ㄴ:05)　　　　　　　의이익기라

(심상24ㄴ:06) 혼가마귀가°生鮮혼마리를물고°나무가지

(심상24ㄴ:07) 에°안저서먹으랴홀식°여호가보고°慾心을

(심상24ㄴ:08) 늬여°그生鮮을쌔서°먹고즈ᄒ야°急히°그나

(심상25ㄱ:01) 무아린예와서°가마　　　　　[그림]

(심상25ㄱ:02) 귀를°向ᄒ야말ᄒ되°　　　　　[그림]

(심상25ㄱ:03) 身소릭는°춤°으　　　　　　[그림]

(심상25ㄱ:04) 름다온지라°아무　　　　　　[그림]

(심상25ㄱ:05) 커ᄂ°혼번°소릭를　　　　　[그림]

(심상25ㄱ:06) 들닙시스고ᄒ니°　　　　　　[그림]

(심상25ㄱ:07) 가마귀가°여호의와서°稱讚ᄒ　[그림]

(심상25ㄱ:08) 는말을듯고°하°조아ᄒ야°싸악　[그림]

(심상25ㄴ:01) 이라고°혼소릭를ᄒ다가°곳그고기°쏜에쎠

(심상25ㄴ:02) 러지거늘°여호ㅣ°急히집어°입에물고°卽時

(심상25ㄴ:03) 수풀노°다라낫소°

(심상25ㄴ:04) 가마귀는°그제야°비로소그속음을씨다라

(심상25ㄴ:05) 쓰나°엇지홀수업섯느이다°

(심상25ㄴ:06)

(심상25ㄴ:07)　　　第三十課　葡萄田一

(심상25ㄴ:08) 흔 ᄉᄅᆞᆯ이°쟝춧°죽을ᄯᅥ에°아들三兄弟ᄅᆞᆯ°불

(심상26ㄱ:01) 너°일으되°이아희들아°너의게分財로°줄物

(심상26ㄱ:02) 件은°다만°이됴고마흔집과°葡萄田外에ᄂᆞᆫ°

(심상26ㄱ:03) 아모것도업다°그러나葡萄田밋히°寶貝가°

(심상26ㄱ:04) 잇슬터이니°너의들은°갓치파서가지라ᄒ

(심상26ㄱ:05) 더라°삼형졔그말ᄉᆞᆷ디로°아비가도라가신

(심상26ㄱ:06) 後에°밤ᄂᆞᆺ업시°葡萄田을°파보아도°金銀은

(심상26ㄱ:07) 姑捨ᄒ고°銅錢도업ᄂᆞ이다°

(심상26ㄱ:08)

(심상26ㄴ:01)　　　第三十一課　葡萄田二

(심상26ㄴ:02) 三兄弟ᄂᆞᆫ°이쳐럼°밤ᄂᆞᆺ파　　[그림]

(심상26ㄴ:03) ᄡᅴ되°아모것도업스니°ᄭᅳᆺ　　[그림]

(심상26ㄴ:04) 치°失望ᄒ나°그러나°이葡　　[그림]

(심상26ㄴ:05) 萄田은°前에업시깁히°갈　　[그림]

(심상26ㄴ:06) 라ᄂᆞ故로°열ᄆᆡ가잘여러°　　[그림]

(심상26ㄴ:07) 그가을에거든°葡萄갑슨°　　[그림]

(심상26ㄴ:08) 춤°許多흔°金銀이되얏더　　[그림]

(심상27ㄱ:01) 라°

(심상27ㄱ:02) 三兄弟이金銀을엇고°비로소아비말ᄉᆞᆷᄒ

(심상27ㄱ:03) 신ᄯᅳᆺ을°알아소이다

(심상27ㄱ:04)

(심상27ㄱ:05)

(심상27ㄱ:06)

(심상27ㄱ:07)

(심상27ㄱ:08)〈新訂〉尋常小學券一終　　定價十四錢

(심상27ㄴ:01) 學部編輯局開刊書籍定價表

(심상27ㄴ:02) 〈萬國地誌　　　　三十錢 萬國略史上　　二十五錢〉

(심상27ㄴ:03) 〈朝鮮歷代史略漢文三册七十錢 朝鮮歷史三册　　五十錢〉

(심상27ㄴ:04) 〈國民小學讀本　二十五錢 朝鮮略史　　　十二錢〉

(심상27ㄴ:05) 〈朝鮮地誌　　　二十錢 小學讀本　　　十五錢〉

(심상27ㄴ:06) 〈牖蒙彙編　　　十二錢 夙惠記略　　　十八錢〉

(심상27ㄴ:07) 〈興載撮要　　　五十錢 地璆略論　　　十二錢〉

(심상27ㄴ:08) 〈東興地圖　　　十二錢 近易籌術上下　　八十錢〉

(심상28ㄱ:01) 〈簡易四則籌術　　四十錢 士民必知漢文　三十二錢〉

(심상28ㄱ:02)

(심상28ㄱ:03)

(심상28ㄱ:04)

(심상28ㄱ:05)

(심상28ㄱ:06)

(심상28ㄱ:07)

(심상28ㄱ:08)

(심상28ㄴ:01)

(심상28ㄴ:02)

(심상28ㄴ:03)

(심상28ㄴ:04)

(심상28ㄴ:05)

(심상28ㄴ:06)

(심상28ㄴ:07)

(심상28ㄴ:08)

9 여창가요록

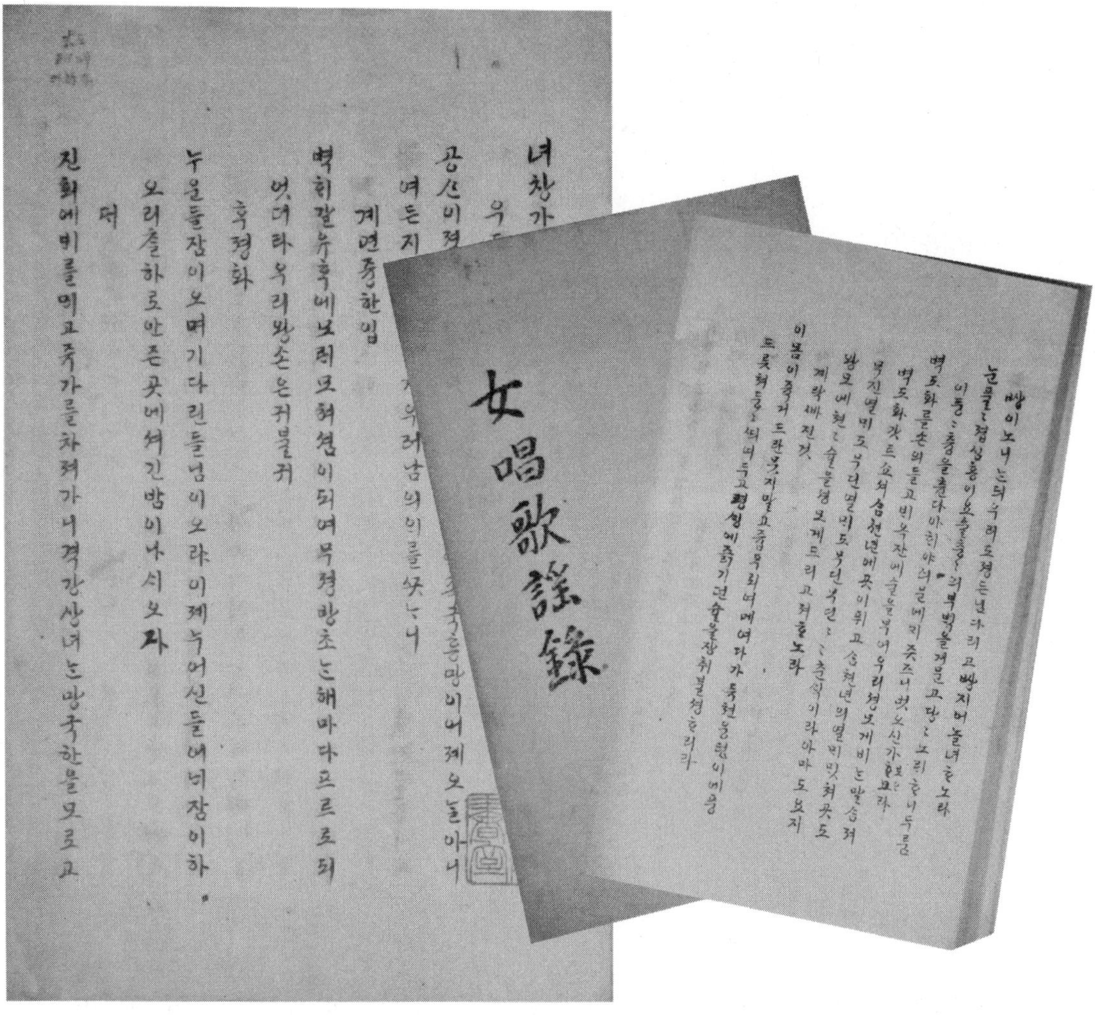

(녀창01ㄱ:01) 녀창가요록

(녀창01ㄱ:02)　　우됴듕 한입

(녀창01ㄱ:03) 공손이 젹만한듸 슮피우는 져 두견아 촉국 흥망이 어졔 오늘
　　　　　　　아니

(녀창01ㄱ:04)　여든 지금에 피나게 우러 남의 이를 긋느니

(녀창01ㄱ:05)　　계연즁 한입

(녀창01ㄱ:06) 벽희 갈유 후에 모릭 모혀 셤이 되여 무졍방초는 해마다 프르
　　　　　　　로되

(녀창01ㄱ:07)　엇더타 우리 왕손은 귀불귀

(녀창01ㄱ:08)　　후졍화

(녀창01ㄱ:09) 누운들 잠이 오며 기다린들 님이 오랴 이졔 누어신들 어늬 잠
　　　　　　　이 하

(녀창01ㄱ:10)　오리 츌하로 안즌 곳에셔 긴 밤이나 싀오쟈

(녀창01ㄱ:11)　　듸

(녀창01ㄱ:12) 진회에 빅를 믹고 쥬가를 차져가니 격강 샹녀는 망국한을 모
　　　　　　　로고

(녀창01ㄴ:01)　셔 연롱슈월롱ᄉ홀졔 후뎡화를 부르더라

(녀창01ㄴ:02)　　쟝단듀

(녀창01ㄴ:03) 한잔 먹스니다 쏘 한잔 먹스이다 쏙 걱어 쥬를 노고 무진〃〃
　　　　　　　먹스

(녀창01ㄴ:04)　이다 이 몸 죽은 후에 지게 우희 거젹 덥허 쥴풀 이여 메여
　　　　　　　가나 유

(녀창01ㄴ:05)　소보쟝예 빅부싀 마 우러예나 여옥싀 더욱싀 덕기나무 쎅양슙

(녀창01ㄴ:06)　헤 가기 곳 가량이면 누른 희 흰 달과 굵은 눈 가는 비며 쇠
　　　　　　　소리 ㅂ

(녀창01ㄴ:07)　람 블졔 뉘 한 잔 먹즈 흐리 허믈며 반각 무덤 우희 잔납이

파람홀

(녀창01ㄴ:08)　　제 뉘웃춘들 밋츠랴

(녀창01ㄴ:09) 공슌낙목우쇼〃ᄒ니 샹국풍류착젹료라 슯프다 혼 잔 술을 다시

(녀창01ㄴ:10)　　권키 어려웨라 어즈버 셕년가곡이 즉금됴ㄴ가 ᄒ노라

(녀창01ㄴ:11)　　　우죠 누ᄅᄂᆞᆫ 자진 한입

(녀창01ㄴ:12) 인싱이 둘가 셋가 이 몸이 네 다섯가 비러온 인싱이 쑴엣 몸
　　　　　　　가지고

(녀창02ㄱ:01)　　셔 평싱에 살롤 일만 하고 언졔 놀녀 ᄒᄂᆞ니

(녀창02ㄱ:02) 간 밤의 부든 ᄇ람에 만졍도화 다 지거다 ᄋ히는 뷔를 들고
　　　　　　　쓸우려

(녀창02ㄱ:03)　　허눈고나 낙화ㄴ들 쏫이 아니랴 쓸어 무슴ᄒ리오

(녀창02ㄱ:04) 간 밤의 우든 여 슯피 우러 지늬엿다 이졔야 싱각ᄒ니 님이
　　　　　　　우러 보

(녀창02ㄱ:05)　　늬도다 져 믈이 거스리 흐르과져 나도 우러 보늬리라

(녀창02ㄱ:06) 버들은 실이 되고 쇠고리는 북이 되여 구십삼츈에 ᄲᄂᆞᄂᆞ니
　　　　　　　나의

(녀창02ㄱ:07)　　시름 누구셔 녹음방초를 승화시라 ᄒ던고

(녀창02ㄱ:08) 동지달 기나긴 밤을 한 허리를 둘헤늬여 츈풍 니블아ᄅᆡ 셔리
　　　　　　　〃〃

(녀창02ㄱ:09)　　너헛다가 어룬님 오신 날 밤이여든 부버〃〃 펴리라

(녀창02ㄱ:10) 나무도 병이 드니 졍ᄌ라도 쉬리 업늬 호화히 셧실 졔는 오리
　　　　　　　가리

(녀창02ㄱ:11)　　다 쉬더니 입 지고 가지 져스니 싀도 아니 오더라

(녀창02ㄱ:12) 창오손 셩졔혼이 구름좃ᄎ 소샹에 나려 야반에 흘너드려 쥭긴우

(녀창02ㄴ:01)　　되온 쑷즌 이 비에 쳔년누흔을 못늬 씨셔함이라

(녀창02ㄴ:02) 동창에 돗앗든 달이 셔창으로 도지도록 오실 임 못 올ᄲᅦ졍 잠

은 어

(녀창02ㄴ:03)　이 가져간고 잠좃추 가져간 님을 싱각 무슴ㅎ리요

(녀창02ㄴ:04) 거울에 빗쵠 얼골 뉘 보기에 죳 것거든 허믈며 단쟝ㅎ고 님에 앏헤

(녀창02ㄴ:05)　뵐 젹이랴 이 단쟝 님을 못 뵈니 그를 슬허ㅎ노라

(녀창02ㄴ:06) 뉘 쳥츈 누를 쥬고 뉘 빅발을 가져온고 오고가는 길을 아돗던 들 막

(녀창02ㄴ:07)　을거슬 알고도 못 막는 길히니 그를 슬허ㅎ노라

(녀창02ㄴ:08) 쳥츈에 곱던 양즈님을 오냐다 늙도다 이졔 님이 보면 날인 쥴 아오

(녀창02ㄴ:09)　실ㄱ가 진실노 알기곳 아오시면 곳되 죽다 관계ㅎ랴

(녀창02ㄴ:10) 뉘 언졔 신이 업셔 님을 언졔 쇽여관듸 월침 슴경에 온 뜻이 젼혀 업

(녀창02ㄴ:11)　뉘 츄풍에 지는 입 소릭야 뇌들 어이ㅎ리오

(녀창02ㄴ:12) 놉흐락 나즈락 ㅎ며 멀기와 갓갑기와 모지락 둥구락 ㅎ며 길 기와

(녀창03ㄱ:01)　져르기와 평싱에 이러ㅎ얏스니 무슴 근심 잇시랴

(녀창03ㄱ:02) 왕상에 니어 낙고 밍종의 죽슌 것거 감든 머리 희도록 로릭즈의 옷

(녀창03ㄱ:03)　슬 입고 평싱에 양지셩효를 증즈갓치 ㅎ리라

(녀창03ㄱ:04)　　우됴 즁허리 드는 자즌 한입

(녀창03ㄱ:05) 쳥죠야 오도고야 반갑다 님에 소식 약슈 슴쳔리를 네 어이 건 너온

(녀창03ㄱ:06)　다 우리 님 만단 졍회를 네 다 앎가 ㅎ노라

(녀창03ㄱ:07) 쳥계상 쵸당외의 봄은 어이 느졋난고 리화빅 셜향에 류식 황 금 눈

(녀창03ㄱ:08)　이로다 만학운 쵹빅셩즁의 춘ᄉ망연ᄒ여라

(녀창03ㄱ:09) 즁셔당 빅옥빈를 십년 만의 곳쳐 보니 맑고 흰 빗츤 녜로은 듯
　　　　　ᄒ다

(녀창03ㄱ:10)　마ᄂᆞᆫ 셰상에 인ᄉ] 변ᄒ니 그를 슬허ᄒ노라

(녀창03ㄱ:11) ᄉᆞ랑 모혀 불이 되여 ᄀᆞ슴에 픠여나고 간장 셕어 물리 되여
　　　　　두 눈으

(녀창03ㄱ:12)　로 솟ᄉ난다 일신예 슈화] 샹픱ᄒ니 슬동말동ᄒ여라

(녀창03ㄴ:01) 창힐이 작ᄌᆞ할 제 ᄎᆞ싱 원슈 리별 두 ᄌᆞ 진시황 분시셔에 어
　　　　　늬 틈의

(녀창03ㄴ:02)　들엇다가 지금에 직인간ᄒ야 남의 이를 긋ᄂᆞ니

(녀창03ㄴ:03) 간 밤의 비 오더니 셕류꼿치 다 픠거다 부용당반에 슈졍렴 거
　　　　　러두

(녀창03ㄴ:04)　고 눌 향헌 깁흔 시름을 푸러 볼가 ᄒ노라

(녀창03ㄴ:05) 은병에 츤 물 쓰라 옥협을 다슬이고 금노의 향을 픠여 암츅ᄒ
　　　　　여 비

(녀창03ㄴ:06)　난 말을 아무나 젼ᄒ리 잇쩌면 님도 슬허ᄒ리라

(녀창03ㄴ:07) 홍누반 록류간에 다졍홀손 져 ᄭᅵ고리 빅젼호음으로 니에 쑴을 놀

(녀창03ㄴ:08)　나니 쳔리에 글이는 님을 보고지고 젼허럼운

(녀창03ㄴ:09) 늙으니 져 늙으니 임쳔에 숨은 져 늙으니 시쥬가금 여긔로 늙
　　　　　어 오

(녀창03ㄴ:10)　는 져 늙으니 평싱에 불구문달ᄒ고 졀노 늙ᄂᆞᆫ 져 늙으니

(녀창03ㄴ:11) 눈 마자 휘여진 ᄃᆡ를 뉘라셔 굽다턴고 굽을 졀이면 눈 속에 푸
　　　　　를쇼

(녀창03ㄴ:12)　야 아마도 셰한고졀은 너 ᄲᅮᆫ인가 ᄒ노라

(녀창04ㄱ:01)　　우죠 막드ᄂᆞᆫ 자즌 한 입

(녀창04ㄱ:02) 일쇼 빅미싱이 퇴진의 려질이라 명화도 이럼으로 만리 힝쵹ᄒ여

(녀창04ㄱ:03)   여느니 지금에 마의방혼을 못늬 슬허ᄒ노라

(녀창04ㄱ:04) 이 몸 싀여져셔 졉쭁싀 넉시 되여 리화 핀 가지 속 입헤 씌엿다가 밤

(녀창04ㄱ:05)   즁만 슬아져 우러셔 님의 귀의 들니리라

(녀창04ㄱ:06) 일졍 빅년을 산들 빅년이 긔 언마오 딜병우환더니 남는 날이 아조

(녀창04ㄱ:07)   다 두어라 비빅셰 인싱이 안이 놀고 어이리

(녀창04ㄱ:08) 어져 늬일이여 글일 쥴을 모로던가 잇스랴 ᄒ드면 가랴마는 졔 굿

(녀창04ㄱ:09)   ᄐ여 보늬고 글이는 졍은 나도 몰나 ᄒ노라

(녀창04ㄱ:10) 쑴에 다니는 길이 자취곳 나량이면 님에 집 창밧기 셕로ㅣ라도 다

(녀창04ㄱ:11)   로련마는 쑴길이 ᄌ최 업스니 그를 슬허ᄒ노라

(녀창04ㄱ:12) 쑴에 왓든 님이 씌여 보니 간 듸 업다 탐〃이 괴든 ᄉ랑 날 보리고 어

(녀창04ㄴ:01)   듸 간고 쑴 속이 허스라 만졍 ᄌ로나 뵈계 ᄒ여라

(녀창04ㄴ:02)   우죠 존자즌 한입

(녀창04ㄴ:03) 덕무인 엄즁문헌듸 만졍화락 월명시라 독의ᄉ창 장탄식ᄒ는 츳

(녀창04ㄴ:04)   에 원촌에 알계 명ᄒ니 위 굿는 듯ᄒ여라

(녀창04ㄴ:05) 이리 헤고 져리 헤니 속졀 업신 헴만 는다 험구즌 인싱이 슬과져 슬

(녀창04ㄴ:06)   앗는가 지금에 아니 쥭는 ᄯᅳ즌 님을 보려 ᄒ노라

(녀창04ㄴ:07) 이리ᄒ여 날 속이 져리ᄒ여 날 속여다 원슈 이 님을 이졈즉도 하다

(녀창04ㄴ:08)   마는 젼〃에 언약이 즁ᄒ믹 못 이즑가 ᄒ노라

(녀창04ㄴ:09) 일각이 숨추라 ᄒ니 여흘이면 몃 숨추오 졔 마음 즐겁거니 남

의 시

(녀창04ㄴ:10)　름 싱각ᄒ랴 쳔리에 님 리별ᄒ고 잠 못 일워ᄒ노라

(녀창04ㄴ:11) 한숨은 바람이 되고 눈물은 셰우 되여 님 ᄌᄂ 창 밧게 불면셔 쌱리

(녀창04ㄴ:12)　과져 날 잇고 깁히 든 줌을 ᄭᆡ와볼ㄱ가 ᄒ노라

(녀창05ㄱ:01) 낙엽에 두 ᄌ만 젹어서 북풍에 놉히 ᄭᅴ여 월명장안에 님 계신 ᄃᆡ 보

(녀창05ㄱ:02)　니과져 진실노 보오신 후면 님도 슬허리라

(녀창05ㄱ:03) 녹슈쳥손 깁푼 골의 쳥여완보 드러가니 쳥봉에 구름이요 만학에

(녀창05ㄱ:04)　연뮈로다 이곳이 경기 죠흐니 예와 놀녀 ᄒ노라

(녀창05ㄱ:05) 가다가 올지라도 오다가는 가지마소 뮈다가 괼지라도 괴다가란

(녀창05ㄱ:06)　뮈지 마소 뮈거나 괴가ᄂ 줌에 ᄌ고나 갈ㄱ가 ᄒ노라

(녀창05ㄱ:07) 히 지면 장탄식ᄒ고 츅빅셩이 단쟝회라 일시나 잇ᄌ더니 구즌 비

(녀창05ㄱ:08)　는 무슴 일고 갓득에 다 셕은 간장이 봄눈 스듯ᄒ여라

(녀창05ㄱ:09) 벽오동 심운 ᄯᅳᆺ즌 봉황을 보려더니 ᄂᆡ 심은 타신지 기다려도 아니

(녀창05ㄱ:10)　오고 밤중만 일편명월만 뷘 가지에 걸려셰라

(녀창05ㄱ:11) 옥우에 나린 이슬 츙셩 좃ᄎ 져〃 운다 금영을 손죠 ᄯ셔 옥 비에 ᄭᅴ

(녀창05ㄱ:12)　워 두고 셤슈로 권할 ᄃᆡ 업스니 그를 슬허ᄒ노라

(녀창05ㄴ:01) 셕유곳 다 딘ᄒ고 하향이 시로ᄋᆡ라 파탄의 노ᄂ 원앙 네 인연 도 부

(녀창05ㄴ:02)　럽고ᄂ 옥난에 호을노 지여셔 시름계워ᄒ노라

(녀창05ㄴ:03)　밤엿 ᄌ진 한 입

(녀창05ㄴ:04) 남ᄒ야 편지 젼치 말고 당신 이제 오도여 남이 남의 일을 못 일과져

(녀창05ㄴ:05)　ᄒ라마는 님ᄒ여 젼ᄒ 편지니 일동말동ᄒ여라

(녀창05ㄴ:06) 담안에 셧는 곳이 모란인가 ᄒ당화ㅣ가 힛득발긋 픠여 잇셔 남의

(녀창05ㄴ:07)　눈을 놀ᄂᆡᄂ니 두어라 임ᄌ 잇시랴 나도 것거 보리라

(녀창05ㄴ:08)　　계면 긴 자진 한입

(녀창05ㄴ:09) 황산곡 도라드러 리빅화를 것거 쥐고 도연명 차즈리라 오류촌에

(녀창05ㄴ:10)　드러가니 갈건에 슐 듯는 소ᄅᆡ에 셰우셩인가 ᄒ노라

(녀창05ㄴ:11) 황하원상빅운간에 일편고셩만인산을 춘광이 녜로부터 못 넘ᄂ

(녀창05ㄴ:12)　니 옥문관을 엇지 타일셩 강젹은 원양류를 ᄒᄂ고

(녀창06ㄱ:01) 금로의 향진ᄒ고 누셩이 잔ᄒ도록 어ᄃᆡ 가 잇셔 뉘 ᄉ랑을 밧 치다

(녀창06ㄱ:02)　가 월영이 샹난간 키야 믹 바드려 왓는고

(녀창06ㄱ:03) 리화우 흣날일 졔 울며잡고 리별ᄒ 님 츄풍낙엽에 져도 날을 ᄉᆡ각

(녀창06ㄱ:04)　ᄂᆞᆫ지 쳔리에 외로온 쭘만 오락가락ᄒ더라

(녀창06ㄱ:05) ᄂᆡ 졍령 슐에 셧겨 님에 속에 흘너드러 구회간장을 촌〃이 차 자가

(녀창06ㄱ:06)　며 날 잇고 남 향ᄒ ᄆᆞ음을 다슬우려 ᄒ노라

(녀창06ㄱ:07) 남산에 봉이 울고 북악에 기린이 논다 요쳔슌일이 아동방에 붉아

(녀창06ㄱ:08)　아셰라 우리도 셩쥬 뫼시고 동낙틱평ᄒ리라

(녀창06ㄱ:09) 기려기 산이로 잡아 졍 드리고 길드러셔 님에 집 가는 길을 녁 녁히

(녀창06ㄱ:10)　가룻쳐 두고 밤듕만 님 ᄉᆡ각날 졔면 소식 젼케 ᄒ리라

(녀창06ㄱ:11) 연약이 느져가니 뎡믜화도 다 지거다 아츰에 우든 가치 유신 타 ᄒ

(녀창06ㄱ:12)　　랴마는 그러느 경즁아미를 다스려느 볼리라

(녀창06ㄴ:01) 도화는 엇지ᄒ여 홍쟝을 짓고 서셔 셰우동풍의 눈믈은 무슴
　　　　　　　　일고

(녀창06ㄴ:02)　　춘광이 덧 업슨 줄을 못닉 슬허ᄒ노라

(녀창06ㄴ:03) 등잔불 그믈러 갈 졔 창쪈 집고 드는 님과 오경죵 나리올 졔
　　　　　　　　다시 안

(녀창06ㄴ:04)　　고 눕난 님을 아무리 빅골이 진퇴된들 이슬 줄이 잇시랴

(녀창06ㄴ:05) 닉 가슴 슬어난 피로 님의 얼골 글여닉여 나ᄌ는 방안에 죡ᄌ
　　　　　　　　슴아

(녀창06ㄴ:06)　　거러두고 슬들리 싱각날 졔 면죡ᄌ느 볼ㄱ가 ᄒ노라

(녀창06ㄴ:07) 상공을 뵈온 후에 ᄉ〃를 밋ᄌ오믜 졸직훈 마음의 병 듦가 염
　　　　　　　　례러

(녀창06ㄴ:08)　　이 이리마 젼러츠 ᄒ시니 빅년동포ᄒ리라

(녀창06ㄴ:09) 요슌것튼 님군을 뫼와 셩딕를 곳쳐 보니 픠고건곤의 일월이
　　　　　　　　광화

(녀창06ㄴ:10)　　ㅣ로다 우리도 슈역춘딕에 놀고 놀녀 ᄒ노라

(녀창06ㄴ:11) 남극슈셩 도다 잇고 권쥬가로 축수로다 오늘날 노인들은 셔로 노

(녀창06ㄴ:12)　　ᄌ 권ᄒ는고야 이후란 화됴월셕에 믹양 놀녀 ᄒ노라

(녀창07ㄱ:01) 창외슴경셰우시에 양인심ᄉ냥인지라 신졍이 미흡ᄒ여 하늘이

(녀창07ㄱ:02)　　장ᄎ 밝아오늬 다시금 나슴을 뷔여줍고 훗긔약을 뭇노라

(녀창07ㄱ:03) 창오산 붕상슈졀이라야 이닉 시름이 업슬 거슬 구의봉 구름이 가

(녀창07ㄱ:04)　　지록 싀로외라 밤즁만 월츌어동녁ᄒ니 님 뵈온 듯 ᄒ여라

(녀창07ㄱ:05) 누리소셔 누리소셔 만셰를 누리소셔 무쇠기동에 ᄭᅩᆺ 푸여 열믹 열

(녀창07ㄱ:06)　　어 ᄯᅥ드리도록 누리소셔 그남아 억만셰 밧게 ᄯᅩ 만셰를 노리
　　　　　　　　소셔

(녀창07ㄱ:07)　　줌허리 드는 자즌 한입

(녀창07ㄱ:08) 리화에 월빅ᄒ고 은한이 숨경인 졔 일지춘심을 자규야 알야마ᄂ

(녀창07ㄱ:09)　다졍도 병이양ᄒ여 ᄌᆞᆷ 못 일워ᄒ노라

(녀창07ㄱ:10) 요지에 봄이 드니 벽도화 다 퓌거다 숨쳔년 미친 열미 옥반에
　　　　　　담아

(녀창07ㄱ:11)　시니 진실노 이 반곳 바드시면 만슈무강ᄒ오리다

(녀창07ㄱ:12) 셔산에 일모ᄒ니 텬지에 가히 업다 리화에 월빅ᄒ니 님 싱각
　　　　　　이 시

(녀창07ㄴ:01)　로외라 두견아 너ᄂ 누를 글여 밤시도록 우ᄂ니

(녀창07ㄴ:02) 은하에 물이 지니 오작교ㅣ ᄯᅳ단 말가 소 잇근 션랑이 못 건
　　　　　　너오리

(녀창07ㄴ:03)　로다 직녀의 촌만흔 간쟝이 봄눈 스듯ᄒ여라

(녀창07ㄴ:04) 꼿 보고 춤 츄ᄂ 나뷔 나뷔 보고 당싯 웃ᄂ 꼿과 져 둘의 ᄉᆞ랑
　　　　　　은 셜〃

(녀창07ㄴ:05)　이 오것마ᄂ 엇지타 우리에 ᄉᆞ랑은 가고 아니 오ᄂ고

(녀창07ㄴ:06) 창오산 희 진 후의 이 비ᄂ 이듸 간고 함게 못 죽은들 셔름이
　　　　　　야 이

(녀창07ㄴ:07)　즐쇼냐 쳔고에 이 ᄯᅳᆺ 알 이ᄂ 딋뱝 인가 ᄒ노라

(녀창07ㄴ:08) 산촌에 밤이 드니 먼 듸 기 즈져온다 싀비를 열고 보니 하 날
　　　　　　이 츠고

(녀창07ㄴ:09)　달이로다 져 기야 공산 ᄌᆞᆷ 든 달을 즈져 무슴ᄒ리요

(녀창07ㄴ:10) 동창의 긔명커늘 님을 닉여 보늬오니 비동방지명이라 월출지광

(녀창07ㄴ:11)　이로다 탈앙금 퇴원침ᄒ고 뎐〃반측ᄒ쇼라

(녀창07ㄴ:12) 추풍이 살아니라 북벽즁방 뚤지마라 원앙금 찬 듯힘도 님 업
　　　　　　슨 탓

(녀창08ㄱ:01)　시로다 만지쟝 야잔등에 뎐젼불미ᄒ노라

(녀창08ㄱ:02) 리별이 불이 되여 간쟝이 타노미라 눈물이 비 되여 ᄭᅳᆯ 듯도

ᄒ건마

(녀창08ㄱ:03)　눈 한숨이 ᄇ람 되니 ᄭᅳᆯ동말동ᄒ여라

(녀창08ㄱ:04) 가락지 짝을 일코 네 홀노 날 ᄯᅡ로니 네 〃 짝 ᄎᄌᆯ 제면 나도 님을 보

(녀창08ㄱ:05)　련마는 짝 닐코 글이는 안이야 네나 ᄂᆡᄂ 다로랴

(녀창08ㄱ:06) 한송졍 달 발근 밤에 경포ᄃᆡ에 물이 잔 제 유신ᄒᆫ ᄇᆡ구는 오락가락

(녀창08ㄱ:07)　ᄒ건마는 엇짓타 우리의 왕손은 가고 아니오ᄂ고

(녀창08ㄱ:08) 닷 ᄯᅳᄌ ᄇᆡ ᄶᅥ나니 이졔 가면 언졔 오리 만경창파에 나는 덧 도라오

(녀창08ㄱ:09)　소 밤즁만 지국 춍소ᄅᆡ에 ᄋᆡ 긋는 듯 ᄒ여라

(녀창08ㄱ:10) ᄂᆡ 가슴 들틍 북편 되고 님의 가슴 화류등 되여 인연 진 부 풀노 시

(녀창08ㄱ:11)　운지게 붓쳣시니 아무리 셕달 장ᄆᆡᆫ들 ᄶᅥ러질 줄 잇시랴

(녀창08ㄱ:12) 가을 하늘 비 긴 빗츨 드ᄂ 칼노 말나ᄂᆡ여 쳔은침 오ᄉᆡ실노 슈를 노

(녀창08ㄴ:01)　아 옷슬 지여 님 계신 구즁궁궐에 드려 볼ㄱ가 ᄒ노라

(녀창08ㄴ:02) 방 안에 셧는 촉불 눌과 리별ᄒ엿관ᄃᆡ 겻츠로 눈물지고 속 타 ᄂ 쥴

(녀창08ㄴ:03)　모로ᄂ고 져 촉불 날과 갓ᄐᆡ여 속 타는 쥴 모로도다

(녀창08ㄴ:04)　셔ᄉᆡ산젹 ᄇᆡ노비ᄒ고 도화유슈 궐어비라 쳥양입 녹ᄉᆞ의로 사풍

(녀창08ㄴ:05)　셰우 불슈귀를 이곳에 장지화ㅣ 업스니 놀니 젹어 ᄒ노라

(녀창08ㄴ:06) 문노라 져 션ᄉᆞ야 관동풍경 엇더터니 명ᄉᆞ십리에 ᄒᆡ당화 붉어 잇

(녀창08ㄴ:07)　고 원포에 낭 〃 ᄇᆡ구는 븨쇼우를 ᄒ더라

(녀창08ㄴ:08) 울며 잡운 쇼ᄆᆡ 썰치고 가지 마소 초원 장뎨에 ᄒᆡ 다 져무럿ᄂᆡ 긱창

(녀창08ㄴ:09)　에 잔등 도〃고 식와 보면 알이라

(녀창08ㄴ:10) 무왕이 벌듀어시날 빅이슉졔 간ᄒ오ᄃᆡ 이신별군이 불가ㅣ라 간

(녀창08ㄴ:11)　토던지 틱공이 부이거지ᄒ니 아ᄉ슈양ᄉᄒ니라

(녀창08ㄴ:12) 고흘ᄉ 월화보에 깁ᄉᄆᆡ 바람이라 곳 압헤 셧ᄂᆞᆫ 틱도 고은 셩을 마

(녀창09ㄱ:01)　져셰라 아마도 무즁쵀익ᄂᆞᆫ 츈잉젼인가 ᄒ노라

(녀창09ㄱ:02) 셰상에 약도 만코 드는 칼이 잇건마ᄂᆞᆫ 졍 베힐 칼이 업고 님이즐 약

(녀창09ㄱ:03)　이 업닉 두어라 닛고 버히기ᄂᆞᆫ 후쳔에나 헐넌지

(녀창09ㄱ:04) 무릉원 일편홍이 부졀 업시 무를 좃차 츈광을 누셜ᄒ니 어리셕은

(녀창09ㄱ:05)　져 어랑아 일후에 다시 차즌들 언메 곳을 아오리

(녀창09ㄱ:06)　막닉ᄂᆞᆫ 자즌 한 입

(녀창09ㄱ:07) 님이 허오시ᄆᆡ 나ᄂᆞᆫ 젼혀 밋엿든니 날 ᄉ랑ᄒ든 졍을 뉘 손닉 옴기

(녀창09ㄱ:08)　신고 젼〃에 뮈시든 거시면 어듸도록 셔루랴

(녀창09ㄱ:09) 초당츄야월에 실솔셩도 못 금커든 무ᄉᆞᆷ ᄒ라 야반에 홍안셩고 쳔

(녀창09ㄱ:10)　리에 님 리별ᄒ고 즘 못 일워ᄒ노라

(녀창09ㄱ:11) 초강 어부들아 고기 낙기 일 ᄉᆞᆷ지 마라 굴ᄉᆞᆷ여 튱혼이 어복리 에 드

(녀창09ㄱ:12)　러나니 아무리 뎡확에 슬문들 익을 줄이 잇시랴

(녀창09ㄴ:01) 닭아 우지 말라 옷 버셔 즁쳔 쥬료 날아 싀지 마라 닭에 손듸 비럿노

(녀창09ㄴ:02)　라 무심흔 동역 다히ᄂᆞᆫ 졈〃 밝가오도다

(녀창09ㄴ:03) 닭아 우지 마라 일우노라 자랑 마라 반야진관에 밍상군이 아 니로

(녀창09ㄴ:04)　　다 오날은 님 오신 날이니 아니 운들 엇더리

(녀창09ㄴ:05) 누구나 자는 창 밧게 벽오동을 심우닷턴고 월명졍반에 영파수도

(녀창09ㄴ:06)　　커니와 밤듕만 굴근 비 쇼릭에 익 긋는 듯 ᄒᆞ여라

(녀창09ㄴ:07) 록초 쳥강상의 굴네 버슨 말이 되여 쐬〃로 마리 드러 북향ᄒᆞ
　　　　　　　여 우

(녀창09ㄴ:08)　　는 쯧즌 셕양이 지 너머 가니 님즈 글여 ᄒᆞ노라

(녀창09ㄴ:09) ᄉᆞ랑 거즌말이 님 날 ᄉᆞ랑 거즌말이 쑴에 와 뵈단 말이 긔 더
　　　　　　　욱 거즌

(녀창09ㄴ:10)　　말이 날것치 잠 아니 오면 어늬 쑴에 뵈리오

(녀창09ㄴ:11) 님을 밋을 것가 못 밋들 숀 님이시라 밋어온 시졀도 못 밋을
　　　　　　　쥴 아랴

(녀창09ㄴ:12)　　스랴 밋기 밋기야 어려워마는 아니 밋고 무엇ᄒᆞ리

(녀창10ㄱ:01) 남도 쥰 빅 업고 바든 바도 업것마는 원슈 빅발이 어드러로
　　　　　　　온 거인

(녀창10ㄱ:02)　　고 빅발이 공되 업도다 날을 먼져 빅이닉

(녀창10ㄱ:03) 뉘〃 이로기를 쳥강소이 깁다턴고 비오리 가슴이 반도 아니
　　　　　　　잠계

(녀창10ㄱ:04)　　셔라 아마도 깁고 깁흘 손님이신가 ᄒᆞ노라

(녀창10ㄱ:05) 두어도 다 셕는 간쟝 드는 칼노 벼혀닉여 산호상빅옥함에 졈
　　　　　　　〃이

(녀창10ㄱ:06)　　담앗다가 아무나 가느니 잇거든 님 계신 듸 보닉리라

(녀창10ㄱ:07) 듸쳔 바다 한가온 듸 쑤리 업슨 남기 나셔 가지는 열둘이요
　　　　　　　흔◁입▷흔 삼

(녀창10ㄱ:08)　　빅예슌 입히로다 그 남게 여름이 열이되 다만 둘 쑨이러라

(녀창10ㄱ:09) 춘슈만ᄉᆞ퇵ᄒᆞ니 물이 만하 못 오던가 하운다긔봉ᄒᆞ니 산이 놉하

(녀창10ㄱ:10)　　못 오던가 츄월이 양명휘여든 무슴 탓슬 ᄒᆞ리오

(녀창10ㄱ:11) 딕한 칠년인 제 탕인군에 희싱되여 젼죠단발ㅎ샤 상님야에 비
르

(녀창10ㄱ:12) 시니 탕왕이 셩덕이 격쳔ㅎ샤딕 우방슈쳔리를 ㅎ니라

(녀창10ㄴ:01) 춘풍 도리화들아 고은 양ᄌ 자랑 마라 창송녹쥭을 셰한에 보
렴우

(녀창10ㄴ:02) 나 졍〃코 낙〃혼 뎔을 곳칠 줄이 잇시랴

(녀창10ㄴ:03) 금싱여슈라 ㅎ니 물마다 금이 나며 옥츌곤강인들 뫼마다 옥이 나

(녀창10ㄴ:04) 랴 아무리 녀필종빈들 님〃마다 좃츠랴

(녀창10ㄴ:05) 어와 왕쇼군이여 싱각건딕 불상할ᄉ 한궁장호지 에 박명흠도

(녀창10ㄴ:06) 긋이 업다 지금에 사류쳥총을 못닉 슬허ㅎ노라

(녀창10ㄴ:07) 한창ㅎ니 가셩열이오 슈번ㅎ니 무슈지라 가셩열 무슈지는 님 글

(녀창10ㄴ:08) 이는 탓시로다 셔릉에 일욕몰ㅎ니 의 잇는 듯ㅎ더라

(녀창10ㄴ:09) 그려ᄉ지 말고 찰하로 죽어 가셔 월명공산에 졉동식 넉시 되
여 식

(녀창10ㄴ:10) 도록 피나게 우러 님에 귀의 들이리라

(녀창10ㄴ:11)   죤 자즌 한 입

(녀창10ㄴ:12) 쳔지는 만물지역여오 광음은 빅딕지과긱이라 인싱을 헤아리니

(녀창11ㄱ:01) 묘창히지일속이로다 두어 약몽부싱이니 아니 놀고 어니리

(녀창11ㄱ:02) 임슐지츄칠월긔망에 빅를 타고 금능에 나려 손죠 고기 낙가
고기

(녀창11ㄱ:03) 쥬고 슐을 사니 지금에 쇼동파 업스니 놀니 덕어 ㅎ노라

(녀창11ㄱ:04) 무셔리 슐이 되여 만산을 다 권ㅎ니 어졔 푸룬 입히 오날 아츰
다 붉

(녀창11ㄱ:05) 것다 빅발도 검길 줄 알면 우리 님게도 권ㅎ리라

(녀창11ㄱ:06) 셜월이 만창흔딕 ᄇ람아 부지 마라 예리셩 안인 줄을 판연이
알 것

(녀창11ㄱ:07)　　마는 글입고 아쉬온 마음에 힝여 긘가 ᄒ노라

(녀창11ㄱ:08)　불로초로 비즌 술을 만년빈에 가득 부어 잡우신 잔마다 비너
　　　　　　　　니 남

(녀창11ㄱ:09)　　산슈를 딘실노 이 잔 곳 잡우시면 만슈무강ᄒ오리다

(녀창11ㄱ:10)　지디가 씌여 보니 님에게 편지 왓닉 빅번나마 펴 보고 가슴
　　　　　　　　우의 언

(녀창11ㄱ:11)　　져더니 굿ᄒ여 무겁든 아니ᄒ되 가슴이 답〃ᄒ더라

(녀창11ㄱ:12)　빅쳔이 동도히ᄒ니 하시에 부셔귀오 고왕금닉에 역류슈 업것마

(녀창11ㄴ:01)　　는 엇지타 간장 석은 물은 눈으로셔 솟는고

(녀창11ㄴ:02)　옥등에 불이 밝고 금로의 향닉 나닉 부용 깁푼 당에 혼 씌여
　　　　　　　　싱각ᄒ

(녀창11ㄴ:03)　　니 창 밧게 예리셩 나니 가슴 금즉ᄒ여라

(녀창11ㄴ:04)　뒤메에 쎄구름 디고 압닉에 안기로다 비올지 눈이 올지 ᄇ람
　　　　　　　　부러

(녀창11ㄴ:05)　　즌셔리 칠지 먼뒷 님 오실지 못 오실디 기만 홀노 딧더라

(녀창11ㄴ:06)　압못세 든 고기들아 네 와 든다 뉘 너를 모라다가 넛커날 든다
　　　　　　　　북히

(녀창11ㄴ:07)　　쳥쇼를 어듸 두고 이 못세 와 든다 들고도 못 나는 졍회는
　　　　　　　　네오 닉

(녀창11ㄴ:08)　　오 다르랴

(녀창11ㄴ:09)　님 그린 상ᄉ몽이 실솔에 넉시 되여 츄양장 깁흔 밤의 님에 방
　　　　　　　　에 드

(녀창11ㄴ:10)　　렷다가 날 잇고 깁히 든 잠을 씌와 볼가 ᄒ노라

(녀창11ㄴ:11)　월뎡명월 뎡명커늘 빈를 타고 츄강에 드니 물 아릭 하늘이오
　　　　　　　　하늘

(녀창11ㄴ:12)　　우희 달이로다 아희야 져 달을 건져스라 완월장취ᄒ리라

(녀창12ㄱ:01) 쵸슌에 나무 뷔는 아희 나무 빌졔 힝혀 딕빌셰라 그딕 ᄌ라거
든 뷔

(녀창12ㄱ:02)　여 히오리라 낙시ᄃᆡ를 우리도 그런 쥴 아오믹 나무만 뷔려
ᄒ노라

(녀창12ㄱ:03) 쵸당 뒤혜 와 안져 우는 숏젹다 싀야 암숏젹다 싄다 슈숏젹다
우는

(녀창12ㄱ:04)　싄다 공산이 어듸 업셔 긱창의 와 안져 우는다 져 숏젹다 싀
야 공

(녀창12ㄱ:05)　산이 하고ᄒ되 울 ᄃᆡ 달으노라

(녀창12ㄱ:06) 아ᄌ〃〃나 쓰는 되황모시필 슈양믹월을 검게 가라 홈벅 찍
어 창

(녀창12ㄱ:07)　쎤에 언졋더니 딕딕글 구우러 쏙 나려지게고 이졔 도라가면 어

(녀창12ㄱ:08)　더 올 법 잇시련마는 아무나 어더 가져셔 굴여나 보면 알이라

(녀창12ㄱ:09) 옥도치 돌도치니 무되던지 월즁계슈ㅣ나 남기니 시위도다 광한

(녀창12ㄱ:10)　젼 뒷뫼혜 잔 다복쇼 셔리여든 아니 어득 졈옷하랴 져 달이
김의

(녀창12ㄱ:11)　곳 업스면 님이신가 ᄒ노라

(녀창12ㄱ:12) 각셜이라 현덕이 단계 건너갈 졔 작로마야 날 살녀라 압혜는
긴 강

(녀창12ㄴ:01)　이오 뒤혜 ᄯ루너니 쵀뫼로다 어듸셔 상산 됴ᄌ룡은 날 못
ᄎᄌ

(녀창12ㄴ:02)　ᄒᄂ니

(녀창12ㄴ:03) 녹음방초 욱어진 골에 곡구리롱 우는 져 ᄭᅬᄭᅩ리 싀야 네 소릭
어여

(녀창12ㄴ:04)　부다 맛치 님의 소릭 것들시고 진실노 너 안고 님 계시면 비
겨나

(녀창12ㄴ:05)　　붉가 ㅎ노라

(녀창12ㄴ:06) 싱미 잡아 길쎅려 두메 쮕산영 보니고 빅미 슷겨 바 느려 뒤
　　　　　　　동산 숑

(녀창12ㄴ:07)　　지에 미고 숀죠 구글 무지 낙가 움버들에 쎄여 물에 치와 두
　　　　　　　고 아

(녀창12ㄴ:08)　　희야 날 볼 숀 오셔드란 긴 여흘노 술와라

(녀창12ㄴ:09) 옥황게 울며 발괄ㅎ야 별악상즈 나리오셔 벽역이 진동ㅎ며 씨치

(녀창12ㄴ:10)　　쇼셔 이별 두 즈 그졔야 졍든 님 다리고 빅년을 동듀ㅎ리라

(녀창12ㄴ:11) 우리 두리 후싱ㅎ야 네 나 되고 니 너 되여 니 너 글여 굿튼
　　　　　　　이를 너도 날

(녀창12ㄴ:12)　　그려 굿쳐 보렴 평싱에 니 셜워ㅎ던 쥴을 돌녀나 보면 알니라

(녀창13ㄱ:01) 북두칠셩 하나 둘 셋 넷 다셧 여셧 일곱 뿐게 민망흔 발괄 쇼
　　　　　　　지 한 쟝

(녀창13ㄱ:02)　　알외너이다 글이던 님을 만나 졍엣 말슴 치 못ㅎ여 날이 쉬
　　　　　　　시니

(녀창13ㄱ:03)　　글노 민망 밤즁만 슴퇴셩 츠ᄉ 노아 실별 업시 ㅎ소셔

(녀창13ㄱ:04) 자네 집 슐 익거든 부듸 날을 부르시쇼 초당에 곳이 픠여드란
　　　　　　　나도

(녀창13ㄱ:05)　　자네를 쳥ㅎㅣ옴시 빅년셧 시름 업슬 쇠를 의는콰져 ㅎ노라

(녀창13ㄱ:06) 한 숀에 막듸를 들고 쏘 한 숀의 가시를 쥐여 늙는 길 가싁로
　　　　　　　막고 오

(녀창13ㄱ:07)　　는 빅발을 미로 티렷더니 빅발 이졔 몬져 알고 즈름길노 오
　　　　　　　도다

(녀창13ㄱ:08) 화산도ᄉ 슈즁보로 헌슈동방국 틱공을 쳥우십회 빅ᄉ졀에 긔봉

(녀창13ㄱ:09)　　인시 옥쳔옹을 이 잔에 쳔일쥬 가득 부어 만슈무강 비너이다

(녀창13ㄱ:10)　　우락

(녀창13ㄱ:11) 만경창파지슈에 둥〃 씻난 불약금이 게오리들과 비솔금셩 중
　　　　　　　경

(녀창13ㄱ:12)　동당강셩 너시 두룸이들아 너 씻는 물 깁픠를 알고 둥 씻는
　　　　　　　모로

(녀창13ㄴ:01)　고 둥 씻는 우리도 남에 님 거러두고 깁픠 몰나 ㅎ노라

(녀창13ㄴ:02) 졔갈량은 칠죵칠금ㅎ고 장익덕은 의셕엄안ㅎ엿ㄴ니 셩썹다 화

(녀창13ㄴ:03)　용도 좁운 길로 죠밍덕이 슬아가단 말가 쳔고에 름〃흔 딕
　　　　　　　장부

(녀창13ㄴ:04)　ㄴ 한슈뎡후신가 ㅎ노라

(녀창13ㄴ:05) 스랑〃〃 긴〃 스랑 기쳔것치 닉〃 스랑 구만리 장공에 넌즈
　　　　　　　러지

(녀창13ㄴ:06)　고 남ㄴ 스랑 아마도 이 님의 스랑은 가 업슨가 ㅎ노라

(녀창13ㄴ:07) 물 아릭 셰가락 모릭 아무만 밝다 바자쵀 나며 님이 날을 아
　　　　　　　무만 괸

(녀창13ㄴ:08)　들 닉 아던가 님의 졍을 광풍에 지붓친 스공것치 깁픠를 몰
　　　　　　　나 ㅎ

(녀창13ㄴ:09)　노라

(녀창13ㄴ:10) 물 아릭 그름즈 지니 다리 우희 즁이 간다 져 즁아 거긔 셧거
　　　　　　　라 네 어

(녀창13ㄴ:11)　딕 가노 말 무러 보즈 손으로 빅운을 가르치며 말 아니코 가
　　　　　　　더라

(녀창13ㄴ:12) 바람은 지동치듯 불고 구즌 비ㄴ 붓드시 온다 눈 졍에 거룬 님
　　　　　　　을 오

(녀창14ㄱ:01)　늘밤 셔로 만나자 ㅎ고 판쳑쳐셔 밍셰 밧앗쎠니 이 풍우즁
　　　　　　　에 졔

(녀창14ㄱ:02)　어이 오리 진실노 오기 곳 오량이면 연분인가 ㅎ노라

(녀창14ㄱ:03) 유즈는 근원이 즁흐여 한 쏙지에 둘씩 셋씩 광풍듸우라도 써
러질

(녀창14ㄱ:04) 모로는 고야 우리도 져 유즈것치 써러질 쥴 모로리라

(녀창14ㄱ:05) 님과 나와 부늬 둘이 리별 업시 스자 하엿더니 평싱원슈 악인
연이

(녀창14ㄱ:06) 이셔 리별로 굿허나 여희연졔고 명쳔이 쯧즐 아오셔 리별
업시

(녀창14ㄱ:07) 흐소셔

(녀창14ㄱ:08) 츠싱 원슈이 리별 두 즈 어이 하면 영영 아조 업시 일고 가슴
에 무원

(녀창14ㄱ:09) 불 니러나 량니면 얽동혀 더져 술암즉도 흐고 눈으로 (즈)
솟슨 바

(녀창14ㄱ:10) 다 되면 풍덩 드럿쳐 씌우런마난 아무리 술으고 씌운들 한
숨을

(녀창14ㄱ:11) 어이흐리오

(녀창14ㄱ:12) 옥의는 틔나 잇지 맛곳흐면 다 셔방인가 늬 안 뒤여 남 못 뵈
고 쳔디

(녀창14ㄴ:01) 간에 이런 답〃흔 일이 쏘 어듸 잇나 녈 놈이 빅 말을 헐지
라도 님

(녀창14ㄴ:02) 이 짐작흐시요

(녀창14ㄴ:03) 쥭어 이셔야 흐랴 술아셔 글여야 흐랴 쥭어 잇기도 어렵고 술
아 글이

(녀창14ㄴ:04) 기도 어려웨라 져 님아 흔 말슴만 흐쇼라 보즈 스싱결단흐
리라

(녀창14ㄴ:05) 군불견황하슈ㅣ 쳔상늬한다 분류도희 불부회라 우불견고당명

(녀창14ㄴ:06) 경비빅발흔다 죠여쳥스모셩셜이로다 인싱득의의슈진환이

(녀창14ㄴ:07)　니 막ᄉ금쥰으로 공듸월을 ᄒ소라

(녀창14ㄴ:08) 암논에 오리를 뷔여 빅화쥬를 비져 두고 뒤동산 숑지에 뎐동우희

(녀창14ㄴ:09)　활 지여 걸고 훗터진 바독 ᄊ로 티고 고기를 낙가 움버들에 쎄 여

(녀창14ㄴ:10)　물에 치와 두고 아히야 날 볼 숀 오셔드란 긴 여흘노 술와라

(녀창14ㄴ:11) 듸죠볼 붉가지에 후류혀 훌터 ᄯ 담고 올밤 익어 벙그러진 가지 휘

(녀창14ㄴ:12)　두드려 발나 쥬어 담고 벗 모하 초당으로 드러가니 슐이 쥰에 풍

(녀창15ㄱ:01)　츙쳥 잇세라

(녀창15ㄱ:02) 압ᄂ나 뒤ᄂ낫 즁에 소 먹이ᄂ 아희놈들아 압ᄂ엣 고기와 뒷ᄂ엣

(녀창15ㄱ:03)　고기를 다 물속 잡아ᄂ여 다락ᄢ에 너허 쥬어든 도르면 쥬어드

(녀창15ㄱ:04)　란 너 타고 가ᄂ 쇠등의 걸쳐다가 쥬렴 우리도 밧버 가ᄂ 길이 오

(녀창15ㄱ:05)　미 젼할동 말동 ᄒ여라

(녀창15ㄱ:06) ᄉ랑을 ᄉ자 ᄒ니 ᄉ랑 팔니 뉘 잇시며 리별을 파자 ᄒ니 리별 ᄉ리

(녀창15ㄱ:07)　뉘 잇시리 ᄉ랑 리별을 팔고 ᄉ리 업스니 장ᄉ랑 장리별인가 ᄒ

(녀창15ㄱ:08)　노라

(녀창15ㄱ:09) ᄉ랑을 찬〃 얽동혀 뒤셜머지고 틱산쥰령을 허위〃〃 너머가니

(녀창15ㄱ:10)　모로ᄂ 벗님네ᄂ 그만ᄒ여 ᄇ리고 가라 ᄒ건마ᄂ 가다가 쟈질

(녀창15ㄱ:11)　녀 죽을　졍 나는 안이 ᄇ리고 갊가 ᄒ노라

(녀창15ㄱ:12)　　계락

(녀창15ㄴ:01) 쳥순도 졀로〃〃 녹듀도 졀로〃〃 순 졀로〃〃 슈 졀로〃〃
　　　　　　　순슈

(녀창15ㄴ:02)　간의 나도 졀로〃〃 우리도 졀로〃〃 자란 몸이니 늙기도
　　　　　　　졀로

(녀창15ㄴ:03)　졀로 늙그리라

(녀창15ㄴ:04) 쳥순리 벽계슈야 슈이 감을 ᄌ랑 마라 일도창히ᄒ면 다시 오
　　　　　　　기 어

(녀창15ㄴ:05)　려왜라 명월이 만공산ᄒ니 쉬여간들 엇더리

(녀창15ㄴ:06) ᄇ람도 슈 넘고 구름이라도 쉬여 넘ᄂ 고기 산진이 슈진이라
　　　　　　　도 쉬

(녀창15ㄴ:07)　여 넘ᄂ 고봉장셩 녕고기 그 넘어 님이 왓다 ᄒ면 나는 안이
　　　　　　　ᄒ 번

(녀창15ㄴ:08)　도 슈여 넘우리라

(녀창15ㄴ:09) 병풍에 압니 작근동 부러진 괴 그리고 그 괴 압헤 됴고만 흔
　　　　　　　ᄉ양쉬

(녀창15ㄴ:10)　를 그려 두니 어허 죠 괴 삿ᄲ냥ᄒ야 그림에 쥐를 잡으랴
　　　　　　　니ᄂ

(녀창15ㄴ:11)　고야 우리도 남에 님 거러두고 좃니러 볾가 ᄒ노라

(녀창15ㄴ:12) 이 몸이 싀여져셔 숨슈갑손 졔비ᄂ 되여 님에 집 창 밧 츤여
　　　　　　　굿마다

(녀창16ㄱ:01)　집을 자루 죵〃 지여 두고 밤즁만 제 집으로 드ᄂ 체ᄒ고 님
　　　　　　　에 품

(녀창16ㄱ:02)　에 들니라

(녀창16ㄱ:03) 노ᄉ〃〃 민양장식 노ᄉ 밤도 놀고 낫도 놀ᄉ 벽상에 거린 황

게슷

(녀창16ㄱ:04) 탈ㄱ이 해 〃 쳐우도록 노ㅅ노ㅅ 인싱이 아츰 이슬이니 아
　　　　　　　　니 놀

(녀창16ㄱ:05) 고 어니리

(녀창16ㄱ:06) 한 ㅈ 쓰고 눈물지고 두 ㅈ 쓰고 한슘지니 ㅈ 〃항 〃이 슈묵산
　　　　　　　　슈가

(녀창16ㄱ:07) 되거고나 져 님아 울면 쓴 편지니 짐작ㅎ여 보시쇼

(녀창16ㄱ:08) 스랑이 긔 엇더터니 둥그더냐 모나더냐 기더냐 밟고 남아 자
　　　　　　　　일너

(녀창16ㄱ:09) 냐 굿틔여 긴 줄은 모르되 끗 간 데을 몰늬라

(녀창16ㄱ:10) 청명시졀 우분 〃ㅎ니 노상힝인이 욕단혼이로다 뭇노라 목동아

(녀창16ㄱ:11) 슐 파는 집이 어드메냐 ㅎ뇨 져 건너 청렴쥬긔풍이니 게 가
　　　　　　　　무러

(녀창16ㄱ:12) 보시쇼

(녀창16ㄴ:01) 건너셔는 숀을 치고 집에셔는 들나하늬 문 닷고 드자 ㅎ랴 숀
　　　　　　　　티는

(녀창16ㄴ:02) ■로 가쟈 ㅎ랴 이 늬 몸 둘헤늬여 예 반 졔 반 ㅎ리라

(녀창16ㄴ:03) 남손의 눈 날이는 양은 빅숑골이 댜도는 듯 한강의 비 뜬 양
　　　　　　　　은 강셩

(녀창16ㄴ:04) 두우룸이 고기를 물고 넘노는 듯 우리도 남에 님 거러두고
　　　　　　　　넘노

(녀창16ㄴ:05) 라 봆가 ㅎ노라

(녀창16ㄴ:06) 아히야 연슈 늬여라 님 게신 듸 편지 ㅎ자 검운 먹 흰 죠희는
　　　　　　　　님을 응

(녀창16ㄴ:07) 당 보련마는 져 붓듸 날과 갓트여 그리기만 ㅎ도다

(녀창16ㄴ:08) 데도 되국이요 쵸도 쏘한 되국이라 묘고만 등나라히 간어데

초호

(녀창16ㄴ:09) 엿스니 두어라 하스비군이랴 스데스초하리라

(녀창16ㄴ:10) 편 자즌 한 입

(녀창16ㄴ:11) 남산송빅 울〃창〃 한강류슈 호〃양〃 듀상전하는 차산슈것치

(녀창16ㄴ:12) 산봉슈갈토록 셩슈무강하샤 쳔〃만〃 셰를 틱평으로 누리셔

(녀창17ㄱ:01) 든 우리는 일민이 되야 강구연월에 격양가를 부루리라

(녀창17ㄱ:02) 듸인난〃〃〃하니 계슴호고 야오경이라 출문망출문망하니 쳥

(녀창17ㄱ:03) 산은 만즁이요 녹슈는 쳔회로다 이윽고 기 지즛는 소릭에
          빅마

(녀창17ㄱ:04) 유야랑이 넌즈시 도라드니 반가온 마음이 무궁탐〃하야 오날

(녀창17ㄱ:05) 밤 셔로 즐거오미야 어늬 긋이 잇시랴

(녀창17ㄱ:06) 오날도 져무러지게 져물면은 싀리로다 싀면 이 님 가리로다
          가면

(녀창17ㄱ:07) 못 오려니 못 오면 글이려니 글이면 응당 병들녀니 병 곳 들
          면 못

(녀창17ㄱ:08) 슬니로다 병들어 못 슬 줄 알 냥이면 자구나 갉가 하노라

(녀창17ㄱ:09) 모시를 이리 져리 슴아 두루 슴아 감슴다가 가다가 한가운듸
          쏙 근

(녀창17ㄱ:10) 텨지옵거든 호치단슌으로 홈쌜며 감쌔라 셤〃옥슈로 두 긋 마

(녀창17ㄱ:11) 조 잡으 바쳐 이으리라 져 모시를 우리도 스랑 긋쳐 갈 졔
          져 모시

(녀창17ㄱ:12) 것치 이으리라

(녀창17ㄴ:01) 옥것은 님을 일코 님과 것튼 자네를 보니 자네 긘지 긔 자네런
          지 아

(녀창17ㄴ:02) 모긴 줄 늬 몰늬라 즈늬 긔나 긔 즈녜낫 즁에 자고나
          갈ㄱ가 하노라

(녀창17ㄴ:03) 문독 춘추 좌씨견ᄒ고 무ᄉ 쳥룡 은월도라 독힝쳔리ᄒᄉ 오관을

(녀창17ㄴ:04) 지나실 제 ᄯᆞ루는 져 장ᄉ야 고셩 북소ᄅᆡ를 드럿ᄂ냐 못 드럿ᄂ

(녀창17ㄴ:05) 냐 쳔고에 관공을 미신 ᄌᆞ는 익덕인가 ᄒ노라

(녀창17ㄴ:06) 월일편등슴경인제 나간 님을 헤여ᄒ니 쳥류(ᅵ루)쥬ᄉ에 싀님을 거러

(녀창17ㄴ:07) 두고 불승탕졍ᄒ야 화간믹상춘장만ᄒ되 쥬마투계유미반이

(녀창17ㄴ:08) 라 슴시출망무소식ᄒ니 진일난두의 공당망을 ᄒ노라

(녀창17ㄴ:09) 일뎡 빅년 슬 쥴 알면 쥬싁 ᄎᆞᆷ다 관계ᄒ랴 힝혀 ᄎᆞᆷ운 후에 빅년을 못

(녀창17ㄴ:10) 슬면 긔 아니 익다를쇼냐 인명이 ᄌᆞ유쳔뎡이니 쥬싁을 ᄎᆞᆷ운들

(녀창17ㄴ:11) 빅년 슬기 쉬오랴

(녀창17ㄴ:12) 모란은 화즁왕 향일화는 츙신이로다 연화는 군ᄌᆞ요 힝화 소인니

(녀창18ㄱ:01) 라 국화는 은일ᄉ요 믹화 한ᄉ로다 박곳츤 노인이요 셕쥭화는

(녀창18ㄱ:02) 쇼년이라 규화 무당이요 히당화는 창녀로다 이 즁에 리화 시긱

(녀창18ㄱ:03) 이요 홍도 벽도 슴싁도는 풍류랑인가 ᄒ노라

(녀창18ㄱ:04) 쥬싁을 슴가ᄒ란 말이 녯ᄉ람에 경계로다 답쳥등고졀에 벗님네

(녀창18ㄱ:05) 다리고 시귀을 풀 젹에 만쥰향료를 아니 ᄎᆔ키 어려오며 려관한

(녀창18ㄱ:06) 을 듸ᄒᆞ여 독불면홀 제 졀듸가인만 ᄂ잇셔 아니 놀고 어이리

(녀창18ㄱ:07) 듸쳔 바다 한가운듸 즁침 셰침 풍뎡 ᄲᆞ져 여라문 ᄉ공놈이 넘운 ᄉ

(녀창18ㄱ:08)　　앗듸로 귀쎄여 닉단 말이 잇셔이다 님아 〃 〃 왼 놈이 빅
　　　　　　　　　말을 헐

(녀창18ㄱ:09)　　지라도 짐작ᄒ여 드르시쇼

(녀창18ㄱ:10) 슈박것치 두렷ᄒ 님아 참외것치 단 말슴 마쇼 가지 ᄒ시는 말
　　　　　　　　　슴 왼

(녀창18ㄱ:11)　　말인 줄 닉 몰닉라 구십월 쩌동아것치 쇽 셩긘 말 마로시쇼

(녀창18ㄱ:12) 화 작〃 범나뷔 빵〃 양류 쳥쳥 쇠고리 빵〃 날즘싱 길버러지
　　　　　　　　　다 빵

(녀창18ㄴ:01)　　빵이 노니ᄂ듸 우리도 졍든 님 다리고 빵 지어 놀녀 ᄒ노라

(녀창18ㄴ:02) 눈 풀〃 졉심홍이요 슐 충〃 의부빅을 거문고 당〃 노릭ᄒ니
　　　　　　　　　두룸

(녀창18ㄴ:03)　　이 둥〃 츔을 츈다 아희야 쇠문에 긔 즛즈니 벗 오신가 보ᄋ라

(녀창18ㄴ:04) 벽도화를 손의 들고 빅옥잔에 슐을 부어 우리 셩모게 비ᄂ 말
　　　　　　　　　슴 져

(녀창18ㄴ:05)　　벽도화 갓트쇼셔 숨쳔년에 곳이 퓌고 숨쳔년의 열믹 밋쳐
　　　　　　　　　곳도

(녀창18ㄴ:06)　　무진 열믹도 무딘 열믹도 무딘무딘 〃 〃 춘식이라 아마도
　　　　　　　　　요지

(녀창18ㄴ:07)　　왕모에 쳔〃슐을 셩모게 드리고져 ᄒ노라

(녀창18ㄴ:08)　　　계락 쌔진 것

(녀창18ㄴ:09) 이 몸이 죽거드란 뭇지 말고 즙푸뢰여 메여다가 듀쳔 웅텅이
　　　　　　　　　에 풍

(녀창18ㄴ:10)　　드룻쳐 둥〃 씌여 두고 평싱에 즑기던 슐을 장취불셩ᄒ리라

쌍주기연

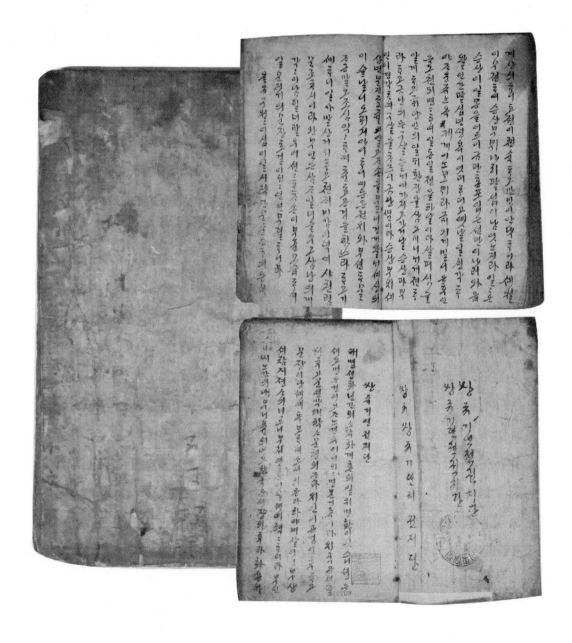

(쌍주01ㄱ:01)　　　쌍쥬기연 권지단

(쌍주01ㄱ:02) 대명 셩화년간의 소쥬 화계쵼의 일위 명환이 잇스니 셩은

(쌍주01ㄱ:03) 셔요 명은 경이요 ᄌᆞᄂᆞᆫ 경옥이니 딕딕 명문거족이라 위국공
　　　　　　셔달

(쌍주01ㄱ:04) 의 후요 문연각 태학ᄉ 문형의 ᄌᆞ라 위인이 공검인후ᄒᆞ고

(쌍주01ㄱ:05) 문장 당셰예 독보ᄒᆞ며 소연의 등과하야 벼살이 니부상

(쌍주01ㄱ:06) 셔 참지졍ᄉ의 니르니 부귀영춍이 일셰예 혁혁ᄒᆞ더라 부인

(쌍주01ㄱ:07) 니씨ᄂᆞᆫ 간의대부 니츈의 녀요 한국공 션장의 후라 화용월

(쌍주01ㄴ:01) 틱와 뇨죠쥭덕이 겸비ᄒᆞ나 슬하의 남녀간 일졈 혈육이 업

(쌍주01ㄴ:02) 셔 미양 슬허ᄒᆞ더니 일일은 흔 녀승 손의 육환장 집고 목의

(쌍주01ㄴ:03) 빅팔 념쥬을 걸고 늬당으로 드러와 쳥ᄒᆞ의 합장비례 왈 빈승

(쌍주01ㄴ:04) 은 틱원 망월ᄉ의 잇ᄂᆞᆫ 혜영이라 ᄒᆞᄂᆞᆫ 즁이옵더니 졀이 간ᄂᆞᆫ

(쌍주01ㄴ:05) ᄒᆞ와 븟쳐 풍우랄 피치 못ᄒᆞ와 ᄒᆞᄂᆞᆫ 고로 불원쳔이ᄒᆞ고

(쌍주01ㄴ:06) 공문 귀틱의 이려려 졀을 즁슈코ᄌᆞ 왓ᄂᆞ이다 ᄒᆞ거날 공과 부

(쌍주01ㄴ:07) 인이 보미 나히 반빅은 ᄒᆞ고 얼골이 빙셜 갓고 힝식범졀과

(쌍주01ㄴ:08) 틱도ᄂᆞᆫ 범즁과 다른지라 공이 왈 현ᄉ의 지셩은 가히 알지라

(쌍주02ㄱ:01) 누지예 쳔니을 발셥ᄒᆞ여 왓시니 엇지 아람답지 아니리요

(쌍주02ㄱ:02) 나ᄂᆞᆫ 본딕 집이 가ᄂᆞ치 아니ᄒᆞ나 ᄌᆞ식이 업ᄂᆞᆫ지라 우리 부뷔 싱

(쌍주02ㄱ:03) 젼의 젹션이ᄂᆞ ᄒᆞ고져 ᄒᆞᄂᆞ니 무삼 어려오미 잇스리오 시비을

(쌍주02ㄱ:04) 명ᄒᆞ여 황금 빅양과 취단 슈 삼십 필을 쥬니 그 녀승니 밧

(쌍주02ㄱ:05) 고 ᄉ례 왈 모랄 바ᄂᆞᆫ 쳔도라 이러ᄒᆞ신 인덕으로 엇지 무자ᄒᆞ시

(쌍주02ㄱ:06) 리요 빈승의 말삼이 오활ᄒᆞ오셔 가셰 존계 축원ᄒᆞ여 귀

(쌍주02ㄱ:07) ᄌᆞ랄 졈지케 ᄒᆞ리이다 ᄒᆞ니 공이 소활 불되 비록 영ᄒᆞ거잇와

(쌍주02ㄱ:08) 업ᄂᆞᆫ ᄌᆞ식을 엇지 졈지ᄒᆞ리오 부인 ᄯᅩ흔 고왈 놋나라 공부ᄌᆞ

(쌍주02ㄴ:01) ᄂᆞᆫ 니구산의 비러 나 계신니 지셩이면 감응ᄒᆞ미 잇ᄂᆞ니 현ᄉ
　　　　　　ᄂᆞᆫ 부

(쌍주02ㄴ:02) 쳐기 지셩으로 츅원ᄒ여 달나 ᄒ고 머리의 금츠를 쎅혀

(쌍주02ㄴ:03) 쥬고 쏘 빅능을 닉여 츅슈을 지어 주니 혜영이 바다 가지고 하

(쌍주02ㄴ:04) 직 왈 빈승 잇는 곳지 머오나 훌일 다시 빅알할가 ᄇ라ᄂ니

(쌍주02ㄴ:05) 만슈무강ᄒ쇼셔 ᄒ고 언필에 표연이 가더라 츠셜 샹셰 벼

(쌍주02ㄴ:06) 살이 ᄆ음의 업셔 표랄 올녀 벼살을 갈고 고향으로 갈ᄉᆡ

(쌍주02ㄴ:07) 약간 비복을 머무러 집을 직히오고 가고을 뫼시고 녀러 날 만

(쌍주02ㄴ:08) 의 고퇴의 일으러 공이 날마다 갈건야복으로 산의 올나 음

(쌍주03ㄱ:01) 폼영월ᄒ고 물의 림ᄒ여 고기 낙거 셰월을 보ᄂᆡ더니

(쌍주03ㄱ:02) 명연 츈삼월 기망의 샹셰 부인과 죵일 화류을 완샹ᄒ고

(쌍주03ㄱ:03) ᄂᆡ당으로 도라와 부인이 몸이 곤ᄒ여 침셕의 의지ᄒ엿더니

(쌍주03ㄱ:04) 홀년 일위 동지 공즁으로 나려와 졀ᄒ고 왈 소ᄌᆞ는 틱을셩

(쌍주03ㄱ:05) 이옵더니 샹졔긔 득죄ᄒ여 인간의 젹강할ᄉᆡ 의탁할 고

(쌍주03ㄱ:06) 지 업ᄉᆞᆸ더니 망월수 부쳬 이리로 지시ᄒᆞᆸ기 왓ᄉᆞ오니 어

(쌍주03ㄱ:07) 엿비 넉이소셔 이 구슬은 옥졔게 잇ᄂᆞ ᄌᆞ웅쥐라 암ᄌᆞᆺ 쓴 구
        슬은

(쌍주03ㄱ:08) 월궁션애 가지고 다른 집으로 가고 슈웅ᄾᆞ 쓴 구슬은 이리 왓ᄉᆞ

(쌍주03ㄴ:01) 오니 심심장시ᄒ엿다가 후일 가연은 일우소셔 ᄒ고 변ᄒ

(쌍주03ㄴ:02) 여 말 만ᄒ 별이 되여 부인 품속으로 드러오거날 부인이 놀

(쌍주03ㄴ:03) 나 소릭을 크계 ᄒ고 ᄭᅵ드르니 샹셰 역시 놀나 연고랄 무란
        ᄃᆡ 부

(쌍주03ㄴ:04) 인이 몽ᄉᆞ랄 갓초 고ᄒ니 공의 몽시 쏘 ᄒᆞᆫ가지라 홀년 방 즁

(쌍주03ㄴ:05) 의 명광이 조요ᄒ거날 술펴보니 그 구슬이 겻틱 노녓ᄂᆞ지라 공

(쌍주03ㄴ:06) 과 부인이 신기히 너겨 ᄌᆞ시 보니 몽즁의 션동이 쥬던 비라 공

(쌍주03ㄴ:07) 이 희불ᄌᆞ승ᄒ여 왈 우리 무ᄌᆞ함을 하날이 불샹이 너기ᄉᆞ 필

(쌍주03ㄴ:08) 연 귀ᄌᆞ랄 졈지ᄒᆞ시미로다 엇지 다힝치 아니리오 부인이 희

(쌍주04ㄱ:01) 동안식ᄒ여 그 구슬을 심쟝ᄒ엿더니 그 달부터 틱기 잇셔

(쌍주04ㄱ:02) 십삭이 추민 일일은 흔 줄 무지게 공즁으로부터 부인 침소의

(쌍주04ㄱ:03) 둘니며 부인이 일기 기남ㅈ을 나흐니 시비 황망이 상셔

(쌍주04ㄱ:04) 기 고흔디 상셰 급히 드러와 보니 부인 겻틔 흔 옥동ㅈ 누

(쌍주04ㄱ:05) 엇시니 봉목융쥰의 강산졍기 슈려ㅎ여 웅장흔 소리 비

(쌍주04ㄱ:06) 볌흔지라 만심환희ㅎ여 일홈을 쳔흥이라 ㅎ고 ㅈ랄 일

(쌍주04ㄱ:07) 션이라 ㅎ다 졈졈 ㅈ라민 옥골션풍이 부풍모십ㅎ여 천흥공

(쌍주04ㄱ:08) 문일지십ㅎ니 공의 부부 사랑ㅎ미 비할 디 업더라 광음이

(쌍주04ㄴ:01) 여류ㅎ여 쳔흥 공ㅈ 뉵셰 되민 빅가지 셔ㅅ랄 무불통지ㅎ고

(쌍주04ㄴ:02) 려역이 과인ㅎ니 너모 슉셩함을 공이 념여ㅎ더라 잇쩌의

(쌍주04ㄴ:03) ㅅ방니 틱평ㅎ민 빅셩이 격양가랄 부르더니 홀연 운남

(쌍주04ㄴ:04) 졀도시 표을 올녓거날 쳔지 문무졔신을 모흐시고 표랄

(쌍주04ㄴ:05) 뵈시이 남만이 반ㅎ여 운남을 침노흔다 ㅎ엿거날 쳔지

(쌍주04ㄴ:06) 딕경ㅎ샤 졔신의게 방칙을 무르실시 좌승상 유명이 쥬

(쌍주04ㄴ:07) 왈 남만은 왕화를 모라는 오랑키라 문무겸젼흔 샤름

(쌍주04ㄴ:08) 을 갈희여 ㅅ신으로 보닉ㅅ 남만을 니히로 달닉여 귀슌

(쌍주05ㄱ:01) 케 ㅎ고 만일 듯지 아니ㅎ거던 남방 근쳐 군ㅅ랄 발ㅎ여 졍

(쌍주05ㄱ:02) 별ㅎ소셔 ㅎ니 샹이 올히 너기샤 갈아ㅅ디 ㅅ신을 눌노 졍

(쌍주05ㄱ:03) ㅎ여 보닐고 유승상이 또 쥬왈 젼임 니부상셔 셔경이 퇴ㅅㅎ

(쌍주05ㄱ:04) 고 고향으로 갓ㅅ오나 이 샤름 곳 안이면 니 듕임을 당할 지 업

(쌍주05ㄱ:05) 숩나니다 샹니 씌ㄷ라 직시 ㅅ관을 소쥬로 보닉여 승일 상닉

(쌍주05ㄱ:06) ㅎ라 ㅎ시니라 잇쩌 셔상셰 외당의셔 공ㅈ로 더부러 학문을

(쌍주05ㄱ:07) 의논ㅎ더니 홀연 묘졍의셔 ㅅ관니 됴셔을 밧드러 옴을 듯고

(쌍주05ㄱ:08) 급히 관복을 졍졔ㅎ고 됴셔을 밧ㅈ와 보오니 갈왓사되

(쌍주05ㄴ:01) 짐이 경외 금옥 갓튼 의논관 화열흔 기상을 여려 히 보지 못

(쌍주05ㄴ:02) ㅎ니 현현흔 무음을 엇지 측양ㅎ리오 이졔 남만이 강셩ㅎ여

(쌍주05ㄴ:03) 남을 ㅈ로 침노ㅎ니 짐이 심히 민울흔지라 남만을 니히

(쌍주05ㄴ:04) 로 효유ᄒᆞ고져 ᄒᆞ야 특별이 경으로 ᄒᆞ여곰 남만 안무ᄉᆞ랄

(쌍주05ㄴ:05) 삼아 남만을 달ᄂᆡ고져 ᄒᆞ노니 쥬야 빈도ᄒᆞ라 ᄒᆞ엿더라

(쌍주05ㄴ:06) 상셰 됴셔을 독필의 대경ᄒᆞ야 ᄉᆞ관을 관디ᄒᆞ고 내당의 드

(쌍주05ㄴ:07) 러가 부인을 디ᄒᆞ여 이 말을 젼ᄒᆞ고 왈 이 길은 ᄉᆞ지라 싱환

(쌍주05ㄴ:08) ᄒᆞ기 엇지 바라리오 부인은 쳔흥을 잘 질너 셔씨 죵ᄉᆞ랄

(쌍주06ㄱ:01) 보젼ᄒᆞ계 ᄒᆞ소셔 일문 흥망이 부인과 쳔흥의게 잇스니 부듸 명

(쌍주06ㄱ:02) 심불망ᄒᆞ여 멀니 가는 ᄉᆞ람을 저바리지 마르소셔 부인

(쌍주06ㄱ:03) 니 톄읍 왈 신지 되여 난셰예 시셕을 무릅써 빅셩을 도탄

(쌍주06ㄱ:04) 의 건지고 일흠을 쥭빅의 드리오미 신즈의 직분이라 상

(쌍주06ㄱ:05) 공은 귀톄롤 보죵ᄒᆞ셔 슈이 환귀ᄒᆞ오시고 쳡의 모즈

(쌍주06ㄱ:06) 는 염녀 마르소셔 공이 공즈롤 어루만저 왈 너는 학문을

(쌍주06ㄱ:07) 힘써 아비 싱환ᄒᆞ기롤 기다리라 공지 톄읍 디왈 복은 디

(쌍주06ㄱ:08) 인은 쳔만 보즁ᄒᆞᄉ 소즈의 ᄇᆞ라는 바 마음을 위로ᄒᆞ소셔

(쌍주06ㄴ:01) 공이 황명이 밧부신지라 가묘의 ᄒᆡ직ᄒᆞ고 ᄉᆞ관을 더부러 발

(쌍주06ㄴ:02) 힝ᄒᆞ야 황셩의 이르러 예궐슉ᄉᆞᄒᆞ은디 셩이 갈아ᄉᆞ디

(쌍주06ㄴ:03) 지금 남만의 침범ᄒᆞ미 적지 아닌 근심이라 경은 쌀이 힝

(쌍주06ㄴ:04) ᄒᆞ여 경의 졍직튱호흔 말노 이혜롤 이르고 난방을 안

(쌍주06ㄴ:05) 무ᄒᆞ고 만일 남만니 슌죵치 아니ᄒᆞ거던 근쳐 군ᄉᆞ을 발하

(쌍주06ㄴ:06) 여 졍별ᄒᆞ라 ᄒᆞ시고 상방금을 쥬시니 상셰 하직ᄒᆞ고 쥬

(쌍주06ㄴ:07) 야 빈도ᄒᆞ여 운남지경의 이르니 졀도ᄉᆡ 연졉ᄒᆞ거날 상셰

(쌍주06ㄴ:08) 젹셰랄 무르니 졀도ᄉᆡ 왈 도젹의 셰 강셩ᄒᆞ여 디소 군현의 노

(쌍주07ㄱ:01) 략ᄒᆞ기랄 무란이 ᄒᆞ미 빅셩이 농ᄉᆞ랄 젼폐ᄒᆞ는지라 명공은

(쌍주06ㄱ:02) 엇지 방약을 ᄒᆞ시려 ᄒᆞ는니잇고 상셰 왈 복은 황명을 바다 남

(쌍주07ㄱ:03) 만의 더러가 효유ᄒᆞ라 ᄒᆞ시니 아모리커나 가셔 인의로 이라고

(쌍주07ㄱ:04) 져 ᄒᆞ노라 ᄒᆞ고 즉시 힝쟝을 ᄎᆞ려 남만국의 이르러 황명

(쌍주07ㄱ:05) 을 젼ᄒᆞ고 글을 보ᄂᆡ여 먼져 효유ᄒᆞ니 남만 왕이 군신을 모

(쌍주07ㄱ:06) 히고 글을 쪠여 보니 흐여시되 대명국 병부상셔 겸 남방 안

(쌍주07ㄱ:07) 무스 셔경은 만왕의계 글을 부치노라 대명이 쳔명을 밧

(쌍주07ㄱ:08) 드러 쳔하을 통일흐시민 스히지닌 막불지슌흐여 됴

(쌍주07ㄴ:01) 공치 아니리 업느니라 남만도 여러 대을 쳔됴랄 셤기민

(쌍주07ㄴ:02) 후디흐엿거날 왕은 엇지흐여 변방을 침노흐야 무죄흔

(쌍주07ㄴ:03) 빅셩을 무슈이 살히흐니 이는 인이 안니오 감격흔 황은

(쌍주07ㄴ:04) 을 져브리니 이는 의 안니오 쳔됴 은덕을 모라고 됴공을 폐하

(쌍주07ㄴ:05) 니 이는 신니 안니라 이 다삿 가지을 모라니 엇지 인뉴의 츔예

(쌍주07ㄴ:06) 흐리요 쳔지 인덕으로 졍별을 아니흐시고 날로 흐여곰 문

(쌍주07ㄴ:07) 죄흐라 흐시니 왕은 니히을 깁히 싱각흐라 흐엿더라 만

(쌍주07ㄴ:08) 왕이 남필 디로흐여 그 글을 더지고 셔공을 즈바 죽이야 흐

(쌍주08ㄱ:01) 거랄 졍승 곡신이 쥬왈 명직 스신을 보닉민 문무겸견흔

(쌍주08ㄱ:02) 인직을 보닉올지라 져을 불너 보고 동졍을 보은 후 죽

(쌍주08ㄱ:03) 이미 조흘가 흐느이다 왕이 가타 흐고 곡신으로셔 상셔을

(쌍주08ㄱ:04) 마즈오라 흐니 곡신니 나와 연접할식 상셔의 기상과 위

(쌍주08ㄱ:05) 풍이 늠늠흐믈 보고 ᄆᆞ음의 황겁흐느지라 곡신이 예필

(쌍주08ㄱ:06) 후 국왕의 말노 연접흐여 흔 가지 만국을 향흐여 셩즁

(쌍주08ㄱ:07) 의 니르니 만왕이 나와 맛지 아니흐니 디더르가 상셰 곡신

(쌍주08ㄱ:08) 을 쑤지져 왈 닉 황명을 밧드르거날 국왕이 맛지 아니흐니

(쌍주08ㄴ:01) 닉 드려가지 못흐리라 흐고 고금 스젹과 셩현 교훈과 국과 흥

(쌍주08ㄴ:02) 망셩쇠지스를 갓쵸 니르며 쑤짓고 입셩을 아니케날 곡신니

(쌍주08ㄴ:03) 만국지속이나 송빅 갓튼 졀기랄 엇지 번케흐리오 흐고 망왕

(쌍주08ㄴ:04) 의계 셔상셔의 언어 풍치의 말을 가초 고흔되 망왕이 희왈

(쌍주08ㄴ:05) 츠인을 잘 달닉여 귀슌흐여 아국 스룸을 만들면 나라의 복

(쌍주08ㄴ:06) 이 될 거시니오 만일 종시 듯지 아니면 죽이리라 다시 곡신을

(쌍주08ㄴ:07) 보닉여 왈 과인이 병드려 못 나온다 흐고 조흔 말노 달닉여 슌

(쌍주08ㄴ:08) 죵케 ᄒ라 흔딕 곡신이 즉시 관의 나와 만왕이 병드려 못 나

(쌍주09ㄱ:01) 온 말과 무슈흔 말노 달닉여도 죵시 듯지 아니ᄒ고 니셰예 당

(쌍주09ㄱ:02) 당흔 말노 ᄭ우지즈니 곡신니 이 ᄯᅳᆺ으로 낫낫치 왕의계 고ᄒ니 왕이 죵

(쌍주09ㄱ:03) 시 상셔의 인지을 흠탄ᄒ야 ᄎ마 죽일 마음이 업셔 미더 옥

(쌍주09ㄱ:04) 빅을 닉여 보닉여 요동커 ᄒ나 상셔 쇼불동념이라 왕이

(쌍주09ㄱ:05) 하릴업셔 죽기로 작정ᄒ미라 잇써 왕의 셰ᄌ 이스니 나

(쌍주09ㄱ:06) 히 십오셰라 위인이 춍명인후ᄒ여 글을 조하ᄒ고 어진 스

(쌍주09ㄱ:07) 룸을 보면 딕졉을 극진이 ᄒᄂᆫ지라 상셰의 풍치와 문장

(쌍주09ㄱ:08) 이 듕국의 독보ᄒ단 말을 듯고 흔 변 보기을 원ᄒ나 볼

(쌍주09ㄴ:01) 길이 엽ᄂᆫ지라 미복으로 관의 나어가 곡신을 보고 왈 닉 종

(쌍주09ㄴ:02) 젹을 감쵸고 공의 일가라 ᄒ고 상셰랄 보고져 ᄒ노라 곡신

(쌍주09ㄴ:03) 이 허락ᄒ고 셰ᄌ랄 다리고 상셔 인ᄂᆫ 딕 드러가 왈 ᄎ인은 복

(쌍주09ㄴ:04) 의 지친이라 명공기 흔 변 빅알흠을 원ᄒ기로 다려 왓ᄂᆞᆫ니다

(쌍주09ㄴ:05) 셰ᄌ 인ᄒ여 직빅 왈 쳔흔 아히 존공게 빅알ᄒ오니 당돌하

(쌍주09ㄴ:06) 물 용셔ᄒ소셔 공이 셰ᄌ랄 보니 용미 슈려ᄒ고 미구의

(쌍주09ㄴ:07) 쳔승군의 기상이 잇ᄂᆫ지라 괴히 너겨 왈 그딕 날 갓튼 샤룸을

(쌍주09ㄴ:08) 보아 무엇ᄒ려 ᄒᄂᆢ 셰지 왈 쇼ᄌᄂᆫ 곡승상의 일가웁더니

(쌍주10ㄱ:01) 쳔됴 대신의 존광을 승졉ᄒ와 희외의 뭇친 눈을 씻고 교

(쌍주10ㄱ:02) 훈을 듯ᄌ와 흉금을 열고져 ᄒ웁ᄂᆞ니 발키 가라치소셔

(쌍주10ㄱ:03) 공이 심즁의 혜오딕 이ᄂᆫ 반드시 만왕의 셰ᄌ로 날을 보미

(쌍주10ㄱ:04) 로다 ᄒ고 짐즉 더부러 말할시 셩현ᄉ젹과 치국평쳔하

(쌍주10ㄱ:05) ᄒᄂᆫ 일이며 고금 역딕 흥망셩쇠지ᄉ랄 갓쵸 말흔딕 시ᄌ 듯

(쌍주10ㄱ:06) 고 심즁의 흠앙ᄒ여 밤든 후의 하직ᄒ고 가니라 잇써 셰지

(쌍주10ㄱ:07) 상셔을 죽이란다 말을 듯고 대경ᄒ여 부왕긔 쥬왈 명사

(쌍주10ㄱ:08) ᄂᆫ 츙효군ᄉ오니 이 사람을 죽이면 후셰의 누명을 면

(쌍주10ㄴ:01) 치 못ᄒ리니 멸니 가두고 달니여 귀슌ᄒ계 ᄒ미 죠흘가

(쌍주10ㄴ:02) ᄒ나이다 왕니 올희 너겨 즉시 슈쳔 니 도즁의 우리안치

(쌍주10ㄴ:03) ᄒ니 상셰 할 일 업시 도즁으로 가니라 화셜 니부인이 공

(쌍주10ㄴ:04) 을 니별ᄒ 후 날노 조민ᄒ여 수이 환귀함을 축원

(쌍주10ㄴ:05) ᄒ여 셰월을 보닐ᄉᆡ 몽즁의 어든 구살을 닉여 금낭

(쌍주10ㄴ:06) 의 너허 공ᄌ을 치우고 몽즁 셜화을 ᄌ셰이 니러며

(쌍주10ㄴ:07) 왈 이거산 업ᄉᆡ지 못할 비오 타인의 안목의 뵈여야 암

(쌍주10ㄴ:08) ᄌ촛 쓴 구살 잇ᄂ 곳을 어더 알 거시니 착실니 간슈ᄒ라

(쌍주11ㄱ:01) ᄒ니 공지 슈명ᄒ니라 광음이 훌훌ᄒ여 명츈이 되엿

(쌍주11ㄱ:02) ᄂ지라 남방 기별을 본현의셔 젼ᄒᄂ 말을 드른 즉

(쌍주11ㄱ:03) 상셰 남만국 도즁의 갓쳣다 ᄒ거날 부인과 공지 하

(쌍주11ㄱ:04) 날을 부르지져 통곡ᄒᄂ지라 시비 등이 위로ᄒ여 계

(쌍주11ㄱ:05) 요 식음을 ᄒᄂ 미일 슬품을 이기지 못ᄒ더니 ᄯᅩ 쳔만의

(쌍주11ㄱ:06) 외예 남계현 셔산의 흔 무리 상도 잇셔 근읍을 다니면 분

(쌍주11ㄱ:07) 녀와 ᄌᆡ물을 노략ᄒ니 열읍이 기표ᄒ되 잡지 못ᄒᄂ

(쌍주11ㄱ:08) 지라 이 도젹들니 셔상셔 남만의 가치고 부인과 공ᄌ만 잇

(쌍주11ㄴ:01) 스며 은금보화 누거만이 잇ᄂ 줄 알고 노략할ᄉᆡ 밤즁의

(쌍주11ㄴ:02) 인가의 불을 노코 일시의 셔상셔 부즁의 드러와 비복

(쌍주11ㄴ:03) 을 다 동이고 창고을 다 열고 금빅을 이의로 슈탐ᄒ며 ᄯᅩ

(쌍주11ㄴ:04) 닉당의 더러와 작난ᄒ니 잇ᄯᅥ 부인과 공지 잠니 깁펏

(쌍주11ㄴ:05) 다가 불의지변을 당ᄒ여 딕경ᄒ야 어딕로 피코져 ᄒ더

(쌍주11ㄴ:06) 니 젹뉴의 두목 ᄋ아랑은 가장 탐식ᄒᄂ지라 화광 즁

(쌍주11ㄴ:07) 의 부인의 화용미틱을 얼풋 부고 불쥬지심을 닉여

(쌍주11ㄴ:08) 교ᄌ의 부인을 담고 급급히 다라나니 잇ᄯᅥ 공지 부인을

(쌍주12ㄱ:01) 잡고 노치 아니ᄒᄂ지라 부인이 교ᄌ의 실이여 창황망죠

(쌍주12ㄱ:02) 흔 즁의 ᄌᆞ결코져 ᄒ되 슈족을 동혓시니 엇지 임의

(쌍주12ㄱ:03) 로 흐리오 아우랑이 공주랄 후리쳐 업고 문 밧긔로 늬다라

(쌍주12ㄱ:04) 슈삼십 니 물가의 브리고 교주만 거느리고 제 집으로 가 나

(쌍주12ㄱ:05) 려 노코 제 계집을 불너 왈 이 부인을 츅실이 직히라

(쌍주12ㄱ:06) 늬 동뉴로 졉응흐여 슌치의 보늬고 오리라 흐고 나갈

(쌍주12ㄱ:07) 시 그 계집이 부인을 보니 진실노 경국지식이

(쌍주12ㄱ:08) 라 문왈 부인은 엇던 스룸이관딕 이 환을 당흐

(쌍주12ㄱ:09) 시니잇고 부인이 눈을 감고 답지 아니흐고 공주

(쌍주12ㄴ:01) 만 불으며 슬피 우난지라 그 계집이 싱각흐되 아우

(쌍주12ㄴ:02) 랑이 피련 취흐리니 취흔 후난 늬 신세 주년 헌

(쌍주12ㄴ:03) 신짝이 되리라 흐고 부인의 믠 거슬 풀고 왈 부

(쌍주12ㄴ:04) 인이 필경 욕을 당흘 거시니 날을 닷라오면

(쌍주12ㄴ:05) 젹환을 버셔나리이다 흐고 흔 가지 나아갈 길을 주세

(쌍주12ㄴ:06) 히 가랏치니 부인 무수히 치스흐고 밧비 힝흘식

(쌍주12ㄴ:07) 날이 식믜 발병니 나 촌보를 힝치 못흐고 길가

(쌍주12ㄴ:08) 수여 통곡흐더니 흔 여승이 합장비례 왈 이 엇

(쌍주13ㄱ:01) 지흔 이리요 셰스롤 블가칙이라 부인이 이곳 이딕

(쌍주13ㄱ:02) 지 곤경을 당흐시느잇가 부인이 주시이 보니 망월스 이

(쌍주13ㄱ:03) 는 혜연이라 반기며 통곡 왈 헌게 엇지 이고딕 와 죽어가

(쌍주13ㄱ:04) 는 스룸을 구흐시느잇가 혜영 왈 머지 아니딕 조용흔

(쌍주13ㄱ:05) 집이 잇스오니 그곳으로 가스이다 흐고 부인을 인도흐여 흔

(쌍주13ㄱ:06) 고들 가니 슈간 졍스 잇거날 드러가 좌졍 후 혜영 왈 연젼 부

(쌍주13ㄱ:07) 인계 시쥬흐여 가지고 졀을 즁수흐고 날노 부인 양위 싱스

(쌍주13ㄱ:08) 흐심을 지셩으로 츅원흐옵더니 모 일야의 셰존이 헌

(쌍주13ㄴ:01) 몽흐스 왈 명일 남계현 오십이을 가서 은벽흔 집

(쌍주13ㄴ:02) 을 어더두고 모일 호두의 기례 나아가 잇시면 셔상셔의 부

(쌍주13ㄴ:03) 인이 익환을 당흐여 갈 발을 아지 못흘 거시니 너 뫼서다

(쌍주13ㄴ:04) 가 면니 계시계 ᄒ라 ᄒ시기로 이고듸 기다리ᄋ건더니 분인

(쌍주13ㄴ:05) 만나오니 세존의 영ᄒ오심이 갓ᄉ오니이다 부인은 무슴

(쌍주13ㄴ:06) 연고로 이 갓흔 환난을 당ᄒ신잇가 부닌이 쳥필의

(쌍주13ㄴ:07) 붓처의 은덕을 감츅ᄒ고 신기이 너기며 ᄂᆞᄂ 다림

(쌍주13ㄴ:08) 이 아니라 상서 난만의 ᄉᆞ신 가시고 다만 공ᄌᆞ만 다리고 잇습더

(쌍주14ㄱ:01) 니 흉악흔 강도 무리 모월 모일 야의 달여드려 창고을

(쌍주14ㄱ:02) 열고 금빅을 모도 탈취ᄒ고 도젹 즁의 ᄋ랑니란 놈이 날

(쌍주14ㄱ:03) 을 다러다가 졔 집의 두고 공ᄌᆞᄂ 이 놈들이 엇다 ᄇ련ᄂ지 아

(쌍주14ㄱ:04) 지 못ᄒ오니 이 아니 답답ᄒ오니잇가 장삼이란 ᄉᆞ름이 곡식

(쌍주14ㄱ:05) 을 빅예 싯고 오다가 듯ᄉ오니 어듸셔 쳥아흔 우람소ᄅᆞ 나

(쌍주14ㄱ:06) 거날 괴이 너겨 불을 쎠 들고 보니 엇더흔 ᄋ힌 물가의

(쌍주14ㄱ:07) 셔 울거날 공ᄌᆞᄂ 엇더흔 ᄉᆞ람이관듸 이 혐노의 안져 우

(쌍주14ㄱ:08) ᄂ다 장삼을 보고 반겨 왈 나ᄂ 모졔 잇다가 도젹의계 불

(쌍주14ㄴ:01) 의지변을 당ᄒ여 이곳듸 왓나이다 흔듸 장삼이 본듸

(쌍주14ㄴ:02) 위인이 츙후ᄒ고 ᄯᅩ흔 ᄌᆞ식이 업ᄂᆞ지라 공ᄌᆞ랄 업고

(쌍주14ㄴ:03) 빅예 올나 죠흔 말노 위로ᄒ고 밥을 지ᄂ 후 왕상셔 듸의 곡식

(쌍주14ㄴ:04) 을 밧치고 공ᄌᆞ랄 다리고 졔 집으로 도라가 졔 노파 셕낭을 빅

(쌍주14ㄴ:05) 이니 셕낭이 ᄯᅩ흔 ᄋᆡ즁ᄒ며 위로ᄒ고 셩명과 거쥬을 무르나

(쌍주14ㄴ:06) 공지 왈 나ᄂ 쇼쥬 화계쵼 셔상셔의 자러니 부친은 년젼의

(쌍주14ㄴ:07) 남만국의 ᄉᆞ신 갓다가 잡피여 존망을 모라고 모친은 도

(쌍주14ㄴ:08) 젹의 불의지변을 만나 어듸 가 겨오신지 모라오니 ᄇ라건듸

(쌍주15ㄱ:01) 우리 모친 소식을 알어쥬소셔 장삼이 더옥 관듸로고 두

(쌍주15ㄱ:02) 루 광문ᄒ더라 각셜 왕상셔의 명은 셰니 듸듸 명문거죡

(쌍주15ㄱ:03) 이라 일즉 벼살이 우부도ᄋᆞᄉᆞ의 이르럿더니 불힝기셰ᄒ

(쌍주15ㄱ:04) 고 부인 뉴씨ᄂ 좌승상 뉴명의 미ᄌᆞ라 일즉 일녀랄 두엇시

(쌍주15ㄱ:05) 니 공ᄌᆞ의 명은 희평이오 ᄌᆞᄂ 문취라 옥모영풍이 당셰의

(쌍주15ㄱ:06) 영결이라 부인 우씨는 즁셔샹인 우영의 녀ᄌ오 명부상셔

(쌍주15ㄱ:07) 우겸의 손녀라 용모 귀덕이 겸비ᄒ고 쇼져의 명은 혜란

(쌍주15ㄱ:08) 이니 싱시의 공과 부인이 ᄒᆞᆫ 꿈을 어드니 ᄒᆞᆫ 션녀 공즁으로

(쌍주15ㄴ:01) 나려와 ᄌᆡ비 왈 쇼녀ᄂᆞᆫ 틱을셩을 위ᄒᆞ여 옥졔 명으로 셰

(쌍주15ㄴ:02) 상의 나ᇰ나이 이 구살은 ᄌᆞᆼ웅 잇ᄂᆞᆫ 거시라 슉응쏜 구살은 틱

(쌍주15ㄴ:03) 을셩이 가져시니 닉두의 이 구살노 쳔연을 츠지쇼셔 상졔 명
        ᄒᆞ신

(쌍주15ㄴ:04) 빅니 깁히 감초쇼셔 언필의 부인의 품의 드니 부인이 경

(쌍주15ㄴ:05) 각ᄒᆞ여 몽ᄉᆞ을 의논할ᄉᆡ 홀연 침변의 난딕 업ᄂᆞᆫ 명

(쌍주15ㄴ:06) 쥬 일기 노혓ᄂᆞᆫ딕 암ᄌᆞ쏜 쓴 것시여날 부인이 깁피 간슈

(쌍주15ㄴ:07) ᄒᆞ엿더니 그 달븟터 잉틱ᄒᆞ여 십삭 만의 쇼져랄 나히

(쌍주15ㄴ:08) 니 졈졈 ᄌᆞ라믹 화용옥틱가 진즛 경국지쇠이오 인효

(쌍주16ㄱ:01) 유한 임ᄉᆞ의 덕이 겸비ᄒᆞ니 공의 부뷔 장즁보옥갓치

(쌍주16ㄱ:02) 너기더라 가운이 불힝ᄒᆞ여 공이 림죵의 혜란을 잇지

(쌍주16ㄱ:03) 못ᄒᆞ야 졔 쳔연을 일치 말나 ᄒᆞ고 인ᄒᆞ여 졸ᄒᆞ니 부인

(쌍주16ㄱ:04) 과 공ᄌᆡ 호쳔망극ᄒᆞ여 삼상 후 공ᄌᆡ 날노 학문을 힘

(쌍주16ㄱ:05) 쓰고 쇼져의 방년이 칠셰라 쇠락ᄒᆞᆫ 요광이 날노 더ᄒᆞ니 부

(쌍주16ㄱ:06) 인이 심즁의 몽ᄉᆞ을 싱각ᄒᆞ고 슉응쏜 잇ᄂᆞᆫ 곳을 듯보더

(쌍주16ㄱ:07) 라 노창두 장삼은 공의 신임ᄒᆞ던 노ᄌᆡ라 공ᄌᆡ 당가ᄒᆞᆫ 후

(쌍주16ㄱ:08) 로 겻틱 집을 사셔 ᄯᆞ로 살졔 ᄒᆞ고 딕소ᄉᆞ랄 가음 알졔 ᄒᆞᄂᆞᆫ

(쌍주16ㄴ:01) 고로 잇써 비로 곡삭을 운젼ᄒᆞ여 왓더라 장삼이 공ᄌᆞ의

(쌍주16ㄴ:02) 못친 싱각ᄒᆞ믈 측연이 너겨 셕파의 오라비로 ᄒᆞ여곰

(쌍주16ㄴ:03) 소쥬현 화계쵼의 셔상셔 부즁을 츠져 쇼식을 탐지ᄒᆞᆫ

(쌍주16ㄴ:04) 즉 다만 노창두 잇셔 가묘만 직희고 부인의 쇼식을 모라ᄂᆞᆫ

(쌍주16ㄴ:05) 지라 도라와 뜻졀 젼ᄒᆞ니 공ᄌᆡ 더옥 슬혀ᄒᆞ더라 쳔흥 공

(쌍주16ㄴ:06) 지 장삼의계 잇션 지 일곱 ᄒᆡ라 글을 힘쓰며 활쏘기와 창쓰

(쌍주16ㄴ:07) 기을 익키며 뉵도삼약과 속오병시기랄 잠심ㅎ니 장삼이

(쌍주16ㄴ:08) 문왈 공ㅈ 무슨 일노 무예랄 힘 쓰느요 공ㅈ 체읍 왈 닉 부

(쌍주17ㄱ:01) 친이 남만의 갓친 지 팔년이라 힘을 다ㅎ여 남만을 소

(쌍주17ㄱ:02) 멸ㅎ고 부친의 원을 씨고 부ㅈ 상봉ㅎ리라 흔딕 장삼

(쌍주17ㄱ:03) 이 그 기상을 보고 비로소 비범흔 줄 아더라 잇쩌는 춘삼월

(쌍주17ㄱ:04) 이라 쳐쳐 도리화 만발ㅎ엿거날 셕패 공ㅈ을 위로 왈 우리 왕

(쌍주17ㄱ:05) 어스 되 후원의 꽃지경나 흐미 엇더ㅎ고 공ㅈ의 손을

(쌍주17ㄱ:06) 익글고 후원의 가 꽃칠 완상ㅎ더니 추시 뉴부인이 우소

(쌍주17ㄱ:07) 져와 우소져와 혜난소져와 시비 등을 다리고 영화정의

(쌍주17ㄱ:08) 올나 풍경을 귀경ㅎ다가 후원의 올나 보니 도화 아

(쌍주17ㄴ:01) 릭 일위 션동이 잇스니 용묘 포일ㅎ여 비록 나히 어리나 기

(쌍주17ㄴ:02) 상이 늠늠흔지라 이왕의 노복 등니 왕닉할졔 칭찬ㅎ물

(쌍주17ㄴ:03) 들럿던 비라 이날 셔공ㅈ랄 보믹 자탄ㅎ물 마지 아니ㅎ고

(쌍주17ㄴ:04) 심즁의 싱각ㅎ되 어딕 가 이 갓탄 가랑을 어더 녀ᄋ의 빅필을

(쌍주17ㄴ:05) 삼을고 ㅎ고 근심ㅎ더라 부인이 인ㅎ여 닉당의 도라와 싱

(쌍주17ㄴ:06) 을 불녀 왈 장삼의계 잇는 ᄋ히 비범ㅎ니 장삼을 불너

(쌍주17ㄴ:07) 그 ᄋ히 근본을 무러보라 흔딕 싱이 외당의 나가셔 장삼을

(쌍주17ㄴ:08) 불너 무러니 장심이 셔공ㅈ의 근본과 젼후ㅅ랄 ㅈ셰히 고

(쌍주18ㄱ:01) ㅎ니 싱이 듯고 딕경 왈 셔상셔는 션노야의 쥭마고지라 평일

(쌍주18ㄱ:02) 의 일키라시되 이 사름은 나라의 쥬셕지신이라 ㅎ시더니 년젼

(쌍주18ㄱ:03) 의 남만의 변을 당ㅎ엿다 ㅎ기로 비감함을 마지 아이엿더니

(쌍주18ㄱ:04) 쳔만의외예 그 부인과 공ㅈ 쏘 이련 변을 당ㅎ엿도다 ㅎ고
　　　　　　　　예 엇

(쌍주18ㄱ:05) 지 ㅎ여 이러흔 말을 즉시 아니ㅎ고 칠팔 년을 잠잠ㅎ엿던

(쌍주18ㄱ:06) 요 ㅎ고 닉당의 드러가 말을 고흔딕 부인이 니 말을 듯고 비감

(쌍주18ㄱ:07) 이 너거 왈 너는 셔싱을 불너 보고 졔 부모 상봉ㅎ기 젼은 너와

(쌍주18ㄱ:08) 혼가지 잇셔 학업을 힘 쓰계 ᄒ라 ᄒ니 싱니 슈명ᄒ고 장삼

(쌍주18ㄴ:01) 으로 공즈랄 쳥ᄒ니 공지 장삼을 ᄶ라 왕부의 와 왕싱으로

(쌍주18ㄴ:02) 예필 후 왕싱이 눈을 드러 보니 현앙흔 풍치와 늠늠흔 가상

(쌍주18ㄴ:03) 이 비범출유흔지라 장삼을 인ᄒ여 죤문 익회환란을

(쌍주18ㄴ:04) 드러니 모골이 송연흔지라 형이 지쳑 간의 여러 히 잇써

(쌍주18ㄴ:05) 도 젼희 모ᄅ시니 불민ᄒ믈 참괴ᄒ노라 공지 손ᄉ월

(쌍주18ㄴ:06) 싱이 죄약이 심즁ᄒ여 부모룰 칠셰여 샹이ᄒ고

(쌍주18ㄴ:07) 부평 갓 몸이 구학의 구을 거슬 노영을 만나 은혜을

(쌍주18ㄴ:08) 입ᄉ와 칠팔 연을 편이 ᄉ오니 박복흔 인싱이 과보

(쌍주19ㄱ:01) ᄒ거날 오날 ᄯ 선싱을 만나 이갓치 관곡후디ᄒ심을 입

(쌍주19ㄱ:02) 으로요 불승항감ᄒ여이다 왕슝 왈 소제 명은 희평이요

(쌍주19ㄱ:03) 즈는 문취요 연셰는 십팔이라 형의 존명이 무어시니잇가 공

(쌍주19ㄱ:04) 즈 디왈 싱이 명은 쳔흥이요 즈는 일선이요 나히 십ᄉ 서로소

(쌍주19ㄱ:05) 이다 왕싱이 장삼다려 왈 오날부터 서공즈 너 부즁에 머무시

(쌍주19ㄱ:06) ᄂ니 너는 그리 알나 흔디 장삼이 공즈의게 고룰 우리 부처 일

(쌍주19ㄱ:07) 시 써나기 어려오나 집이 머지 아니ᄒ니 삽시로 뵈올지라 ᄯ
　　　　　이고

(쌍주19ㄱ:08) 디 유ᄒ시면 학업의 유익ᄒ시리니 편이 머무소서 ᄯ 왕싱

(쌍주19ㄴ:01) 이 지삼 권ᄒ니 이날부터 왕싱과 혼 가지로 학문을 의논ᄒ면

(쌍주19ㄴ:02) 졍의 골육 갓더라 광음이 이 연후ᄒ여 ᄯ 슘연이 지ᄂ니 서싱
　　　　　이 부

(쌍주19ㄴ:03) 부모 싱각이 더옥 간졀ᄒ여 발셥ᄒ여 부모을 츠즈려 ᄒ

(쌍주19ㄴ:04) 거날 왕싱이 말ᄒ여 왈 형은 다만 공부을 힘써 입신ᄒ면 즈

(쌍주19ㄴ:05) 연 알 거시니 엇지 지행 업시 셰월을 허송ᄒ리요 권유ᄒ여 못

(쌍주19ㄴ:06) ᄒ게 흠을 인ᄒ여 잇더라 잇쩌 공즈의 구슬 너흔 금낭이 허여전

(쌍주19ㄴ:07) ᄂ지라 석파을 보고 금낭을 쥬며 이갓치 여 달나 ᄒ니 석픽 왈

(쌍주19ㄴ:08) 이거슨 지어 무엇ᄒ시라 ᄒᄂ 싱이 낙누ᄒ고 구슬 본 스를 말

(쌍주20ㄱ:01) ᄒ니 셕픠 쏘ᄒ 왕쇼져의 구살일을 아ᄂ지라 경 왈 그 구

(쌍주20ㄱ:02) 살을 조곰 지경ᄒ스니다 싱이 구살을 늬여 보니 이 명광

(쌍주20ㄱ:03) 이 쳔연ᄒ고 웅쯔 완연ᄒ겨날 인ᄒ여 가지고 늬당의 드러가 부

(쌍주20ㄱ:04) 인게 이 곡졀을 고ᄒ니 잇쩍 부인이 소져의 나히 졈졈 장셩

(쌍주20ㄱ:05) ᄒ고 구살 인ᄂ 곳졀 몰나 쥬야 우러ᄒ던 츠의 셕픠의

(쌍주20ㄱ:06) 말을 듯고 경희ᄒ여 바다보니 웅쯔 쏘 완연이 잇고 소져의

(쌍주20ㄱ:07) 구살과 신통이 갓튼지라 부인이 왕싱을 불너 이 연유을

(쌍주20ㄱ:08) 일으니 왕싱이 보고 무장듸소 왈 엇지 이 갓튼 신통ᄒ 일이

(쌍주20ㄴ:01) 고금의 쏘 잇스리잇갓 부인이 만심회환 왈 이 구살 ᄌ

(쌍주20ㄴ:02) 웅을 가지고 싱을 듸ᄒ여 이 말을 이르고 졍혼ᄒ여 슈이

(쌍주20ㄴ:03) 셩예ᄒ계 ᄒ라 싱이 ᄌ웅쥬랄 가지고 외당의 나아가 셔싱

(쌍주20ㄴ:04) 을 향ᄒ여 왈 이 이리 만일 ᄌ쯔 쓴 구살이 이스면 그곳듸

(쌍주20ㄴ:05) 졍혼ᄒ랴 ᄒᄂ야 싱이 엇지ᄒ 곡졀을 모라 고소 왈 형

(쌍주20ㄴ:06) 은 과히 조롱 말나 소졔도 혀랑ᄒ 일인 줄 아되 부뫼 쥬

(쌍주20ㄴ:07) 신 비라 바리지 못할 거신 고로 몸의 진거 두엇더니 너흔

(쌍주20ㄴ:08) 금낭이 허여졋기로 셕파다러 곳쳐 달나 ᄒ엿더니 실업

(쌍주21ㄱ:01) 산 셕픠 젼파ᄒ여 형의계 조롱 바드미로다 왕싱이 구살

(쌍주21ㄱ:02) ᄌ웅을 늬여 노코 왈 다람이 아니라 쇼졔의계 일믜 잇시믜

(쌍주21ㄱ:03) 나흐 십오셰라 싱시의 몽셰 이상ᄒ여 암ᄌ쯔 쓴 구살을

(쌍주21ㄱ:04) 엇더기로 지금갓지 웅ᄌ 인ᄂ 고졀 구ᄒ기로 셩혼치 못

(쌍주21ㄱ:05) ᄒ엿더니 뉘 넝히 형의계 이 구살 이실 줄 아랏시리오

(쌍주21ㄱ:06) 소믜 비록 빅혼 거시 업스나 위인이 영혜ᄒ여 군ᄌ의

(쌍주21ㄱ:07) 건지을 조히 담당할 겨시이 형은 쾌히 혀ᄒ라 셔싱니

(쌍주21ㄱ:08) 쏘흔 신기이 너거 사릐 왈 형의 은혜랄 여러 히 입어고

(쌍주21ㄴ:01) 쏘 아람다온 슉여오 용우ᄒ 스람의계 빅필을 졍ᄒ여

(쌍주21ㄴ:02) 진진지의을 미고져 ㅎ시이 엇지 스양ㅎ리요마는 소졔

(쌍주21ㄴ:03) 난 쳔지간 죄인이라 부모의 존망을 모라고 다만 실가

(쌍주21ㄴ:04) 지낙을 싱각ㅎ리고 구살른 소져 또흔 부모계 쉬명

(쌍주21ㄴ:05) 흔 비라 신기ㅎ오나 부모 소식 듯기 젼은 실가을 아

(쌍주21ㄴ:06) 니 두리이 형은 닷시 마을 마라소셔 왕싱이 왈 형

(쌍주21ㄴ:07) 의 마리 그러나 영존당 소식을 모라니 시글 인즌의 극

(쌍주21ㄴ:08) 통ㅎ이리나 형의 취실 안이ㅎ면 뉘 디종스랄 엇지

(쌍주22ㄱ:01) ㅎ리요 맛당이 밧비 셩취흔 후 부모 소식을 듯보미 올

(쌍주22ㄱ:02) 코 쏘 조션의 죄인 되멸 면할 거시니 지삼 싱각ㅎ라 셔싱

(쌍주22ㄱ:03) 왈 형의 당당흔 말삼이 올허니 명듸로 ㅎ러이와 아직

(쌍주22ㄱ:04) 영미의 연기 고인의 가취할 씩 머르시니 소졔의 입신ㅎ

(쌍주22ㄱ:05) 기를 기다러 졍혼ㅎ미 조흘가 ㅎ노라 왕싱이 디히ㅎ

(쌍주22ㄱ:06) ㅎ여 닉당의 드러가 대부인계 이 쎠졀 고흔듸 부인이 만심

(쌍주22ㄱ:07) 환히ㅎ더라 잇써 쳔지 남만의 셔경을 가둔 후 십연

(쌍주22ㄱ:08) 을 무상 왕늬ㅎ여 번방 침노ㅎ미 심함을 근심ㅎ스 과

(쌍주22ㄴ:01) 겨을 베푸러 문무검젼지지을 퇴취흔다 ㅎ거날 왕

(쌍주22ㄴ:02) 싱이 이 소식을 듯고 셔싱과 함계 과힝을 츠러 장삼을

(쌍주22ㄴ:03) 다리고 누일 만의 황셩의 득달ㅎ여 왕어스 부즁의

(쌍주22ㄴ:04) 가 안졍ㅎ고 셔싱이 장삼을 다리고 예집을 츠져 가이 문

(쌍주22ㄴ:05) 회 황낙ㅎ여는지라 다만 널근 비복 잇셔 맛겨날 싱이

(쌍주22ㄴ:06) 즈셰흔 마를 이러니 비복들이 그졔야 알고 서로 싱

(쌍주22ㄴ:07) 을 붓들고 실퍼 통곡ㅎ믈 마지 아이ㅎ더라 과일을

(쌍주22ㄴ:08) 당ㅎ미 왕셔 양싱이 장즁의 드러가 보이 동이는 문

(쌍주23ㄱ:01) 을 빗셜ㅎ 엿기날 고 서의는 무리을 빗셜ㅎ엿거날 서싱

(쌍주23ㄱ:02) 이 선장 글을 밧치고 문장으로 행ㅎ여 과구롤 무란

(쌍주23ㄱ:03) 즉 빅 근으로부터 칠십 근 무계 가복과 팔십 근으로 오

(쌍주23ㄱ:04) 십 근 무게 철퇴 가지고 삼빅롤 여러 번 왕늬ᄒ고 삼

(쌍주23ㄱ:05) 지창을 시의 활솔 서듸여 숨지롤 맛치거날 유도숨

(쌍주23ㄱ:06) 약을 달통ᄒ면 춤방ᄒ게 ᄒ엿거을 싱 즁의 넝소

(쌍주23ㄱ:07) ᄒ고 드러가 힘물 달여 과규에 오히려 지나니 좌우 관광직

(쌍주23ㄱ:08) 막불칭찬ᄒ더라 쳔지 보시고 대희ᄒ시더니 ᄯ오 문시관이 글 한

(쌍주23ㄴ:01) 장을 드리거날 상이 보시고 졔신을 도라보샤 왈 이러ᄒ 문장

(쌍주23ㄴ:02) 은 당금 졔일이라 옛날 니두라도 이여셔 지느지 못ᄒ리로다

(쌍주23ㄴ:03) ᄒ시고 피봉을 쩌여 보시니 쇼쥬인 셔쳔흥이 년이 십칠이

(쌍주23ㄴ:04) 오 부는 젼임 병부상셔 퇴후ᄉ 남방 안무ᄉ 경이라 쳔ᄌ와 졔

(쌍주23ㄴ:05) 신이 면면상고 왈 셔경의 아달 이러탓 ᄒ도다 ᄒ고 호명을 놉

(쌍주23ㄴ:06) 피 ᄒ듸 셔싱이 문장으로 드리오니 졔신이 보미 무장의셔 졔

(쌍주23ㄴ:07) 일노 칭찬ᄒ던 사롬이라 뉘 놀나지 아니 리 업더라 상이 갓갓

(쌍주23ㄴ:08) 이 보시니 기상이 늠늠흔 영웅호걸이라 상이 갈으ᄉ듸 셔경

(쌍주24ㄱ:01) 이 남만의 간 지 십여 년이라 ᄉ싱존망을 모라미 쥬야로 그
　　　　　　　충셩

(쌍주24ㄱ:02) 을 탄복ᄒ더니 오날 그 ᄋ달이 문무과 장원을 ᄒ니 이ᄂ ᄒ날

(쌍주24ㄱ:03) 이 짐으로 ᄒ여곰 이련 인지을 어더 남만을 쇼멸케 ᄒ시미로

(쌍주24ㄱ:04) 다 ᄒ시고 ᄯ오 방을 부르니 퇴쥬인 왕희평의 년이 이십이오 부

(쌍주24ㄱ:05) ᄂ 우부 도어ᄉ 션이라 상이 ᄯ오흔 깃거ᄒ샤 왕션의 아직 이 갓

(쌍주24ㄱ:06) 타니 엇지 아람답지 아니리오 ᄒ시고 셔쳔흥으로 한임후ᄉ

(쌍주24ㄱ:07) 어림도위랄 ᄒ이시고 왕희평으로 한림학ᄉ랄 ᄒ이시니

(쌍주24ㄱ:08) 양인이 싱은을 츅샤ᄒ고 나와 왕한임은 삼일유가ᄒ고

(쌍주24ㄴ:01) 셔도위ᄂ 고퇴의 가 쥬야로 엄면 쳬읍ᄒ니 장삼과 비복들

(쌍주24ㄴ:02) 이 만단긔유ᄒ여 위로ᄒ더라 삼일 후 양인이 찰직흔 후

(쌍주24ㄴ:03) 후 각각 표을 올여 쇼분을 쳥ᄒ고 셔로 길을 난화 가이라 왕

(쌍주24ㄴ:04) 흔님은 퇴쥬로 향ᄒ고 셔도위ᄂ 쇼쥬의 니르러 고퇴을 추져

(쌍주24ㄴ:05) 분교의 비알ᄒ고 일장통곡을 마지 아니ᄒ더라 여러 날 며

(쌍주24ㄴ:06) 무러 부인 거쳐을 날노 탐지ᄒ되 종시 소식이 모연ᄒ지라

(쌍주24ㄴ:07) 슈유당 한ᄒᄆᆡ 가묘을 뫼시고 상경ᄒ여 예궐슉ᄉᄒ고 집

(쌍주24ㄴ:08) 의 도라가 부모랄 싱각ᄒ고 쳬읍으로 지ᄂᆡ더라 오릭지 아니ᄒ

(쌍주25ㄱ:01) 여 왕할님 일힝이 무고상경ᄒ니 항시 왕부의 나아가 할님을

(쌍주25ㄱ:02) 보고 시비랄 불너 듸부인긔 문후ᄒ니 듸부인이 ᄯᅩᄒᆫ 학시의

(쌍주25ㄱ:03) 입신ᄒᄆᆞᆯ 못ᄂᆡ 일갓더라 화셜 쳔지 삼ᄌᆞ을 두어시니 틱

(쌍주25ㄱ:04) ᄌᆞ와 됴왕은 황후 낭낭의 탄싱ᄒ신 비오 계왕은 귀비 위씨

(쌍주25ㄱ:05) 소싱이라 귀비ᄂᆞᆫ 샹셔 위영의 ᄆᆡᄌᆞ라 져왕의 위인이 호식

(쌍주25ㄱ:06) 방탕ᄒ여 날마다 쥬식으로 셰월을 보ᄂᆡ고 민간 미식을 구

(쌍주25ㄱ:07) ᄒᄂᆞᆫ지라 왕비 병드러 풍ᄒ니 왕이 ᄌᆡ취랄 구ᄒ되 경국지

(쌍주25ㄱ:08) 식을 취코져 ᄒ더니 왕의 우낭 졍파ᄂᆞᆫ 뉴승상 비ᄌᆞ와 형제라

(쌍주25ㄴ:01) 뉴낭이 제 형을 보러 갓다가 왕쇼져을 보고 도라와 왕계 고ᄒ니

(쌍주25ㄴ:02) 왕이 딕희ᄒ여 일계랄 싱각ᄒ고 유랑다러 뉴승상 부즁의 가

(쌍주25ㄴ:03) 졍파랄 불너 오라 ᄒ여 금빅을 만이 쥬고 왈 ᄂᆡ 왕쇼져랄

(쌍주25ㄴ:04) 보고 졍혼코져 ᄒ나이 너ᄂᆞᆫ 나을 다리고 네 일가라 ᄒ고 왕쇼

(쌍주25ㄴ:05) 져랄 보계 ᄒ라 졍파 응낙ᄒ거날 왕이 즉시 녀복으로 졍

(쌍주25ㄴ:06) 파랄 ᄯᅡ러 뉴부의 가 왕쇼져을 보ᄆᆡ 졍신이 황홀ᄒ야

(쌍주25ㄴ:07) 여광여취ᄒᄂᆞᆫ지라 도라와 귀비의계 왕쇼져의 ᄌᆞ식을

(쌍주25ㄴ:08) 고ᄒ니 귀비 위상셔랄 쳥ᄒ여 뉴부의 가 통혼ᄒ니 뉴공

(쌍주26ㄱ:01) 도 셔학ᄉ와 졍혼ᄒᆫ 쥴 아ᄂᆞᆫ지라 이 ᄯᅳᆺ절 갓초 니르니 위상

(쌍주26ㄱ:02) 셔 도라와 귀비의계 고ᄒᆫ되 왕이 ᄯᅩᄒᆫ 듯고 귀비의계 고왈 쇼

(쌍주26ㄱ:03) 지 왕쇼져 곳 아니면 다시 ᄌᆡ취치 아니리니 모친은 황긔 고ᄒ

　　　고 사혼

(쌍주26ㄱ:04) ᄒ계 ᄒ소셔 귀비 입궐ᄒ야 쳔ᄌᆞ긔 쥬달ᄒᆫ되 쳔지 희평을 명

(쌍주26ㄱ:05) 초ᄒ샤 갈오샤되 졔왕이 상비ᄒ엿더니 경의 ᄆᆡᄌᆞ 현슉ᄒ니 왕

(쌍주26ㄱ:06) 비로 정혼ᄒᆞ노라 할임이 쥬왈 신미년 젼의 할님학ᄉ 셔쳔

(쌍주26ㄱ:07) 흥과 정혼ᄒᆞᆸ기는 이상흔 일노 말미아ᄋᆞᆷ나이다 ᄒᆞ고 젼후

(쌍주26ㄱ:08) ᄉᆞ랄 낫낫치 알윈디 상이 신기이 너기샤 갈오샤디 이는 쳔고

　　　　 의 업

(쌍주26ㄴ:01) 는 일이로다 그러ᄒᆞ면 엇지 잇쩌가지 셩혼을 아니ᄒᆞ엿ᄂᆞ요 디

(쌍주26ㄴ:02) 왈 셔쳔흥이 부모 소식을 아은 후 셩예ᄒᆞᄂᆞ이다 상이 왈 불년

(쌍주26ㄴ:03) ᄒᆞ다 졔 부모 소식을 십연 후 알지 못ᄒᆞ면 엇지ᄒᆞ리요 짐

(쌍주26ㄴ:04) 이 권ᄒᆞ리라 ᄒᆞ시고 셔학ᄉ랄 픠초ᄒᆞ샤 일졀을 무시니 왕

(쌍주26ㄴ:05) 할님의 쥬달흔 말과 갓튼지라 상이 학ᄉ다러 왈 군부

(쌍주26ㄴ:06) 일쳬라 짐이 쥬혼ᄒᆞᄂᆞ니 속히 셩혼ᄒᆞ라 ᄒᆞ시고 혼슈

(쌍주26ㄴ:07) 랄 샤송ᄒᆞ시니 할님이 슈명이퇴ᄒᆞ여 불일셩예

(쌍주26ㄴ:08) ᄒᆞ미 신낭의 늠늠흔 풍칙와 신부의 요됴흔 디도 뉘 아니

(쌍주27ㄱ:01) 충찬ᄒᆞ리오 왕쇼져 셔부의 쳐ᄒᆞ야 가ᄉ랄 다사릴시 싀 비복을

(쌍주27ㄱ:02) 부리되 은위병힝ᄒᆞ며 학ᄉ로 더부러 금슬 종고지낙과 임

(쌍주27ㄱ:03) ᄉ지덕이 겸비ᄒᆞ엿더라 초셜 쳔지 할님 왕희평으로 양쥬

(쌍주27ㄱ:04) ᄌ랄 특졔ᄒᆞ시고 왈 양쥬 어러 히 흥년의 도젹이 쳐쳐의 일

(쌍주27ㄱ:05) 고 민폐 만타 하니 경니 가셔 안무ᄒᆞ라 ᄒᆞ신디 할님이 ᄉ은ᄒᆞ고

(쌍주27ㄱ:06) 도라와 치힝할시 디부인을 뫼시고 발힝ᄒᆞ니라 초셜 남만

(쌍주27ㄱ:07) 이 졈졈 강셩ᄒᆞ여 ᄯᅩ 남방 칠읍을 항복 밧드니 군현이 망풍

(쌍주27ㄱ:08) 풍 도망ᄒᆞᄂᆞᆫ지라 운남 졀도ᄉᆡ 급피 포을 올이거날 쳔지 디

(쌍주27ㄴ:01) 경ᄒᆞ사 문무 졔신을 모르시고 의논ᄒᆞ실시 홀연 반부즁으

(쌍주27ㄴ:02) 으로 일위 쇼년이 출반 쥬왈 쇼신이 년소ᄒᆞ오나 일즉 병셔

(쌍주27ㄴ:03) 와 장약을 아ᄋᆞᆸ나이 일지병을 쥬ᄋᆞᆸ시면 남만을 쇼멸ᄒᆞ

(쌍주27ㄴ:04) 여 우흐로 폐하의 근심을 덜고 아릭로 신부을 ᄉ지의 구ᄒᆞ여

(쌍주27ㄴ:05) 부ᄌ 상봉할가 ᄒᆞᄋᆞᆸ나이 엇지 조고만흔 남만을 기탄ᄒᆞ오니

(쌍주27ㄴ:06) 리잇가 쥬파의 보니 이는 할님학ᄉ 어림도위 셔쳔흥이라 쳔

(쌍주27ㄴ:07) 지 디희호샤 졔신을 도라보아 갈아사디 셔쳔흥의 지조는

(쌍주27ㄴ:08) 짐이 임의 본 빅라 또 아비을 구코져 호니 졔 힘을 당할지라

(쌍주28ㄱ:01) 호시고 쳔흥을 빅호야 병부상셔 디스마 디도독 평만 디원슈를

(쌍주28ㄱ:02) 호이시고 졍병 스만과 명장 쳔여 원을 쥬시고 지후스 님총으

로 부

(쌍주28ㄱ:03) 원슈를 삼고 츌졍호라 호시니 원쉬 스은호고 교장의 나아가

(쌍주28ㄱ:04) 졔장의 군례을 바든 후 각각 소임을 졍호고 집의 도라와 쇼

(쌍주28ㄱ:05) 져을 디호여 츌쳔호물 니르고 왈 이는 니가 칠시붓터 원

(쌍주28ㄱ:06) 호던 빅라 오날이야 쇼원을 맛치이 죽어도 한이 업슬지라 부

(쌍주28ㄱ:07) 인은 비복을 거느러 셕파 부쳐랄 의지호여 니가 싱환호기랄 기

(쌍주28ㄱ:08) 다리쇼셔 소져 이 말을 듯고 디경실식호여 심회을 졍치 못

(쌍주28ㄴ:01) 호는 즁 원슈의 비회을 덜계 호여 디왈 출장입상은 디장부

(쌍주28ㄴ:02) 의 쾌스라 군즈의 츠힝이 우흐로 님군을 위호고 아리로 존구

(쌍주28ㄴ:03) 을 구호시리니 무슨 비창호시미 잇스며 또 엇지 쳐즈랄 권염하

(쌍주28ㄴ:04) 시리오 쳡이 비록 용우호오나 가스랄 살피오리니 군즈는 쳔만

(쌍주28ㄴ:05) 보즁호스 존구랄 상봉호여 쳘쳔지흔을 푸오시고 개가을

(쌍주28ㄴ:06) 불너 수이 환귀호소셔 원수 왈 요스이 부인의 면모의 쳬기

(쌍주28ㄴ:07) 심호오니 무슨 환약이 잇슬가 호느니 부디 조심호소셔 복

(쌍주28ㄴ:08) 이 비록 아는 거시 업스나 젹이 화복길흉을 짐작호나니

(쌍주29ㄱ:01) 쉬이 알오시지 말오쇼셔 쇼졔 다만 유유호더라 원슈 즉시 예

(쌍주29ㄱ:02) 궐호직호고 발힝호여 날포 만의 운남의 니르니 졀도식 군

(쌍주29ㄱ:03) 예로 현알호거날 도젹의 형셰랄 뭇고 또 셔상셔의 소식을

(쌍주29ㄱ:04) 무른 즉 졀도식 왈 도쳥도셜호와 진젹을 즈시 모라느니

(쌍주29ㄱ:05) 다 호거날 원쉬 군듕의 하영호야 남만 두취흔디 하치호

(쌍주29ㄱ:06) 고 격셔을 젼호니 호엿시되 디명 병부상셔 평만 디원슈

(쌍주29ㄱ:07) 셕공은 남만왕의계 젹셔랄 젼호노라 너의드리 쳔즈을 빅

(쌍주29ㄱ:08) 반호여 변방을 침노호며 천샤을 가두고 싱영을 살히호여

(쌍주29ㄴ:01) 방ᄌ이 웅거호니 엇지 천슈을 면호리오 너히ᄂᆞ 쌜이 항복하

(쌍주29ㄴ:02) 여 명을 보젼호라 호엿더라 만왕이 보고 ᄃᆡ로호여 ᄌ웅을

(쌍주29ㄴ:03) 결단코져 호거날 원슈 쪼흔 졔장을 약속호고 ᄃᆡ진호ᄆᆡ

(쌍주29ㄴ:04) 만왕이 진문을 열고 졔장을 거ᄂᆞ러 졍창츌마호여 무예랄

(쌍주29ㄴ:05) 비양호며 명지을 바라보니 진문을 열인 곳의 일위 소연 ᄃᆡ

(쌍주29ㄴ:06) 장이 머리의 황금 투구랄 쓰고 몸의 엄신갑을 입고 쳔이 ᄃᆡ

(쌍주29ㄴ:07) 완마을 타고 상방금을 빗기 더러시니 얼골이 빅옥 갓고 형용

(쌍주29ㄴ:08) 이 츈풍화려호여 염슉흔 기상이 퇴산 갓고 악이 셔니의 놉흔

(쌍주30ㄱ:01) 듯ᄒ니 진짓 영웅이라 만왕이 ᄃᆡ경 왈 명국 인진 만토다 셔경과

(쌍주30ㄱ:02) 비호면 빅승흔 ᄉᆞ룸이라 호며 심중의 ᄌ겸이 잇스되 ᄃᆡ담으
　　　　　　로 원

(쌍주30ㄱ:03) 슈를 향호여 왈 명국의 ᄉᆞ룸 업스물 가히 알지라 그ᄃᆡ로 빅면

(쌍주30ㄱ:04) 셔싱 어린 ᄋ히로 삼군ᄃᆡ장을 삼아 보ᄂᆞ니 그ᄃᆡ 무슨 지죠 잇
　　　　　　ᄂ요

(쌍주30ㄱ:05) 원쉬 줄왈 ᄂᆡ 비록 나히 어리나 너의 씨랄 남기지 말고 소탕
　　　　　　호여

(쌍주30ㄱ:06) 멸호리라 호고 즉시 좌선봉 쥬영과 우선봉 여ᄌ츈을 츌젼

(쌍주30ㄱ:07) 호라 호니 양장이 츌마호여 바로 만왕을 취호니 만장선봉 강달

(쌍주30ㄱ:08) 과 우의장 길협이 ᄂᆡ달ᄂ 셔로 삼십여 합을 ᄊᆞ와ᄃᆡ 불분승비

(쌍주30ㄴ:01) 리니 쥬영 창을 ᄇᆞ리고 다만 쳘퇴만 ᄂᆞ만ᄂ지라 길협이 창 업
　　　　　　스물

(쌍주30ㄴ:02) 물 ᄇ라보고 달여 들거날 쥬영이 쳘퇴로 길협을 치니 마하의

(쌍주30ㄴ:03) 나러지거날 쥬영이 협을 싱금호여 본지의 밧치니 원쉬 협 창

(쌍주30ㄴ:04) 하의 꿀이고 왈 ᄂᆡ 뭇ᄂ 말을 진졍으로 고호면 네 목숨을 살

(쌍주30ㄴ:05) 니런이와 일호 기망호면 참호리니 쳔조 ᄉᆞ신 셔공의 어ᄃᆡ 계

신요

(쌍주30ㄴ:06) 협이 왈 쳐음의 도즁의 갓치여 계오시더니 만왕의 틱지 셔공의

(쌍주30ㄴ:07) 문장도학을 흠앙ᄒᆞ여 지금언 셩닉 별궁의 쳐ᄒᆞ시게 ᄒᆞ고 극

(쌍주30ㄴ:08) 진이 후딕ᄒᆞᄂᆞ이다 원쉬 이 말을 듯고 초조ᄒᆞᆫ 마음이 젹이 노히

(쌍주31ㄱ:01) 눈지라 인ᄒᆞ여 노하 보닉이라 잇쩌 만왕이 픽하여 다시 셜치 ᄒᆞ기

(쌍주31ㄱ:02) 랄 의논ᄒᆞ더니 길협이 싱환ᄒᆞ물 보고 딕히ᄒᆞ여 ᄉᆞ라온 연고

(쌍주31ㄱ:03) 를 물른딕 협이 왈 명국 원쉬 셔경의 ᄉᆞ싱을 뭇기로 바로 니

(쌍주31ㄱ:04) 르온 즉 노하 보닉기로 나오다가 군ᄉᆞ다러 뭇ᄌᆞ온 즉 원쉬 곳 셔경

(쌍주31ㄱ:05) 의 아달이라 ᄒᆞ더이다 만왕이 딕경 왈 셔경의 아달이 ᄯᅩ흔 이 갓치

(쌍주31ㄱ:06) 영결이라 ᄒᆞ고 셔경을 잡아다가 쳔흥을 비고 항복지 아니커던

(쌍주31ㄱ:07) 셔경을 죽이랴 ᄒᆞ면 제 엇지 귀쥰치 아니리오 즉시 틱ᄌᆞ의게 기

(쌍주31ㄱ:08) 별ᄒᆞ여 셔경을 잡아보닉라 ᄒᆞ더라 챠셜 셔상셔 도즁의 가 셰

(쌍주31ㄴ:01) 월을 보닉더니 미양 고국을 ᄇᆞ라보니 운산이 쳡쳡ᄒᆞ니 싱환

(쌍주31ㄴ:02) 할 기약이 묘연ᄒᆞᆫ지라 비회을 억졔치 못ᄒᆞ더니 일일은 홀연 ᄉᆞ

(쌍주31ㄴ:03) 직 와 국도로 다러가거날 상셰 싱각ᄒᆞ되 이번은 죽으리라 ᄒᆞ엿

(쌍주31ㄴ:04) 더니 만국 셩즁 그윽ᄒᆞᆫ 별당의 두거날 이윽고 흔 ᄉᆞ람이 위의을

(쌍주31ㄴ:05) 갓초고 드러가 공을 보고 직비ᄒᆞᆫ딕 ᄌᆞ시 보니 이는 당초의 관의

(쌍주31ㄴ:06) 셔 곡신의 일가라 ᄒᆞ고 와 보던 쇼연이라 이날 보니 과연 셰 ᄌᆞ라

(쌍주31ㄴ:07) 공이 문왈 그딕 엇지ᄒᆞ여 나을 와 보ᄂᆞ요 셰ᄌᆞ 왈 쇼ᄌᆞᄂᆞᆫ 만국

(쌍주31ㄴ:08) 왕의 셰ᄌᆞ라 향ᄌᆞ 곡신을 인ᄒᆞ여 존공의 도학문장을 듯고

(쌍주32ㄱ:01) 피ᄒᆞ여 종젹을 기이고 뵈온 후 ᄉᆞ모지심이 간졀ᄒᆞ기로 부왕긔

(쌍주32ㄱ:02) 쥬ᄒᆞ여 이곳드로 오시계 ᄒᆞ엿ᄉᆞ오니 아직 머무시면 쥬달ᄒᆞ여

고국

(쌍주32ㄱ:03) 으로 속히 환귀ᄒ시계 ᄒ올 거시니 조곰도 심여 마르소셔 공이

(쌍주32ㄱ:04) 만왕의 무도무례ᄒ믈 분노ᄒ나 셰ᄌ의 지극흔 졍셩과 현쳘

(쌍주32ㄱ:05) 흔 위인을 ᄉ랑ᄒ여 경계와 그디는 진실노 연쳘흔 ᄉ람이라

군부

(쌍주32ㄱ:06) 의 그른 일을 간ᄒ여 후셰의 악명을 면케 ᄒ라 ᄒ고 인ᄒ여 고

(쌍주32ㄱ:07) 금 션악과 흥망을 갓초 너 흥듕이 쇠락케 ᄒ니 셰지 경복ᄒ

(쌍주32ㄱ:08) 여 지극히 후디ᄒ야 심이츈이 밧고이니 공이 믹양 님군 싱각과

(쌍주32ㄴ:01) 쳐ᄌ 권연ᄒ는 회포로 셰월을 보니더니 일일은 셰지 슈심이

만면

(쌍주32ㄴ:02) ᄒ여 왈 그시 부왕이 디국과 졉젼ᄒ시여다가 우리 장슈랄 쥭

(쌍주32ㄴ:03) 이고 군병 쥭으미 불가승슈라 드란 즉 명장 도원슈는 공의 영윤

(쌍주32ㄴ:04) 이란 말이 잇는 고로 왕이 공을 군즁으로 뫼셔 가 볼모ᄒ고

영윤

(쌍주32ㄴ:05) 으로 귀슌케 ᄒ시고ᄌ ᄒ샤 쇼ᄌ의계 하교ᄒ여 겨오시니 아모

리 군부의

(쌍주32ㄴ:06) 명이오나 쇼지는 ᄎ마 힝치 못할지라 쇼지 심복인으로 하여

곰 쳔

(쌍주32ㄴ:07) 니마 두 필을 쥰비ᄒ엿ᄉ오니 산곡 소로로 가만이 명진으로

가오

(쌍주32ㄴ:08) 신 후 부왕 명을 구ᄒ여 만국이 아쥬 망커 마라소셔 공이 위로

(쌍주33ㄱ:01) 왈 니 엇지 그디 온졍을 이즈리오 ᄒ고 작별흔 후 즉시 쳔니

마을 타고 종

(쌍주33ㄱ:02) ᄌ로 더부러 디진을 향ᄒ니라 잇ᄯᅥ 원슈 길협을 보니고 ᄯ쏘 츌

젼하

(쌍주33ㄱ:03) 여 젹장 슈십 인을 쥭기고 승승장구ᄒ여 일헛던 군현을 회복

(쌍주33ㄱ:04) 호고 만군 슈만을 쥭이니 위염이 만국의 딕진호더라 만왕이

(쌍주33ㄱ:05) 진문을 닷고셔 상셔 잡어오기랄 기드리는지라 원쉬 여려 날 싸홈

(쌍주33ㄱ:06) 을 도도되 만진이 종시 건벽불츌호니 할 일 업셔 승젼쵸을 쳔 즈긔

(쌍주33ㄱ:07) 올니 졔장으로 더부러 묘칙을 의논호더니 홀연 비밀셔 입고 왈 원

(쌍주33ㄱ:08) 문 밧긔 아국 스룸 호아 만국 스람 호아히 와셔 일봉 셔간을 드

(쌍주33ㄴ:01) 러 달나 호옵기로 밧치옵나이다 호거날 원쉬 쩌여 보니 호엿시

(쌍주33ㄴ:02) 되 나는 다람 아니라 군명으로 십여 년 만국의셔 욕을 감슈호

(쌍주33ㄴ:03) 던 남방 안무어스 셔경이라 구호는 스룸이 잇서 도명호여 왓느

(쌍주33ㄴ:04) 나니 오신 원슈는 뉘시지 밧비 상봉호믈 브라노라 호엿더라 원

(쌍주33ㄴ:05) 쉬 남필의 마음이 썰이고 졍신니 아득호여 밧비 진문의 나아 가 마

(쌍주33ㄴ:06) 지니 셔공의 모발이 진빅호고 용뫼 슈쳑호엿시나 완연이 부

(쌍주33ㄴ:07) 친이라 원쉬 부친을 흔변 부르고 이통혼졀호니 상셔 원수

(쌍주33ㄴ:08) 수을 보니 쩌날 쩨의는 육셰 쇼아러니 지금은 엄연흔 딕장부

(쌍주34ㄱ:01) 라 엇지 아라보리오마는 원슈의 야야 부르는 소릭로 초츠 역시

(쌍주34ㄱ:02) 통곡호고 원슈을 안고 보니 기쇠호엿는지라 딕경호여 쥬무

(쌍주34ㄱ:03) 르니 이윽호여 원쉬 눈을 써 보니 공이 어로만져 위로 왈 살

(쌍주34ㄱ:04) 어셔 상봉호니 깃분지라 무익흔 비회랄 늬지 마라 졔장이

(쌍주34ㄱ:05) 쏘흔 위로호여 치하분분호더라 원슈 종용이 부친을 뫼

(쌍주34ㄱ:06) 셔로 그 스이 환난을 말슴할시 부인이 도젹의계 봉변호믈

(쌍주34ㄱ:07) 듯고 공이 비쳑호여 왈 부인이 필연 즈쳐호엿실지라 엇지 욕을

(쌍주34ㄱ:08) 을 감심호리오 흔딕 원쉬 비통 즁 만국 셰즈의 후딕홈과 부

(쌍주34ㄴ:01) 친 탈신호여 보닉믈 듯고 감은호믈 마지 아니호더라 원쉬 왕

(쌍주34ㄴ:02) 쇼졔랄 구살노 인연ᄒᆞ여 취ᄒᆞ물 가초 고ᄒᆞ니 공이 ᄃᆡ희ᄒᆞ니라

(쌍주34ㄴ:03) 잇ᄠᅦ의 왕이 여러 변 피ᄒᆞ물 분한ᄒᆞ여 셔상셔 천이마을 오거든 원

(쌍주34ㄴ:04) 쉬을 달ᄂᆡ여 향케 ᄒᆞ려 ᄒᆞ더니 셰ᄌᆞ의 회셔의 셔상셔 천이마을 도

(쌍주34ㄴ:05) 젹ᄒᆞ여 타고 도망ᄒᆞ엿ᄂᆞᆫ지라 ᄒᆞ엿거날 ᄃᆡ경ᄒᆞ엿 모칙을 다시 의

(쌍주34ㄴ:06) 논할ᄉᆡ 만쟝호달이 쥬왈 ᄌᆞ긱을 명진의 보ᄂᆡ여 셔쳔흥을

(쌍주34ㄴ:07) 쥭이미 조흘가 ᄒᆞᄂᆞ이다 왕이 ᄃᆡ희ᄒᆞ여 계양산의 잇ᄂᆞᆫ 금술시통

(쌍주34ㄴ:08) ᄒᆞᆫ 사람을 쳥ᄒᆞ여 ᄌᆞ긱으로 젼송ᄒᆞ니라 잇ᄠᅦ 원쉬 심야의 촉을

(쌍주35ㄱ:01) 발키고 잠간 조으더니 홀년 ᄒᆞᆫ 사ᄅᆞᆷ이 슈건으로 칼을 무거 가지

(쌍주35ㄱ:02) 고 바로 셔안을 향ᄒᆞ여 오거날 놀나 ᄭᆡᄃᆞ르니 남가일몽이라 괴이

(쌍주35ㄱ:03) ᄒᆞ여 히몽ᄒᆞ여 본 즉 칼을 뭇거시니 ᄶᅥ를자ᄶᅩ오 모라ᄂᆞᆫ 사ᄅᆞᆷ이니 손

(쌍주35ㄱ:04) 긱ᄶᅩ오 밧그로 향ᄒᆞ여 오니 들입ᄶᅩ오 긴 슈건언 쟝막쟝ᄶᅩ라 ᄌᆞ긱

(쌍주35ㄱ:05) 이 입쟝ᄒᆞ리로다 ᄒᆞ고 ᄯᅩ 졈쇠랄 어드니 지쳔픠 쇠니 션흉후길

(쌍주35ㄱ:06) ᄒᆞᆫ지라 심즁의 허오ᄃᆡ 만왕이 필년 나을 히코져 ᄒᆞ여 ᄌᆞ긱을 보ᄂᆡ

(쌍주35ㄱ:07) 미로다 ᄒᆞ고 쳘퇴을 압픠 노코 동졍을 기ᄃᆞ리더니 군즁이 죵용한

(쌍주35ㄱ:08) ᄒᆞᆫ 후 쟝을 헤치고 ᄒᆞᆫ 사ᄅᆞᆷ이 비슈랄 들고 달녀 들거날 원쉬

(쌍주35ㄴ:01) 몸을 피ᄒᆞ여 쳘퇴을 들러 오ᄂᆞᆫ 칼을 마조치니 퇴금상박

(쌍주35ㄴ:02) ᄒᆞᄂᆞᆫ 소ᄅᆡ 나며 칼이 두 조각이 나니 ᄌᆞ긱이 ᄃᆡ경ᄒᆞ여 도쥬할

(쌍주35ㄴ:03) 즈음의 원쉬 쳘퇴로 쳐 것구러지ᄂᆞᆫ지라 슈직 졔쟝이 일시의

(쌍주35ㄴ:04) 드러와 보고 실식 아니 리 업더라 원쉬 몽스랄 즈시이 아외
니 부

(쌍주35ㄴ:05) 원쉬 왈 원쉬 미리 아르시고 방비치 아니ᄒ여 겨시니잇고 원쉬

(쌍주35ㄴ:06) 왈 조고만 흔 즈긱을 방비ᄒ미 엇지 졔장을 경동ᄒ리오 흔

(쌍주35ㄴ:07) 딩 졔장이 칭스ᄒ더라 날이 발가오미 즈긱을 잡어드려 궁

(쌍주35ㄴ:08) 문ᄒ니 만왕이 보닉미라 원문 밧긔 닉여 버히고 기예 놉피 달

(쌍주36ㄱ:01) 어 젹진의 보계 ᄒ엿더라 이윽고 군시 흔 쇼년 셔싱을 잡아드려

(쌍주36ㄱ:02) 오거날 년고랄 무라니 군시 쥬왈 이 놈이 즈긱의 신쳐을 붓들
고 통

(쌍주36ㄱ:03) 곡ᄒ옵기로 잡아왓ᄂ니다 원쉬 그 쇼년을 보니 열골이 관옥 갓

(쌍주36ㄱ:04) 고 단순호치 연연ᄒ여 녀즈의 퇴도 만흔지라 원슈 심즁의 싱

(쌍주36ㄱ:05) 각ᄒ되 남즈의 이려흔 일식이 잇스리오 올여 안치고 문왈 그

(쌍주36ㄱ:06) 딩는 엇더흔 스롬이관딩 감히 죄인의 신쳬을 위ᄒ여 우ᄂ요
쇼년

(쌍주36ㄱ:07) 이 부복 딕왈 쇼젹은 즈긱의 졔즈 양신쳥이옵더니 근본 즁

(쌍주36ㄱ:08) 국 스롬으로 부모 원수를 갑코져 ᄒ여 금슐을 비화 스졔지

(쌍주36ㄴ:01) 분의 잇스와 츠마 신쳬을 오작의 밥 슘을 길이 업스와 쥭

(쌍주36ㄴ:02) 기을 무릅삼고 왓스오니 복은 노야ᄂ 신쳬을 닉여 쥬시면 엄토

(쌍주36ㄴ:03) ᄒ온 후 방즈흔 죄을 당ᄒ여 명을 밧치오리니다 흔딕 원쉬 침

(쌍주36ㄴ:04) 음양구의 왈 너의 거 기특ᄒ기로 신쳬을 쥬ᄂ니 엄토흔 후 다

(쌍주36ㄴ:05) 시 오라 쇼년이 고두스례ᄒ고 즈긱의 신쳬을 가지고 가더니
수일 후

(쌍주36ㄴ:06) 원문 밧긔 와 쳥죄ᄒ거날 원쉬 불너드려 고왈 네 당하의 기드
럿다

(쌍주36ㄴ:07) 가 회군할 쩌 날을 싸라 고향으로 가면 네 원슈ᄂ 즈연 갑흘
쩌 잇

(쌍주36ㄴ:08) 스리라 신쳥이 빅비스례ᄒᆞ더라 만왕이 여러 번 픠ᄒᆞ고 ᄯᅩ ᄌᆞ긱

(쌍주37ㄱ:01) 을 보닉여 셩공치 못ᄒᆞ고 도로혀 죽으물 보고 견벽불츌

(쌍주37ㄱ:02) ᄒᆞᄂᆞᆫ지라 원쉬 제장다러 왈 만젹 파ᄒᆞ기랄 엇지 광일ᄒᆞ리오

(쌍주37ㄱ:03) 부원쉬 님춍을 불너 왈 그ᄃᆡᄂᆞᆫ 오쳔 병마랄 거ᄂᆞ려 가친을

(쌍주37ㄱ:04) 뫼시고 만국 스름 오리 잇스니 다리고 산곡 쇼로로 가만이 진
　　　　　을 지닉

(쌍주37ㄱ:05) 여 미복ᄒᆞ엿다가 만젹의 픠귀ᄒᆞ거든 길을 막으라 ᄒᆞ고 좌션봉

(쌍주37ㄱ:06) 쥬영과 우션봉 녀ᄌᆞ츈을 불너 왈 그ᄃᆡᄂᆞᆫ 각각 삼쳔 군을 거ᄂᆞ
　　　　　리고

(쌍주37ㄱ:07) 겹치할ᄉᆡ 후응ᄉᆞ 쥬셩으로 장졸을 거ᄂᆞ려 ᄃᆡ치랄 직키계 ᄒᆞ고

(쌍주37ㄱ:08) 삼경 후 함픠ᄒᆞ여 젹진 근쳐의 다ᄃᆞ러 동졍을 살피어 군식
　　　　　다 잠

(쌍주37ㄴ:01) 이 갑혓고 고요ᄒᆞᆫ지라 원쉬 장졸을 셩 밧긔 머무루고 칼룰 들

(쌍주37ㄴ:02) 고 몸을 소소와 셩의 오르니 제장니 원쉬의 효용흠을 갈치ᄒᆞ

(쌍주37ㄴ:03) 더라 원쉬 슈셩장졸을 죽이고 문을 여니 픠한 양장이 급피 솔

(쌍주37ㄴ:04) 군 입셩ᄒᆞ니라 원슈 친히 상방금을 들고 ᄃᆡ최로 당션ᄒᆞ여 드

(쌍주37ㄴ:05) 러가니 잇ᄯᅥ 만왕이 잠이 깁혓ᄂᆞᆫ지라 일셩포향의 군식 물 미ᄃᆞ

(쌍주37ㄴ:06) 시 드려오니 만왕이 ᄃᆡ경ᄒᆞ여 의감을 못 입고 계오 말을 타
　　　　　고 남

(쌍주37ㄴ:07) 문을 열꾀 다라나이 만진 제장이 능히 수족을 놀이지 못ᄒᆞ

(쌍주37ㄴ:08) 여 ᄌᆞ상쳔답ᄒᆞ여 죽ᄂᆞᆫ 지 부지기슈라 만왕 다라나 가다가 계
　　　　　유 슈

(쌍주38ㄱ:01) 십니 가셔 홀연 산곡으로셔 일셩포향의 일위ᄃᆡ장이 가ᄂᆞᆫ

(쌍주38ㄱ:02) 길을 막어니 이ᄂᆞᆫ 부원슈 임춍이라 만왕이 ᄃᆡ경ᄒᆞ여 셔편으로

(쌍주38ㄱ:03) 향ᄒᆞ여 닷거날 원쉬 ᄃᆡ셩 즐왈 만젹은 ᄲᆞᆯ이 항복ᄒᆞ라 소ᄅᆡ

(쌍주38ㄱ:04) 웅장ᄒᆞ여 노용이 창ᄒᆡ의셔 우ᄂᆞᆫ 듯 밍회공산의셔 소ᄅᆡ 지르

(쌍주38ㄱ:05) 눈 둣 졍신이 황홀ᄒ여 능히 닷지 못ᄒᄂᆫ지라 원쉬 말을 모

(쌍주38ㄱ:06) 라 크게 쇼릭랄 지르고 원비을 늘희여 만왕을 상금ᄒ여 말계

(쌍주38ㄱ:07) 나리치니 군시 일시의 달여드러 결박ᄒᄂᆫ지라 잇써 쥬여 양

(쌍주38ㄱ:08) 장이 셩의 믹복ᄒ엿다가 일시의 딕군을 졉응ᄒ고 핑한 양

(쌍주38ㄴ:01) 장은 쏘ᄒᆫ 원쉬의 뒤흘 좃츠 ᄒᆫ 곳의 모혓더라 원슈 셩의

(쌍주38ㄴ:02) 드러가 빅셩을 안무ᄒ고 군스을 상스ᄒ니 젹장의 슈급이 니쳔

(쌍주38ㄴ:03) 여 인이오 군즈는 부지기슈라 만왕을 잡아드려 계ᄒ의

(쌍주38ㄴ:04) 꿀니고 슈죄 왈 딕국이 너희랄 지극히 후딕ᄒ시거

(쌍주38ㄴ:05) 날 네 무슴 연고로 변방을 침노ᄒ여 무죄ᄒᆫ 싱민

(쌍주38ㄴ:06) 을 살히ᄒ나뇨 텬지 너희 죄를 스ᄒ시고 딕신을 보

(쌍주38ㄴ:07) 닉여 니히로 효유ᄒ시거날 네 방즈ᄒ여 십연을 보

(쌍주38ㄴ:08) 닉지 아니ᄒ니 네 죄악이 관쳔ᄒᆫ지라 너를 죽■을 불고 다

(쌍주38ㄴ:09) 만 오랑키을 징계ᄒ리라 만왕니 부복 샤죄 왈 이 본딕 닉 ᄆᆞ음

(쌍주39ㄱ:01) 이 아니라 간흉ᄒᆫ 신히 잇셔 권ᄒ기로 마지 못ᄒ미니 복

(쌍주39ㄱ:02) 원 호싱지덕으로 살이시면 츠후는 지셩스딕ᄒ오리다 원슈

(쌍주39ㄱ:03) 즐왈 범을 잡아 공손의 노희면 엇지 후환이 업시리오

(쌍주39ㄱ:04) 우군장 뉴셩을 불너 만왕을 함거의 가두고 슈직ᄒ라 ᄒ

(쌍주39ㄱ:05) 고 이튼날 만국으로 향ᄒ니라 잇써 만 셰직 셔공을 보닉고 승

(쌍주39ㄱ:06) 상 곡신으로 의논 왈 아모 써라도 아군이 반드시 픽ᄒ리라 원

(쌍주39ㄱ:07) 원쉬는 지모장악이 손오계갈의 벼금이라 우리 오합지졸

(쌍주39ㄱ:08) 노 엇지 당ᄒ리오 이런 고로 셔공을 보닉여 은혜을 씻치고

(쌍주39ㄴ:01) 딕왕이 만일 변을 당ᄒ실지라 쏘 셔공은 인후장즈오 셔원

(쌍주39ㄴ:02) 슈는 츙효군즈라 필연 구ᄒ여 쥬리니 경과 ᄒᆫ가지 나아가

(쌍주39ㄴ:03) 부왕기 귀슌ᄒ시물 간ᄒ리라 ᄒ고 딕진을 ᄇ라보고 힝하

(쌍주39ㄴ:04) 더니 픽잔군을 만나 왕의 잡피물 듯고 셰직 방셩딕곡 왈 부

(쌍주39ㄴ:05) 왕이 닉 말삼을 듯지 아니시더니 이 환을 당ᄒ시니 국운이

(쌍주39ㄴ:06) 불힝ᄒᆞ미로다 ᄒᆞ고 급히 명진을 향ᄒᆞ여 다다르미 뉵단부

(쌍주39ㄴ:07) 형ᄒᆞ고 손ᄀᆞ락을 ᄶᅵ무러 황셔을 ᄡᅥ 가지고 통곡ᄒᆞ니 쳔군

(쌍주39ㄴ:08) 이 잡어 즁군의 알외이 원쉬 영을 ᄂᆞ리어 셰ᄌᆞ을

(쌍주40ㄱ:01) 진즁으로 드리라 ᄒᆞ딕 셰지 슬힝포복ᄒᆞ여 황셔을 올

(쌍주40ㄱ:02) 이거날 원쉬 황셔을 밧고 셰지 늬 부친 후딕ᄒᆞ던 은혜랄

(쌍주40ㄱ:03) 싱각ᄒᆞᄆᆡ 엇지 감격지 아니리오 군ᄉᆞ랄 명ᄒᆞ여 가쇄랄 앗고 장

(쌍주40ㄱ:04) 즁으로 불너 올니니 셰지 직비왈 부의 죄는 당당이 면치 못ᄒ
려니

(쌍주40ㄱ:05) 와 이 본심이 아니라 간신의 츙동ᄒᆞᄆᆞᆯ 입으시니 원슈는 직싱지

(쌍주40ㄱ:06) 은을 나리오샤 쳔됴의 쥬달ᄒᆞ오셔 부왕의 명을 살여 주오시

(쌍주40ㄱ:07) 면 딕딕로 황은을 감츅ᄒᆞ고 원슈의 덕을 잇지 아니리니다 하

(쌍주40ㄱ:08) 고 누쉬 만면ᄒᆞ거날 원슈 보ᄆᆡ 언싀 유화ᄒᆞ고 기상이 할

(쌍주40ㄴ:01) 달ᄒᆞ여 진줏 쳔승국왕의 모양이 외모의 나타나ᄂᆞᆫ지라 쳔

(쌍주40ㄴ:02) 연 왈 왕의 죄악은 쳔쥬랄 면키 어렵고 늬 ᄯᅩᄒᆞᆫ 남만을 혈

(쌍주40ㄴ:03) 류랄 남기지 마라 후셰 ᄉᆞ름의 근심을 업시 ᄒᆞ자 ᄒᆞ엿

(쌍주40ㄴ:04) 더니 군을 보니 하날이 오히러 남만의게 복죠랄 주시ᄆᆡ

(쌍주40ㄴ:05) 로다 늬 엇지 쳔의랄 거역ᄒᆞ며 가군이 십여년 딕의 은혜

(쌍주40ㄴ:06) 를 만이 입어 게시니 당연 어련 ᄌᆞ긔 쥬문ᄒᆞ여 왕외 명을

(쌍주40ㄴ:07) 구ᄒᆞ고 즉시 회군ᄒᆞ리니 국은 어진 ᄉᆞ람을 어러 남만 빅셩을

(쌍주40ㄴ:08) 안무ᄒᆞ고 다른 극심이 업게 할지어다 셰지 빅빅ᄉᆞ례ᄒᆞ고

(쌍주41ㄱ:01) 심즁외 칭츈 왈 늬 셔공이 당금의 졔일 ᄉᆞ람으로 알엇터

(쌍주41ㄱ:02) 니 그 아달은 쇼연 풍되 빅승ᄒᆞ다 ᄒᆞ더라 원쉬 표를 올

(쌍주41ㄱ:03) 녀 만왕을 싱금ᄒᆞ고 왕ᄌᆞ의 귀슌홈과 왕지 언호ᄒᆞ여 가히

(쌍주41ㄱ:04) 남만의 군슝이 되염즉ᄒᆞ고 만왕은 용우ᄒᆞ고 비록 죄는 ᄉᆞᄒᆞ아

(쌍주41ㄱ:05) 도 다시 국ᄉᆞ는 가아 마지 못ᄒᆞ오리다 왕ᄌᆞ랄 봉ᄒᆞ여 딕딕로 쳔

(쌍주41ㄱ:06) 은을 감츅게 ᄒᆞ여 왕소졔의게 샤혼ᄒᆞ시ᄆᆡ 분기을 춤지

(쌍주41ㄱ:07) 못ᄒ여 쥬야로 왕소져의 용용모랄 싱각ᄒ고 거의 셔병ᄒ

(쌍주41ㄱ:08) 기예 니르러더니 셔원쉬 츌텬ᄒ고 왕ᄌ시 양쥬에 부임ᄒ고

(쌍주41ㄱ:09) 소져 다만 비복만 다리고 잇스믈 알고 불측ᄒ 계고얼 닉여 일일

(쌍주41ㄴ:01) 은 왕궁의 잇는 환ᄌ로 ᄒ염곰 거짓 황명을 일닷고 서부의

(쌍주41ㄴ:02) 나아가 친단 십필은 소져의게 ᄾ송ᄒ고 홀로 잇스믈 위

(쌍주41ㄴ:03) 로ᄒ고 독즉 십병은 노복들을 불너 친히 권ᄒ여 딕취케

(쌍주41ㄴ:04) ᄒ고 건장ᄒ 궁노로 교ᄌ를 가지고 후원 문의 기ᄃ리라 무

(쌍주41ㄴ:05) 뢰 슈삼 인을 금빅을 후히 쥬어 야심 후 닉당의 더러가 쇼

(쌍주41ㄴ:06) 제랄 도젹ᄒ여 궁노의 교ᄌ 틱와 오라 ᄒ니 제인이 슈명

(쌍주41ㄴ:07) ᄒ여 셔부의 와 낭하를 독쥬로 취케 먹이고 쇼져랄 억

(쌍주41ㄴ:08) 탈할 짐의 월향이 부인게 엿ᄌ오딕 거변의 증픽가 뉴

(쌍주41ㄴ:09) 부의 단여간 후로 이상ᄒ 말이 잇습더니 금일의 제

(쌍주42ㄱ:01) 왕 궁여로 ᄒ여곰 교ᄌ랄 가지고 와 슐을 낭복을 취케

(쌍주42ㄱ:02) 먹이고 금야의 부인을 탈취고져 ᄒ다 ᄒ오니 엇지 ᄒ오

(쌍주42ㄱ:03) 리잇가 왕쇼제 쌈짝 놀닉여 왕이 거변 뉴승상 딕의셔 증

(쌍주42ㄱ:04) 픠 일가로라 ᄒ고 녀복ᄒ고 왓던 거시 제왕일넌가 보다 ᄯᅩ 딕

(쌍주42ㄱ:05) 원쉬 만국의 가실 ᄯᅥ 날ᄃ려 모식체기 만타ᄒ시더니 이제

(쌍주42ㄱ:06) 야 싱각ᄒ고 슈셔랄 써여보니 모년 모월 모일 야의 환을

(쌍주42ㄱ:07) 당할 거시니 밧비 망월ᄉ로 가라 ᄒ엿더라 쇼제 월향

(쌍주42ㄱ:08) ᄃ려 왈 이졔는 할 일 업다 금야의 닉망의 드러가 나 입던

(쌍주42ㄱ:09) 의복 입고 잇시면 날만 여겨 다려 갈 거시니 조곰도 염여 말

(쌍주42ㄴ:01) 고 가라 ᄒ며 ᄯᅩ는 제왕이 호식ᄒ다 ᄒ니 네 인물과 네 볌

(쌍주42ㄴ:02) 졀과 제왕을 족히 셤길 거시니 제왕이 네 ᄌ식을 보면

(쌍주42ㄴ:03) ᄌ연 혹ᄒ여 죽이던 아니ᄒ리라 원원향은 왕쇼져의 말삼

(쌍주42ㄴ:04) 은 부탕도화라 도화을 것거시니 명딕로 ᄒ리이다 쇼제는

(쌍주42ㄴ:05) 밧비 양쥬로 힝ᄒ소셔 쇼제 춘심과 ᄒ가지 남복을

(쌍주42ㄴ:06) 기착ᄒ고 일필 쳥여을 타고 장삼을 다리고 죠용ᄒ 긱졈

(쌍주42ㄴ:07) 을 어더 머무려 이날 밤을 지닉고 월향과 셕픵랄 졍당

(쌍주42ㄴ:08) 의 머무러 동졍을 아라 통하라 ᄒ이라 잇씩 셔부 노복 등

(쌍주42ㄴ:09) 을 딕취케 불경인ᄉ하게 ᄒ고 왕게 고ᄒ니 왕이 무릭지

(쌍주43ㄱ:01) 빈랄 보닉여 쇼졔와 월향을 억탈ᄒ여 가니라 셕픵 이 광

(쌍주43ㄱ:02) 광경을 보고 쇼졔 기통하니 쇼졔 통ᄒᄒ나 할 일 업셔

(쌍주43ㄱ:03) 양쥬를 향ᄒ다가 ᄒ 곳의 니르니 날이 져물고 긱졈이 업

(쌍주43ㄱ:04) 눈지라 홀연 길의 ᄒ 물이 도젹이 닉다라 쇼져와 츈셥

(쌍주43ㄱ:05) 을 잡고 장삼은 늘거 씰 딕 업다 ᄒ고 남기 동혀 달고 쳥의와

(쌍주43ㄱ:06) 힝장을 탈취ᄒ여 풍유갓치 가니 쇼졔와 츈셥이 불

(쌍주43ㄱ:07) 의지변을 당ᄒᄆ 혼비빅산ᄒ여 잡히여 가 ᄒ 곳의 다다르니

(쌍주43ㄱ:08) 노쥬 이인을 나려노코 왈 인물은 남즁일식이로다 이러

(쌍주43ㄱ:09) ᄒ 여ᄌ랄 어더시면 죽어도 ᄒ이 업스리로다 ᄒ고 뷘 곳

(쌍주43ㄴ:01) 집의 가두고 ᄯᅩ 어딕로 가고 업는지라 쇼졔와 츈셥이 셔

(쌍주43ㄴ:02) 로 셜며 욕 볼가 ᄒ여 ᄌ쳐코져 ᄒ더니 홀연 ᄒ 쇼영이

(쌍주43ㄴ:03) 문을 열고 쵹을 발키고 드러와 소릭랄 나직이 ᄒ여 왈

(쌍주43ㄴ:04) 상공이 곳의셔 죽기을 면치 못ᄒ리니 날을 ᄯᅡ라 오소셔

(쌍주43ㄴ:05) ᄒ거날 노쥐 그 여자랄 ᄯᅡ라 ᄒ 곳의 가니 슈간초옥이 잇셔

(쌍주43ㄴ:06) 함기 드러가 좌졍ᄒ 후 녀ᄌ 왈 이 놈드리 인육 먹는 도젹

(쌍주43ㄴ:07) 놈이라 오날 상공 노쥐의 잡히옴을 보ᄆ 참불인견인

(쌍주43ㄴ:08) 고로 이리 뫼셔 오나 잇고도 오히려 오릭 머무지 못ᄒ리니

(쌍주43ㄴ:09) 잠간 피신ᄒ엿거이와 쳡의 고모 잇는 곳으로 가스이다 ᄒ게날

(쌍주44ㄱ:01) 쇼졔 놀날 즁 의문 왈 그딕는 엇던 스룸이요 그 여지 왈 쳡의

(쌍주44ㄱ:02) 팔ᄌ 기험ᄒ여 남의 꾀이는 말을 듯고 흉ᄒ 도젹의 계집이 되여

(쌍주44ㄱ:03) 믹양 슬허ᄒ던 ᄎ의 상공을 보오니 쳡의 몸을 의탁고져 ᄒ

(쌍주44ㄱ:04) 오니 상공의 ᄯᅳ젼 엇더ᄒ오니잇가 쇼졔 심즁의 슬푸며 ᄯᅩ

(쌍주44ㄱ:05) 흔 우슈온지라 엇지 낭즈를 거느리오 녀지 류체 왈 첩이 비록

(쌍주44ㄱ:06) 록천흔 계집이나 노류장화 아이라 상공을 구흔 쎠예 허신코

(쌍주44ㄱ:07) 져 흐엿나니 만일 상공이 허치 아니시면 추라리 삭발위승코

(쌍주44ㄱ:08) 져 흐읍ᄂ이 바라건디 상공은 살피쇼셔 츈셤이 그 여즈의 용모

(쌍주44ㄱ:09) 동정을 보이 심히 어진지라 쇼져기 고왈 낭즈의 졍지 가긍

(쌍주44ㄱ:10) 흐온지라 노샹의 엇지 장황이 말숨흐오잇가 낭즈 고의 집의 가

(쌍주44ㄴ:01) 아직 머무러 양쥬로 샤름 보니여 기별홈이 올흘가 흐나이

(쌍주44ㄴ:02) 다 소졔 말이 업거날 그 녀지 양인을 머무르고 제 고모 집으로

(쌍주44ㄴ:03) 면져 가ᄂ지라 소져 츈셤드려 소왈 아직은 그 녀즈의 덕으로

(쌍주44ㄴ:04) 욕을 면흐엿거니와 니게 허신흐니 장찻 엇지흐리요 츈셤

(쌍주44ㄴ:05) 이 역쇼 왈 양쥬로 기별흐신 후 뫼시러 온 스름이 잇슬 거

(쌍주44ㄴ:06) 시니 그져야 본상을 탈노흐오리니 젠들 엇지 흐리오 그쎠

(쌍주44ㄴ:07) 예 다려 착실흔 샤람을 어더쥬면 올흘가 흐ᄂ이다 소졔 왈

(쌍주44ㄴ:08) 그ᄂ 그리흐려이와 이곳 이슬 쎠 동침흐즈 흐면 장찻 엇지 흐

(쌍주44ㄴ:09) 리오 말할시 그 녀지 도라와 노쥬 양인을 다리고 제 고모

(쌍주45ㄱ:01) 의 집의 가 졍흔 방을 슈쇄흐고 드리ᄂ지라 쇼졔 좌졍 후 흔

(쌍주45ㄱ:02) 노귀 나와 소져기 치하 왈 첩은 져 여즈의 고모라 일즉 과

(쌍주45ㄱ:03) 거흐고 즈식도 엽셔 이곳디 혼즈 스읍더니 질여의 말삼

(쌍주45ㄱ:04) 을 드은 즉 상공이 스지예 드려 계시다가 질녀의 권홈으

(쌍주45ㄱ:05) 로 이곳디 오시고 쏘 질녀 상공을 셤기려 흐니 다힝흐온

(쌍주45ㄱ:06) 지라 집이 누츄흐오나 이곳디 유흐소셔 쇼졔 스스 왈 노파

(쌍주45ㄱ:07) 의 질여 곳 아이면 엇지 스지을 면흐엿시리오 은혜 감격흔

(쌍주45ㄱ:08) 즁 쏘 노픠 관디흐니 불감흐여이다 이윽고 조반을 드리

(쌍주45ㄱ:09) 니 심이 졍결흐고 그 녀지 쏘흔 아미을 다스리고 상 곁티 안즈

(쌍주45ㄴ:01) 시니 더옥 우습더라 쇼졔 그 녀즈드려 왈 스람을 양쥬로

(쌍주45ㄴ:02) 보니려 흐니 파랑과 의논흐라 그 녀지 왈 셔간을 쎠 쥬

(쌍주45ㄴ:03) 소셔 흔딕 소졔 모부인계 셔간을 닥가노코 기드리더니 이윽

(쌍주45ㄴ:04) 고 노파의 녀셔랄 다려 왓거날 쇼졔 문왈 예셔 양쥬가 몃니
　　　　　　　나 ㅎ

(쌍주45ㄴ:05) 뇨 딕왈 삼빅여 리로소니다 쇼졔 셔간을 쥬어 보닉니라 밤

(쌍주45ㄴ:06) 이 되믹 그 여주 나가지 아니ㅎ고 노파드려 츈셤을 다른 방으

(쌍주45ㄴ:07) 로 보닉거날 쇼졔 민망ㅎ여 츈셤을 보니 츈셤 왈 공직

(쌍주45ㄴ:08) 여러 날 길희 발셥ㅎᄉ 곤ㅎ시고 쏘 작야 놀닉신 ᄆ음을 진

(쌍주45ㄴ:09) 졍치 못ㅎ시니 슈일 편히 쉬심이 죠흘가 ㅎᄂ니다 빅연

(쌍주46ㄱ:01) 기약이 잇스믹 엇지 밧부미 잇슬이오 쇼졔 겸두ㅎ거날

(쌍주46ㄱ:02) 그 녀주 홍광이 만면ㅎ여 고모다려 왈 고모ᄂ 나가소셔 상공

(쌍주46ㄱ:03) 노쥬와 흔가지로 이 방의셔 머물미 무방ㅎ오니다 노픽 올

(쌍주46ㄱ:04) 타 ㅎ고 나가이라 쇼졔 그 녀주로 더부려 슈작ㅎ여 밤 시기

(쌍주46ㄱ:05) 를 기다닐식 문왈 낭주의 셩은 무어신고 딕왈 구기로소

(쌍주46ㄱ:06) 이다 말할식 밤이 깁헛ᄂ지라 구예 왈 그만 취침ㅎ소셔

(쌍주46ㄱ:07) ㅎ고 져도 소져 것티 누어 잠든 체ㅎ거늘 쇼졔 일변 민망ㅎ

(쌍주46ㄱ:08) 고 일변 우슘을 참더라 이려탓 슈일 지나미 구녜 조곰도

(쌍주46ㄱ:09) ᄉ싴이 업고 지셩으로 밧드니 쇼졔 측은함을 마지 아니ㅎ고

(쌍주46ㄴ:01) ᄉ랑ㅎ더라 츠셜 뉴부인이 임소로 간 후 녀아을 달포 그리

(쌍주46ㄴ:02) 미 침식이 불평흔 즁 셔랑이 츌젼흔 소식을 듯고 더옥

(쌍주46ㄴ:03) 염여 무궁ㅎ더니 주식 밧비 드려와 딕부인긔 쇼져의 셔간

(쌍주46ㄴ:04) 을 드리거날 바다 보니 그리던 츠 반가와 급피 쩌어 보니 ㅎ엿

(쌍주46ㄴ:05) 엿시되 여러 달 기후를 모라오니 복모 간졀ㅎ온 즁 의외예

(쌍주46ㄴ:06) 셔군이 말이 젼장의 나가미 모월 모일 모야의 강되 드려와 환

(쌍주46ㄴ:07) 을 당ㅎ여 남복으로 탈신ㅎ여 양쥬로 향ㅎᆸ다가 노즁의

(쌍주46ㄴ:08) 셔 쏘 인육 먹ᄂ 도젹을 만나 장삼은 남긔 동혀 달고 쇼녀와

(쌍주46ㄴ:09) 춘셤이 잡피여 거의 쥭을 지경의 니러려 주체코져 ㅎ나

(쌍주47ㄱ:01) 조슈족을 못ᄒ와 하날만 바라더니 쳔만 의외 구ᄒᄂᆞ 스

(쌍주47ㄱ:02) 룸이 잇셔 이곳딕 잇ᄉ오니 밧비 인마를 보닉소셔 ᄒᆞ엿더라 부

(쌍주47ㄱ:03) 인이 남필의 모골이 송년ᄒ여 어린 닷ᄒᆞᆫ지라 ᄌᆞ싴 급피 거마을

(쌍주47ㄱ:04) 거ᄂᆞ려 발ᄒᆡᆼᄒ여 쇼져 인는 곳딕 니르니 쇼졔 딕희ᄒ여 마쥬 ᄂᆞ

(쌍주47ㄱ:05) 와 연접ᄒ여 예필좌졍 후 모부인 기후날 뭇잡고 그ᄉᆞ이 그리

(쌍주47ㄱ:06) 던 회포랄 펴고 환난 젹근 젼후 말삼을 ᄌᆞ셔이 고ᄒᆞᄆᆡ ᄌ

(쌍주47ㄱ:07) 싴 놀나고 쏘 우셔 왈 그 녀ᄌᆞ 너을 보고 허신ᄒᆞᄆᆡ 잇쏘다 세

(쌍주47ㄱ:08) 상의 엇지 너 갓튼 낭ᄌᆞ 잇스리오 쇼져 쏘 웃는지라 구여을

(쌍주47ㄴ:09) 부러니 잇쩌 구녀 ᄌᆞᄉᆞ 힝츠 이라믈 보고 경황ᄒ여 피신ᄒ

(쌍주47ㄴ:01) 엿더니 불으믈 듯고 계하의 직빅ᄒ고 감히 머리를 드러

(쌍주47ㄴ:02) 보지 못ᄒᄂᆞᆫ지라 ᄌᆞ싴 소왈 나ᄂᆞᆫ 곳 왕상공의 가형이라

(쌍주47ㄴ:03) 너 임의 상공의게 허신ᄒ여시면 날 보기 무삼 슈괴ᄒᆞᄆᆡ

(쌍주47ㄴ:04) 잇스리오 인ᄒ여 그 도젹의 종젹을 뭇고 본관의 기별

(쌍주47ㄴ:05) 하여 발포ᄒ게 ᄒ고 직촉ᄒ여 발ᄒᆡᆼᄒᆞᄆᆡ 쇼져 기복

(쌍주47ㄴ:06) ᄒ고 구여를 부러니 구여 드러가 본즉 왕싱은 간 딕 업고

(쌍주47ㄴ:07) 월궁 션여 잇ᄂᆞᆫ지라 졍시이 황홀ᄒ여 어린 닷ᄒᆞ거날 소

(쌍주47ㄴ:08) 졔 소왈 네 나을 아ᄂᆞ야 ᄌᆞ싴 왈 이 소져도 너와 갓치 왕상공

(쌍주47ㄴ:09) 을 풍모ᄒ여 ᄯᅡ라 왓시니 ᄌᆞ셔이 보라 구여 졍신을 ᄎᆞ려 보

(쌍주48ㄱ:01) 니 곳 왕싱이 녀복ᄒᆞ엿ᄂᆞᆫ지라 그직야 녀ᄌᆞ 환복ᄒᆞᆫ 쥴

(쌍주48ㄱ:02) 알고 무류ᄒ고 어이업셔 모라고 말삼을 광픽이 말함을

(쌍주48ㄱ:03) 슈죄ᄒ니 소졔 소왈 네 은혜ᄂᆞᆫ 엇지 일시나 이즈리오 ᄒ고 동

(쌍주48ㄱ:04) 힝ᄒᄂᆞ라 이곳은 틱원 ᄯᅡ이라 지현이 나아와 ᄌᆞᄉᆞ의게 헌

(쌍주48ㄱ:05) 알흔딕 ᄌᆞ싴 도젹 잡음을 당부ᄒ고 발ᄒᆡᆼ할식 힝ᄒ여

(쌍주48ㄱ:06) 월봉산의 니르러 밤을 지닉다가 소졔 문득 망월ᄉᆞ를 싱

(쌍주48ㄱ:07) 각ᄒ고 ᄌᆞᄉᆞ게 문왈 젼의 셔공게 드르니 틱원 월봉산 망월ᄉᆞ

(쌍주48ㄱ:08) 녀승 혜영의게 크게 시쥬ᄒ여 셔군을 나앗다 ᄒᆞ더니 이곳지

티원

(쌍주48ㄱ:09) 월봉산이오니 망월스의 가 부체의게 셔군 부즈 상봉ㅎ여

(쌍주48ㄴ:01) 슈이 환귀함을 빌고져 ㅎ옵나니 거거는 후로 더 머무으소셔 즈

(쌍주48ㄴ:02) 싀 허ㅎ고 함기 졀노 향ㅎ여 다드르니 풍물이 졀승ㅎ고

(쌍주48ㄴ:03) 봉만이 쳡쳡ㅎ 가온듸 듸웅젼이 운쇼의 소삿스니 좌우

(쌍주48ㄴ:04) 의 풍경 소릭 바람을 조추 상년ㅎ니 스름의 귀을 발히는

(쌍주48ㄴ:05) 지라 동구의 드러가 바라보니 금즈로 쎠시되 월봉 망월스라

(쌍주48ㄴ:06) ㅎ엿더라 소제 시비의게 붓들여 즈스와 문의 드니 졔승이 연

(쌍주48ㄴ:07) 졉ㅎ여 졍혼 방으로 뫼셔 좌졍ㅎ고 소제 문왈 이 졀의 혜

(쌍주48ㄴ:08) 영이라 ㅎ는 즁이 잇느야 졔승이 답왈 잇스오듸 일젼붓터

(쌍주48ㄴ:09) 병드러 못 느오나이다 소제 인ㅎ여 졔승을 다리고 불젼의

(쌍주49ㄱ:01) 나아가 소원을 빌고 부쳐의 엽흘 보니 빅능 족즈 걸녀시

(쌍주49ㄱ:02) 니 글을 쎳시되 어부상셔 티학스 셔경의 쳐 니씨는 삼가 츅

(쌍주49ㄱ:03) 원ㅎ옵느니 년기 스십의 즈식이 업스오니 복원 셰존은 즈비
　　　　　　지심

(쌍주49ㄱ:04) 을 나리오셔 즈식을 졈지ㅎ소셔 ㅎ고 쏘 그 아릭 쎠시되 모
　　　　　　연 모

(쌍주49ㄱ:05) 월 모일의 니씨는 쏘 츅원ㅎ옵느니 임의 듸은을 입어 쳔힝

(쌍주49ㄱ:06) 으로 즈식을 나앗더니 쳡의 가군이 말이 남만의 가온 후 스싱

(쌍주49ㄱ:07) 을 모라고 뉵셰 유아을 강포혼 도젹의 변의 일스오니 가부

(쌍주49ㄱ:08) 와 아즈랄 다시 상봉ㅎ계 ㅎ옵소셔 ㅎ엿더라 소져 견필의 듸

(쌍주49ㄱ:09) 경 왈 이 츅스는 존고의 지으신 바라 쳣 츅스는 비러 상공을
　　　　　　느어신

(쌍주49ㄴ:01) 겨시오 후 츅스는 도젹의계 봉변ㅎ신 후 지으신 거시니 심이 괴

(쌍주49ㄴ:02) 이ㅎ도다 혹 존괴 스지를 벼셔 이 곳의 와 계신가 보면 즈연
　　　　　　알

(쌍주49ㄴ:03) 이라 ㅎ고 추져 가리라 추시 니부인이 혜영의 구ᄒ물 닙어

(쌍주49ㄴ:04) 만월ᄉ의 머무을ᄉㅣ 날마다 가장과 공ᄌ를 ᄉㅣᆼ각ㅎ고 셰월

(쌍주49ㄴ:05) 보ᄂㅣ더니 홀연 드르니 양쥬 ᄌᄉ 힝ᄎ 일으럿다 ㅎ더니 이윽
　　　　　 ㅎ여

(쌍주49ㄴ:06) ᄒᆞᆫ 녀ᄌㅣ 드러오거날 살펴보니 시비와 모양이라 부인이 문왈

(쌍주49ㄴ:07) 양쥬 ᄌᄉᄂᆞᆫ 뉘시요 녀ᄌㅣ ᄃㅣ왈 ᄌᄉᄂᆞᆫ 왕한님 노야시오 부인은

(쌍주49ㄴ:08) ᄌᄉ 노야의 ᄆㅣᄌㅣ시니 평만 ᄃㅣ원슈 노야의 부인이라 노야님

(쌍주49ㄴ:09) 만국의 츌젼ㅎ시고 홀노 게시기로 고적ㅎ여 양쥬로

(쌍주50ㄱ:01) 가시ᄂᆞᆫ다 ㅎ고 문답ㅎ어니 혜영의 제져 급히 드러와 부

(쌍주50ㄱ:02) 인기 고왈 이상ᄒᆞᆯ 일이 잇더니다 밧기 오신 부닌니 불견의

(쌍주50ㄱ:03) 툭완ㅎ시기을 가뵈 승뎐ㅎ고 부ᄌㅣ 상봉ㅎ게 ㅎ소셔 ㅎ

(쌍주50ㄱ:04) 며 셔련흥의 안히라 ㅎ더이다 부인니 쳥필의 ᄃㅣ경 왈 이

(쌍주50ㄱ:05) 엇진 말인고 쳔흥이 비록 ᄉㅏ라시나 엇디 귀히 도여 십칠셰

(쌍주50ㄱ:06) 쇼ᄋ 엇디 ᄃㅣ원슈 되리요 의아ㅎ더니 일위 쇼연이 문을 열

(쌍주50ㄱ:07) 고 드러오거늘 보니 봉관치복으로 포연ᄒᆞᆫ 션여라 혜영니

(쌍주50ㄱ:08) 황망이 나와 합장비례 왈 빈승이 병이 잇셔 멸이 나와 맛지 못하

(쌍주50ㄱ:09) 오니 황송이로소이다 소제 답예 왈 편ᄉ의 ᄃㅣ명을 드른 지 오

(쌍주50ㄴ:01) 릴 ᄲㅜᆫ 안여 존ᄉᄂᆞᆫ 쳡의 집 은인이라 이러무로 ᄒᆞᆫ번 보기을 원ㅎ

(쌍주50ㄴ:02) 든 빅로다 ㅎ고 부인을 보니 년기 오십니 너머시되 빙셜 가튼

(쌍주50ㄴ:03) 용모와 쇄락ᄒᆞᆫ 기질이 요요정졍ᄒᆞᆫ지라 ᄌ시 본즉 은은이 고은

(쌍주50ㄴ:04) 틱도 원슈와 방블ㅎ고 반가온 ᄆᆞ음이 깁흔지라 혜영이 문

(쌍주50ㄴ:05) 왈 은인이라 ㅎ시니 ᄭㅣ다지 못ㅎᆞᆸ나이다 발히 이라소셔

(쌍주50ㄴ:06) 쇼제 왈 쳡은 평만 ᄃㅣ원슈 셔공의 안히라 존구ᄂᆞᆫ 곳 남만

(쌍주48ㄴ:07) 국의 ᄉ신 가 계시다가 잡피여 못 오신 셔상셔라 잇ᄶㅓ 부인

(쌍주50ㄴ:08) 이 이 말 듯고 방셩ᄃㅣ곡ㅎ니 혜영이 급피 문왈 원슈 상공

(쌍주50ㄴ:09) 의 명쎠 쳔쯔 흥쯔시니 소쥬 화계촌의 스르시논니잇가 소졔

(쌍주51ㄱ:01) 왈 셔상공은 곳 현싀 비려 나오시미라 혜영 왈 져 부인은 쳔흥

(쌍주51ㄱ:02) 흥 상공 모친이오 안무슈 노야의 부인이시니이다 ᄒ거날 쇼

(쌍주51ㄱ:03) 졔 찻던 바 ᄌ웅쥬를 드려 왈 이거슬 아르시ᄂᆞ잇가 부인 왈

(쌍주51ㄱ:04) 웅쯔 쓴 것슨 쳔흥이 잇슬 젹 쑴의 어던 거시니 엇지 모라리오

(쌍주51ㄱ:05) 부인과 쇼졔 그ᄌ야 의혹할 ᄇᆡ 업ᄂᆞᆫ지라 쇼졔 몸을 니러

(쌍주51ㄱ:06) 나 졀ᄒᆞᄃᆡ 니부인이 쇼져을 안고 통곡 왈 셰상의 엇지 이 갓탄

(쌍주51ㄱ:07) 일이 잇ᄉᆞ리오 닉가 쑴을 ᄭᅵ지 못한 일인가 보다 쇼졔 쏘한 옥

(쌍주51ㄱ:08) ᄂᆔ 방방ᄒᆞ여 젼날 지ᄂᆞᆫ 일을 ᄎᆞ예로 고ᄒᆞ니 부인이 쏘한 아

ᄌ 일

(쌍주51ㄱ:09) 코 혜영을 만나 이곳의 의탁ᄒᆞ여 잔명을 보젼한 말을 가초

(쌍주51ㄴ:01) 니러고 쇼져을 안고 노치 아니ᄒᆞ니 졔승이 이 경상을 보고 치

위 분

(쌍주51ㄴ:02) 분한지라 ᄌᆞ식 말을 듯고 ᄎᆞ경ᄒᆞ회ᄒᆞ여 즉시 ᄃᆡ분기 쇼져

(쌍주51ㄴ:03) 고부 상봉ᄒᆞ여 니부인으로 한가지로 가물 기별ᄒᆞ고 츈셥을

(쌍주51ㄴ:04) 불너 부인긔 힝ᄎᆞᄒᆞ시물 치위ᄒᆞ고 아직 양쥬로 가셧

(쌍주51ㄴ:05) 다가 원쉬 회군한 후 올나가시물 고ᄒᆞ니 부인이 쏘한 젼갈

(쌍주51ㄴ:06) 노 젼후 ᄉᆞ상을 ᄃᆡ강 회답한ᄃᆡ ᄌᆞ식 즉시 길을 지촉할ᄉᆡ

(쌍주51ㄴ:07) 부인이 혜영을 작별ᄒᆞᄆᆡ 무슈이 치샤ᄒᆞ고 불젼의 가 은

(쌍주51ㄴ:08) 덕을 스례ᄒᆞ고 양쥬로 향ᄒᆞ니라 잇쩌 뉴부인이 쇼져 고

(쌍주51ㄴ:09) 부 상봉ᄒᆞ여 한가지 온단 말을 듯고 ᄃᆡ희ᄒᆞ여 기ᄃᆞ리더니

(쌍주52ㄱ:01) ᄌᆞ슈 일힝이 아즁의 니르니 왕쇼져 존고랄 뫼시고 별당의

(쌍주52ㄱ:02) 안돈ᄒᆞ고 쇼져 모부인긔 ᄇᆡ알ᄒᆞ니 부인이 쇼져 손을 잡

(쌍주52ㄱ:03) 고 하마 다시 상봉치 못할 번ᄒᆞ엿도다 쇼져 쏘한 옥ᄂᆔ

(쌍주52ㄱ:04) 만면 ᄃᆡ왈 기왕이라 비쳑ᄒᆞᄆᆡ 무익ᄒᆞ도소이다 ᄒᆞ고 긔 ᄉᆞ

(쌍주52ㄱ:05) 이 환난과 원슈의 원졍함과 고부 상봉ᄒᆞ물 싀싀히 셜

(쌍주52ㄱ:06) 파ᄒᆡ 듸부인이 쇼져랄 거두어 셩혼ᄒᆞ물 스레ᄒᆞ니 뉴

(쌍주52ㄱ:07) 부인이 왈 다 ᄒᆞ날이요 인역이 아니라 일캇고 구녀랄 불너 쇼

(쌍주52ㄱ:08) 졔 구ᄒᆞ물 치ᄉᆞᄒᆞ고 후디ᄒᆞ더라 잇ᄯᅥ 퇴원 귀현이 인육 먹

(쌍주52ㄱ:09) 는 도적을 잡아 양쥬로 보ᄂᆡ니 ᄌᆞ식 위염을 베풀고 졔 젹을

(쌍주52ㄴ:01) 잡아드려 염형문죄할ᄉᆡ 잇ᄯᅥ 구녀 여어 본즉 달은 스람

(쌍주52ㄴ:02) 아니라 곳 졔 지아비 고션의 무리라 듸경 왈 졔 이졔 쥭기의 니

(쌍주52ㄴ:03) 르니 반다시 닉 탓시라 아모리 쳔ᄒᆞᆫ 계집이나 지아비을 간ᄒᆞ

(쌍주52ㄴ:04) 여 기과쳔션치 못ᄒᆞ고 다만 불ᄒᆡᆼᄒᆞ물 한ᄒᆞ여 두 ᄆᆞ음을

(쌍주52ㄴ:05) 먹어 졔 손으로 졔 지아비 쥭이고 비록 ᄉᆞ라 잇스나 엇지 ᄒᆞ

(쌍주52ㄴ:06) 날이 무심ᄒᆞ리오 후원 연못싀 밧져 쥭은 이만 갓지 못ᄒᆞ

(쌍주52ㄴ:07) 다 ᄒᆞ고 못 가의 가 몸을 쇼쇼와 못싀 밧지니 잇ᄯᅥ 츈셤이 구녀

(쌍주52ㄴ:08) 업슴을 보고 ᄎᆞᆺ 가다가 멸니셔 구녀 물의 밧지물 보고 급

(쌍주52ㄴ:09) 피 ᄌᆞᄉᆞ긔 고ᄒᆞ니 ᄌᆞ식 ᄯᅩᄒᆞᆫ 듸경ᄒᆞ여 아녀을 명ᄒᆞ여 건지니
            물을

(쌍주53ㄱ:01) 을 토ᄒᆞ고 회싱ᄒᆞ니 쇼졔 위로ᄒᆞ더니 ᄌᆞ식 좌기랄 파ᄒᆞ고 닉

(쌍주53ㄱ:02) 당의 드려와 구여의 익슈ᄒᆞᆫ 연고를 듯고 이튼날 도적을 다

(쌍주53ㄱ:03) 시 국문할ᄉᆡ 고션을 불너보니 나히 이십은 되고 스람이

(쌍주53ㄱ:04) 영민ᄒᆞᆫ지라 문왈 네 나히 어린 놈으로 무슨 싱업을 못하

(쌍주53ㄱ:05) 여 도적의 뉴에 드럿ᄂᆞ요 고션이 듸왈 소젹이 조상부모ᄒᆞ고

(쌍주53ㄱ:06) 유리거걸ᄒᆞᆸ다가 젹유의 잡피여 할 일 업셔 ᄒᆞᆫ가지로 단

(쌍주53ㄱ:07) 녀ᄂᆞ니다 ᄌᆞ식 왈 네 지어미 잇ᄂᆞ야 듸왈 년젼의 ᄒᆞ아 어덧삽

(쌍주53ㄱ:08) 더니 십여 일 젼의 도쥬ᄒᆞ엿삽ᄂᆞ니다 ᄌᆞ식 왈 닉 너랄 살

(쌍주53ㄱ:09) 일 거시니 네 능히 기과쳔션할다 고션이 복복ᄉᆞ죄ᄒᆞ니 ᄌᆞ식
            구녀

(쌍주53ㄴ:01) 불녀 고션을 권ᄒᆞ여 어진 듸 나아가계 ᄒᆞ라 구여 무슈이 샤례ᄒᆞ

(쌍주53ㄴ:02) 눈지라 ᄌᆞ식 졔 젹죄 거 경즁듸로 쳐치ᄒᆞ고 구녀의 부부랄 불

(쌍주53ㄴ:03) 너 스환ᄒ계 ᄒ니 쇼제 ᄯᅩᄒᆫ 깃거ᄒ니라 츠셜 장삼이 남긔 달

(쌍주53ㄴ:04) 이여 도젹들이 쇼져 노쥬랄 잡어가물 보고 통곡ᄒ더니 힝

(쌍주53ㄴ:05) 긱이 글너 노흐믈 입어 살어나믹 쇼져의 종젹을 츠즈되

(쌍주53ㄴ:06) 알 길이 업ᄂᆫ지라 할 일 업셔 양쥬로 가 이 변괴랄 고ᄒ고 도

(쌍주53ㄴ:07) 젹을 긔포ᄒ여 쇼져을 츠지미 올타 ᄒ고 여러 날 만의 양

(쌍주53ㄴ:08) 쥬의 득달ᄒ여 통ᄒ니 ᄌ식 장삼이 싱환ᄒ물 듯고 딕

(쌍주53ㄴ:09) 희ᄒ야 즉시 불너 드리니 장삼이 드러와 쇼져을 보고

(쌍주54ㄱ:01) 츠경 츠희ᄒᄂᆫ지라 쇼제 그 싱환흔 곡졀을 무런 후

(쌍주54ㄱ:02) 존고 상봉ᄒ물 니르니 장삼이 희열ᄒ물 마지 아니ᄒ더

(쌍주54ㄱ:03) 라 일일은 경스의 소식을 드라니 원쉬 남문을 승젼ᄒ여 일혓
　　　　　　　　　　　　　 던 군

(쌍주54ㄱ:04) 현을 다 회복흔 쥬문 왓다 ᄒ거날 니부인이 환ᄒ며 ᄌ식 ᄯᅩ

(쌍주54ㄱ:05) 흔 칭찬ᄒ더라 츠셜 제왕이 무뢰빅랄 보닉여 왕쇼져을

(쌍주54ㄱ:06) 다여다가 후원 깁흔 별당의 드리고 희희낙락ᄒ여 드러

(쌍주54ㄱ:07) 가 쇼져랄 보니 향ᄌ 녀복으로 뉴부의 드러가 보던 왕쇼져 아

(쌍주54ㄱ:08) 니라 딕경 문왈 그딕ᄂᆫ 엇던 스람이요 월향이 도젹의 잡피여

(쌍주54ㄱ:09) 이곳의 니른 후 제왕을 보믹 분긔걱발ᄒ여 바로 칼을

(쌍주54ㄱ:10) 들어 두 죠각의 닉고져 ᄒ되 십분 상양ᄒ여 공경 딕왈

(쌍주54ㄴ:01) 나ᄂᆫ 왕부인 시비 월향이라 우리 부인이 비록 녀즈시나

(쌍주54ㄴ:02) 볌스 헤아리시미 귀신 갓ᄐ신지라 환진 친히 와 노복들

(쌍주54ㄴ:03) 슐 먹이물 보시고 그 방의 변이 이슬 줄 짐작ᄒ시고 날

(쌍주54ㄴ:04) 노 딕신ᄒ여 두시고 쇼져ᄂᆫ 몸을 피ᄒ여 겨신지라 그러나 딕

(쌍주54ㄴ:05) 왕은 당당흔 만승천ᄌ의 금지옥엽이오 천승군왕이라

(쌍주54ㄴ:06) 엇지 츠마 이 갓튼 불인불의흔 힝스랄 ᄒ시ᄂᆫ요 녀염

(쌍주54ㄴ:07) 범상흔 녀ᄌ라도 그러치 못ᄒ겨든 군부의 명을 쥬작하

(쌍주54ㄴ:08) 여 불측지심을 닉여 감히 공부경상가 부녀 부인을 빅쥬

(쌍주54ㄴ:09) 도적고져 ᄒ니 엇지 볍이 업스리오 죄ᄂ 스졍이 업ᄂ니 옛 졔

(쌍주55ㄱ:01) 진나라 샹앙은 팀죄 법의 범ᄒᄆ 그 스승을 형벌ᄒᆞ엿ᄂ니 뒤

(쌍주55ㄱ:02) 왕은 엇지 몸을 보젼ᄒ리오 언필에 옥경이 강긔ᄒ여 기운이 추

(쌍주55ㄱ:03) 상 갓튼지라 왕이 일변 왕쇼져 일흠을 분ᄒᄒ고 일변 월향

(쌍주55ㄱ:04) 의 ᄭ지즈믈 틱로ᄒ여 궁노을 명ᄒ여 월향을 잡아니여 죽

(쌍주55ㄱ:05) 이고져 ᄒ되 월향이 죠곰도 겁지 아니ᄒ고 왈 나ᄂ 쥬인을 위ᄒ

(쌍주55ㄱ:06) 여 죽으려 ᄒ나니 ᄲᆞ리 죽이쇼셔 왕이 월향의 ᄭᅩᆺ 갓튼 얼

(쌍주55ㄱ:07) 굴과 눈 갓튼 긔부랄 보니 ᄯᅩᄒ 졀틱가인이라 탐식ᄒᄂ 졔

(쌍주55ㄱ:08) 왕이 엇지 ᄆᆞᆷ이 동치 아니리오 분이 즈연이 풀이고 욕해
        틱발

(쌍주55ㄱ:09) ᄒ여 그 말을 들은 즉 즈연 붓그러온지라 민 것슬 그르고 쳥샹

(쌍주55ㄴ:01) 의 올으라 ᄒ니 월향이 틱로 왈 죽이려 ᄒ거든 죽일 거시

(쌍주55ㄴ:02) 여날 무삼 일노 오르라 ᄒᄂ요 왕이 쇼 왈 너 능히 주인을 위ᄒ

(쌍주55ㄴ:03) 여 긔신의 츙셩을 효측고져 ᄒ니 니 평일 항우의 긔신 죽이

(쌍주55ㄴ:04) 믈 흔탄ᄒ던 비라 네 임의 왕쇼져랄 틱신ᄒ여 니게 왓시니 니

(쌍주55ㄴ:05) ᄯᅩᄒ 너랄 왕쇼져 틱신으로 빅년동낙ᄒ여 너의 아람다온 츙셩

(쌍주55ㄴ:06) 을 빗니리라 월향이 분긔틱발ᄒ여 녀셩 왈 니 비록 쳔ᄒ 녀

(쌍주55ㄴ:07) 즈ᄂ 엇지 왕 갓탄 무도불의지인의게 허신ᄒ여 누명을 드리리

(쌍주55ㄴ:08) 오 왕이 날을 죽이지 아니ᄒ고 이갓치 곤욕ᄒ시니 니 당당이

(쌍주55ㄴ:09) 틱왕의 안젼의셔 죽어 욕을 보지 아니리라 ᄒ고 품으로 칼

(쌍주56ㄱ:01) 을 니여 즈문코즈 ᄒ니 왕이 틱경ᄒ야 칼을 앗고 싱각ᄒ되 추

(쌍주56ㄱ:02) 네 강열ᄒ니 만일 억탁으로 졔어ᄒ면 필연 죽기랄 즁히 아니 너

(쌍주56ㄱ:03) 기리라 ᄒ고 시로랄 명ᄒ여 별당의 두고 유랑 졍파을 불너 월향

(쌍주56ㄱ:04) 을 만단기유ᄒ여 순죵케 ᄒ라 흐틱 유랑 졍픠 무슈흔 감연니셜

(쌍주56ㄱ:05) 노 달니되 죵불쳥시러라 일일은 졍파 등 잠든 스니예 도망ᄒ여

(쌍주56ㄱ:06) 젼후 스단과 졔왕의 불의 픠힝을 갓초와 원졍을 지어 가

(쌍주56ㄱ:07) 지고 어ᄉ 부즁의 드러가 밧치니 어ᄉ 남필의 셔로 도라보

(쌍주56ㄱ:08) 아 묵묵ᄒ더니 좌어ᄉ 유셰걸은 유승상의 장ᄌ라 모던 어ᄉ두

(쌍주56ㄱ:09) 려 왈 왕부인은 곳 소졔의 표미라 이 욕을 당ᄒ엿도다 졔

(쌍주56ㄴ:01) 왕이 아모리 왕ᄌ나 여ᄎ지ᄉ를 힝ᄒ니 그져 두지 못할지라

(쌍주56ㄴ:02) 황상긔 쥬달ᄒ미 맛당ᄒ다 ᄒ니 모든 어ᄉ 응낙ᄒ니라 유어

(쌍주56ㄴ:03) ᄉ 부즁의 도라와 승상긔 고ᄒ니 승상이 딕경ᄒ고 그져 잇지 못

(쌍주56ㄴ:04) 할지라 ᄒ고 명일 됴회의 모든 어ᄉ 이 ᄯᅳᆺ즐 가쵸 쥬달흔딕

(쌍주56ㄴ:05) 쳔ᄌ 그 원졍을 보시고 분긔 용안의 가득ᄒ샤 왈 경 등을

(쌍주56ㄴ:06) 볼 낫치 업고 후일 쳔흥을 엇지 보리오 즉시 어ᄉ 부즁의

(쌍주56ㄴ:07) 하됴ᄒᄉ 졔왕을 가두고 셔원 두 부즁의 갓던 환ᄌ와 궁

(쌍주56ㄴ:08) 노 등을 극변 원찬ᄒ시고 졔왕 작을 삭탈ᄒ신딕 유승상

(쌍주56ㄴ:09) 이 쥬왈 졔왕의 죄ᄂ 젹지 아니ᄒ오나 금부의 취리ᄒ

(쌍주57ㄱ:01) 오미 불가ᄒ온 줄노 알외딕 황상이 졔왕의게 하됴ᄒ

(쌍주57ㄱ:02) ᄉ 딕즐ᄒ시고 졔궁의 가도아샤 명젼의ᄂ 츌입 못ᄒ시게

(쌍주57ㄱ:03) ᄒ고 지비랄 엄칙ᄒ시고 월향은 후히 상ᄉᄒ시니라 ᄎ셜

(쌍주57ㄱ:04) 쳔ᄌ 셔원슈를 남만의 보ᄂ시고 쥬야 우려ᄒ시더니 고을

(쌍주57ㄱ:05) 을 회복ᄒ고 군ᄉ랄 나아가ᄂ 표을 보시고 딕열ᄒ시나 심

(쌍주57ㄱ:06) 입불모함을 념여ᄒ시녀니 원슈 부ᄌ 상봉ᄒ고 남만을

(쌍주57ㄱ:07) 항복 밧고 회군코져 ᄒᄂ 표문을 보시고 딕희ᄒᄉ 만왕

(쌍주57ㄱ:08) 을 샤ᄒ시고 왕ᄌ로 왕을 봉ᄒ고 ᄉ속히 회군ᄒ라 ᄒ시

(쌍주57ㄱ:09) 니라 잇ᄯᅥ 장삼이 양쥬 잇다가 올나와 본부의 잇더니

(쌍주57ㄴ:01) 원슈의 셔간이 오거날 장삼이 ᄯᅩ 셔간을 가지고 양쥬로

(쌍주57ㄴ:02) 갈시 일변으로 장삼이 원슈의게 글을 올녀 쇼져의 환

(쌍주57ㄴ:03) ᄂ과 딕부인 만남과 월향의 원졍흔 일을 ᄌ셔이 다 고ᄒ

(쌍주57ㄴ:04) 고 양쥬의 니르려 원슈의 셔ᄅ을 올이고 승젼함과

(쌍주57ㄴ:05) 상셔 승봉ᄒᄆᆯ 고ᄒ니 일쟤 딕열ᄒ고 이부인과 소졔의 화

(쌍주57ㄴ:06) 열함은 칭양치 못할너라 소제 셔근을 보고 원슈의 회군이

(쌍주57ㄴ:07) 오리지 아닐지라 소제 모부인과 지양ᄒ더라 왕시낭이 즉

(쌍주57ㄴ:08) 시 올나와 예궐슈은ᄒ니라 지셜 셔원슈 샹표ᄒ고 조셔

(쌍주57ㄴ:09) 룰 기다리더니 ᄉ관이 조셔룰 밧드려 왓겨날 조셔의 왈 미

(쌍주58ㄱ:01) 지라 경외 츙호여 남만을 평정ᄒ여 님군의 군ᄉ을

(쌍주58ㄱ:02) 덜고 십여 년 ᄉ지의 드려던 아비날 구ᄒ야 부지 승봉

(쌍주58ㄱ:03) ᄒ니 신근의 쾌ᄉ로다 즁지라 경의 즁약이라 십칠세 쇼

(쌍주58ㄱ:04) 의 능히 즁승니 되어 강셩ᄒ 남만을 항복 바드니 경온 샤

(쌍주58ㄱ:05) 직지신니오 짐외 고굉이라 경 부난 졀ᄉ의 풍상을 고초감심

(쌍주58ㄱ:06) ᄒ여 십여 연을 지니다가 도라오니 쇼무외 휴일인이라 엇지 아

(쌍주58ㄱ:07) 람답지 아니리오 만왕의 죄ᄂ 샤치 못할 거시로ᄃ 기지 현   ᄒ

(쌍주58ㄱ:08) 다 ᄒ니 만왕을 삼고 기부ᄂ 죄날랄 샤ᄒ여 틱상왕을 삼고 무
룻 ᄃ

(쌍주58ㄱ:09) 소ᄉ를 경이 아라 ᄒ고 쥬문은 다시 말지어다 경 부로 위국

(쌍주58ㄴ:01) 공을 봉ᄒ고 경으로 츙을빅을 봉ᄒ여 우승상을 식이ᄂ니

(쌍주58ㄴ:02) 쌀이 회군ᄒ라 ᄒ엿더라 원쉬 견필의 상셔와 쳔은을 감츅

(쌍주58ㄴ:03) ᄒ고 가셔랄 보니 다만 장삼의 글월 ᄲᆞᆫ이라 원쉬 놀나 ᄶᅥ여
보니

(쌍주58ㄴ:04) 모친이 왕쇼쳐을 만나 양쥬로 가시며 그ᄉ이 쇼제 제왕의 변
당하

(쌍주58ㄴ:05) 물 알고 ᄎᆞ경 ᄎᆞ희ᄒ며 십여 년 일심의 밋쳣던 혼이 츈셜 갓

(쌍주58ㄴ:06) 치 ᄉ라지며 부운을 헤치고 청쳔의 오음 갓고 상셔 부지 깃붐을

(쌍주58ㄴ:07) 층양치 못할너라 원쉬 죠셔을 인ᄒ여 남만 왕으로 틱상왕

(쌍주58ㄴ:08) 을 봉ᄒ고 왕ᄌ로 남만왕을 삼으니 만왕 부지 환은을 감츅

(쌍주58ㄴ:09) ᄒ고 본국으로 도라가니라 위국공이 원슈다려 왈 너ᄂ 영군

(쌍주59ㄱ:01) ᄒ고 도라가기 더뒤리니 나ᄂ 면져 올나가 예궐 슉ᄉᄒ리라 ᄒ

(쌍주59ㄱ:02) 고 즉시 힝ᄒ여 경ᄉ의 니라니 만됴빅관이 나와 연졉ᄒ고 여러

(쌍주59ㄱ:03) 히 고초함과 원쉬 셩공ᄒ물 치ᄒᄒ더니 왕시랑이 더러와 뵈

(쌍주59ㄱ:04) 거날 유승상이 왈 이ᄂᆞᆫ 왕어ᄉ 아달 왕희평이니 형의 ᄌ부의
　　　　　　　형남

(쌍주59ㄱ:05) 이로소이다 셔공이 그ᄌ야 알고 거슈칭샤 왈 복어 션군ᄌ의 지

(쌍주59ㄱ:06) 기지우러니 기셰ᄒ신 후 ᄆᆡ양 비창ᄒ더니 의외예 군의 은혜

(쌍주59ㄱ:07) 로 돈아를 거두어 슉여로 허ᄒ여 빈필을 삼으니 부ᄌ 부쳐

(쌍주59ㄱ:08) 상봉ᄒᄆᆡ 다 군의 은혜라 엇지 갑기을 바라리오 시낭이 손ᄉ

(쌍주59ㄱ:09) ᄒ고 십여 연 만국의 싱환ᄒ물 불승환희ᄒ더라 위공이 예

(쌍주59ㄱ:10) 궐슉ᄉᄒ온ᄃᆡ 상 왈 경을 만방의 보닌 후 쥬야 염여ᄒ더

(쌍주59ㄴ:01) 니 텬흥의 튱효로 군신이 다시 보니 엇지 깃부지 아니리오

(쌍주59ㄴ:02) 위공 쥬왈 신이 무상ᄒ와 폐하의 우녀ᄒ시믈 씻치오니 죄

(쌍주59ㄴ:03) ᄉ무셕이어날 도로혀 벼살을 쥬오시니 더옥 황공ᄒ지라

(쌍주59ㄴ:04) 구지ᄉ면ᄒ되 하교 간졀ᄒ시니 위공이 고두슈명이 퇴ᄒ여 집

(쌍주59ㄴ:05) 집으로 도라와 닉당으로 드러오니 니부인이 공을 ᄃᆡᄒ여 무
　　　　　　　한흔

(쌍주59ㄴ:06) 눈물을 흘여 목이 몌어 말을 일우지 못ᄒᄂᆞᆫ지라 공이 츄

(쌍주59ㄴ:07) 연ᄒ여 위로 왈 금일 셔로 만나보고 ᄋᆞᄌ의 영귀ᄒᄆᆡ 극진ᄒ

(쌍주59ㄴ:08) 니 다시 여감이 업ᄂᆞᆫ지라 무익흔 지닌 비회랄 닉여 무엇하

(쌍주59ㄴ:09) 리잇가 왕쇼져 나아와 ᄉ비ᄒ니 공이 왈 ᄋᆞᄌ의 영귀함으로

(쌍주60ㄱ:01) 부ᄌ 부뷔 상봉ᄒᄆᆡ 다 현부의 후은이라 엇지 감은치 아이

(쌍주60ㄱ:02) 리오 쇼졔 손샤ᄒ여 불감함을 고ᄒ더라 ᄎᆞ셜 원쉬 양

(쌍주60ㄱ:03) 신쳥을 진즁의 다리고 힝군ᄒᄆᆡ 운남의 니르니 졀도식

(쌍주60ㄱ:04) 연졉ᄒ여 ᄃᆡ연을 빈셜ᄒ여 삼군을 호궤할시 원쉬

(쌍주60ㄱ:05) 평싱 한ᄒ던 말을 풀뫼 의기양양흔지라 권ᄒᄂᆞᆫ 슐을

(쌍주60ㄱ:06) 통음ᄒ고 장즁의 드러와 신쳥의게 몸을 의지ᄒ고 쵹을

(쌍주60ㄱ:07) 발혀 몽농혼 취안으로 신쳥의 쇄낙혼 용모랄 보니 진지

(쌍주60ㄱ:08) 짓 졀뒤가인이라 신쳥의 스미 잡고 소왈 너 갓튼 녀즈 잇

(쌍주60ㄱ:09) 시면 뉘 안이 혹ᄒ리오 ᄒ고 파을 어루만지다가 일졈 홍

(쌍주60ㄴ:01) 광이 비상의 찬연ᄒ지라 원쉬의 은은이 문왈 닉 너을 본 후

(쌍주60ㄴ:02) 로 심즁의 의혹 엇더니 네 비록 홍을 보니 졍영혼 여즈라 실

(쌍주60ㄴ:03) 진무은ᄒ라 신쳥이 참괴ᄒ물 참아 영용 류쳬 왈 죵젹

(쌍주60ㄴ:04) 을 발각ᄒ여 노야의 힐문ᄒ시물 당ᄒ오니 엇지 긔망ᄒ오

(쌍주60ㄴ:05) 릿가 쳡은 본뒤 남계현의셔 스난 양평의 여즈라 부모 무

(쌍주60ㄴ:06) 즈ᄒ여 다만 쳡ᄲᆫ이라 본읍 셔산의 잇난 오니광이라

(쌍주60ㄴ:07) ᄒ난 도젹이 동뉴랄 다리고 쳡의 모을 겁취ᄒ라 ᄒ고

(쌍주60ㄴ:08) 아비랄 쥭이오니 어미난 하일업셔 그 얍 강믈의 ᄲᆞ져

(쌍주60ㄴ:09) 쥭고 쳡은 긋ᄶᅥ 나히 육셰라 일가 집외 길너여 나히 졈

(쌍주61ㄱ:01) 졈 즈라믹 보슈ᄒ올 ᄆᆞᆷ이 간졀ᄒ여 남복을 ᄒ고 금술ᄒ는 스승

(쌍주61ㄱ:02) 을 만나 금술을 빅홉더니 스승이 쥭스오니 신체을 거두어 염

(쌍주61ㄱ:03) 토코져 ᄒᆞᆸ다가 원쉬의 퇴산 갓튼 은혜랄 입스와 장즁의 뫼

(쌍주61ㄱ:04) 시고 잇ᄉᆞᆸ더니 금일은 본형탈노ᄒ엿스오니 원쉬 노야는 부모

(쌍주61ㄱ:05) 의 원슈랄 갑하 쥬ᄋᆸ시고 긔망혼 죄랄 스하ᄋᆸ소셔 원쉬 왈

(쌍주61ㄱ:06) 닉 힘ᄶᅥ 보슈ᄒ여 쥬리니 염여 말나 ᄒ고 옥슈랄 다시 잡

(쌍주61ㄱ:07) 고 보니 쇼년 남즈 호탕혼 풍뉴지심을 억졔치 못할지

(쌍주61ㄱ:08) 라 부모 실니혼 ᄶᅵ의는 일편지심이 부모 상봉ᄒ기 젼은 왕

(쌍주61ㄱ:09) 쇼져 갓튼 졀염으로도 오히려 관스혼 낙을 모라더니 부모

(쌍주61ㄴ:01) 상봉ᄒ고 몸이 후빅의 거ᄒ믹 경국가인을 뒤ᄒ여 엇지

(쌍주61ㄴ:02) 츈흥을 금ᄒ리오 잇ᄶᅥ 밤이 깁헛는지라 쵹을 물이고 금

(쌍주61ㄴ:03) 침의 나아가이 원앙이 녹슈의 놀고 비취 연이지의 깃드림 갓

(쌍주61ㄴ:04) 더라 나리 ᄉᆡ믹 원쉬 쇼왈 됴운모우는 잇거이와 야즉 녀즈오 쥬

(쌍주61ㄴ:05) 즉 남주는 엇진 일고 신청이 또한 미쇼ᄒ더라 솔군ᄒ여 황

(쌍주61ㄴ:06) 셩의 니르니 쳔ᄌ 졔신을 거ᄂ리고 교외의 맛즐시 원슈 졔

(쌍주61ㄴ:07) 장을 거ᄂ리고 셔로 호만셰ᄒ오니 상니 삼연 만 이년 만의
          원슈

(쌍주61ㄴ:08) 를 보시니 풍치 더옥 늠늠ᄒ지라 용안이 희열ᄒᄉ 경이

(쌍주61ㄴ:09) 십칠셰 소년으로 삼군의 상장이 되야 강젹을 파ᄒ고 부지

(쌍주62ㄱ:01) 지 상봉ᄒ고 기가을 부르며 도라오니 엇지 아람답지 아

(쌍주62ㄱ:02) 니ᄒ리오 짐이 오날붓터 ᄉ희랄 근심치 아니ᄒ노라 원슈

(쌍주62ㄱ:03) 고두 ᄉ왈 신이 무삼 공이 잇ᄉ오리잇가 이난 폐하의 홍봉이

(쌍주62ㄱ:04) 오 졔장의 힘으로쇼이다 인ᄒ야 ᄉ은ᄒ고 위국공을 뫼

(쌍주62ㄱ:05) 시고 본부로 도라와 급피 ᄂ당의 드러가 부모임계 졀ᄒ고

(쌍주62ㄱ:06) 오열비읍ᄒ니 디부인이 원슈의 손을 줍고 눈물이 비

(쌍주62ㄱ:07) 갓ᄒ여 능히 말을 일위지 못ᄒ니 보는 지 비창치 아니

(쌍주62ㄱ:08) 리 업더라 디부인이 원슈의 등을 만져 왈 네 이갓치 장

(쌍주62ㄱ:09) 셩ᄒ엿시니 그간 나의 싱각ᄒ던 ᄆ음이 엇더ᄒ리오 왕부인

(쌍주62ㄴ:01) 은 례ᄒ고 부모 상봉함과 셩공ᄒ물 치위ᄒ니 원슈

(쌍주62ㄴ:02) 답읍ᄒ며 그간 환익 지ᄂ물 치위ᄒ고 외현의 나아가니 거민

(쌍주62ㄴ:03) 문의 가득ᄒ고 치ᄒ하는 빈긱이 부지기슈러라 이날 쳔ᄌ 직

(쌍주62ㄴ:04) 쳡을 나리와 니부인은 졍열부인을 봉ᄒ고 왕부인은 효

(쌍주62ㄴ:05) 열부인을 봉ᄒ시며 치단 금빅을 상ᄉᄒ시니 쳔은이 더옥

(쌍주62ㄴ:06) 감격ᄒ더라 일일은 승상이 왕시랑으로 더부러 술 취ᄒ고

(쌍주62ㄴ:07) ᄒ고 즐길시 양 신청의 일을 셜파ᄒ니 시랑이 디쇼 왈 구

(쌍주62ㄴ:08) 여는 미졔을 남ᄌ로 알고 쩌나 왓다가 실망ᄒ엿더니 일션

(쌍주62ㄴ:09) 은 신쳥을 남ᄌ로 알고 두엇다가 총희을 삼엇시니 너의 부

(쌍주63ㄱ:01) 부의계는 이상ᄒ 일이 만토다 ᄒ고 희롱ᄒ더라 잇쩌 상이 졔

(쌍주63ㄱ:02) 왕의 불초함을 근심ᄒ샤 위국공을 틱ᄌ 틱부을 삼으

(쌍주63ㄱ:03) 시고 졔왕을 교훈케 ᄒ신ᄃᆡ 위공이 슈명ᄒ고 졔왕궁의 드

(쌍주63ㄱ:04) 러가 셩현지도로 교훈ᄒᆞᆫᄃᆡ 졔왕이 기과쳔션ᄒᄆᆡ 젼후 무

(쌍주63ㄱ:05) 도 불의지ᄉᆞ랄 싱각ᄒ고 쥬야우탄ᄒ고 졍도랄 힝ᄒ고 위공

(쌍주63ㄱ:06) 의 은덕을 가히 알너라 셔시의 고션이 왕상셔의 ᄌᆡᄉᆡᆼ지은을

(쌍주63ㄱ:07) 입고 구여로 더부러 어진 ᄃᆡ 나아가니 왕부인이 기특이 넉여 ᄌᆡ

(쌍주63ㄱ:08) 물을 쥬어 졔 곳으로 보ᄂᆡ니 고션이 착ᄒᆞᆫ 사람이 되여 일읍

(쌍주63ㄱ:09) 의 유명ᄒᆞ니라 일일은 승상이 월향 츈셤을 불너 왈 너

(쌍주63ㄴ:01) 의 츙셩이 젹지 아니ᄒ니 너 소원ᄃᆡ로 말을 다ᄒ라 양인이

(쌍주63ㄴ:02) 참괴ᄒ여 답지 아니ᄒ거날 왕부인이 양녀의 심ᄂᆡ을 알 ᄲᆡᆫ

(쌍주63ㄴ:03) 더러 일시라도 상이치 못할지라 겻ᄒᆡ 잇다가 왈 초양여ᄂᆞᆫ

(쌍주63ㄴ:04) 희쳡을 졍ᄒ시면 희로올 ᄇᆡ 업ᄉᆞ오니 져의 비록 노쥬

(쌍주63ㄴ:05) 진간이나 졍의ᄂᆞᆫ 형졔 갓ᄉᆞ오니 상공은 물니치지 말으

(쌍주63ㄴ:06) 소셔 승상이 ᄃᆡ쇼 왈 이ᄂᆞᆫ 부인이 알어 ᄒᆞ소셔 ᄒᆞ니 부인이

(쌍주63ㄴ:07) 깃거ᄒᆞ더라 ᄎᆞ후로 각각 별당을 지어 쳐ᄒᆞ계 ᄒᆞ니 월츈

(쌍주63ㄴ:08) 양낭니 부인의 은덕을 감츅ᄒᆞ여 ᄒᆞ더라 승상이 남계현의

(쌍주63ㄴ:09) 관문을 보ᄂᆡ여 오니랑의 무리랄 잡어 올녀 국문ᄒᆞᆫ 즉

(쌍주64ㄱ:01) 기기직쵸ᄒᆞ니 이 ᄯᅩᄒᆞᆫ 하니랑 ᄃᆡ부인 겁탈ᄒᆞ야던 놈이라

(쌍주64ㄱ:02) 다시 취쵸할 것시 업셔 져죄의 쳐참ᄒᆞ니라 승상이 장

(쌍주64ㄱ:03) 삼불의 은공을 싱각ᄒ고 속양ᄒ고 수만금을 주니 장삼

(쌍주64ㄱ:04) 이 ᄯᅩᄒᆞᆫ 거부가 되니라 셰월이 여류ᄒᆞ여 위공이 팔십오

(쌍주64ㄱ:05) 셰의 기셰ᄒ고 ᄃᆡ부인은 팔십삼셰의 기셰ᄒᆞ니 승상

(쌍주64ㄱ:06) 이 삼상을 맛츤 후 상공으로 잇셔 삼묘랄 셤기ᄆᆡ

(쌍주64ㄱ:07) 치국안민ᄒᆞ며 니음양 슌ᄉᆞ시ᄒᆞ니 ᄉᆞ희 티평ᄒᆞ더라 왕

(쌍주64ㄱ:08) 시랑도 ᄯᅩᄒᆞᆫ 벼살이 니부상셔의 거ᄒᆞ여 국ᄉᆞ랄 승상

(쌍주64ㄴ:01) 계 상의ᄒᆞ니 됴졍이 쳥슉ᄒ고 만민이 안낙ᄒᆞ니라 셰월

(쌍주64ㄴ:02) 이 무졍ᄒᆞ여 승상 부뷔 나히 팔십이 남엇ᄂᆞᆫ지라 일일은

(쌍주64ㄴ:03) 승상이 일몽을 어드니 금관홍포 입은 션관이 나려와 읍

(쌍주64ㄴ:04) 왈 인간 팔십 년 영욕이 엇더ㅎ더요 옛날 일 싱각ㅎ

(쌍주64ㄴ:05) 야 즈웅쥬는 옥궤계 이는 보비라 그듸의게 빌니은 후인

(쌍주64ㄴ:06) 으로 쳔되 명명ㅎ여 일동일졍으로 하날이 다 살피심을

(쌍주64ㄴ:07) 알계 ㅎ고 그듸 양인의 일디 환장을 삼오미니 닉게 젼ㅎ

(쌍주64ㄴ:08) 라 ㅎ고 금낭의 든 구살을 닉여 가지고 가거날 승상과 부

(쌍주64ㄴ:09) 인이 경각ㅎ여 구살을 츠즈니 금낭쑨이라 승상 부뷔 세

(쌍주65ㄱ:01) 상 년분 진ㅎ 줄 알고 즈손을 불너 경계 왈 닉 세상의

(쌍주65ㄱ:02) 이슬 날니 오릭지 아니ㅎ니 여등은 권위와 부 셩ㅎ물

(쌍주65ㄱ:03) 즈궁 말고 조심익익ㅎ여 츙효 공겸을 힘쓰라 ㅎ고 기

(쌍주65ㄱ:04) 세ㅎ니 일가 발상 거익ㅎ고 쳔직 비감이 녁여샤 친림

(쌍주65ㄱ:05) 문조ㅎ시니라 왕부인은 삼즈일녀을 두고 삼낭의계

(쌍주65ㄱ:06) 각각 이남일녀랄 두어 션션ㅎ 즈손이 부풍모습ㅎ여

(쌍주65ㄱ:07) 일문지닉의 문장호걸이 디딕 연면 부졀ㅎ니라

(쌍주65ㄱ:08) 을유 구월 이십이일 시작단 문즁 등ㅎ의 등셔

(쌍주65ㄴ:01) ㅎ노라 오즈 낙셔 글싁

(쌍주65ㄴ:02) 이십육일 필셔ㅎ노라

(쌍주65ㄴ:03)

(쌍주65ㄴ:04)

(쌍주65ㄴ:05)

(쌍주65ㄴ:06)

(쌍주65ㄴ:07)

(쌍주65ㄴ:08)

(쌍주65ㄴ:09)